1.000 LUGARES PARA CONHECER ANTES DE MORRER

PATRICIA SCHULTZ

SEXTANTE

Título original: *1,000 Places to See Before You Die*

Publicado em acordo com a Workman Publishing Company, Inc.

tradução: Claudio Figueiredo e Pedro Jorgensen Junior
preparo de originais: Valéria Inez Prest
pesquisa Brasil: Marcelo Camacho
assistente editorial: Alice Dias
indexação: Nelly e André Telles
revisão: Luis Américo Costa, Sérgio Bellinello Soares e Tereza da Rocha

adaptação de projeto gráfico e capa: Marcia Raed
fotolitos: R R Donnelley
impressão e acabamento: Cromoset Gráfica e Editora Ltda.

CIP-BRASIL. CATALOGAÇÃO-NA-FONTE
SINDICATO NACIONAL DOS EDITORES DE LIVROS, RJ

S417m

Schultz, Patricia
1.000 lugares para conhecer antes de morrer / Patricia Schultz ; tradução Cláudio Figueiredo, Pedro Jorgensen Junior. – Rio de Janeiro : Sextante, 2006.
Tradução de: 1,000 places to see before you die
Apêndice
ISBN 85-7542-216-2

1. Viagens – Guias. I. Título.

CDD 910.202
06-0797. CDU 910.4(036)

GMT Editores Ltda.
Rua Voluntários da Pátria, 45 – Gr. 1.404 – Botafogo
22270-000 – Rio de Janeiro – RJ
Tel.: (21) 2286-9944 – Fax: (21) 2286-9244
E-mail: atendimento@esextante.com.br
www.sextante.com.br

12/06/2006
Presente de turismóloga para turismólogo.

A vida não é medida pelo número de vezes que respiramos, mas pelos lugares e momentos capazes de tirar nosso fôlego.

—ANÔNIMO

Meu anjo,
este livro representa a minha promessa de que ainda iremos a muitos lugares e viveremos muitos momentos "capazes de tirar nosso fôlego". Se conseguirmos ir a 5% destes lugares, estarei satisfeita! :)
Te amo!
Karla

DEDICATÓRIA

É fundamental escolher os pais certos.
Por seu amor, apoio e encorajamento incondicionais,
que me deram condições para fazer da minha vida
Uma Grande Aventura, a Leonard e em memória de Mary.

E à saudosa Sally Kovalchick,
por seu entusiasmo, sua integridade e competência no ramo
editorial, que ainda são muito sentidos na Workman Publishing.

NOTA DA EDIÇÃO BRASILEIRA

Obra de referência consagrada entre os guias de viagens, *1.000 lugares para conhecer antes de morrer* já foi editado em 18 idiomas desde o seu lançamento em 2003 nos Estados Unidos. Sua abrangência e a riqueza de informações que fornece sobre as atrações turísticas o tornam um título de sucesso singular, com mais de 2 milhões de exemplares vendidos em todo o mundo.

Para a Editora Sextante, publicar um livro como este é um prazer e uma conquista, especialmente pelo desafio de adequar o projeto o máximo possível aos interesses do leitor brasileiro. Diante desse fato e da abrangência do guia, nossos maiores esforços foram no sentido de facilitar a seleção dos destinos turísticos, o planejamento das viagens e o acesso aos dados de serviço no Brasil e no exterior.

Por esse motivo, em nossa adaptação da obra de Patricia Schultz suprimimos alguns lugares que atendem com mais propriedade aos objetivos dos leitores norte-americanos, para os quais o livro foi destinado em sua edição original. Em contrapartida, ampliamos o número de indicações das atrações turísticas no território nacional – nesse aspecto, lamentamos a impossibilidade de inserir todas aquelas que, por sua reconhecida importância, teriam agregado um valor inestimável a este projeto.

Mantivemos o critério estabelecido pela autora para as divisões e subdivisões das regiões do globo, mas alteramos a seqüência dos países em alguns continentes e, em certos casos, também a de estados e províncias, considerando sua proximidade geográfica e seu grau de interesse para o leitor. Por isso, nem todos eles são listados por ordem alfabética. Na "Introdução", encontram-se as informações gerais sobre a organização do guia e as formas de consultá-lo.

Em muitos casos, tivemos sucesso em indicar agências brasileiras que organizam passeios específicos no exterior em substituição às empresas internacionais relacionadas na edição original. Quando isso não foi possível, preservamos as referências sobre as que operam a partir dos Estados Unidos, do Canadá ou da Grã-Bretanha, com o objetivo de fornecer pelo menos um ponto de partida para o planejamento das viagens, bem como os preços aproximados em dólar ou euro.

É importante ressaltar que, embora tenhamos nos empenhado em garantir o máximo de exatidão e atualidade das informações, elas estão sujeitas a mudanças repentinas ocasionadas por alterações nos mercados, na situação política e econômica dos países e nas condições climáticas, incluindo calamidades, como o furacão Katrina, que atingiu principalmente a cidade de Nova Orleans, nos Estados Unidos. Portanto, antes de viajar, o ideal é telefonar ou acessar os sites para confirmar os dados. Os editores e a autora não podem ser responsabilizados por situações adversas que resultem de mudanças nas indicações presentes neste guia.

Como temos todo o interesse em aprimorar este livro, criamos um e-mail exclusivo para receber sugestões e críticas do leitor: 1000lugares@esextante.com.br. Será um prazer contar com a sua contribuição.

SUMÁRIO

BRASIL E AMÉRICA LATINA • 395

Do Corcovado e do Festival Folclórico de Parintins no Brasil às ruínas maias de Palenque no México, da Barreira de Corais de Belize às tanguerías de Buenos Aires na Argentina, dos caminhos do vinho no Chile a Machu Picchu no Peru, de Salto Angel na Venezuela à Antártida

CARIBE E BAHAMAS • 481

Do Cap Juluca em Anguilla ao Rodeio de Tubarões em Walker's Cay nas Bahamas, do Festival de Jazz de Cuba a passeios à vela nas Granadinas, da San Juan Antiga em Porto Rico ao Festival de Reggae da Jamaica

ÁFRICA · 513

Das grandes pirâmides de Gizé no Egito ao Masai Mara no Quênia, da costa do Esqueleto na Namíbia aos montes Drakensberg na África do Sul, da Cidade de Pedra de Zanzibar na Tanzânia ao delta do Okavango em Botsuana

ORIENTE MÉDIO · 557

Do mar Morto à Cidade Velha de Jerusalém, de Petra na Jordânia a Krak des Chevaliers na Síria, do Mercado do Ouro de Dubai à Velha Sanaa no Iêmen

ÁSIA · 575

Da Cidade Proibida de Pequim e dos Guerreiros de Terracota de Xi'an na China ao Festival de Neve de Sapporo no Japão, do Palácio de Mármore de Calcutá na Índia aos Dervixes Rodopiantes de Konya na Turquia, do delta do Mekong no Vietnã ao monte Everest no Nepal

AUSTRÁLIA, NOVA ZELÂNDIA E ILHAS DO PACÍFICO • 645

Da Opera House de Sidney e de Ayers Rock na Austrália à geleira Tasman na Nova Zelândia, do Festival Island Dance nas ilhas Cook ao rio Sepik em Papua Nova Guiné, do Festival Heilala em Tonga a Bora Bora na Polinésia Francesa

ÍNDICES • 683

INTRODUÇÃO

A história deste livro

É a necessidade ou um impulso natural o que faz com que uma pessoa bote o pé na estrada – que sussurra em seus ouvidos que é hora de levantar âncora e buscar novos horizontes apenas para descobrir o que existe lá do outro lado?

A vontade de viajar – de abrir nossa mente e ir além daquilo a que estamos habituados – é tão velha quanto a própria humanidade. Era isso o que levava os romanos da Antiguidade a visitar a Acrópole em Atenas e o anfiteatro de Verona. Foi isso o que fez com que Marco Polo embarcasse na crucial jornada rumo ao Oriente e o que motivou Santo Agostinho a escrever: "O mundo é um livro, e os que não viajam acabam lendo só uma página." Não importa se estamos partindo para umas férias em Londres ou para um lugar extremamente exótico: viajar nos transforma – às vezes de modo superficial, às vezes de maneira profunda. É como uma sala de aula sem paredes.

Não posso falar por ninguém, mas posso contar algo a respeito da minha própria mania de viajar. Há uma lenda familiar (jamais comprovada) de que temos um parentesco com Mark Twain, um dos principais escritores norte-americanos e também um dos grandes viajantes do seu tempo. Então, como explicar a reação da minha mãe quando eu vivi minha primeira Grande Aventura?

Foi no fim dos anos 1950. Atlantic City me parecia tão estranha e distante quanto Shangri-lá – só havia areia, o mar, os hotéis, a passarela feita de tábuas e o pressentimento de que existiam coisas mais grandiosas para além do estreito campo de visão oferecido pela toalha de praia da família. Escapuli na primeira oportunidade. Mas, depois do que me pareceram alguns poucos e preciosos minutos (na verdade, passaram-se várias horas) de incríveis descobertas, fui agarrada pela minha mãe – furiosa – e por vários salva-vidas, visivelmente aliviados, que me levaram de volta ao ninho. Essa é minha lembrança mais antiga: escutei o canto da sereia me chamando para o que estava mais adiante e respondi a ele. Havia sido fisgada. Eu tinha quatro anos.

Saltemos alguns anos para minha festa de formatura. Enquanto alguns colegas de faculdade seguiram direto dali para estágios em Wall Street, tomaram parte em programas internacionais promovidos por bancos ou assumiram compromissos ligados a negócios de família, eu corri para a fila do aeroporto, pronta para embarcar na minha própria grande viagem em meio às maravilhas da Itália e dos países vizinhos. Seria possível fazer da *dolce vita* um meio de vida? Fiquei espantada quando meus primeiros artigos foram publicados, mas compreendi: sim, isso era possível. Muitos guias e artigos mais tarde, um dia me vi cara a cara com o editor Peter Workman e seu braço-direito, a saudosa Sally Kovalchick, que me falaram do seu desejo de concentrar num único volume o que havia de mais fascinante e interessante neste mundo e também de sua convicção de que eu estava à altura da missão. Eu acabara de subir a bordo.

Mas, quando chegou a hora de realmente pôr a idéia em prática – escolher tanto as opções familiares quanto as pouco conhecidas no manancial inesgotável que o planeta oferece –, percebi que tinha pela frente uma batalha, às voltas com questões de filosofia e metodologia e com todas as perguntas que qualquer pessoa que folheie este livro certamente fará. Como cheguei a essa relação em particular de lugares e eventos? Quais foram meus critérios? Como explicar a enorme amplitude das indicações, que incluem desde atrações em países distantes cujos charme e mistério são inegáveis até outras mais conhecidas e aparentemente banais? A inclusão do Taj Mahal e da Capela Sistina fazem sentido, porém por que dar a alguns pequenos restaurantes do Caribe quase o mesmo peso do lendário Taillevent? Estou de fato querendo dizer que uma pousada simples na região vinícola da Toscana é tão importante quanto o célebre Oriental Hotel de Bangcoc, que tinha Somerset Maugham e James Michener entre seus habitués? O clima de mistério de um canto distante do mundo como Timbuktu pode competir com a mágica de Tikal? O Pequeno Príncipe, de Saint-Exupéry, teve mais sorte quando perguntou ao geógrafo – "Que lugar você me aconselha a visitar agora?" – e aquele lhe respondeu – "O planeta Terra. Falam bem dele".

No fim das contas, o denominador comum que escolhi era simples: cada lugar deveria transmitir ao visitante – e, espero, também ao leitor – algo da magia, da integridade, da beleza e do passado do planeta. Esse foi o critério que procurei seguir em todos os continentes, da atração mais conhecida e previsível até aquela pequena e discreta; de destinos que têm algo de espiritual, como Bagan, em Mianmar, até outros mais voltados para o aspecto material, como as ruas de compras de Hanói; de belezas naturais, como o Grand Canyon, até aquelas feitas pela mão do homem, como Petra, a fascinante "cidade perdida" na Jordânia. Todos esses são lugares que proporcionam experiências inesquecíveis. Para elaborar minha lista, baseei-me nas décadas de viagens que, de modo compulsivo, se seguiram à revelação que tive nas areias de Atlantic City. Eu me debrucei sobre centenas de livros de viagens e revistas sofisticadas e também contatei dezenas de escritórios de turismo e agências de relações públicas que são de uma fidelidade inabalável aos seus clientes. Então fui à luta para, de modo independente, apresentar minha própria visão desses destinos. Infernizei a paciência dos meus colegas de profissão e de amigos que gostam de viajar e submeti a interrogatórios qualquer um que fosse visto saltando de um ônibus, trem ou avião exibindo um sorriso no rosto. Num sem-número de jantares e festas, ouvi histórias enquanto estranhos rabiscavam em guardanapos os nomes de lugares que, segundo eles, seriam mágicos. Alguns deles também me obrigavam a jurar segredo antes de sussurrarem no meu ouvido o nome de suas atrações preferidas.

Nos sete anos de que precisei para apurar os dados e escrever esta obra, mais de uma vez fui obrigada a não me esquecer de que viajar é sempre algo pessoal e de que duas pessoas jamais saem da mesma experiência levando as mesmas memórias. No balanço final, o que fica claro é o fato inegável de que cada um dos lugares apresentados aqui é ou foi capaz de verdadeiramente servir de inspiração – no passado e na época moderna, às vezes em ambos – tanto para o simples turista curioso quanto para poetas, aventureiros, pintores, peregrinos, estudiosos e escritores de guias de viagens.

"Viajar", escreveu meu possível antepassado Mark Twain no livro *The Innocents Abroad* (Os inocentes no exterior), "é fatal para preconceitos, para o fanatismo e para as mentes estreitas."

As viagens desfazem muitas das nossas más impressões, confirmam as positivas e prometem numerosas surpresas. Abrem nossos olhos para lugares exóticos, como Zanzibar, Katmandu, Machu Picchu e Lalibela – nomes com os quais nos familiarizamos através de filmes, livros e histórias, mas cuja realidade só pode ser plenamente compreendida ao vivo. Conhecer pessoalmente esses locais é compreender por que os mais consagrados clichês em termos de experiências de viagens – como andar de gôndola em Veneza, ir a um banho turco em Istambul ou presenciar a contagem do Ano-Novo na Times Square – são eternamente populares. Viajar torna nossa mente mais curiosa, nosso coração mais forte e nosso espírito mais alegre. E, uma vez que nossa mente tenha se expandido dessa maneira, jamais poderá voltar ao seu tamanho original.

O mundo é hoje um lugar menor do que costumava ser há apenas 20 anos, e, mesmo que o conceito romântico de Última Thule – que o dicionário *Webster* define como "qualquer região remota e desconhecida" – ainda possa ser encontrado nas paisagens exóticas da Namíbia, no Butão, em pleno Himalaia, e nos imemoriais jogos eqüestres de Ulan Bator, na Mongólia, a verdade é que esses lugares ficam a poucos dias de viagem, graças à monumental estrutura do turismo internacional. O que esse fato acarreta para nosso sentido de aventura, para o impulso que nos leva a explorar aquilo que desconhecemos? Para mim, tudo é uma questão de ponto de vista: como o guia xerpa disse ao alpinista neozelandês Edmund Hillary nas encostas do monte Everest, algumas pessoas viajam para olhar, outras para ver. Motoristas compulsivos são capazes de acelerar pelas estradas sem registrar uma única coisa observada no caminho. Mas eu posso dar a volta no quarteirão onde moro, em Manhattan, e voltar para casa com uma caixa de leite e muitas histórias para contar. Enfim, o número de quilômetros que percorremos nada tem a ver com os verdadeiros prazeres proporcionados pela viagem; a beleza inerente ao mundo, assim como a sensação de descoberta que ela nos promete, está em toda parte à nossa volta.

Nestes tempos de incertezas globais, mesmo os mais intrépidos talvez sintam uma inclinação a se apegar mais ao seu lar e ao seu país ou a se contentar com as aventuras de poltrona, lendo sobre viagens alheias – e até isso pode ser algo recompensador.

Posso fechar os olhos e ouvir o som dos pássaros em Palenque e o drapejar das bandeiras cerimoniais do lado de fora de um mosteiro tibetano em Lhasa. Consigo sentir o aroma dos condimentos do mercado no bairro antigo de Fez e o do molho *pesto* nas ruelas de uma cidadezinha da Riviera italiana. Esse é o banquete de lembranças que carrego comigo aonde quer que eu vá, são as memórias que me sustentam até eu estar com uma nova passagem na mão – minha próxima Grande Aventura.

1.000 lugares para conhecer antes de morrer é minha lista pessoal das melhores viagens do mundo. Ainda que esse número a princípio tenha me assustado, acabei descobrindo que na verdade as possibilidades poderiam chegar a 1.000 vezes 1.000... Talvez eu as reserve para outro livro ou para outra vida. Nem todos os destinos são adequados a todas as pessoas, mas aposto que qualquer leitor encontrará nestas páginas opções suficientes para se manter ocupado pelas próximas décadas. Eu, que em matéria de viagem nunca fui uma esnobe, confesso que jamais entendi o charme de certas atrações consideradas imperdíveis (embora tenha ficado feliz em incluí-las). Por exemplo, não vejo muita graça em jogar golfe nos badalados campos da Escócia nem em praticar *bungee-jump* na Nova Zelândia, porém essas atividades podem constar da sua programação. Sei que determinados leitores vão estranhar o fato de eu ter listado lugares pouco convencionais, como Calcutá e Madagascar, opções de viagem que exigem certo esforço e que devem ser evitadas por algumas pessoas. Para mim, no entanto, esses locais são profundamente comoventes, como janelas abertas sobre uma experiência humana, passeios capazes de nos fazer refletir.

O número de hotéis que listei também merece uma explicação. Como uma especialista de longa data nesses estabelecimentos, passei a perceber que minha opinião sobre as cidades – tanto as grandes quanto as pequenas – era bastante influenciada pelo lugar onde deixava minha mala e desfazia a bagagem. Dá para imaginar visitar Londres e não tomar chá no Ritz? Ou, em Cingapura, não provar o drinque Singapore Sling onde ele foi criado, no célebre Raffles Hotel? A visão da pousada para safáris no Singita, na periferia do Parque Nacional Kruger, na África do Sul, não é tão inspiradora quanto a dos próprios animais selvagens? Existe algo mais incrível do que o Hotel de Gelo na Suécia, que se derrete a cada primavera?

Há, no entanto, lembranças inesquecíveis que fui incapaz de reconstituir para inserir neste livro, como o sábado em que meu motorista em Casablanca me levou para almoçar na casa da sua mãe depois que lhe perguntei onde se comia o melhor cuscuz na cidade e a ocasião em que me transformei em convidada de honra durante os quatro dias da festa de casamento de um desconhecido no Cairo. Foi a partir de experiências como essas que acabei aprendendo que a carne de camelo não é nada má e que os acasos felizes podem suplantar as dicas do melhor guia de turismo.

Qualquer viagem está sujeita a provocar frustrações – as expectativas são sempre grandes e tudo pode dar errado. Quanto a isso, aí vai uma sugestão para novatos e veteranos do ramo: mais importante do que encher a mala de dinheiro é levar na bagagem muita curiosidade e paciência. Dê a si mesmo o direito – na verdade, estimule a possibilidade – de enveredar por desvios inesperados e até de se perder. Não existem viagens ruins, só boas histórias para serem contadas na volta. Viaje sempre com um sorriso e lembre-se de que, quando está visitando outro país, é você que tem hábitos exóticos. Confiar na gentileza de estranhos não é ingenuidade – aonde quer que você vá, sempre haverá pessoas boas. E, finalmente, quanto mais tempo você dedicar a entender os outros, mais compreenderá a si próprio. A viagem para o exterior reflete outra jornada: para o interior de nós mesmos – o mais desconhecido, estranho e menos explorado de todos os territórios, a derradeira *terra incognita*. Como disse Mark Twain: "Daqui a 20 anos você tenderá a ficar mais decepcionado com as coisas que deixou de fazer do que com as coisas que fez. Portanto, lance fora as amarras. Navegue para longe do porto seguro. Deixe que o vento sopre suas velas. Explore. Sonhe. Descubra."

Como este livro está organizado

Neste guia, o mundo está dividido em oito regiões, que por sua vez estão subdivididas geograficamente:

- **Europa**: Reino Unido da Grã-Bretanha e Irlanda, Europa Ocidental, Escandinávia, Leste Europeu
- **Estados Unidos e Canadá**: subdivididos por estados e províncias
- **Brasil e América Latina**: América do Sul e Antártida, México e América Central
- **Ilhas do Caribe e Bahamas**
- **África**: Norte da África, Leste e Sul da África
- **Oriente Médio**
- **Ásia**: Leste da Ásia, Ásia Meridional e Central, Sudeste Asiático
- **Austrália, Nova Zelândia e Ilhas do Pacífico**

Em cada um desses blocos, os itens (textos relativos às atrações) estão agrupados por países (veja o sumário para uma consulta rápida) e, dentro de cada país, eles estão organizados por região ou cidade. No final do livro há índices temáticos que permitem encontrar uma informação pelo tipo de experiência – por exemplo, Praias Espetaculares e Ilhas Paradisíacas –, seguidos de um índice geral.

Após cada texto são relacionados dados de ordem prática que o ajudarão a planejar sua viagem. Mas lembre-se: como informações relativas a viagens sempre estão sujeitas a alterações, o ideal é que você as confirme por telefone, fax ou e-mail antes de partir. Mesmo os números de contato apresentados aqui podem desaparecer, mudar ou ser acoplados a outros. Tudo faz parte da aventura de viajar.

Como as listas estão organizadas

A seguir, um resumo de tudo o que você vai encontrar no fim de cada texto.

O QUE

- **Cidade**: inclui tanto as pequenas quanto as grandes cidades.
- **Ilha**: usado para os lugares que se enquadram nessa categoria, exceto aqueles que apresentam um caráter de fato metropolitano, como Manhattan, Hong Kong, Cingapura e Grã-Bretanha.
- **Hotel**: da pequena pousada mais aconchegante do mundo até o maior resort de Las Vegas, passando por um

acampamento de safári no Masai Mara.

• **Restaurante**: engloba desde estabelecimentos que oferecem a cozinha mais sofisticada até aqueles de culinária mais caseira, além de bares, festivais de comida e todas as atrações de natureza gastronômica.

• **Lugar**: qualquer local que não seja uma cidade, ilha, hotel ou restaurante – como um templo, um museu, um sítio arqueológico, assim como atrações mais extensas, como o centro histórico de uma cidade, uma região vinícola ou um parque nacional.

• **Experiência**: essa categoria inclui estações de esqui e campos de golfe, caminhadas por roteiros históricos, trilhas em montanhas, além de outros passeios e atividades.

• **Evento**: abrange eventos programados e realizados em bases regulares, como festivais de teatro, cinema e música, o Mercado de Domingo em Kashgar, a Feira de Camelos de Pushkar e outras atrações do gênero.

ONDE

Esse tópico apresenta distâncias de grandes cidades ou pontos de referência, endereços e localizações de ordem mais geral e todas as informações relativas às formas de contato apuradas – telefone, fax, e-mail e sites da internet.

Observações sobre os números de telefone: cada um dos números de telefone neste livro – à exceção dos que são referentes às atrações no território brasileiro – está listado com o código do próprio país. Basta discar o código de acesso internacional (00) seguido do prefixo da operadora e depois o número listado. Informações sobre como ligar do Brasil para o exterior e do exterior para o Brasil, bem como listas com os códigos telefônicos de todos os países, estão disponíveis nos sites das operadoras de telefonia.

Em muitos lugares é preciso acrescentar um 0 antes do número local ao telefonar de dentro do próprio país.

COMO

Fornece informações sobre agências e profissionais que organizam viagens, caminhadas, safáris e outros pacotes específicos para determinados destinos turísticos. Sempre que possível, operadoras internacionais foram substituídas por agências brasileiras.

ONDE FICAR

Ainda que os estabelecimentos – hotéis, pousadas e hospedarias – listados nesse tópico não sejam citados diretamente no texto relativo à atração, eles são boas opções de hospedagem: situam-se perto do lugar em questão e têm qualidade no mínimo aceitável.

QUANTO

Nos casos em que as operadoras de turismo internacionais foram substituídas por agências brasileiras, os preços de viagens e passeios no exterior estão em real, dólar ou euro, de acordo com o que elas estabelecem individualmente, e são referentes a 2005/2006. Todos os preços das atrações no território nacional, por sua vez, estão em real e correspondem a esse mesmo período. Sempre que foram mantidas as indicações da edição norte-americana quanto ao custo das atrações no exterior e os valores cobrados pelas empresas de turismo dos Estados Unidos, do Canadá e da Grã-Bretanha, os preços estão em dólar ou euro e refletem o que foi apurado por ocasião do lançamento do livro nos Estados Unidos.

Os preços dos hotéis, restaurantes, atrações e excursões fornecidos neste guia seguem os seguintes parâmetros:

• HOTÉIS: os preços são dados para quartos duplos, a menos que se especifique o contrário. Quando necessário, são indicados os preços de diárias para a baixa e para a alta temporada, assim como quartos de categorias diferentes. Comodidades incluídas na diária também são mencionadas, mas não os cafés da manhã cobrados à parte. Tenha em mente, porém, que o preço-padrão fornecido aqui representa o que os hotéis fixam quando a procura está no auge. Esses estabelecimentos quase sempre se mostram flexíveis em relação aos preços, concedendo descontos para manter uma alta taxa de ocupação.

Na baixa temporada, alguns hotéis, sobretudo na Europa, oferecem taxas especiais exclusivamente para o quarto; na alta temporada, cobram taxas bem mais altas para o esquema de meia-pensão (incluindo café da manhã e jantar para dois). Nesses casos, os dois preços estão listados.

• VIAGENS/CAMINHADAS/EXCURSÕES: os preços são fornecidos geralmente no total, por pessoa, com observações sobre o que está incluído no preço (hospedagem, refeições, transporte, comodidades, etc.). Se uma empresa oferece várias opções quanto à duração da viagem (de cinco dias, uma semana, etc.), o custo é listado por pessoa, por dia – basta multiplicar isso pelo número de noites para calcular o custo aproximado de toda a viagem. Observe que em geral as tarifas não incluem passagem aérea, a não ser que se especifique o contrário.

• RESTAURANTES: os preços são dados por pessoa e representam o total aproximado de uma refeição (jantar, a não ser que se especifique o contrário) sem vinho.

QUANDO

Para hotéis, lugares e restaurantes, o tópico "Quando" pode não aparecer nos casos em que o estabelecimento permanece aberto durante todo o ano. A maioria dos pequenos períodos em que o estabelecimento fica fechado (menos de um mês) não mereceu menção. No caso dos pacotes de viagens, "Quando" inclui os meses (e às vezes os dias da semana) em que os organizadores oferecem determinada viagem e as ocasiões em que um lugar específico está ou não acessível, dadas as condições climáticas, etc.

Faça contato com hotéis, restaurantes e atrações específicas se estiver viajando em época de férias e leve sempre em consideração os períodos de festas e grandes feriados locais e nacionais. O site www.feriados.net informa as datas de feriados em um grande número de países.

MELHOR ÉPOCA

Em muitos casos, estão relacionadas as melhores épocas para visitas, considerando o clima, as oportunidades para a prática de esportes e o lazer, períodos com maior número de turistas, festivais e outros eventos importantes. Quando não houver o tópico "Melhor época", é porque o lugar é maravilhoso durante todo o ano.

Segurança na viagem

Este livro apresenta sugestões de viagens levando em conta um mundo ideal, pacífico. No entanto, essa não é a realidade em que vivemos. Você estará em perfeita segurança ao visitar a maior parte dos lugares relacionados neste guia, mas alguns destinos podem representar certo risco, atualmente ou no futuro. Portanto, antes de planejar seu passeio para locais com os quais não está familiarizado, procure informar-se sobre eles. O site do Ministério das Relações Exteriores (www.mre.gov.br) apresenta uma página com orientações para quem pretende viajar ao exterior, um quadro geral de regimes de vistos de turismo, informações sobre obtenção de passaporte, além dos telefones dos plantões consulares dos postos no exterior. Para quem deseja alugar veículos durante a viagem, vale lembrar que alguns países exigem a carteira internacional de habilitação.

EUROPA

Reino Unido da Grã-Bretanha e Irlanda
Europa Ocidental
Escandinávia
Leste Europeu

ISLÂNDIA
Reykjavik
MAR GLACIAL ÁRTICO
Groenlândia
0 805 km
OCEANO ATLÂNTICO
MAR DA NORUEGA
PENÍNSULA DE KOLA
RÚSSIA
SUÉCIA
FINLÂNDIA
NORUEGA
Oslo
Estocolmo
Helsinki
ESTÔNIA
MAR DO NORTE
IRLANDA DO NORTE
ESCÓCIA
IRLANDA
Dublin
GRÃ-BRETANHA
PAÍS DE GALES
INGLATERRA
Londres
DINAMARCA
Copenhague
MAR BÁLTICO
LETÔNIA
LITUÂNIA
KALININGRADO
Moscou
Volga
HOLANDA
Amsterdã
Haia
Bruxelas
Berlim
Minsk
BELARIUS
Varsóvia
POLÔNIA
Kiev
UCRÂNIA
1 BÉLGICA
2 LUXEMBURGO
3 SUÍÇA
4 LIECHTENSTEIN
5 ESLOVÊNIA
6 CROÁCIA
7 BÓSNIA-HERZEGÓVINA
8 SÉRVIA E MONTENEGRO
9 MACEDÔNIA
Paris
ALEMANHA
Elba
Praga
REP. THECA
Danúbio
CÁRPATOS
ESLOVÁQUIA
Viena
Budapeste
Loire
FRANÇA
Berna
ÁUSTRIA
HUNGRIA
ROMÊNIA
Bucareste
Baía de Biscaia
ALPES
MOLDÁVIA
PORTUGAL
PIRENEUS
Mônaco
MAR NEGRO
Madri
Lisboa
N
O
L
S
Tejo
ANDORRA
Roma
BULGÁRIA
ESPANHA
ITÁLIA
GRÉCIA
Estreito de Gibraltar
MAR MEDITERRÂNEO
0 483 km
ALBÂNIA
Atenas
MALTA

REINO UNIDO DA GRÃ-BRETANHA E IRLANDA

Convidados de fim de semana da família Astor

CLIVEDEN

Taplow, Berkshire, Inglaterra

Tão surpreendentemente confortável quanto incrivelmente grandiosa, essa propriedade incorporada ao National Trust (fundação não-governamental que zela pelo patrimônio histórico na Grã-Bretanha) é o mais majestoso dos hotéis que têm sua origem em antigas casas de campo. Mesmo adjetivos como "espetacular" e "magnífico" parecem inadequados diante das dimensões dessa *villa* (casa) de estilo italiano, cuja aparência atual reflete em grande parte os gostos de três gerações da família Astor (precedidas por um príncipe de Gales, entre outros), que viveram ali até 1966. Nos anos 1960, Cliveden também foi palco do escândalo Profumo, que levou à queda do gabinete conservador em 1964. Um jantar no excelente restaurante Waldo's já seria motivo suficiente para ir de Londres até lá de carro; no entanto, pernoitando no hotel, você poderá usufruir do direito de se exercitar nos 152ha de aléias e trilhas de jogging da propriedade. Com vista para o Tâmisa, as janelas de 4,5m de altura deixam ver os antigos barcos do hotel, inclusive a silenciosa canoa motorizada de Nancy Astor. Pilotados por barqueiros uniformizados, eles estão disponíveis para passeios com champanhe antes do jantar e para piqueniques com grandes cestas de comida fornecidas pelo hotel. Aproveite ao máximo os jardins elegantes, as salas com lareiras, os funcionários de casaca, as salas de jantar com candelabros e a palpável sensação de privilégio. Mas o que você mais vai apreciar é o tratamento real estendido até mesmo aos hóspedes sem títulos de nobreza.

O QUE: hotel, restaurante. **ONDE:** 16km a noroeste de Windsor. Tel. (44) 1628-668-561; fax (44) 1628-661-837; reservations@clivedenhouse.co.uk; www.clivedenhouse.co.uk. **QUANTO:** duplos a partir de U$320. Jantar no Waldo's, preço fixo U$75. **QUANDO:** apenas jantar, diariamente.

A mais visitada atração histórica da Inglaterra

CASTELO DE WINDSOR

Windsor, Berkshire, Inglaterra

Ocupando um lugar de honra na identidade nacional britânica, Windsor é o maior e mais antigo castelo da Grã-Bretanha e, com seus 1.000 aposentos, o maior castelo habitado do mundo. A rainha atual, Elizabeth II, passou grande parte da infância nessa residência, por isso seus súditos compreenderam sua dor quando um incêndio devastador destruiu parcialmente 100 cômodos da propriedade em

A vista do Castelo de Windsor a partir da aléia central.

1992. A um custo de U$53.000.000, a restauração, concluída em 1997, empregou um exército de artesãos que se valeu das mesmas técnicas utilizadas quando o castelo começou a ser construído por Guilherme, o Conquistador há 900 anos. Desde então ele foi habitado por oito dinastias sucessivas. Em 1916, o rei Jorge V assumiu o nome do local – em parte para dissociar a família real de suas origens germânicas. Destaques numa visita ao Castelo de Windsor incluem a troca da guarda, que ocorre mesmo na ausência da rainha (ainda que com menos pompa); a casa de bonecas da rainha Mary, um refinado presente em miniatura projetado pelo arquiteto sir Edwin Lutyens; e a Capela St. George, jóia arquitetônica do século XVI, que divide com a Abadia de Westminster a honra de servir de panteão a muitos monarcas ingleses. A sepultura simples no centro abriga a câmara mortuária de Henrique VIII e de sua terceira mulher, Jane Seymour.

O QUE: lugar. **ONDE:** 34km a oeste de Londres. Tel. (44) 1753-869-898; fax (44) 17 53-832-290; windsorcastle@royalcollection.org.uk; www.royalresidences.com. **QUANTO:** ingresso (ao castelo, à casa de bonecas e à capela) U$17. **QUANDO:** diariamente, ainda que com restrição de horário e de salas em Abr., Jun., Dez. e em ocasiões de eventos oficiais.

A mais famosa e influente colônia de artistas da Grã-Bretanha

ST. IVES

Cornualha, Inglaterra

Com 520km de litoral espetacularmente recortado (mais de 160 deles sob proteção oficial, como a paisagem escarpada da chamada Coastal Path, considerada imperdível por adeptos do trekking do mundo inteiro), a Cornualha também exibe povoados pacatos e promontórios inabitados. St. Ives é o mais conhecido dos vilarejos de pescadores da região, um amontoado cubista formado por chalés brancos bem conservados que parecem cair uns por cima dos outros. A qualidade quase mediterrânea da sua luz atraiu os artistas. As galerias e oficinas de artesãos de hoje prolongam seu papel como a mais badalada colônia de artistas da Grã-Bretanha, que também tem ares de resort. A Tate Gallery, bastião da arte britânica, abriu ali uma filial em 1993 numa elegante rotunda acima do mar com vistas deslumbrantes a partir do restaurante instalado no terraço. Ela abriga obras de artistas da escola de St. Ives, principalmente do período 1925-1975, pinçadas da riquíssima coleção da Tate de Londres. A instituição também administra o pequeno porém especial Museu Barbara Hepworth e o Jardim de Esculturas, estúdio e lar da principal artista local que, com seu marido Ben Nicholson, ajudou a firmar essa cidade portuária como um posto avançado dos artistas abstratos e de vanguarda dos anos 1930. Esse é também um lugar associado a um antigo mito: segundo a lenda, o rei Artur nasceu e manteve sua corte no Castelo de Tintagel, nas proximidades. Suas ruínas coroam a costa norte da Cornualha, com a caverna de Merlin aos pés dos penhascos rochosos lá embaixo.

O QUE: cidade, lugar. **ST. IVES:** 515km a sudoeste de Londres, 34km a nordeste de Land's End. **TATE GALLERY:** Porthmeor Beach. Tel. (44) 1736-796-226; www.tate.org.uk. *Quanto:* ingresso U$6. *Quando:* diariamente, Mar.–Out.; fecha às Seg., Nov.–Fev.

Uma das encantadoras enseadas da Cornualha.

Único na sua extravagância, um palácio dedicado à diversão

ROYAL PAVILION

Brighton, East Sussex, Inglaterra

A maior estrela de Brighton, que se auto-intula "Londres à beira-mar", é o Royal Pavilion. Hoje restaurado, esse palácio pseudo-oriental dedicado à diversão foi construído no fim do século XVIII pelo príncipe regente, mais tarde rei Jorge IV. Ele emprestou seu nome a uma era conhecida como regência, e seu palácio demonstra de forma flagrante os excessos e as extravagâncias da época em que Brighton se tornou o mais célebre resort costeiro da Grã-Bretanha e também um dos primeiros do gênero na Europa. Sua fantasiosa estrutura com minaretes e domos em forma de cebola combina com o interior, que exibe uma das decorações mais extraordinárias da Europa. A rainha Vitória e o rei Alberto visitaram-no algumas vezes, mas a monarca não se empolgou com o clima hedonista da cidade e optou por fazer as malas. No início do século XX, Brighton estava se tornando fora de moda e logo ficou conhecida por seu ar de decadência. Mesmo assim, foi adotada pelos que buscavam o clima romântico e melancólico das cidades do litoral fora da temporada. Esse lugar é amado por sua brisa envolvente, por sua arquitetura, pela antiga preferência da família real e pelo prazer de comer peixe com fritas enquanto se caminha por quase 5km de entretenimentos alinhados ao longo do píer. E sua volta à moda está em pleno curso. Cafés, lojas de antiguidades e galerias marcam a área atualmente em alta conhecida como The Lanes, formada por ruelas apertadas. Vale a pena descobrir o caminho que leva ao En-

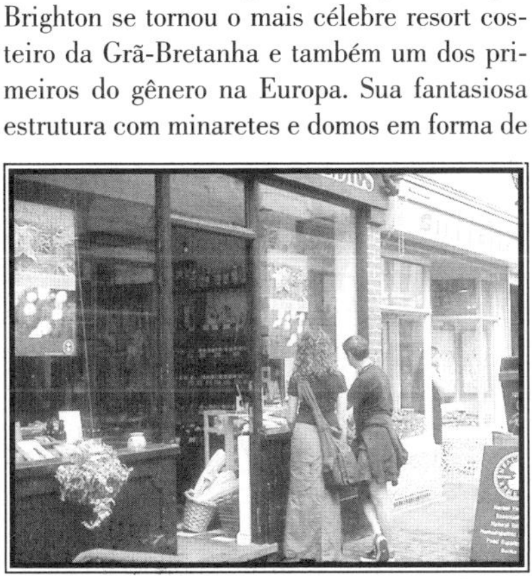

Curtindo Brighton.

glish's Oyster Bar & Seafood Restaurant, uma instituição tradicional, conhecida por seu clima tranqüilo e suas ostras ultrafrescas, entre outras delícias provenientes do canal da Mancha. Peça uma mesa no andar de baixo.

O Que: cidade, lugar, restaurante. **Brighton:** 84km ao sul de Londres no litoral. **Royal Pavilion:** tel. (44) 1273-292-822; fax (44) 1273-292-821; visitor.services@brighton-hove.gov.uk; www.brighton-hove.gov.uk. *Quanto*: ingresso U$8,50. **English's Oyster:** East Street, 29-31. Tel. (44) 1273-327-980; fax (44) 1273-329-754; info@englishs.co.uk; www.englishs.co.uk. **Melhor Época:** a maior parte de Mai. é dedicada ao Festival de Brighton, o maior festival de artes da Inglaterra.

Um destaque bucólico no circuito cultural do verão europeu

Festival de Glyndebourne

Lewes, East Sussex, Inglaterra

Para os verdadeiros devotos da ópera, o verão europeu continua a oferecer um roteiro essencial, no qual não existe cenário mais agradável do que o do Festival de Glyndebourne, realizado entre as colinas verdes de Sussex.

Desde a criação desse evento, em 1934, a nata da sociedade britânica tem se dirigido a uma ampla propriedade rural cuja pequena porém encantadora sala de concertos foi substituída por um teatro maior e moderno, dotado de excelente acústica. Com esse espaço, inaugurado em 1994 para felicidade de todos (mesmo os nostálgicos mais céticos o adoraram), ficou mais fácil encontrar ingressos. Os amantes mais fervorosos da ópera sabem que o inovador repertório do festival é sempre de alto padrão, oferecendo um pouco de tudo para todos os gostos, pois conta com a participação tanto de nomes consagrados quanto de artistas que estão começando a se destacar. Para outras pessoas, o ponto alto da temporada social é o tradicional piquenique realizado no gramado que se estende diante da elegante casa de campo em estilo neo-elisabetano, residência particular do filho do fundador do evento. Ovelhas e vacas pastam nas proximidades enquanto os músicos afinam os instrumentos. Para chegar lá, pegue o trem que sai de Londres para uma viagem de uma hora até Lewes. Ou faça uma reserva na Gravetye Manor, mais imponente propriedade de Sussex – e da Inglaterra –, uma construção de 400 anos coberta por heras. Decorada com móveis confortáveis, cercada por jardins que gozam de merecida fama e contando com um dos melhores chefs da região (e que prepara a cesta para o piquenique da ópera) e com uma carta de vinhos que tem poucas concorrentes

A requintada Gravetye.

no país, Gravetye forma um par perfeito com a sofisticação de Glyndebourne.

O Que: evento, hotel, restaurante. **Festival Glyndebourne:** 2km a leste de Lewes, 88km ao sul de Londres. Tel. (44) 1273-813-813; fax (44) 1273-814-686; www.glyndebourne.com. *Quanto:* ingressos U$30–U$200; de pé, U$15. *Quando:* meados de Mai.–Ago. Reservas a partir de Mar. Em Mai. e Ago. é mais fácil encontrar ingressos. **Gravetye Manor:** em East Grinstead (32km a noroeste de Glyndebourne em West Sussex; 48km a sudoeste de Londres). Tel. (44) 1342-810-567; fax (44) 1342-810-080; info@gravetyemanor.co.uk; www.gravetyemanor.co.uk. *Quanto*: duplos a U$250. Jantar U$70. **Melhor Época:** Mai.–Set.

As paisagens eternas dos campos ingleses

Cotswolds

Gloucestershire e Worcestershire, Inglaterra

Seja a pé ou de carro, passear por essa região é vivenciar a própria essência da Inglaterra rural. A lã, que já fomentou a maior indústria da Grã-Bretanha, era a mercadoria mais importante ali durante a Idade Média. A maioria das cidades mais prósperas da região tinha uma Sheep Street (Rua das Ovelhas) e uma igreja ou catedral impressionante construída graças aos lucros dessa indústria. Quase todos os vilarejos, cujas casas foram edificadas com o mesmo calcário cor de mel (apresentado-se, portanto, com uma rara uniformidade estética), mantiveram sua personalidade, apesar de abertamente dedicados ao turismo. A cidade de Chipping Campden, extremamente preservada, conta com uma rua principal impecável, além do Hidcote Gardens (Jardim de Hidcote), o primeiro a ser organizado num formato diferente – por "aposentos". O designer vitoriano William Morris escolheu Bibury como o mais bonito vilarejo da Inglaterra. Os amantes de antiguidades correm para a pitoresca Stow-on-the-Wold pela sua beleza bucólica e por seus antiquários. Cheltenham pode gabar-se de seu passeio público, Burford do seu tradicional pub The Lamb, que tem uma atmosfera típica do século XV e está instalado exatamente na Sheep Street. Broadway merece a popularidade que conquistou graças à sua High Street, que é uma maravilha em termos arquitetônicos e perfeitamente harmonizada com uma série de lojas de antiguidades. Essa localidade também abriga um dos grandes hotéis antigos da Inglaterra, o célebre Lygon Arms. Atendendo os viajantes desde 1532, ele atrai a atenção de multidões de turistas. Quando o último ônibus de excursionistas deixa a cidade, porém, os hóspedes podem saborear a estada nesse hotel que já recebeu o rei Carlos I e Oliver Cromwell, ficando com esse lugar pitoresco só para eles.

Perto da agitação de Broadway, mas dominado por uma atmosfera mais tranqüila, está o hotel Buckland Manor, instalado numa casa elisabetana que foi se expandindo ao redor de um núcleo medieval até ser concluída no século XIX. Feita de pedras de matiz dourado e adornada com muitos frontões e janelas que combinam vidro e madeira, ela ganhou uma decoração irrepreensível, com antiguidades bem escolhidas e generosos arranjos florais. Surpreendentemente, o ambiente do Buckland não é nem um pouco pomposo, mas uma amostra do estilo de vida de certa aristocracia rural hoje em extinção. Tudo isso cercado por um oásis de 4ha de jardins bastante tradicionais. Faz parte desse complexo uma pequena igreja do século XIII cujos sinos badalam de vez em quando. Das janelas dos suntuosos quartos do andar superior, o gado das Terras Altas (Highlands) e algumas ovelhas podem ser vistos pastando ali perto. Um magnífico jantar é servido com elegância em baixela de prata e à luz de velas. A Broadway Tower, o ponto mais alto da região e um local ideal para piqueniques, fica a apenas cerca de 5km dali. Dizem que, num dia claro, lá do alto dá para ver até 12 *shires* (condados) da região.

O QUE: lugar, hotel, restaurante. **COTSWOLDS:** a oeste de Londres, abrange uma área de 161km, que vai do norte de Bath a Chipping Campden. **LYGON ARMS:** High Street, Broadway. Tel. (44) 1386-852-255; fax (44) 1386-858-611; info@the-lygon-arms.co.uk; www.savoygroup.com. *Quanto*: duplos a partir de U$240. **BUCKLAND MANOR:** 3km ao sul de Broadway. Tel. (44) 1386-852-626; fax (44) 1386-853-557; enquire@bucklandmanor.com. *Quanto*: duplos a partir de U$340. Jantar com 3 pratos U$65. *Quando*: o restaurante abre diariamente para almoço e jantar. **MELHOR ÉPOCA:** Mai.–Out., com várias feiras nas cidades. As corridas de cavalo do Cheltenham Gold Cup Horseracing Festival acontecem em Mar.

Uma maravilha medieval que continua a surpreender

CATEDRAL DE WINCHESTER

Winchester, Hampshire, Inglaterra

As obras de construção da Catedral de Winchester começaram em 1089 e estavam destinadas a criar a mais longa catedral medieval existente (160m). Célebre por sua nave com 12 ogivas, é uma das maiores da Inglaterra, tão graciosa em sua parte externa quanto em seu interior. Ela é a prova da importância conquistada por essa cidade na Idade Média, quando, na condição de capital do reino anglo-saxão de Wessex, Winchester era um destacado centro religioso e comercial. A catedral foi edificada sobre as ruínas de uma igreja saxã com pedras provenientes da ilha de Wight. Aficionados por literatura costumam ir em peregrinação até o túmulo de Jane Austen (1775-1817), combinando a excursão com uma visita a Chawton Cottage, sua agradável casa de campo a 24km da cidade na qual muitos de seus livros foram escritos. A atmosfera e o espírito daquela época, imortalizados nos seis romances mais importantes de Austen, incluindo *Emma* e *Razão e sensibilidade*, ainda se encontram em grande medida presentes na região montanhosa de Hampshire. Essa área bucólica foi um filão garimpado por Thomas Hardy (1840-1928), em busca de inspiração literária. Ele partia de Dorset (chamado em sua obra pelo nome histórico de Wessex), um dos menores e, em termos culturais, mais ricos municípios da Inglaterra.

O QUE: lugar. **ONDE:** 116km a sudoeste de Londres.

Esse local ganhou sua primeira igreja cristã no século VII.

A igreja-mãe do mundo anglicano

CATEDRAL DE CANTERBURY

Canterbury, Kent, Inglaterra

A atual Catedral de Canterbury, reconstruída em grande parte em 1174 depois que incêndios destruíram as estruturas anteriores, foi no passado o mais sagrado local de peregrinação da Inglaterra e do norte da Europa. Em 1170, um dos acontecimentos mais importantes da história britânica ocorreu ali: o arcebispo Thomas Becket foi cruelmente assassinado no transepto noroeste da catedral por quatro fidalgos a serviço de Henrique II. Três anos mais tarde, Becket foi canonizado, o que fez com que Henrique II, arrependido, estabelecesse a catedral como centro da cristandade inglesa. Essa construção é conhecida por seus deslumbrantes vitrais coloridos dos séculos XII e XIII. Grande parte da cidade de Canterbury (Cantuária) foi destruída num ataque aéreo em 1942. Os habitantes, no entanto, haviam removido os vitrais por questões de segurança (as janelas substitutas foram quebradas, mas a catedral em si escapou praticamente ilesa). Graças a isso, as peças originais podem ser vistas em seus lugares. Os vitrais considerados mais importantes são os da grande janela da ala oeste, os Vitrais da Bíblia e os Vitrais do Milagre. Localizada na estrada que liga Londres ao porto de Dover, Canterbury já era uma cidade importante no tempo da Roma antiga. Ela ficou ainda mais em evidência quando, em 597 d.C., Santo Agostinho foi enviado pelo Papa Gregório, o Grande para converter os anglo-saxões ao cristianismo. Logo a cidade se tornaria a sede do primado da Igreja da Inglaterra, com Santo Agostinho como seu primeiro arcebispo. Em *Os contos de Canterbury*, o grande poeta inglês Geoffrey Chaucer (1335-1400) escreveu sobre um grupo de peregrinos que viajam de Londres ao túmulo de São Thomas Becket em 1387, imortalizando definitivamente a cidade e a catedral.

Vista a partir do portal da Christ Church.

O QUE: lugar. **ONDE:** The Precincts, 11 (90km a sudeste de Londres). Tel. (44) 1227-762-862; fax (44) 1227-865-222; visits@canterbury-cathedral.org; www.canterbury-cathedral.org. **QUANTO:** ingresso U$6. **QUANDO:** aberta diariamente – missas Seg.–Sex. às 8h e vésperas às 17h30; Sáb. e Dom. vésperas às 15h15; Dom. Eucaristia cantada às 11h.

Um magnífico complexo de origem medieval

Castelo de Leeds

Maidstone, Kent, Inglaterra

Como uma dama do lago, Leeds surge à semelhança de uma miragem, suas pedras cor de couro e torres com muralhas denteadas refletidas nas águas que o cercam. Descrito certa vez por lorde Conway como o castelo mais encantador do mundo, ele é tão historicamente relevante quanto visualmente deslumbrante. Encarna uma viagem através de diferentes eras, desde o início da sua construção no século XII (em substituição a uma estrutura anterior de madeira) até sua administração ser transferida para uma fundação privada em 1975. Viu seu prestígio aumentar em 1278, quando se tornou residência real – foi dado a Eduardo I por um rico cortesão que buscava favores reais. Por fim, tornou-se propriedade de Henrique VIII, que adorava passar seu tempo ali e investiu muito esforço e dinheiro para expandir e redecorar o complexo com o objetivo de deixá-lo mais parecido com um palácio real do que com uma fortaleza militar. O fosso peculiar que cerca o castelo é único entre todas as construções desse tipo na Inglaterra.

No século IX, Leeds era conhecido como Esledes.

Parte dos 81ha de parques abriga jardins e inclui um aviário, um dos melhores do país, aberto ao público em 1988. Há também o curioso Dog Collar Museum (Museu da Coleira) – no passado os cachorros desempenhavam papel importante na proteção ao terreno. Essa atração parece um tanto excêntrica, mas muitos visitantes a consideram um dos pontos altos do passeio. Abrangendo um período de 400 anos, algumas das coleiras são verdadeiras obras de arte.

O Que: lugar. **Onde:** 64km a sudeste de Londres (não confundir com a cidade de Leeds, no norte do país). Tel. (44) 1622-765-400; fax (44) 1622-735-616; enquiries@leeds-castle.co.uk; www.leeds-castle.com. **Quanto:** ingresso U$17. **Melhor Época:** concertos ao ar livre são realizados no fim de Jun.–início de Jul.; Abr.–Jun. para o jardim; em Mai., Festival de Comida e Vinho.

Caminhadas magníficas e refeições deliciosas

Distrito dos Lagos

Lancashire e Cúmbria, Inglaterra

O poeta William Wordsworth descreveu o Distrito dos Lagos como "o recanto mais encantador que o ser humano já conheceu". Não é de admirar que os ingleses tratem com reverência essa área do extremo noroeste do país.

Suas paisagens, ao mesmo tempo pastorais e selvagens, estão entre as mais deslumbrantes da Grã-Bretanha. A região é agraciada com cerca de 15 lagos principais e dezenas de outros menores, com bandos de ovelhas pastando entre eles. O Distrito dos Lagos é o maior dos 11 parques nacionais da Inglaterra e do País de Gales que contam com proteção ambiental – tem cerca de 1.280km² e uma grande variedade de belezas naturais. A maior parte dele é propriedade de particulares, o restante pertence ao National Trust (fundação não-governamental que zela pelo patrimônio histórico na Grã-Bretanha). Naturalistas estão sempre retornando para explorar seus milhares de quilômetros de trilhas. Imortalizado em pinturas e na literatura, é o berço e cenário definitivo do Romantismo inglês. O poeta Wordsworth (1770-1850) viveu em Dove Cottage, em Grasmere, com sua irmã e está enterrado no cemitério da igreja local.

Wordsworth ficou igualmente embevecido com o lago de Ullswater, nas redondezas, e o descreveu como “talvez... a mais feliz combinação de beleza e grandiosidade, algo que nenhum dos outros lagos proporciona”. No verão, um vapor vitoriano reformado faz a travessia dos 14km do lago, o segundo maior da região – essa é a melhor maneira de admirar a paisagem que inspirou os gigantes do Romantismo. Quando, no verão, o turismo de massa atingir o auge e a preferência for por um pouco de sossego, o ideal será bater em retirada para o primeiro Relais & Chateaux da região, o Sharrow Bay Country House Hotel, nas margens relativamente isoladas do lago Ullswater. Lendário por suas excepcionais vistas para o lago, por seu cais de 600m de comprimento, por seus chás que primam pela fartura e por uma refeição de seis pratos (as sobremesas são tradicionais), esse hotel também é conhecido pela simpatia dos funcionários.

O outro hotel de alto nível da região e que também abriga um restaurante é o Miller Howe (no dialeto local *howe* significa “colina de”). Pequeno, de estilo eduardiano, já foi de propriedade do chef John Tovey e está situado num local de grande magia, com uma vista que vai de Windermere aos picos de Langdale. O cenário disputa a atenção do visitante com o festejado cardápio de cinco pratos. A escola experimental de culinária britânica, agora sob direção da “protegida” de Tovey, Susan Eliott, é apresentada de uma maneira exuberante e teatral. O serviço é caloroso e a atmosfera é a de uma festa numa confortável casa de campo. Também merecem elogios a fabulosa carta de vinhos e as generosas sobremesas.

O trekking até o alto do Orrest Head (a única maneira honrosa de fugir do lauto, quase pecaminoso, café da manhã do Miller Howe) oferece uma das melhores vistas panorâmicas da região. Um bom local para uma foto inesquecível é o pico Sca Fell: a 978m de altura, é o mais alto da Grã-Bretanha.

Um típico dia de primavera na maravilhosa Cúmbria.

O QUE: lugar, hotel, restaurante. **DISTRITO DOS LAGOS:** começa no norte de Lancashire, mas está em sua maior parte na Cúmbria, 451km a noroeste de Londres. A região dos lagos está 56km à frente, com Grasmere no meio. **SHARROW BAY COUNTRY HOUSE HOTEL:** a 3km de Pooley Ridge, 11km a oeste de Penrith. Tel. (44) 17684-86301; fax (44) 17684-86349; enquiries @sharrow-bay.com; www.sharrow-bay.com. *Quanto*: duplos a partir de U$490, inclui café da manhã e jantar. Jantar com 6 pratos a preço fixo, U$70. *Quando*: aberto de Mar.–início Dez. *Melhor época*: Abr.–Jun. e Set.–Out. Vários shows e feiras locais, Jun.–início Set. **MILLER**

Howe: Rayrigg Road, Windermere. Tel. (44) 15394-42536; fax (44) 15394-45664; lakeview@millerhowe.com; www.millerhowe.com. *Quanto*: duplos a partir de U$220 (baixa temporada), inclui café da manhã e jantar. Jantar para não-hóspedes U$78. *Quando*: o restaurante abre diariamente para almoço e jantar. **Melhor Época:** lindas flores brotam na primavera e no outono (a região recebe mais água de chuva do que qualquer outra na Inglaterra).

"O homem que se cansa de Londres se cansa da vida. Pois em Londres se encontra tudo o que a vida pode oferecer."
—Samuel Johnson

Londres

Inglaterra

Cidade de contrastes, Londres é o berço da pompa, da ostentação e da história e ao mesmo tempo origem de todas as coisas revolucionárias e de vanguarda. Se no passado foi a imutável capital do peixe com fritas, o prato nacional inglês, ela interpreta hoje o papel de um animado camaleão, se reinventando de forma genial quando ninguém a está observando e aparentando indiferença sempre que os refletores do mundo se voltam em sua direção.

As 10 Maiores Atrações

Museu Britânico – A não ser que você disponha de uma semana para visitar seus 4km de galerias, vá direto apreciar os mármores de Elgin (que originariamente decoravam o Partenon em Atenas), a Pedra de Roseta, a Magna Carta e as múmias egípcias. **Onde:** Great Russel Street, Bloomsbury. Tel. (44) 20-7323-8299; www.thebritishmuseum.ac.uk.

Palácio de Buckingham – Residência oficial da rainha. Quando ela está fora em agosto e setembro, parte dos 600 quartos desse monumento nacional (os apartamentos do Estado, a Sala do Trono e a Galeria de Quadros) são abertos ao público. A troca da guarda é feita às 11h30, em dias alternados. **Onde:** St. James'. Tel. (44) 20-7839-1377; www.royal.gov.uk.

Hampton Court – São 202ha de jardins bem cuidados e um célebre labirinto formado por uma cerca viva (o segredo é virar à esquerda assim que entrar). Durante 200 anos foi um palácio real: Henrique VIII e cinco de suas seis mulheres viveram ali. Muito da sua aparência atual se deve ao arquiteto sir Christopher Wren. **Onde:** 20km a oeste de Londres em East Molesey, Surrey. Tel. (44) 870-752-7777; www.hrp.org.uk.

Hyde Park/Kensington Gardens – O Hyde Park é o maior parque de Londres e no passado foi uma das áreas em que Henrique VIII mais gostava de caçar. Os bem cuidados jardins de Kensington Gardens confundem-se com o Hyde Park nas imediações do Palácio de Kensington.

National Gallery – Uma das melhores coleções de arte do mundo, com obras de todas as mais importantes escolas artísticas européias do século XIII ao início do século XX. **Onde:** Trafalgar Square Tel. (44) 20-7747-2885; www.nationalgallery.org.uk.

Catedral de St. Paul – Essa obra-prima do século XVII, criada por sir Christopher

Wren (que está enterrado na cripta), se localiza na Wall Street de Londres, conhecida como The City. Em torno da grande cúpula (que oferece uma incrível vista de 360º de Londres) está a Galeria dos Sussurros – cuidado com o que cochichar. **ONDE:** The City. Tel. (44) 20-7236-4128; www.stpauls.co.uk.

TATE GALLERY – O maior acervo consagrado à arte britânica está dividido em dois museus separados. O Tate Britain abriga os clássicos, enquanto o Tate Modern (o acesso é por uma ponte para pedestres sobre o Tâmisa) se dedica à arte de 1900 até hoje. **ONDE:** Millbank (Tate Britain); Bankside (Tate Modern). Tel. (44) 20-7887-8000; www.tate.org.uk.

TORRE DE LONDRES – Essa torre foi construída no século XI por Guilherme, o Conquistador, e nela estão as jóias da Coroa (incluindo o diamante Estrela da África, de 530 quilates, e a coroa da rainha Vitória, cravejada com cerca de 3.000 jóias, a maioria diamantes), o macabro Corredor da Morte (onde Ana Bolena e outras figuras históricas terminaram seus dias) e muitas outras exposições. **ONDE:** Tower Hill, The City. Tel. (44) 870-756-6060; www.hrp.org.uk.

MUSEU VICTORIA E ALBERT – O maior museu do mundo dedicado às artes decorativas, com obras de todos os períodos e de todos os cantos do planeta. Abriga a maior coleção de esculturas italianas fora da Itália e a melhor das lojas de museu. **ONDE:** Cromwell Road, South Kensington. Tel. (44) 20-7942-2000; www.vam.ac.uk.

ABADIA DE WESTMINSTER – Essa catedral gótica foi cenário de quase todas as coroações britânicas desde 1066. A capela de Henrique VII, construída em 1503, é uma das mais belas da Europa. No The Poets Corner (Canto dos Poetas) estão monumentos e túmulos de Chaucer, Thomas Hardy, Tennyson, Browning e outros. **ONDE:** Westminster. Tel. (44) 20-7222-5152; www.westminster-abbey.org.

OUTRAS ATRAÇÕES IMPERDÍVEIS

UMA NOITE NO TEATRO No West End (Trafalgar Square; programação em www.londontheatre.co.uk), mais de 50 teatros prometem as melhores e mais variadas atrações de todo o mundo. O SHAKESPEARE'S GLOBE THEATRE (Southwark; tel. (44) 20-7902-1400; www.shakespeares-globe.org), aberto em 1997, é uma reconstituição fiel do teatro elisabetano original de 1599, com o teto coberto com palha e produções montadas do modo como eram encenadas nos tempos do bardo (mas nem todas com roupa de época). A ROYAL SHAKESPEARE COMPANY, a companhia nacional de teatro britânica, apresenta-se ao longo do ano em vários teatros de Londres (tel. (44) 17-8940-3404; www.rsc.org.uk).

UMA NOITE DE MÚSICA ST. MARTIN-IN-THE-FIELDS (Trafalgar Square; ingressos tel. (44) 20-7839-8362; www.stmartin-in-the-fields.org) é palco de concertos de música de câmara, concertos à luz de velas de quinta a sábado e sessões vespertinas aos domingos no seu elegante ambiente do século XVIII. É sede do notável coral de mesmo nome. De meados de julho a meados de setembro, o maravilhoso ROYAL ALBERT HALL (South

No interior do Globe Theatre.

Kensington; ingressos tel. (44) 20-7589-8212; www.royalalberthall.com) apresenta os Promenade Concerts, também conhecidos como Proms. Orquestras do mundo inteiro oferecem uma programação variada, mas um dos ingressos mais disputados da cidade é para a Last Night of the Proms (Última Noite dos Proms).

GRANDES EVENTOS Num sábado do começo de julho, TROOPING THE COLOUR é a celebração oficial do aniversário da rainha, com todos os cavalos e guardas reais saindo do Palácio de Buckingham. Está atrás de pompa? Essa é a ocasião. Se quiser mais tradição, tente as ASCOT RACES, corridas de cavalo realizadas em Berkshire em junho tão célebres pelo desfile de chapéus sofisticados e pela presença da família real quanto pelas corridas (24 num período de quatro dias). Mesmo aqueles que não estão sentados na área reservada à família real e seus convidados usam suas melhores roupas. O CAMPEONATO DE TÊNIS DE WIMBLEDON é o torneio de tênis de maior prestígio do mundo. A maior parte dos ingressos costuma desaparecer já em dezembro, embora o evento seja no final de junho.

KEW GARDENS – Os vastos 121ha (entre áreas abertas e fechadas) do Jardim Botânico Real abrigam 50.000 espécies de plantas, incluindo a maior coleção de orquídeas do mundo. **ONDE:** Richmond, Surrey, a cerca de 10km a sudoeste de Londres. Tel. (44) 20-8332-5655 para informações gravadas e (44) 20-8332-5000; www.rbgkew.org.uk.

NATIONAL GALLERY PORTRAIT – Uma extensão da National Gallery logo ao lado, a Portrait Gallery dedica-se a colecionar "imagens de homens e mulheres famosos da Grã-Bretanha", dos retratos do jovem Henrique VIII pintados por Hans Holbein até Mick Jagger na tela em silkscreen de Andy Warhol. **ONDE:** Trafalgar Sq. Tel. (44) 20-7306-0055; www.npg.org.uk.

REGENT'S PARK – No estilo clássico, é o mais belo dos parques de Londres, com centenas de cadeiras que são um convite para se espreguiçar ao sol. **ONDE:** Marylebone.

COMPRAS Em Picadilly, a FORTNUM & MASON (tel. (44) 20-7734-8040; www.fortnumandmason.com) é a maior das sofisticadas lojas de alimentação. FLORIS (Jermyn Street; tel. (44) 20-7930-2885; www.florislondon.com) tem sido a principal fornecedora de perfumes e artigos de higiene de Londres desde sua inauguração em 1730. É administrada pela oitava geração da família Floris e continua a funcionar na sua sede original, agora ampliada. TURNBULL AND ASSER (Jermyn Street; tel. (44) 20-7808-3000; www.turnbullandasser.com) é o lugar para a compra de camisas sob medida. Tanto um templo do consumo quanto uma experiência cultural, a HARRODS (Knightsbridge; tel. (44) 20-7730-1234; www.harrods.com) é a rainha das lojas de departamentos e orgulha-se de vender de tudo, exceto elefantes – ainda que tenham estado à venda em outros tempos. O sofisticado setor de alimentação "tem tudo para todos", e o restaurante em estilo georgiano no quarto andar oferece mais de 50 tipos de chá, dos mais comuns aos mais exóticos. HARVEY NICHOLS (Knightsbridge; tel. (44) 20-7235-5000; www.harveynichols.com), a mais badalada das lojas de departamentos, também oferece ao visitante uma chance de se refazer das compras no seu Café e Restaurante. Na Regent Street, Soho, a LIBERTY (tel. (44) 20-7734-1234; www.liberty.co.uk) vende móveis e artigos para casa num ambiente singular pela decoração art déco. Conhecida por seus tecidos estampados.

Fortnum & Mason expõe seus artigos comestíveis.

PELAS FEIRAS A oeste de Notting Hill, a PORTOBELLO MARKET (Associação de Antiquários de Portobello Road, tel. (44) 20-7229-8354; www.portobelloroad.co.uk) é a mais antiga de todas as feiras de rua. Nos milhares de barraquinhas estão à venda de antiguidades e peças procuradas por colecionadores a frutas e legumes. Em Camden, a CAMDEN PASSAGE oferece uma mistura imprevisível em que quinquilharias se alternam com itens de qualidade. Realizada às quartas e sábados. Ao sul da Tower Bridge, o BERMONDSEY MARKET é um mercado de pulgas, garimpado cedo pelos comerciantes. Toda sexta-feira.

MUSEU SIR JOHN SOANE – Originais de Hogarth e desenhos de Piranesi estão à mostra nas paredes da caótica porém encantadora casa desse arquiteto, um lugar onde o tempo parece ter parado. **ONDE:** Lincoln's Inn Field. Tel. (44) 20-7405-2107.

COLEÇÃO WALLACE – Doada ao Estado por Lady Wallace em 1897, a coleção é exibida na casa da família. **ONDE:** Manchester Sq., Bloomsbury. Tel. (44) 20-7563-9500; www.the-wallace-collection.org.uk.

ONDE FICAR

CLARIDGE'S – De algum modo esse símbolo da tradição consegue evitar os rigores do formalismo. É uma parte tão arraigada do establishment que chega a funcionar como uma espécie de anexo do Palácio de Buckingham, hospedando sem alarde todos os chefes de Estado. Mergulhe na atmosfera do saguão do hotel, apareça à tarde para um chá ou vinho do Porto na Sala de Leitura ou visite o restaurante Gordon Ramsay, um dos melhores e mais populares de Londres. **ONDE:** Brook Street, Mayfair. Tel. (44) 20-7629-8860; www.the-savoy-group.com. **QUANTO:** preço alto.

BLAKE'S – Dita os critérios pelos quais os outros hotéis-butiques são avaliados. Cores ousadas, decoração com muito estilo, clima de privacidade, clientela composta por famosos e serviço de primeira – com preços à altura. **ONDE:** Roland Gardens, South Kensington. Tel. (44) 20-7370-6701; www.blakeshotels.com. **QUANTO:** preço alto.

PORTOBELLO HOTEL – Hotel com quartos decorados individualmente. O estilo peculiar, que recorre a achados na feira de Portobello ali perto, provoca reações extremadas – ou o hóspede ama ou odeia. **ONDE:** Stanley Gardens, entre Notting Hill e Kensington. Tel. (44) 20-7727-2777; www.portobello-hotel.co.uk. **QUANTO:** preço moderado.

JAMES HOUSE B&B – Entre os muitos *bed & breakfast* de Londres, o James House merece destaque por sua boa localização, pela gentileza dos anfitriões, pela bela mobília e taxas acessíveis – uma raridade nos dias de hoje. **ONDE:** Ebury Street, nas imediações da Victoria Station. Tel. (44) 20-7730-7338; www.jamesandcartref.co.uk. **QUANTO:** preço baixo.

ONDE COMER E BEBER

BIBENDUM – Um cardápio eclético, moderno e maravilhoso servido num edifício que é uma jóia da art déco. O Oyster Bar, separado e pequenino mas muito popular, funciona no nível da rua. **ONDE:** Fulham Road, South Kensington. Tel. (44) 20-7581-5817; www.bibendum.co.uk.

THE CINNAMON CLUB – Preferido pelos membros do Parlamento, o Cinnamon Club é o melhor dos novos restaurantes indianos da cidade, localizado na Antiga Biblioteca de Westminster, de 1897, nas imediações da Abadia de Westminster. Tel. (44) 20-7222-2555; www.cinnamonclub.com.

THE GEORGE INN – Única estalagem do século XVII a sobreviver na Londres de hoje, abriga atualmente um pub. Charles Dickens era um cliente assíduo. **ONDE:** Borough High Street, Southwark. Tel. (44) 20-7407-2056.

THE GRENADIER – O mais antigo pub da Wilton Street é – dizem – mal-assombrado. Aos domingos, o drinque preferido é o Bloody Mary. Está sempre cheio. O bife à moda do duque de Wellington é um dos pratos mais pedidos:

A vista do Oxo Tower.

os oficiais ligados ao duque estavam sempre por ali. **ONDE:** Wilton Row, Knightsbridge. Tel. (44) 20-7235-3074.

GEALE'S – Esse restaurante antigo, simples e despretensioso é a melhor pedida para se conseguir um bom peixe com fritas. **ONDE:** Farmer Street, Notting Hill. Tel. (44) 20-7727-7969.

GORDON RAMSAY – Normalmente considerado o melhor de Londres. Cozinha francesa servida com uma atenção discreta. Os pratos são inovadores e complexos, como filé de peixe enrolado em folhas de manjericão e cozido no vapor com batatas, purê de aipo-rábano, *crème fraîche* e molho de caviar. O desafio é conseguir fazer uma reserva. **ONDE:** Royal Hospital Road, Chelsea. Tel. (44) 20-7352-4441; www.gordon ramsay.com. (Há uma filial no Claridge's Hotel.)

THE IVY – Um dos restaurantes mais concorridos da cidade. Com sua glamourosa decoração anos 1930 e uma agitação permanente, é um lugar fantástico para se ver gente famosa. Além disso, tem uma comida excelente a preços razoáveis: da versão renovada do tradicional peixe com fritas aos bolos de salmão, que são a marca registrada da casa. **ONDE:** West Street. Tel. (44) 20-7836-4751.

LE PONT DE LA TOUR – O cardápio inglês com influência francesa e italiana é a atração do lugar, mas quem se lembra disso diante de uma vista maravilhosa (para a Tower Bridge) e a oportunidade de comer ao ar livre na época de clima mais ameno? **ONDE:** Tower Bridge. Tel. (44) 20-7403-8403.

OXO TOWER RESTAURANT – A verdadeira atração são as vistas de tirar o fôlego para a Catedral de St. Paul e para o Tâmisa iluminado à noite. Segundo os críticos, a qualidade de sua moderna cozinha britânica e européia é irregular. **ONDE:** Barge House Street, Blackfriar's Bridge. Tel. (44) 20-7803-3888; www.harveynichols.com.

THE RED LION – Construído em 1821 e reformado em 1870, esse é o pub vitoriano por excelência. Pequeno e aconchegante. **ONDE:** Duke of York Street, St. James's. Tel. (44) 20-7930-2030.

RULES – O mais antigo restaurante de Londres, fundado como um *oyster bar* em 1798. As ostras ainda são uma especialidade da casa (assim como a carne de caça) num cenário do fim do século XVIII. **ONDE:** Maiden Ln., Covent Garden. Tel. (44) 20-7836-5314; www.rules.co.uk.

A mais espetacular exposição de flores do mundo

EXPOSIÇÃO DE FLORICULTURA DE CHELSEA

Londres, Inglaterra

Num país aficionado por jardins, o grande acontecimento da temporada são as Olimpíadas de Jardinagem, uma monumental orgia de horticultura que dura quatro dias. Um enorme arranjo ornamental com flores é montado com esmerado sentido estético e precisão imaginativa pelos 700 expositores que se submetem ao júri. A nata dos floricultores britânicos e internacionais lota os 4ha de área em torno do Royal Hospital, projetado por sir Christopher Wren, enquanto 1,4ha desse espaço é coberto por tendas de última geração. É uma celebração da jardinagem essencialmente britânica, mas com charme (e oportunidades para se ver gente famosa) bastante para atrair não apenas os obcecados por jardinagem como o público leigo, incapaz de distinguir um dente-de-leão de uma magnólia. Promovido desde 1827, o evento é organizado pela Royal Horticultural Society (Real Sociedade de Horticultura) e estabelece os critérios internacionais (a entidade também organiza a maior exposição de floricultura anual do mundo, em Hampton Court, assim como a do Tatton Park, em Cheshire). O número de ingressos para os quatro dias é limitado a 160.000. Os dois primeiros dias (terça e quarta) são reservados exclusivamente para os integrantes da Royal Horticultural Society. Ainda que os interessados em encontrar celebridades prefiram as datas abertas ao público (quinta e sexta), o verdadeiro amante da jardinagem tentará ver as exposições bem no seu início, antes que elas murchem depois de serem adoradas e examinadas por tantos fãs. Se você perder essa exposição, vá ao Royal Botanic Garden (o Jardim Botânico Real, também conhecido como Kew Gardens), onde estão os jardins mais conhecidos do mundo. Eles o deixarão sem fôlego.

O QUE: evento. **ONDE:** a compra de ingressos deve ser feita diretamente na Royal Horticultural Society (RHS); tel. (44) 870-906-3781; www.rhs.org.uk. Para tornar-se um membro da RHS, tel. (44) 207-821-3000. **QUANTO:** a taxa anual da RHS é individual e inclui 2 ingressos: U$122. Dia inteiro (U$42) e meio dia (U$26) só para as datas abertas ao público. **QUANDO:** com duração de 4 dias, o evento é realizado na última semana (plena) de Mai. Os ingressos, que não podem ser adquiridos na entrada, são vendidos a partir do fim de Nov. e costumam acabar no início de Abr.

O símbolo e a personificação da Inglaterra

CONNAUGHT HOTEL

Londres, Inglaterra

Há vários hotéis de primeira linha em Londres, mas o Connaught nunca se afasta muito do topo dessa lista. Com uma clientela e uma equipe que se mostram igualmente leais, ele exala a atmosfera refinada de um clube que simboliza o luxo inglês e a elegância eduardiana. Tido como um bastião da hospitalidade formal desde que foi inaugurado no centro de Mayfair, realiza suas reformas e alterações com extrema discrição. Algumas coisas nunca mudam nem teriam por que mudar – no Connaught o ano é sempre 1897. Batizado em homenagem ao terceiro filho da rainha Vitória, o duque de Connaught, esse discreto hotel-monumento goza da clara preferência de hóspedes antigos que preferem ignorar as tendências da moda e fugir da atenção da mídia. O serviço oferecido por sua equipe especializada e dedicada é surpreendentemente discreto. Seu sofisticado e antiquado charme nunca se manifesta de forma efusiva. Com apenas 92 suítes e quartos mobiliados de forma luxuosa, o Connaught é um "pequeno grande hotel" e abriga o célebre Grill Room. Transformado no início de 2003 pelas mãos hábeis da chef Angela Hartnett, uma "protegida" do superstar Gordon Ramsey, e por Nina Campbell, a mais badalada decoradora de

A bela escadaria de mogno.

Londres, The Grill e seu anexo, The Menu, estão bem plantados na linha de frente do que há de melhor entre os restaurantes de Londres. Os painéis originais de mogno continuam lá, assim como as especialidades da casa, mas agora o cardápio envereda pela cozinha mediterrânea. Se você nunca ficou no Palácio de Buckingham, almoce ou tome o café da manhã nesse lugar para ter uma idéia aproximada de como seria a experiência.

O QUE: hotel, restaurante. **ONDE:** Carlos Place, 16, Mayfair. Tel. (44) 207-499-7070; fax (44) 207-495-3262; info@the-connaught.co.uk; www.savoygroup.com. **QUANTO:** duplos a partir de U$595. Jantar com 3 pratos no The Grill U$75.

Um ritual civilizado impregnado de tradição

CHÁ NO RITZ

Londres, Inglaterra

Um rito seguido tanto por reis quanto por plebeus, o chá é tomado em cada vilarejo das Ilhas Britânicas. Mas em nenhum outro lugar ele é servido com tanta reverência e estilo como no Ritz, o grande ícone europeu que dita os padrões para a mais sacrossanta das tradições do Reino Unido. Esse ritual eminentemente britânico remonta a mais de 150 anos. Os puristas confiam no Ritz, cujos interiores espetaculares, inspirados no cenário de Versalhes, proporcionam uma amostra inesquecível de como é a vida de quem está no topo. (O Brown's e o Claridge's estão emparelhados na segunda posição.) Prometendo tanta pompa e circunstância quanto a troca da guarda, a etiqueta e as regras do chá da tarde aparecem na sua forma mais estilizada no cenário rococó do salão Palm Court do Ritz: mesas cobertas por toalhas de linho, peças sofisticadas de louça e uma bandeja de prata repleta de guloseimas. Deliciosos sanduíches somam-se aos bolinhos quentes, à geléia caseira de morango e à coalhada, assim como a uma variedade de bolos e doces que permite ao mestre confeiteiro demonstrar seu talento. Saboreie tudo isso e você compreenderá por que a idéia de jantar só será sedutora no dia seguinte. Pisar no Palm Court, desde a criação

O estilo Luís XVI no Palm Court.

do hotel pelo empresário César Ritz, em 1906, é como pisar de volta na Inglaterra eduardiana – especialmente depois da reforma que reavivou o glamour desses interiores. Não há exagero em sugerir que a reserva seja feita com um mês de antecedência para uma tarde de sábado e que os homens não ousem aparecer sem paletó e gravata – o Ritz ainda é o Ritz.

O QUE: hotel, restaurante. **ONDE:** Piccadilly, 150. Tel. (44) 207-493-8181; fax (44) 171-207-2687; reservas apenas pelo tel. (44) 207-300-2308; enquire@theritzlondon.com; www.theritzlondon.com. **QUANTO:** duplos a partir de U$420 (baixa temporada), a partir de U$550 (alta temporada). Chá da tarde U$45. **QUANDO:** 2 horários diários para o chá, 15h30 e 17h. Quem não fizer reserva pode chegar às 14h para tentar uma mesa.

Lendas da educação

UNIVERSIDADES DE OXFORD E CAMBRIDGE

Oxforshire e Cambridgeshire, Inglaterra

Duas viagens quase eqüidistantes a partir de Londres, que permitem ir e voltar no mesmo dia, farão com que você mergulhe nos primórdios da história da educação nesse país. Ainda que a cidade de Oxford seja mais antiga do que a universidade, é esta última que atrai os visitantes hoje em dia. E também foi ela que deu à cidade sua identidade e personalidade desde que surgiu formalmente como um centro de conhecimento por volta de 1167. Não saia por ali procurando "o campus". Na realidade, a Universidade de Oxford é composta por 36 faculdades (todas fundadas antes do século XVI) que estão inextricavelmente ligadas à cidade. Os edifícios formam um painel didático da arquitetura inglesa, criando um cenário marcado por altas torres, pináculos e agulhas que tornam a cidade visualmente fascinante e ótima para se caminhar. Consiga uma vaga num dos passeios a pé, guiados por professores ou alunos – eles têm informação de sobra sobre os 24 primeiros-ministros e proeminentes intelectuais que ao longo do tempo passaram pela universidade (de Graham Greene a Lewis Carroll e de Percy Bysshe Shelley a Bill Clinton).

Visite os bares impregnados de história que até hoje são freqüentados pelos estudantes. Comece com o Bear Inn, do século XIII, na Alfred Street, com sua coleção de milhares de gravatas enfeitando as paredes, e depois faça uma boa caminhada às margens do Tâmisa. Em seguida dê uma parada no Museu Ashmolean, na Beaumont Street, para ver seu tesouro em obras de arte e antiguidades em exibição desde 1683, o que o torna o mais antigo museu público da Grã-Bretanha. O Old Parsonage Hotel, do século XVII, tem uma fachada que faz com que se pareça com as centenas de prédios da universidade em toda a cidade. Peça o quarto 26, onde Oscar Wilde certa vez se hospedou. Localizado bem no centro da cidade, mas mantendo um ambiente que lembra uma estalagem rural, o hotel foi ampla e cuidadosamente restaurado.

A pequena e encantadora cidade de Cambridge abriga a outra grande universidade da Inglaterra, uma das mais antigas e de maior prestígio da Europa (só 14 anos mais nova do que Oxford). Entre as estreitas travessas e livrarias abarrotadas – com suas 31 faculdades

(16 delas surgidas na Idade Média) – formaram-se estudantes como John Milton e Stephen Hawking. Darwin, Newton e Cromwell viveram ali em diferentes épocas. A Capela do King's College, considerada por Henry James "a mais maravilhosa da Inglaterra", começou a ser construída por Henrique VI em 1441, quando ainda era adolescente. Edificada no estilo gótico inglês conhecido como perpendicular, ela continua a ser até hoje o mais perfeito exemplo dessa escola. O quadro *Adoração dos Magos*, pintado por Rubens no século XVII e doado à capela em 1961, está suspenso sobre o altar principal, iluminado com delicadeza pelas janelas com grandes vitrais do século XVI sob uma deslumbrante abóbada em forma de leque. A vista mais clássica da capela pode ser apreciada dos fundos, tendo ao lado os jardins e gramados verde-esmeralda ao longo das margens do belo rio Cam, que proporciona a oportunidade de um passeio de barco a remo.

All Soul's College, em Oxford.

Imagine os tempos despreocupados da faculdade a bordo de uma dessas embarcações de madeira com fundo chato, pilotada por um estudante sob os ramos dos chorões plantados nas margens. Inclua no seu roteiro uma visita ao Fitzwilliam, um dos melhores e mais antigos museus públicos da Grã-Bretanha. Só ele já valeria o passeio de Londres a Cambridge. A arte holandesa do século XVII é o ponto forte de sua coleção, mas o acervo foi enriquecido com obras de muitos artistas, de Ticiano e Michelangelo aos impressionistas franceses.

O Que: cidades, lugares, hotel. **Oxford:** 87km a noroeste de Londres. **Old Parsonage Hotel:** Banbury Road, 1. Tel. (44) 1865-310-210; fax (44) 1865-311-262; info@oldparsonage.co.uk; www.oldparsonage-hotel.co.uk. *Quanto*: duplos U$243. **Cambrigde:** 88km ao norte de Londres, 129km a nordeste de Oxford. **King's College:** King's Parade; www.kings.com.ac.uk/chapel. *Quanto*: ingresso. *Melhores épocas*: o concerto de Natal, de grande sucesso, é transmitido da Capela do King's College; pergunte pela programação regular dos serviços corais e pelo concerto esporádico do conceituado Coro da Capela. **Museu Fitzwilliam:** Trumpington Street; tel. (44) 1223-332-900; fax (44) 1223-322-933; fitzmuseum-enquiries@lists.cam.ac.uk; www.fitzmuseum.cam.ac.uk. *Quando*: Ter.–Dom. **Melhor Época:** primavera e outono para evitar as multidões; Mai.–Set. para o melhor clima.

A mais bela cidade do período georgiano da Grã-Bretanha e um resort sofisticado no interior

Bath e o Ston Easton Park

Somerset, Inglaterra

Durante séculos a cidade de Bath serviu de spa depois que os antigos romanos descobriram ali a única fonte de águas termais da Grã-Bretanha. Em 1702, a rainha Anne redescobriu as propriedades terapêuticas dessas águas

O elegante Royal Crescent de Bath.

e recolocou o lugar em evidência, relançando-o como a cidade-spa por excelência da Inglaterra. A renovação arquitetônica que se seguiu no século XVIII – amplas construções e sacadas em forma de crescentes, praças elegantes, residências de aspecto imponente construídas com calcário cor de mel, típico de Bath – transformou esse local na mais bela e preservada cidade georgiana da Grã-Bretanha. Descontraída, refinada e próspera, ela é uma anfitriã generosa: ninguém parece ir até lá em busca das águas, e sim para reviver o clima da que era considerada a boa vida no século XVIII e ao mesmo tempo desfrutar do que há de melhor em termos de antiguidades, compras e culinária dos dias de hoje.

O centro histórico da cidade são os Banhos Romanos, as mais interessantes ruínas romanas em solo britânico. Dominando a paisagem acima deles estão a Abadia de Bath, do século XVI, e o Pump Room, um poço e restaurante do século XVIII onde é possível provar água mineral direto da fonte e conhecer um dos maiores templos dedicados ao ritual do chá inglês. Chamado The Circus, o local é uma das atrações mais espetaculares de Bath – 33 casas em calcário, de cores sutilmente diferentes, desenhando uma forma circular inspirada no Coliseu e criada por John Wood, o mentor da era dourada de Bath em termos de arquitetura. Em 1775, o filho de Wood projetou nas redondezas o igualmente espetacular Royal Crescent, uma enorme forma semi-elíptica composta por 30 casas de pedra idênticas, de frente para o Royal Victoria Park, na que é considerada a rua mais majestosa da Grã-Bretanha. O hotel mais elegante de Bath, o Royal Crescent, está localizado em duas casas georgianas. Os dias gloriosos da cidade estão presentes em todo o nobre esplendor dessa construção, portanto dê uma parada ali, nem que seja para tomar um chá.

Depois de um passeio por Bath, refugie-se no Ston Easton Park, uma imponente mansão no estilo palladiano erguida com pedra de Bath na cor ocre. Reconstruída em 1740, essa estrutura elisabetana foi recentemente mobiliada com extremo bom gosto. Em termos da arte daquele período, é uma jóia de primeira grandeza, essencial para quem busca um retiro rural que reflita o modo de vida descrito nos romances de Jane Austen. A comida nouvelle servida no belo restaurante com vista para o vale do rio é inspirada, e o romântico parque de 10ha ao redor foi projetado por Humphry Repton no século XVIII.

O QUE: cidade, hotel. **BATH:** 185km a oeste de Londres. **ROYAL CRESCENT HOTEL:** Royal Crescent, 16. Tel. (44) 1225-823-333; fax (44) 1225-339-401; reservations@royalcrescent.co.uk; www.royalcrescent.co.uk. *Quanto*: duplos U$320. **STON EASTON PARK:** 18km a sudoeste de Bath no vilarejo de Ston Easton. Tel. (44) 1761-241-631; fax (44) 1761-241-377; enquiry@stoneaston.co.uk; www.stoneaston.co.uk. *Quanto*: duplos a partir de U$295. Jantar U$65. **MELHOR ÉPOCA:** Mai.–Set. O importante Festival Internacional de Bath apresenta atrações de música clássica, pop e jazz, durante 17 dias no fim de Mai.–início de Jun. Carnaval de Somerset nos primeiros 10 dias de Nov.

A antiga e a nova rainha dos mares

O Queen Elizabeth 2 e o Queen Mary 2 da Linha Cunard

Southampton, Inglaterra

Em 1840, Samuel Cunard assinou o primeiro contrato para carregar malotes do Correio em navios a vapor entre a Grã-Bretanha e os Estados Unidos, e até hoje a linha que leva o seu nome é a mais conhecida do mundo.

O navio-mãe da frota é o Queen Elizabeth 2 (QE2). Lançado no fim dos anos 1960 e construído para navegar nas águas revoltas do Atlântico Norte, permaneceu, daqueles dias até 2003, como o único transatlântico a fazer essa rota regularmente. Com capacidade para 1.791 passageiros, o QE2 é uma jóia. Nesta era de prosaicos navios de cruzeiro, ele é um anacronismo em termos de luxo, potência e velocidade. Os seis dias de travessia do Atlântico são marcados pelo serviço de gala, por palestras informais e pelo tempo passado no spa ou na biblioteca ou, principalmente, contemplando a paisagem de um oceano sem limites.

Em 2003, o QE2 foi substituído em sua rota pelo mais novo membro da família, o Queen Mary 2, considerado o maior, mais longo, mais largo e mais alto navio de passageiros de todos os tempos – tem o dobro do tamanho do QE2 e é três vezes maior do que o lendário Titanic. É também o primeiro transatlântico verdadeiro a ser construído nas últimas três décadas. O seu ambiente pende mais para high-tech do que para *fin de siècle*, com um planetário a bordo, um spa administrado pelo Canyon Ranch e um restaurante supervisionado pelo chef Tod English. Nele, os passageiros encontram uma mistura de modernidade com a aura da era de ouro das viagens a vapor, incluindo um *lounge* projetado para parecer os Kew Gardens de Londres, cadeiras de madeira espalhadas pelo deque, grossos cobertores e um dos apitos originais do primeiro Queen Mary – montado na chaminé, ele emite um som audível a 16km de distância. Dá para, literalmente, ouvir o futuro chegando.

O navio Queen Elizabeth 2.

O QUE: experiência. **ONDE:** saídas de Southampton, 2 horas a sudoeste de Londres, tel. (44) 2380-634-166. **COMO:** no Brasil, agência Interpoint Viagens e Turismo (São Paulo). Tel. (11) 3087-9400; fax (11) 3087-9401; www.interpoint.com.br. Cruzeiro Jóias do Mediterrâneo no Queen Elizabeth 2: 15 dias, parte aérea (São Paulo–Londres), cabine dupla e tarifas portuárias. *Quanto*: U$4.426. *Quando*: saídas mensais. Agência Terral Tur (Rio de Janeiro). Tel. (21) 2507-6461; fax (21) 2262-4733; terral@terraltur. com.br; www.terraltur.com.br. Cruzeiro no Queen Mary 2: 15 dias, parte aérea (Rio–Nova York e Nova York–Rio), cabine dupla. *Quanto*: a partir de U$2.920, mais taxas. *Quando*: saídas mensais.

Dramaturgia e fantasmas na cidade natal de Shakespeare

STRATFORD-UPON-AVON

Warwickshire, Inglaterra

Por seu caráter universal e pela eterna atração que exerce, a obra de William Shakespeare transformou a cidade natal desse dramaturgo num pólo de peregrinação. Um promissor centro comercial já na época do bardo, Stratford, com suas casas construídas parcialmente com madeira e seu histórico clima de prosperidade, provavelmente atrairia visitantes mesmo sem a fama de seu filho ilustre. Visitas ao chalé da mulher de Shakespeare, Anne Hathaway, à casa em que ele nasceu e à igreja na qual está enterrado com sua família fazem parte do circuito habitual. No entanto, ingressos para uma apresentação com artistas da Royal Shakespeare Company darão um toque especial à sua estada. A cidade conta com três teatros, mas a maior parte dos clássicos é encenada no Royal Shakespeare Theatre. Há também matinês semanais para os que desejam voltar a Londres a tempo de jantar. O Swan Theatre, no estilo elisabetano, foi reconstruído no espírito do Globe Theatre original, do próprio Shakespeare. O palco do The Other Place, um espaço mais intimista, é, por sua vez, reservado a produções experimentais.

Desfaça as malas no magnífico Ettington Park Hotel, uma imponente residência neogótica às margens do rio Stour. Situada no mesmo local que séculos antes abrigou a primeira propriedade rural registrada no *Domesday Book* (cadastro das terras da Inglaterra elaborado por Guilherme, o Conquistador em 1086), essa luxuosa construção do século XIX é há muito tempo associada à família Shirley (Hal, o personagem de Shakespeare, fala de um "Shirley valente" em *Henrique IV*). Fantasmas familiares ainda pairam por ali – a lendária Dama de Cinza goza de uma reputação respeitável na Inglaterra. Uma das mais comentadas "manifestações" ocorridas no hotel foi registrada mais de uma vez: o livro *St. Ronan's Well*, de sir Walter Scott, teria voado da estante, caindo sempre aberto nos mesmos versos: "Um lugar que já foi alegre, dizem. Mas algo o aflige agora – está amaldiçoado." Não se espera que os hóspedes considerem nada menos do que abençoado esse refúgio instalado em meio a 16ha de parques habitados por cervos e jardins bem cuidados.

O QUE: cidade, hotel. **STRATFORD-UPON-AVON:** 145km a noroeste de Londres. Reservas para teatros: tel. (44) 1789-293-127; fax (44) 1789-295-262; stratfordtic@shakespeare-country.co.uk; www.shakespeare-country.co.uk. *Quando*: temporada teatral Mar.–Nov. *Melhor época*: 23 Abr., dia tradicionalmente festejado como aniversário de Shakespeare. **ETTINGTON PARK HOTEL:**

O chalé de Anne Hathaway.

Alderminster está 8km ao sul de Stratford-upon-Avon. Tel. (44) 1789-450-123; fax (44) 1789-450-472; ettington@arcadianhotels.co.uk; www.ettingtonpark.co.uk. *Quanto*: duplos a partir de U$295 (baixa temporada), a partir de U$370 (alta temporada).

O mais belo castelo medieval da Inglaterra

Castelo de Warwick

Warwick, Warwickshire, Inglaterra

Implantada há nove séculos bem no centro da história britânica, a magnífica fortaleza feudal de Warwick é o mais belo castelo medieval do país. Sua posição estratégica, numa colina à beira do rio Avon, foi descrita como "o cenário mais nobre da Inglaterra" por ninguém menos do que sir Walter Scott. Construído originalmente para manter os visitantes à distância, o complexo hoje é mais visitado do que qualquer outra propriedade do tipo ainda em mãos de particulares, além de só perder em número de visitas para o Castelo de Windsor. Os guardas no portão mantêm as longas filas em movimento dentro das monumentais muralhas normandas. Uma das mais importantes coleções de armaduras e armas medievais está exposta lá, assim como telas de grandes mestres, entre os quais Rubens e Van Dyck. O aspecto belicoso do castelo é percebido de maneira mais clara em sua parte externa, ainda que no século XVIII tenha sido amenizado por 24ha de terreno ajardinado, onde vaidosos pavões fixaram residência desde então.

O primeiro duque de Warwick recebeu o título em 1088.

O Que: lugar. **Onde:** 148km a noroeste de Londres. Tel. (44) 1926-495-421, informações gravadas (44) 8704-422-000; fax (44) 1926-406-611; customer.information@warwick-castle.com; www.warwick-castle.co.uk. **Quanto:** ingresso U$17. **Quando:** aberto diariamente.

Uma obra-prima da tecnologia medieval

Catedral de Salisbury

Salisbury, Wiltshire, Inglaterra

Há muito as pinturas de Turner e Constable fizeram com que o público se familiarizasse com a Catedral de Salisbury e sua notável agulha de 123m de altura. A catedral começou a ser construída em 1220 e foi concluída no tempo recorde de 38 anos (a agulha, então a estrutura mais alta do mundo – e ainda hoje a mais alta da Inglaterra –, foi acrescentada no final do século XIII). Como muitas grandes catedrais exigiam obras que duravam séculos, essa foi uma notável realização da engenharia da época, comparável aos mais arrojados projetos de arranha-céus na Manhattan do século XX.

Graças à sua rápida conclusão, a Catedral de Salisbury é a mais estilisticamente harmoniosa das grandes catedrais européias, marcando o auge do chamado estilo gótico primitivo. Em 1668, sir Christopher Wren mediu uma preocupante inclinação de 74cm na agulha, mas nenhuma nova alteração foi detectada desde então.

Os que confiam numa arquitetura de 700 anos de idade podem aventurar-se a subir os degraus que levam ao alto da torre para ter uma visão da pequena cidade de Salisbury e da planície de mesmo nome na direção de Stonehenge, o outro monumento importante e muito mais antigo de Wiltshire. A interessante e ainda animada cidade de Salisbury foi criada por causa da catedral e não o contrário, como geralmente acontecia.

Recebendo peregrinos e andarilhos desde os primeiros tempos, a estalagem Rose and Crown Inn, do século XIII, com suas vigas entalhadas à mão e seu aspecto hospitaleiro, continua intacta e é um bom lugar para se pernoitar. Os gramados dessa encantadora hospedaria se prolongam até o rio Avon, onde hóspedes despreocupados podem relaxar e ficar contando os cisnes que passam por ali. A paisagem sugere um quadro de Turner que ganhou vida, com a majestosa agulha da catedral pairando nas alturas bem diante dos nossos olhos.

O QUE: cidade, lugar, hotel. **SALISBURY:** 145km a sudoeste de Londres/13km ao sul de Stonehenge. **CATEDRAL DE SALISBURY:** o ingresso é gratuito, mas donativos de U$6 são bem-vindos; www.salisburycathedral.org.uk. **ROSE AND CROWN INN:** Harnham Road, a 2km do centro de Salisbury. Tel. (44) 1722-399-955; fax (44) 1722-339-816; www.corushotels.co.uk. *Quanto*: duplos a partir de U$220. **MELHOR ÉPOCA:** o coro da catedral canta nas missas da tarde com freqüência (ver a programação). A feira da cidade é realizada Qui. e Sex.; um festival cultural de 2 semanas ocorre no fim de Mai.–início de Jun.

Catedral de Salisbury: uma façanha da engenharia do século XIII.

Um dos grandes mistérios do mundo

STONEHENGE

Wiltshire, Inglaterra

Stonehenge ainda pode ser o tipo de lugar mágico, mítico e misterioso como provavelmente pretendiam seus criadores, mas apenas se o visitante conseguir enxergá-lo entre dois ônibus de excursão. Ninguém sabe quem ergueu

Stonehenge nem por que (as teorias incluem de criaturas alienígenas, o rei Artur e Merlin até os habitantes da Atlântida), ainda que seja praticamente certo que esse formidável agrupamento de pedras cuidadosamente dispostas tenha sido usado para rituais e cerimônias relacionadas ao Sol. Essas estruturas – pedras altas, na vertical, com pedras planas em cima – foram montadas há cerca de 4.000 anos. Algumas das pedras pesam até 50t – estima-se que para arrastar cada uma delas até à sua posição teriam sido necessários cerca de 1.000 homens. Estudiosos discordam a respeito da origem das pedras (alguns dizem que são do sul do País de Gales) e sobre como

O anel exterior provavelmente foi concluído em 1500 a.C.

chegaram à planície de Salisbury. A partir do século XVII ganhou força a crença de que o círculo formado por elas tinha alguma relação com os druidas celtas. Desde então essa opinião persiste, mesmo que já tenha sido provado que esse monumento antecede em pelo menos 1.500 anos o culto sacerdotal da Idade do Ferro. Pesquisadores acreditam que a colocação das pedras pode ter ocorrido em três estágios (dois deles nunca teriam sido concluídos), num alinhamento que só foi possível com a colaboração de construtores altamente instruídos, com noções de astronomia, matemática e engenharia – conhecimentos sem paralelo em nenhuma parte da Europa naquela época. Stonehenge foi provavelmente concebido, entre outras coisas, como um calendário solar e lunar. Hoje, milhares de pessoas costumam ir até lá para o solstício de verão.

O QUE: lugar. **ONDE:** 137km a sudoeste de Londres. Tel. (44) 1980-623-108; fax (44) 1980-623-465; www.english-heritage.org.uk. **QUANTO:** ingresso U$6. **MELHOR ÉPOCA:** bem cedo pela manhã ou no fim da tarde para evitar multidões; durante o solstício de verão.

Onde o golfe nasceu

GOLFE NA ESCÓCIA

Escócia

Uma peregrinação aos campos onde foi inventado o jogo de golfe oferece dezenas de alternativas aos amantes desse esporte. Surgido oficialmente em 1552, acredita-se que já no século XIV ele ajudava a aristocracia escocesa a matar as horas de tédio. Você vai se sentir o próprio aristocrata numa série de hotéis cujo único objetivo é fazer com que os hóspedes desfrutem de horas inigualáveis praticando golfe (tantas quantas a luz do dia permitir), oferecendo de quebra acomodações de luxo. O Old Course, em St. Andrews, é o mais célebre campo de golfe do mundo, o que explica por que as reservas às vezes precisam ser feitas com um ano de antecedência. Uma elegante residência rural eduardiana, o Greywalls Hotel transmite o calor e o aconchego de uma casa particular – uma construção com sorte bastante para ter vista para o Muirfield Course, o mais antigo campo de golfe do planeta. A permissão para a entrada de visitantes pode ser conseguida com uma pequena ajuda do *concierge* do Greywalls. Gleneagles, onde os campos do rei e da rainha são os mais antigos entre os cinco existentes ali, é cercado por uma paisagem fantástica. Com uma localização magnífica, o Turnberry Hotel, que tem vista para o mar e possui seu próprio farol, sediou por três vezes o torneio British Open em seus dois campos na bravia costa escocesa. Principiantes costumam considerar traiçoeiros os campos de golfe de Carnoustie, mas campeões do esporte o classificam como o melhor da Grã-Bretanha. No Royal Troon, só homens podem fazer algum comentário sobre seu antigo campo: o clube é tão impregnado de tradição que as mulheres ainda não têm autorização para jogar ali. Em compensação, qualquer pessoa pode arriscar uma tacada no Royal Dornach. A apenas 6° do círculo polar ártico, é o que está situado mais ao norte entre os grandes campos de golfe do mundo, ainda que conte com um clima mais ameno graças à corrente do Golfo. A lista é interminável – há mais de 500 campos na Escócia –, porém por que não começar pelo topo?

Em 1901, sir Edward Lutyens projetou o Greywalls Hotel na forma de um crescente.

O QUE: experiência. **COMO:** no Brasil, agência New Age Tour (São Paulo). Tel. (11) 3138.4888; fax (11) 3138.4899; atendimento @newage.tur.br; www.newage.tur.br. Pacote Inglaterra e Escócia (passagem aérea internacional não incluída): hotel, traslados, café da manhã e 3 jantares. **QUANTO:** a partir de U$2.179. **QUANDO:** saídas mensais, partindo de Londres.

O vale do Loire da Escócia

ROTEIRO DOS CASTELOS

Grampian Highlands, Escócia

Cerca de 600 castelos pontilham o interior da Escócia, mas a maior parte deles está concentrada no território escarpado das Grampian Highlands, que deve seu nome à cadeia montanhosa que divide a região ao meio. Muitas dessas construções são hoje ruínas de aparência impressionante, como Slains, que teria servido de inspiração para Bram Stoker escrever *Drácula*, e Dunnottar, que Zefirelli escolheu como cenário para filmar *Hamlet*. O bardo em pessoa encenou o assassinato de Duncan por Macbeth no Castelo de Cawdor, a nordeste de Inverness, capital informal da região das Terras Altas (Highlands.) Outros foram restaurados de forma magnífica e agora são residências particulares imponentes ocupadas por seus proprietários, como Drum, Crathes e Fyvie. O Castelo de Balmoral, "paraíso querido" da rainha Vitória, ainda serve de residência de verão para a soberana britânica (e por isso os horários de visita ao castelo e aos jardins têm restrições). Um circuito ligando 11 castelos indicado por placas brancas e azuis ao longo das montanhas Grampians forma o Roteiro dos Castelos, uma série de propriedades sob os cuidados do National Trust (fundação não-governamental que zela pelo patrimônio histórico na Grã-Bretanha). Acomodações para pernoite estão disponíveis em hotéis e castelos particulares na área. Seguindo o curso dos rios Dee, Don e Spey (ótimos para a pesca de salmão e truta), pode-se fazer uma excursão que combina muito bem com visitas a dezenas de destilarias de uísque. Mais da metade das destilarias do país situa-se nessa área – o outro motivo de fama da região.

Castelo de Dunnottar, perto de Stonehaven.

Não é difícil encontrar acomodações rurais que ofereçam a atmosfera de épocas passadas. No entanto, quanto à história e ao estilo, poucas se comparam a Cawdor Cottages. Localizado no interior de uma propriedade de $80km^2$ pertencente ao Castelo de Cawdor – construído há 600 anos –, esse complexo é composto por cinco chalés reformados de forma impecável por Lady Cawdor, ex-editora de uma revista de moda.

O QUE: experiência, lugar, hotel. **ONDE:** o roteiro, a noroeste de Aberdeen (principal cidade das Grampian Highlands), cobre 241km. **COMO:** entre em contato com o Aberdeen and Grampian Tourist Board; tel. (44) 1224-288-828; fax. (44) 1224-581-367; info@agtb.org; www.castlesand whisky.com. **CAWDOR COTTAGES:** Cawdor, Nairn. Tel. (44) 1667-404-666; www. cawdor.com. *Quanto*: chalés para 2–6 pessoas. Duplos a partir de U$275 (baixa temporada), a partir de U$345 (alta temporada), mínimo 3 noites. **QUANDO:** algumas propriedades abrem diariamente o ano inteiro. O Castelo de Balmoral no Royal Deeside abre de Abr.–fim de Jan.

Na trilha das destilarias em busca do elixir precioso

ROTEIRO DO SCOTCH

Terras Altas, Escócia

Da mesma forma que o verdadeiro champanhe só pode vir da região da Champagne, na França, é preciso ir à Escócia para encontrar o autêntico scotch, o uísque escocês. O país pode se gabar de ter mais de um Roteiro do Scotch, e algumas destilarias nas Terras Baixas (Lowlands) estão a apenas um dia de viagem a sudeste de Edimburgo. Mas as Terras Altas (Highlands) são o berço mais célebre da lendária bebida nacional escocesa – os uísques à base de malte (a palavra origina-se da expressão gaélica *uisge beatha*, ou água da vida), que há séculos são produzidos na região. Uma trilha sinalizada ao longo da deslumbrante paisagem leste das Terras Altas (Grampian) – a capital da produção do uísque do mundo ocidental – conduz o viajante a alguns dos lugares mais memoráveis para desvendar "o mistério do malte". Entre as sete ou oito destilarias de fama mundial localizadas ao longo da trilha estão as imperdíveis Glenlivet (em Glenlivet) e Glenfiddich (em Dufftown), além da Cardhu (em Archiestown). Das quase 80 destilarias licenciadas da Escócia que fabricam uísque de puro malte, essas figuram entre as mais importantes. Ainda que todas as mencionadas estejam na mesma região, o vale do Spey (onde dezenas de outras destilarias menores e menos conhecidas oferecem tentadores desvios da trilha), todos esses mundialmente célebres uísques de puro malte têm sabores diferentes, como visitas a alguns desses lugares poderão comprovar. O segredo está na água, assim como na qualidade do grão (cevada) e na quantidade de turfa empregada no fogo. Por outro lado, o uísque escocês misturado (*blended*) consiste no casamento de até 70 maltes e promete, garrafa após garrafa, a mesma personalidade. Depois de alguns pequenos goles, as sutis diferenças entre um e outro exemplar desse "elixir da felicidade" podem vir a ficar um tanto nebulosas para alguns visitantes.

O QUE: experiência. **COMO:** entre em contato com a Scotch Whisky Association, Edimburgo. Tel. (44) 131-222-9200; enquiries@swa.org.uk; www.scotch-whisky.org.uk. A associação pode sugerir itinerários para o Roteiro do Scotch em diferentes áreas da Escócia, incluindo as citadas no texto.

Lar deslumbrante do mascote da Escócia

LAGO NESS

Terras Altas, Escócia

Acreditando ou não no monstro, a vista espetacular do lago Ness, encaixado numa falha geológica, e as ruínas do Castelo de Urquhart sobre o seu promontório são atrações fantásticas. Supostamente vista pela primeira vez por St. Columba, a misteriosa criatura do lago – *Nessitera rhombopteryx*, mais conhecida como Nessie – conquistou a atenção mundial e continua sendo o maior chamariz para os turistas que visitam as Terras Altas (Highlands) da Escócia, uma região de beleza deslumbrante, linda o suficiente para ser por si só uma atração – monstros à parte.

Com o lago medindo mais de 38km de extensão e 236m de profundidade, Nessie raramente costuma dar as caras, e os habitantes do lugar não se mostram muito ansiosos para sair em seu encalço: uma lenda local prevê um fim terrível para a região se o monstro for capturado. Apesar disso, sofisticadas tecnologias subaquáticas e minissubmarinos equipados com sonar continuam a ser usados pelos que desejam encontrá-lo, animados por aparições, como a de 1961, quando 30 visitantes o teriam visto momentos antes de uma explosão afundar sua embarcação, e a de 1973, ocasião em que um monge da região garantiu tê-lo avistado. Não é impossível que o velho caso de amor entre os escoceses e o uísque tenha desempenhado um papel nessas visões.

Para quem não está interessado em ver o animal de pescoço comprido nem se envolver no consumo motivado pela monstromania, o lago Ness pode ter um ar de anticlímax. Mas isso não acontecerá se o visitante preferir tomar o caminho menos badalado ao longo da margem leste do lago e conhecer as impressionantes quedas-d'água de Falls of Foyers ou os tranqüilos vales a oeste do Centro de Informações Turísticas do lago Ness, em Drumnadrochit, e – isso é fundamental – experimentar o melhor hotel-restaurante das Terras Altas. Os hóspedes do elegante Dunain Park

Hotel, uma construção do século XVIII, começam o dia com um excepcional café da manhã escocês, mera amostra da notável culinária local que torna os jantares um dos pontos altos de uma visita à região.

O QUE: lugar, hotel, restaurante. **EXPOSIÇÃO SOBRE O MONSTRO DO LAGO NESS:** Drumnadrochit, a 21km de Inverness na margem norte do lago Ness, 275km ao norte de Edimburgo. **DUNAIN PARK HOTEL:** 3km a sudoeste de Inverness, na A82, na direção do Fort William. Tel. (44) 1463-230-512; fax (44) 1463-224-532; info@dunainparkhotel.co.uk; www.dunainparkhotel.co.uk. *Quanto*: duplos a partir de U$190 (baixa estação), a partir de U$320 (alta estação). Jantar com 5 pratos U$55. *Quando*: o restaurante abre diariamente para jantar. **MELHOR ÉPOCA:** durante os Highland Games, fim de Jul., em Inverness.

O lago Ness: nem sinal do monstro.

Um aristocrático bastião do conforto e do luxo

CASTELO DE INVERLOCHY

Fort William, Terras Altas, Escócia

"Nunca vi lugar mais adorável ou mais romântico", escreveu a rainha Vitória, habituada ao fascínio exercido pelas Terras Altas (Highlands), ao se hospedar no Castelo de Inverlochy em 1873, pouco depois da sua construção. Localizado numa paisagem magnífica, trata-se de um imponente castelo-hotel aristocrático, mas nem por isso marcado por uma formalidade excessiva. Consegue ser aconchegante com suas lareiras acesas e poltronas ultra-estofadas e está plantado no meio de 200ha de uma propriedade particular às margens do lago Lochy. Seu bom gosto e opulência tipicamente rurais se revelam numa profusão de flores, toalhas cuja fragrância lembra a da rouparia dos grandes hotéis de luxo, verduras frescas e legumes recém-colhidos da horta ou comprados dos fornecedores locais e, depois do jantar, num uísque de puro malte proveniente de uma destilaria das redondezas. Viajantes chegam de todo o mundo para desfrutar dessa combinação singular, exultantes com a sorte de terem encontrado um quarto vago (há apenas 17 disponíveis)

O monte Ben Nevis.

nesse que é um dos resorts mais requintados da Grã-Bretanha.

Tendo como pano de fundo o Ben Nevis, o mais alto pico da Grã-Bretanha (1.344m), o castelo é a base ideal de onde se pode partir para saborear a magia das Terras Altas escocesas e fazer excursões de barco.

"Há ainda algo lá que lembra a *Odisséia*, entre as ilhas e os lagos silenciosos", escreveu D. H. Lawrence, que visitou a região em 1926. "Ainda é um lugar à parte do mundo, como se fosse o exato começo da Europa." Passado um século, os visitantes continuam a ter a mesma sensação de deslumbramento.

O QUE: hotel. **ONDE:** em Torlundy, 5km a nordeste de Fort William, 225km a noroeste de Edimburgo. Tel. (44) 1397-702-177; fax (44) 1397-702-953; info@inverlochy.co.uk; www.inverlochycastlehotel.com. **QUANTO:** duplos a partir de U$460 (baixa temporada), a partir de U$630 (alta temporada). **QUANDO:** aberto Mar.–Dez.

O mais conceituado de todos os hotéis

BALMORAL HOTEL

Edimburgo, Escócia

Você jamais vai conseguir um quarto no Castelo Balmoral da Escócia, mas pode encontrar um grande consolo no tratamento suntuoso oferecido aos hóspedes do hotel que tem o mesmo nome. O Balmoral é um antigo e majestoso hotel construído em 1902 na extremidade leste da Princes Street, principal rua de comércio de Edimburgo. Recentemente promoveu uma espetacular renovação num esforço para conquistar a supremacia na luta pelo posto de melhor hotel da capital. Um dos edifícios mais marcantes e elegantes de Edimburgo, com seus porteiros vestidos com kilts, o tradicional saiote escocês, o Balmoral é uma atração turística do mesmo calibre do outro ícone da cidade, o Castelo de Edimburgo. Atrai hordas de hóspedes que se perdem em devaneios enquanto saboreiam o chá da tarde ou provam o produto das melhores destilarias da Escócia servido no Palm Court Bar. Assim, eles deixam o lugar com o gostinho de terem conhecido o estilo de vida da alta classe – na sua variedade escocesa. Lá fora, o visitante tem à disposição a Princes Street. Com 1,5km, é o principal bulevar da cidade, abrigando comércio de todo tipo, inclusive a Jenner's, que, inaugurada em 1838, é a mais antiga loja de departamentos do mundo.

O QUE: hotel. **ONDE:** Princes Street, 1. Tel. (44) 131-556-2414; fax (44) 131-557-8740; reservations@thebalmoralhotel.com; www.roccofortehotels.com. **QUANTO:** duplos a partir de U$300.

No coração de Edimburgo.

O mais conhecido ícone da Escócia

CASTELO DE EDIMBURGO

Edimburgo, Escócia

Uma das capitais mais encantadoras da Europa deve muito de sua personalidade e encanto a seu monumento mais marcante, o Castelo de Edimburgo. A história da cidade está em grande parte concentrada no interior e nas imediações do castelo medieval e na Royal Mile, a via de pedestres que vai de Castlehill a High Street e que leva ao Palácio de Holyrood, no passado ocupado por Maria Stuart e atualmente residência real da rainha e do príncipe Philip uma semana por ano. O Castelo de Edimburgo está situado sobre o que restou da cratera de um vulcão extinto. A primeira construção do complexo é a pequenina Capela de St. Margaret. Erguida no século XII, ela é a estrutura mais antiga de Edimburgo. Localizado no alto da colina, o castelo desempenhou muitos papéis: fortaleza, guarnição militar, prisão. Mas seus melhores anos foram na condição de palácio real, e hoje em dia as Honours of Scotland (Honras da Escócia), como são chamadas as jóias da Coroa escocesa, estão em exibição ali. As mais antigas insígnias reais da Europa, elas incluem a coroa escocesa, o cetro e a espada do Estado. No palácio também podem ser visitados os aposentos reais, que foram usados até o rei se mudar definitivamente para a Inglaterra em 1603 (foi lá que Maria I, rainha da Escócia, deu à luz Jaime VI, que governou a Inglaterra como Jaime I). A Royal Mile e as vias que dela partem eram confinadas pelas antigas muralhas da cidade, o que levou muitas construções a crescer verticalmente. As ruelas escondidas e as pequenas travessas nessa parte da Cidade Velha ainda estão impregnadas de uma atmosfera medieval. Além da ravina que separa a parte alta da Cidade Velha da parte baixa da Cidade Nova fica o Caledonian Hotel, conhecido por suas acomodações luxuosas e por sua vista para o castelo, que se torna ainda mais romântica quando ele está iluminado à noite. Transbordantes de grandiosidade eduardiana, todos os quartos do "the Caley", como o hotel é chamado, são muito especiais por sua vista para as construções medievais e para as agulhas góticas recortadas contra o céu. Seu amistoso rival de longa data, o Balmoral Hotel, situa-se com elegância na outra extremidade da Princes Street, a Quinta Avenida de Edimburgo.

O QUE: lugar, hotel. **CASTELO DE EDIMBURGO:** Castlehill. *Quanto*: entrada. **CALEDONIAN HILTON HOTEL:** Princes Street. Tel. (44) 131-222-8888; fax (44) 131-222-8889; www.hilton.com. *Quanto*: duplos a partir de U$332; quartos com vista para o castelo a partir de U$488.

O castelo paira sobre a cidade.

Um mergulho na cultura da Escócia

FESTIVAIS DE EDIMBURGO

Escócia

A cada mês de agosto, essa cidade conservadora passa por uma metamorfose e se torna palco de uma enxurrada de atrações nos campos da música, do teatro, da dança e dos espetáculos alternativos. O Festival Internacional de Edimburgo, que festejou recentemente seu qüinquagésimo aniversário, há muito tempo atrai nomes e talentos de primeira grandeza. Acumulando prestígio quase igual, o Fringe nasceu de um desdobramento do festival e especializou-se em surpreender os espectadores. Aberto a mais de 650 trupes de artistas amadores do mundo inteiro que se apresentam em cerca de 150 lugares, de cervejarias a quadras de esporte de escolas, ele é atualmente o maior festival de artes do planeta. Como não há vetos artísticos de nenhum tipo, o evento acolhe qualquer pessoa que deseje participar. A performance noturna da Military Tattoo talvez seja o maior espetáculo militar do mundo, e seu efeito é ainda maior porque a apresentação é realizada na esplanada de um castelo. A música, que tem como base gaitas de foles e percussão, pode não ser lá essas coisas em termos artísticos, mas é puro entretenimento. Se tudo isso não for o bastante, o Festival de Cinema de Edimburgo, promovido anualmente, e o Festival de Jazz e Blues dão o toque final a esse banquete cultural. Ingressos para as apresentações mais importantes devem ser adquiridos com antecedência. No entanto, com tal diversidade de opções, é possível deixar para comprar na hora e ainda assim se divertir imensamente, sobretudo se você ficar para a fantástica exibição de fogos de artifício programada para a última noite.

O QUE: evento. **COMO:** para informações gerais sobre festivais, acesse www.edinburghfestivals.com. **QUANTO:** ingressos U$21–U$65. **QUANDO:** meados de Ago.–início Set.

Rebelde local e mestre do moderno design

ROTEIRO MACKINTOSH

Glasgow, Escócia

O maior arquiteto e designer de Glasgow, Charles Rennie Mackintosh (1868-1928), deu à segunda mais importante cidade da Escócia a reputação de pólo de criatividade. O reconhecimento devido ao seu nome, porém, só ocorreu plenamente em 1996, quando sua House for an Art Lover (Casa para um Amante da Arte), projetada para uma competição em 1901, foi finalmente construída em Bellahouston Park, a sudoeste da cidade. Sua obra-prima indiscutível, a Escola de Arte de Glasgow, tornou-se um ponto de peregrinação: quando concluída em 1899, foi saudada como o mais perfeito exemplo do Modernismo na Europa. Seus restaurantes e suas casas de chá também se tornaram populares. Visite a Willow Tearooms, único exemplar ainda de pé. Mackintosh acabou ficando mais famoso pelos móveis que projetou do que por sua arquitetura – algumas das peças na Willow podem ser reproduções, mas o clima é autêntico: peça licença para sentar-se no Salon de Luxe, uma fantasia art nouveau. Admirar as criações de Mackintosh no seu cenário original ajudará os fãs do designer a compreender o contexto estético e social em que suas idéias ganharam forma. Seu estilo inimitável permanece vivo através da cidade, dos padrões reproduzidos nos portões de ferro da garagem de uma casa até os enfeites estampados nos cardápios de restaurantes e na onipresente rosa estilizada que se tornou uma espécie de símbolo de Glasgow.

O QUE: experiência, restaurante. **CHARLES RENNIE MACKINTOSH SOCIETY:** Garscube Road, 870. Tel. (44) 141-946-6600; fax (44) 141-945-2321; info@crmsociety.com; www.crmsociety.com. Organiza visitas guiadas para conhecer as principais criações de Mackintosh dentro e fora de Glasgow. *Quando*: a pedidos. **ESCOLA DE ARTE DE GLASGOW:** Renfrew Street, 167. Tel. (44) 141-353-5500; info@gsa.ac.uk; www.gsa.ac.uk. **WILLOW TEAROOMS:** Sauchiehall Street, 217. Tel. (44) 141-353-5500. **QUANTO:** chá U$10.

Willow Tearooms: design de Charles R. Mackintosh.

Onde as Terras Baixas encontram as Terras Altas

AS TROSSACHS

Callander, oeste das Terras Altas, Escócia

As colinas cobertas de urzes das montanhas Trossachs e sua principal atração, o lago de Lomond, o maior e mais conhecido dos lagos escoceses entre os fiordes, têm encantado viajantes desde que sir Walter Scott popularizou a região em seus livros no início do século XIX. Nesse lugar as Terras Baixas (Lowlands) encontram-se com as Terras Altas (Highlands) numa área rica em termos de história graças a Rob Roy (Red Robert), um personagem real das Terras Altas do século XVIII. Vendedor de gado, ele se transformou num fora-da-lei que está para o folclore da Escócia assim como Robin Hood está para o da Inglaterra. Além disso, há o Castelo de Stirling, a fortaleza mais importante do país – quem a controlava tinha nas mãos a nação escocesa. Construída na Idade Média e só perdendo em grandiosidade para o Castelo de Edimburgo, foi a residência da rainha Maria I quando criança. Ao norte de Glasgow, as Trossachs envolvem o visitante numa espécie de natureza primitiva que geralmente é associada à região mais ao norte das Terras Altas. As "margens lindas, lindas" do lago de Lomond (salpicado com cerca de 30 pequeninas ilhas) são mesmo belas, mas sir Walter Scott também apreciava a qualidade cristalina das águas do lago Katrine, que escolheu como cenário do poema "A dama do lago", de 1810. Hoje um pequeno vapor vitoriano, o SS Sir Walter Scott, singra suas águas serenas

Habitantes de um ponto extremo das Terras Altas.

onde se refletem cumes de montanhas e as florestas que cobrem suas margens.

O QUE: lugar. **AS TROSSACHS:** o Centro de Rob Roy e das Trossachs, Ancaster Square, Callander (a leste dos lagos Lomond e Katrine), costuma servir de base para passeios por essa região montanhosa. Tel. (44) 1877-330-342; fax (44) 1877-330-784; robroy&t@aillst.ossian.net. *Quando*: aberto diariamente, Mar.–Dez. **CASTELO DE STIRLING:** 37km a nordeste de Glasgow. **MELHOR ÉPOCA:** Mai.–Set. Os Stirling Highland Games são realizados num Dom., na primeira metade de Jul.; os Callander World Championship Highland Games geralmente são promovidos no último fim de semana de Jul.

Ícones britânicos de um passado de lutas

CASTELO DE CAERNARFON

Norte do País de Gales

Dizem que nenhum outro lugar do mundo ostenta mais castelos por metro quadrado do que o País de Gales. De quartéis romanos e fortalezas normandas a fortes saxões, sua história foi escrita em pedra. O visitante não precisa se esforçar muito para tropeçar em uma ruína ou encontrar uma exuberante construção medieval: existem ali cerca de 300 castelos a serem explorados. Mais de uma dúzia deles foram construídos na região norte a partir de 1277 pelo temido rei da Inglaterra Eduardo I (1272–1307) para intimidar e finalmente dominar os impetuosos galeses em 1282. Com suas muralhas denteadas e localizado no estreito de Menai, o Castelo de Caernarfon foi edificado num local que é conhecido desde os tempos dos romanos como porta de entrada para a Snowdonia. Era o maior dos castelos do rei Eduardo: residência oficial no norte do País de Gales e sede do governo. Suas torres octogonais do século XIII ainda dominam a cidade. Eduardo II, nascido ali em 1284, também recebeu no castelo, em 1301, o título honorário de príncipe de Gales como um gesto para apaziguar o povo galês. Desde então, esse título é conferido ao filho mais velho do monarca reinante. O castelo assistiu a duas investiduras no século XX: a de Eduardo III pelo seu pai Jorge V, em 1911, e a do príncipe Charles, atual príncipe de Gales, em 1969 – esta última realizada com toda a pompa e cerimônia.

Para quem está interessado em acomodações muito menos régias porém muito mais confor-

Supõe-se que o Castelo de Caernarfon tenha sido inspirado nas muralhas e torres de Constantinopla.

táveis, a hospitalidade rural típica de Gales é encontrada na região norte, uma área repleta de ótimas atrações. Com seus 24ha de terra, o Ty'n Rhos é um dos mais encantadores hotéis-fazenda do País de Gales, um empreendimento familiar cuja cozinha excepcional é em grande parte responsável pela sua reputação de melhor base para visitas às maravilhas desse lugar.

O QUE: lugar, hotel. **CASTELO DE CAERNARFON:** 13km a sudoeste de Bangor. Tel. (44) 1286-677-617; www.caernarfon.com. *Quanto*: ingresso U$7. **TY'S RHOS:** a 20 minutos de carro do Castelo de Caernarfon. Tel. (44) 1248-670-489; fax (44) 1248-670-079; enquiries@tynrhos.co.uk; www.tynrhos.co.uk. *Quanto*: duplos U$115.

Jardim e mansão no campo para o ano inteiro

O BODNANT GARDEN E O BODYSGALLEN HALL

Conwy e Llandudno, Norte do País de Gales

O mais lindo dos jardins do País de Gales está localizado acima do rio Conwy, com vista para um dos seus mais encantadores vales e tendo ao fundo o cartão-postal irretocável das montanhas de Snowdonia. Importante o suficiente para ter sido acolhido em 1949 pelo National Trust (fundação não-governamental que zela pelo patrimônio histórico na Grã-Bretanha), o Bodnant Garden é um dos mais belos jardins britânicos, e não é segredo que os ingleses são páreo duro em matéria de floricultura. Esse é um recanto dedicado ao lazer em todas as estações do ano, abrangendo quase 40ha dispostos em platôs que seguem o estilo formal italiano, começando na casa central da propriedade e descendo gradualmente até jardins coloridos e cheios de flores, arbustos de espécies exóticas, árvores imponentes e formações rochosas. Dependendo da época do ano, o visitante consegue ver vales densamente ocupados por rododendros, camélias e magnólias e ainda o Arco de Laburnam, um túnel de 54m de comprimento formado por flores que brotam dos dois lados de uma aléia e que costuma mostrar-se mais exuberante no fim de maio e no começo de junho. Criado em 1875, Bodnant ainda serve como uma magnífica residência para o lorde Aberconway, presidente emérito da Royal Horticultural Society (Real Sociedade de Horticultura).

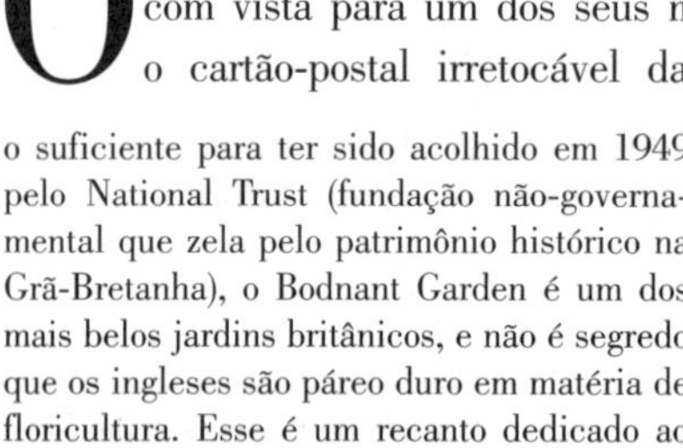

Bodysgallen Hall: no centro de 80ha de área verde.

Imagine-se um amigo de sir Aberconway e dê uma passada no Bodysgallen Hall em Llandudno, nas proximidades. Essa mansão é freqüentemente considerada a melhor residência de uma propriedade rural no País de Gales. Os amplos e irretocáveis arranjos florais já na entrada, assim como as enormes lareiras e a encantadora seleção de sofisticadas antiguidades, não deixam dúvida de se tratar de um ambiente de altíssima classe. Localizada em meio às florestas nos arredores do Parque Nacional de Snowdonia, a casa principal foi construída em sua maior parte no século XVII (incorporando uma torre do século XIII). Muitos dos quartos de hóspedes contam com uma vista deslumbrante para as montanhas de Snowdonia e para Conwy, uma singela cidade medieval ali perto, com muralhas perfeitamente preservadas, erguidas em torno de um importante castelo eduardiano do século XIII. A pequena cidade-balneário de Llandudno fica a apenas 1,5km, com seus hotéis em tons pastel alinhados ao longo do passeio à beira-mar e do píer cor de gengibre. Resista à tentação de comer frutos do mar num dos restaurantes ao ar livre até ter desfrutado de pelo menos um jantar em Bodysgallen. Experimente o carneiro galês, lagostas Anglesey e o salmão do rio Conwy. Depois de jantar, faça uma caminhada à luz da lua entre jardins perfumados por rosas e ervas e recriados a partir de imagens dos séculos XVII e XVIII encontradas em arquivos. Cuidadosamente escondidos em meio aos 80ha de terrenos cultivados com esmero estão 16 pequenos chalés, muitos com seus próprios jardins particulares, para os que querem realizar a fantasia de viver num bangalô de pedra no interior do País de Gales, nem que seja por uma noite.

O QUE: lugar, hotel. **BODNANT GARDEN:** 13km ao sul de Conwy e Llandudno na costa norte do País de Gales. *Quanto:* ingresso U$7,50. *Quando*: diariamente, meados de Mar.–Out. *Melhor época*: primavera–outono, mas trata-se de um jardim para todas as estações. **BODYSGALLEN HALL:** 32km a leste do Castelo de Caernarfon, 48km a leste de Snowdon. Tel. (44) 1492-584-466; fax (44) 1492-582-519; info@bodysgallen.com; www.bodysgallen.com. *Quanto:* duplos a partir de U$220, inclui o spa do hotel. **MELHOR ÉPOCA:** primavera–outono; a Llandudno October Fair, 1 semana no meio do mês dedicada à música, poesia e arte.

Onde repousam para sempre o rei Artur e seus cavaleiros

PARQUE NACIONAL DE SNOWDONIA

Norte do País de Gales

Embora seja agraciado com cidades pitorescas e vilarejos litorâneos, o País de Gales é mais conhecido pelas deslumbrantes paisagens do interior, onde as montanhas de Snowdonia oferecem um espetáculo inigualável em matéria de grandiosidade e beleza. Dizem que o espírito do rei Artur costuma velar a região do alto do monte Snowdon, onde, segundo a lenda, estariam dormindo os Cavaleiros da Távola Redonda. Com 1.085m de altura, é o segundo monte mais alto da Grã-Bretanha, só superado pelo Ben Nevis, na Escócia. Ao contrário do que ocorre com os parques nacionais dos Estados Unidos, Snowdonia é habitado. Um dos povoados que se encontram dentro dos seus limites, Llanberis, é o ponto de partida para a viagem de uma hora (entre 6 e 8km) a bordo de um trem da Snowdon Mountain Railway (uma alternativa popular é uma trilha de três horas a pé), que vem fazendo essa rota desde 1896. Ele pára a apenas 20m do topo, o que facilita a última etapa da subida mesmo para aqueles que já não têm as pernas muito firmes. Num dia claro é possível ver lá de cima grande parte dos mais de 1.000km^2 de panoramas variados e pontos tão distantes quanto as montanhas Wicklow, na

Irlanda, a 140km de distância. As paisagens estão entre as mais espetaculares do país e há opções de se caminhar pelas matas, velejar em lagos cercados de montanhas, andar de bicicleta por trilhas sinalizadas e apreciar uma ampla variedade de belezas naturais e vida animal. Há muitos picos escarpados e vales cobertos de florestas nos 43km de litoral, mas em primeiro lugar fica o próprio monte Snowdon, o mais alto dos 15 picos com mais de 900m de altura existentes no parque. Seu nome em galês, Yr Wyddfa, significa "túmulo", uma referência a Rhita Gawr, o lendário gigante morto pelo rei Artur.

O QUE: lugar. **ONDE:** cidades geralmente usadas como bases para visitas ao parque: Betws-y-Coed, Dolgellau e Bala. Informações sobre o parque, tel. (44) 1766-770-274; www.snpa.co.uk. **QUANTO:** viagem de trem, ida e volta, U$25. **QUANDO:** o trem circula de Mai.–Out. **MELHOR ÉPOCA:** Mai.–Jun. e Set.–Out.

Dois oásis para a mente e para o corpo

O Festival de Hay-on-Wye e o Llangoed Hall

Hay-on-Wye e Llyswen, Sul do País de Gales

Essa pequena e compacta cidade nas montanhas Negras, que se diz a capital mundial dos antiquários e dos livros usados, é também um monumento à excentricidade britânica. Com 1.300 habitantes e cercada por colinas que servem de pastos para ovelhas, ela abriga entre 20 e 25 livrarias (dependendo de quem dê a informação) com estoques que somam milhões de títulos. Seu Festival de Literatura anual é conhecido pelos bibliófilos de toda parte – escritores e poetas do mundo inteiro costumam ir ao evento para fazer palestras e manter discussões informais sobre o seu trabalho. Talvez seja o festival literário de maior prestígio na Grã-Bretanha e é certamente o mais interessante. São cerca de 150 eventos programados com mais de 250 autores em 10 dias. O público é formado por leitores vorazes e por críticos que apreciam seu contato com escritores num cenário rústico e charmoso, despido de qualquer atmosfera comercial.

Hospede-se no Llangoed Hall, há muitos anos o favorito entre os freqüentadores do festival. O hotel tem um atmosfera sofisticada: objetos e pinturas da coleção particular do proprietário, sir Bernard Ashley, estão generosamente dispostos em todos os cantos dessa ampla casa de campo construída no século XVII. Sem nenhum balcão de recepção, os hóspedes são recebidos como amigos da família e imediatamente conduzidos aos quartos lindamente decorados. As acomodações são arrumadas com charme, originalidade e bom gosto indiscutíveis, num estilo associado ao da empresa Laura Ashley, fundada por sir Bernard e sua falecida mulher. Situado às margens verdejantes do rio Wye (que oferece ao visitante as melhores pescarias de salmão e truta da Grã-Bretanha), o hotel vem acumulando muitos prêmios desde sua inauguração em 1990. Todas as homenagens são merecidas

Uma ilustração da fachada de Llangoed Hall.

em razão dos 4ha de jardins imaculados com vista para as montanhas Negras, da equipe incrivelmente profissional que mantém o espírito caseiro do lugar, da excelente comida de sua cozinha refinada, da chance de esticar as pernas no Parque Nacional de Brecon Beacons e do ambiente descontraído de uma festa realizada numa residência eduardiana. Talvez seja ali que, pela primeira vez, você venha a ouvir a expressão *Croesco y Cymru* ("Bem-vindo ao País de Gales") e entender por que ela também significa "Bem-vindo ao lar".

O QUE: cidade, evento, hotel. **FESTIVAL DE HAY-ON-WYE:** 24km a leste de Brecon, 32km a oeste de Hereford, Inglaterra. Tel. (44) 1497-821-299; www.hayfestival.co.uk. *Quando*: 10 dias, final de Mai., início de Jun. **LLANGOED HALL:** em Llyswen, 14km a oeste de Hay-on-Wye, a 16km de Brecon, entrada do Parque Nacional. Tel. (44) 1874-754-525; fax (44) 1874-754-545; 101543.3211@compuserve.com; www.llangoedhall.com. *Quanto:* duplos a partir de U$215. Jantar U$35. **MELHOR ÉPOCA:** final de Mai.–início de Jun. para o Festival de Literatura. O Royal Welsh Show, em Builth Wells, tem duração de 4 dias e é realizado na segunda metade de Jul. com eventos ligados à agricultura e criação de cavalos. O Festival de Jazz de Brecon, promovido em meados de Ago., dura 3 dias.

Uma história de dois castelos

CASTELO DE BLARNEY E CASTELO DE BUNRATTY

Blarney (Cork) e Bunratty (Clare), Irlanda

Visitar a Irlanda e não beijar a Pedra de Blarney? Só se você quiser abrir mão do precioso "dom da tagarelice" reconhecido pelo poeta e dramaturgo irlandês Oscar Wilde ao descrever seu próprio povo como uma "nação de fracassados, mas os maiores conversadores desde os gregos". Hordas de visitantes dos lugares mais distantes do mundo escalam os 127 degraus da íngreme escadaria do Castelo de Blarney, de 500 anos, deitam-se diante de um vão de 40m (pessoas fortes seguram as pernas do turista para que ele não caia lá embaixo, mas ninguém parece levar em conta o perigo dos germes) e se contorcem assumindo posições constrangedoras só para beijar uma pedra que, segundo a história corrente, foi levada da Escócia para lá em 1314. Mas há quem afirme que o bloco de calcário de forma oblonga remonta à época das cruzadas. Por motivos inexplicáveis persiste a crença de que a pedra tem poderes especiais e, por isso, ela continua a exercer um enorme fascínio. Dizem que Elisabeth I foi quem, no século XVI, introduziu na língua inglesa a palavra *blarney* ("papo furado") quando o lorde falastrão do Castelo de Blarney lhe fez, em tom de adulação, mais uma de suas muitas – e não cumpridas – promessas. "*Blarney!* Não passa de *blarney!*", dizem que a rainha teria comentado, irritada.

O outro castelo que não pode deixar de ser visitado na Irlanda é o mais autêntico (e também o de maior movimento) do país. Erguido às margens do rio O'Garney e cercado por um grande parque temático que mostra como era um povoado irlandês do século XIX, o atual Castelo de Bunratty foi construído no início do século XV, ainda que algumas das fortificações do complexo datem do século XIII.

Esse grande edifício retangular com torres quadradas é a mais completa e mais impressionante fortaleza medieval da Irlanda. Era no Great Hall (Grande Salão), seu espaço mais importante, que o conde que ali morava mantinha sua corte e recebia emissários sob o teto de 14m de altura.

Uma verba generosa abasteceu o castelo dos dias de hoje com uma magnífica coleção de móveis de época, pinturas, esculturas e tapeçarias. Banquetes à moda medieval e à luz de candelabros desarmam até mesmo os mais céticos, que podem então falar até à rouquidão total, desfrutando de uma noite de música tradicional irlandesa, refeições ao estilo "quem precisa de talheres?", vinho abundante e bebidas servidas em canecas ao longo de compridas mesas coletivas.

O QUE: lugar. **CASTELO DE BLARNEY:** 8km a noroeste de Cork. Informações, tel. (353) 21-4385252; www.blarneycastle.ie.htm. *Quanto*: ingresso. **CASTELO DE BUNRATTY:** 8km a leste do aeroporto de Shannon. Reservas: tel. (353) 61-360788; fax (353) 61-361020; reservations@shannondev.ie; www.shannon-heritage.com. *Quanto*: ingresso U$8,50. Banquete U$50. *Quando*: banquetes medievais diariamente. **MELHOR ÉPOCA:** Mai.–Set.

Porto encantador e capital gastronômica

KINSALE

Cork, Irlanda

Na Irlanda do passado, restrita a uma dieta de carne na salmoura e repolho, o papel de Kinsale como capital gastronômica poderia ser considerado no mínimo uma brincadeira. Desde a chamada revolução culinária irlandesa, porém, essa bela cidade no mar da Irlanda, conhecida pela pesca, pelos iates e pela impressionante (e ainda crescente) profusão de excelentes restaurantes, tem atraído gourmets exigentes de todas as partes do mundo. No cada vez mais popular Kinsale International Gourmet Food Festival (Festival Internacional de Culinária Gourmet) há espaço para tudo: de uma demonstração no fogão pela dona-de-casa do ano até degustação de ostras. A sede informal do evento é o Blue Haven Hotel, localizado no Old Fish Market (Velho Mercado Pesqueiro), bem no centro de Kinsale. Um esplêndido jantar no seu restaurante de frutos do mar não deixa os hóspedes com muito espaço para os oito pratos do café da manhã irlandês, servido na manhã seguinte. Apesar da sua crescente popularidade, Kinsale ainda é uma ótima cidade para se perambular. Pavimentadas com paralelepípedos, as ruas abri-

Cisnes no pitoresco porto de Kinsale.

gam fileiras de casas do século XVIII em tons pastel e há um porto cheio de pequenos barcos. No entanto, se você preferir um pub próximo, pode ir direto para The Spaniard Inn, que tem uma bela vista para as colinas, comida simples e animada música irlandesa.

O QUE: cidade, evento, hotel. **KINSALE:** 29km a sudoeste de Cork. **HOTEL BLUE HAVEN:** Pearse Street, 3. Tel. (353) 21-477-2209; fax (353) 21-477-4268; bluehaven@iol.ie. *Quanto*: duplos a partir de U$175. Jantar U$36. **THE SPANIARD INN:** tel. (353) 21-772-436; fax (353) 21-773-303. **MELHOR ÉPOCA:** Out. para os 4 dias do Festival Internacional de Culinária Gourmet e o Festival de Jazz.

O melhor dos campos e da cozinha irlandesa

BALLYMALOE HOUSE

Shanagarry, Cork, Irlanda

Uma casa do século XIX erguida em meio às ruínas de um castelo medieval e coberta por heras, o nome Ballymaloe é sinônimo de "a hospedaria mais aconchegante da Irlanda". Desde 1947, Myrtle Allen mora ali, onde criou seus seis filhos e construiu paulatinamente uma ótima reputação – primeiro nacional, depois internacional – como cozinheira e autora de livros de culinária e, sobretudo, como uma anfitriã nata. Quase todos os ingredientes utilizados em sua cozinha (exceto os peixes frescos que saem direto de Ballycotton Harbor, ali perto) são das hortas de Allen, dos seus jardins e da sua fazenda de 160ha em torno da casa de campo. Os antigos estábulos e a casinha que se situava à entrada da propriedade foram transformados em aposentos amplos e confortáveis (a Sra. Allen tenta acomodar seus hóspedes nos quartos mais convenientes para cada um).

Num celeiro reformado nas imediações, Darina, sua animada nora (ela própria também autora de livros de receitas e uma autoridade em comida irlandesa), dirige a mais importante escola de culinária do país (mais de 30 cursos são oferecidos anualmente, com duração de um dia a várias semanas). Ballymaloe ("lugar do mel" em gaélico) deve muito do seu espírito de hospitalidade ao clã dos Allen e à sua equipe, que criam uma atmosfera elegante, totalmente dissociada do ambiente convencional de um hotel. "Sem um pingo de esnobismo", como diria Myrtle Allen ao descrever o estilo de sua culinária.

Ballymaloe está situada em meio a grandes fazendas a apenas 3km do litoral.

O QUE: restaurante, hotel. **ONDE:** 32km a leste de Cork, 262km a oeste de Dublin, 129km ao sul de Shannon. Tel. (353) 21-465-2021; fax (353) 21-465-2531; res@ballymaloe.ie; www.ballymaloe.com. **QUANTO:** duplos U$220. Jantar U$50.

O livro mais bonito do mundo

O Livro de Kells

Dublin, Irlanda

Trinity College, a universidade mais antiga da Irlanda, tem sob sua guarda o *Livro de Kells.* Fundada em 1592, Trinity (conhecida informalmente como TCD, Trinity College Dublin) ostenta uma respeitável lista de ex-alunos, que inclui Jonathan Swift, Bram Stoker, Oscar Wilde e Samuel Beckett. O papel mais importante que ela exerce hoje, porém, é o de guardiã desse manuscrito do início da Idade Média, o mais importante – e o mais maravilhoso – objeto de arte a sobreviver desde os primeiros séculos da cristandade celta. Cada página é magnificamente ornada com elaborados padrões decorativos e animais míticos que refletem a influência da tradição do trabalho com metais que marcou o período. As iluminuras são únicas no seu gênero tanto pelo grau de complexidade e por seu caráter intrincado quanto pela variedade que cobre cada uma das 680 páginas do livro, encadernadas na década de 1950 em quatro volumes. Tamanha era a fantasia materializada nessas iluminuras pelos escribas e monges do Mosteiro de Kells que sua obra foi considerada por um cronista do século XIII "não o trabalho de homens, mas de anjos". O *Livro de Kells* está guardado entre as colunas do térreo da antiga biblioteca da universidade, construída em 1712 e ampliada no século XIX. Ela ainda sofre com a falta de espaço para acomodar em suas estantes cerca de 250.000 livros, empilhados do chão até o teto. É um dos oito edifícios na área de 16ha que coletivamente abriga mais de 4.000.000 de volumes: Trinity College recebeu um exemplar de cada livro publicado na Irlanda e na Grã-Bretanha desde 1801.

O Que: lugar. **Onde:** Trinity College, College Green. Tel. (353) 1-608-2320; fax (353) 1-608-2690; www.tcd.ie. **Quanto:** ingresso U$6. **Quando:** aberta diariamente. **Melhor Época:** primavera e outono, para evitar as filas do verão.

À sua saúde: Slainte!

Os Pubs e a Festa de São Patrício

Dublin, Irlanda

Seja na sua versão tradicional, seja no seu recém-adquirido espírito cosmopolita, Dublin sempre teve como principal patrimônio o seu povo, com o talento que demonstra para boa música e um bom papo. A melhor pedida da cidade é uma visita a um dos seus mais de 1.000 pubs, onde a espessa e escura cerveja Guinness continua a ser a bebida nacional, enquanto a música quase sempre é seu subproduto natural. Também é nesses lugares que se ouve com freqüência "*Slainte!*", o típico brinde irlandês. Apelidada de "poesia em garrafa" e produzida em Dublin desde 1769, essa bebida, que costumava ser vendida com slogans do tipo "Guinness faz bem a você!", ainda inspira uma espécie de reverência que praticamente não sentimos diante de cervejas que encontramos em outras partes do mundo. Para obter o colarinho perfeito, um bom barman a retira aos poucos, na pressão, demorando de dois a três minutos.

Doheny & Nesbitt: fundado no século XIX.

Em meados do século XVIII, uma época próspera, Dublin contava com cerca de 2.000 cervejarias, 300 tabernas e 1.200 casas que vendiam uísque. Quem serve a melhor cerveja preta na Dublin de hoje, onde sete de cada oito bebidas consumidas é uma Guinness? Comece com um copo do que James Joyce chamou de "o vinho da Irlanda" no Brazen Head, conhecido como o pub mais antigo da cidade. Originalmente uma estalagem construída em 1198, o estabelecimento obteve licença para funcionar como pub em 1661. Acrescentou algumas novas salas que fogem do aspecto original, mas que em compensação oferecem música ao vivo.

Doheny & Nesbitt, o caçula da família com apenas 130 anos, é um elegante exemplar da era vitoriana, com painéis de madeira trabalhada, vidros decorados, orgulho de sua tradição e que conta, além disso, com *snugs*, pequenos nichos onde no passado as mulheres podiam ser servidas. Poucos deixam um pub com a mesma impressão do rabugento poeta irlandês Yeats, levado contra a vontade até um deles por um amigo: "Pronto, já vi um pub. Agora me leva para casa, por favor." O pobre Yeats teria feito um papelão durante a festança anual, o St. Patrick Festival (Festival de São Patrício), que anima bares e ruas de Dublin em homenagem ao maior símbolo irlandês.

Nenhum outro personagem, sagrado ou profano, tem uma associação tão estreita com a Irlanda quanto o seu padroeiro, São Patrício. Nascido na Escócia e levado para a Irlanda como escravo em 432 d.C., ele é amado tanto pelos irlandeses da diáspora quanto pelos que ficaram na ilha.

O dia 17 de março, celebrado em sua homenagem, é querido por todos os cidadãos do país, mas a maior comemoração anual dessa data em Dublin ocorre mesmo nos pubs. Os quatro dias de festa têm mostrado o mesmo esforço de renovação que a cena artística e cultural da cidade vem exibindo nos últimos anos. O desfile que desce orgulhosamente a

Rua O'Connell ainda é a maior atração do feriado, com a participação de delegações de todo o mundo.

O QUE: restaurante, evento. **BRAZEN HEAD:** Lower Bridge Street, 20. **DOHENY & NESBITT:** Lower Baggot Street, 5. **DUBLIN LITERARY PUB CRAWL:** 2 horas com apresentações de atores em 4 pubs. Tel. (353) 1-670-5602; fax (353) 1-670-5603; colm@dublinpubcrawl.com; www.dublinpubcrawl.com. *Quanto*: U$10. **ST. PATRICK FESTIVAL:** informações, tel. (353) 1-676-3205; fax (353) 1-676-3208; info@stpatricksday.ie; www.stpatricksday.ie. Eventos gratuitos programados em diferentes pontos da cidade. *Quando*: 4 dias, incluindo 17 de Mar. (geralmente 16–19 Mar.); desfile em 17 Mar., precedido de um menor na véspera. A Skyfest, uma das maiores exibições de fogos de artifício da Europa, ocorre na última noite.

A beleza terrível, segundo Yeats

CONNEMARA

Galway, Irlanda

É difícil classificar Connemara: não é uma cidade nem um vale, mas uma área poeticamente escarpada de Galway, uma região da Irlanda conhecida por suas paisagens românticas. Consistindo na terça parte da região oeste do condado de Galway, ela foi no passado a maior propriedade privada da Irlanda. Selvagem, solitária e inabitada em sua maior parte, seus terrenos úmidos cobertos por turfa e uma costa rochosa levaram o poeta Yeats a falar de uma "beleza terrível" e são o motivo pelo qual tantos escritores e artistas se sentem atraídos por essa região.

Com belíssimas paisagens, a Sky Road é uma das mais aprazíveis (e menos congestionadas) estradas do oeste da Irlanda. Um caminho íngreme e estreito que segue serpenteando ao longo da costa, com vista para os Twelve Bens (12 picos), freqüentemente envoltos pela neblina. Esse é o coração intocado do Parque Nacional de Connemara, com 1.500ha de matas, pradarias e algumas das mais belas trilhas para caminhadas da Irlanda. Rebanhos de cervos e de pôneis Connemara, a única espécie de cavalo nativa da ilha, às vezes são vistos por ali.

À vista dos Twelve Bens e perto da entrada do parque está Rosleague Manor, um maravilhoso complemento na visita a Connemara. A propriedade, administrada por Paddy Foyle e sua irmã Anne, constitui-se de uma casa de dois andares no estilo regência. Pescadores vão a essa região em busca do salmão e das trutas existentes ali. Os demais visitantes são atraídos pelo conforto dessa casa de campo e pelos jantares que Paddy oferece com frutos do mar e legumes cultivados na propriedade, marca do espírito de Connemara.

O QUE: lugar, hotel. **CONNEMARA:** Clifden é a "capital" da região, 80km a noroeste de Galway. Centro de Visitantes do Parque Nacional, Letterfrack. Tel. (353) 95-41054; www.heritageireland.ie. *Quanto*: ingresso. *Quando*: o parque abre da Páscoa–Out. **ROSLEAGUE MANOR:** 10,5km ao norte de Clifden em Letterfrack. Tel. (353) 95-41101; fax (353) 95-41168; rosleaguemanor@eircom.net; www.rosleague.com. *Quanto:* duplos U$140 (baixa temporada), U$217 (alta temporada). Jantar U$43. *Quando*: hotel e restaurante abrem da Páscoa–Out. **MELHOR ÉPOCA:** Festival de Arte de Clifden, meados de Set.; Show de Pôneis em Clifden, 3ª Qui. de Ago.

Capital dos festivais – das artes às ostras

GALWAY

Irlanda

Localizada no extremo da Europa e no centro de um dos condados mais bonitos da Irlanda, Galway é "a mais irlandesa das cidades irlandesas". O ancestral amor celta pela linguagem e pela música floresce ali, na que é considerada, ainda que não oficialmente, a capital artística da Irlanda, uma das cidades que vêm crescendo mais rapidamente na Europa e que deve parte de sua energia e vibração à universidade local. Especialmente no verão, o lugar parece ser um grande festival, reforçando o amor das pessoas por todas as coisas irlandesas. É também a cidade mais musical do país, de modo que os que vão até lá para o Festival Internacional de Ostras de Galway (que abre a temporada de ostras *Ostrea edulis* de setembro a abril na baía de Galway) encontram as ruas e os pubs tomados pelo ritmo da rabeca irlandesa. Uma rainha da beleza, a "Pérola das Ostras", impera no festival, que deu origem a eventos semelhantes nos vilarejos pesqueiros das proximidades, Clarenbridge e Kilcolgan (geralmente no início de setembro). Muitas pessoas fazem o passeio até Kilcolgan só pelo prazer de provar uma refeição no lendário Moran's Oyster Cottage. Willie Moran, da sexta geração de sua família, administra esse pub instalado num chalé que serve ostras premiadas, todas da criação do próprio estabelecimento.

O Moran's Oyster Cottage funciona há quase 300 anos.

O QUE: cidade, evento, restaurante. **GALWAY:** 97km ao norte de Shannon. **MORAN'S OYSTER COTTAGE:** The Weir, Kilcolgan (16km a sudeste de Galway). Tel. (353) 91-796-113; fax (353) 91-796-503; www.moransoystercottage.com. *Quanto*: U$20 a dúzia de ostras. **MELHOR ÉPOCA:** Festival Internacional de Ostras de Galway, 4 dias em Set.; Festival de Artes de Galway, fim de Jul.; Corridas de Cavalos de Galway, fim de Jul.–início Ago.

O paraíso do golfe

BALLYBUNION GOLF CLUB

Ballybunion, Kerry, Irlanda

De Dublin a Donegal, a Irlanda é abençoada com mais de 250 campos de golfe – uma espécie de Carolina do Norte do circuito europeu desse esporte. Talvez o mais cinematográfico e charmoso país para a prática do golfe (e sede da Ryder Cup de 2006), a Irlanda conta com uma série de idílicos castelos transformados em hotéis que servem de base para campos de golfe, à distância de pouco mais de uma hora. E o passeio pelas áreas rurais até chegar a um deles pode ser tão compensador quanto o tempo gasto com a própria partida.

Se você quer começar pelo topo da lista, pelo mais verdejante dos campos do sul do país, o Ballybunion Golf Club é o preferido pela maior parte dos golfistas em férias. Estendido ao longo da costa cinzenta do condado de Kerry e de frente para o Atlântico, o Old Course (Velho Campo) foi aberto em 1893 num local magnífico. Seu trecho final ainda é considerado um dos mais difíceis em todo o mundo – "uma verdadeira prova de golfe", como disse Tom Watson, o pentacampeão do British Open.

Muitas pessoas procuram o Portmarnock Golf Club, a 9,5km de Dublin, há muito tempo classificado como o melhor campo irlandês. No entanto, os campos do sudoeste do país permanecem entre os mais disputados e mais visitados pelos golfistas que vão pela primeira vez à Irlanda.

Outras opções além de Ballybunion são o belíssimo Waterville Links, o pitoresco Killarney, o notável Tralee e o célebre Lahinch.

O Que: experiência. **Ballybunion Golf Club:** Sandhill Rd., Ballybunion fica a 86km de Limerick, 107km a sudoeste de Shannon. Tel. (353) 68-27146; fax (353) 68-27387; bbglfc@iol.ie. **Como:** nos Estados Unidos, a empresa Irish Links é especializada em excursões a campos de golfe irlandeses atendendo ao perfil do cliente. Tel. (1) 800-824-6538; fax (1) 203-324-3886; info@irish-links.com; www.irish-links.com. *Quanto*: preços variados. *Quando*: Abr.–Out. para visitantes, Nov.–Abr. apenas para sócios dos clubes. **Melhor Época:** Mai.–Set.

Última parada antes do Brooklyn

Península de Dingle

Dingle, Kerry, Irlanda

O ponto no extremo ocidental da Europa projeta-se de modo audacioso na direção do Atlântico – "próxima parada, América", eles costumam dizer. A cadência do irlandês gaélico, a língua original do país, ainda pode ser ouvida por ali, e monumentos celtas da época do cristianismo primitivo pontilham as paisagens espetaculares do litoral. Varrida pelos ventos, a península de Dingle tem 48km de comprimento e uma largura que varia entre 9 e 19km, oferecendo a excursionistas, ciclistas e motoristas um espaço visualmente complexo no qual se confundem água e terra. Dali é possível avistar as sete ilhas conhecidas como Blasket Islands, evacuadas em 1953 e desde então desabitadas. No passado elas deram origem a um for-

As paisagens espetaculares da península de Dingle.

midável conjunto de obras literárias e atualmente são uma atração misteriosa e quase mística. Essas ilhas só são visitadas quando o mar não está muito agitado.

Dingle é a cidade mais bonita de todo o condado de Kerry e até hoje desfruta da fama que adquiriu em 1969, quando Robert Mitchum (e um respeitável séquito hollywoodiano) chegou ali para filmar *A filha de Ryan*. Com casas pintadas em tons alegres, abriga uma série de lojas de cerâmica, livrarias alternativas e a mais alta correlação pub por pessoa do país, além de contar com o Doyle's Seafood Bar. Um empreendimento familiar, essa casa especializada em frutos do mar é conhecida em todo o mundo por sua culinária simples, baseada na lagosta e nos peixes frescos servidos de modo informal. Quando o bar abriu há 30 anos, John Doyle costumava ir ao pequeno porto todos os dias garimpar o que queria em meio à produção dos pescadores. Agora são os pescadores que vão até o Doyle's. Os novos proprietários mudaram pouca coisa. Seu mil-folhas (ostras quentes no molho Guinness), a marca registrada da casa, ainda é a grande pedida, assim como a seleção de frutos do mar, que tem na qualidade e no frescor o segredo do seu sucesso. Com piso de pedra, esse bar/restaurante aconchegante, que oferece oito quartos simples, ajudou a atrair atenção para Dingle como um centro avançado de culinária – outro motivo para visitar esse inesquecível recanto da Irlanda, a última parada antes do Brooklyn.

O QUE: lugar, cidade, restaurante, hotel. **DINGLE:** 72km a noroeste de Killarney, 153km a sudoeste de Shannon. **DOYLE'S SEAFOOD BAR AND TOWNHOUSE:** John Street, 4. Tel. (353) 66-915-1174; fax (353) 66-915-1816; www.doylesofdingle.com. *Quanto*: jantar U$33. Duplos a partir de U$120. *Quando*: hotel e restaurante abrem de meados de Fev.–final de Nov.; restaurante, jantar diariamente.

Um sonho de passeio e uma beleza da era vitoriana

A Estrada de Kerry e o Park Hotel Kenmare

Kenmare, Kerry, Irlanda

Se a Irlanda inteira é ideal como cenário para um passeio de carro, então a estrada conhecida como Ring of Kerry é o trecho mais procurado, dada sua excepcional beleza. Ainda que não seja mais um segredo, sobram lugares fantásticos para se conhecer. Começando e terminando em Killarney há uma sucessão de paisagens de tirar o fôlego. Os panoramas, que alternam tons de cinza e azul no mar e em terra, desdobram-se ao longo do que é conhecido de modo menos glamouroso como N70 e N71: 177km de uma estrada que segue serpenteando ao longo da costa da península de Iveragh, proporcionando algumas das vistas mais exuberantes do país. Basta pegar um pequeno desvio para chegar a um território virgem, sem um único ônibus de excursão à vista – ali, engarrafamentos só com veículos de quatro patas. No mar ao longe é possível ver a silhueta escarpada das ilhas Skellig. Nos declives íngremes e áridos de Skellig Michael existem celas monásticas que remontam ao século VII. Navios de cruzeiro levam os turistas até bem perto dali, mas o desembarque é proibido.

Evite a alta temporada, quando há congestionamentos de ônibus de turismo em Killarney, e use a pequena e pitoresca Kenmare co-

O Park Hotel Kenmare tem vista para os seus jardins.

mo base para o passeio. Essa cidade do século XIX se torna ainda mais deliciosa pela presença do Packie's, um bistrô aconchegante cujo cardápio é amplamente conhecido tanto pelo que tem de simples (cozido irlandês, costela de carneiro) quanto de criativo (*gratin* de caranguejo e camarão ou o prato especial do dia).

Depois você pode se hospedar no Park Hotel, um dos mais refinados hotéis-fazenda da Irlanda. Construída em 1897, essa casa de pedra de aspecto severo se tornou conhecida por muitos aspectos: sua eclética coleção de antiguidades, pinturas e tapeçarias originais; uma equipe sorridente que valoriza os mínimos detalhes, oferecendo uma maravilhosa combinação de eficiência com calor irlandês; um clima acolhedor; um restaurante de prestígio que alia a culinária irlandesa à continental; e um campo de golfe anexo com 18 buracos e vistas belíssimas. As paisagens fantásticas fazem desse recanto do sudoeste da Irlanda um dos lugares mais encantadores do país.

O QUE: experiência, lugar, cidade, restaurante, hotel. **RING OF KERRY:** Killarney, geralmente o ponto de partida para o passeio, fica 135km a sudoeste de Shannon, 305km a sudoeste de Dublin. *Onde ficar*: Shelburne Inn, na estrada para Cork. Tel. (353) 64-41013; fax (353) 64-42135. *Quanto*: duplos U$88 (baixa temporada), U$114 (alta temporada). *Quando*: aberto de Fev.–meados Dez. **KENMARE:** a 32km de Killarney. **PACKIE'S:** Henry Street. Tel. (353) 64-41508. *Quanto*: jantar U$40. *Quando*: aberto de Mar.–Out., jantar, Ter.–Sáb. **PARK HOTEL KENMARE:** tel. (353) 64-41200; fax (353) 64-41402; info@parkkenmare.com; www.parkkenmare.com. *Quanto*: duplos U$375 (baixa temporada); U$450 (alta temporada). Jantar U$65. *Quando*: aberto de meados de Abr.–Nov.; restaurante, almoço e jantar diariamente. **MELHOR ÉPOCA:** Mai., Set.

Tão especial quanto a própria Irlanda

SHEEN FALLS LODGE

Kenmare, Kerry, Irlanda

Para uma cidade tão pequena e modesta, a encantadora Kenmare oferece padrões bastante altos em matéria de acomodações e alimentação. Um resort que ajudou a consolidar sua reputação é Sheen Falls Lodge, aninhado em meio a jardins semitropicais e trilhas entre florestas de pinheiros gigantes. Sua fantástica localização à beira da baía de Kenmare, entre o rio Sheen e suas quedas d'água, pode ser apreciada da maioria dos espaçosos e bem localizados quartos – mesmo assim, os hóspedes costumam passar a maior parte do tempo do lado de fora, em meio à natureza. A corrente do Golfo faz subir a temperatura na região da baía, produzindo um clima temperado e uma profusão de samambaias, palmeiras, camélias e fúcsias – afinal, estamos na Irlanda? É o tipo de clima que serve de estímulo para usufruir as diversas atrações oferecidas pelo hotel, incluindo um trecho de 24km do rio Sheen reservado exclusivamente para os hóspedes pescarem salmão.

Para os que desejam se aventurar para além dos 120ha pertencentes ao hotel, existem, num raio de 80km, seis campos de golfe de nível profissional (inclusive Waterville, sempre listado entre os cinco melhores da Irlanda). A opção para quem prefere um ritmo mais calmo é um passeio de carro pela península Beara e Macgillycuddy's Reeks, região conhecida por sua beleza. O ponto alto do dia fica por conta da volta ao hotel, quando o visitante se senta no restaurante La Cascade, com suas enormes janelas de frente para as quedas-d'água iluminadas por holofotes. O conhecido chef Chris Farrell supervisiona a cozinha 100% irlandesa, reconhecida pela utilização de ingredientes obtidos nas redondezas. O resultado é sempre excepcional, como tudo o mais em Sheen Falls Lodge.

Sheen Falls Lodge foi fundado no século XVIII como uma casa de pesca particular.

O QUE: hotel, restaurante. **ONDE:** a 2km de Kenmare, 168km a sudoeste de Shannon. Tel. (353) 64-41600; fax (353) 64-41386; info@sheenfallslodge.ie; www.sheenfallslodge.ie. **QUANTO:** duplos U$220 (baixa temporada), U$350 (alta temporada). Jantar U$55. **QUANDO:** fechado em Jan.; jantar diariamente. **MELHOR ÉPOCA:** para evitar multidões, Fev.–Abr., Out.–Dez.; 15 de Ago. para a feira local tradicional.

Como um hóspede da família Guinness

CASTELO DE ASHFORD

Cong, Mayo, Irlanda

Qual o melhor hotel de todos os hotéis-castelo? Falar em "hotel" é pouco quando esse termo é aplicado ao Castelo de Ashford, um majestoso vôo da imaginação refletido nas águas do lago Corrib, que tem cerca de 100km² – o segundo maior da Irlanda e o melhor para a pescaria de trutas. Pense em torreões e pontes levadiças, agora imagine esse cenário de tempos antigos oferecendo um serviço acolhedor, camas cobertas com dosséis, corredores ornados com armaduras, além de lareiras crepitantes em salas ricamente decoradas com painéis de madeira. Essa é a eterna mágica do Castelo de Ashford. Construído no século XIII e durante quase 100 anos residência da família Guinness (a mesma que fabrica a cerveja), ele hoje encabeça a curta lista dos hotéis de sonho da Irlanda. Os jantares tradicionais são servidos nas elegantes salas George V e Connaught, ambas repletas de enormes janelas, cristais Waterford e jogos de porcelana Wedgwood. Os hóspedes que preferirem se afastar desse ambiente suntuoso podem perambular pelos 140ha de floresta até chegar a Cong, cidade que oferece uma alternativa aconchegante e íntima à grandiosidade de Ashford. *Depois do vendaval*, clássico em preto-e-branco de 1952 dirigido por John Ford, foi filmado nesse pacato vilarejo e nos campos à sua volta. Os mais velhos ainda se lembram de John Wayne (no papel de um lutador de boxe americano que volta às suas origens) e de Maureen O'Hara (a beldade local que ele seduz), ambos hóspedes do Ashford durante as dez semanas de filmagem. Westport, a meia hora de carro dali e citada como a cidade predileta de muitas pessoas que visitam o país, é uma das várias tentadoras opções para uma excursão. Pode ser que um dia ela cresça até virar uma verdadeira cidade, mas por séculos tem se conservado pequena, pitoresca e acolhedora.

O QUE: cidade, hotel. **ONDE:** 43km a noroeste de Galway City, a 209km de Dublin, 145km ao norte de Shannon. **CASTELO DE ASHFORD:** tel. (353) 92-46003; fax (353) 92-46260; ashford@ashford.ie; www.ashford.ie. **QUANTO:** duplos U$235 (baixa temporada), U$425 (alta temporada). Jantar U$60. **MELHOR ÉPOCA:** primavera–outono.

Obra-prima da natureza

GIANT'S CAUSEWAY

Bushmills, Antrim, Irlanda do Norte

"Quando o mundo ganhou forma e foi modelado a partir do caos disforme", escreveu William Thackeray, "esse deve ter sido o pedaço que sobrou – um vestígio do caos." As paisagens da Irlanda do Norte são a principal atração dessa província e poucas são tão notáveis quanto o imponente, estranho e espantoso Giant's Causeway (Caminho do Gigante). Atualmente sob a proteção do National Trust (fundação não-governamental que zela pelo patrimônio histórico na Grã-Bretanha), essa grande massa que lembra uma colméia ao longo do litoral norte da ilha é formada por mais de 40.000 colunas de basalto vulcânico (cada uma medindo de 30 a 60cm) criadas por erupções há cerca de 60.000.000 de anos. As coisas mudaram bastante desde que viajantes do início do século XVII faziam, a cavalo, a dura jornada até esse recanto selvagem, com direito a uma parada para provar o uísque produzido pela destilaria de Bushmills, a mais antiga do mundo (sua licença foi obtida em 1608, mas há referências a ela que datam de 1276). A destilaria ainda está lá, mas vá devagar na hora de saborear o precioso líquido se quiser manter o equilíbrio enquanto avança, pé ante pé, pelas compactas aglomerações de blocos de pedra, a maioria de formato hexagonal (alguns com quatro ou cinco faces, outros com até 10, e atingindo alturas de até 12m). Outra opção é seguir pelo alto dos penhascos, de onde é possível ter uma visão do conjunto.

O QUE: lugar. **GIANT'S CAUSEWAY:** 120km a noroeste de Belfast. Tel. (44) 28-207-31855; fax (44) 28-207-32537; causewaytic@hotmail.com; www.northantrim.com. **OLD BUSHMILLS DISTILLERY:** Main Street, Bushmills. Tel. (44) 28-207-31521; fax (44) 28-207-31339. *Quanto*: ingresso U$6.

Os degraus de pedra do Giant's Causeway.

EUROPA OCIDENTAL

Um museu da arquitetura portuguesa ao ar livre

ÉVORA

Alentejo, Portugal

Cada era deixou suas marcas em Évora, hoje preservada como patrimônio nacional. Com um grande número de mansões e palácios cuja arquitetura vai do estilo medieval ao manuelino (característico da transição entre o gótico e o renascentista), Évora parece evocar essas diferentes épocas, sobretudo quando inteiramente iluminada à noite. Ainda que tenha sido comparada a Florença e Sevilha, a cidade é inconfundível na sua identidade portuguesa, apresentando matizes mouriscos em sacadas que se projetam das paredes, em casas caiadas e em frios pátios cobertos de azulejos. Quando os mouros foram expulsos dali no século XII, depois de uma produtiva estada de 450 anos, Évora tornou-se um dos lugares favoritos dos reis de Portugal e floresceu como um centro de estudos e artes nos séculos XV e XVI, antes de cair no esquecimento. O núcleo da Cidade Velha, no interior das muralhas medievais, concentra a maior parte dos pontos de interesse, incluindo a catedral gótica e a Igreja dos Lóios, do século XVI, dedicada a São João Evangelista e conhecida pelos tradicionais azulejos portugueses, pintados à mão nas cores branca e azul. Junto à igreja e perto das ruínas de um templo romano do século II dedicado a Diana há uma mansão aristocrática do século XV que mais tarde se tornou o Convento dos Lóios e hoje abriga a Pousada dos Lóios. Seguindo os passos dos monges que ofereciam hospitalidade aos muitos monarcas que passaram por ali, essa casa é uma das mais luxuosas pousadas do país atualmente. O antigo refeitório serve como salão de jantar, mas torça para que o tempo esteja bom: assim você poderá saborear suas refeições no claustro embelezado por arcadas.

O QUE: cidade, hotel. **ÉVORA:** 138km a sudeste de Lisboa. **POUSADA DOS LÓIOS:** Largo Conde de Vila Flor. Tel. (351) 266-704-051; fax (351) 266-707-248; www.pousadasofportugal.com/portugal/evora.html. *Quanto:* duplos a partir de U$150 (baixa temporada), U$185 (alta temporada). **MELHOR ÉPOCA:** os 10 últimos (e mais festivos) dias de Jun., durante a Feira de São João, dedicada a São João Evangelista.

A cidade que pertencia às rainhas de Portugal

ÓBIDOS

Estremadura, Portugal

Cercada por uma muralha mourisca, a pequena vila de Óbidos, com suas casas caiadas, foi considerada tão encantadora que se viu transformada em parte do dote de uma rainha – em 1282, o rei Dom Dinis concedeu esse feudo à rainha Isabel como presente de casamento. Nos 600 anos seguintes, todos os monarcas portugueses fizeram o mesmo, perpetuando o título de Óbidos como Casa das Rainhas. Essa cidade-museu é um monumento nacional tão pitoresco que é capaz de convencer cada um de seus visitantes – e são muitos – de que é um grande fotógrafo. Ali há bastiões construídos pelos árabes como ameias que têm quase 1km de circunferência. Uma caminhada sobre as largas passagens em seu topo proporciona vistas espetaculares da vila e do campo mais além. O imponente castelo do século XV foi erguido como uma fortaleza e transformado num palácio real no século XVI. Agora uma das alas foi transformada na Pousada do Castelo, com nove quartos – assim, por uma noite, você pode se sentir como um fidalgo num dos hotéis de mais estilo de Portugal. O amplo salão está repleto de armaduras, e nesse ambiente é possível imaginar as rainhas em visita ao lugar acompanhadas de sua comitiva real. O restaurante serve comida destinada a paladares mais plebeus, mas as vistas por si só já constituem um banquete. Melhor de tudo: o hóspede que pernoita ali tem a cidade só para ele antes da chegada dos ônibus de excursão.

A Pousada do Castelo.

O QUE: cidade, hotel. **ÓBIDOS:** 80km ao norte de Lisboa (perto o suficiente para atrair ônibus de excursão). **POUSADA DO CASTELO:** tel. (351) 262-959-105; fax (351) 262-959-148; guest@pousadas.pt; www.pousadas.pt. ***Quanto***: duplos U$153 (baixa temporada), U$184 (alta temporada). **MELHOR ÉPOCA:** Mai.–Jun. e Set.–Out.

A coleção de um bilionário no seu próprio museu

MUSEU CALOUSTE GULBENKIAN

Lisboa, Portugal

Calouste Gulbenkian foi um magnata armênio que fez fortuna na área do petróleo. Em 1955, ano em que morreu, ele legou uma das maiores coleções de arte particulares do mundo a Portugal, seu país de adoção desde a Segunda Guerra Mundial. Jóias art nouveau e objetos de arte assinados por René Lalique, amigo de Gulbenkian, estão entre os destaques de uma coleção notável formada por mais de 6.000 peças reunidas ao longo de 60 anos dedicados à paixão de colecionar, uma arte que ele praticava com grande talento. Muitas dessas peças foram compradas nos anos 1920 do Museu Hermitage, em São Petersburgo, quando a União Soviética precisava desesperadamente de moedas fortes. A coleção de Gulbenkian abrange um período que vai de 2700 a.C. (no Egito) até o início do século XX, retratando com fidelidade a amplitude dos seus interesses e a solidez da sua conta bancária. Entre as estrelas do acervo estão obras de Ghirlandaio, Rembrandt, Renoir e Manet, expostas ao lado de um grande número de primorosos objetos que são um deleite para os especialistas, incluindo manuscritos medievais, antigas moedas gregas e tapetes do Oriente Médio.

O QUE: lugar. **ONDE:** Avenida de Berna, 45-A. Tel. (351) 21-782-3000; fax (351) 21-782-3032; info@carbono14.com; www.museu.gulbenkian.pt. **QUANTO:** ingresso U$2,75; Dom. grátis. **QUANDO:** aberto Ter.–Dom. **MELHOR ÉPOCA:** Abr., Set. e Out.

O refúgio de verão da realeza de Portugal

SINTRA

Lisboa, Portugal

Lord Byron já tinha visto boa parte do continente quando, de Sintra, escreveu à sua mãe, considerando o lugar "talvez o mais encantador [vilarejo] da Europa". Nos dias de hoje, o mesmo clima ameno e fresco e os mesmos jardins que transformaram essa localidade na residência de verão predileta dos reis portugueses durante mais de 500 anos seguem oferecendo aos habitantes da cidade e aos turistas um abrigo contra o calor e a agitação de Lisboa. Seu ponto mais alto é ocupado pelas belíssimas ruínas de uma fortaleza árabe do século VIII, o Castelo dos Mouros, com uma fantástica vista para o mar.

Fique no seu próprio castelo hospedando-se no Palácio de Seteais, uma romântica construção do século XVIII erguida pelo cônsul holandês em Portugal, com vistas para os vinhedos, os bosques alaranjados e o mar sob a névoa. As áreas comuns do hotel e alguns dos quartos mais antigos foram decorados com antiguidades: lustres de cristal e folheados a ouro dão o toque final a aposentos com pés-direitos altos, como o salão de baile. O nome do palácio é uma referência aos sete suspiros (sete "ais") que teriam sido dados ali na ocasião da assinatura de um tratado de paz durante as guerras napoleônicas – reação imitada por muitos hóspedes de hoje, hipnotizados pelos encantos do lugar.

O QUE: cidade, hotel. **SINTRA:** 29km a noroeste de Lisboa. **HOTEL PALÁCIO DE SETEAIS:** Rua Barbosa du Bocage, 8. Tel. (351) 21-923-3200; fax (351) 21-923-4277; tivoli@tivoli.pt; www.tivolihotels.com. ***Quanto:*** duplos a partir de U$181 (baixa temporada), a partir de U$288 (alta temporada). **MELHOR ÉPOCA:** Abr.–Mai. e Ago.–Set.

Uma pérola do Atlântico

ILHA DA MADEIRA

Portugal

Com um clima subtropical aquecido pela corrente do Golfo, esse fragmento vulcânico ao largo da costa da África é o jardim flutuante de Portugal. A descoberta da ilha da Madeira no início do século XV pelo príncipe

Um dragoeiro do Reid's Palace.

Dom Henrique, o Navegador lançou Portugal em sua era de ouro. A ilha foi "redescoberta" no século XIX por turistas britânicos que fugiam do inverno. A fidelidade desses visitantes ao lugar tornou-se lendária, tamanha era sua admiração pelas encostas íngremes e de vegetação exuberante, pelas terras escalonadas e cultivadas por um povo simpático, por seu vinho escuro e doce e por seu clima de "eterno verão".

Picos cinematográficos e um entrelaçamento de trilhas bem sinalizadas estimulam explorações pelos campos sempre verdes. Um dos caminhos favoritos acompanha as antigas levadas – uma rede de canais de irrigação construídos para conduzir água do topo das montanhas a fazendas, campos e vilarejos na parte baixa. A ilha, de 57 x 22km (70% dela é um parque nacional), concentra mais coisas no seu rico território do que muitas áreas com cinco vezes o seu tamanho. Um passeio pela estrada em forma de saca-rolhas em seu fantástico interior, subindo e contornando a serra da Água, proporciona suspense e emoção de sobra, recompensando os corajosos com vistas incríveis no pico Ruivo, de 1.800m – a montanha mais alta da ilha da Madeira.

O elegante Hotel Reid's Palace, considerado a estrela de Funchal, a capital da ilha, foi criado para satisfazer cada desejo dos visitantes aristocratas desde sua fundação em 1891. Situado no alto de um promontório de onde se descortina uma ampla vista da cidade, do porto e das montanhas mais além, o Reid's está cercado por 4km² de jardins, palmeiras e aves-do-paraíso. Winston Churchill, Bernard Shaw e muitas outras celebridades fizeram desse hotel seu refúgio predileto. O Les Faunes, o restaurante da casa, apontado como o melhor da ilha, e o chá do fim da tarde – assim como a maior parte das coisas nessa ***villa*** (casa) de estilo Mediterrâneo – são considerados instituições locais.

O QUE: ilha, hotel. **MADEIRA:** 644km ao sul de Lisboa, 483km a oeste de Casablanca, Marrocos. **REID'S PALACE:** Estrada Monumental, 139, Funchal. Tel. (351) 291-71-71-71; fax (351) 291-71-71-77; reservations@reidspalace.orient-express.com; www.reidspalace.orient-express.com. ***Quanto***: duplos a partir de U$225 (baixa temporada), a partir de U$365 (alta temporada). Jantar no Les Faunes U$51; chá da tarde U$17. ***Quando***: o Les Faunes fecha no verão. **MELHOR ÉPOCA:** a colheita da uva atinge o auge em meados de Set., quando é realizada a Festa do Vinho Madeira.

A maior mesquita ibérica

LA MEZQUITA

Córdoba, Andaluzia, Espanha

As 900 colunas da Mezquita criam uma verdadeira floresta de ônix, jaspe, mármore e granito encimada por arcos em forma de ferradura com listras vermelhas e brancas. Além disso, mosaicos decorativos e relevos de gesso contribuem para torná-la um dos exemplos mais deslumbrantes da arquitetura islâmica na Espanha. Essa construção foi erguida por uma sucessão de emires entre os séculos VIII e X, quando Córdoba era o centro do califado ocidental e a maior cidade da Europa. Mais tarde, ela foi parcialmente destruída e, em 1236, reconstruída como uma catedral. Em sua época, a Mezquita representou o ponto alto das realizações arquitetônicas islâmicas no Ocidente e tinha como única rival a mesquita de Meca. A catedral que hoje se vê instalada de um modo um tanto desajeitado em seu centro não está à altura de uma comparação, mesmo que os bancos de mogno do coro, datados do século XVIII, figurem entre os mais trabalhados da Europa. O próprio imperador Carlos V, à frente do Sacro Império Romano, lamentou a destruição de algo "único" para criar uma coisa tão "comum". O antigo minarete transformado em torre da igreja proporciona uma linda vista dos antigos bairros árabe e judeu lá embaixo. E uma pausa para descanso no pátio das Laranjeiras continua a ser uma experiência tão refrescante e aromática quanto no tempo dos antigos califas.

As colunas e os arcos da Mezquita.

O QUE: lugar. **ONDE:** Calle Cardenal Herrero (Córdoba fica 418km a sudoeste de Madri). **QUANTO:** ingresso.

Mil maravilhas dentro das muralhas

O ALHAMBRA E O PARADOR DE SAN FRANCISCO

Granada, Andaluzia, Espanha

"Nada na vida seria mais cruel do que ser cego em Granada", diz uma inscrição no interior do Alhambra, a maior expressão da arquitetura e da arte islâmicas na Espanha. Algumas partes dessa maravilha que vemos hoje datam do século IX, quando o califado começou a construí-la, mas ela foi quase inteiramente criada nos reinados de Yusuf I (1333-1353) e Mohamed V (1353-1391). Apesar da sua aparência exterior austera e pouco imponente, praticamente todas as superfícies do seu interior estão cobertas com padrões geométricos e arabescos ornamentados de um modo fantástico.

Durante quase 250 anos, a "Fortaleza Vermelha" foi usada pelos governantes de Granada como palácio, harém, residência

Os estilos mourisco e cristão se confundem no Parador de San Francisco.

de funcionários da corte e, certa vez, como uma guarnição para 40.000 soldados. Com a vitória final dos cristãos em 1492, o último governante mouro, Boabdil, e sua corte deixaram a Espanha para sempre – nesse ano, os monarcas católicos mudaram-se para o Alhambra. Supõe-se que tenha sido na Grande Sala dos Embaixadores que o casal real Fernando de Aragão e Isabel de Castela se encontrou com Colombo em 1492, antes de ele fazer a sua primeira viagem. Por toda parte se ouve o murmúrio da água que corre entre fontes, canais e tanques de azulejo, elementos que são parte integrante do conjunto arquitetônico. A maneira espetacular como as requintadas tramas e filigranas rendilhadas foram aplicadas ali está à mostra no Salão das Duas Irmãs, cujo teto inteiramente trabalhado escapa à extravagância e consegue ser simplesmente belo.

A mais conhecida e talvez a mais bonita das mais de 80 pousadas que pertencem ao governo, a Parador de San Francisco permite aos hóspedes dormir dentro das muralhas mágicas do Alhambra. A própria pousada foi um palácio mouro transformado em convento pelos monarcas católicos que chegaram ali em 1492. Ainda hoje proporciona vistas privilegiadas: para os jardins do Alhambra e os palácios de Nasrid, para o antigo bairro mouro de Albaicín e para os campos ao redor da cidade. Impossível imaginar uma localização melhor do que essa, e sua popularidade é comprovada por uma longa lista de espera. Os quartos da construção original, ricamente mobiliada, são cheios de antiguidades e personalidade, além de oferecerem ao hóspede a chance única de perambular pelos magníficos pátios e jardins do Alhambra depois que as portas já foram fechadas ao público. Quartos mais comuns e menos caros estão disponíveis na nova ala. Se você não fez a reserva com antecedência suficiente, uma refeição ao ar livre já será uma grande experiência: do terraço do Parador vislumbrará vistas românticas dos roseirais do Alhambra enquanto saboreia especialidades da Andaluzia.

Caso você faça a visita no início do verão, poderá assistir às atrações do Festival Internacional de Dança e Música, evento anual que dura 17 dias. Começando no fim de junho, sua programação inclui desde apresentações de música clássica até o flamenco.

O QUE: lugar, hotel, evento. **ALHAMBRA:** Granada fica 256km a leste de Sevilha. *Quanto*: ingresso. **PARADOR DE SAN FRANCISCO:** Real de la Alhambra. Tel. (34) 958-221440; fax (34) 958-222264. *Quanto*: duplos na ala histórica a partir de U$240 (baixa temporada), a partir de U$260 (alta temporada). Almoço e jantar U$35. **FESTIVAL INTERNACIONAL DE MÚSICA E DANÇA:** entre em contato com o Festival Internacional de Musica y Danza de Granada; tel. (34) 958-221-844; fax (34) 958-220-691; taquilla@granadafestival.org; www.granadafestival.org. *Quanto*: ingressos U$3–U$40, à venda no fim de Fev. *Quando*: fim de Jun. **MELHOR ÉPOCA:** Abr.–Jun. e Set.–Out.

Na cidade de Carmen

SEVILHA

Andaluzia, Espanha

Sevilha é uma cidade encantadora em qualquer época do ano, mas vale a pena alterar o itinerário e fazer reservas com antecedência para estar lá na primavera. A Semana Santa é celebrada em todo o Mediterrâneo, assim como em todo o mundo cristão, porém em nenhuma outra parte isso é feito como em Sevilha. Em cada noite da semana que antecede a Páscoa, integrantes das 60 ***cofradías*** (irmandades) existentes na cidade, muitos deles encapuzados, descalços e arrastando correntes, desfilam lentamente pelas ruas escuras. Há procissões à luz de velas com figurinos elaborados e imagens trabalhadas da Virgem Maria e de Jesus Cristo. Duas semanas depois, os comoventes hinos religiosos expressando profunda devoção são substituídos pelo ritmo da dança e da música flamencas na exuberante Feria de Abril, um festivo intervalo de uma semana em que os espanhóis esquecem suas preocupações com o mundo real. Mulheres em típicos vestidos flamencos, multicoloridos e cheios de babados, montam acompanhadas dos seus ***caballeros***, que usam os chapéus de abas largas e os curtos e elegantes paletós da região.

Imagem da procissão da Semana Santa.

Tente hospedar-se no Alfonso XIII, talvez o mais exótico hotel da Espanha, que evoca a antiga opulência dos mouros. Construído para receber figuras da realeza durante a Feira Mundial de Sevilha de 1929, seu projeto foi buscar inspiração na arquitetura mourisca local para criar um exuberante palácio espanhol em torno de um pátio central, uma imitação capaz de enganar o mais desconfiado dos califas. Painéis de azulejos com motivos mouros, pisos de mármore, colunas internas e arcos oferecem um oásis ao abrigo do calor e do trânsito da agitada vizinhança, a região entre o Alcazar e a Catedral, as atrações mais populares da cidade. Visite o saguão e o pátio do Alfonso, que os sevilhanos costumam freqüentar para saborear ***tapas*** (petiscos típicos espanhóis) e para bate-papos noturnos regados a xerez no piano-bar. Acredita-se que as ***tapas*** sejam originárias de Sevilha – e a tradição simples e deliciosamente autêntica de se empanturrar com esses petiscos continua firme e forte ali. O objetivo é permanecer sempre com um pouquinho de fome e ir comendo continuamente pelas dezenas de bares da cidade. Esses saborosos tira-gostos estão à altura dos célebres vinhos fortes da região e dos xerez, produzidos em Jerez de la Frontera, perto dali. Os ingredientes são todos do próprio lugar: azeitonas verdes curadas, provenientes das oliveiras cultivadas nas colinas próximas à cidade, e fatias finas como papel do presunto Jabugo, que os sevilhanos consideram o melhor do mundo. Os bares oferecem porções de omeletes, lulas fritas, fatias de salame condimentado e pedaços de queijo ***manchego*** curado. Nesses estabelecimentos geralmente há serragem espalhada pelo chão e presuntos pendurados nos caibros, além de marinheiros que se misturam com jovens da alta sociedade – um copo de vinho torna todos iguais. La Albariza utiliza barricas vazias como mesas para acomodar uma multidão de tamanho razoável, enquanto Las Teresas exibe o típico perfil do que você imagina ser um bar que vende ***tapas***. Seja qual for sua escolha, é certo que sairá de qualquer um deles com novas amizades e curtirá uma bela ressaca na manhã seguinte.

O QUE: cidade, evento, hotel, restaurante. **SEVILHA:** 144km a sudoeste de Córdoba. **SEMANA SANTA:** Domingo de Ramos ao Domingo de Páscoa. **FERIA DE ABRIL:** 6 dias, começando 2 semanas depois do Domingo de Páscoa (numa Ter.). **HOTEL ALFONSO XIII:** Calle San Fernando, 2. Tel. (34) 954-91-7000; fax (34) 954-91-7099; www.westin.com. ***Quanto:*** duplos a partir de U$335. **LA ALBARIZA:** Calle Betis, 6. Tel. (34) 543-32016. **LAS TERESAS:** Calle Santa Teresa, 2. Tel. (34) 954-213069. ***Quanto: tapas*** U$3–U$10.

Uma obra-prima de escultura arquitetônica

MUSEU GUGGENHEIM DE BILBAO

País Basco, Espanha

O surpreendente edifício revestido de pedras e titânio que se impõe sobre essa cidade de estaleiros e siderúrgicas é um dos mais polêmicos museus do mundo – o Museu Guggenheim de Bilbao. O arquiteto americano que projetou essa estrutura, Frank O. Gehry, a descreve como um navio que saiu do rio Nervión para terra firme. Amantes da arte em visita à Europa agora incluem Bilbao como parte essencial de seu itinerário. Esse prédio de aparência fora do comum deu projeção à cidade, estimulando-a a criar uma nova imagem como centro de um renascimento cultural e econômico, símbolo de abertura para o mundo após uma longa história marcada pelo separatismo basco. A Fundação Solomon R. Guggenheim, sediada em Nova York, administra o museu, alternando partes do seu próprio acervo permanente e ajudando a organizar exposições temporárias. O amplo museu de Bilbao é quase duas vezes maior do que o seu irmão de Nova York. O governo regional basco cobriu os U$100.000.000 gastos em sua construção e criou um fundo de aquisição. Parecendo de longe uma enorme e espetacular escultura, esse é um museu que jamais se li-

A obra-prima espanhola de Frank O. Gehry.

mitará a servir de pano de fundo. Suas 18 galerias promovem uma interação entre a estrutura e o conteúdo das mostras, de modo que o edifício parece integrado às exposições, mas sem nunca ofuscar as obras de arte. Esse é, segundo o arquiteto Philip Johnson, "o maior edifício de nossa época".

O Que: lugar. **Onde:** Avenida Abandoibarra, 2 (Bilbao fica 116km a leste de Santander). Tel. (34) 944-35-9059; www.guggen heim-bilbao.es. **Quanto:** ingresso U$6.

À beira-mar, um cenário belle époque digno de uma rainha

San Sebastián

País Basco, Espanha

Ao lado de Biarritz, sua contrapartida francesa do outro lado da fronteira, San Sebastián é o grande resort belle époque do litoral do País Basco. O potencial dessa cidade encantadora e de sua praia La Concha, em forma de crescente, deve ter parecido óbvio até mesmo para a rainha regente da Espanha, Maria Cristina, quando em 1866 ela decidiu construir ali sua residência de verão, transformando o lugar na capital real de veraneio e fazendo com que entrasse definitivamente na moda. A maior parte dos exemplos locais da arquitetura da virada do século permaneceu intacta, ainda que a função dos edifícios possa ter mudado: a clássica ópera no formato de ferradura é hoje a sede do conhecido Festival de Cinema de San Sebastián, realizado no fim de setembro.

Durante o evento, o aristocrático Hotel María Cristina, instalado como uma rainha na margem oeste do rio Urumea, serve de quartel-general para a aristocracia do mundo do cinema. Essa construção de 1912, que no passado foi o endereço preferido das cabeças coroadas da Europa, continua causando deslumbre com seu luxuoso saguão embelezado com metais dourados, peças de madeira marchetada, colunas de ônix e piso de mármore de Carrara.

O chef Juan Mari Arzak na sua cozinha.

Quanto ao jantar, o hóspede deve esforçar-se para garantir uma mesa no restaurante Arzak, a estrela gastronômica do País Basco. De temperamento notoriamente independente e com ancestrais ilustres, os bascos são fascinados por comida – suas tradições culinárias são motivo de grande orgulho para eles, o que pode ser comprovado por uma visita ao fantástico mercado de La Brecha. A região basca (Euskadi, no idioma local) abriga cerca de um terço dos mais conceituados restaurantes da Espanha. E ninguém é mais admirado pelo talento nessa área do que Juan Mari Arzak. Ele começou a colecionar estrelas no início dos anos 1970 e é o maior responsável pela criação da ***nueva cocina vasca*** – um movimento revolucionário que, na década de 1980, mudou a arte culinária por toda a Espanha do mesmo modo que aconteceu com a nouvelle cuisine na França. Dos pratos mais pesados e tradicionais até os mais leves e inovadores, dos assados aos frutos do mar, a culinária é uma atividade fundamentalmente masculina no País Basco, transmitida de pai para filho.

Por isso é curioso e promissor o fato de Arzak estar compartilhando sua cozinha e fama com a filha, Elena. Após uma refeição inesquecível em seu restaurante, a vontade é abraçar os dois e exclamar "*Eskarrikasko!*" – obrigado, no idioma basco.

O QUE: cidade, hotel, restaurante. **SAN SEBASTIÁN:** a 92km de Bilbao, a 21km da fronteira com a França, 483km ao norte de Madri. **HOTEL MARÍA CRISTINA:** Calle Oquendo, 1. Tel. (34) 943-437600; fax (34) 943-437676; hmc@westin.com; www.westin.com. *Quanto*: duplos a partir de U$230 (baixa temporada), a partir de U$450 (alta temporada). **ARZAK:** Alto de Miracruz, 21. Tel. (34) 943-285593; fax (34) 943-272753; restaurantearzak@info negocio.com. *Quanto*: cardápio preço fixo U$72. *Quando*: aberto Ter.–Dom. **MELHOR ÉPOCA:** Festival de Jazz em Jul., Festival de Cinema em Set.

Um elo frágil e inestimável com a Era do Gelo

AS CAVERNAS DE ALTAMIRA E SANTILLANA DEL MAR

Cantábria, Espanha

Fechadas a todos, exceto a poucos privilegiados selecionados, as cavernas de Altamira (Las Cuevas de Altamira) costumam ser descritas como a Capela Sistina da arte pré-histórica. Assim como as cavernas de Lascaux, na França (também só visitadas com autorização especial), elas contêm as melhores pinturas rupestres do período paleolítico superior em toda a Europa. Descobertas em perfeitas condições por um caçador das redondezas em 1879, as imagens de bisontes negros e vermelhos, touros, cavalos e javalis demonstram que os nossos ancestrais tinham não só um amor pela beleza como também uma espantosa habilidade artística. Com tamanhos que vão de 1,20m a 2,40m, elas datam de um período entre 20000 e 15000 a.C. Lamentavelmente, um século de intenso turismo resultou numa grave deterioração causada por bactérias, o que provocou uma drástica redução no número de visitantes. Apenas de 20 a 25 pessoas são admitidas ali diariamente, e a prioridade é para as que têm interesses acadêmicos e científicos. No caso do viajante que dispõe de mais tempo e que planeje a ida à Espanha com um ano de antecedência, um fax para o museu local e muita paciência podem resultar na obtenção da cobiçada carta de autorização de entrada nas cavernas. Ao lado delas, uma notável réplica recria o mesmo cenário e suas pinturas (inclusive com fotos do "antes e depois" para mostrar a extensão dos danos às imagens), mas é claro que não proporciona a mesma emoção que as cavernas originais.

Sala de jantar do Parador Santillana Gil Blas.

Na cidade ainda é possível perceber algo do antigo espírito medieval de Santillana del Mar preservado em alguns palácios e mansões perfeitamente conservados. Jean-Paul Sartre considerou esse lugar "o mais bonito vilarejo da Espanha". Apesar do nome, Santillana del Mar fica a quase 5km do litoral. Essa comunidade rural não vive apenas do turismo. Diariamente, produtores da região vendem leite e queijo frescos direto das suas fazendas. Caminhe pela cidade até à Igreja de Santa Juliana, construída no século XII, onde está enterrada essa santa-mártir do século III. Ao longo do tempo, seu nome se transformou na corruptela Santillana. Na outra ponta da rua principal está localizado o Convento das Clarissas, cujo museu abriga um acervo surpreendentemente rico em pinturas e imagens religiosas.

Caso você tenha sido inteiramente seduzido por esse vilarejo, termine o passeio na Plaza de Ramón Pelayo, onde o Parador Santillana Gil Blas está instalado no interior de uma elegante residência campestre do século XVII. O moderno anexo inaugurado há pouco tempo cobra diárias mais baratas e absorve o excesso de hóspedes. Uma visita a Santillana ficará incompleta se você não encontrar um quarto nessa pousada.

O QUE: lugar, experiência, cidade, hotel. **CAVERNAS DE ALTAMIRA:** a 2km de caminhada leve de Santillana del Mar. Em 2003, as cavernas foram temporariamente fechadas por motivo de segurança. Para autorizações, escreva para o Museo de Altamira, Santillana del Mar – 39330, Cantábria, Espanha, ou envie um fax com seu pedido para (34) 942-840157. Para informações, ligue para (34) 942-818005. **SANTILLANA DEL MAR:** 34km a oeste de Santander. *Melhor época*: Mai.–Out. **PARADOR SANTILLANA GIL BLAS:** Plaza de Ramón Pelayo, 8. Tel. (34) 942-028028; fax (34) 942-818391; www.parador.es. *Quanto*: duplos U$108 (baixa temporada), U$134 (alta temporada).

A cidade natal de uma santa e um olhar especial para o passado

ÁVILA

Castela e Leão, Espanha

As muralhas do século XI de Ávila, quase intactas, são um patrimônio nacional protegido pelas autoridades. Com cerca de 3m de largura por 12m de altura, elas foram construídas ao longo de 10 anos por cerca de 2.000 trabalhadores. Em seus mais de 2,5km de extensão, elas serpenteiam em torno desse vilarejo instalado numa colina e incluem 90 torres semicirculares, nove portões em forma de arco e mais de 2.300 ameias. De forma surpreendente, tudo isso ainda parece novo. Uma caminhada pelo topo das muralhas oferece a oportunidade de visualizar uma invasão por um exército de mouros. Até mesmo a catedral da cidade, uma obra do século XII de formas simples – metade fortaleza, metade igreja –, foi erguida como parte das muralhas e também tinha uma

No passado, Ávila atraía muitos peregrinos.

função militar. Há muito tempo Ávila desempenha um papel na história religiosa e espiritual da Espanha, sobretudo na condição de lar de Santa Teresa, que nasceu ali em 1515. Uma frágil e espirituosa freira carmelita, originária de uma rica família local de ascendência judaica, ela acabaria por se tornar uma das mais conhecidas santas católicas e a padroeira da Espanha (o apóstolo Tiago é o padroeiro do país).

Uma estada no Hotel Palacio de Valderrábanos posiciona o visitante no centro religioso e geográfico de Ávila. Com seus quartos com vista para a catedral, o edifício foi construído no início do século XIV para ser a residência de um bispo. O ideal é ficar numa suíte na torre de guarda para se ter uma visão especial do passado.

O Que: cidade, hotel. **Ávila:** 110km a noroeste de Madri. **Hotel Palacio de Valderrábanos:** Plaza de la Catedral, 9. Tel. (34) 920-211023; fax (34) 920-251691; informacion@palaciovalderrabanos.com; www.palaciovalderrabanos.com. *Quanto*: duplos U$90, suíte na torre U$161. **Melhor Época:** Mar.– Out.; a festa de Santa Teresa é celebrada em 15 de Out.

Uma curiosa catedral e um refúgio para os cavaleiros

Leão

Castela e Leão, Espanha

A catedral gótica de Leão, que começou a ser construída em 1205, tem mais vidro do que pedra em suas paredes. Suas 125 janelas com vitrais, três imensas janelas em forma de rosácea e 57 aberturas circulares permitem que seu majestoso interior esteja sempre embelezado por fachos de luz. Em meio ao ímpeto de erguer catedrais que tomou conta das nações européias durante a Idade Média, as cidades competiam para ver qual delas construiria os mais altos campanários, as maiores rosáceas, as mais amplas igrejas. A Catedral de Leão foi certamente a contribuição mais ousada e continua a atrair a admiração dos críticos e arquitetos dos dias de hoje graças à sua leveza e à profusão de luz no seu interior. Algumas janelas chegam a ter 33m de altura e ainda mantêm os vitrais originais do século XIII – juntos, eles somam uma área de mais de 1.600m^2.

Escolhida como capital da Espanha cristã no ano de 914, Leão é atualmente uma encantadora província que conserva a aura de seu passado majestoso. Muito do que o país tem de mais interessante e importante em termos de arte religiosa pode ser encontrado no Museu da Catedral. Em outros tempos uma importante parada no percurso dos peregrinos do Caminho de Santiago, hoje em dia ele é uma visita obrigatória para todas as pessoas que tenham algum interesse em arquitetura medieval.

Só por sua entrada o Parador San Marcos já mereceria um prêmio – sua fachada exuberante parece se estender infinitamente. No salão de recepção, exibe um teto ricamente trabalhado e uma imponente escadaria do século XVI. Os hóspedes mais estupefatos podem até não perceber o candelabro de ferro fundido de 3m lá no alto. Uma das maiores atrações de Leão e um dos melhores exemplos de arquitetura renascentista, San Marcos também é, desde o acréscimo de um novo anexo, o maior ***parador*** (um dos edifícios históricos transformados em locais de hospedagem de propriedade do Estado) de toda a Espanha. A ala original foi concluída em

1549, seguindo as ordens do rei Fernando, para alojar cavaleiros e peregrinos exaustos no caminho para Santiago de Compostela. Apenas 30 dos seus 250 quartos se situam na ala histórica, onde também está o restaurante regional, com vista para o rio Bernesga. Tanto o Antiguo Monasterio de San Marcos quanto o Museo Arqueológico, ambos partes integrantes desse grande complexo, são abertos ao público. Amplas áreas comuns são decoradas com antiguidades preciosas, um notável teto no estilo mourisco, tapeçarias e objetos de alta qualidade artística, numa atmosfera imponente que se estende às suítes.

O QUE: cidade, lugar, hotel. **LEÃO:** 320km ao norte de Madri. **CATEDRAL DE LEÃO:** Plaza de Regla. Tel. (34) 987-875-770; fax (34) 987-241-216; catedral@catedraldeleon.org; www.catedraldeleon.org. *Quanto*: ingresso. **PARADOR DE SAN MARCOS:** Plaza de San Marcos, 7. Tel. (34) 987-237300; fax (34) 987-233458; www.parador.es. *Quanto:* duplos U$168 (baixa temporada), U$185 (alta temporada), suítes U$290 (o ano todo). **MELHOR ÉPOCA:** Abr.–Out.

A mais bela praça da Espanha

PLAZA MAYOR DE SALAMANCA

Castela e Leão, Espanha

Nenhum outro país tem tantas cidades entre os Patrimônios da Humanidade quanto a Espanha. Dos seus seis municípios classificados como tal pela Unesco, Salamanca talvez seja o mais maravilhoso. O visitante costuma ser naturalmente atraído para o coração da cidade, a encantadora Plaza Mayor, uma praça do século XVIII no estilo barroco. Breves caminhadas partindo desse ponto levam a todas as outras atrações da parte antiga de Salamanca, mas vale a pena permanecer nessa praça por algum tempo para se impregnar do espírito local. Em 1218, Alfonso IX fundou na cidade aquela que já foi a mais importante universidade de toda a Europa; hoje, os 15.000 estudantes de Salamanca a mantêm jovem e vibrante. Eles se acomodam nas dezenas de mesas dos cafés próximos às arcadas da Plaza Mayor, mas nenhum deles parece estar estudando. Tanto os turistas quanto os habitantes locais acabam se encontrando ali, às vezes ao som da cantoria de grupos de estudantes vestidos como menestréis medievais. Uma catedral ("nova") do século XVI situa-se perto da sua irmã mais velha, uma construção menor no estilo românico. Ambas são atrações imperdíveis, assim como o Hotel Rector, antiga mansão particular de uma rica família que agora mora no andar de cima, deixando os 14 quartos da parte de baixo para os viajantes que sabem o que é bom.

A praça no estilo barroco espanhol foi projetada por Alberto Churriguera.

O QUE: cidade, hotel. **SALAMANCA:** 204km a noroeste de Madri. **HOTEL RECTOR:** Paseo del Rector Esperabe, 10. Tel. (34) 923-218482; fax (34) 923-214008; hotelrector@teleline.es; www.terra.es/personal/hrector. *Quanto*: duplos a partir de U$100. **MELHOR ÉPOCA:** Mar.–Out.

O rei das jóias culinárias da Espanha

MESÓN DE CÁNDIDO

Segóvia, Castela e Leão, Espanha

Só pela sua atmosfera e pelo seu *cochinillo asado* (leitão assado), esse restaurante de 100 anos de idade pode ser considerado um lugar mais do que especial – sobretudo num país que se vangloria exatamente de ser o melhor na elaboração desse prato. Nessa que talvez seja a mais bela cidade da Espanha, várias gerações da hospitaleira família Cándido já receberam muitos nomes ilustres em sua casa – de Hemingway a Salvador Dalí. Seu restaurante se tornou um local de peregrinação culinária para figuras da realeza, políticos, toureiros e artistas. Todos saem dali com a impressão de que é impossível saborear uma refeição mais deliciosa e autenticamente espanhola do que o seu *cochinillo*. O único rival desse prato é o cordeiro assado, outra iguaria regional que a família prepara de forma divina.

Nesse país, depois de uma memorável refeição vem sempre a *siesta*. Portanto, antes de provar as delícias do Cándido, aprecie as vistas panorâmicas oferecidas por Segóvia. Dizem que Walt Disney inspirou-se no Palácio Alcazár quando criou o castelo de ***Branca de Neve e os sete anões***. Uma das obras arquitetônicas mais adoradas e fotografadas da Espanha, ele foi construído entre os séculos XII e XIII no alto de um penhasco, o que o torna visível de longe. O igualmente bem preservado Acueducto Romano está entre os melhores exemplos da arquitetura romana que sobreviveram na Europa: seus 166 arcos duplos foram erguidos sem argamassa há mais de 2.000 anos. Reserve um tempo para descansar no refrescante interior da encantadora catedral do século XVI, a última – e a mais elegante – construída no estilo gótico numa época em que o resto da Europa já estava bem adiantado na Renascença.

O QUE: cidade, restaurante. **SEGÓVIA:** 91km a oeste de Madri. **MESÓN DE CÁNDIDO:** Plaza de Azoguejo, 5. Tel. (34) 921-425911; fax (34) 921-429633; reserves@mesondecandido.es. *Quanto*: jantar, preço fixo U$25. **MELHOR ÉPOCA:** primavera e 21–29 de Jun., dias de festa dos santos padroeiros, João e Pedro.

Uma fascinante confluência de três culturas

LA CATEDRAL DE TOLEDO

Toledo, Castela La Mancha, Espanha

Dada a riqueza de seu patrimônio artístico, a cidade que tanto inspirou El Greco costuma merecer uma excursão apressada feita a partir de Madri – em média os turistas reservam apenas um dia para essa visita. É melhor dedicar um pouco mais de tempo ao passeio. Mas, seja ele curto ou demorado, você deve começar pela Catedral de Toledo. Apontada como uma das maiores estruturas góticas do mundo, ela foi construída entre os séculos XIII e XV no mesmo lugar onde havia uma mesquita árabe. É exatamente esse acúmulo e justaposição dos legados artísticos, arquitetônicos e históricos das comunidades católica, moura e judaica de Toledo o que a torna fascinante.

Depois que Alfonso VI tomou essa cidade do domínio mouro em 1085, um espírito cosmopolita de tolerância perdurou durante cinco séculos, estimulando a troca de idéias e mercadorias. O período de prosperidade que se seguiu e o papel que Toledo exerceu como centro de cultura e de conhecimento fizeram com que afluíssem para lá artistas de primeira linha. O magnífico talento dessas pessoas pode ser admirado nos requintados detalhes da catedral. A obra-prima de El Greco, ***O enterro do conde Orgaz***, está exposta na Igreja de São Tomé, ali perto, mas a sacristia da catedral tem quase 30 pinturas suas, além de trabalhos de Velásquez, Ticiano e Goya.

O melhor restaurante de Toledo, o Hostal del Cardenal, está instalado num elegante palácio do século XVIII, que pertenceu a um cardeal. Esse é também o lugar mais agradável para você passar a noite, assegurando seu privilégio de ver essa cidade fascinante antes e depois do dilúvio dos turistas de um dia só.

O QUE: cidade, lugar, hotel, restaurante. **LA CATEDRAL DE TOLEDO:** Plaza Mayor Toledo, 89km ao sul de Madri. **HOSTAL DEL CARDENAL:** Paseo de Recaredo, 24. Tel. (34) 925-224900; fax (34) 925-222991; cardenal@asernet.es; www.cardenal.asernet.es. ***Quanto***: duplos a partir de U$78. Jantar U$25. **MELHOR ÉPOCA:** durante a celebração do Corpus Christi (que muitas vezes ocorre em Jun.), é carregado pelas ruas um relicário de ouro de mais de 220kg que teria sido levado de volta do Novo Mundo para Toledo por Colombo.

Uma coleção ímpar de arte românica

MUSEU NACIONAL DE ARTE DA CATALUNHA

Barcelona, Catalunha, Espanha

Instalado no imponente Palau Nacional (Palácio Nacional), o Museu Nacional de Arte da Catalunha abriga o mais primoroso acervo de pinturas, esculturas e trabalhos de metal românicos e góticos. Mais de 25 obras foram transferidas de igrejas e mosteiros de outros pontos da Catalunha para lá, onde estão à mostra em ambientes simples, no mesmo espírito dos lugares onde se encontravam originalmente. A sobriedade das igrejas românicas contrasta muitas vezes com a riqueza das peças em seu interior. Exibidas em ordem cronológica, essas maravilhosas obras de arte proporcionam uma viagem fascinante pela evolução do estilo românico primitivo até o seu zênite, entre os séculos XI e XIII, e à primeira fase da arte gótica que o sucedeu. Um dos destaques é o

Frontal de um altar da Igreja de Santa María de Cardet, da segunda metade do século XIII.

Pantocrator (representação iconográfica de Cristo em atitude majestosa) da principal abside da Igreja de San Clemente de Tahüll, datado de 1123. A instalação desse magnífico afresco – que retrata Cristo segurando um livro com a inscrição em latim "***Ego sum lux mundi***" (Eu sou a luz do mundo) – foi supervisionada pelo diretor do trabalho de restauração da Capela Sistina. O cenário austero e o efeito geral não são menos impressionantes nessa igreja do que os obtidos na capela do Vaticano. Construído em 1929 para a Feira Mundial e reaberto em 1995 após uma ampla reforma dirigida pelo arquiteto milanês Gae Aulenti, o Palau Nacional, que imita os estilos renascentista e barroco, costuma ser chamado de o Museu do Prado da arte românica.

O QUE: lugar. **ONDE:** Parc de Montjuïc. Para mais informações, acesse www.mnac.es. **QUANTO:** ingresso. **QUANDO:** aberto Ter.–Dom.

Uma das construções mais extraordinárias da Espanha

LA SAGRADA FAMILIA

Barcelona, Catalunha, Espanha

Terminar ou não terminar? A gigantesca Sagrada Familia permanece a obra-prima incompleta, ainda sem teto, do excêntrico gênio Antoni Gaudí. O arquiteto catalão, um herói nacional, morreu atropelado por um bonde em 1926 antes de poder finalizar sua mais excêntrica e controvertida criação. O mais conhecido adepto do modernismo catalão – estilo vanguardista que floresceu entre 1890 e 1920 –, Gaudí inseriu Barcelona no circuito mundial da arquitetura. La Sagrada Familia é sua obra mais emblemática e idiossincrática – art nouveau, mas com um toque original, único.

Guiado pelo mesmo alegre espírito catalão que marcou a arte de Picasso, Miró e Dalí, Gaudí evitou sempre que possível as linhas retas, privilegiando formas mais fluentes e orgânicas. Criou outras obras que mostram afinidade com o surrealismo, como o Parque Güell, o edifício de apartamentos e escritórios Casa Batlló e muitas residências privadas. Mas esse artista visionário é mais conhecido por La Sagrada Familia, um castelo que parece feito de areia e que ele não chegou a ver concluído. Só a cripta, a abside e a fachada foram terminadas antes de sua morte. O próprio Gaudí está enterrado na cripta, onde um museu exibe maquetes mostrando como o arquiteto imaginava a catedral. As autoridades afirmam que as obras só serão finalizadas bem à frente neste século – se é que serão acabadas.

A abside da Sagrada Familia foi concluída em 1894.

O QUE: lugar. **ONDE:** Plaça de la Sagrada Familia. Para mais informações, acesse www.sagradafamilia.org. **QUANTO:** ingresso.

Acompanhando a evolução de um gênio

MUSEU PICASSO

Barcelona, Catalunha, Espanha

Dois palácios contíguos, um do século XIII e o outro do século XIX, oferecem um belo cenário para um dos mais interessantes museus da Espanha e atração imperdível para os admiradores da arte de Picasso, nascido em Málaga em 1881. Começando por cadernos da infância e pelos primeiros desenhos do artista, então com nove anos, o museu proporciona a rara oportunidade de traçar a evolução de Picasso como pintor, em especial nas primeiras fases de sua carreira. Ali estão criações que antecipam algo da sua "fase azul", esboços para sua obra seminal, ***Guernica***, assim como ***As damas de honra***, 44 variações cubistas feitas nos anos 1950 inspiradas na tela clássica de Velásquez, ***As meninas***, exposta no Museu do Prado. Ainda que essa possa não ser a melhor coleção de obras de Picasso, ela é a maior, com 3.600 pinturas, desenhos, gravuras e cerâmicas que abrangem o período de 1890 a 1967. Muitas das peças foram doadas pelo artista antes de sua morte, em 1973, e a maior parte das cerâmicas foi cedida por Jacqueline Picasso em 1982. Essa coleção moderna está instalada numa rua estreita nos limites do Barri Gótic (Bairro Gótico), uma pacata aglomeração de construções e ruelas medievais que abriga a maioria dos tesouros artísticos e históricos da cidade. Ali também estão muitos bares onde o visitante pode recuperar as energias saboreando ***tapas*** (típicos petiscos espanhóis).

O QUE: lugar. **ONDE:** Carrer de Montcada, 15-19. Tel. (34) 931-96310; museupicasso@mail.bcn.es. **QUANTO:** ingresso U$4. **QUANDO:** Ter.–Dom.

A mais antiga rota turística da Europa

O CAMINHO DE SANTIAGO E A CATEDRAL DE SANTIAGO DE COMPOSTELA

Galícia, Espanha

Siga os passos de El Cid, de Luís VII da França e de São Francisco de Assis ao longo do milenar Caminho de Santiago. Junto com Roma e a Terra Santa, a cidade de Santiago de Compostela é um dos três principais pontos de peregrinação do mundo cristão. Desde o século IX, milhões de pessoas provenientes de toda a Europa têm se dirigido até lá para visitar a catedral onde se acredita estarem guardadas as relíquias de Sant Iago (São Tiago, o apóstolo), do primo de Jesus (São João, o Divino) e de Santiago Matamoros (matador de mouros). Os motivos que levam os atuais peregrinos a trilhar o "Caminho do Perdão", a exemplo do que ocorria com seus predecessores medievais, podem ou não ser de ordem espiritual, mas todos concordam em dizer que a viagem é uma lembrança que guardarão para toda a vida.

O objetivo dos peregrinos: a Catedral de Santiago de Compostela.

Os peregrinos dos dias de hoje costumam começar a trilha pela cidade de Roncesvalles, aos pés dos Pireneus espanhóis, a mais popular das rotas que sobem pelo Caminho de Santiago. Eles viajam 804km através dos vinhedos de La Rioja e dos antigos reinos do norte da Espanha. Os que não têm tempo ou resistência para as mais de quatro semanas de jornada a pé caminham 140km pela verdejante e encantadora região da Galícia. Os viajantes, exaustos mas satisfeitos, vislumbram pela primeira vez Santiago e as torres gêmeas de sua catedral a partir do monte do Gozo, a 3km da linha de chegada.

A exuberante Catedral de Santiago de Compostela começou a ser erguida em 1078 no lugar de uma basílica do século IX que fora destruída por infiéis (que carregaram os sinos como souvenir para Córdoba). A rebuscada fachada barroca da catedral, com suas duas torres, foi acrescentada à construção no século XVIII, cobrindo e protegendo o Portal da Glória original, que só se torna visível quando a pessoa entra. Os peregrinos pressionam os dedos nos buracos que foram sendo feitos na pedra pelos que visitam o lugar há 1.000 anos. O impacto provocado pelo interior cavernoso, que em sua simplicidade contrasta com a requintada fachada, é realçado pela estátua de São Tiago, que ocupa um lugar de honra atrás do altar principal.

Lá fora estão a grande Plaza del Obradoiro ("obra de ouro") e os magníficos edifícios que flanqueiam a catedral, construídos entre os séculos XVI e XVIII. A praça também abriga o Hotel Reyes Católicos – que dizem ser o mais antigo hotel do planeta e que certamente ostenta a mais bela entrada de todos os hotéis do mundo. Em 1499, o rei Fernando de Aragão e a rainha Isabel de Castela fundaram ali a Real Hospedaria de Santiago, de natureza religiosa, para atender os numerosos peregrinos que não paravam de chegar de todos os cantos da Europa. Se você tiver sorte o bastante para conseguir um quarto com vista para a catedral, se sentirá como um dos reis católicos nesse que é, de fato, o edifício mais antigo da praça. Caso contrário, console-se com uma vista adorável dos quatro pátios do claustro, com fontes originais e galerias abertas formadas pelo desenho em cruz dessa construção. Entre os muitos estabelecimentos desse tipo na Espanha, o Reyes é um dos mais gloriosos ***paradores*** (edifícios históricos transformados em locais de hospedagem de propriedade do Estado). Caso ele seja imponente ou caro demais para o peregrino que existe em você, pelo menos passe lá para um jantar simples porém excelente.

O QUE: experiência, cidade, lugar, hotel. **CAMINHO DE SANTIAGO:** o trecho final cruza as regiões do norte da Espanha, do leste para o oeste. *Como*: no Brasil, agência Transibérica Viagens e Turismo (Rio de Janeiro). Tel. (21) 3473-7804; fax (21) 3237-2522; www.transiberica.com.br. Pacote: 16 dias, parte aérea (São Paulo/Madri/Leão e Santiago/São Paulo), travessia de Leão a Santiago (trajeto a pé), 14 noites em apartamento duplo, café da manhã. *Quanto*: a partir de U$1.995; opção pelo trajeto de bicicleta, 10 dias, a partir de U$1.788. *Quando:* saídas mensais. **CATEDRAL DE SANTIAGO DE COMPOSTELA:** Plaza del Obradoiro. Santiago de Compostela fica 72km ao sul de La Coruña. **HOTEL REYES CATÓLICOS:** Plaza del Obradoiro, 1. Tel. (34) 981-582200; fax (34) 981-563094. *Quanto*: duplos U$200. **MELHOR ÉPOCA:** a Festa de São Tiago, em 25 de Jul., é celebrada com fogos de artifício, música e procissões.

"Em Madri ninguém vai dormir antes do nascer do sol."
—ERNEST HEMINGWAY

MADRI

Espanha

Atualmente Madri é a capital mais animada da Europa. A primeira impressão do visitante ao chegar – e provavelmente ao partir – é a de que ninguém dorme nessa cidade. Por volta da meia-noite, vá a qualquer um dos restaurantes, *mesones* (casas especializadas em comida espanhola) e bares de *tapas* (petiscos típicos) para uma barulhenta e calorosa confirmação dessa suspeita.

AS 10 MAIORES ATRAÇÕES

TOURADAS NA PLAZA DE LAS VENTAS – As touradas são um esporte polêmico, mas são também uma parte inseparável da história, da cultura e da identidade da Espanha. Tanto os aficionados quanto os meramente curiosos podem viver a experiência de uma *corrida* numa tarde de domingo na Plaza de las Ventas e compreender um pouco mais da alma espanhola. **ONDE:** Calle Alcalá. Tel. (34) 91-356-22-00. Touradas todos os Dom. durante a temporada (Mar.–Out.) e diariamente durante os festivais (Mai.–Set.).

CENTRO DE ARTE REINA SOFIA – Lar de *Guernica*, de Picasso, o museu de arte contemporânea de Madri ocupa um antigo hospital situado perto do Prado. Seu acervo, alojado em dois andares – onde estão obras dos períodos pré e pós-1939 –, inclui trabalhos de artistas como Miró, Dalí, Juan Gris e Antoni Tàpies, assim como de Alexander Calder, Man Ray, Jean Dubuffet e outros. **ONDE:** Calle Santa Isabel. Tel. (34) 91-467-5062; www.spanisharts.com.

FLAMENCO NO CORRAL DE LA MORERÍA – Direcionado principalmente para turistas, mas respeitado como a melhor casa noturna de flamenco ao norte da Andaluzia, o Corral de la Morería é cintilante, colorido e impregnado de tradição, refletindo o renascimento do flamenco, tendência em curso desde os anos 1980. A cada noite há um espetáculo com artistas de qualidade e com a paixão que os faz sapatear nos tablados madrugada adentro.

Onde: Calle de la Morería. Tel. (34) 91-365-8446.

Mercado de Pulgas de El Rastro – Se você for dormir muito tarde no domingo, perderá as pechinchas no grande mercado de pulgas El Rastro, que tem cinco séculos de existência e onde estão à venda todos os tipos possíveis de objetos para um público variado. Depois que saem dali, os freqüentadores costumam ir para o mais conhecido dos bares de ***tapas*** das redondezas, o Los Caracoles – prove os escargots, são a especialidade da casa. **Onde:** Plaza Cascorro e Ribera de Curtidores.

Museo Sorolla – Restaurada, a elegante residência de Joaquín Sorolla, principal pintor impressionista da Espanha, conserva a atmosfera do ateliê do artista (até seus pincéis estão lá) ao mesmo tempo em que expõe suas obras, incluindo retratos de aristocratas e pinturas de personagens do povo. **Onde:** Paseo de General Martínez Campos. Tel. (34) 91-310-1584.

Palácio Real – O edifício, que começou a ser construído em 1738 no lugar da antiga fortaleza mourisca de Alcázar, foi a residência real de 1764 até 1931, ano em que o rei Alfonso XIII abdicou do trono. Hoje desempenha a função de residência oficial do rei, ainda que ele de fato não viva ali. A maior parte do palácio é utilizada para funções de Estado, mas os quartos antes ocupados por Alfonso e sua família estão abertos à visitação pública, assim como a Sala do Trono, a Sala de Recepções, a Galeria de Pinturas (com obras de Caravaggio, Velásquez, Goya e outros), o Arsenal Real e a Farmácia Real, todos repletos de preciosidades. **Onde:** Plaza de Oriente, Calle de Bailén. Tel. (34) 91-454-8700; www.patrimonionacional.es.

Um garçom serve vinho no La Taurina, um dos bares de tapas *de Madri.*

O Prado – Principal vértice no "Triângulo Dourado dos Museus" (ao lado do Reina Sofia e do Thyssen), o Prado restaurado é um tesouro cujas riquezas por si só bastariam para garantir a Madri um lugar no mapa cultural da Europa. Esculturas e desenhos estão expostos ali, porém o museu é conhecido principalmente por sua coleção de 8.600 pinturas de mestres como El Greco, Goya, Murillo, Rubens, Ticiano, Bosch, Rafael, Boticelli, Fra Angelico e muitos outros. Oitenta por cento das telas de Velásquez fazem parte do acervo, incluindo ***Las meninas***, a mais visitada das cerca de 2.000 obras que o museu tem capacidade de expor simultaneamente. **Onde:** Paseo del Prado. Tel. (34) 91-330-2800; www.mcu.es/prado/index_eng.html.

Domingo no Parque El Retiro – Uma caminhada em El Retiro é um ritual das manhãs de domingo para muitas famílias madrilenas. Inaugurado por volta de 1630 e no passado restrito à realeza e seus convidados, esse parque de 140ha está repleto de fontes e estátuas, além de um lago, do Cáson del Buen Retiro (que abriga obras modernas do Prado) e das salas de exposição do Palácio de Velásquez e do Palácio Cristal. **Onde:** Plaza de la Independência (logo atrás do Prado).

Roteiro das *Tapas* – Se você quiser se comportar como um madrileno, terá que ir de ***tasca*** em ***tasca***, mordiscando sempre algo ao longo do caminho, numa noitada que vai culminar num jantar por volta das 23h. As possibilidades são infinitas, das ***albondigas*** (almôndegas) às ***zamburiñas*** (mariscos). **Onde:** a maior concentração de bares de ***tapas*** situa-se na Villa y Corte, a parte mais antiga da cidade. As ruas que saem da Plaza Mayor estão cheias de opções tentadoras.

MUSEU THYSSEN-BORNEMISZA – Preenche as eventuais lacunas do Prado com mais de 800 pinturas que datam do século XIII ao XX, incluindo obras de El Greco, Goya, Velásquez, Rembrandt, Caravaggio, Kandinsky, Pollock e Picasso. A coleção foi formada pelo barão Hans Heinrich Thyssen-Bornemisza, da Suíça, e comprada pela Espanha em 1993. **ONDE:** Paseo del Prado. Tel. (34) 91-369-0151; www.museothyssen.org.

OUTRAS ATRAÇÕES IMPERDÍVEIS

A PLAZA MAYOR – Essa grande praça pavimentada com paralelepípedos, concluída em 1619 no estilo barroco-castelhano, já foi testemunha de centenas de touradas, levantes, enforcamentos, festas e crueldades da Inquisição. Ainda hoje é um dos grandes pontos de encontro da cidade – o coração da Velha Madri. Escolha qualquer uma de suas nove saídas em arco que conduzem às ruas cheias de tavernas, bares de ***tapas*** e ***mesones***, às vezes uns em cima dos outros. Ouça as ***tunas***, grupos musicais ambulantes formados por estudantes vestidos de menestréis medievais. **ONDE:** limitada pela Calle Mayor ao norte e pela Cava de San Miguel no lado oeste.

ONDE FICAR

PALACE – Três vezes maior do que o Ritz (veja a seguir), o Palace, como o seu concorrente, também é uma extravagância de alta classe e uma jóia da Belle Époque, onde os hóspedes são tratados como membros da realeza. Inaugurado pelo rei Alfonso XIII em 1912, ele ocupa uma rua inteira a apenas um quarteirão do Prado. O hotel tem grandes áreas comuns e um saguão com teto de vidro. **ONDE:** Plaza de los Cortes. Tel. (34) 91-360-8000; fax (34) 91-360-8100; www.palacemadrid.com. **QUANTO:** preço alto.

REINA VICTORIA – Confortável sem ser glamouroso, o Reina Victoria foi freqüentado por gerações de toureiros e por pessoas que, como Hemingway, costumavam segui-los. Até hoje é um dos hotéis históricos mais apreciados da cidade. **ONDE:** Plaza Santa Ana, 14. Tel. (34) 91-531-4500; fax (34) 91-522-0307. **QUANTO:** preço moderado.

RITZ HOTEL – O hotel Ritz de Madri é a estrela da cadeia Ritz. Foi construído em 1919 por ordem do rei Alfonso XIII, que precisava de acomodações apropriadas para receber as cabeças coroadas convidadas para o seu casamento. Desde então vem sendo o preferido das celebridades e dos aristocratas. **ONDE:** Plaza de la Lealtad. Tel. (34) 91-701-6767; fax (34) 91-701-6776; www.lemeridien-ritzmadrid.com. **QUANTO:** preço alto.

ONDE COMER E BEBER

CASA BOTÍN – Talvez o mais antigo restaurante da Espanha, essa taverna folclórica próxima à Plaza Mayor tem sido ponto de parada obrigatória para os famosos que passam por ali desde 1725. Parece um desses lugares típicos para turistas – e é –, mas continua sendo amada pelos freqüentadores locais graças ao seu ambiente e à culinária tipicamente castelhana. **ONDE:** Calle Cuchilleros. Tel. (34) 91-366-4217.

CAFÉ GIJÓN – A vida noturna de Madri – a chamada ***movida***, que se prolonga pelas madrugadas – não tem rivais em outras cidades. Apareça na Calle de las Huertas por volta da meia-noite para escolher entre uma ampla seleção de bares de ***tapas*** e botequins enfumaçados. Se quiser um ambiente mais tranqüilo, procure um lugar perto da janela ou um dos tamboretes no Café Gijón, consagrado desde 1888 como o café literário de Madri. **ONDE:** Paseo de Recoletos. Tel. (34) 91-521-5425.

CASA LUCIO – Escondido numa das ruelas nas redondezas da Plaza Mayor, esse é o mais confiável entre os restaurantes da velha-guarda. Apesar da sua localização, escapa às multidões de turistas que lotam a Casa Botín. **ONDE:** Calle Cava Baja. Tel. (34) 91-365-3252.

CASA PATAS – Um bar-restaurante informal, ponto de encontro de músicos e artistas que vão ali pelas ***tapas*** e ficam pelo flamenco. Nomes tradicionais desse estilo de música e dança se apresentam na casa, mas as atenções também estão se voltando para o ***nuevo flamenco***, cujos expoentes se exibem na sala dos fundos. **ONDE:** Calle Cañizares. Tel. (34) 91-369-0496.

EL CENADOR DEL PRADO – Um lugar da moda, mas sem ser formal, El Cenador é um eterno favorito quando se trata de experimentar a ***nueva cocina*** num cenário conservador. São famosas as suas ***patatas con almejas*** (batatas com mexilhões) – e com toda a razão. **ONDE:** Calle del Prado. Tel. (34) 91-429-1561.

LA TRAINERA – Plantada bem no centro da Espanha, Madri há muito tempo se orgulha de servir os melhores frutos do mar do país. Por quase 40 anos esse grande e simpático restaurante tem oferecido os melhores camarões de água doce, caranguejos e lagostas. **ONDE:** Calle Lagasca. Tel. (34) 91-576-8035.

ZALACAÍN – Várias vezes considerado o melhor restaurante da Espanha e premiado com muitas estrelas pelos principais críticos, o Zalacaín também exibe uma decoração elegante e talvez a carta de vinhos mais sofisticada da cidade (experimente qualquer um dos ***riojas***), além de uma comida que apresenta uma magnífica influência basca. A formalidade e a exigência do terno e gravata não afastam as celebridades de Madri desse ambiente sombrio que lembra uma pintura de Velásquez. **ONDE:** Calle Álvarez de Baena. Tel. (34) 91-561-4840.

Um refúgio discreto escondido numa ilha

LA RESIDENCIA

Deià, Maiorca, Espanha

Deià foi amada tanto por Frédéric Chopin quanto pelo poeta inglês Robert Graves, para quem essa cidade simples escondia qualidades espirituais revigorantes. Artistas e escritores continuam a ser atraídos pela tranqüilidade e pela beleza intocada desse lugar que, até o momento, vem escapando aos ônibus de excursão e à especulação imobiliária que grassa furiosamente em outros pontos das ilhas Baleares. Montanhas selvagens pairam ao fundo, enquanto as enseadas do Mediterrâneo se estendem lá embaixo.

La Residencia, um dos mais belos refúgios dessas ilhas, é cercada de 12ha de jardins exuberantes, plantados entre terraços de oliveiras e laranjeiras nas encostas entre o mar e uma montanha de 1.200m. Formada por duas mansões senhoriais do século XVII cobertas de trepadeiras, La Residencia, hoje um hotel, recebeu um nome apropriado. Luxuosa, sem ser espalhafatosa, ela é como a casa impecavelmente elegante de um hipotético amigo rico, culto, refinado e amante das artes que tivéssemos em Maiorca. Seu restaurante, El Olivo, é discreto apesar da fama de que desfruta de ser um dos melhores da Espanha. Aconchegante, ele ocupa um espaço onde no passado se esmagavam azeitonas. Pratos excepcionais da culinária mediterrânea são saboreados ali num ambiente romântico, à luz de velas.

Quando o clima está ameno, o jantar é servido do lado de fora, numa área repleta de palmeiras e buganvílias. Uma velha trilha de mulas oferece a oportunidade para uma caminhada de três horas através das encostas, à sombra de limoeiros e oliveiras, até o vilarejo de Soller, nas proximidades. Muitos dos hóspedes, no entanto, preferem limitar seu contato com a natureza às algas e ervas utilizadas no novo centro de tratamento de beleza do hotel.

O QUE: cidade, hotel, restaurante. **DEIÀ:** litoral norte de Maiorca, a 40 minutos do aeroporto de Palma de Maiorca, 27km a noroeste de Palma. **LA RESIDENCIA:** tel. (34) 971-639011; fax (34) 971-639370; reservas@hotel-laresidencia.com; www.hotel-laresidencia.com. ***Quanto***: duplos a partir de U$200 (baixa temporada), a partir de U$315 (alta temporada); suítes com piscina privativa a partir de U$500 (baixa temporada), a partir de U$900 (alta temporada). Durante a alta temporada, mínimo de 5 noites. Jantar no El Olivo U$60. **MELHOR ÉPOCA:** primavera e outono para seguir trilhas, fazer caminhadas e andar de bicicleta; Jun.–Ago. para nadar.

Rainha dos resorts e um resort para reis

BIARRITZ

Aquitânia, França

Apaixonado pela beleza exuberante da cidade, Victor Hugo rezou em 1830 para que Biarritz jamais se tornasse “um lugar da moda”. Suas esperanças foram por água abaixo quando o recém-casado imperador Napoleão III e a imperatriz Eugênia chegaram ali em 1835 para construir a aristocrática Villa Eugénie, uma grande casa cor-de-rosa que servia de residência de verão. Biarritz tornou-se um ponto turístico de sucesso, e viajantes da realeza e da nobreza continuaram a passar temporadas no balneário mesmo depois de 1870, quando o casal imperial deixou de visitar o local. Mais tarde, eles foram substituídos por um variado grupo de artistas, escritores e celebridades. Conservando traços do glamour original e magnificamente reformada, a antiga residência de Napoleão III é atualmente o Hôtel du Palais, o centro da vida social desse resort na costa do Atlântico. Para a felicidade dos hóspedes atuais, Napoleão escolheu o melhor trecho da praia, La Grande Plage. Nos anos 1950, os pioneiros do surfe descobriram nessas praias encantadoras as melhores ondas da Europa, transformando Biarritz na capital informal do surfe e do windsurfe no continente. Os suntuosos e espaçosos quartos têm vista para as escarpas que acompanham a costa nesse recanto do País Basco, onde os imponentes Pireneus alcançam a baía de Biscaia. No Palais predomina o espírito da velha Biarritz. Tente a sorte no cassino e aproveite as instalações luxuosas do spa à beira-mar.

O QUE: cidade, hotel. **ONDE:** 190km a sudoeste de Bordeaux, a 32km da fronteira com a Espanha. **HÔTEL DU PALAIS:** Avenue de l'Impératrice, 1. Tel. (33) 5-59-41-64-00; fax (33) 5-59-41-67-99; reception@hotel-du-palais.com; www.hotel-du-palais.com. ***Quanto***: duplos com vista para os jardins a partir de U$260 (baixa temporada), a partir de U$315 (alta temporada); duplos com vista para o mar a partir de U$415 (baixa temporada), a partir de U$465 (alta temporada). **MELHOR ÉPOCA:** Mai.–final de Out.

Um antigo recanto da França abriga maravilhas acima e debaixo do solo

A Dordogne e a Caverna de Lascaux

Aquitânia, França

Henry Miller chamou o departamento da Dordogne, com sua vegetação exuberante, de "terra de encantamento". As cidades muradas da região – Domme, Brantôme, Sarlat e Rocamadour – estão entre as mais pitorescas da França. Salpicada de colinas, mas não de montanhas, a Dordogne também é perfeita para caminhadas e passeios de bicicleta. Merecidamente associada à idéia da boa mesa, com destaque para o pato e o glorioso *foie gras*, o vinho tinto Cahors, as trufas e os cogumelos selvagens, essa bela região da França também é rica em vales floridos, igrejas românicas e vilarejos medievais. Dos seus mais de 1.500 castelos, muitos hoje em dia funcionam como hotéis, alguns com vistas fantásticas e localizados em pontos estratégicos ao longo dos afluentes que deságuam no imponente rio Dordogne.

Essa foi uma das terras mais disputadas da história da Europa. Em termos históricos, porém, o tesouro mais relevante está debaixo da terra, nas pinturas encontradas em suas cavernas. Descoberta por alguns adolescentes em 1940, a caverna de Lascaux (perto de Montignac) contém o conjunto mais extraordinário de pinturas pré-históricas do mundo, feitas por artistas da Idade da Pedra há cerca de 17.000 anos. Fechada ao público permanentemente a partir de 1963 para evitar a sua deterioração, ela foi recriada cerca de 200m mais à frente e recebeu o nome de Lascaux II. Essa réplica feita em 1980 com fantástica precisão por técnicos da Escola de Belas-Artes de Paris exibe os mesmos pigmentos utilizados pelo homem de Cro-Magnon, e suas paredes de calcário e tetos de 6m de altura estão cobertos de imagens de bisontes, cavalos, javalis e touros. Procure chegar cedo, pois os ingressos para Lascaux II costumam esgotar-se.

Essa área da Dordogne, um vale fértil que acompanha o rio, está repleta de *grottes ornées* (grutas ornadas), algumas datando de 25.000 anos. A cidade de Les Eyzies-de-Tayac, no vale de Vézère, é a base ideal para explorar uma das áreas mais ricas em todo o mundo em sítios arqueológicos e vestígios pré-históricos. Não deixe de visitar as cavernas de Font-de-Gaume, cujas obras de arte paleolíticas têm um nível de importância próximo ao de Lascaux.

O Que: experiência, lugar. **Dordogne:** adote Périgueux (a capital do departamento), 118km a nordeste de Bordeaux, como base para seus passeios. *Como*: para caminhadas e passeios de bicicleta, entre em contato com a Butterfield and Robinson no Canadá; tel. (2) 800-678-1147; fax (2) 416-864-0541; info@butterfield.com; www.butterfield.com. *Quanto*: viagens de 8 dias com tudo incluído a partir de U$4.095. *Quando*: fim de Mai.–Out. *Melhor época*: Mai., Jun., Set. e Out. **Lascaux:** 480km a sudoeste de Paris, perto de Montignac, a 19km de Les Eyzies-de-Tayac (45km a sudeste de Périgueux). *Como*: a caverna original de Lascaux é praticamente inacessível: só 5 pessoas podem entrar ali por dia e apenas com autorização especial. Excursões exclusivas, como as oferecidas (geralmente 1 vez por ano) pela Discovery Tours, incluem grupos de 15 ou menos (com entradas em grupos de 5). Discovery Tours é um setor do Museu Americano de História Natural; tel. (1) 212-769-5700 e (1) 800-462-8687; fax (1) 212-769-5755; www.amnh.org/programs/discotours/index.html. *Quanto:* viagem de 2 semanas incluindo as cavernas de Altamira, na Espanha, a partir de U$7.350, com a maior parte das refeições, transporte por terra e guias. Saídas em Mai. *Quanto*: ingresso U$7. *Quando*: aberta Fev.– Dez.

Mergulhando na cultura do vinho de Bordeaux

ST.-EMILION

Aquitânia, França

Bordeaux é quase um local de peregrinação para enófilos e gourmets. No centro dessa região está a cidade de Bordeaux, um exemplo da arquitetura do século XVIII lindamente restaurada, que serve como elegante base para explorar os bairros cobertos de videiras nos quais se destacam nomes reverenciados, como Médoc, Graves e Sauternes. Existem mais de 10.000 vinhas, mas o adorável vilarejo medieval de St.-Emilion mostra-se particularmente sedutor. Suas vinhas em terrenos em declive descem até às fortificações do século XIII que cercam essa pequena cidade por todos os lados. Elas encerram ruas medievais calçadas de pedras nas quais se sucedem lojas de vinho e padarias que vendem levíssimos biscoitos de amêndoas. As propriedades vinícolas de Châteaux Margaux e Mouton-Rothschild, que oferecem degustação de vinhos, podem ser apreciadas em passeios de um só dia em Médoc. Mas as pequenas vinhas que se estendem a partir das muralhas de St.-Emilion proporcionam ao visitante a oportunidade de provar alguns dos mais finos e complexos vinhos tintos de Bordeaux. O aristocrático Château Grand Barrail, uma propriedade erguida no século XIX, reabriu recentemente como hotel-fazenda. Muitos dos seus amplos quartos têm vista para as intermináveis vinhas, enquanto o cardápio do restaurante belle époque, além de muitas especialidades regionais, conta com uma respeitável carta de vinhos, mais da metade deles proveniente das adegas de comerciantes locais.

O Château Grand Barrail admira seu próprio reflexo.

O QUE: cidade, hotel, restaurante. **ST.-EMILION:** 35km a nordeste de Bordeaux. **CHÂTEAU GRAND BARRAIL:** Route de Libourne, 23km a nordeste de Bordeaux; a 2km de St.-Emilion. Tel. (33) 5-57-55-37-00; fax (33) 5-57-55-37-49; reception@grand-barrail.com; www.grand-barrail.com. *Quanto*: duplos a partir de U$145 (baixa temporada), a partir de U$200 (alta temporada). Jantar U$40. **MELHOR ÉPOCA:** primavera e outono, exceto na colheita em Set., quando as propriedades vinícolas estão fechadas ao público.

Um exemplo glorioso da arquitetura gótica e orgulho maior de uma cidade

Catedral Notre-Dame de Estrasburgo

Estrasburgo, Alsácia, França

A antiga capital da Alsácia é a atual sede do Conselho da Europa e lar do Parlamento Europeu. Há os que associam Estrasburgo ao *choucroute* – iguaria de simplicidade camponesa, feita de chucrute, salsichas variadas, bacon, carne de porco e batatas –, uma forte especialidade da região. Mas há também aqueles a quem o nome da cidade remete logo à sua magnífica catedral gótica. A estrutura de pedras castanho-avermelhadas, que começou a ser erguida no século XII, é uma das maiores construções do mundo cristão e uma das estruturas góticas mais harmoniosas que se conservaram da Idade Média. Quando concluída em 1439, tornou-se o edifício mais alto de toda a cristandade, com sua torre rendilhada atingindo 142m (e ainda hoje é a mais alta das construções medievais). Outros destaques são os vitrais de suas janelas, alguns deles do século XII, e o relógio astronômico do século XVI – todos os dias, precisamente às 12h31, as macabras figuras alegóricas com que ele é ornamentado dão início a um desfile que representa a Paixão de Cristo. Depois os visitantes costumam fazer fila para ir, a tempo de almoçar, ao segundo ponto mais visitado da praça: a Maison Kammerzell, uma casa de madeira ricamente trabalhada que pertenceu a um comerciante do século XVI. Funcionando como um restaurante, ela tem toda a aparência de um lugar típico para turistas. Apesar disso, os habitantes da cidade garantem que seu *choucroute à l'alsacienne* é *formidable*. Experimente uma de suas 10 versões e dê sua opinião.

O Que: cidade, lugar, restaurante. **Estrasbugo:** 492km a leste de Paris, 145km a leste de Nancy. **Maison Kammerzell:** Place de la Cathédrale, 16. Tel. (33) 3-88-32-42-14; fax (33) 3-88-23-03-92; baumann@maison-kammerzell.com; www.maison-kammerzell.com. *Quanto*: jantar com 3 pratos de *choucroute* U$38. **Melhor Época:** Festival de Música em Jun. e Jul., alguns concertos de órgão são realizados na catedral.

Passeando doucement *a bordo de uma barcaça ou de um balão*

Borgonha

França

Conhecer a região da Borgonha do convés de uma barcaça ou da cesta de um balão confere um novo significado à expressão "viver bem é a melhor vingança". A serenidade e o sossego desses dois meios de transporte garantem que o passeio se realize no ritmo apropriado – *doucement* (lentamente) – para que você possa apreciar uma das mais belas regiões da França. Deslize bem devagar através de uma centenária rede de canais ou deixe que uma brisa sublime encha seu balão, transportando-o sobre dezenas de castelos particulares rodeados por florestas que foram residências dos poderosos duques da Borgonha no final da Idade Média. Flutue sobre vinhas mundialmente conhecidas, como as de Montrachet, Meursault e Pommard, no coração da Côte d'Or da Borgonha, que fornece ao mundo alguns dos melhores vinhos tintos e brancos secos. Esse é o centro da área dedicada à viticultura na Borgonha, um trecho que vai de Dijon a Santenay, cujas vinhas proporcionam dias idílicos dedicados à degustação de vinhos e a visitas a castelos. Nos pitorescos mercados nos vilarejos da região encontram-se produtos frescos e queijos deliciosos para acompanhar o vinho local comum – que pode adquirir a aura de um *premier cru* quando saboreado em piqueniques no campo ou em jantares à luz de velas nos aposentos abobadados de algum castelo medieval. Registre na memória momentos especiais da vida provinciana, como crianças acenando alegremente para você ou uma caminhada por um pasto onde o gado *charolais* nem sequer nota sua presença.

Ainda que o chef que lhe deu o nome tenha morrido prematuramente em 2003, o Hôtel Bernard Loiseau (também conhecido como La Côte d'Or) continua a servir a mesma *cuisine légère*, uma culinária de estilo saudável que só utiliza os melhores produtos locais com pouca (ou nenhuma) manteiga e creme de leite e evita a adição excessiva de sabores para obter combinações básicas. O resultado – realçado por qualquer uma das 20.000 garrafas de vinho da adega do restaurante – é sublime.

O QUE: lugar, experiência, restaurante, hotel. **ONDE:** no coração da Borgonha, a meio caminho entre Paris (264km na direção noroeste) e Lyon (243km para o sul). **VIAGENS DE BALÃO:** nos Estados Unidos, procurar a Bombard Society; tel. (1) 561-837-6610 e (1) 800-862-8537; fax (1) 561-837-6623; travel@bombardsociety.com; www.bombardsociety.com. *Quanto*: 4 noites e 5 dias a partir de U$5.998 por pessoa (inclui o TGV, trem de alta velocidade, de Paris a Dijon). *Quando*: fim de Mai.–meados de Out. **VIAGENS DE BARCAÇA:** nos Estados Unidos, Barge Lady;

Curta as paisagens lá de cima.

tel. (1) 312-245-0900 e (1) 800-880-0071; fax (1) 312-245-0952; ellen@bargelady.com; www.bargelady.com. Opções para passeios de 6 noites/7 dias vão de barcaças simples aos modelos de luxo, que podem incluir todas as refeições a bordo e até mesmo algumas em terra; também são oferecidos passeios de balão. *Quanto*: a partir de U$1.600 por pessoa (inclui TGV de Paris a Dijon), passeios de balão a partir de U$200 por pessoa. *Quando*: 15 de Abr.–1º de Nov. **HÔTEL BERNARD LOISEAU:** Rue Argentine, 2, Saulieu. Tel. (33) 3-80-90-53-53; fax (33) 3-80-64-08-92; loiseau@relaischateaux.fr; www.bernard-loiseau.com. *Quanto:* almoço U$100, jantar U$160. *Quando*: almoço e jantar diariamente. **MELHOR ÉPOCA:** Mai.–Out. Mai. a Set., para passeios de balão; Mai., Jun. e Set., para viagens em barcaça.

Bebendo e comendo estrelas

Champagne e o Les Crayères

Reims, Champagne-Ardennes, França

Dom Pérignon, um monge beneditino do século XVII que habitava a região, foi quem recebeu o crédito de ter descoberto *la méthode champenoise* (o método de fabricação do champanhe). "Estou bebendo estrelas!", ele teria dito ao saborear o primeiro espumante a ser produzido. Vinhos desse tipo podem vir de qualquer lugar do mundo, mas champanhe só pode vir de Champagne, uma região de 27.000ha coberta de vinhedos. A única grande cidade nessa área cheia de colinas é Reims, conhecida pela Catedral Notre-Dame, onde foram coroados 37 reis da França e que hoje em dia é mais visitada por causa dos vitrais de Chagall e por sua fachada do século XIII, de proporções perfeitas e repleta de esculturas.

Nas casas produtoras de vinho, os amantes dessa bebida logo descem as escadas que levam ao labirinto das caves, ou adegas, onde todos os dias os *remueurs* viram pacientemente milhões de garrafas nas quais o vinho amadurece, girando a cada vez os centímetros necessários para que sua qualidade não se perca ao longo do processo (cerca de 220.000.000 de garrafas são fabricadas anualmente). Das cerca de 100 casas produtoras de champanhe, as marcas mais famosas (Moët et Chandon, a maior delas; Taittinger; Mumm, que pertence à Seagram; Veuve Clicquot-Ponsardin; e Perrier-Jouët) oferecem visitas guiadas e degustações que são ao mesmo tempo instrutivas e divertidas. Pommery talvez seja a propriedade mais bem cuidada e impressionante, com 17km de adegas no subsolo. As espetaculares galerias, escavadas por gauleses-romanos da Antiguidade, foram usadas como hospitais, escolas e abrigos durante as duas guerras mundiais.

Enquanto você estiver em Champagne, não deixe de poupar sua carteira e seu apetite para uma refeição no mundialmente conhecido Les Crayères (que tem o nome das seculares caves em que o champanhe é envelhecido). Líder do renascimento dos restaurantes na região desde a sua chegada ali em 1983, o ex-chef e proprietário Gerard Boyer fundou e administrou, com sua mulher, Elyane, um dos hotéis-restaurantes mais especiais da França até sua partida em 2004. Localizado em meio a uma linda e preservada paisagem, esse *château* da virada do século já foi propriedade da princesa de Polignac (uma ancestral da família Pommery). A carta de vinhos, que inclui mais de 200 tipos de espumantes, rende homenagem à herança de Reims. Esse é o tipo de experiência que se transforma numa ocasião especial, um flerte com o luxo, num am-

Pommery, a maior propriedade vinícola da região de Champagne.

biente em que lustres ornamentais iluminam de maneira mágica um cenário tão grandioso quanto a culinária da casa. Decorados com elegância, os quartos – alguns com vista para as torres da catedral gótica – são o máximo da suntuosidade no Les Crayères, uma oportunidade para você prolongar a sensação de sonho para além do jantar. Esses aposentos também indicam que os motoristas responsáveis não precisam praticar a abstinência.

O QUE: lugar, restaurante, hotel. **CHAMPAGNE:** a região começa 145km a leste de Paris, com Reims na sua extremidade norte. Para seguir a Rota do Champanhe, pegue um mapa em qualquer estande de turismo e procure os sinais que marcam o caminho nas estradas. *Quando*: as grandes *maisons* de Champagne ficam abertas à visitação o ano inteiro, ainda que fora da temporada fechem 1 ou 2 dias por semana. A época tradicional para se conhecer a região é Mai.–Out. Essa área não sofre uma invasão tão grande de turistas como acontece com outras partes da França no verão, mas fica um tanto lúgubre no inverno, a não ser em 22 de Jan., na Festa de São Vicente, santo padroeiro dos viticultores. **LES CRAYÈRES:** Boulevard Henry Vasnier, 64, a poucos minutos de Reims. Tel. (33) 3-26-82-80-80; fax (33) 3-26-82-65-52; www.gerardboyer.com. *Quanto*: jantar U$110. Duplos a partir de U$240. *Quando*: o restaurante abre de Qua.–Dom. **MELHOR ÉPOCA:** a colheita começa tradicionalmente em meados de Set. e dura de 2 a 3 semanas, mas o período pode mudar por causa do clima.

Um jardim florido para os amantes da arte

GIVERNY

Alta Normandia, França

O caso de amor que Claude Monet manteve com a cor e a luz natural desenrolou-se, em grande parte, nessa casa de campo cor-de-rosa com persianas verdes, na qual o artista viveu e trabalhou de 1883 a 1926. Sua maior paixão era o jardim, meticulosamente recriado para servir de palco ao espetáculo que as flores oferecem durante as três estações em que fica aberto ao público. Ao contrário dos jardins tradicionais franceses – um tanto formais –, nesse as flores e suas cores exuberantes derramam-se pelos caminhos e sobem pelas treliças como, é claro, num quadro de Monet. Era aqui que ele e seus companheiros impressionistas – Sisley, Cézanne, Pissarro, Manet e Renoir – montavam seus cavaletes (um ato que por si só tinha algo de radical no contexto artístico da época). A maneira como captavam as mudanças na luz e no clima em diferentes momentos do dia alterou o curso da arte no século XX. Mesmo Monet não foi capaz de compreender imediatamente a beleza da experiência. "Precisei de um tempo para entender minhas ninféias", ele escreveu. "Mas, de repente, tive uma espécie de revelação do que havia de mágico no meu lago... Desde então, praticamente já não uso outro modelo." As multidões de fim de semana podem incomodar um pouco, mas as célebres ninféias, as pontes japonesas e os pequenos salgueiros ainda são um convite à contemplação.

O QUE: lugar. **ONDE:** Rue Claude Monet, 84 (80km a noroeste de Paris). Tel. (33) 2-32-51-28-21; fax (33) 2-32-51-54-18; contact@fondation-monet.com; www.fondation-monet.com. **QUANTO:** ingresso U$4,50. **QUANDO:** aberto Abr.–início Nov., Ter.–Dom. **MELHOR ÉPOCA:** cada mês oferece sua própria profusão de cores e flores; as ninféias aparecem no fim de Jun.

Uma maravilha gótica assediada pelas marés

MONTE SAINT-MICHEL

Alta Normandia, França

Sempre citado entre as maravilhas do mundo ocidental e o lugar mais visitado da França, o monte Saint-Michel – uma ilha fortificada que abriga um vilarejo – ocupa o alto de uma imensa rocha granítica que se levanta do leito do mar. Sua íngreme e audaciosa localização, bem como sua engenharia, continua a deixar admirados os que se aproximam pelo caminho de 1,5km que o liga ao continente. A perspectiva muda quando o visitante passa a explorar as ruas estreitas cheias de lojas de souvenirs e curiosidades nessa pequena localidade de 100 habitantes. Fala-se muito das marés que avançam com rapidez e que, entre as fases alta e baixa, elas podem apresentar variações de até 15m. Quando a maré está baixa, uma extensão de cerca de 16km de areia fica descoberta, deixando a abadia gótica e românica plantada 150m acima do nível do mar, completamente isolada, com sua silhueta grandiosa destacando-se contra o céu. No século XIII, muralhas começaram a cercar o monte e a abadia beneditina com seus jardins, marcando o lugar em que o arcanjo Miguel teria aparecido em 708 d.C. Além do cenário inigualável, o que vem atraindo turistas há séculos é o complexo de construções no interior da abadia, um conjunto conhecido como La Merveille (A Maravilha), uma obra-prima gótica. A outra obra-prima dessa ilhota são as omeletes do La Mère Poulard, que se assemelham a suflês. Desde 1888, esse misto de restaurante e hospedaria tem sido o melhor lugar para se jantar e passar a noite. Lá é possível desfrutar do silêncio mágico de um Saint-Michel quase deserto às altas horas da noite.

O QUE: lugar, restaurante, hotel. **MONTE SAINT-MICHEL:** 322km a oeste de Paris, 48km a leste de Saint-Malo. **LA MÈRE POULARD:** Grande Rue. Tel. (33) 2-33-89-68-68; fax (33) 2-33-89-68-69; hotel.mere.poulard@wanadoo.fr; www.mere-poulard.com. *Quanto*: cardápios preço fixo a partir de U$35. Duplos a partir de U$200. **MELHOR ÉPOCA:** primavera e outono; lindo e quase vazio no inverno.

"'Se um de nós dois morrer', o marido disse à mulher, 'eu vou me mudar para Paris.'"
—SIGMUND FREUD

PARIS

Île de France, França

Paris alimenta nossos sentidos, nutrindo tanto o intelecto quanto a alma. Multidões de turistas buscam seus magníficos museus e exposições, mas a vida dessa cidade riquíssima em termos culturais gira em torno dos cafés e bistrôs de seus *arrondissements* (distritos, ou bairros), nos quais o visitante pode tentar a missão aparentemente impossível de se fazer passar por parisiense. *Est-ce que c'est possible?* Na Cidade Luz, berço de todas as noções associadas a romance e estilo, tudo é mágico e tudo pode acontecer.

As 10 Maiores Atrações

ARCO DO TRIUNFO – O maior arco triunfal do mundo (cerca de 50m de altura por 44m de largura), foi erguido por Napoleão em 1806 para celebrar as vitórias de seus exércitos. Ao longo dos anos firmou-se como o ponto focal de funerais de estadistas. Durante a Segunda Guerra, tanto os invasores alemães quanto as forças que libertaram Paris passaram sob sua estrutura. Ele abriga também o Túmulo do Soldado Desconhecido e mantém no seu topo uma sala de exposição, com fotos e gravuras que contam a história do monumento, além de um espaço de onde se avista a cidade. **ONDE:** Place Charles de Gaulle-Étoile, 8.º *arrondissement.* Entrada pela passagem subterrânea. www.monuments.fr.

BASÍLICA DO SACRÉ-COEUR – Planejada pelos franceses como uma oferenda para tirar da sua memória a derrota na guerra contra a Prússia em 1870, a Basílica do Sacré-Coeur foi construída entre 1876 e 1914 num rebuscado estilo romano-bizantino, de acordo com um projeto de Paul Abadie. De um branco ofuscante e com uma cúpula central de 83m, a aparência exterior da catedral sugere um gigantesco doce. No seu interior está um dos maiores mosaicos do mundo retratando Cristo com os braços abertos. Localizada no alto da colina de Montmartre, proporciona uma vista de Paris que é a segunda mais alta da cidade. **ONDE:** Place St.-Pierre, 18.º *arrondissement.* Tel. (33) 1-53-41-89-00.

Os nomes das maiores vitórias revolucionárias e napoleônicas estão gravados no Arco do Triunfo.

CENTRO GEORGES POMPIDOU – Um edifício que dá a impressão de ter sido virado pelo avesso, deixando à mostra todas as suas tubulações pintadas com cores vivas, o audacioso Centro Georges Pompidou foi fundado em 1977 com a missão de mostrar a arte do século XX (e agora do século XXI). De fato, hoje em dia seu futurismo parece um tanto superado, mas uma restauração no fim dos anos 1990 devolveu-lhe certo vigor, acrescentando 1.500m² de área para exposições, novas opções de alimentação, salas de cinema e outros espaços para apresentações de música, teatro e dança. As atrações incluem o Museu Nacional de Arte Moderna, com uma coleção de 40.000 obras (ainda que apenas cerca de 850 estejam expostas). Do alto do prédio se tem uma excelente vista de Paris. Do lado de fora há apresentações constantes de artistas de rua. **ONDE:** Place Georges Pompidou, 4.º *arrondissement.* Tel. (33) 1-44-78-12-33; www.centrepompidou.fr.

TORRE EIFFEL – Talvez a estrutura mais marcante e conhecida em todo o mundo, a Torre Eiffel foi construída como uma atração decorativa e provisória para a Exposição Universal de 1889 e só se salvou da demolição porque, na condição de estrutura mais alta da Europa na época, era útil para a instalação de antenas de rádio. Hoje é o símbolo por excelência de Paris. Com 321m de altura, ela proporciona, a partir das suas plataformas de observação, uma vista que abrange 64km à sua volta. Dois restaurantes – o Altitude 95 e o Jules Verne – estão instalados, respectivamente, no primeiro e no segundo níveis da torre. **ONDE:** Champ de Mars, 7.º *arrondissement*. Tel. (33) 1-44-11-23-23; www.tour-eiffel.fr.

HÔTEL DES INVALIDES/TÚMULO DE NAPOLEÃO – Projetado originalmente como residência e hospital para soldados franceses idosos, chegou a abrigar cerca de 4.000 pessoas, que viveram ali segundo regras militares e religiosas, trabalhando em diversos tipos de oficinas. Ao ser concluído, o complexo mostrava um grande edifício de aspecto marcial erguido no meio de um amplo pátio e também uma igreja, cuja cúpula dourada foi desenhada por Jules Hardouin Mansart. Durante a Revolução Francesa, uma multidão invadiu o Hôtel des Invalides e conseguiu armas suficientes para tomar de assalto a Bastilha. Em 1840, o corpo de Napoleão foi sepultado ali, após ter sido primeiramente enterrado em Santa Helena. Além do túmulo, o visitante pode ver o Musée de l'Armée, repleto de armas, uniformes e equipamentos, bem como o Musée des Plans-Reliefs, com maquetes de várias cidades e monumentos franceses. **ONDE:** Place des Invalides, 7.º *arrondissement*. Tel. (33) 1-44-42-37-72.

LOUVRE – Tudo nesse lugar é em escala gigantesca: no passado, o maior palácio do mundo, hoje o maior museu de arte do mundo. Lar da *Mona Lisa* e da pobre e mutilada *Vênus de Milo*; lar da polêmica pirâmide de vidro de I. M. Pei; e lar de aproximadamente 400.000 obras de arte – das quais cerca de 35.000 costumam ficar em exposição permanente. Estendendo-se por quase 800m às margens do Sena, o palácio nasceu como uma fortaleza medieval, que foi sendo ampliada ao longo dos séculos até se tornar uma luxuosa residência real. Imediatamente transformado em museu após a Revolução, seu acervo foi aumentado de forma significativa por Napoleão. Hoje as coleções estão divididas em sete departamentos: antiguidades egípcias; arte e antiguidades asiáticas e islâmicas; antiguidades etruscas, gregas e romanas; pinturas; esculturas; gravuras e desenhos; e objetos de arte. Realizam-se visitas guiadas em vários idiomas. **ONDE:** Quai du Louvre, 1.º *arrondissement*. Tel. (33) 1-40-20-53-17; www.louvre.fr.

MUSEU DE CLUNY – Construída no século XV para ser uma residência, a mansão foi tomada durante a Revolução Francesa e depois alugada para Alexandre du Sommerard, que alojou ali sua coleção de obras de arte medievais. Por ocasião de sua morte, em 1842, o edifício gótico foi comprado de volta pelo Estado, juntamente com a coleção de tapeçarias, esculturas, cruzes, cálices, jóias, moedas, manuscritos e muito mais. O edifício também contém ruínas de uma casa de banhos romana do século II d.C. **ONDE:** Place Paul-Painlevé, 5.º *arrondissement*. Tel. (33) 1-53-73-78-00; www.musee-moyenage.fr.

MUSEU D'ORSAY – Ocupando o interior de uma estação ferroviária neoclássica, a Gare d'Orsay, esse museu exibe obras produzidas entre os anos 1848 e 1914, período que viu a ascensão do Impressionismo e do Simbolismo, das escolas pontilhista, realista e fauvista e dos últimos representantes do Romantismo. Entre as obras em exibição sob o teto de vidro e arcos de ferro do edifício original estão telas de Daumier, Ingres, Delacroix, Manet, Monet, Courbet, Cézanne, Van Gogh, Renoir, Whistler e Matisse. Também estão à mostra peças de mobília, maquetes arquitetônicas, fotografias e objetos de arte decorativa. **ONDE:** Rue de Belle-chasse, 7.º *arrondissement*. Tel. (33) 1-40-49-48-14; www.musee-orsay.fr.

MUSEU PICASSO – Com 203 pinturas, 191 esculturas, 85 cerâmicas e mais de 3.000 desenhos, gravuras e manuscritos, o museu possui a maior coleção de obras do artista em todo o mundo. Instalado no Hôtel Salé, uma construção do século XVII, tem também em seu acervo obras de Cézanne e Matisse. **ONDE:** Rue de Thorigny, 3.º *arrondissement*. Tel. (33) 1-42-71-25-21; www.paris.org/Musees/Picasso.

NOTRE-DAME – Uma verdadeira "sinfonia de pedra", segundo Victor Hugo, a Catedral Notre-Dame é, histórica e geograficamente, o coração de Paris. Sua pedra fundamental foi lançada pelo Papa Alexandre III em 1163, mas a construção só foi concluída dois séculos depois. Uma escalada dos 387 degraus que levam até o topo da sua torre sul oferece a chance de apreciar uma série de gárgulas fantásticas, além de uma vista de 360º de uma das maiores cidades do mundo. **ONDE:** Place du Parvis Notre-Dame, 4.º *arrondissement.* Tel. (33) 1-42-34-56-10; www.paris.org/Monuments/Ndame/info.html.

OUTRAS ATRAÇÕES IMPERDÍVEIS

DIA DA BASTILHA (14 DE JULHO) – Nessa data, o patriotismo, assim como a paixão dos franceses por sua história e seu legado, atinge o auge com a celebração do dia em que a turba enfurecida invadiu a Bastilha. Vários eventos em toda a cidade culminam numa grande parada que desce a linda Avenida Champs-Elysées e numa chuva de fogos de artifício sobre a Torre Eiffel.

PASSEIO DE BATEAU-MOUCHE NO SENA – Os bateaux-mouches estão para Paris assim como as gôndolas estão para Veneza, uma oportunidade maravilhosamente turística para se apreciar a cidade de um ângulo diferente. Esses barcos com tetos de vidro singram as águas do Sena, deslizando sob suas pontes e deixando ver um pouco da vida no cais, ao longo das margens direita e esquerda. **ONDE:** partidas na Rive Droite, perto da Pont de l'Alma. Tel. (33) 1-42-25-96-10.

ÎLE ST.-LOUIS – Uma pequena e romântica ilha no meio do Sena onde figura um grande número de construções erguidas entre os séculos XVI e XVIII. Desde o século XVII tem sido uma área eminentemente residencial e reservada. Dê um pulo no Berthillon para provar o delicioso sorvete da casa (Rue St.-Louis en l'Île, tel. (33) 1-43-54-31-61). **ONDE:** em frente à Notre-Dame, na Pont St.-Louis, 4º *arrondissement.*

JARDIM DAS TULHERIAS – Projetado em 1664 por André Le Nôtre, o mesmo que idealizou o entorno de Versalhes, o Jardim das Tulherias oferece uma das melhores áreas para se caminhar em Paris, com muitas fontes e esculturas. **ONDE:** entre a Place da la Concorde e o Louvre, 1.º *arrondissement.*

LE LAPIN AGILE – O mais antigo bar-cabaré de Paris e um marco da vida do bairro de Montmartre, Le Lapin Agile foi imortalizado por Toulouse-Lautrec e Utrillo. Uma amostra da vida na Paris do passado, foi durante décadas o bastião da música folclórica francesa, com corais que costumam se animar quando os turistas deixam a casa. Tão autêntico quanto pode ser uma experiência num cabaré. **ONDE:** Rue des Saules, 18.º *arrondissement.* Tel.: (33) 1-46-06-85-87; www.au-lapin-agile.com.

MARCHÉ AUX PUCES DE CLIGNANCOURT – Imperdível para qualquer amante dos mercados de pulgas, essa feira ao ar livre concentra milhares de vendedores que oferecem praticamente tudo o que há debaixo do Sol, inclusive aquele objeto especial, único, só detectado pelos olhos de lince dos que madrugam para garimpar pechinchas e raridades. Um dos maiores do gênero na Europa, funciona todos os dias e – sim – é freqüentado por designers famosos. **ONDE:** Avenue de la Porte de Clignancourt, 18.º *arrondissement.*

MUSEU MARMOTTAN MONET – Seu acervo contém mais de 130 obras de todas as fases da vida criativa de Monet, assim como 300 pinturas impressionistas e pós-impressionistas, pastéis, aquarelas e esculturas de Gauguin, Degas, Manet, Pissarro, Renoir, Rodin e outros. Possui também manuscritos com iluminuras, peças de mobília do Primeiro Império e objetos de arte decorativa, além de obras de pintores alemães, flamengos e italianos que precederam os mestres da Renascença. **ONDE:** Rue Louis-Boilly, 16.º *arrondissement.* Tel. 33/1-42-24-07-02; www.marmottan.com.

ÓPERA GARNIER – Essa maravilha rococó, com um dos maiores palcos do mundo, foi concluída em 1875, e seu teto recebeu em 1964 uma maravilhosa pintura de Chagall. Com a extensa reforma por que passou recentemente, a casa ganhou um sistema de ar-condicionado, suas estátuas e seus bustos dourados foram polidos e seus forros de damasco vermelho substituídos. Magníficas apresentações feitas ali pela Companhia Nacional de Ópera, pelo Balé de Paris e por outros grupos prometem uma noite inesquecível na cidade. **ONDE:** Place de l'Opéra, 9.° *arrondissement*. Tel. (33) 1-40-01-17-89; www.opera-de-paris.fr.

PLACE DES VOSGES – A pequena Place des Vosges, com suas casas de tijolos rosados, é a mais antiga e bonita da cidade. Planejada por Henrique IV no começo do século XVII, ela é totalmente rodeada por arcadas. Victor Hugo morou ali, no número 6. **ONDE:** no antigo bairro judeu do Marais, 4.° *arrondissement*.

STE.-CHAPELLE – Nas paredes dessa pequena capela, uma das supremas realizações da Idade Média, há mais vitrais do que pedras. A área das janelas soma a maior extensão existente de vitrais em todo o mundo. Nessa pequena caixa de jóias gótica são realizados concertos de música erudita ao entardecer, à luz de velas. **ONDE:** Boulevard du Palais, 4.° *arrondissement*. Tel. (33) 1-53-73-78-50; www.monuments.fr.

ONDE FICAR

HÔTEL MEURICE – Com muitos de seus quartos com vista para o Jardim das Tulherias e uma localização central, o Meurice vem hospedando sultões e membros da realeza há quase dois séculos. Dê uma olhada e descubra por quê. **ONDE:** Rue de Rivoli, 1.° *arrondissement*. Tel. (33) 1-44-58-10-15; www.meurice hotel.com. **QUANTO:** preço alto.

PLAZA ATHÉNÉE – No recém-reformado Plaza, um batalhão de discretos e eficientes funcionários oferece um serviço à altura dos chefes de Estado – assim como dos outros mortais – que lá se hospedam. Situa-se em meio às joalherias e casas de estilistas na Avenue Montaigne. Hóspedes têm prioridade no superestrelado restaurante Alain Ducasse, integrado ao hotel. **ONDE:** Avenue Montaigne, 8.° *arrondissement*. Tel. (33) 1-53-67-66-65; www.plaza-athenee-paris.com. **QUANTO:** preço alto.

Uma sacada no Plaza Athénée proporciona uma vista perfeita para a Torre Eiffel.

RITZ – O lendário Ritz ostenta interiores de mármore cor-de-rosa no estilo Luís XV. Passe lá para tomar um chá ou relaxar bebendo um drinque ou ainda para uma sublime experiência culinária no L'Espadon. Quem não se preocupa com a conta bancária pode hospedar-se ali e desfrutar de uma estada inesquecível num ambiente romântico. **ONDE:** na elegante e histórica Place Vendôme, 1.° *arrondissement*. Tel. (33) 1-42-60-38-30; www.ritzparis.com. **QUANTO:** preço alto.

L'HÔTEL – Há um século o L'Hôtel vem sendo considerado o endereço ideal. Depois de passar por uma reforma cheia de estilo, mas que respeitou os critérios históricos, continua a ser uma opção sofisticada para uma nova geração de viajantes sagazes e bem informados. **ONDE:** Rue des Beaux-Arts, no coração de St.-Germain-des-Prés, no 6.° *arrondissement*. Tel. (33) 1-44-41-99-00; www.l-hotel.com. **QUANTO:** preço moderado.

HÔTEL LE SAINTE-BEUVE – Uma experiência bem parisiense que não vai zerar sua conta bancária, a cinco minutos de caminhada do Jardim de Luxemburgo. Os quartos contam com móveis antigos e dão para uma rua tranqüila. **ONDE:** Rue Sainte-Beuve, 6.° *arrondissement*. Tel. (33) 1-45-48-20-07; www.paris-hotel-charme.com. **QUANTO:** preço baixo.

ONDE COMER E BEBER

ANGELINA – A sobremesa Mont Blanc só perde para o mais generoso chocolate quente que se possa imaginar, servido no mais popular salão de chá de Paris. Seus mármores, metais dourados e tapetes vermelhos atraem todos, de crianças a vovós. **ONDE:** Rue de Rivoli, 1.º *arrondissement*. Tel. (33) 1-42-60-82-00.

BRASSERIE LIPP – Os garçons ainda vestem longos aventais brancos e coletes pretos, como vêm fazendo desde que esse lugar foi inaugurado em 1886. A atmosfera é animada, e só os profiteroles no chocolate quente já são motivo suficiente para se ir até lá, especialmente se eles forem precedidos da melhor combinação de *choucroute* e cerveja fora da Alsácia e Lorena. **ONDE:** Boulevard St.-Germain, 6.º *arrondissement*. Tel. (33) 1-45-48-53-91.

CIRCUITO DOS CAFÉS – St.-Germain-des-Prés, na Rive Gauche, é o palco tradicional – e ainda atual – da animada vida que se desenrola em torno dos cafés, dando uma idéia do clima descrito no livro de Hemingway *Paris é uma festa*. O CAFÉ DE FLORE (Boulevard St.-Germain, 6.º *arrondissement*; tel. (33) 1-45-48-55-26; www.cafe-de-flore.com) e o LES DEUX MAGOTS, ao lado (tel. (33) 1-45-48-55-25), continuam a atrair expatriados, intelectuais locais e curiosos, gerações depois do seu apogeu durante a Segunda Guerra, quando eram os pontos de encontro preferidos de artistas e literatos. O CAFÉ MARLY (tel. (33) 1-49-26-06-60), uma atração mais recente nessa área, está instalado discretamente num cenário histórico: a ala Richelieu do Louvre, que foi reformada. Sua sacada dá para a incrível pirâmide de vidro de I. M. Pei na Cour Napoléon.

FAUCHON – É a mais conhecida loja de alimentos de Paris – e talvez da França. Os produtos expostos com grande requinte em seus balcões e vitrines são examinados com tanto cuidado e seriedade quanto as coleções dos estilistas para a próxima estação. As sofisticadas embalagens já valem como souvenir. **ONDE:** Place de la Madeleine, 8.º *arrondissement*. Tel. (33) 1-47-42-60-11.

GUY SAVOY – Um dos melhores e mais inovadores restaurantes de Paris, tem o nome de seu proprietário: um dos mais qualificados e imaginativos chefs da cidade. Os cardápios mudam a cada temporada e geralmente compreendem nove pratos. A decoração é sofisticada e confortável num ambiente acolhedor, revestido com madeira, couro e pedra. **ONDE:** Rue Troyon, 17.º *arrondissement*. Tel. (33) 1-43-80-40-61; www.guysavoy.com.

LA COUPOLE – Cada refeição é um convite a uma viagem sentimental nessa brasserie, uma das mais célebres da cidade e amada por parisienses e turistas. Seus tradicionais pratos de frutos do mar, com ostras e mexilhões, são servidos num ambiente art déco que lembra uma estação de trem e que segue tão festivo e movimentado quanto no dia de sua inauguração, em 1927. **ONDE:** Boulevard du Montparnasse, 14.º *arrondissement*. Tel. (33) 1-43-20-14-20.

LADURÉE – Um salão de chá francês por excelência, o ornamentado Ladurée foi inaugurado em 1862 e parece ter saído de Versalhes. Uma das sobremesas, o carpaccio de abacaxi com *sorbet* de limão, é um dos pontos altos do cardápio, mas basta pedir qualquer coisa para experimentar uma verdadeira epifania. **ONDE:** Avenue des Champs-Elysées, 8.º *arrondissement*. Tel. (33) 1-40-75-08-75.

LE GRAND VÉFOUR – Para uma inesquecível experiência, tanto gustativa quanto visual, saboreie uma refeição no inigualável Le Grand Véfour, e saiba que isso será algo único em sua vida. Você deixará esse ambiente do século XVIII com a perfeita compreensão de por que os franceses garantem que cozinham (e decoram) melhor do que qualquer outro povo do mundo. **ONDE:** Rue de Beaujolais, 1.º *arrondissement*. Tel. (33) 1-42-96-56-27.

LE JULES VERNE – Instalado na segunda plataforma da Torre Eiffel, proporciona uma vista tão empolgante que torna quase impossível o ato de mastigar tranqüilamente a refeição. Lá em cima, o cardápio confere um novo sentido à expressão *haute cuisine* (alta culinária francesa). **ONDE:** Torre Eiffel, 7.º *arrondissement*. Tel. (33) 1-45-55-61-44.

LES BOOKINISTES – Remando contra a maré do conservadorismo, esse bistrô contemporâneo atrai um público poliglota com seu interior alegremente colorido e um cardápio ousado porém despretensioso. O dono é o nada tradicional chef Guy Savoy (ver pág. 85). **ONDE:** Quai des Grands Augustins, 6.º *arrondissement*. Tel. (33) 1-43-25-45-94.

WILLI'S WINE BAR – A comida desse bistrô muito popular é tão apetitosa quanto a seleção de vinhos. Ali, a mistura de nomes da moda com estrangeiros bem informados cria uma atmosfera estimulante, a um só tempo sofisticada e descontraída. **ONDE:** Rue des Petits-Champs, 1.º *arrondissement*. Tel. (33) 1-42-61-05-09.

A estrela dos mais sofisticados hotéis de Paris

HÔTEL DE CRILLON

Paris, Île de France, França

A cidade mais visitada do mundo tem um estoque generoso de grandes hotéis, mas, quando você passar da agitada Place de la Concorde para o silencioso saguão de mármore do lendário Crillon, compreenderá por que esse hotel é um caso à parte. O único dos grandes hotéis de luxo a permanecer em mãos de franceses (pertence à família Taittinger), o Crillon, em termos de custo, é sem dúvida uma extravagância, mas será ao mesmo tempo a garantia de um ponto alto da visita à Cidade Luz. Essa construção do século XVIII é apropriadamente imponente e elegante, à altura das cabeças coroadas, das celebridades e dos VIPs festejados que têm seus nomes inscritos no *livre d'or* da casa. Diplomatas das embaixadas nas imediações usam seu bar como uma sede informal das Nações Unidas. Toda a Paris parece dar uma parada por ali no fim da tarde para uma conversa a dois ou para um elegante chá no Jardin d'Hiver. Ao lado do saguão, o mais sofisticado dos restaurantes dos hotéis da cidade proporciona vistas deslumbrantes da Place de la Concorde e de seu obelisco. No Les Ambassadeurs o cardápio é aberto com um estalo, mas o serviço é amável. Nesse ambiente, onde o pé-direito tem 6m de altura, o teto é decorado com afrescos e dele pendem grandes lustres de cristal. Tudo nesse magnífico hotel e no restaurante irradia qualidade e sofisticação, opulência e conforto.

O obelisco do Egito antigo em frente ao hotel.

O QUE: hotel, restaurante. **ONDE:** Place de la Concorde, 10. Tel. (33) 1-44-71-15-00; fax (33) 1-44-71-15-02; crillon@crillon.com; www.crillon.com. **QUANTO:** duplos a partir de U$541. Jantar nos Les Ambassadeurs U$118.

Harmonia entre a clássica cozinha francesa e a nouvelle cuisine

TAILLEVENT

Paris, Île de France, França

A glória de Paris tem origem, em grande medida, na proliferação de templos gastronômicos conhecidos mundialmente. Nessa cidade está a maior concentração de restaurantes classificados com estrelas em toda a França. Comandados pelos melhores chefs do país, esses estabelecimentos proporcionam refeições únicas e impecáveis, além de um serviço que concede ao cliente um atendimento digno de rei. O Taillevent, que se assemelha a um clube e mantém suas instalações do século XIX extremamente bem cuidadas, está sob o comando de Jean-Claude Vrinat, anfitrião perfeito e integrante da segunda geração da família proprietária da casa. O chef Alain Solivérès parte de uma base solidamente clássica para acrescentar seus toques imaginativos, numa genial combinação do antigo com o novo. A lendária carta de vinhos está em perfeita harmonia com seu irretocável cardápio – são 25.000 garrafas! Sua loja de vinhos é considerada uma das mais refinadas de Paris. Escolher uma opção entre os mais famosos restaurantes da cidade é uma tarefa que pode exigir horas de discussões acaloradas e de consultas a guias gastronômicos, mas os mesmos nomes reverenciados acabam sempre vindo à tona: L'Ambroisie, L'Arpège, Guy Savoy, Lucas Carton, Pierre Gagnaire, Michel Rostang, Grand Véfour e Alain Ducasse. Como saber quem é o número um? Faça as reservas com antecedência, experimente todos eles e vote no seu preferido.

O QUE: restaurante. **ONDE:** Rue Lamennais, 15. Tel. (33) 1-44-95-15-01; fax (33) 1-42-25-95-18; mail@taillevent.com; www.taillevent.com. **QUANTO:** jantar U$170. **QUANDO:** aberto Seg.–Sex. Reservas para sexta-feira à noite devem ser feitas com 3 meses de antecedência.

A última palavra em arquitetura gótica

CATEDRAL NOTRE-DAME DE CHARTRES

Île de France, França

A incomparável catedral gótica de Chartres – uma das maiores do mundo e a primeira a exibir arcobotantes (construções no formato de meio arco erguidas na parte externa dos edifícios góticos para apoiar paredes e abóbadas) – é conhecida por seus vitrais, que não têm rival na Europa, assim como pelas esculturas que ornamentam tanto o seu interior quanto o seu lado externo. Os magníficos vitrais, que cobrem mais de 2.000m², são fruto de um esforço que desafia a compreensão. As

Uma obra-prima gótica de vitrais e esculturas.

sensacionais janelas, verdadeiras jóias criadas por mestres artesãos dos séculos XII e XIII, foram salvas da destruição nas duas guerras mundiais ao serem removidas, pedaço por pedaço, e escondidas em segurança. As cores caleidoscópicas – vermelho-rubi, verde-esmeralda, "azul-chartres" e dourado vivo – voltaram a brilhar e a vibrar depois de uma demorada, trabalhosa e cara restauração. Para as massas não alfabetizadas da época, essas imagens serviam como ilustrações de páginas da Bíblia, narrativas familiares que podiam ser lidas de baixo para cima – da Terra para o céu – e da esquerda para a direita. A Catedral de Chartres é a realização máxima da arquitetura gótica e continua a fascinar até os observadores modernos mais blasés. Sexta igreja erguida no local, ela abriga uma túnica que teria sido usada pela Virgem Maria. Sua nave, a mais ampla da Europa, mal dava para abrigar as hordas de peregrinos que iam até lá durante a Idade Média. As coisas não são muito diferentes hoje.

O QUE: lugar. **ONDE:** 97km a sudoeste de Paris. **MELHOR ÉPOCA:** um festival internacional de órgão é realizado em Jul. e Ago.

Opulência acintosa, poder absoluto

CASTELO DE VERSALHES

Versalhes, Île de France, França

Sede da mais exuberante corte européia desde o colapso da Roma antiga e, sem sombra de dúvida, o castelo mais visitado da França, Versalhes foi construído pela monarquia francesa no auge de sua glória – um ápice que teve um século de duração, começando em 1682, quando Luís XIV levou para lá sua entourage de 20.000 pessoas, até 1789, ano em que Luís XVI e a rainha Maria Antonieta foram avisados de que a multidão revolucionária se aproximava. Em 1662, no mesmo local em que seu pai mandara fazer um pavilhão de caça, Luís XIV deu início à construção da nova sede do governo da França, que acabaria se tornando um símbolo dos excessos da realeza. Seu aposento mais conhecido é a restaurada Galérie des Glaces (Salão dos Espelhos), de 72m de extensão. Suas amplas 17 janelas em arco estão emparelhadas com um número igual de espelhos bisotados que testemunharam muitos bailes refinados, o casamento de

Luís XVI e Maria Antonieta e a assinatura do Tratado de Versalhes, em 1919. Os Grands Appartements, rebuscadamente barrocos, também são extraordinários.

Após explorar o interior do palácio, caminhe pelos 100ha do parque – os jardins, de aspecto formal, foram projetados pelo célebre André Le Nôtre, e, aos domingos, as fontes estão em pleno funcionamento. Melhor ainda, hospede-se no Trianon Palace Hotel, uma construção do fim do século XIX, para desfrutar de algumas das regalias oferecidas no passado aos convidados do Rei Sol. Descendentes das ovelhas que pertenceram a Maria Antonieta continuam a pastar diante do hotel.

O Que: lugar, hotel. **Castelo de Versalhes:** 21km a sudoeste de Paris. Os trens saem regularmente da Gare de Montparnasse. Tel. (33) 1-30-84-74-00; www.chateauversailles.fr. *Quanto*: entrada U$8. *Quando*: Ter.–Dom. *Melhor época*: as Fêtes de Nuit são espetáculos de luzes e fogos de artifício realizados entre Jun.–Set.; informe-se sobre a programação nos escritórios de turismo locais. **Trianon Palace, Westin Hotel e Spa:** Boulevard de la Reine, 1. Tel. (33) 1-30-84-50-00; fax (33) 1-30-84-50-01; reservation.01104@westin.com; www.westin.com. *Quanto*: duplos a partir de U$250.

As obras admiráveis do filho mais ilustre de Albi

Museu Toulouse-Lautrec

Albi, Languedoc-Roussillon, França

Um dos melhores museus europeus dedicados exclusivamente a um artista, o Museu Toulouse-Lautrec abriga a maior coleção de obras desse pintor. Nascido em 1864 em Albi la Rouge (o epíteto *la rouge* vem das cerâmicas e tijolos vermelhos produzidos ali), o aleijado e atormentado Henri Toulouse-Lautrec era de uma família aristocrática que ficou horrorizada ao vê-lo mergulhar no submundo da boemia parisiense. Quem é fã do artista, morto em 1901, vai querer passar horas apreciando as suas mais de 1.000 obras que retratam prostitutas, dançarinas de cabaré e freqüentadores de cafés à mostra no solene Palais de la Berbie – residência para bispos construída em 1265 com a aparência de uma fortaleza. Também está em exibição uma generosa mostra dos pôsteres, que marcaram o início de uma forma inteiramente nova de arte, apresentando caricaturas ferinas de personagens pretensiosos da época. O palácio passou a abrigar obras desse pintor da Belle Époque a partir de 1922. Séculos de casamentos consangüíneos, assim como uma doença óssea rara, provavelmente estão na raiz dos sofrimentos físicos de Lautrec – mas que cores e personagens ele produziu!

Um pôster de Toulouse-Lautrec, 1892.

O Que: lugar. **Onde:** Palais de la Berbie (perto da Place Ste.-Cécile), Albi (76km a nordeste de Toulouse). Tel. (33) 5-63-49-48-70; fax (33) 5-63-49-48-88; mairie.albi@ ilink.fr; www.mairie-albi.fr. **Quanto:** ingresso U$4. **Quando:** aberto diariamente, exceto de Out.–Mar., quando funciona de Qua.–Seg.

Cavalos selvagens, touros e o espírito cigano

A Camargue e a Peregrinação dos Ciganos

Languedoc-Roussillon, França

Um dos mais encantadores hotéis-fazenda da França situa-se numa propriedade de 80ha no coração dessa fascinante região conhecida como a Camargue, que se estende ao longo do litoral sul do país. Um microcosmo das paisagens agrestes e selvagens da região, a propriedade é ao mesmo tempo um santuário de pássaros protegido pelo governo (conhecido pelos bandos de flamingos cor-de-rosa) e a fronteira final para os chamados *gardians*, alguns dos últimos caubóis da Europa. Ali você pode montar um dos 300 cavalos brancos da fazenda, típicos da Camargue, ou ajudar os vaqueiros a arrebanhar os robustos touros negros da região, criados para as touradas. Em meio a toda essa natureza está Le Mas de Peint, uma despretensiosa casa de fazenda do século XVII feita inteiramente de pedra. Seu interior espaçoso e despojado reflete o maravilhoso estilo e toda a simplicidade, bem como o luxo, tradicionais da Camargue. Antiguidades realçam o charme das áreas comuns do hotel e de 10 quartos espaçosos. Há grandes e aconchegantes poltronas forradas com tecidos crus, os lençóis de linho são bordados com o mesmo símbolo da propriedade e um jovem chef consegue fazer maravilhas com os produtos da horta local.

Tocando o gado no Le Mas de Peint.

Procure visitar a região no final de maio para ver a Peregrinação Cigana (Grand Pélérinage), um ritual que se repete todos os anos em homenagem à protetora desse povo – Sara. Durante a festividade, o vilarejo de Stes.-Maries-de-la-Mer ganha vida com as cores e os ritmos de mais de 20.000 ciganos (alguns provenientes de lugares distantes, como a Hungria e a Romênia) que cantam e dançam em homenagem à menina que teria vindo do Egito, o suposto lar ancestral da etnia *gitane* da Europa de hoje. Segundo a lenda, Sara, uma criada, teria acompanhado Maria Madalena, Marta, Maria de Betânia e outras seguidoras de Jesus no ano 40 d.C., quando foram exiladas da antiga Judéia. Seu barco, sem vela nem remos, chegou miraculosamente ao porto da cidade, que tem os seus nomes. Diz-se que os ossos de Sara estão na igreja local. Ainda que nunca tenha sido canonizada, ela se tornou uma figura cultuada por todos os ciganos. Em 24 de maio, o dia dedicado às Saintes Maries, violões e música flamenca irrompem sempre que mais de dois ou três ciganos se encontram. Sua música pungente acompanha a imagem de Sara na procissão anual até o mar.

O Que: lugar, hotel, evento. **Le Mas de Peint:** em Le Sambuc, 32km a sudeste de Arles, a 10km da praia. Tel. (33) 90-97-20-62; fax (33) 90-97-22-20. *Quanto*: duplos a partir de U$200. Jantar U$45. **Peregrinação Cigana:** o principal dia do festival é 24 de Mai. em Stes.-Maries-de-la-Mer.

Um centro urbano de proporções irretocáveis

PLACE STANISLAS

Nancy, Lorena, França

Nancy é uma das cidades mais encantadoras da Europa. Sua extraordinária praça é amplamente reconhecida como o mais belo monumento urbano da França – ou do mundo, na opinião de muitos. Ainda que esse lugar também seja célebre por seus exemplos de arquitetura art nouveau, a Place Stanislas representa um legado ímpar. Seu nome é uma homenagem ao rei da Polônia, duas vezes deposto, que, com o genro Luís XV, encomendou sua construção em 1751-1760. A praça é uma das melhores representações da delicadeza rococó, como se pode observar pelos rebuscados portões com detalhes dourados e pela integração arquitetônica do Hôtel de Ville (a prefeitura) e de suas arcadas e dos prédios vizinhos. Nancy floresceu como capital do ducado de Lorena do século XII ao século XVIII e foi submetida a um projeto de remodelação urbana e embelezamento no fim desse período. A Place Stanislas e a área ao seu redor, que serviram como uma vitrine elegante para os últimos duques locais, continuam a ser o centro simbólico da cidade e do seu rico passado.

A Place Stanislas é um encanto rococó.

Tão encantadora quanto a praça onde se situa, a mansão do século XVIII que abriga o Grand Hôtel de la Reine é uma construção excepcional e foi classificada como monumento histórico. Preencha a ficha de hóspede num dos salões que dão para a praça ou pelo menos tome algo num dos cafés que fazem parte desse incomparável cenário.

O QUE: cidade, lugar, hotel. **PLACE STANISLAS:** a cidade está 370km a sudeste de Paris, 148km a oeste de Estrasburgo. *Quando*: fechado ao tráfego de 1.º de Jun.–15 de Set. **GRAND HÔTEL DE LA REINE:** Place Stanislas, 2. Tel. (33) 3-83-35-03-01; fax (33) 3-83-32-86-04; www.hoteldelareine.com. *Quanto*: duplos a partir de U$114; Suíte Real com vista para a praça U$271. **MELHOR ÉPOCA:** 14 de Jul. para o impressionante desfile do Dia da Bastilha.

Parque de diversões dos reis e casa de campo de um conde francês

VALE DO LOIRE E DOMAINE DES HAUTS DE LOIRE

Pays de la Loire, França

O vale do Loire vem seduzindo viajantes há séculos, da mesma forma que atraiu a nobreza e a realeza que ali ergueram mais de 1.000 castelos e mansões às margens do "rio real" da França, o Loire. Cada uma dessas construções é uma obra-prima de suntuosidade e extravagância. Como distinguir as que são atrações imperdíveis das que podem ficar para uma próxima visita à região? Chambord e Chenonceau são os castelos mais conhecidos. Com 440 quartos e 365 lareiras, Chambord é o maior (o que não é pouca coisa) dos locais de caça do rei Francisco I. Chenonceau, uma jóia da arquitetura renascentista com jardins ornamentais, tem uma bela galeria sobre as águas do rio Cher. Mas muitos dos castelos menos conhecidos são tão especiais quanto esses, seja por seus fossos gigantescos, por sua bucólica localização à beira do rio, por seus parques exuberantes, por seu isolamento ou por seus interiores abarrotados de mobília valiosa e obras de arte. Fantasmas e lendas dos tempos da Renascença costumam pairar sobre todos eles.

Ironicamente, a melhor maneira de você se recuperar de uma overdose de castelos pode ser passar algumas noites em alto estilo num deles. Depois de ficar circulando pelo vale do Loire, é grande a tentação de desfazer as malas, nem que seja por uma ou duas noites. O Domaine des Hauts de Loire não é tão imponente quanto a maioria dos castelos-fortaleza que pontilham as margens do rio mais longo da França. Coberta de heras, a encantadora casa principal da propriedade foi construída em 1860 como casa de campo do conde Rostaing. A aristocracia se reunia ali para caçar javalis e cervos no que era, na época, o parque privado desse nobre, com cerca de 400ha. A casa, os estábulos e a cabana do guardião abrigam hoje charmosos quartos de hóspedes. A qualidade do serviço teria deixado satisfeitos os aristocratas que visitavam o conde nos fins de semana. Apesar disso, a verdadeira atração do Domaine é a sua cozinha premiada. Jantares no restaurante com decoração campestre, servidos perto da lenha crepitante na lareira, ou então no terraço iluminado por candelabros, são uma experiência inesquecível – digna do seu cenário no vale dos Reis.

E lembre-se de que poucas regiões da França, país que deu ao mundo a competição Tour de France, são mais apropriadas à prática do ciclismo, em termos de beleza, história e grandiosidade, do que o vale do Loire. Um clássico passeio de bicicleta pode incluir guias especializados e piqueniques refinados à sombra dos castelos.

O QUE: lugar, experiência, hotel, restaurante. **VALE DO LOIRE:** geralmente uma referência à área a sudoeste de Paris entre Orléans (a 129km de Paris) e Saumur. **DOMAINE DES HAUTS DE LOIRE:** a meio caminho entre Blois e Tours, no centro do vale do Loire. Tel. (33) 2-54-20-72-57; fax (33) 2-54-20-77-32. *Quanto*: duplos a partir de U$130 (baixa temporada), a partir de U$200 (alta temporada). Jantar U$60. *Quando*: hotel e restaurante abrem de meados de Fev.–1.º de Dez. **PASSEIOS DE BICICLETA:** www.butterfield.com. **MELHOR ÉPOCA:** meados de Abr.–meados de Nov.

A mais perfeita experiência na Provença

AIX-EN-PROVENCE

Provença-Alpes-Côte d'Azur, França

Caminhe sob as copas das árvores que filtram os raios do sol, passe pelas fontes rococós, pelas imponentes construções dos séculos XVII e XVIII, pelas feiras ao ar livre e pelos cafés com mesas na calçada e depois pergunte a si mesmo: a Cours Mirabeau não é a mais bela rua da Europa? Vai ter que reconhecer que sim. Desde que as muralhas medievais foram derrubadas para abrir passagem a essa adorável avenida, ela tem sido o palco central de Aix-en-Provence. É uma perfeita rua principal numa perfeita cidade provençal. Ambas continuam intocadas, apesar da evolução e do crescimento urbano. Desça a Cours nos passos de Paul Cézanne. Essa é a paisagem, incluindo a montanha de Ste.-Victoire, que ele adorava e que pintou repetidas vezes. Procure visitar Aix nas duas últimas semanas de julho, quando a cidade se volta inteiramente para o Festival Internacional de Música e Arte Líricas. Os ingressos para os muitos espetáculos realizados ao ar livre no Théâtre de l'Archevêché são os primeiros a se esgotar, mas recitais e apresentações de música de câmara realizados em outros locais da cidade são igualmente mágicos. O Aix-en-Musique, que começa no fim de julho e tem duração de duas semanas, apresenta basicamente espetáculos de música clássica. O jazz assume a cena quando o festival se encerra em meados de agosto.

Enquanto estiver em Aix hospede-se num lugar agradável no campo, a poucos minutos de caminhada da cidade. O luminoso e ensolarado La Villa Gallici encarna o charme e o espírito da Provença. Cada quarto revela uma obstinada atenção aos detalhes: flores frescas por toda parte; uma impecável escolha de cores e padrões de guirlandas, faixas, cobertas e cortinas; além de jardins e terraços cuidadosamente projetados. As árvores que fazem sombra na área onde o café da manhã é servido transformam-na num oásis no qual a glamourosa piscina brilha como uma miragem. Para completar o sonho, a refeição perfeita não está muito longe dali. Tanto o cardápio provençal simples do hotel quanto o jantar gastronomicamente mais refinado no restaurante Le Clos de la Violette, ali perto, têm o toque do chef Jean-Marc Banzo. As refeições nesses dois lugares estão entre as mais deliciosas do sul da França.

O QUE: cidade, lugar, evento, hotel, restaurante. **COURS MIRABEAU:** para mais informações, www.aix-en-provence.com. **FESTIVAL AIX-EN-PROVENCE:** Palais de l'Ancien Archevêché. Tel. (33) 4-42-17-34-34; fax (33) 4-42-63-13-74; billeterie@festival-aix.com; www.festival-aix.com. *Quanto*: ingresso para a ópera a partir de U$21; concertos e recitais U$11. *Quando*: em geral, nas 2 últimas semanas de Jul. **HÔTEL LA VILLA GALLICI:** Avenue de la Violette. Tel. (33) 4-42-23-29-23; fax (33) 4-42-96-30-45; www.villagallici.com. *Quanto*: duplos a partir de U$213. Jantar U$60. **LE CLOS DE LA VIOLETTE:** Avenue de la Violette. Tel. (33) 4-42-23-30-71. *Quanto*: jantar U$100.

A última casa em que Cézanne viveu em Aix-en-Provence.

O máximo em glamour

Antibes e o Hôtel du Cap Eden-Roc

Provença-Alpes-Côte d'Azur, França

Uma visita a Antibes, uma das mais deliciosas atrações da Riviera, não pode deixar de incluir uma turnê pelo Museu Picasso, seguida de uma refeição inesquecível no Restaurant de Bacon. Há mais de 50 anos propriedade da mesma família – que só aceita os peixes levados até lá pelos pescadores locais se os animais ainda estiverem se mexendo –, o Bacon é célebre pela sua magnífica *bouillabaisse*, um vigoroso porém refinado ensopado de peixe. É como ter o Mediterrâneo num caldeirão, e o prato torna-se ainda mais saboroso quando servido nas mesas ao ar livre, com vista para o Vieux Port e para a baía de Antibes. Em 1946, Picasso passou alguns dos melhores meses de sua vida em Antibes e Vallauris, o importante centro de produção de cerâmicas ali perto, onde aproximadamente 100 ateliês ainda estão em franca atividade. Parte da sua extensa obra está à mostra no Château Grimaldi. O artista legou à cidade cerca de 300 pinturas, cerâmicas, desenhos e esculturas com a condição de que elas nunca deixassem o lugar.

Perto dali, o glamouroso fantasma do escritor F. Scott Fitzgerald paira sobre o Hôtel du Cap Eden-Roc, um palácio construído em 1870 na face de um penhasco e cercado por 8ha de primorosos jardins perfumados, pinheiros e palmeiras centenárias num dos mais aristocráticos trechos do litoral. No livro *Suave é a noite*, ele imortalizou o local com o nome Hôtel des Etrangers, perfeito símbolo da arte de viver bem. É ali que a realeza internacional da indústria cinematográfica pendura nos cabides seus smokings e vestidos longos durante o Festival Internacional de Cannes (quando o lema é "Diga-me onde te hospedas e te direi quem és") e fecha negócios em torno da piscina, que está situada num local privilegiado. Desde sua inauguração, príncipes e reis, duques e duquesas e todo tipo de celebridades têm sido clientes habituais. O crescimento da região não destruiu o passado: o Hôtel du Cap ainda é um dos grandes lugares onde é possível encontrar a Riviera da literatura dos anos 1920 e dos filmes de Brigitte Bardot da década de 1950. A Suíte Madonna, com vista para as ilhas Lerins e as montanhas Esterel, é um dos aposentos mais cobiçados da região. Leve uma mala extra e encha-a de dinheiro: esse hotel não aceita cartões de crédito.

O Que: cidade, lugar, restaurante, hotel. **Cap d'Antibes:** 21km a sudoeste de Nice, a 14km de Cannes. **Museu Picasso:** Château Grimaldi, Place du Château. Tel. (33) 4-92-90-54-20; musee.picasso@antibes-juanlespins.com. *Quanto*: ingresso. *Quando*: aberto Ter.–Dom. **Restaurant de Bacon:** Boulevard de Bacon. Tel. (33) 4-93-61-50-02; fax (33) 4-93-61-65-19; restaurantdebacon@libertysurf.fr;

O Museu Picasso exibe mais de 3.500 obras do artista.

www.restaurantdebacon.com. *Quanto*: jantar, *bouillabaisse* U$90. *Quando*: aberto Fev.–Out. **Hôtel du Cap Eden-Roc:** Boulevard Kennedy. Tel. (33) 4-93-61-39-01; fax (33) 4-93-67-76-04; edenroc-hotel@wanadoo.fr; www.edenroc-hotel.fr. *Quanto*: duplos a partir de U$305 (baixa temporada), a partir de U$377 (alta temporada). Suíte Madonna, U$3.273. *Quando*: aberto de meados de Abr.–meados de Out. **Melhor Época:** Jul.–Ago.

Grandiosidade e glória, mas sem sangue

Anfiteatro de Arles

Provença-Alpes-Côte d'Azur, França

Arles, a antiga capital da Provença e mais conhecida por ter sido o cenário da angústia vivida por Van Gogh, cultiva um grande amor pelas touradas. Les Arènes, seu anfiteatro extraordinariamente bem preservado, data do século I a.C. e é só ligeiramente maior do que o de Nîmes, o outro centro de touradas da região. Principal monumento da cidade (e sua maior atração), ele mantém os vínculos com o passado abrigando touradas e celebrações da Confraria dos Pastores, cujo dia de festa (Fête des Gardians, em 1.º de maio) é comemorado com orgulho por jovens e idosos.

Diferentemente do estilo *mise-à-mort* espanhol, em Arles e na região da Camargue os touros são celebrados e adorados. Toda a atenção está centrada na elegância e no espetáculo da tourada, na qual o animal não é morto. E os toureiros são tão festejados quanto os touros. No Grand Hôtel Nord-Pinus, suas assinaturas enchem o livro de honra ao lado das de Hemingway, Edith Piaf e Picasso. Mesmo tendo sido reformado há pouco tempo, esse hotel maravilhosamente excêntrico ainda preserva o culto ao touro, mantendo antigos pôsteres de touradas nas paredes, além de vitrines que exibem todos os adereços dos matadores. Experimente o quarto número 10, no qual toureiros nervosos passavam noites insones antes de se apresentar na antiga arena romana diante de 26.000 barulhentos fanáticos. Em 1856, Napoleão III ocupou esse quarto, no qual três varandas de ferro têm vista para a animada Place du Forum. Hoje em dia o renomado restaurante do hotel monta suas mesas nessa área sob a sombra de árvores centenárias.

Construído originalmente para ser palco de lutas entre gladiadores e mais tarde usado como fortaleza, o anfiteatro é hoje conhecido pelas touradas.

O Que: lugar, cidade, hotel. **Arles:** 35km ao sul de Avignon; a 92km de Marselha. **Grand Hôtel Nord-Pinus:** Place du Forum. Tel. (33) 4-90-93-44-44; fax (33) 4-90-93-34-00; www.nordpinus.com. *Quanto*: duplos a partir de U$140 (baixa temporada), a partir de U$160 (alta temporada). Jantar U$25. **Melhor Época:** o período entre o Dom. após o Dia de São Jorge (23 de Abr.) e o 1.º de Mai. (início da Festa dos Pastores) marca a abertura da temporada de touradas.

No estilo dos milionários e dos Papas

AVIGNON E O HÔTEL LA MIRANDE

Provença-Alpes-Côte d'Azur, França

Avignon, a antiga cidade dos Papas, protege muitas preciosidades históricas atrás de suas muralhas do século XIV. Ela é conhecida como lar dos sete Papas que romperam com Roma, o primeiro deles em 1309.

Durante 100 anos cinco pontífices governaram instalados na então suntuosa residência, o Palais des Papes. Hoje em dia é preciso ter muita imaginação para reconstituir o alto padrão de vida que vigorava ali no passado, pois o lugar foi saqueado durante a Revolução Francesa, quando perdeu todo o seu luxo original. Em parte, é possível fazer isso na Chapelle St.-Jean, conhecida por seus maravilhosos afrescos pintados por Matteo Giovanetti, e na ampla sala de banquetes com seu célebre teto. É mais fácil imaginar os Papas nos seus aposentos privados, dos quais o mais encantador é a Chambre du Cerf, ou gabinete particular, cujos murais com cenas de caçadas provavelmente foram pintados por Giovanetti. Não longe dali, o Petit Palais, o palácio do arcebispo, que começou a ser construído em 1318, hoje abriga uma rica coleção de peças do século XV da escola de Avignon e obras de artistas italianos produzidas do século XIII ao XVI, com destaque para a *Madona com o Menino*, de Botticelli.

Se você visitar Avignon durante o verão, terá a oportunidade de apreciar um dos mais importantes eventos culturais da Europa, o Festival d'Avignon. Reconhecido como o festival de dança e de teatro de maior prestígio na França, ele já não cabe mais no espaço original, o pátio do Palais des Papes. O circuito, chamado "Off Avignon", atualmente abrange a cidade inteira. Qualquer teatro, igreja, mosteiro, praça ou esquina pode se transformar em palco para grupos e companhias francesas e estrangeiras que apresentam espetáculos de teatro, ópera, música, mímica e dança. Contudo, as atrações centrais do evento continuam a ser as produções teatrais – estréias de peças de autores contemporâneos mesclam-se com montagens de clássicos e, eventualmente, com performances em inglês.

Enquanto isso, faça o possível para se hospedar numa jóia de hotel-butique, o La Mirande. Apenas excelentes adjetivos podem ser empregados para descrever sua localização (quase todos os quartos têm vista para o Palais des Papes), história (o emblema de Luís XIV sobre a entrada do hotel indica que a fachada é de um período mais recente, ainda que a estrutura do século XV tenha sido erguida sobre as fundações de um palácio pertencente a um cardeal de uma época anterior); bom gosto (a aparência e o clima de uma elegante residência do século XVIII foram recriados com maestria por um dos melhores projetistas da França) e decoração impecável (muitos dos móveis e peças vieram do acervo da família dos proprietários). Os elogios continuam quando o assunto é o restaurante do hotel – um dos melhores da cidade. Um chef consagrado é a força criativa por trás de uma sala de jantar com luzes suaves, tapeçarias Aubusson e teto com painéis ornamentais. Ela termina num pátio central com cobertura de vidro, o ambiente perfeito para um chá, num jardim intensamente colorido e com aroma de jasmim. O efeito é tão suntuoso e teatral que nos traz à mente a qualidade fantasiosa de um cenário de um filme de Visconti.

O QUE: lugar, evento, cidade, hotel, restaurante. **ONDE:** a 2 horas e 30 minutos de Paris de trem. **FESTIVAL D'AVIGNON:** Rue de Mons, 8 bis. Tel. (33) 4-90-14-14-60; fax (33) 4-90-27-66-52; www.festival-avignon.com. *Quanto*: ingressos U$20–U$45, à venda a partir do início de Jun. *Quando*: início de Jul.–início de Ago. **PALAIS DES PAPES:** Tel. (33) 4-90-27-50-00; fax (33) 4-90-27-50-88; monument@palais-des-papes.com; www.palais-des-papes.com. **HÔTEL LA MIRANDE:** Place de la Mirande, 4. Tel. (33) 4-90-85-93-93; fax (33) 4-90-86-26-85; mirande@la-mirande.fr; www.la-mirande.fr. *Quanto*: duplos a partir de U$233 (baixa temporada), a partir de U$269 (alta temporada).

Centro gastronômico da Riviera

MOUGINS

Provença-Alpes-Côte d'Azur, França

Mais um dia idílico na Riviera, mais um vilarejo típico encarapitado num monte, com vielas sinuosas, calçadas de pedras antigas e mercados ao ar livre, cheirando a ervas frescas e flores recém-colhidas. Mougins é um lugar particularmente charmoso que, apesar de ter sido "descoberto" há algumas décadas, ainda não está entulhado de turistas. Hoje em dia é reconhecido como o centro gastronômico da Riviera por abrigar o restaurante de renome internacional fundado por Roger Vergé, o chef que ajudou a pôr a culinária provençal nos cardápios do mundo inteiro.

O aclamado chef Alain Llorca.

(Picasso era a grande personalidade local até à chegada de Vergé.) Num moinho do século XVI que produzia azeite, hoje cercado de palmeiras e mimosas, Vergé cria sua *cuisine du soleil*; uma culinária simples, tradicional, ainda que modernizada, lançando mão de ervas aromáticas, temperos e legumes amadurecidos em seu próprio jardim ao sol da Provença. Depois de mais de 35 anos à frente do restaurante, esse simpático chef e sua mulher, Denise, passaram o cetro para o renomado Alain Llorca, que está dando prosseguimento ao sucesso da casa. Alguns quartos para hóspedes estão à disposição para os que se recusam a sair apressados após a refeição.

O QUE: cidade, restaurante, hotel. **MOUGINS:** 6km ao norte de Cannes. **LE MOULIN DE MOUGINS:** Quartier Notre-Dame-de-Vie. Tel. (33) 4-93-75-78-24; fax (33) 4-93-90-18-55; reservations@moulinsdesmougins.com; www.moulinsdesmougins.com. *Quanto*: jantar a preço fixo U$90, almoço U$40. Duplos a partir de U$135. *Quando*: restaurante e hotel de meados de Jan.–Nov.

Uma bela diva à beira-mar

VIEUX NICE

Provença-Alpes-Côte d'Azur, França

Nas noites perfumadas de verão, a Vieux Nice – a área medieval da Cidade Velha (chamada *babazouk* no dialeto de Nice) – e a popular Cours Saleya fervilham com uma mistura de jovens e idosos, habitantes locais e turistas.

Ainda que Nice seja a quinta maior cidade da França, ela conserva uma atmosfera de lugar pequeno, e seu mais importante mercado, aberto de terça a domingo, evoca as cores, os cheiros e as belezas rurais da Provença, logo depois dos limites da cidade. Os anos dourados de Nice, época em que ela era o mais famoso refúgio dos rigores do inverno europeu, refletem-se nos marcantes tons rosa e ocre da elegante arquitetura de influência italiana (afinal essa cidade pertenceu à Itália e só foi devolvida à França em 1860). O Hôtel Negresco, com seu estilo bolo-de-noiva, construído à beira-mar em 1912 com o aspecto de um *château* francês, é um dos grandes hotéis da Riviera e merece uma visita demorada. Restaurada, essa construção marcante brilha como uma jóia; o imenso lustre de *baccarat* do século XIX no Salon Royal foi encomendado por um czar russo. As tapeçarias Gobelin nas paredes parecem muito grandes para serem reais, mas são autênticas. Quartos com vista para a baía dos Anjos têm varandas para a famosa Promenade des Anglais, onde uma caminhada ao pôr-do-sol não deixa ninguém esquecer por que a Côte d'Azur é a Côte d'Azur.

O Hôtel Negresco está repleto de arte e antiguidades.

O QUE: cidade, hotel. **NICE:** a 31km de Cannes, a 912km de Paris. **HÔTEL NEGRESCO:** Promenade des Anglais, 37. Tel. (33) 4-93-16-64-00; fax (33) 4-93-88-35-68; reservations@hotel-negresco.com; www.hotel-negresconice.com. *Quanto*: duplos a partir de U$245 (baixa temporada), a partir de U$445 (alta temporada). **MELHOR ÉPOCA:** o Festival de Jazz é realizado na segunda semana de Jul.; o carnaval é festejado anualmente no fim do inverno.

Coleções de arte de nível internacional num vilarejo provençal

LA FONDATION MAEGHT

St.-Paul-de-Vence, Provença-Alpes-Côte d'Azur, França

Cidade aberta exclusivamente a pedestres, St.-Paul-de-Vence é uma pequena jóia medieval, um vilarejo que ocupa uma única colina ao norte de Cannes e que não perdeu seu antigo encanto, apesar das multidões que chegam ali na alta temporada. Entre nas tranqüilas galerias da Fondation Maeght e deixe-se transportar para um dos mais conhecidos pequenos museus do mundo dedicados à arte moderna. Fundada em 1964, essa construção plana e seus jardins em terraços à sombra de pinheiros exibem obras de Giacometti, Miró, Calder, Braque, Matisse, Kandinsky e outros. Muitos dos grandes artistas do século XX representados na coleção ou viveram em St.-Paul-de-Vence ou visitaram o lugar regularmente – e também jantaram no encantador restaurante La Colombe d'Or, onde deixaram suas obras como pagamento da conta. O misto de restaurante e estalagem, no passado pouco mais do que um bistrô bastante informal, é hoje uma das casas mais notórias da região, em parte por ter sido muito freqüentada por pintores e escritores, mas também por ter quadros de Chagall, Picasso e Léger decorando as paredes da sala de jantar. Os ricos e famosos costumam hospedar-se ali. No entanto, se você deseja curtir uma das mais perfeitas paradas em sua viagem à Provença, fique em outro pequeno hotel de enorme charme, o Le St.-Paul, no centro da cidade.

O QUE: cidade, lugar, restaurante, hotel. **ST.-PAUL-DE-VENCE:** 30km ao norte de Cannes, a 10km de Nice. **LA FONDATION MAEGHT:** Tel. (33) 4-93-32-81-63; fax (33) 4-93-32-53-22; contact@fondation-maeght.com; www.fondation-maeght.com. *Quanto*: entrada. **LA COLOMBE D'OR:** Place Général de Gaulle. Tel. (33) 4-93-32-80-02; fax (33) 4-93-32-77-78; contact@la-colombe-dor.com; www.la-colombe-dor.com. *Quanto*: jantar U$45. Duplos a partir de U$160 (baixa temporada), a partir de U$225 (alta temporada). *Quando*: hotel e restaurante fecham de 3 de Nov.–19 de Dez. **HÔTEL LE SAINT-PAUL:** Rue Grande, 86. Tel. (33) 4-93-32-65-25; fax (33) 4-93-32-52-94. *Quanto*: duplos a partir de U$135 (baixa temporada), a partir de U$265 (alta temporada). *Quando*: aberto de 5 de Fev.–3 de Jan. **MELHOR ÉPOCA:** primavera.

Um mito nostálgico que se recusa a morrer

ST.-TROPEZ

Provença-Alpes-Côte d'Azur, França

Brigitte Bardot vive. Desde que chegou ali pela primeira vez, em 1956, para filmar *E Deus criou a mulher*, de Roger Vadim, *la* Bardot nunca mais foi embora. Um desfile de ninfetas que copiam o estilo da atriz, assim como de candidatos a galãs e *bon vivants*, lota as praias, que estão entre as mais lindas da Riviera e onde se pratica com desenvoltura o topless e às vezes até o bottomless (nada na parte de baixo). Os chamados bons tempos e o hedonismo indolente que imperava nessa época foram perdendo o brilho ao longo dos anos, mas St.-Tropez sobreviveu à fama, ao sucesso e às hordas de turistas de verão, conseguindo até mesmo voltar a ficar na moda. Seu encanto continua evidente, sobretudo nas primeiras horas da manhã no período fora da temporada, quando a luz e a inocência dessa antiga aldeia de pescadores ainda podem ser apreciadas. Por outro lado, grande parte da graça desse resort nada convencional está na excentricidade dos seus freqüentadores assíduos e no desfile ostensivo de seus personagens pelas ruas. Talvez a escritora Colette tenha dado o primeiro passo nos anos 1920 ao escandalizar o mundo exterior passeando por ali com as pernas de fora. Para assistir a esse desfile sem igual, experimente tomar um café da manhã no Café Sénéquier à beira do porto, no Quai Jean Jaurès. Esse é o posto de observação eternamente na moda para apreciar as infinitas variedades do visual chique de verão nesse resort, onde muitas pessoas usam roupas com as quais jamais ousariam voltar para casa. Se preferir, vá até lá um pouco mais tarde, quando todos já terão se bronzeado na praia Tahiti (onde supostamente nasceu o topless) ou em Pampelonne. O quociente de glamour de St.-Tropez permanece intacto, com generosas doses de charme e de ousadia.

O QUE: cidade, restaurante. **ST.-TROPEZ:** 72km a sudoeste de Cannes. **CAFÉ SÉNÉQUIER:** Quai Jean Jaurès, tel. (33) 4-94-97-00-90. **ONDE FICAR:** Les Moulins de Christophe Leroy, a 1,5km, Route des Plages, Ramatuelle. Tel. (33) 4-94-97-91-91; fax (33) 4-94-97-85-60; leroych83@aol.com; www.christophe-leroy.com. *Quanto*: duplos a partir de U$145.

A minutos da Riviera, uma atmosfera de interior

VENCE

Provença-Alpes-Côte d'Azur, França

Um microcosmo do *arrière-pays*, a área do interior que vai além da costa da Riviera, Vence vem fascinando artistas e escritores há muito tempo. Aninhada entre colinas cobertas de pinheiros, ciprestes e oliveiras, ela ainda atrai visitantes abastados que preferem fugir da superlotação do litoral, com multidões espremidas *comme-des-sardines*. Os que sabem das coisas não dispensam uma visita ao mercado ao ar livre, considerado um dos melhores da região, e valorizam o astral despretensioso do dia-a-dia da cidade. A Capela Matisse instalada ali é um dos pontos altos da arte do século XX. Em 1948, depois de se recuperar de uma doença que durou um longo período, Henri Matisse prometeu à freira dominicana que tinha sido uma de suas enfermeiras, e por vezes sua modelo, que decoraria o oratório dos dominicanos. Entusiasmado, ele começou a trabalhar na Chapelle du Rosaire aos 77 anos e morreu três anos após a conclusão desse projeto. "Apesar das suas imperfeições, eu a considero minha melhor obra", declarou o pintor depois de cinco anos de trabalho, "o ápice de uma vida dedicada à busca da verdade."

O célebre tesouro dos templários pode estar enterrado sob o Château St.-Martin.

Visitantes podem prolongar essa experiência hospedando-se no Château du Domaine St.-Martin, uma elegante hospedaria escondida em meio a uma floresta numa colina acima da cidade. Bastante discreta, ela ocupa o mesmo local onde no passado havia o castelo de um cruzado, do qual ainda sobrevivem a ponte levadiça e a capela. A estrutura atual foi erguida em 1936 e, com as suas *villas* (casas) na colina, abrange uma área de 14ha, com vistas magníficas em todas as direções e uma refrescante piscina à sombra das oliveiras.

O QUE: cidade, lugar, hotel, restaurante. **VENCE:** 31km a nordeste de Cannes, 24km a noroeste de Nice. **CHAPELLE DU ROSAIRE (CAPELA MATISSE):** Avenue Henri-Matisse, 466. Tel. (33) 4-93-58-03-26. *Quanto*: ingresso. *Quando*: Seg.–Sex., fechada 2 semanas em meados de Dez. **LE CHÂTEAU DU DOMAINE ST.-MARTIN:** Avenue des Templiers (3km de Vence). Tel. (33) 4-93-58-02-02; fax (33) 4-93-24-40-93; st-martin@webstore.fr; www.chateau-st-martin.com. *Quanto*: duplos a partir de U$285 (baixa temporada), a partir de U$685 (alta temporada). Jantar U$65. *Quando*: hotel e restaurante abrem Mar.–Out.; restaurante abre Qui.–Seg. **MELHOR ÉPOCA:** Abr.–Jun., Set.–Out.

Fantásticas pistas de esqui e caminhadas entre as montanhas

CHAMONIX E O TOUR DU MONT-BLANC

Ródano-Alpes, França

Não é de admirar que Chamonix tenha sido escolhida para sediar a primeira Olimpíada de Inverno, em 1924. Muito antes de ser consagrada como a meca dos esquiadores experientes, ela já era um importante centro para os adeptos de caminhadas e a capital do verão para os alpinistas. O Mont Blanc, envolto em sua capa de gelo, ergue-se diretamente sobre a cidade, e, num dia claro, é possível ver o Matterhorn, a 64km. "Nunca soube – nunca tinha imaginado antes o que eram as montanhas", disse o poeta inglês Percy Bysshe Shelley depois de uma visita à região em 1816. O vale de Chamonix avança em meio às mais altas montanhas e geleiras da Europa, revelando vistas deslumbrantes e áreas inigualáveis para caminhadas e para a prática mais radical do esqui, o *off-piste* (fora das pistas, na neve natural), em espaços íngremes, altos e extensos. A mais conhecida delas, e não apenas pelos especialistas, é a célebre Vallée Blanche, uma geleira irregular com cerca de 19km ininterruptos de paisagens impressionantes. Numa área ainda mais alta, a 3.600m, a Aiguille du Midi, à qual se chega pelo teleférico mais alto do mundo, proporciona uma experiência de tirar o fôlego de qualquer esquiador – ou não-esquiador. Um trem que corre por uma cremalheira leva ao glorioso cume, a 2.000m de altura, do Mer de Glace (mar de Gelo), a segunda maior geleira dos Alpes, outra das maravilhas alpinas que devem ter enfeitiçado Shelley.

Nos meses de verão, a região atrai os adeptos das caminhadas, muitos dos quais fazem o trajeto conhecido como Tour du Mont-Blanc. O objetivo da trilha não é chegar ao topo da mais alta montanha da Europa Ocidental, e sim percorrer uma rota circular através da França, Itália e Suíça e de seus cenários em eterna transformação envolvendo geleiras, picos e prados. Seguindo caminhos usados no passado pelas legiões da Roma antiga e passando por uma seqüência de sete vales (cada um com sua própria paisagem, culinária e cultura), é possível conhecer vilarejos remotos onde vigoram hábitos preservados há séculos. Leve um lanche para fazer um piquenique num dos muitos prados em flor.

O Que: cidade, experiência. **Chamonix:** 613km a sudeste de Paris, 82km a sudeste de Genebra, Suíça. *Quando*: teleféricos e trens que correm sobre cremalheiras funcionam diariamente durante o ano inteiro. *Melhor época*: Jan.–Mar. para esquiar. **Tour du Mont Blanc:** Chamonix é o ponto de partida e de chegada. É necessária alguma experiência em matéria de caminhadas, mas não é preciso ter noções de alpinismo. *Como*: nos Estados Unidos, Wilderness Travel; tel. (1) 510-558-2488; info@wilder nesstravel.com. *Quanto*: a partir de U$2.095 por pessoa para viagem de 2 semanas, sem incluir tarifa aérea. *Quando*: partidas em Jul. e Set.

No coração de três vales

Courchevel

Ródano-Alpes, França

Sede das Olimpíadas de Inverno de 1992 e uma das mais altas, mais belas e mais bem equipadas estações de esqui dos Alpes franceses, Courchevel situa-se na confluência de três vales alpinos que formam a maior área dedicada ao esqui do mundo. Muitos dos seus declives estão voltados para o norte. Os nomes dos seus quatro "vilarejos" estão relacionados às suas respectivas altitudes – o melhor é o mais alto, a 1.850m. O ambiente ali é cosmopolita sem chegar a um requinte intimidador. As centenas de trilhas e a variedade de tipos de terreno (ótimas para os quase iniciantes e excelentes para todos os esquiadores em estágios intermediários) fazem desse local uma das melhores estações de esqui do planeta. Muitos viajantes chegam para esquiar apenas em Courchevel, mas o lugar mantém ligações com outros resorts nos Trois Vallées (Três Vales), como a bela Méribel e Val-Thorens, a mais alta estação de esqui da Europa.

Courchevel é conhecida por seus restaurantes e hotéis de alto luxo. Um dos melhores é o Le Mélézin, a primeira propriedade européia do grupo Amanresorts, cujos refinados hotéis na Ásia transformaram o conceito cinco-estrelas no Pacífico. Seu luxo minimalista é uma bem-vinda mudança em relação ao estilo do chalé tirolês, onipresente nessas regiões de belas paisagens.

O Que: experiência, cidade, hotel. **Courchevel:** 632km a sudeste de Paris. *Melhor época*: meados de Jan.–meados de Fev. para esquiar. **Hôtel Le Mélézin:** Rue de Bellecôte. Tel. (33) 4-79-08-01-33; fax (33) 4-79-08-08-96; lemelezin@amanre sorts.com; www.amanresorts.com. *Quanto*: duplos a partir de U$422, suítes a partir de U$1.125. *Quando*: aberto de meados de Dez.–meados de Abr.

Área do restaurante do Hôtel Le Mélézin.

O mais amado chef da França

Restaurante Paul Bocuse

Lyon, Ródano-Alpes, França

Originário de uma família que tem administrado restaurantes desde 1767, Paul Bocuse vem acumulando os maiores louvores e prêmios no universo da gastronomia desde que, em 1965, abriu o restaurante que exibe na fachada o seu nome, hoje conhecido em todo o mundo. Em trajes elegantes e provenientes de todos os recantos do globo, amantes da boa mesa procuram esse templo gourmet felizes em se entregar às hábeis mãos dos chefs que mantêm a casa funcionando de modo impecável na ausência – freqüente – do seu mentor. Mesmo assim, a presença do espírito de Bocuse é palpável. O primeiro chef a ser condecorado com a Legião de Honra por um presidente francês, ele continua a proporcionar a cozinha prática, sensata e de sabor regional que promove mundo afora na condição de embaixador da culinária francesa. Alguns superstars da gastronomia francesa chegam a se aproximar do status de Bocuse como celebridade nacional, mas nenhum o ultrapassa. Desde que ele liderou a segunda revolução francesa (a da culinária) nos anos 1970, que acabou batizada de nouvelle cuisine, sua mensagem tem enfatizado a simplicidade. Experimente a saborosíssima sopa de trufa negra ou o frango de Bresse, assado no espeto, com uma taça de Beaujolais da propriedade vinícola de Bocuse para compreender as razões do sucesso extraordinário do mais famoso chef vivo.

O QUE: restaurante. **ONDE:** Rue de la Plage, 40, Collonges-au-Mont-d'Or (a 8km de Lyon, que fica 460km a sudeste de Paris). Tel. (33) 4-72-42-90-90; fax (33) 4-72-27-85-87. **QUANTO:** jantar U$100.

Grandioso, mas aconchegante: um dos mais reverenciados restaurantes da França

La Maison Troisgros

Roanne, Ródano-Alpes, França

Mesmo anos depois de terem feito uma refeição ali, as pessoas continuam a falar da ocasião com reverência, como se fosse uma experiência religiosa. Um jantar no Troisgros – a começar pela especialidade simples da casa, o *saumon à l'oseille* (salmão com molho de azedinha), até o imponente carrinho de sobremesas – atrai pessoas que não se importam em dirigir desde Bruxelas para tomar parte nessa celebração gastronômica. O *menu dans la tradition*, uma extravagância composta de sete pratos, é um tributo à rica produção da área rural criado pelo talento inigualável de Pierre Troisgros. Desde a morte de seu parceiro e irmão, Jean, em 1983, o chef passou a

Pierre Troisgros e o filho, Michel.

contar com a ajuda de seu filho, Michel, na elaboração de alguns dos melhores pratos encontrados na França. Apesar de toda a veneração que desperta, o salão do restaurante apresenta um aspecto surpreendentemente comum – o que de certo modo só realça uma comida que é no mínimo extraordinária. La Maison Troisgros também dispõe de um pequeno hotel com quartos encantadores.

O QUE: restaurante. **ONDE:** Place de la Gare, Roanne (87km a oeste de Lyon). Tel. (33) 4-77-71-66-97; fax (33) 4-77-70-39-77; troisgros@avo.fr; www.troisgros.com. **QUANTO:** jantar U$140. Duplos a partir de U$140. **QUANDO:** abre Qui.–Seg.

Um monumento do século XIX num principado de conto de fadas

O GRAND CASINO

Monte Carlo, Mônaco

Nos últimos 100 anos, o pequenino Principado de Mônaco tem servido às paixões dos jogadores e dos ricos ociosos. Exemplares das duas espécies, com todas as suas idiossincrasias, podem ser encontrados no lendário Grand Casino, a mais conhecida casa de jogos do mundo e, indiscutivelmente, a mais glamourosa. Esse é um dos últimos lugares do planeta onde ainda é possível ver motoristas uniformizados dirigindo Rolls-Royces dos quais saltam exilados ricos, bronzeados proprietários de iates e divas do cinema que suportam com elegância o peso considerável de suas jóias. O ambiente sossegado, quase discreto, tem como moldura uma construção no estilo belle époque, projetada em 1863 por Charles Garnier, o mesmo arquiteto que assinou o projeto da Ópera de Paris. O smoking não é mais exigido, mas paletós e gravatas são indispensáveis no santuário dos apostadores milionários, e muitas mulheres usam longos. Nenhum apostador monegasco põe os pés no Casino sem antes ir ao saguão do Hôtel de Paris (à distância de uma ficha atirada através da impecável Place du Casino) e passar a mão no joelho esquerdo da estátua de bronze do cavalo de Luís XIV para ter sorte. Em frente ao hotel e ao lado do Casino, o Café de Paris, também planejado por Garnier, é uma parada obrigatória, antes ou depois do jogo, para um drinque ou um crepe Suzette, inventado ali no início do século XX e batizado em homenagem a uma amiga do príncipe de Gales.

Charles Garnier, o arquiteto da Ópera de Paris, também projetou o Grand Casino de Monte Carlo.

O QUE: lugar. **ONDE:** Place du Casino.

Tel. (377) 92-16-21-33. **Quanto:** cobra-se pelo ingresso em algumas das salas de jogos. **Quando**: aberto o ano todo, do meio-dia até o último cliente.

A viúva rica da Riviera

Hôtel de Paris

Monte Carlo, Mônaco

Se você não vai se hospedar com os Grimaldi (a família real que governa Mônaco desde o século XIII), experimente o suntuoso Hôtel de Paris. Freqüentado por emires e arquiduques desde sua inauguração um ano depois da abertura do Grand Casino logo em frente, seu edifício domina a praça principal e é uma atração imperdível para visitantes curiosos e endereço obrigatório para os tremendamente ricos e famosos.

A notoriedade do hotel deve-se em grande parte a seus restaurantes com cotações estreladas, sobretudo o formal Le Louis XV, desde 1987 sob o comando de Alain Ducasse, um dos chefs mais renomados do mundo. Ele se orgulha de usar os ingredientes mais simples – e da mais alta qualidade – do Mediterrâneo e de refiná-los ao extremo numa culinária sofisticada. A luxuosa decoração do restaurante, no estilo Luís XV, inclui cristais Baccarat, toalhas de damasco, porcelanas com bordas douradas e talheres de prata.

O acesso ao novo Centre Thalassothérapie de Thermes Marins, instalado num penhasco ao lado do hotel, se dá por uma passagem subterrânea. O tempo passado nesse moderníssimo spa de altíssimo nível é – assim como uma noite no Le Louis XV – uma estada no paraíso.

O Que: hotel, restaurante. **Monte Carlo:** 24km a leste de Nice. **Hôtel de Paris:** Place du Casino. Tel. (377) 92-16-30-00; fax (377) 92-16-38-50. **Le Louis XV:** tel. (377) 92-16-68-15; fax (377) 92-16-69-21; www.montecarloresort.com. *Quanto*: duplos a partir de U$390 (baixa temporada), a partir de U$590 (alta temporada). Jantar no Le Louis XV U$150. **Melhor Época:** eventos culturais e esportivos são promovidos em Mônaco o ano inteiro; o Festival Internacional de Fogos de Artifício é realizado em Jul. e Ago. e o Grande Prêmio de Fórmula 1 no final de Mai.–início de Jun.

Na trilha de Rubens

Catedral de Nossa Senhora

Antuérpia, Bélgica

Enquanto Bruxelas e Bruges atraem turistas, a Antuérpia continua a tocar seus negócios. No entanto, se você decidir não visitar essa cidade, estará perdendo o que sobrou dos anos dourados dos séculos XVI e XVII, um período em que a Antuérpia dominava a vida intelectual, comercial e artística dos Países Baixos. O símbolo maior de sua cultura é a torre de pedra branca no estilo gótico, toda rendilhada e com 123m de altura, no topo da Catedral de Nossa Senhora (Onze-Lieve-Vrouwekathedraal), com seu célebre carrilhão de 47 sinos. As atrações imperdíveis no verão são os concertos realizados às segundas-feiras, às 20h. A catedral é a maior das construções públicas locais e a maior igreja dos países do Benelux, com sete naves laterais e 125 pilares. As quatro obras-primas de Rubens expostas no transepto e no coro estão entre as cenas bíblicas mais comoventes que já foram pintadas. Nascido na Alemanha, o artista tinha pais originários da Antuérpia, para onde voltou na condição de pintor da corte e diplomata. Faça o circuito Rubens visitando o Museu Real de Belas-Artes (Koninklijk Museum voor Schone Kunsten), que exibe uma das maiores coleções de suas obras em todo o mundo. Conheça a seguir o Museu da Casa de Rubens (Rubenshuis), mais aconchegante – uma nobre mansão onde o artista viveu e trabalhou de 1610 a 1640.

Obras gloriosas de Rubens no Museu Real de Belas-Artes.

O QUE: cidade. **ANTUÉRPIA:** 50km ao norte de Bruxelas. **CATEDRAL DE NOSSA SENHORA:** Handschoenmarkt, perto do Grote Markt. *Quanto*: U$2. **MUSEU REAL DE BELAS-ARTES:** Leopold de Waelplaats, 1-9. Tel. (32) 3-238-7809. *Quanto*: ingresso U$5. *Quando*: Ter.–Dom. **MUSEU DA CASA DE RUBENS:** Wapper, 9. Tel. (32) 3-201-1555; fax (32) 3-227-3692; info.rubenshuis@cs.antwerpen.be. *Quanto*: ingresso U$5. *Quando*: Ter.–Dom.

O centro da pintura flamenga cuidadosamente preservado

BRUGES

Bélgica

Pouca coisa contradiz a impressão de que os relógios em Bruges pararam alguns séculos atrás. A maneira ideal de se explorar essa cidade graciosamente antiquada, célebre pela pintura flamenga que ali floresceu de modo exuberante no século XV, é a bordo de um dos barcos abertos que deslizam ao lado de pacatos cisnes pelos canais cortados por pontes de pedra (em flamengo, *brugge* significa "pontes"). Logo você descobrirá por que ela é chamada de "a Veneza do Norte".

Fique no romântico hotel (e restaurante) Die Swaene com vista para um canal, caminhe pela cidade à noite, quando ela está livre dos turistas e com muitos de seus marcos miliários e canais sob a luz de refletores. Pela manhã bem cedo, apresse-se para ter o Museu Memling só para você. No interior dos muros do grande Hospício de São João, construído no século XII, há seis pinturas perfeitas do mestre flamengo Hans Memling (*c.* 1430-1494). Outras obras suas e de diversos artistas flamengos são encontradas no Museu Groeninge. Na Praça do Mercado, os concertos apresentados regularmente fazem uso de um carrilhão secular.

O luxo histórico de Die Swaene.

Bruges guarda tesouros magníficos: a igreja local dedicada a Nossa Senhora (Onze-Lieve-Vrouwekerk) abriga a tela de Michelangelo *Madona com o Menino*.

O QUE: cidade, hotel. **ONDE:** 88km a noroeste de Bruxelas, 92km a oeste da Antuérpia. **DIE SWAENE HOTEL:** Steenhouwersdijk, 1. Tel. (32) 50-342798; fax (32) 50-336674; info@dieswaene-hotel.com; www.dieswaene-hotel.com. *Quanto*: duplos a partir de U$140. **MELHOR ÉPOCA:** Procissão do Sangue Precioso no Dia da Assunção, em Mai. Festival do Canal: 1 semana no fim de Ago. Barcos circulam de Mar.–Nov. Em Set. o tempo costuma ser melhor.

A um passo da perfeição – e no estilo caseiro

COMME CHEZ SOI

Bruxelas, Bélgica

A ironia contida no nome escolhido para esse restaurante de altíssimo nível ("Como se estivesse em casa") nos faz pensar em como seu proprietário, o superchef Pierre Wynants, se alimenta na casa dele. Afinal, um jantar nesse lendário restaurante, onde a reserva tem que ser feita com três meses de antecedência, tem tudo para ser uma experiência extraordinária. A ocasião torna-se ainda mais rara e preciosa para quem consegue uma reserva na *table d'hôte*, uma mesa na própria cozinha, enquanto os demais freqüentadores dessa casa que tem as dimensões de um bistrô se dirigem para a sala de 50 lugares. O ambiente art déco é uma homenagem ao arquiteto Victor Horta, pioneiro da arquitetura da capital belga. Preços estratosféricos e um serviço capaz de impressionar mesmo os clientes mais exigentes são coisas rotineiras ali. A marca registrada de Wynants é o filé de linguado do mar do Norte com *mousseline* de vinho branco e pequenos camarões, um prato que se aproxima da perfeição.

Pierre Wynants no Comme Chez Soi.

O QUE: restaurante. **ONDE:** Place Rouppe, 23. Tel. (32) 2-512-2921; fax (32) 2-511-8052; info@commechezsoi.be; www.commechezsoi.be. **QUANTO:** jantar U$150. **QUANDO:** almoço e jantar, Ter.–Sáb. Fecha em Jul.

Mexilhões e fritas, uma paixão nacional

Léon de Bruxelles

Bruxelas, Bélgica

As excelentes *pommes frites* belgas são muito mais do que as simples batatas fritas que conhecemos. Ao contrário do que muita gente pensa, esse tira-gosto universal não é originário da França, e sim da Bélgica.

Lá, as batatas fritas são saboreadas a qualquer hora do dia, geralmente acondicionadas num cone de papel e cobertas por uma pequena quantidade de maionese. Porém, mais do que isso, elas são consideradas um complemento para outra especialidade local, as *moules* (mexilhões) – uma combinação tão amada e comum na Bélgica quanto o feijão com arroz no Brasil. O Léon de Bruxelles (conhecido até recentemente como Chez Léon) é o local consagrado para se experimentar a parceria mexilhões & fritas. Consolidando sua fama ao longo de 100 anos, foi se expandindo aos poucos até conjugar oito velhas casas. Embora esse antigo e respeitável restaurante tenha a aparência de um lugar típico para turistas, seus salões estão sempre repletos de moradores de Bruxelas que ali devoram regularmente os mexilhões com fritas. Suas *frites* – fritas duas vezes e leves como plumas – há muito tempo são apontadas como as melhores da cidade. Os mexilhões de conchas azuladas são elaborados de 14 maneiras diferentes. Mas existem outras especialidades regionais no cardápio da casa, como *anguilles au vert* (enguias ao molho verde), preparadas com azedinha, cerefólio e salsa.

As melhores fritas da cidade.

O Que: restaurante. **Onde:** Rue des Bouchers, 18. Tel. (32) 2-511-1415; fax (32) 2-514-0231. **Quanto:** jantar U$25.

Um pedaço da história cuidadosamente preservado

A Casa de Anne Frank

Amsterdã, Holanda

Com seu comovente diário traduzido para mais de 70 línguas, Anne Frank é uma das adolescentes mais queridas do mundo; e seu esconderijo, um dos pontos mais visitados de Amsterdã. Não importa o quanto sejam vívidas as informações que já temos a respeito do tempo em que ela se escondeu dos nazistas durante a Segunda Guerra (quem não leu o livro, não viu o filme ou não assistiu à peça?), uma visita ao sótão dessa modesta casa construída em 1635 à beira de um canal causa uma forte impressão que não deixa de surpreender muita gente. Há bastante tempo Amsterdã conso-

Prinsengracht, 263.

lidou sua reputação de proporcionar um clima de tolerância, fato que torna ainda mais perturbadoras a visita e a reflexão que ela provoca.

Anne Frank, seus pais e a família de um empregado de seu pai viveram por dois anos nessa casa superlotada, sempre em silêncio, sem poder abrir uma janela para ter um pouco de ar fresco, até serem entregues à polícia e enviados para campos de concentração. A exemplo de outros 100 mil judeus que residiam em Amsterdã, Anne, então com 15 anos, nunca voltou. Seu pai sobreviveu e, ao retornar, entregaram-lhe o diário, que está em exibição no primeiro andar como parte da coleção permanente. A estante de livros que escondia a passagem para o sótão permanece lá, assim como as fotos em preto-e-branco que Anne recortava de revistas de cinema e colava na parede.

O QUE: lugar. **ONDE:** Prinsengracht, 263, logo abaixo da Westerkerk. Tel. (31) 20-556-7100; fax (31) 20-620-7999; www.annefrank.nl. **QUANTO:** ingresso U$6.

A bordo de um barco, uma aula de história e o fascínio das flores

CRUZEIROS NOS CANAIS E A ÉPOCA DAS TULIPAS

Amsterdã e Lisse, Holanda

Você acha que apreciar Veneza a bordo de uma gôndola é "coisa de turista"? Então provavelmente também não se sentirá inclinado a conhecer Amsterdã de barco, mas assim estará deixando de ver essa cidade repleta de canais do modo como ela foi feita para ser admirada. As casas e os armazéns construídos ao longo dos canais por comerciantes no século XVII eram altos (tinham quatro ou cinco andares) e estreitos (havia escassez de espaço e os impostos sobre propriedades eram elevados). Cada uma dessas edificações tem o seu próprio frontão característico, o que as diferencia umas das outras. Dos cinco canais dispostos em semicírculos concêntricos flanqueados por olmos e dos 160 canais menores ligados a eles para criar o centro histórico aberto em forma de leque, o Herengracht é o que apresenta as casas maiores e mais imponentes. O "Canal dos Fidalgos" foi o endereço mais nobre durante a era de ouro de Amsterdã. Mas as casas menores em outros canais (especialmente na área do Jordaan) são mais interessantes em termos arquitetônicos. Amsterdã orgulha-se das suas casas de tijolos e já elevou muitas delas à condição de patrimônio histórico. Várias fachadas são iluminadas à noite, do mesmo modo que as típicas 1.281 pontes em arco. Some a isso um cruzeiro à luz de velas e o reflexo nas águas das luzes que brilham nos postes antigos para ter uma noite mais do que romântica.

Na primavera, barcos e chatas descem os canais para apreciar o maior espetáculo de flores do mundo. Essas embarcações são utilizadas em cruzeiros de três a sete noites, em viagens que atravessam os campos do país, coloridos como um arco-íris ou uma colcha de retalhos. Quase todos se dirigem aos Jardins Keukenhof, um parque histórico onde mais de 6.000.000 de tulipas, narcisos e jacintos cobrem uma área de 28ha. Dezesseis quilômetros de trilhas serpenteiam entre canteiros de flores, fontes, pequenos lagos sombreados por árvores e grandes estufas que exibem cerca de 500 variedades de tulipas, entre elas a chamada tulipa "negra" – na verdade, de cor púrpura. As paradas de outros cruzeiros incluem a renomada casa de leilões em Aalsmeer (a maior do mundo, com 17.000.000 de flores frescas à venda diariamente) e algumas das maiores sementeiras do país.

A Bloemen Route (Rota do Bulbo), com ponto de partida em Amsterdã, estimula o viajante a fazer esse tipo de passeio sozinho, seja de bicicleta, trem ou carro. Quem preferir evitar a multidão que surge com a primavera também acabará perdendo as tulipas, mas, como prêmio de consolação, poderá visitar o Bloemenmarkt (Mercado das Flores), que fica o ano inteiro flutuando no canal Singel. Há 200 anos barcos chegam ali carregados de flores frescas e plantas em potes.

O QUE: experiência, lugar, evento. **CRUZEIROS NOS CANAIS:** Rederij Lovers é uma das muitas empresas que oferecem passeios à luz de velas. Tel. (31) 20-530-1090; fax (31) 20-530-1099; www.lovers.nl. Todos os cruzeiros saem da Estação Central. *Quanto*: de U$7 por um passeio simples durante o dia até U$65 por pessoa nos luxuosos passeios com jantares com 5 pratos. Passeios à luz de velas sem jantar U$20. *Quando*: várias saídas diariamente. **JARDINS KEUKENHOF:** a 32km de Amsterdã, na direção de Haia. *Quanto*: ingresso. *Quando*: as tulipas estão à mostra do fim de Mar.–fim de Mai. **CRUZEIROS PARA VER AS TULIPAS:** www.bargelady.com. *Quanto*: cruzeiro de 6 noites na época das tulipas, de U$1.990 a U$3.450 por pessoa, tudo incluído. *Quando*: Abr.–meados de Mai. *Melhor época*: meados de Abr.–início de Mai. O aniversário da rainha (Koningindag) em 30 de Abr. é feriado nacional e cai na época das tulipas.

Passeando por uma área bem liberal da cidade

O BAIRRO DA LUZ VERMELHA

Amsterdã, Holanda

O que tanto fascina os visitantes de Amsterdã no bairro da luz vermelha (De Walletjes) que faz uma caminhada noturna por essa área medieval do centro da cidade figurar no alto da lista de prioridades, ao lado de atrações como os museus e as galerias dedicados a Van Gogh e Rembrandt? O que está à mostra ali é a mais antiga profissão do mundo. Isso tudo num bairro arquitetonicamente interessante, cheio de construções curiosas e canais estreitos. Amsterdã é conhecida como uma "cidade liberal", e a atividade dessas cidadãs da noite é registrada, regulamentada e taxada, além de contar, desde 1984, com a representação de um sindicato. O orgulhoso talento das holandesas que se dedicam a esse ofício assume ali um aspecto peculiar. Você não vai ver muita coisa acontecendo, e raramente será alvo de um olhar mais "convidativo" lançado das janelas pelas normalmente impassíveis ocupantes daqueles aposentos com luz rosada. Mas talvez seja exatamente isto o que torna a coisa toda tão interessante: observar essas damas da noite aguardando pacientemente pelo próximo trabalho, trançando os cabelos, fazendo as unhas, se distraindo com palavras cruzadas ou lendo Dostoiévski enquanto exibem seus atrativos a marinheiros, executivos estrangeiros e a uma variada gama de inocentes visitantes do lado de fora.

O QUE: lugar. **ONDE:** atrás da Praça Dam, perto da área entre Oudezijds Voorburgwal (próximo à Oude Kerk) e Oudezijds Achterburgwal.

Uma ode a Rembrandt e à era de ouro da Holanda

RIJKSMUSEUM

Amsterdã, Holanda

Maior museu da Holanda, o Rijksmuseum também é, para os apreciadores do mestre holandês do século XVII Rembrandt van Rijn (1606-1669), o guardião das mais importantes obras de arte do país. Se você quiser ir direto ao que mais interessa, cruzando 150 salas cheias de obras belíssimas, dirija-se ao magnífico quadro *A ronda da noite* (1642) no andar superior (sala 224). Essa enorme tela, a pintura mais conhecida do artista e uma das mais famosas do mundo, tem um salão inteiro só para ela. Foi em torno desse quadro que P. J. H. Cuypers projetou esse museu de torres neogóticas em 1885. O Rijksmuseum abriga a maior e a melhor coleção de pintura holandesa do planeta. Nas salas ao lado estão *A noiva judia* (1662) e *Auto-retrato como apóstolo Paulo* (1661), entre 24 obras de Rembrandt. No andar de cima, salas não menos impressionantes exibem telas de Jan Vermeer, Frans Hals e Jacob van Ruisdale, entre muitos outros.

A leiteira *(c. 1658), de Vermeer.*

Criada por um decreto de 1808 de Luís Bonaparte, irmão de Napoleão, a deslumbrante coleção de arte da era de ouro da Holanda (século XVII) sempre foi a principal atração do "Rijks". Mas o acervo do museu também é excelente em outros campos – inclui, por exemplo, um maravilhoso conjunto de peças de porcelana da cidade de Delft e uma grande mostra de arte asiática (com mais de 100 Budas originários de todo o Oriente) que ganhou o destaque que merecia graças a uma reforma na Ala Sul em 1996.

O QUE: lugar. **ONDE:** Stadhouderskade, 42. Tel. (31) 20-674-7047; fax (31) 20-674-7001; info@rijksmuseum.nl; www.rijksmuseum.nl. **QUANTO:** ingresso U$10.

Um santuário para um filho da Holanda

MUSEU VAN GOGH

Amsterdã, Holanda

Uma ampla reforma no edifício principal do Museu Van Gogh e um impressionante anexo, projetado pelo arquiteto japonês Kisho Kurokawa e inaugurado em junho de 1999, confirmam a intensidade da adoração que a Holanda e o mundo inteiro continuam a ter por Vincent. Mais de 200 pinturas, 500 desenhos e 700 cartas do mais importante artista holandês do século XIX – Vincent Van Gogh (1853-1890) – ganharam um lar maravilhoso. Tanto visitantes quanto arquitetos consideram o novo anexo, feito com titânio e pedras cinza, ao mesmo tempo exuberante e aconchegante. Nesse espaço cheio de luz, que mescla as sensibilidades japonesa e européia, as telas de Van Gogh que integram a coleção podem agora, pela primeira vez, ser expostas integralmente – desde as primeiras obras, pintadas em 1881 na Holanda, até as realizadas dias antes do seu suicídio na França, aos 37 anos. "Gostaria de pintar retratos que daqui a 100 anos parecessem revelações para as pessoas", escreveu o prolífico artista numa carta à sua irmã Wil, pouco antes de morrer.

Talvez você concorde com alguns moradores de Amsterdã que consideram o novo anexo extravagante; porém, após ver as cores vibrantes e as paisagens deslumbrantes desse gênio visionário, a arte que ele criou será tudo o que permanecerá na sua memória. Mesmo que você não conheça os títulos dos quadros, certamente os reconhecerá: *Os comedores de batatas*, *Girassóis* e *Campo de trigo com corvos*. A vida angustiada do pintor é facilmente percebida em sua obra, e muitas de suas telas mais conturbadas parecem predizer seu fim abrupto. Trabalhos de dezenas de artistas que o influenciaram, bem como daqueles que Van Gogh por sua vez influenciou, também estão em exibição.

Detalhe de Auto-retrato com chapéu de feltro, *1887*.

O QUE: lugar. **ONDE:** Paulus Potterstraat, 7. Tel. (31) 20-570-5200; info@vangoghmuseum.nl; www.vangoghmuseum.nl. **QUANTO:** ingresso.

Uma pequena coleção da era de ouro

HET MAURITSHUIS

Haia, Holanda

A tela *Vista de Delft*, de Vermeer, comoveu tão profundamente o escritor francês Marcel Proust que ele a considerou a mais bela pintura do mundo. Juntamente com outras jóias, como a *Lição de anatomia do Dr.*

Nicholas Tulip, de Rembrandt (o primeiro quadro a propiciar reconhecimento ao pintor), ela forma o núcleo de uma pequena porém esplêndida coleção de mestres holandeses do século XVII. Qualificado como um dos melhores pequenos museus do mundo, o Mauritshuis está instalado numa bela mansão, inspirada na arquitetura de Palladio, que pertenceu a Maurício de Nassau (Maurits van Nassau-Siegen), governador-geral do Brasil holandês no século XVII. Lá dentro, a sensação é quase a de apreciar uma coleção particular, enquanto do lado de fora cisnes cruzam um pequeno lago à sombra das árvores. São raras as visitas de grupos de excursão, e a maior parte dos amantes da arte se demora no andar superior, onde estão outras obras de Vermeer (incluindo a célebre *Moça com brinco de pérola*), Rembrandt e Jan Steen.

Na condição de sede do governo da Holanda, lar da princesa Beatriz e da Corte Internacional de Justiça, Haia é uma cidade impregnada de grande poder e dignidade. Algo do seu passado glorioso pode ser percebido no chá servido no magnífico salão do histórico Hotel des Indes, construído em 1856 para o conselheiro particular do rei Guilherme III. No passado uma antiga mansão senhorial, foi ali que Mata Hari usou suas artes sutis na época em que o hotel servia de quartel-general das forças aliadas durante os piores dias da Primeira Guerra.

O Que: lugar, hotel, restaurante. **Onde:** Haia fica 50km a sudoeste de Amsterdã. **Het Mauritshuis:** Korte Vijverberg, 8. Tel. (31) 70-302-3456; www.mauritshuis.nl. *Quanto*: ingresso U$13. **Quando:** aberto Ter.–Dom. **Hotel des Indes:** Lange Voorhout, 54-56. Tel. (31) 70-361-2345; fax (31) 70-345-1721; www.desindes.com. *Quanto*: duplos a partir de U$285. Chá: U$22.

A capital do verão europeu

Baden-Baden e o Brenner's Park Hotel & Spa

Baden-Württemberg, Alemanha

Baden-Baden, situada no extremo norte da densa Floresta Negra, é conhecida como a "capital do verão europeu" desde meados do século XIX, quando a rainha Vitória e Napoleão III se beneficiavam do poder curativo de suas fontes. A dignidade adquirida na glória dos velhos tempos é percebida na elegância de seu cassino, na sombreada Lichtentaler Allee, uma exuberante aléia às margens do rio Oos, e nas casas em tons pastel que as famílias reais e da alta sociedade da Europa transformaram em suas residências de verão. Hoje, Baden-Baden volta a viver do lazer e do prazer sem nenhuma inibição. As requintadas novas termas de Caracala têm nada menos do que sete piscinas. Existem cerca de 480km de trilhas na periferia da Floresta Negra e uma ciclovia que corta 20km de uma próspera paisagem rural.

Os ricos e os integrantes de famílias reais agora se hospedam no Brenner's Park Hotel & Spa. Um dos poucos remanescentes dos luxuosos hotéis-spa da Europa, essa construção de 125 anos está instalada num local invejável, à beira do rio Oos. As colunas e os afres-

Brenner's Park Hotel & Spa.

cos no estilo de Pompéia situados na enorme piscina envidraçada e aquecida fazem lembrar o imperador Caracala, da Roma antiga, cujos legionários foram os primeiros a descobrir os benefícios das águas de Baden-Baden no século III d.C. O hotel também oferece sofisticados serviços na área de beleza e saúde, além de um campo de golfe nas imediações, considerado pelo duque de Windsor "uma verdadeira pérola". Em Baden-Baden, a Belle Époque continua a viver; o ritmo segue tão tranqüilo quanto nos velhos tempos, quando as pessoas iam até lá para curar suas doenças. "Acredito piamente que deixei meu reumatismo em Baden-Baden", escreveu Mark Twain.

O QUE: cidade, hotel. **BADEN-BADEN:** 161km ao sul de Frankfurt. **BRENNER'S PARK HOTEL & SPA:** Schillerstrasse, 4-6. Tel. (49) 7221-900-830; fax: (49) 7221-900-834; reservations@brenners.com; www.brenners.com. *Quanto*: duplos a partir de U$315.

Cenário medieval, vinhos revigorantes e um hotel encantador

A ESTRADA ROMÂNTICA

Baviera, Alemanha

A Estrada Romântica (Romantische Strasse), a partir de Würzburg rumo ao sul, na direção de Füssen, na fronteira com a Áustria, deve seu nome às dezenas de cidades, vilarejos e castelos medievais que existem ao longo de seus 290km e não propriamente às paisagens entre eles. Por isso é uma pena que algumas pessoas se espremam nos ônibus de turismo dispostas a ver tudo num único dia. Elas não compreendem a essência do que torna esse passeio uma experiência única – a seqüência de pequenas cidades, pérolas de um colar, que merecem ser apreciadas com toda a calma. Antes mesmo de você partir, uma visita a Würzburg e ao seu glorioso palácio barroco dará o tom certo à sua excursão. Fruto da associação de uma grande riqueza com o brilhantismo do arquiteto Balthasar Neumann, o Residenz foi encomendado em 1720 pelos poderosos bispos-príncipes, amantes da boa vida que iriam usá-lo como residência, sem verem nenhum conflito entre seu ofício religioso e a flagrante ostentação. À entrada do palácio, uma monumental escadaria arqueada, a maior do país, é um lembrete não muito sutil de que você está numa das mais suntuosas construções da Europa. Como toque final, Giovanni Tiepolo foi chamado de Veneza para decorar a parte do teto acima da escadaria – e outras mais – com afrescos coloridos. O artista se superou na originalmente rebuscada Sala do Trono – os detalhes de estuque e a arquitetura grandiosa ganharam ainda mais realce com seu trabalho, que criou um ambiente etéreo, opulento e mágico.

Se tanta grandiosidade o deixar tonto, recupere as forças saboreando amostras dos vinhos brancos locais na aconchegante taberna que há na adega do Residenz. Parta então para Rothenburg ob der Tauber (Castelo Vermelho às margens do Tauber), a mais bem preservada cidade medieval da Europa. De fato, ela é uma típica atração para turistas, mas, ainda assim, maravilhosa: flores se esparramam das jardineiras nas sacadas, há casas revestidas com detalhes de madeira, alamedas pavimentadas com pedras antigas, muralhas com mais de 1,5km de extensão e uma prefeitura do século XIII.

A beleza, a história e o charme de Rothenburg encontram eco no mundialmente conhecido Hotel Eisenhut – talvez você nunca queira sair do saguão, onde há vestígios de uma capela do século XII. Essa construção é mantida pelo bisneto do seu proprietário original, que em 1876 começou a oferecer quartos a viajantes, fundindo quatro casas da nobreza do século XVI na antiga praça do mercado. O salão de jantar, com três andares, é um dos mais disputados da cidade, pelo menos até à chegada do verão, quando todos se dirigem para uma área pavimentada à beira do rio Tauber. Esse hotel é o local ideal para quem está realizando o passeio pela Estrada Romântica, e muitas pessoas o consideram o melhor no seu gênero na Alemanha. No dia seguinte, parta para Dinkelsbühl, uma versão menos ostensivamente turística do que Rothenburg. Passe em Nördlingen a tempo de ouvir o leiloeiro público do alto da torre da igreja e visite o melhor exemplo de arquitetura barroca, Wieskirche, que se destaca em meio a um prado alpino. Comece e termine sua experiência em grande estilo, conhecendo os dois castelos do perturbado rei Ludwig, Hohenschwangau e Neuschwanstein, que, ao sul, finalizam a Estrada Romântica.

O QUE: experiência, lugar, hotel. **ESTRADA ROMÂNTICA:** comece por Würzburg, 116km a sudeste de Frankfurt. Para mais informações, entre em contato com a Associação da Estrada Romântica; tel. (49) 9851-90271; fax (49) 9851-90281; info@romantischestrasse.de. **RESIDENZ:** Tel. (49) 9313-551712; www.wuerzburg.de. *Quanto*: entrada U$3,50. *Quando*: Ter.–Dom. **HOTEL EISENHUT:** Herrngasse, 3-5, Rothenburg ob der Tauber. Tel. (49) 9861-7050; fax (49) 9861-70545; hotel@eisenhut.com.; www.eisenhut.com. *Quanto*: duplos a partir de U$180. *Quando*: Mar.–Dez. **MELHOR ÉPOCA:** Jun. para o Festival Mozart em Würzburg; fim de Ago.–início de Set. para a Festa da Cidade Imperial; final de Nov.–final de Dez. para a Feira de Natal na maior parte das cidades.

Arca de tesouros arquitetônicos e um pedaço vivo da história

BAMBERG

Baviera, Alemanha

Situada, assim como Roma, entre sete colinas e justamente reconhecida como uma das mais belas pequenas cidades de toda a Europa, Bamberg, por sua magia, está inextricavelmente ligada à sua rica história como capital do Sacro Império Romano-Germânico sob o reinado de Henrique II, seu filho mais ilustre. Embora guarde uma arca de tesouros arquitetônicos de diferentes períodos, essa cidade não pode, em nenhuma hipótese, ser considerada uma estática peça de museu, afinal ela faz a alegria de qualquer visitante, tanto por seu passado e suas lojas de antiguidades quanto por suas nove cervejarias. Apelidada de "éden dos amantes da cerveja", Bamberg

A Altes Rathaus de Bamberg.

produz mais de 30 variedades dessa bebida, e uma delas (a escura Rauchbier) foi criada em 1536. Quando se trata desse assunto, nem Munique fica à sua frente. A maravilhosamente pitoresca Altes Rathaus (Velha Prefeitura) deve ser uma das construções de seu gênero mais fotografadas da Europa: com detalhes de madeira aparente e muitos afrescos, ela foi construída em sua própria ilhota no rio Regnitz. A grande catedral da cidade, a imponente Kaiserdom, com quatro torres, erguida durante o reinado de Henrique II e que serviu de palco para a sua coroação em 1012, é uma prova viva da época de prosperidade que a cidade viveu como poderoso centro eclesiástico, além de ser conhecida por sua rebuscada decoração interna e por suas esculturas.

A ampla Domplatz, a praça da catedral, ilustra de modo quase didático a evolução arquitetônica local, do românico para o gótico, do renascentista para o barroco. Em Bamberg existem hotéis mais luxuosos, mas, quando se trata de atmosfera e classe, o St. Nepomuk deixa os outros para trás. Construído como um moinho em 1410, oferece aposentos aconchegantes, muitos dos quais com vista para o rio e para a Altes Rathaus, além de um conceituado restaurante especializado na culinária regional.

O QUE: cidade, hotel. **BAMBERG:** 60km ao norte de Nürnberg, 238km a noroeste de Munique. **HOTEL ST. NEPOMUK:** Obere Mühlbrucke, 9. Tel. (49) 951-98420; fax (49) 951-9842100; info@hotel-nepomuk.de; www.hotel-nepomuk.de. *Quanto*: duplos com vista para o rio a partir de U$125. **MELHOR ÉPOCA:** primavera, outono e Natal.

Um marco arquitetônico e suas obras-primas

ALTE PINAKOTHEK

Munique, Baviera, Alemanha

É a seus museus de nível internacional que Munique deve, em grande parte, seu status de "capital secreta" da Alemanha. Com numerosas salas repletas de obras-primas dos antigos mestres e também de artistas do início da Renascença européia, em coleções que datam do século XIV ao XVIII, a recém-reformada Alte Pinakothek (Velha Pinacoteca) hoje em dia rivaliza com o Louvre quanto ao refinamento com que expõe suas preciosidades. Quem só se preocupa em se apressar para ver a *Virgem com o Menino*, de Da Vinci, ou *Cristo coroado com espinhos*, de Ticiano, corre o risco de perder obras de Memling, Brueghel, Hals e também de Dürer, cuja última tela, *Os quatro apóstolos*, está entre os destaques da pinacoteca. As galerias desse museu abrigam uma das maiores concentrações de telas de Rubens: dos 62 quadros desse artista que se encontram ali, dois em particular, *Auto-retrato com a mulher* e o enorme *Pequeno Juízo Final*, merecem atenção extra. Obras de Van Dyck, seu mais ilustre discípulo, também fazem parte do acervo. Esse imponente edifício de tijolos, construído no estilo renascentista veneziano, já é em si uma preciosidade arquitetônica. Foi erguido no início do século XIX para receber a coleção particular de Ludwig I. Do outro lado da rua fica a Neue Pinakothek (Nova Pinacoteca), que inicia sua seqüência de obras-primas a partir do século XIX, período subseqüente ao que encerra o acervo do museu vizinho. Para uma estranha porém divertida justaposição de duas experiências, passe a manhã nos dois museus e aproveite a tarde na área da Oktoberfest.

O QUE: lugar. **ALTE PINAKOTHEK:** Barer Strasse, 27. Tel. (49) 89-2380-50; fax (49) 89-2380-5125. *Quanto*: ingresso U$4. *Quando*: Ter.–Dom. **NEUE PINAKOTHEK:** Barer Strasse, 29. Tel. (49) 89-2380-50. *Quanto*: ingresso U$4. *Quando*: Qua.–Seg.

Apreciando as telas da Alte Pinakothek.

Toda a tecnologia do mundo num só lugar

DEUTSCHES MUSEUM

Munique, Baviera, Alemanha

Com demonstrações e recursos interativos, esse que é o maior, mais antigo e mais completo museu do seu gênero no mundo exibe todos os aspectos imagináveis dos avanços científicos e tecnológicos em 55 áreas, entre as quais as de instrumentos musicais, aeronáutica, fotografia, física e têxteis. Tão fascinante para os adultos quanto parece ser para as crianças, o Deutsches, construído numa ilha no rio Isar, proporciona um banquete de experiências científicas do tipo "faça você mesmo", com um generoso arsenal de botões, alavancas, engrenagens e manivelas. O visitante consegue passar facilmente um dia inteiro ali na companhia de curiosidades, como o primeiro submarino alemão (montado em 1906), a primeira locomotiva elétrica (Siemens, 1879), a bancada de laboratório na qual ocorreu a primeira fissão de um átomo e dezenas de automóveis, incluindo o primeiro Benz, de 1866, e modelos de luxo, como os Bugattis e Daimlers dos anos 1920 e 1930. Entre outras peças inestimáveis está uma completa e incrível réplica das grutas de Altamira, na Espanha. A julgar pela quantidade de visitantes no setor de aeronáutica, essa é a seção favorita do público. Suas salas, grandes como hangares, abrigam desde o modelo montado pelos irmãos Wright, construído em 1909 nos Estados Unidos, até aviões de guerra dos anos 1930 e 1940. Dali se tem acesso direto à área dedicada às viagens espaciais, na qual as mais recentes exposições da Spacelab são bem menos interessantes do que as de artefatos de períodos anteriores, como as bombas V-2 de Hitler, também conhecidas como A4.

O QUE: lugar. **ONDE:** Museumsinsel, 1. Tel. (49) 89-21791; info@deutsches-museum.de. **QUANTO:** ingresso U$5,50.

Saúde! A megafesta de Munique

OKTOBERFEST

Munique, Baviera, Alemanha

Se você acha que num dia normal os habitantes da "capital alemã da cerveja" já se mostram para lá de animados, têm um enorme apetite e bebem entusiasticamente (começam já no café da manhã), espere para vê-los

Uma das grandes tendas da Oktoberfest.

durante a Oktoberfest – evento bávaro por excelência, celebrado com a participação de multidões de visitantes de todo o mundo. Caso a idéia dessa festa lhe pareça uma boa oportunidade para se divertir, reserve o seu lugar agora! O centro da Oktoberfest é o prado Theresienwiese (batizado em homenagem à princesa Teresa, cujo noivado com o príncipe Ludwig serviu de pretexto para a primeira das festas realizadas em outubro). Ali, 12 tendas enormes – algumas abrigando até 6.000 pessoas – são montadas com meses de antecedência. Essa festividade representa o ponto alto da paixão que a cidade nutre pela vida ao ar livre, além de ser o grito de despedida da estação em que esse tipo de prazer é possível. O evento é aberto com um desfile de 7.000 participantes que percorre as principais ruas de Munique antes de chegar à área da festa. Primeiro passam carros alegóricos decorados puxados a cavalo, representando as principais cervejarias da cidade (a Baviera se gaba de ter um sexto das cervejarias do planeta). Depois vêm as três grandes bandas de Munique e centenas de garçonetes vestindo roupas típicas da região. A área da festa é tão grande que quase se torna uma segunda cidade, cheia de barraquinhas de bebidas, pequenos shows, concertos a céu aberto, estandes de tiro e carrosséis, entre outras atrações. Ao som de música típica, cerca de 6.000.000 de pessoas consomem 5.000.000 de litros de um tipo de cerveja preparada especialmente para a festa, sem falar nas 400.000 salsichas e 600.000 galinhas.

Os que visitam a cidade fora dos dias da festa podem, mesmo assim, passar horas deliciosas na Hofbräuhaus am Platzl. Desde 1589, ela é a maior e mais amada cervejaria de Munique e também a mais conhecida do mundo. Mas esse programa não é indicado para os mais sensíveis, pois a casa é uma eterna e barulhenta Oktoberfest.

O QUE: evento, restaurante. **OKTOBERFEST:** a área da festa situa-se na parte oeste da cidade. *Quando*: 16 dias, começando num Sáb. e terminando no 1.º Dom. de Out. Escritório de Turismo de Munique, Tel. (49) 89-233-0300; fax (49) 89-233-30233; tourismus.veranstaltungen@ems.muenchen.de; www.muenchen-tourist.de. *Quanto*: ingresso grátis. *Quando*: aberta diariamente, de 9h–0h. **HOFBRÄUHAUS AM PLATZL:** Platzl, 9. Tel. (49) 89-2901-3610; fax (49) 8922-7586; hbteam@hofbraeuhaus.de; www.hofbraeuhaus.de.

Sem perder o compasso

FILARMÔNICA DE BERLIM

Berlim, Brandemburgo, Alemanha

Durante muitos anos o panorama da música clássica na Alemanha foi simbolizado por um homem, uma orquestra, uma cidade: Herbert von Karajan e a Orquestra Filarmônica de Berlim. Fundada em 1882, a Filarmônica transformou-se na melhor orquestra do mundo a partir da chegada desse maestro. Após sua morte, em 1989, o italiano Claudio Abbado entrou em cena e, em setembro de 2002, a batuta passou às mãos de sir Simon Rattle. A sede da orquestra é o Philharmonie am Kulturforum, um edifício construído em 1960 e projetado por Hans Scharoun, que possui a mesma quantidade de ardosos entusiastas e de críticos. Os 2.400 lugares – geralmente lotados – distribuem-se por nove níveis em torno do palco e contam com uma acústica e um ângulo de visão inigualáveis se comparados aos de outras salas de concerto (nenhuma poltrona está a mais de 30m do palco). Compreensivelmente, os assentos mais disputados são aqueles mais próximos do maestro. Durante a realização do Berliner Festwochen (Festival das Semanas de Berlim), que celebra o que há de melhor na música e nas artes em geral, é quase impossível conseguir um ingresso. Gerentes de hotéis mais luxuosos se desdobram para materializar esse milagre para os hóspedes.

O maestro sir Simon Rattle.

O QUE: evento. **ONDE:** Kemperplatz, Herbert-von-Karajan-Strasse, 1, no setor do Tiergarten. Para adquirir ingressos; tel. (49) 25-488132; fax (49) 25-614887; www.berlinphilharmonic.com. **QUANDO:** Set.–Jun. **MELHOR ÉPOCA:** Berliner Festwochen em Set.

Símbolo da divisão e da unificação de um país

PORTÃO DE BRANDEMBURGO

Berlim, Brandemburgo, Alemanha

Hoje em dia é até difícil dizer onde ficava exatamente o Muro de Berlim no centro dessa cidade. Mas o Portão de Brandemburgo (Brandenburger Tor) ainda está lá. Erguido em 1791 como um arco do triunfo para celebrar uma vitória prussiana e, ironicamente, como um "Portão da Paz", acabou sendo incorporado ao muro quando este foi construído em 1961, no auge da Guerra Fria. O portão, um comovente ícone da reunificação da Alemanha, ainda causa frisson e suscita certo mal-estar. Ambulantes continuam a vender aos turistas o que garantem ser pedaços do

O Portão de Brandemburgo iluminado à noite.

muro infame. Com 46km de extensão e cerca de 4m de altura, *die Mauer* apresentava trechos de arame farpado que se estendiam para a zona rural como uma "cortina de ferro" concreta. Grandes partes dele foram deixadas de pé em Berlim como "marcos históricos". Antes da destruição do muro, o Portão de Brandemburgo ficava dentro dos limites do setor comunista, numa lúgubre terra-de-ninguém. Portanto, hoje em dia, ao caminhar sob seu majestático arco o visitante está no antigo território de Berlim Oriental, que foi capital da República Democrática Alemã durante 41 anos. Essa área, que serviu no passado como uma orgulhosa vitrine da Berlim da dinastia Hohenzollern, está novamente atraindo visitantes por abrigar alguns dos mais imponentes monumentos da cidade que de alguma forma conseguiram escapar à destruição. A leste do portão se estende a Unter den Linden, antigamente o principal eixo leste–oeste e uma das maiores avenidas da cidade. Hoje revitalizada, tornou-se sede de muitas embaixadas (transferidas de Bonn) e um dos principais centros da capital restaurada.

O discretamente suntuoso e magnificamente localizado Hotel Adlon foi destruído pelos soviéticos em 1945 e reconstruído em 1997. Seu saguão de mármore, com a grandiosa escada original intacta, brilha em toda sua antiga glória do período pré-Segunda Guerra e extasia com um serviço de primeira linha. O cenário de um clássico do cinema, *Grande Hotel*, de 1932, tomou o Adlon como modelo. Foi numa das cenas desse filme que a divina Greta Garbo sussurrou pela primeira vez: "*I want to be alone*", ou seja, "Deixem-me em paz". A suíte presidencial proporciona uma vista inspiradora para o Portão de Brandemburgo.

O QUE: lugar, hotel. **HOTEL ADLON:** Unter den Linden, 77, Mitte. Tel. (49) 30-22610; fax (49) 30-2261-2222; adlon@kempinski.com; www.hotel-adlon.de. **QUANTO:** duplos a partir de U$237 (baixa temporada), a partir de U$284 (alta temporada); Suíte Presidencial U$6.500. **MELHOR ÉPOCA:** Jul.–Ago., Dez.–Jan., Mar.

Um grande centro da arte e da cultura

CIRCUITO DOS MUSEUS

Berlim, Brandemburgo, Alemanha

Enquanto Berlim, antes dividida, junta suas duas partes num frenesi de renovação urbana raramente visto na história européia, suas coleções de arte, de uma inesgotável riqueza, são carregadas de um lado para outro, reorganizadas e reagrupadas. Para realizar o velho sonho da cidade de se tornar capital cultural e artística não apenas da Alemanha como também da Europa, investidores e o governo têm gasto tanto dinheiro com os museus quanto com novos hotéis de luxo e extravagantes shopping centers. O esforço mais impressionante foi a fusão, realizada em 1998, do Museu Dahlem, do lado ocidental, com o Museu Bode, do lado oriental, hoje sob o mesmo teto na Gemäldegalerie (Galeria de Pinturas) do Kulturforum (um dos centros culturais mais importantes da Europa), em Tiergarten. Seu acervo não tem concorrentes entre os mais de 170 museus existentes em Berlim, tanto pela amplitude quanto pela riqueza de suas coleções, que exibem obras de mestres europeus do século XIII ao XVIII. Uma única galeria abriga nada menos do que 20 Rembrandts. Os que apreciam a arte do mundo antigo poderiam passar dias na Museumsinsel (Ilha dos Museus), um conjunto de cinco museus cujo destaque maior é o Pergamonmuseum, construído exclusivamente para abrigar o colossal Altar de Pérgamo do século II a.C. (um templo grego de 12m de altura com uma escada de 27 degraus que leva à sua colunata). Descoberto em 1864, ele foi transferido da Turquia para a Alemanha em 1902. O Ägyptisches Museum guarda o sublime busto de Nefertiti criado há mais de 3.000 anos e desenterrado em 1912 por arqueólogos alemães. Somando tudo isso ao estimulante novo museu de arte contemporânea, o Hamburger Bahnhof, instalado de modo brilhante numa estação ferroviária do século XIX inteiramente reformada, temos apenas uma simples amostra da mais notável compilação de obras de arte – dos primórdios da humanidade às vanguardas dos dias de hoje – na cidade que promete ser a vitrine do país no século XXI.

O QUE: lugar. **GEMÄLDEGALERIE AM KULTURFORUM:** Tiergarten, Matthaeikirchplatz, 8. **MUSEUMSINSEL E PERGAMONMUSEUM:** Bodestrasse, 1-3. **ÄGYPTISCHES MUSEUM:** Schlossstrasse, 70, Charlottenburg. **HAMBURGER BAHNHOF, MUSEU DE ARTE CONTEMPORÂNEA:** Invalidenstrasse, 50-51. Todos os museus: tel. (49) 30-2090-55; fax (49) 30-2090-5502; aussenamt@smb.spk-berlin.de; www.smb.spk-berlin.de. **QUANTO:** ingresso U$3,50. **QUANDO:** Ter.–Dom.

Um palácio barroco na "Florença do Elba"

O ZWINGER

Dresden, Saxônia, Alemanha

O Zwinger, um dos mais conhecidos edifícios barrocos de Dresden – e da Alemanha –, foi construído durante a era de ouro dessa cidade, no século XVIII. Em 1945, num dos mais devastadores bombardeios da Segunda Guerra, foi destruído junto com quase 80% da cidade. Meticulosamente recriado no fim dos anos 1950, ele escapou por pouco das enchentes do verão de 2002. Por questões de segurança, no início da guerra, o fabuloso acervo de obras de arte dos museus existentes no interior do complexo de edifícios do Palácio Zwinger foi retirado de lá, escondido na União Soviética e, finalmente, devolvido a Dresden ainda na era do regime comunista. O príncipe da Saxônia conhecido apropriadamente pela alcunha de Augusto, o Forte (1694-1733) pegou dinheiro dos seus cofres abarrotados para erguer esse voluptuoso palácio dedicado ao entretenimento. Na época, ele abrigava uma coleção tão notável de obras dos antigos mestres, que historiadores da arte comparam a Dresden do século XVIII a Florença e Veneza – mesmo hoje, ela é considerada um dos mais importantes centros de arte da Europa. O principal museu do Zwinger é a Gemäldegalerie Alte Meister, repleta de obras-primas desses mestres: a *Madona sistina*, de Rafael; a *Vênus adormecida*, de Giorgione; e *Dinheiro do tributo*, de Ticiano, são apenas alguns exemplos. Há também a *Rustkammer*, uma impressionante coleção de armamentos ornamentais, e a *Porzellansammlung*, a mais importante coleção de porcelanas do mundo.

Antes de Augusto, o Forte começar a colecionar grandes obras, ele colecionava mulheres – tanto que ficou conhecido por seu harém de 300 concubinas, das quais talvez a mais famosa tenha sido Cosel. O monarca encomendou ao audacioso arquiteto do Zwinger, E. M. Pöppelman, um palácio só para ela: o Taschenbergpalais. Essa gigantesca garçonnière barroca (capaz de abrigar facilmente as outras 299 pretendentes) também foi demolida pelo arrasador ataque com bombas incendiárias de 1945, ainda que sua "casca" tenha sido deixada de pé. Muitos marcos alemães depois, o Kempinski Hotel Taschenbergpalais fez o velho edifício ressuscitar das cinzas, transformando-o no hotel mais romântico e luxuoso da região.

O QUE: cidade, lugar, hotel. **DRESDEN:** 198km ao sul de Berlim, 250km a noroeste de Praga, na República Tcheca. Escritório de turismo tel. (49) 351-4919-20; info@dresden-tourist.de; www.dresden-tourist.de. **O ZWINGER:** Theaterplatz, 1. *Quanto*: 1 cartão de 48 horas de validade dá acesso a todos os museus e garante transporte ilimitado, U$15. *Quando*: Ter.–Dom. **KEMPINSKI HOTEL TASCHENBERGPALAIS:** Am Taschenberg. Tel. (49) 351-4912-636; fax (49) 351-8836-075. *Quanto*: duplos a partir de U$280. **MELHOR ÉPOCA:** Festival de Música de Dresden nas 2 últimas semanas de Mai.

O Kempinski Hotel Taschenbergpalais.

Música maravilhosa para todos

FESTIVAIS MUSICAIS DE VERÃO

Bayreuth (Francônia/Baviera) e Schleswig-Holstein, Alemanha

Para os amantes da ópera, assistir a uma apresentação de *O anel dos nibelungos* regida por James Levine na Markgrafliches Opernhaus, do século XVIII, em plena Bayreuth, cidade natal de Richard Wagner, é algo como estar a um passo do nirvana. Durante cinco semanas a cada verão, fãs desse compositor em todo o mundo afluem para lá agarrados aos seus preciosos ingressos para o Festival Wagner de Bayreuth. O Opernhaus (teatro lírico) no estilo rococó divide as atenções com o Festspielhaus (o teatro do festival), que não ostenta nenhum tipo de adorno. Construído e financiado por Wagner, este último foi concebido como um templo sagrado da música. O palco enorme é imprescindível para os elencos gigantescos exigidos por suas grandes produções. O poço da orquestra é mais fundo do que o habitual, de modo que a música parece flutuar de forma misteriosa por todo o ambiente. Wagner e sua segunda mulher, a filha de Franz Liszt, estão enterrados ali perto, na casa onde viveram.

Para os amantes da música clássica em geral, o maior evento do verão cultural alemão é promovido no estado de Schleswig-Holstein, no centro do belo Distrito dos Lagos, entre Hamburgo e a fronteira com a Dinamarca. Desde que Leonard Bernstein criou o Festival de Música de Schleswig-Holstein, grandes artistas de todo o mundo têm reservado em suas agendas um espaço para o evento. Em torno de 125 apresentações são realizadas em cerca de 40 espaços, incluindo teatros, igrejas e celeiros, uma escola de equitação, mansões particulares e castelos. A maior parte do programa se concentra em dois temas: a música de uma única nação (recentemente Israel e a República Tcheca estiveram entre os países destacados) e uma visão mais aprofundada da obra individual de um compositor. A intenção de Bernstein foi criar a oportunidade para um encontro entre talentos emergentes e nomes consagrados. Algumas das últimas oficinas promovidas por Bernstein foram realizadas ali.

O QUE: evento. **FESTIVAL WAGNER (WAGNER FESTSPIELE):** Bayreuth fica 230km ao norte de Munique. Tel. (49) 921-78780; www.festspiele.de. *Quanto*: ingressos U$5–U$175. *Quando*: fim de Jul.–fim de Ago. **FESTIVAL DE MÚSICA DE SCHLESWIG-HOLSTEIN:** Holzdamn, 40, Hamburgo. Tel. (49) 451-389-570; fax (49) 451-389-5757; info@shmf.de; www.shmf.de. *Quanto*: ingressos U$15–U$115. *Quando*: meados de Jul.–fim de Ago.

Lendas, história e vinhas de classe internacional

VALE DO RENO

Alemanha

Cruzando cerca de 1.300km do território europeu (da Suíça ao mar do Norte), o vale do Reno não pertence apenas à Alemanha – mas não diga isso aos alemães. O trecho que corre dentro das fronteiras do país – especialmente os 80km do Reno Médio, que se estende de Mainz a Koblenz – foi o que deu importância histórica ao rio e onde se vê sua beleza mais exuberante, com margens tomadas por vinhas, florestas, castelos instalados em penhascos e pequenas localidades que vivem da produção do vinho.

A maneira ideal de resolver a dúvida sobre a melhor forma de apreciar o vale do Reno – se num cruzeiro pelo rio ou se de carro – é escolher as duas opções. Há estradas com paisagens cinematográficas às margens do rio (a Rheingoldstrasse na margem esquerda, a Lorelei-Burgenstrasse na direita) e também linhas de cruzeiros especializadas em passeios que podem variar de poucas horas a alguns dias. Para quem quiser uma atração à parte, o rio Mosel (que deságua no Reno em Koblenz) oferece uma magia especial, com paisagens serenas e encantadoras, num estilo diametralmente oposto às do Reno, sobretudo nos 136km entre Koblenz e a bela e antiga cidade de Trier, fundada no ano 2000 a.C. Tanto os vinhos da região do Reno quanto os das margens do Mosel (em sua maioria Rieslings) merecem atenção.

O QUE: experiência, lugar. **ONDE:** Mainz fica 315km a noroeste de Munique, 140km ao sul de Colônia. Escritório de Turismo do Reno, Koblenz. Tel. (49) 261-915200; info@rlp-info.de. **VIKING RIVER CRUISES:** www.vikingriver.com. *Quanto*: cruzeiros de 12 dias entre Amsterdã e a Basiléia, a partir de U$2.059 por pessoa, incluindo refeições e excursões em terra. *Quando*: Mar.–Out. **PETER DEILMANN CRUISES:** www.deilmann-cruises.com. *Quanto*: cruzeiros de 7 dias de Munique para Dassau, a partir de U$1.020 por pessoa, incluindo refeições. *Quando*: fim de Mar.–fim de Out. **Melhor Época:** Set. para a época da colheita; Out. para apreciar as folhagens; Abr.–Mai. para um período com menor número de visitantes.

Dois mil anos de arte européia

O Bairro da Catedral de Colônia

Colônia, Renânia, Alemanha

Petrarca, poeta italiano do século XIV, considerava a Catedral de Colônia, com suas duas torres, uma das mais belas do mundo. Escale os 509 degraus que levam até à galeria a 157m de altura e pronto: você terá acabado de subir a torre de igreja mais alta do planeta, em sua época a mais elevada estrutura erguida por mãos humanas. O trabalho de construção da catedral estendeu-se por mais de 600 anos. A obra começou sobre ruínas romanas depois que Frederico Barba-Roxa, imperador do Sacro Império Romano, doou para Colônia algumas relíquias associadas aos Reis Magos, consagrando a cidade como um importante centro de peregrinação. Elas continuam à mostra no seu relicário original do século XII atrás do altar, que data do início do século XIV.

Ingresse num passado ainda mais remoto no Museu Romano-Germânico, ao sul da catedral. Enquanto cavavam um abrigo antiaéreo em 1941, operários descobriram as fundações de uma construção da Roma antiga, incluindo o *Mosaico de Dionísio*, em perfeitas condições. Essa peça, que representa o deus Dionísio, era parte do piso da casa de um comerciante romano. De volta à superfície, é hora de visitar o Museu Wallraf-Richartz e o Museu Ludwig, no outro lado da catedral. Sediado num complexo artístico mais amplo, o Wallraf-Richartz abriga pinturas do século XIV ao XX. O Ludwig, inteiramente dedicado à arte do século XX, tem um acervo comparável ao do Guggenheim de Nova York. Na realidade, é possível apreciar 2.000 anos de arte ocidental sem se afastar das sombras da catedral.

Colônia é a mais antiga das grandes cidades alemãs.

Ao fim do dia, ponha os pés para cima no Dom Hotel (*Dom* significa catedral em alemão), aninhado junto à grande catedral gótica. Esse hotel oferece um serviço discreto, atencioso, com uma proporção entre funcionários e hóspedes que quase chega a um para um. Quartos luxuosos têm vista para a catedral, que também pode ser admirada através das paredes de vidro do Atelier am Dom, o café do hotel. Uma vista deslumbrante como essa pede um copo da popular cerveja Kölsch, uma variedade local, leve e de cor clara. Em seguida, você tem um encontro marcado com o Petersglocke, o maior sino de igreja do mundo, que badala inclinando suas 24t. Será impossível não ouvi-lo quando ele anunciar a hora.

O Que: lugar, hotel. **Catedral:** Dom Platz. **Museu Romano-Germânico:** Roncalliplatz, 4. Tel. (49) 221-24438; fax (49) 221-24030; roemisch-germanisches-museum@stadt-koeln.de. *Quanto*: ingresso U$4. **Museus Wallraf-Richartz e Ludwig:** Bischofsgartenstrasse, 1. Tel. (49) 221-21119; fax (49) 221-22629; wrm@wrm.museenkoeln.de. Quanto: ingresso U$5. **Dom Hotel:** Domkloster, 2a. Tel. (49) 221-20240; fax (49) 221-2024444. *Quanto*: duplos a partir de U$300.

Completamente intacta, a alma da Alemanha do norte

Lübeck

Schleswig-Holstein, Alemanha

Grande porto do Báltico com seu rio Trave, Lübeck é dona de um passado glorioso. Na Idade Média foi capital da Liga Hanseática, associação de cidades comerciais independentes no norte da Europa. Cortada por canais que passam entre seus edifícios de tijolos vermelhos, a Altstadt (Cidade Velha) tem raízes profundas na rica história medieval de Lübeck, que dominava as altamente lucrativas rotas comerciais ao longo do Báltico – bens preciosos saíam dali com destino a toda a Europa. Cercada por muralhas de fortalezas, portões e um fosso, a Altstadt é tão importante em termos arquitetônicos e históricos que Lübeck foi a primeira cidade do norte da Europa a ter seu centro histórico inteiramente incluído pela Unesco entre os Patrimônios da Humanidade. É difícil para os visitantes de hoje acreditar que um quarto do centro foi destruído por bombardeios durante a Segunda Guerra, tal a competência e o amoroso cuidado com que foi reconstruído. O que foi deixado intocado serve como memorial. É o caso dos sinos da igreja gótica de Santa Maria (Marienkirche), que permanecem aos pedaços no mesmo lugar onde caíram após um ataque aéreo.

A Itália provavelmente se ressente da crença corrente em Lübeck de que foi essa cidade que inventou o marzipã séculos atrás (o máximo admitido ali é que o doce foi preparado com amêndoas importadas da Itália). Experimente essa delícia regional no internacionalmente conhecido Café Niederegger, cujo marzipã, dizem, é o melhor do mundo. Apesar de toda a beleza e de toda a história de Lübeck, a lembrança mais vívida que ela poderá deixar para qualquer visitante será a de uma tarde passada no café saboreando a célebre *Nusstorte,* uma torta recheada de creme que traz à memória as amêndoas italianas.

O Que: cidade, restaurante. **Lübeck:** 65km ao norte de Hamburgo. **Café Niederegger:** Breite Strasse, 89, em frente à elegante gótica e renascentista Rathaus (prefeitura); info@niederegger.de; www.niederegger.de. **Melhor Época:** a cidade oferece muitos espaços para o Festival de Música de Schleswig-Holstein, fim de Jun.–meados de Ago.; Feira de Natal fim de Nov.–Dez.

O portal Holstentor de Lübeck.

Acima das nuvens, uma área de lazer magnífica

GSTAAD

Cantão de Berna, Suíça

Em meio a quatro vales alpinos, Gstaad é a jóia mais preciosa da esplêndida região de Oberland, no cantão de Berna, e um dos melhores lugares do mundo para a prática de esportes de inverno. Mas por que não desfrutar de Gstaad também no verão? Com seus 250km de pistas que descem pelas colinas, cerca de 90km de trilhas pelos campos e uma série de atividades apropriadas para todas as estações do ano, esse é o local onde os ricos e famosos esquiam, embora exiba uma aparência autêntica e despretensiosa. A atmosfera é muito parecida com a de um vilarejo no campo, ainda que bastante próspero: os preços nas lojas são altíssimos e as refeições dos magníficos hotéis locais não estão ao alcance de qualquer bolso.

Gstaad é tão discreta e tranqüila que você pode até vir a considerá-la tediosa, mas só se não estiver hospedado no Palace Hotel Gstaad, um dos refúgios de luxo mais procurados do mundo. Dominando a pequenina cidade com a imponência das torres de seu castelo neomedieval, que parece saído da imaginação do louco rei Ludwig, esse hotel de 107 quartos construído em 1912 é divulgado como a maior pensão familiar da Suíça. Mas não se deixe enganar pelos quartos aconchegantes com decoração rústica: o hotel está no epicentro da vida social local. Hóspedes costumam permanecer por longos períodos nesse cenário de fantasia atraídos pelo lema da administração da casa: "Todo rei é um cliente; todo cliente é um rei." Além do maravilhoso serviço, há sempre excelente comida. Mas, se você estiver à procura de pratos com um toque regional, tome o teleférico até o topo da montanha onde está instalado o restaurante Berghaus Eggli para uma raclette ou um fondue e uma vista inesquecível.

O QUE: cidade, experiência, hotel. **GSTAAD:** 67km a sudoeste de Interlaken. **PALACE HOTEL GSTAAD:** tel. (41) 33-748-5000; fax (41) 33-748-5001; palace@gstaad.ch; www.palace.ch. *Quanto:* duplos a partir de U$300 (baixa temporada), a partir de U$340 (alta temporada). *Quando*: aberto de meados de Jun.–meados de Set., meados de Dez.–Mar. **MELHOR ÉPOCA:** o Musiksommer, festival de música criado por Yehudi Menuhin, é realizado no verão, de meados de Jul.–início de Set.

Vistas deslumbrantes proporcionadas pela mais alta ferrovia do mundo

JUNGFRAUJOCH

Cantão de Berna, Suíça

Todas as exuberantes paisagens da Suíça entram em foco na região central chamada Oberland, e a viagem até Jungfraujoch é considerada o suprasumo das excursões de grande altitude. A uma altura de 3.454m, o ponto terminal de Jungfraujoch é tido como a estação ferroviária mais alta do mundo há um século. Como essa é uma das excursões mais populares da Suíça, o movimento na estação pode muitas vezes se assemelhar ao de um grande centro urbano na hora do rush. Tanto na baixa quanto na alta temporada, procure chegar cedo para evitar a multidão e apreciar algumas das vistas mais impressionantes do planeta. Existem paradas ao longo da ferrovia e há muito a fazer quando se alcança o fim da linha, inclusive uma visita às profundezas do Eispalast (Palácio de Gelo), uma área cavernosa escavada numa geleira que exibe esculturas permanentes feitas de gelo. Não deixe de ir ao Sphinx, um terraço que proporciona vistas dos picos Mönch e Jungfrau só superadas pela da geleira Aletsch, a mais longa da Europa, com 22km de extensão.

Faça uma pausa para o almoço no restaurante Top of Europe, que dá um novo significado à *haute cuisine* (alta culinária francesa) – definitivamente, a comida ali não é a atração principal. Na volta, para variar, retorne por Grindelwald, um vilarejo tradicional das montanhas que tem pistas de esqui de primeira qualidade. Entre os lugares que oferecem atividades durante o ano inteiro, esse é um dos mais pitorescos, especialmente generoso em matéria de trilhas pelas montanhas. Sua localização é de uma beleza cinematográfica: aos pés da face norte do pico Eiger. Em Interlaken hospede-se no Victoria-Jungfrau Grand Hotel & Spa. Com sofisticação e um serviço leve como um edredom de plumas e tão eficiente quanto um relógio suíço, o hotel é um monumento ao luxo, parecendo intocado (graças às constantes reformas) desde sua construção em 1865.

O QUE: experiência, hotel. **VIAGEM DE TREM A JUNGFRAUJOCH:** viagem de um dia, ida e volta, com partidas diárias de Interlaken (58km a sudeste de Berna, 145km a sudoeste de Zurique) e Grindelwald (27km a leste de Interlaken). *Quanto*: U$110 (segunda classe) a partir de Interlaken. *Quando*: Jun.–Set. *Melhor época*: para informar-se sobre as mudanças diárias no clima, pois não vale a pena ir num dia nublado, entre em contato com a Interlaken Tourism; tel. (41) 33-826-5301; fax (41) 33-826-5375; mail@interlakentourism.ch; www.interlakentourism.ch. **VICTORIA-JUNGFRAU GRAND HOTEL & SPA:** Höheweg, 37, Interlaken. Tel. (41) 33-828-2828; fax (41) 33-828-2880; interlaken@victoria-jungfrau.ch; www.victoria-jungfrau.ch. *Quanto*: duplos a partir de U$280 (baixa temporada de inverno); a partir de U$373 (alta temporada de verão), o hóspede pode usar a maior parte das instalações do spa; duplos de luxo com vista para as montanhas U$320 (baixa temporada); U$427 (alta temporada).

Uma paisagem espetacular e o restaurante giratório mais bem localizado do mundo

MÜRREN

Cantão de Berna, Suíça

A região de Oberland não é nenhum segredo ao qual apenas poucas pessoas têm acesso: o destino mais popular da Suíça merece o intenso fluxo de turistas que recebe o ano inteiro graças a vilarejos nas montanhas como a pequenina cidade de Mürren, livre do trânsito de qualquer tipo de veículo. Instalada nas alturas, diante do impressionante maciço Jungfrau, como se fosse um mirante com vista para o vale de Lauterbrunnen, ela é a mais alta cidade habitada em todo o cantão e só é alcançada por uma estrada de ferro do tipo cremalheira ou por teleférico.

Mürren é considerada o berço da modalidade moderna das provas de esqui de alta velocidade (iniciantes, mantenham distância). O primeiro *slalom* (corrida em ziguezague) da história foi organizado ali em 1924. A corrida local Arlberg-Kandahar é considerada atualmente pelos países alpinos uma espécie de campeonato mundial informal. Nada se compara aos 14km de pistas com uma vista deslumbrante a partir do monte Schilthorn. A cidade é igualmente popular entre os que não praticam esse esporte – eles tomam o teleférico para apreciar uma visão de 360º de um panorama que inclui picos, lagos e campos que ficam cobertos de neve o ano inteiro – tudo isso visto a partir do cume, o Piz Gloria, a quase 3.000m de altura.

Cada rotação completa do restaurante leva 55 minutos.

O restaurante giratório, de mesmo nome, tornou-se conhecido em todo o mundo graças ao filme de James Bond *007 a serviço secreto de Sua Majestade*, de 1969. Desse ponto de observação incomparável, dizem que é possível avistar cerca de 200 picos. Projetado como se fosse um grande disco voador cheio de janelas pousado sobre a rocha, o Piz Gloria oferece uma vista panorâmica inigualável. No cardápio, a massa especial James Bond e a sobremesa 007, com cinco bolas de sorvete, fazem o possível para ficar à altura da vista.

O QUE: cidade, experiência, restaurante. **MÜRREN:** 31km ao sul de Interlaken. Viagem de ida e volta de teleférico de Mürren ao Piz Gloria U$40. Para mais informações, entre em contato com a Switzerland Tourism. Tel. (41) 44-2881111; fax (41) 44-2881105; www.myswitzerland.com. **RESTAURANTE PIZ GLORIA:** Schilthorn. Tel. (41) 33-856-2156. *Quanto*: jantar U$45. **MELHOR ÉPOCA:** Jan. e Fev. para esquiar; os prados da região ficam cobertos de flores em meados de Jun.–Ago.

A rainha dos resorts e a mais badalada excursão ferroviária nos Alpes

ST. MORITZ E O GLACIER EXPRESS

Engadina, Suíça

St. Moritz não atrai apenas os fascinados pelo "ritz" embutido no nome dessa estação de esqui de primeira categoria. Apesar da combinação cosmopolita de socialites, nobres e estrelas de cinema bronzeadas que ajudaram a criar essa famosa imagem associada a moda, dinheiro e glamour, a cidade não é tão aristocrática e elitista como sugere sua fama. St. Moritz é um lugar voltado para os esportes. Possui esplêndidas pistas de esqui nas montanhas que são adequadas a praticantes de todos os níveis, além de campos de neve também próprios para esquiar. Ali, a uma altitude de 1.828m, a quantidade de neve varia muito a cada ano. Uma boa opção para esquiadores de nível intermediário é pegar o teleférico até Piz Corvatsch, quase 3.350m acima do nível do mar.

Há outras alternativas além do esqui, como a corrida Cresta, inventada pelos ingleses, que foi a primeira a incluir trenós e tobogãs. O perigo das provas desse esporte é tão grande que as mulheres não são admitidas. Considere a possibilidade de passar as férias de verão em St. Moritz ou na encantadora Pontresina, apenas 6,4km a leste dali: é uma das melhores bases de Engadina – e da Europa – para os adeptos do montanhismo e das caminhadas.

Em St. Moritz, o lugar onde as pessoas vão para serem vistas continua a ser o Badrutt's Palace Hotel, com seu estilo falso gótico hollywoodiano. Hoje, porém, círculos mais discretos costumam gravitar em torno da Suvretta House, um feliz exemplo de luxo na dose certa onde as vistas das montanhas parecem saídas de um cartão-postal. Dali bastam alguns minutos a pé para se chegar ao Jöhri's Talvo, um restaurante de classe mas criativo que oferece uma das melhores experiências do país em termos de gastronomia. Ele está instalado numa charmosa casa de fazenda do século XVII em Engadina (*talvo* significa "celeiro" em romanche, a antiga língua do vale Engadina).

No final da sua estada, pegue o trem na direção leste, para Zermatt. A propaganda do Glacier Express o anuncia como o trem expresso mais vagaroso do mundo (uma velocidade média de 40km por hora), mas essa pequena locomotiva vermelha puxa seus vagões através do coração da Suíça oferecendo uma visão detalhada de cenários de tirar o fôlego, com declives dignos de uma montanha-russa. Em seu trajeto, o trem, que ostenta orgulhosamente as cores da bandeira suíça, cruza 291 pontes e 91 túneis, atravessando o desfiladeiro de Oberalp a 2.000m de altura, o ponto mais alto dessa viagem de sete horas e meia e 270km de extensão. Os aficionados por esse tipo de viagem podem ainda embarcar no Bernina Express, que proporciona a outra grande viagem de trem no país. Trata-se de uma jornada de quatro horas de Zurique a Lugano (que também pode ser feita de carro) na única ferrovia da Suíça a cruzar os Alpes sem passar por túneis.

O QUE: cidade, hotel, experiência. **ST. MORITZ:** 201km a sudeste de Zurique. **SUVRETTA HOUSE:** Via Suvretta. Tel. (41) 81-836-3636; fax (41) 81-836-3737; info@suvrettahouse.ch; www.suvrettahouse.ch. *Quanto*: duplos a partir de U$310 (baixa temporada), a partir de U$413 (alta temporada) no inverno; a partir de U$253 (baixa temporada), a partir de U$286 (alta temporada) no verão. *Quando*: aberto de Jul.–meados de Set., início de Dez.–meados de Abr. **GLACIER EXPRESS:** de St. Moritz a Zermatt, ida e volta. Reservas devem ser feitas com grande antecedência ou logo na chegada ao país, em qualquer estação ferroviária suíça. *Quanto*: só num sentido, primeira classe U$155, segunda classe U$99 (não inclui taxa de reserva de U$13). **MELHOR ÉPOCA:** Jul.–Set. e fim de Dez.–Mar.

O Glacier Express numa das 291 pontes do seu trajeto.

Um dos melhores lugares do mundo para esquiar

DAVOS-KLOSTERS

Graubünden, Suíça

Davos compartilha sua fama de paraíso para a prática do esqui com a cidade (quase) gêmea de Klosters, localizada mais abaixo. Oferecendo magníficas condições a esquiadores de todos os níveis, Davos é o maior resort da Europa dedicado a esse esporte. A 1.560m, é também sua cidade mais alta, fantástica para esportes em clima frio, mesmo em invernos considerados quentes. Pistas em belíssimos e extensos vales fazem da área a segunda melhor para a prática do esqui em campos de neve – a primeira é Engadina, também na Suíça.

Davos divide uma vasta rede de teleféricos e montanhas com a vizinha Klosters – um vilarejo alpino mais interessante e o lugar mais apropriado para você desfazer as malas, seguindo o exemplo de integrantes das realezas britânica e sueca, que o freqüentam regularmente. Quase aconchegante quando comparada a Davos, Klosters conserva seu apelido de "Hollywood *on the rocks*" por continuar a atrair grandes nomes da indústria cinematográfica. Sejam ou não VIPs, todos vão para lá atrás da maravilhosa área Parsenn-Weissfluh, reservada ao esqui e considerada por muitos especialistas a melhor da Europa. Sua descida partindo de Weissfluhgipfel (2.840m) até Küblis (813m) oferece uma experiência imperdível para esquiadores de alto nível, uma magnífica pista de 14km em meio a vastos campos de neve abertos.

Você não precisa ser amigo do rei para ser tratado como tal no Hotel Chesa Grischuna. Instalado num belo chalé de madeira no centro da cidade, ele é o preferido dos que visitam Klosters e abriga o melhor restaurante do lugar.

O QUE: cidade, experiência, hotel, restaurante. **KLOSTERS:** 161km a sudeste de Zurique. Davos fica 11km ao norte de Klosters. **HOTEL CHESA GRISCHUNA:** Bahnhofstrasse, 12, Klosters. Tel. (41) 81-422-2222; fax (41) 81-422-2225; chesagrischuna@hotel.ch; www.chesagrischuna.ch. *Quanto*: duplos a partir de U$145 (baixa temporada), a partir de U$230 (alta temporada). Jantar U$47. *Quando*: aberto de meados de Dez.–fim de Mai. e início de Jul.–meados de Out. **MELHOR ÉPOCA:** Mar. para esquiar; Jul. para as flores alpinas; Ago.–Set. para caminhadas.

Música extraordinária num cenário à altura

FESTIVAL DE LUCERNA

Suíça

Se a qualidade tivesse prioridade sobre o glamour, o tamanho do público e a publicidade, o Festival de Lucerna provavelmente seria imbatível. É um dos mais antigos da Europa (inaugurado por Toscanini em 1938), o mais eclético e o mais interessante, geralmente citado ao lado de outros grandes eventos musicais do verão, como os de Salzburgo, Bayreuth, Aix-en-Provence e até mesmo o de Glyndebourne. Grandes maestros, orquestras (às vezes mais de uma dúzia delas), solistas e conjuntos de câmara se apresentam numa série de locais interessantes, incluindo o novo e ultramoderno Centro de Convenções e Cultura. Instalado às margens do belo lago Lucerna, ele oferece um excelente ponto de partida para quem pretende conhecer a cidade e seu cenário medieval.

Um dos motivos que tornam Lucerna a atração preferida de muitos turistas é o fato de ela encarnar a imagem que todos fazem de uma cidade suíça. Wagner, que conhecia bem a região, escreveu: "Não conheço um lugar mais lindo no mundo!" Quando estava na cidade, o compositor hospedava-se no grande Hotel Schweizerhof. Construído no século XIX, ele parece novo em folha depois de uma reforma realizada em 1999. Seu livro de hóspedes está repleto de assinaturas de importantes nomes da música que foram ao festival, como Pinchas Zukerman e Mstislav Rostropovich. Quem sabe o seu também não estará lá?

O Que: evento, hotel. **Festival de Lucerna:** Hirschmattstrasse, 13 (Lucerna fica 57km a sudoeste de Zurique). Tel. (41) 41-226-4400; fax (41) 41-226-4460; www.lucernefestival.ch. Para ingressos, tel. (41) 41-226-4480; fax (41) 41-226-4485; ticketbox@lucernefestival.ch. *Quanto*: ingressos U$15–U$145. *Quando*: 4 semanas, meados de Ago.–meados de Set. **Hotel Schweizerhof Luzern:** Schweizerhofquai, 3. Tel. (41) 41-410-0410; fax (41) 41-410-2971; www.schweizerhofluzern.ch. *Quanto*: duplos a partir de U$180 (baixa temporada), a partir de U$240 (alta temporada).

Não tão revolucionário quanto antes, mas uma fusão ainda brilhante

Rheinhotel Fischerzunft

Schaffhausen, Suíça

Quem anseia por novidades gastronômicas concordará com os que foram os primeiros a exaltar as qualidades de André Jaeger – o talentoso chef que desempenhou um papel fundamental ao promover a primeira grande fusão culinária da Europa. Há 20 anos, após se estabelecer como responsável pela comida e bebida do notável Peninsula Hotel, em Hong Kong, Jaeger voltou à sua cidade natal, Schaffhausen. Ali, ele se tornou um pioneiro no mundo altamente tradicional da gastronomia: foi o primeiro a combinar as culinárias do Ocidente e do Oriente. Anos depois, sua cozinha européia e asiática permanece ímpar, uma mistura altamente heterogênea de sabores e texturas com uma sofisticação natural que continua a conquistar aplausos da parte dos mais exigentes críticos europeus. Essa culinária contemporânea aberta à sensibilida-

Não é difícil conseguir um quarto com vista.

de oriental é apresentada numa casa do século XV que abrigava uma associação de pescadores e que permanece magnificamente preservada às margens do Reno, perto da fronteira da Suíça com a Alemanha.

Quem deseja pernoitar no Fischerzunft pode, entre uma degustação e outra, caminhar pelas ruas de pedestres da Altstadt (centro histórico) de Schaffhausen, cheia de fontes e fachadas góticas, barrocas e rococós. Outra opção é visitar ali perto as Quedas do Reno, as mais fortes cachoeiras da Europa (Goethe as chamou de "fonte do oceano"). O passeio pode prosseguir ao longo desse largo e sereno rio na direção leste para Stein am Rhein, pouco antes de ele desaguar no enorme lago Constança (Bodensee). As casas tradicionais com elementos de madeira e os admiráveis afrescos da cidade, que datam do século XI, posicionam Schaffhausen no topo da lista dos vilarejos suíços onde é possível conseguir as melhores fotos.

O QUE: restaurante, hotel, cidade. **ONDE:** Rheinquai, 8 (Schaffhausen fica a 47km de Zurique; Stein am Rhein situa-se 19km a leste de Schaffhausen). Tel. (41) 52-632-0505; fax (41) 52-632-0513; info@fischerzunft.ch; www.fischerzunft.ch. **QUANTO:** duplos a partir de U$155. Jantar U$95. **QUANDO:** aberto Qua.–Seg.

La dolce vita *à moda suíça*

AS ESPLÊNDIDAS *VILLAS* DE LUGANO

Ticino, Suíça

Um dos grandes prazeres em Lugano é caminhar ao longo das margens sombreadas do lago até à Villa Favorita, uma magnífica casa do século XVII. Construída pelo príncipe Leopoldo da Prússia, ela abriga hoje parte da notável coleção Thyssen-Bornemisza. Em 1992, num evento de grande repercussão, cerca de 800 esplêndidas obras de antigos mestres foram vendidas para o museu do Palácio Villahermosa em Madri (a pedido da esposa espanhola do falecido proprietário, o barão Hans Heinrich Thyssen-Bornemisza). Um influente industrial suíço apaixonado por arte, o barão era o filho do fundador dessa eclética e conceituada coleção que inclui mais de 150 obras de artistas europeus e americanos dos séculos XIX e XX, como De Chirico, Munch, Hopper, Schiele, Wyeth e Pollock. Integram sua parte mais antiga belas peças de mobília dos séculos XVI e XVII.

A Villa Principe Leopoldo, com vistas para o lago Lugano.

As paisagens sedutoras da Villa Favorita às margens do lago são realçadas pelo jardim, que por si só já é uma obra-prima. Um arranjo artisticamente composto de quase 100 variedades de flores nativas e exóticas e de árvores entremeadas com esculturas clássicas, ele é um legado mantido pela família

Thyssen-Bornemisza, que continua a morar ali.

A esta altura, talvez você esteja sonhando com sua própria *villa*. Para sentir o gostinho da *dolce vita*, hospede-se na Villa Principe Leopoldo. Essa casa vermelho-ocre, construída em 1868 pela aristocrática família prussiana dos Von Hohenzollern no estilo italiano, já foi uma propriedade privada. Talvez por isso ainda transmita uma idéia de imponência, tanto pela sua aparência externa quanto pelo seu interior. Sua localização também é especial: no topo da Collina d'Oro. A maioria das suítes tem vistas espetaculares para o lago Lugano, cercado de montanhas. Além disso, o hotel conta com uma das salas de jantar mais belas da região e um agradável espaço com mesas ao ar livre. Depois do almoço, basta uma hora de caminhada para chegar à cidade incrivelmente pitoresca de Gandria, também à beira do lago e que se esparrama pelas encostas arborizadas do monte Brè. Ali, um teleférico leva os visitantes 900m acima até o topo da montanha. Para desfrutar daquela que é, incontestavelmente, a vista mais bela em toda essa área, admire a paisagem do alto dos 1.700m do monte Generoso, nome mais do que apropriado.

O QUE: cidade, lugar, hotel, restaurante. **LUGANO:** 230km ao sul de Zurique, 72km ao norte de Milão. **VILLA FAVORITA E A FUNDAÇÃO THYSSEN-BORNEMISZA:** Strada Castagnola, Via Rivera, 14. Tel. (41) 91-972-1741; fax (41) 91-971-6151. *Quanto*: ingresso. *Quando*: Sex.–Dom., Abr.–Out. Villa Principe Leopoldo & Residence: Via Montalbano, 5. Tel. (41) 91-985-8855; fax (41) 91-985-8825; info@leopoldohotel.com; www.leopoldohotel.com. *Quanto*: duplos a partir de U$275. Jantar U$55. **MELHOR ÉPOCA:** Mai.–Jun. e Ago.–Set.; Blues-to-Bop Music Festival e World-Music Festival em Set.

Uma cidade divertida e alto-astral, mas onde o esqui é coisa séria

VERBIER

Valais, Suíça

Com algumas das melhores e mais íngremes áreas para a prática do esqui *off-piste* (fora das pistas, na neve natural) e uma vida noturna bastante animada, Verbier, na região de língua francesa do Valais (vale), é uma das opções mais populares para quem gosta de esquiar. Centro de mais de 400km de pistas ligando quatro vales, esse lugar atrai como um ímã esquiadores mais jovens e ousados, que vêem nessa cidade sofisticada mas tranqüila o próprio paraíso. Na companhia de um guia, os praticantes de nível avançado (e os que aspiram a esse patamar) têm muitos quilômetros à sua disposição em áreas fora das pistas. Convém acordar cedo para driblar as longas filas de espera diante dos teleféricos que estão sendo modernizados um a um.

Enquanto uma multidão cosmopolita de visitantes na faixa dos 20 anos anima com sua conversa os pubs e bares, outro grupo, numa faixa mais madura, é atraído pelo conforto rústico-chique do Hotel Rosalp. É nele que funciona o conceituado restaurante de Roland Pierroz, conhecido como o "Bocuse suíço". Ele cria algumas das melhores refeições que você encontrará nas estações de esqui suíças, da linha de partida à de chegada. Estarão à sua espera mais de 30 excelentes queijos locais selecionados, que certamente o farão recuperar todas as calorias queimadas durante um dia dedicado ao esqui. Os conhecimentos do chef, assim como a escolha dos vinhos da região do Valais (e outras excelentes opções suíças e francesas), aumentam ainda mais o prazer.

O Que: cidade, experiência, restaurante, hotel. **Verbier:** 161km a leste de Genebra. **Hotel Rosalp:** Rue de Médran. Tel. (41) 27-771-6323; fax (41) 27-771-1059; rosalp@verbier.ch; www.relaischateaux.ch/rosalp. *Quanto:* duplos a partir de U$180 (baixa temporada), a partir de U$280 (alta temporada). Jantar U$60. *Quando*: hotel e restaurante abrem de meados de Dez.–meados de Abr. e Jul.–Set. **Melhor Éopca:** Jan., Jul. e Set. são os meses com menos turistas.

Uma montanha mágica e pistas de esqui extaordinárias

Zermatt

Valais, Suíça

O perfil de granito que ilustrou milhões de cartões-postais – o peculiar formato do monte Matterhorn, que nunca deixa de maravilhar os visitantes – paira acima da agitação de Zermatt, um dos mais populares resorts da Suíça. Apesar de ser uma cidade pequena, do fato curioso de não ter trânsito de veículos e dos seus chalés que parecem caixinhas de música, Zermatt é bastante próspera: esquiadores iniciantes e avançados das mais diversas nacionalidades correm para lá atraídos por suas maravilhosas pistas de esqui. Ali, as três áreas usadas para a prática desse esporte alcançam até 3.000m de altitude, e o famoso teleférico do Kleine Matterhorn dá acesso às mais altas pistas de esqui da Europa: há neve de sobra na primavera e no início do verão. Zermatt é também o maior centro dos Alpes para a prática de uma modalidade que vem crescendo: aquela em que os esquiadores são levados de helicóptero até um ponto para de lá descerem pelas encostas das montanhas. A pista mais emocionante desse tipo é a oferecida pelo monte Rosa, a quase 4.500m de altitude, através de incríveis paisagens formadas por geleiras. Zermatt também é conhecida por possuir uma ampla e variada coleção de restaurantes em locais de incrível beleza e ainda por oferecer uma movimentada e saudável vida noturna aos que desejam se refazer das horas dedicadas ao esqui.

O explorador e alpinista inglês Edward Whymper foi o primeiro a escalar, em 1865, os 4.475m do Matterhorn (para os suíços de língua francesa, Mont Cervin), partindo de Zermatt. Mesmo que não deseje seguir as pegadas de Whymper, você pode optar pelo mesmo hotel em que ele se hospedou: o Hotel Monte Rosa, bem mais luxuoso hoje do que em 1839, quando foi inaugurado. Única estalagem do vilarejo naquela época, a casa recebia apenas alguns britânicos, os primeiros a "descobrir" Zermatt e toda a beleza da região que a cerca. Pode apostar que sua escolha será um quarto com vista.

O Que: cidade, experiência, hotel. **Zermatt:** 241km a leste de Genebra, na fronteira com a Itália, acessível somente por trem, partindo de Brig ou Visp (ambas a cerca de 48km), onde os visitantes costumam deixar seus carros. **Hotel Monte Rosa:** Bahnhofstrasse. Tel. (41) 27-966-0333; fax (41) 27-966-0330; monterosa@zermatt.ch; www.lhw.com/monterosa. *Quanto*: duplos a partir de U$170 (verão), a partir de U$213 (inverno), inclui café da manhã e jantar. *Quando*: aberto de meados de Jun.–meados de Out. e meados de Dez.–meados de Abr. **Melhor Época:** Fev., Mar. e Jul.–Out.

Toda a majestade das montanhas vista das alturas

FESTIVAL DE BALÃO NO INVERNO ALPINO

Châteaux d'Oex, Vaud, Suíça

Festivais de balao já não são uma novidade que dê o que falar, mas o que dizer de uma viagem de balão sobre os Alpes em pleno inverno? No Festival de Balão dos Alpes, realizado anualmente, cerca de 65 balões provenientes de mais de 15 países sobem graciosamente aos céus em meio ao clima de festa que domina a popular cidade de Châteaux d'Oex lá embaixo, onde jantares especiais são organizados todas as noites. Se você perder o evento, há algumas semanas alternativas durante essa estação em que são oferecidos vôos de balão – tão deslumbrantes quanto os do festival – sobre picos e vales alpinos cobertos de neve. Sofisticadas refeições são servidas durante o vôo enquanto os passageiros flutuam tranqüilamente sobre paisagens típicas de cartões de Natal.

Na Suíça, durante o verão, costumam ser realizados vôos de balão nas encostas menos íngremes do vale Emmental, na bela região bernesa de Oberland. Os padrões geometricamente precisos das plantações nas fazendas suíças, assim como os encantadores chalés de madeira, criam um cenário perfeito para essa "caminhada aérea", de acordo com Buddy Bombard, que dirige uma das mais confiáveis empresas de balonismo em todo o mundo.

O QUE: experiência, evento. **ONDE:** 64km a leste de Lausanne, nas proximidades de Gstaad. **COMO:** nos Estados Unidos, entre em contato com The Bombard Society, "Buddy Bombard's Private Europe". Tel. (1) 561-837-6610 e (1) 800-862-8537; fax (1) 561-837-6623; travel@bombardsociety.com; www.bombardsociety.com. **QUANTO:** viagem de 9 dias durante o festival, U$11.475 por pessoa, apenas a parte terrestre, duplos, tudo incluído. Viagens de 6 dias fora da época do festival, U$7.828 por pessoa. Viagem de 5 dias no verão, U$5.988 por pessoa. **QUANDO:** 2 partidas para o festival em meados de Jan. Partidas fora da época do festival em Fev. Uma partida para viagem de verão no fim de Ago.

A cidade da música à beira do lago Genebra

FESTIVAL DE JAZZ DE MONTREUX

Montreux, Vaud, Suíça

O Festival de Jazz de Montreux tem sido, desde 1967, o principal evento ligado a esse estilo musical em toda a Europa. Apesar disso, jamais se deixou restringir por um formato rígido, abrindo espaço tanto para o jazz quanto para outros estilos, como blues, reggae, funk, soul, rap, rock e pop. Sempre procurando se adiantar às tendências, a programação apresenta nomes consagrados e também novos talentos, *jam sessions* exclusivas, além de salas e sistema de som de primeira qualidade. Enquanto as atrações de maior destaque ocupam os espaços mais importantes, músicos menos famosos chegam a se apresentar até nas ruas – e não se espante se os shows destes últimos forem tão bons quanto os das estrelas. Um evento originalmente dividido em três dias, o festival expandiu a programação para 16 dias, reforçando ainda mais a já sólida tradição musical dessa cidade, localizada às margens do encantador lago Genebra.

B. B. King em Montreux.

Desde o século XIX, artistas, escritores e músicos têm sido atraídos por essa cidade que, com seu idioma francês e atmosfera cosmopolita, gosta de se comparar a Cannes. Ao ver os cafés à beira do lago, assim como as palmeiras, ciprestes e magnólias que marcam a região, você vai entender por que a área do lago Genebra é chamada de a "Riviera Suíça". Cannes bem que gostaria de ter algo parecido com o Château de Chillon, o castelo mais importante e mais fotografado da Suíça – parte dele foi construída há mais de 1.000 anos. Inspirado nele, lorde Byron escreveu o poema *O prisioneiro de Chillon*. Sem dúvida, é também esse castelo que desperta o entusiasmo dos músicos que animam a cidade de Montreux a cada mês de julho.

O QUE: cidade, evento. **MONTREUX:** 100km a leste de Genebra, no lago Genebra. **FESTIVAL DE JAZZ DE MONTREUX:** tel. (41) 21-963-8282; fax (41) 21-961-1475; www.montreuxjazz.com. **COMO:** nos Estados Unidos, entre em contato com Ciao! Travel. Tel. (1) 619-297-8112 ou (1) 800-942-2426; fax (1) 619-297-8114; jazz@ciaotravel.com; www.ciaotravel.com. *Quanto*: pacote de 6 noites a partir de U$2.550 inclui viagem aérea de Nova York, hotel, café da manhã, ingressos para os 5 principais concertos. *Quando*: 16 dias que incluem os 3 primeiros fins de semana de Jul.

Conforto impecável no estilo suíço

DOLDER GRAND HOTEL E KRONENHALLE

Zurique, Suíça

Seguido de perto por alguns concorrentes importantes, incluindo o Hotel Baur au Lac, de grande prestígio, e o neoclássico Eden au Lac, o Dolder Grand Hotel consegue superar todos eles – e, na realidade, aos olhos dos especialistas em hotéis cinco estrelas, está entre os melhores da Europa. Com agulhas e torreões no estilo art nouveau alemão, conhecido como Jugendstil, o extraordinário edifício está instalado num local igualmente impressionante: um parque de 50ha acima de Zurique ao qual se chega por funicular.

Seu restaurante, o elogiado La Rotonde, serve de maneira irrepreensível um excelente cardápio mediterrâneo, e o bufê de domingo também goza de merecido prestígio. Dos quartos, de elegância discreta (muitos dos quais com varandas), até o maravilhoso campo de golfe com nove buracos, passando pela piscina (com ondas artificiais) e o rinque de patinação, todas as áreas do Dolder proporcionam vistas incríveis para a cidade, que é a mais poderosa da Suíça em termos financeiros e comerciais. A ala mais antiga do hotel, que tem mais de um século, é a favorita dos hóspedes que costumam voltar ali. Não deixe de visitar a Sala Gobelin, onde há uma enorme tapeçaria do século XVIII.

Lá embaixo, na cidade, todas as pessoas que têm algum destaque acabam aparecendo de vez em quando no Kronenhalle. A tradição é tudo em Zurique e ela reina de modo absoluto nesse restaurante clássico. A animação que impera nesse lugar é um espetáculo digno de ser apreciado, e sua tradicional cozinha suíça e francesa também é muito boa. Mas o ponto alto da casa é a decoração. Cada centímetro dos seus painéis de madeira bem lustrados é ocupado por telas e desenhos, incluindo originais de Klee, Chagall, Braque, Picasso, Matisse e Kandinsky. Eles foram sendo colecionados por Hulda Zumsteg, que foi proprietária do Kronenhalle por um longo tempo e cujo retrato também continua exposto ali. Desde sua morte, em 1985, seu filho vem mantendo a tradição que atraiu para o restaurante nomes como James Joyce, Richard

O Dolder comemorou seu 100.º aniversário em 1999.

Strauss e Thomas Mann. Se você chegar lá sem fazer reserva, certamente não conseguirá uma mesa vaga. Nesse caso, encaminhe-se para o simpático bar anexo, peça um Ladykiller, uma de suas especialidades, e aprecie o cenário. Talvez um cancelamento faça surgir a mesa esperada. Mesmo que o seu pedido se limite à tradicional salsicha e à ótima batata rosti, isso já será delicioso – você se sentirá saciado (pelos próximos dias) e sua noite terá adquirido um sabor indiscutivelmente suíço.

O QUE: hotel, restaurante. **DOLDER GRAND HOTEL:** Kurhausstrasse, 65. Tel. (41) 1-269-3000; fax (41) 1-269-3001; reservations@doldergrand.com; www.doldergrand.com. *Quanto*: duplos a partir de U$350. Jantar no La Rotonde U$60; bufê no almoço de Dom. U$55. **KRONENHALLE:** Rämistrasse, 4. Tel. (41) 1-251-6669; fax (41) 1-251-6681. *Quanto*: jantar U$70.

Onde a natureza, o vinho e a história se encontram

DÜRNSTEIN E O MOSTEIRO DE MELK

Áustria

A exposição ao sol e o belo, ainda que não realmente azul, rio Danúbio, que atravessa a área, fazem dessa região uma das mais lindas e produtivas da Áustria no que se refere ao cultivo de uvas. Castelos e mosteiros fortificados pontuam as colinas desse vale – ali as escarpas onde estão as vinhas se alternam com encostas arborizadas e damasqueiros que florescem na primavera. É merecida a popularidade da pequena cidade murada de Dürnstein, famosa por ter sido o lugar onde Ricardo Coração de Leão, da Inglaterra, ficou preso em 1192 depois de uma disputa com Leopoldo V. Para hospedar-se num lugar maravilhoso não é preciso ir longe: dirija-se ao terraço do Hotel Schloss Dürnstein, de onde se avistam lindos trechos do rio – sem falar no excelente jantar e na sedutora carta de vinhos. (Ali, saboreie uma taça do vinho local.)

O Castelo de Kuenringer foi destruído e substituído em 1650; as ruínas da estrutura original podem ser visitadas num passeio a pé. De lá se descortinam vistas fantásticas das redondezas que, dizem, teriam inspirado as histórias sobre os reinos mágicos dos irmãos Grimm. Deixe os terrenos do castelo e vá ao Mosteiro de Melk (Stift Melk), um convento beneditino recentemente restaurado, repleto de manuscritos e preciosas obras de arte, incluindo o célebre crucifixo de Melk. Esse trecho particularmente pitoresco do Danúbio é muito procurado para breves passeios de barco, uma maneira maravilhosa de conhecer essa área.

O QUE: cidade, lugar, hotel/experiência, restaurante. **DÜRNSTEIN:** 80km a oeste de Viena, a 30km de Melk. **HOTEL SCHLOSS DÜRNSTEIN:** tel. (43) 2711-212; fax (43) 2711-21230; hotel@schloss.at; www.schloss.at. *Quanto*: duplos U$232. Almoço U$25. *Quando*: aberto de 1.º Abr.–5 de Nov. **MELK:** 100km a oeste de Viena. *Como*: cruzeiros partem diariamente de Krems (via Dürnstein e Spitz) para Melk. Em Viena, entre em contato com a DDSG Blue Danube Schiffahrt. Tel. (43) 1-588-800; fax (43) 1-588-80440; info@ddsg-blue-danube.at; www.ddsg-blue-danube.at. *Quanto*: cruzeiros entre Krems e Melk U$15 só ida; de Viena a Dürnstein U$14. *Quando*: de meados de Abr.–fim de Out. Festival de Verão de Melk: 1 semana no fim de Mai. **MELHOR ÉPOCA:** os damasqueiros florescem geralmente no início de Abr. A colheita das uvas costuma ser feita em meados ou no fim de Set.

O terraço do Schloss Dürnstein dá para o rio Danúbio.

Para quem gosta de esquiar e de se divertir depois

LECH E KITZBÜHEL

Áustria

Alguns dos melhores lugares do mundo para esquiar (assim como para relaxar depois disso) estão no oeste dos Alpes austríacos. Quando a neve desaparece de outros resorts, generosas quantidades dela permanecem em Arlberg, um recanto incrivelmente pitoresco acima da área onde terminam as florestas. A região compreende Lech, seu vilarejo mais charmoso, assim como St. Anton, Zürs, St. Cristoph e Stuben. Somente em Lech-Zürs existem 35 elevadores e teleféricos atendendo a um circuito de 104km de pistas com instrutores e 120km de pistas abertas, sem instrutores, incluindo o magnífico tour de Madloch, de 19km de extensão. Berço da técnica moderna de esqui, Arlberg deu seu nome ao revolucionário método praticado hoje em muitos países, e suas escolas de esqui, assim como seus instrutores, estão entre os melhores do mundo. O menor e melhor hotel cinco estrelas da cidade, o Gasthof Post, tem em comum com Lech a mistura de indiscutível sofisticação com uma certa informalidade. Administrado há três gerações pela família Moosbrugger, essa antiga sede do Correio é agora conhecida por seu ambiente impecável porém aconchegante e por seu excelente restaurante.

Uma foto antiga mostra um instrutor de esqui e alunos ao pé do declive em Lech.

Enquanto Lech é procurada por ter mantido intocada sua personalidade, Kitzbühel é amada por sua atmosfera glamourosa. Os penhascos lisos e grandiosos atrás da cidade medieval cercada por muralhas oferecem em sua maioria circuitos de esqui de nível intermediário (exceto pelo difícil e mundialmente conhecido circuito de Hahnenkamm, de corrida em declive), passeios de teleférico com vistas estonteantes e 193km de alternativas de trilhas para caminhadas durante o verão que tiram do páreo todas as outras localidades concorrentes na região. Quem busca diversões para depois da prática do esqui vai se sentir atraído pelo centro histórico, com seu chão de paralelepípedos e suas casas medievais pintadas em tons pastel. Há butiques da moda, cassinos animados e clubes sofisticados. O visitante pode relaxar também com uma xícara de chocolate quente e com os doces do conhecido Café Praxmair. Instalado no lado ensolarado do pico Kitzbüheler está o elegante mas caloroso Tennerhof Hotel, uma casa de fazenda do século XVII capaz de proporcionar alegrias em qualquer época do ano. A comida é uma das melhores da cidade, portanto experimente jantar ali se estiver hospedado em outro lugar.

O QUE: experiência, cidade, hotel. **LECH:** a 201km de Zurique. **GASTHOFF POST:** tel. (43) 5583-22060; fax (43) 5583-220623; info@postlech.com; www.postlech.com. *Quanto*: duplos a partir de U$173 (baixa temporada), a partir de U$486 (alta temporada), inclui meia-pensão. *Quando*: aberto fim de Jun.–fim de Set., fim de Nov.–fim de Abr. **KITZBÜHEL:** 88km a sudoeste de Salzburgo, 121km a leste de Innsbruck. **TENNERHOF HOTEL:** Griesenauweg, 26. Tel. (43) 5356-63181; fax (43) 5356-6318170; tennerhof@kitz.net; www.tennerhof.com. *Quanto*: duplos a partir de U$230 (inverno), a partir de U$170 (verão). *Quando*: aberto de meados de Dez.–Abr., fim de Mai.–início de Out. **MELHOR ÉPOCA:** Jan.–início de Fev. para esquiar, Mar. para esquiar na primavera, Jul.–Ago. para caminhadas.

O mais importante festival de música da Europa

Festival de Salzburgo

Salzburgo, Áustria

O berço de Mozart, com seu cenário glorioso em termos de belezas naturais, é o local apropriado para abrigar o maior e mais importante evento anual de música da Europa. Mais de 180 apresentações de obras clássicas e contemporâneas, incluindo óperas, sinfonias, concertos e recitais, são programadas para salas na cidade e nas suas imediações. Os ingressos para as atrações mais procuradas costumam se esgotar com grande antecedência (é melhor se adiantar, caso você não esteja disposto a oferecer uma generosíssima comissão ao funcionário do hotel para recompensá-lo por seus contatos com os cambistas). É mais fácil encontrar entradas para as matinês – música de câmara ou concertos em igrejas, que podem ser excelentes. Durante o festival – ou na verdade sempre que ansiar por luxo e conforto –, hospede-se no Hotel Schloss Mönchstein. Esse castelo do século XIV, construído como um retiro de verão para o arcebispo de Salzburgo, situa-se no alto de uma colina cercada por jardins e 10ha de parques e fica apenas a 10 minutos de elevador ou de carro do centro histórico de Salzburgo. Assoalhos de madeira, tapetes orientais, mobília do século XVIII e uma pequena capela que data pelo menos de 1500 dão idéia da longa história do hotel, que foi reformado recentemente. Hóspedes como o czar Alexandre II da Rússia e como o próprio Mozart serviram-se dos seus quartos para encontros amorosos. Mas são os confortos modernos nos quartos com capacidade para até 17 hóspedes que justificam as cinco estrelas desse hotel de instalações exuberantes. Após uma estada na Suíte da Torre, você achará justo até dobrar o número de estrelas.

Cena da ópera O rapto do serralho, *de Mozart.*

O Que: evento, hotel. **Festival de Salzburgo (Salzburger Festspiele):** eventos apresentados em várias salas por toda a Salzburgo. Tel. (43) 662-8045579; fax (43) 662-8045760; www.salzburgfestival.at *Quanto*: ingressos U$20–U$420. *Quando*: 5 semanas, começando na última semana de Jul. **Hotel Schloss Mönchstein:** Mönchsberg Park. Tel. (43) 662-8485550; fax (43) 662-848559; www.monschstein.at. *Quanto*: duplos a partir de U$375 (a diária é mais alta durante o período do festival).

"Ela se situa na extremidade dos Alpes como uma imponente guardiã da história."
—Jan Morris

Viena

Áustria

Os legados de Beethoven, Freud, Klimt e Mahler atraem visitantes para essa elegante cidade do Velho Mundo, a menos frenética e ainda assim uma das mais fascinantes capitais da Europa. Conhecida por sua *Gemütlichkeit* (atmosfera aconchegante), seus bondes, seus cafés e suas confeitarias, é uma cidade deliciosamente civilizada e confortável, além de ser sempre recompensadora para os que buscam arte, música e cultura.

As 10 Maiores Atrações

Algumas das grandes atrações de Viena estão no Hofburg (Palácio Imperial Habsburgo), que serviu, até 1918, como residência dos imperadores da Casa de Habsburgo. **Onde:** tel. (43) 1-533-7570; http://info.wien.at/e/mus/muswk/hofburg.html.

Os Apartamentos Imperiais (Kaiserappartments) – O imperador Francisco José viveu ali no fim do século XIX e início do século XX. O público pode conhecer suas suntuosas acomodações, o grande salão de audiências, o serviço de prata usado na corte e as salas de jantar, com paredes e tetos ricamente decorados com pinturas rococós, tapeçarias e candelabros de cristal da Boêmia – o espírito de Viena na sua mais pura acepção.

Os Cavalos Lipizzaner da Escola Espanhola de Equitação – Fundada em 1572, a Spanische Reitschule mantém a tradição clássica da equitação na sua forma mais pura, promovendo apresentações abertas ao público. Ao longo dos séculos, foi desenvolvendo sua criação de cavalos de origem espanhola, italiana e árabe. **Onde:** tel. (43) 1-533-9031; www.spanische-reitschule.com.

Casa do Tesouro (Schatzkammer) – Essa esplêndida coleção inclui coroas do Sacro Império Romano e do Império Austríaco, além de numerosas relíquias da Casa de Borgonha e da Ordem do Velocino de Ouro.

Coro dos Meninos de Viena da Hofburgkapelle – Ligado desde 1498 à vida musical de Viena e associado ao longo dos anos à obra de compositores como Mozart, Schubert e Bruckner, o coro vem se apresentando no circuito internacional desde 1926. **Onde:** integrantes do coro cantam nas missas de Dom. na Capela Imperial. Jan.–Jun. e Set.–Dez. É necessário fazer reservas: fax (43) 1-533-99-2775; hmk@aon.at.

Em Outros Lugares de Viena

Museu Albertina – Combinando um palácio do século XVII com um novo edifício de 14 andares, o Albertina abriga uma das maiores coleções de artes gráficas do mundo (do gótico ao contemporâneo), além de 25.000 desenhos arquitetônicos e uma importante coleção de fotografias. **Onde:** Albertinaplatz. Tel. (43) 1-534-830; www.albertina.at.

Palácio Belvedere (Schloss Belvedere) – Na verdade, são dois palácios do século

O Coro dos Meninos de Viena.

XVIII separados por belos jardins: o palácio no plano superior exibe obras de arte vienenses dos séculos XIX e XX (incluindo pinturas de Klimt), enquanto o palácio mais abaixo abriga exposições de peças góticas e barrocas. **ONDE:** Prinz-Eugen-Strasse. Tel. (43) 1-795-57-134; www.belvedere.at.

KUNSTHISTORISCHES MUSEUM – Um dos museus mais ricos do planeta, com peças do mundo antigo e originárias de toda a Europa, exibidas em galerias suntuosas. As coleções com obras de artistas italianos e flamengos merecem destaque, assim como a maior coleção do mundo de obras de Pieter Brueghel, o Velho. **ONDE:** Maria-Theresien-Platz. Tel. (43) 1-525-2401; www.khm.at.

IGREJA DE SÃO CARLOS (KARLSKIRCHE) – Uma das grandes construções de Viena, a Karlskirche foi erguida no início do século XVIII. Sua entrada é emoldurada por grandes colunas inspiradas na Coluna de Trajano, em Roma. Do alto é possível apreciar uma vista maravilhosa da cidade. **ONDE:** Karlsplatz.

CATEDRAL DE SANTO ESTÊVÃO (STEPHANSDOM) – Conservando sua atmosfera medieval apesar de séculos de restaurações e reconstruções, a Stephansdom, com suas altíssimas agulhas góticas, domina a silhueta formada pelas construções da cidade. Seu interior está repleto de monumentos, esculturas e pinturas. As visitas às catacumbas são realizadas regularmente de segunda a sábado. **ONDE:** Stephansplatz. Tel. (43) 1-515-52-3526; www.st.stephan.at (somente em alemão).

SCHLOSS SCHÖNBRUNN – Construído pelos Habsburgo entre 1696 e 1712, esse palácio de 1.441 aposentos (dos quais cerca de 40 podem ser visitados) é marcado por delicados retoques no estilo rococó que o distinguem do Hofburg, de aspecto mais austero. Aos seis anos, Mozart apresentou-se diante da imperatriz Maria Teresa nesse palácio, onde nasceu o imperador Francisco José. Os seus parques foram abertos ao público por volta de 1779, tornando-se logo uma popular área de lazer, com direito a um labirinto formado por sebes, réplicas de ruínas romanas, um jardim botânico e um zoológico. **ONDE:** Schönbrunner Schlossstrasse. Tel. (43) 1-81113-239; www.schoenbrunn.at.

OUTRAS ATRAÇÕES IMPERDÍVEIS

NATAL EM VIENA – Viena é Natal: branca com a neve, enfeitada com a decoração tradicional e animada por um espírito maravilhosamente não comercial. Há a missa do galo na Catedral de Santo Estêvão e a grande Christkindlmarkt, feira organizada pela prefeitura em que centenas de barraquinhas armadas ao ar livre vendem de tudo que tenha cheiro e sabor de Natal. Canções natalinas são interpretadas pelo Coro dos Meninos de Viena. O extravagante Kaiserball, baile realizado no Hofburg em comemoração ao Ano-Novo, coroa o período de festas.

MUSIKVEREIN – Uma das maiores salas de música do mundo, construída em 1867 no estilo barroco, possui uma acústica quase perfeita. É sede da Filarmônica de Viena, cujo Concerto Johann Strauss de Ano-Novo é transmitido para vários países. Os famosos Concertos Mozart de Viena são realizados ali e em outras salas da cidade (maio a outubro). **ONDE:** Bösendorferstrasse. Tel. (43) 1-505-8190; www.musikverein-wien.at.

STAATSOPER (ÓPERA ESTATAL DE VIENA) – Construído em 1887 para ser a ópera da corte imperial, o teatro lírico com sua cúpula verde está entre os melhores do mundo no gênero, oferecendo uma temporada incrivelmente extensa (setembro a junho) com uma programação tradicional: Verdi, Mozart e Strauss. **ONDE:** Opernring. Tel. (43) 1-514-44-2250; www.wiener-staatsoper.at.

ONDE FICAR

PALAIS SCHWARZENBERG – Erguido no início do século XVIII por uma família aristocrática cujos descendentes ainda ocupam aproximadamente metade dos aposentos, ele está instalado em meio a sete bucólicos hectares no centro de Viena e parece mais uma imponente propriedade rural do que um hotel urbano. Apesar das telas retratando os antepassados da família e de outras obras de arte (incluindo Renoirs e Gobelins), as áreas abertas ao público são acolhedoras e não pecam por excesso de peças. Os ambientes (e os chefs) do conceituado restaurante do hotel estão entre os mais admirados da cidade. **ONDE:** Schwarzenbergplatz. Tel. (43) 1-798-4515; www.palais-schwarzenberg.com. **QUANTO:** preço alto.

KÖNIG VON UNGARN – O mais antigo hotel de Viena, aninhado ao lado da Catedral de Santo Estêvão, vem recebendo hóspedes desde 1815. Simples e bem cuidado, com um adorável pátio interno, oferece uma agradável pausa diante da opulência ostentada pela cidade. **ONDE:** Schulerstrasse. Tel. (43) 1-515-840; www.kvu.at. **QUANTO:** preço moderado.

ONDE COMER E BEBER

DEMEL E SACHER'S – Funcionando desde 1887, DEMEL é um dos motivos pelos quais Viena é considerada a capital européia das confeitarias. Oferece mais de 60 variedades de doces em seus salões que, na sua perfeição, fazem lembrar uma caixinha de música. As tortas Anna, com seis camadas de chocolate, e a suculenta Sacher são consideradas especialidades da casa. Prove as delícias dali antes de se dirigir ao café do HOTEL SACHER para comparar – as duas casas insistem em dizer que possuem a receita original secreta da *Sacher torte*, se bem que a Demel costuma vencer a disputa. No entanto, o strudel da Sacher (*mit Schlagobers* – com creme batido) não tem rival à altura. **ONDE:** *Demel:* Kohlmarkt. Tel. (43) 1-533-5516. *Sacher's*: Philharmonikerstrasse. Tel. (43) 1-514-560.

HAWELKA CAFÉ – Livros inteiros já foram escritos sobre esse café clássico – e que não se envergonha da fumaça dos cigarros. Trata-se de um modelo por excelência desse tipo de casa na cidade que inventou a cultura européia dos cafés. Seu magnífico café é denso, amargo e fresco. **ONDE:** Dorotheergasse. Tel. (43) 1-512-8230; www.hawelka.com.

AS TABERNAS HEURIGER – Nessas tabernas ao ar livre, que pontilham os limites dos bosques de Viena, são consumidas vastas quantidades do vinho branco local, o Heurige, aparentemente inofensivo. Talvez isso explique a atmosfera descontraída e alegre, com muita música sentimental saindo de acordeões vienenses. Beethoven, em 1817, morava na MAYER AM PFARRPLATZ, hoje uma das mais procuradas tabernas desse tipo. **ONDE:** Heiligenstadt. Tel. (43) 1-370-3361; http://mayer.pfarrplatz.at.

STEIRERECK – O melhor restaurante da Áustria e berço da Nova Culinária Vienense, o Steirereck serve refeições com elegância e charme em meio a um cenário aristocrático. Peça uma mesa no mais aconchegante e romântico dos seus jardins de inverno, uma estufa repleta de plantas erguida junto a um dos muros externos. **ONDE:** Rasumofskygasse. Tel. (43) 1-713-3168.

ZU DEN DREI HUSAREN – Um verdadeiro monumento da antiga Viena em homenagem à sua própria escola de *haute cuisine* (alta culinária francesa). Os turistas adoram a casa, assim como os habitantes da cidade, que têm certeza de que, em suas mesas iluminadas por candelabros, serão mantidos os altos padrões que deram notoriedade ao restaurante. Aproveite para saborear o melhor da produção da Áustria à disposição na extensa carta de vinhos. **ONDE:** Weihburggasse. Tel. (43) 1-512-1092.

Refúgio glamouroso de imperadores romanos e de hedonistas modernos

Capri

Campânia, Itália

Essa ilha, uma jóia bruta recortada na baía de Nápoles, tem sido um local de veraneio disputado desde que o imperador romano Tibério fez dela a sede de seu governo em 26 d.C. Desde então, praticamente não há artista, estrela de cinema, estilista, diva, político, escritor, integrante da realeza nem milionário de peso que não tenha feito uma aparição na Piazzetta, descrita pelo compositor Noël Coward como "o mais belo palco de opereta do mundo". Um clima afrodisíaco, jardins mediterrâneos exuberantes e vistas lindíssimas das cidades de Capri e Anacapri, ambas livres de automóveis, garantem a reputação dessa ilha paradisíaca de 8km² em meio a águas cor de esmeralda.

O sol, o mar, bons vinhos e uma excelente comida se juntam de modo glorioso sob o teto de bambu no terraço do restaurante La Fontelina. É incomparável a vista dos três rochedos em formato de agulha que são a marca registrada de Capri – os *faraglioni* (o mais alto tem quase 120m de altura), a poucos minutos do disputado ponto onde se situa esse restaurante de ambiente descontraído. O La Fontelina também é um dos lugares mais freqüentados por clientes que desejam se banhar – ali eles podem se bronzear e nadar antes e depois de um almoço que provavelmente incluirá uma sangria, uma das especialidades da casa. A refeição pode ser uma simples *insalata caprese*, salada típica da ilha, preparada com queijo mussarela superfresco e tomates doces em fatias finas: com certeza, não vai se parecer com nada que tenham provado antes.

Deleite-se sob o sol no Hotel La Scalinatella.

Apesar da longa lista de famosos que freqüentam Capri, essa não é uma ilha da fantasia, e a simplicidade é valorizada ali. As afetações são mantidas sob controle no Hotel La Scalinatella, o refúgio por excelência de Capri. Irmão recatado do Hotel Quisisana, mais extravagante e pertencente à mesma família, o La Scalinatella faz questão de ser discreto, mas em muitos aspectos tem até mais estilo. Oferece um clima de luxo descontraído, característico de uma mansão particular.

Jante no Da Paolino e saboreie refeições que estão entre as mais deliciosas de Capri. Esse restaurante está instalado num exuberante bosque de limoeiros, onde frutos enormes pendem dos galhos sobre as mesas. Os limões foram adotados como tema da casa: em versões estilizadas, aparecem nos pratos e no uniforme dos garçons; nas travessas, eles mesmos enfeitam os peixes frescos que horas antes nadavam nas águas ao lado. A boa e simples *cucina caprese* é servida ali num ambiente festivo, antes da partida do último barco para Nápoles. Não retorne à cidade para a obrigatória caminhada pela Piazzetta sem antes provar a melhor sobremesa do Paolino: *sorbet* de limão preparado no próprio restaurante.

O QUE: ilha, hotel, restaurante. **CAPRI:** a 45 minutos de aerobarco de Nápoles, a 20 minutos de Sorrento. **LA FONTELINA:** a 10 minutos de barco partindo da Piccola Marina do outro lado da baía, onde os clientes são apanhados e deixados no píer. Também se pode chegar a esse restaurante com uma caminhada de 45 minutos saindo da Piazzetta. Tel. (39) 081-83-70-845. *Quanto*: almoço U$25. *Quando*: aberto da Páscoa–Out. **HOTEL LA SCALINATELLA:** Via Tragara, 8. Tel. (39) 081-83-70-633; fax (39) 081-83-78-291. *Quanto*: duplos com vista para o mar a partir de U$340 (baixa temporada), a partir de U$390 (alta temporada). *Quando*: aberto da Páscoa–Out. **DA PAOLINO:** Via Palazzo a Mare, 11. Tel. (39) 081-83-76-102; fax (39) 081-83-75-611; dapaolino@iol.it. *Quanto*: jantar U$35. *Quando:* aberto da Páscoa–Out. **MELHOR ÉPOCA:** evite o calor e as multidões de Ago.

Espólios de um império caído

MUSEU ARQUEOLÓGICO NACIONAL

Nápoles, Campânia, Itália

Se você já parou para imaginar onde foram parar todos os preciosos objetos e esculturas encontrados nas escavações de Herculano e Pompéia, fique sabendo que eles estão nesse museu. Uma das mais ricas coleções de antiguidades greco-romanas do mundo preenche esse amplo espaço que serviu de alojamento para regimentos de cavalaria no século XVI. Os objetos da família Farnese coletados pelo Papa Paulo III durante as escavações das ruínas de Roma estão à mostra no primeiro andar. Hércules está ali, com seus 3m de altura e uma anatomia que teria feito Michelangelo chorar. A seção dedicada aos mosaicos encontrados em Pompéia revela flagrantes fascinantes e íntimos da vida nessa fervilhante e sofisticada cidade antes de sua extinção pela erupção do Vesúvio em 79 d.C. Num clima de grande agitação, o Gabinetto Segreto (Galeria Secreta) do museu abriu as portas ao público em 1999. Abrigados em duas salas estão mais de 200 afrescos, mosaicos e esculturas cuja temática erótica explica por que nunca tinham sido exibidos antes.

O QUE: museu. **ONDE:** Piazza Museo Nazionale, 19. Tel. (39) 081-544-1494; fax (39) 081-544-0013; archeona@arti.beniculturali.it; www.archeona.arti.beniculturali.it. **QUANTO:** ingresso U$5,50. **QUANDO:** Qua.–Seg.

Cidade-fantasma de uma civilização desaparecida

POMPÉIA

Campânia, Itália

Não importa quanto tenhamos lido a respeito de Pompéia, nada nos prepara completamente para o impacto provocado por suas ruínas, que estão entre as mais famosas do mundo. É como se os antigos romanos tivessem partido ontem – as casas, as lojas de vinhos, os banhos públicos e os bordéis que eles deixaram para trás são como janelas pelas quais podemos entrever a vida que animava essa vibrante cidade portuária ao pé do monte Vesúvio nos tempos dos césares. No ano 79 d.C., uma das mais terríveis erupções vulcânicas da história – registrada por Plínio, o Jovem, que assistiu a tudo à distância – enterrou a cidade inteira sob mais de 6m de cinzas (e não de lava), o que a preservou até o século XVI, quando foi redescoberta. Apenas em meados do século XVIII começaram a ser feitas escavações em larga escala. Mesmo hoje, porém, dois terços de Pompéia (cerca de 24ha) permanecem soterrados. A opulência da cidade pode ser constatada no caráter intrincado dos mosaicos dos pisos e nos exuberantes afrescos que enfeitam as *villas* (casas), ainda que muitos dos objetos de arte tenham sido roubados há bastante tempo ou transportados, por questão de segurança, para o Museu Arqueológico Nacional, em Nápoles. Embora seja visitada por cerca de 1.000.000 de turistas por ano, Pompéia é grande o bastante para garantir alguns recantos tranqüilos e para provocar certa desorientação sem a ajuda de um guia. Áreas inteiras dessa cidade morta encontram-se fantasticamente intactas, uma lembrança sinistra de um lugar que parecia tão avançado e civilizado quanto tudo o que nos rodeia hoje em dia, ou até mais.

O QUE: lugar. **ONDE:** 24km a sudeste de Nápoles, 237km a sudeste de Roma; a 30 minutos de trem da principal estação de Nápoles. **QUANTO:** ingresso. **MELHOR ÉPOCA:** evite os fins de semana e as horas mais quentes das tardes de verão; fora da temporada há menos ônibus de turismo.

Uma estrada de sonho na Itália

COSTA DE AMALFI

Campânia, Itália

É difícil manter os olhos na estrada enquanto se desliza ao lado da paisagem de deslumbrante beleza ao longo da estrada de Amalfi, com 48km de curvas sinuosas ao sul de Nápoles. Depois de visitar a costa de Amalfi, André Gide registrou seu fascínio no livro *O imoralista:* "Nada mais maravilhoso pode ser visto nesta Terra." Penhascos se estendem de modo vertiginoso até um Mediterrâneo de um azul quase inverossímil, enquanto as encostas das cidades litorâneas se desdobram em terraços onde estão plantados limoeiros, oliveiras, carvalhos e pinheiros. Hoje com acesso mais fácil do que nos tempos em que só era alcançada por mar ou com montaria, a cidade de Positano continua a ser o supremo refúgio. Felizmente, ali a circulação de veículos é proibida. Casas de pescadores, caiadas e em tons pastel, descem a montanha como uma cascata através de um labirinto de vielas até desaguar numa praia coberta de guarda-sóis, a única faixa de terreno plano em toda a cidade.

É ali que Sergio, um belo rapaz bronzeado, busca os clientes para levá-los na lancha da sua família (uma embarcação marcada com um peixe vermelho) até o restaurante Da Adolfo, longe da lotada praia de Positano, depois do Hotel San Pietro, para que eles desfrutem de uma tarde em estado de graça, relaxando com toda a privacidade num trecho de praia mais reservado. Essa é a região que deu ao mundo o queijo *mozzarella di bufala*. Imagine o sabor divino dessa iguaria quando grelhada sobre uma folha perfumada de um limoeiro local e servida sob o sol napolitano. As coisas melhoram ainda mais com a sofisticada simplicidade de um espaguete preparado com molho de vôngoles e mexilhões. Metade da diversão está em chegar ao Da Adolfo. Ficar espreguiçando-se ao sol naquele torpor após o almoço prolonga o prazer proporcionado pelo passeio. Uma boa idéia é arrastar para a areia uma cadeira de praia reclinável e uma barraca e pedir um *limoncello* bem gelado, feito com os maravilhosos limões locais, enormes e doces. Isso já é o suficiente para que qualquer pessoa se esqueça de pegar a próxima lancha de volta à cidade.

É difícil acreditar que a pequenina e pitoresca Amalfi tenha sido o centro da mais antiga e uma das mais poderosas repúblicas marítimas da Itália. Já no início do século IX, esse microporto na entrada de um grande desfiladeiro dominava o comércio com o Oriente, o que explica tanto a influência mourisca quanto a importância do domo da cidade, a Catedral de Sant'Andrea. Planejada e construída no auge do período da independência dessa república, ela fica no topo de uma escadaria íngreme. O interior barroco é guardado por portas de bronze fundidas no

A costa de Amalfi vista de um jardim numa de suas encostas.

século XI em Constantinopla. O Chiostro del Paradiso, do século XIII, é um mosteiro encantador, de linhas mouriscas e bizantinas, cuja inebriante atmosfera de fantasia árabe inspirou, no passado, o estilo da arquitetura da cidade e de todo o litoral. Aproveite a estada em Amalfi ou em qualquer uma das cidades vizinhas ao longo dessa costa quando elas não estiverem cercadas por caravanas de ônibus de turismo. Assim você poderá saborear melhor a influência do Oriente Médio que ainda se faz sentir na região.

O QUE: experiência, restaurante, cidade, lugar. **ESTRADA DE AMALFI:** alugue um carro em Salerno (27km a leste de Positano), Nápoles (56km ao norte) ou Roma (280km ao norte). Ônibus também costumam sair dessas cidades para Positano em horários fixos. *Melhor época*: Mai. e Set., quando o clima é ameno e os hotéis estão menos lotados. **Da Adolfo:** Spiaggetta di Laurito, percurso de 10 minutos para ir ou voltar na lancha que sai do cais principal a cada 30 minutos – partidas de 10h às 13h; retornos de 16h às 19h. Tel. (39) 089-87-50-22. *Quanto*: almoço U$20. **Amalfi:** 18km a leste de Positano, 61km a sudeste de Nápoles. *Melhor época*: a Festa de Sant'Andrea, o padroeiro da cidade e também dos pescadores, é comemorada em 27 de Jun. e 30 de Nov. **Catedral de Sant'Andrea:** na Piazza Duomo.

Fortalezas de elegância e luxo

Hotéis de Positano

Campânia, Itália

Em 1953, John Steinbeck descreveu o Hotel le Sirenuse como "um lugar de sonho... quase irreal " – e assim ele continua a ser nos dias de hoje, acima das casas de Positano e de seus terraços em meio a fúcsias, buganvílias e madressilvas. As trepadeiras sobem por toda parte, e o piso do hotel é de ladrilhos pintados à mão. Uma coletânea de antiguidades bem escolhidas e variadas dá o toque final à personalidade elegante porém aconchegante do Le Sirenuse. Administrado por uma família que no passado usava o local como casa de veraneio, ele tem algo de acolhedor que o diferencia dos demais hotéis da área. Outros toques especiais são dados pela piscina de uma raia só – com uma vista incrível –, assim como pelo pequeno spa e ginásio projetados pelo arquiteto milanês Gae Aulenti. O nome dessa construção do século XVIII, pintada na cor vermelha, vem das sereias da *Odisséia*, de Homero. Essas sedutoras criaturas femininas habitariam as pequenas ilhas Li Galli, que podem ser vistas dos terraços dos quartos.

Ligeiramente a leste da cidade, uma pequenina capela do século XVII na margem da fabulosa estrada ao longo da encosta marca discretamente a presença do antigo e amistoso rival do Hotel le Sirenuse, o San Pietro. Com vários andares, essa construção foi praticamente escavada no vão do íngreme penhasco abaixo, o que lhe deu uma das localizações mais espetaculares entre todos os hotéis do mundo: uma vitória da engenhosidade humana e uma autêntica extravagância. Um elevador, cujo poço foi cavado em plena rocha, leva ao arejado saguão lá embaixo, aos quartos com terraço e, mais além, à praia formada por uma reentrância dos rochedos, onde os hóspedes nadam, tomam sol e até jogam tênis. Os que não são hóspedes podem passar uma tarde no restaurante coberto de buganvílias, 90m acima do mar Tirreno, aberto às brisas, mas protegido do sol. Ao cair da tarde, vale a pena saborear um drinque no terraço azulejado: a vista acima e abaixo do contorno da costa é de tirar o fôlego.

O Que: hotel. **Onde:** Positano fica 56km a sudeste de Nápoles, 265km a sudeste de Roma. **Hotel le Sirenuse:** Via Cristoforo Colombo. Tel. (39) 089-87-50-66; fax (39) 089-81-17-98; info@sirenuse.it; www.sirenuse.it. *Quanto*: duplos a partir de U$360. **Hotel San Pietro:** Via Laurito, 2 (2km a leste de Positano). Tel. (39) 089-87-54-55; fax (39) 089-81-14-49; www.ilsanpietro.it. *Quanto:* todos os quartos duplos têm varanda e vista para o mar, a partir de U$382. Almoço U$50. *Quando*: aberto Abr.–Out. **Melhor Época:** Abr.–Mai. e Set.–Out.

Aonde os poetas vão para morrer

RAVELLO

Campânia, Itália

Situada 330m acima da cidade costeira de Amalfi, Ravello, costumam dizer, está mais perto do céu do que do mar. Dois jardins encantadoramente românticos – a Villa Rufolo e a Villa Cimbrone – justificam sua reputação: o lugar "aonde os poetas vão para morrer". Os hóspedes do hotel Palazzo Sasso, de linhas mouriscas, podem desfrutar de uma vista arrebatadora do mar profundamente azul lá embaixo. Construído no século XII e hoje transformado num hotel de luxo, o Palazzo Sasso destaca-se por essa vista, que é seu principal trunfo. Richard Wagner foi inspirado por ela quando compôs, em 1880, parte do *Parsifal* durante sua estada ali. (A cada verão um festival Wagner de música clássica é realizado nos jardins da Villa Rufolo.) A face leste desse ninho encravado nas alturas dá para as cinematográficas montanhas Lattari e suas encostas de grande beleza natural que conduzem a Salerno, preenchendo os quartos e os corações dos hóspedes com o calor do sol e um clima de romance. Uma reforma recente modernizou as instalações do hotel, transformando-o num esconderijo moderno, mas deixando intacta a aura dessa estrutura medieval. Três hectares e meio de terraços plantados com buganvílias, rosas e mimosas desdobram-se abaixo desse palácio cor-de-rosa, embora algumas vezes eles passem despercebidos pelos que se deixam hipnotizar pela combinação do céu azul-cobalto com o mar mais adiante.

O deque do Palazzo Sasso com suas pequenas piscinas.

Siga o aroma do borbulhante molho de tomate com carneiro assado que irá levá-lo até Cumpà Cosimo, a melhor trattoria da cidade. Muitos estrangeiros, quando se referem à boa e saborosa cozinha italiana, estão na verdade pensando na culinária napolitana, e é isso o que se encontra ali. Ingredientes cultivados nos ricos solos vulcânicos dos arredores de Nápoles, vinhos legítimos e as mãos hábeis de Netta Bottone (filha do fundador da casa, Cosimo) tornam qualquer refeição uma experiência deliciosa. Normalmente o restaurante oferece uma maratona composta de sete tipos de massa. Os turistas que fazem um passeio de um só dia não costumam ficar em Ravello para jantar, deixando a trattoria para a população local, que aprecia as ótimas pizzas e o clima hospitaleiro a preços baixos.

O QUE: cidade, hotel, evento, restaurante. **RAVELLO:** a 5km de Amalfi, 26km a oeste de Salerno. **PALAZZO SASSO:** Via San Giovanni del Toro, 28. Tel. (39) 089-81-81; fax (39) 089-85-89-00; info@palazzosasso.com; www.palazzosasso.com. *Quanto*: duplos com vista para o mar a partir de U$352 (baixa temporada), a partir de U$441 (alta temporada). *Quando*: aberto Mar.–Dez. **FESTIVAL WAGNER:** tel. (39) 089-85-81-49; fax (39) 089-85-82-49; info@res.amalfi.coast.it; www.ravelloarts.org. *Quando*: Mar.–Out., principais concertos Jun.–Ago. *Quanto*: ingressos a partir de U$18. **CUMPÀ COSIMO:** Via Roma, 42. Tel. (39) 089-85-71-56. *Quanto*: jantar U$25. *Quando*: aberto diariamente para almoço e jantar.

Um magnífico hotel e um restaurante sem igual

O Melhor de Sorrento

Campânia, Itália

Em meio à névoa, o perfil do monte Vesúvio recortado contra o céu domina a vista a partir dos terraços do Grand Hotel Excelsior Vittoria. Com mosaicos desenhados no chão, escadas de mármore, pequenas palmeiras, querubins pintados à mão e sublimes interiores decorados com delicados afrescos art nouveau, o hotel proporciona aos hóspedes um mergulho num ambiente de luxo igual ao que os romanos desfrutavam na antiga Sorrento. Acredita-se que as ruínas encontradas sob essa construção pertenceram a uma *villa* (casa) do imperador Augusto. O espírito suntuoso da Belle Époque sobrevive no mais imponente dos hotéis do século XIX de Sorrento. Dois hectares de jardins perfumados pelo aroma dos limoeiros e um serviço de primeira linha criam um oásis para os que chegam ali – seja num navio de cruzeiro, seja num ônibus de turismo – para relaxar um pouco a caminho de Pompéia. A atmosfera antiquada faz lembrar os viajantes ingleses para os quais o hotel foi construído no alto de um penhasco de 45m de altura, na época em que Sorrento ainda era um pequeno e agradável refúgio favorecido pelos invernos amenos. Se Luciano Pavarotti nunca deixa de se comover ao interpretar *Torna a Surriento* (Volta a Sorrento), é porque ele costuma se hospedar ali. Reserve a Suíte Caruso para obter o mesmo tipo de inspiração: ela foi ocupada pelo grande tenor Enrico Caruso durante suas férias em 1921, pouco antes de morrer.

Num país obcecado por comida, onde cautelosos críticos de gastronomia relutam em distribuir elogios, Don Alfonso 1890 há muito consolidou sua reputação de melhor restaurante do sul da Itália. Sua localização torna a experiência ainda mais intensa: ele está situado entre os fulgurantes golfos de Nápoles e Salerno. A clientela – sempre fiel – não hesita em dirigir desde Nápoles ou de Bari só para almoçar ali. Alfonso Iaccarino e sua mulher, Livia, demonstram um obstinado compromisso com a qualidade dos ingredientes e com as verduras e os legumes da região. Grande parte do que é usado no cardápio sai diretamente da sua fazenda de 4ha, que fica de frente para a ilha de Capri, incluindo o azeite produzido por eles, classificado como um dos melhores do mundo. Mas a

O Grand Hotel Excelsior Vittoria é cercado de bosques de laranjeiras e limoeiros.

culinária do Don Alfonso 1890 está longe de ser a de uma cozinha rural e rústica: essencialmente mediterrânea, ela surpreende com deliciosos e inusitados toques orientais, tudo servido num ambiente elegante e sofisticado. A célebre adega do restaurante – três câmaras escavadas na rocha vulcânica no tempo da Roma antiga – abriga 30.000 garrafas de vinho.

O Que: hotel, restaurante. **Grand Hotel Excelsior Vittoria:** Piazza T. Tasso, 34 (Sorrento fica 50km a sudeste de Nápoles na península de Amalfi). Tel. (39) 081-807-10-44;

fax (39) 081-807-25-00; exvitt@exvitt.it. *Quanto*: duplos com vista para o mar a partir de U$256; Suíte Caruso U$700. **Don Alfonso 1890:** 8km acima de Sorrento, em Sant'Agata Sui Due Golfi. Tel. (39) 081-878-00-26; fax (39) 081-533-02-26; donalfonso@syrene.it. *Quanto*: jantar – cardápio-degustação U$90, à la carte U$58. **Melhor Época:** Abr. e Out.

Onde a comida é uma magnífica obsessão

O Quadrilátero

Bolonha, Emilia-Romana, Itália

Ocupar a posição de maior centro culinário de um país onde a comida é extremamente valorizada exige uma grande responsabilidade. Bologna la Grassa (Bolonha, a gorda) há séculos vem desempenhando esse papel com muito orgulho e autoconfiança. A maior parte das viagens a essa cidade medieval é feita com um olho nos prazeres gastronômicos. Por isso, vá direto ao Quadrilátero. Essa conhecida área reservada aos encantos da comida fica no interior de um labirinto. Com suas ruas estreitas, onde lojas por trás de pórticos e arcadas são administradas por grupos familiares, ela é o mais antigo e bem preservado bairro da cidade. Bolonha é o berço da salsicha de mortadela, do *tortellini* recheado de carne e do maravilhosamente encorpado *ragú alla bolognese*. A popular preocupação em consumir o que há de melhor em termos de comida torna-se uma diversão em meio a alguns dos ambientes arquitetônicos historicamente mais importantes da Itália. Tanto os famintos quanto os apenas curiosos se sentem no paraíso no Tamburini, o mais exuberante empório do país, que oferece uma espantosa variedade de massas, carnes, saladas e outros alimentos artisticamente preparados e embalados. Uma visita a esse estabelecimento representa uma experiência mais cultural do que comercial, contudo ninguém que tenha os sentidos da visão, do olfato e do paladar perfeitos conseguirá sair da loja de mãos vazias. O acréscimo recente de um bistrô self-service foi um presente dos deuses.

O Que: cidade, lugar. **Bolonha:** 106km ao norte de Florença, 210km a sudeste de Milão. **O Quadrilátero:** a leste da Piazza Maggiore. **Tamburini:** Via Capraie, 1. Tel. (39) 051-23-47-26; fax (39) 051-23-22-26; tambinfo@tin.it; www.tamburini.com. **Quando:** a maior parte das lojas de comida fecha Qui. à tarde e Dom.

Uma cidade que prima pela arte e pelo requinte

Piazza del Duomo

Parma, Emilia-Romana, Itália

Ainda que geralmente identificada como o berço de Arturo Toscanini e do queijo parmesão, Parma oferece muito mais do que isso, o que pode ser confirmado por uma simples visita à Piazza del Duomo, um dos centros urbanos mais lindos da Itália. O formidável Battistero (Batistério) octogonal foi erguido com mármore de tom rosa-veronese e adornado com grinaldas em relevo pelo escultor e arquiteto local Benedetto Antelami (1150-1230). Grande parte da fama desse artista se deve a obras encontradas no interior do Batistério, um dos mais primorosos exemplos de arquitetura românica encontrados no norte da Itália. No Duomo, logo ao lado, o ponto alto da visita é, literalmente, olhar em direção à cúpula restaurada dessa catedral do século XII, onde está a obra *Assunção da Virgem* (1522-1530), de Antonio Correggio. Um mestre da luz e da cor, o "divino" Correggio foi um dos maiores nomes da alta Renascença italiana, ainda que os círculos concêntricos dos personagens da pintura tenham sido descritos pelo bispo que encomendou o trabalho como "uma barafunda de pernas de sapos". Parma é uma das cidades mais prósperas da Itália, e uma sensação de bem-estar perdura ali desde os dias de esplendor que marcaram essa localidade na época em que ela foi a sede do governo dos duques da família Farnese, de meados do século XVI até o início do século XVIII.

O Que: cidade, lugar. **Parma:** 97km a noroeste de Bolonha, 121km a sudeste de Milão. **Piazza del Duomo:** centro da cidade. *Quanto*: ingresso exigido apenas para entrar no Batistério.

Antiga capital ocidental do Império Bizantino

RAVENNA

Emilia-Romana, Itália

Ravenna abriga os mais célebres mosaicos da arte ocidental. Os fantásticos mosaicos bizantinos dos séculos V a VII são uma fascinante lembrança do seu passado e da sua condição de última capital do Império Romano do Ocidente após a queda de Roma no século V. Ela é hoje uma cidade bastante tranqüila, aparentando uma estudada indiferença em relação aos incomparáveis tesouros artísticos que se acumulam em seus museus e igrejas. Para os amantes da arte, isso significa que o terreno está livre de multidões e filas, e suas visitas serão marcadas por um ritmo lento e prazeroso, autêntico, num lugar onde o turismo é um fenômeno quase secundário. Os edifícios de tijolos vermelhos da cidade são despretensiosos, contrastando com o brilho e a sofisticação dos mosaicos que cobrem seus interiores. Pequenos fragmentos de vidro, mármore colorido e pedras semipreciosas foram cuidadosamente cortados para se ajustar ao projeto de desenhos de proporções épicas. Há seis lugares onde é possível apreciar essas tapeçarias de mosaicos encomendadas por governantes bizantinos de Ravenna para suplantar as cidades rivais. O mais visitado deles, no entanto, é o duo do século VI formado pelo Túmulo de Gallia Placidia e a adjacente Basilica di San Vitale, que muitos consideram a maior realização da arte bizantina em todo o mundo.

O Que: cidade, lugar. **Ravenna:** 74km a leste de Bolonha, 145km ao sul de Veneza. **Basilica di San Vitale:** Via San Vitale. O Túmulo de Gallia Placidia situa-se logo atrás da basílica. *Quanto*: o ingresso vale para os 2 monumentos. **Melhor Época:** um conceituado festival de música é realizado todos os anos de fim de Jun.–fim de Jul.

"Roma nos saúda quando chegamos e se esquece de nós quando partimos." — Federico Fellini

Roma

Lácio, Itália

Uma república foi proclamada em Roma no ano 509 a.C. Desde então, todos os caminhos conduzem até ela. Uma cidade de pessoas eternamente ocupadas, mas que sabem aproveitar a vida, Roma consegue conciliar o ritmo de uma metrópole com o calor humano típico de uma pequena localidade provinciana.

As 10 Maiores Atrações

Basílica de Santa Maria Maggiore – Uma das quatro grandes basílicas de Roma, construída no século V, foi restaurada e ampliada entre os séculos XII e XVIII. Seus magníficos mosaicos do século V estão entre os mais antigos e belos da cidade. Dizem que seu teto do século XV foi folheado com os primeiros carregamentos de ouro que chegaram do Novo Mundo, um presente da monarquia espanhola. **Onde:** Piazza di Santa Maria Maggiore. Tel. (39) 06-446-5836.

Galeria Borghese – Iniciada pelo cardeal Scipione Borghese no século XVII, a coleção dessa galeria inclui obras famosas, como *O amor sagrado e o amor profano*, de Ticiano; *A deposição*, de Rafael; *Apolo e Dafne*, de Bernini; *Davi com a cabeça de Golias*, de Caravaggio, entre muitas outras. **Onde:** Piazzale Scipione Borghese. Tel. (39) 06-32810; www.galleriaborghese.it. É necessário fazer reserva.

O Coliseu – Essa construção, que tinha capacidade para abrigar até 50.000 pessoas, começou a ser erguida em 72 d.C. por Vespasiano e foi inaugurada em 80 d.C. por seu filho, Tito. O lazer costumava ser proporcionado por combates – entre homens, entre animais, entre homens e animais e até entre embarcações, pois a arena podia ser inundada. Séculos de abandono e saques transformaram-no numa casca, basicamente sem piso nem assentos. No entanto, ainda assim é uma casca e tanto, com três fileiras de colunas – dóricas, jônicas e coríntias. Projetos de restauração arrastam-se eternamente. **Onde:** Piazzale del Colosseo, Via dei Fori Imperiali. Tel. (39) 06-700-4261.

O Coliseu é, há séculos, o ícone dos tempos de glória de Roma.

Museu Etrusco da Villa Giulia – Essa elegante *villa* (casa) rural construída para o Papa Júlio III abriga 35 aposentos com a maior e melhor coleção de esculturas, vasos, sarcófagos e jóias dos antigos etruscos. Sabe-se muito pouco a respeito desse povo cujo império antecedeu o dos romanos. **Onde:** Piazzale di Villa Giulia. Tel. (39) 06-320-1951.

O Panteão foi erguido em honra aos antigos deuses romanos.

PIAZZA DEL CAMPIDOGLIO E OS MUSEUS CAPITOLINOS – Projetada por Michelangelo na década de 1550, a Piazza del Campidoglio é uma das praças mais elegantes de Roma, abrigando em dois prédios um de seus maiores museus, inaugurado pelo Papa Clemente em 1734. Sua coleção inclui esculturas da Roma antiga e pinturas renascentistas, entre elas várias obras de Tintoretto e Guido Reni. A estátua da loba amamentando Rômulo e Remo encontra-se ali, assim como a estátua do imperador Marco Aurélio montado a cavalo, anteriormente instalada no centro da praça. A poluição fez com que ela fosse transferida para dentro, mas uma réplica ainda está à mostra do lado de fora. **ONDE:** Piazza del Campidoglio. Tel. (39) 06-399-67800 e (39) 06- 671-02475; www.museicapitolini.org.

O PANTEÃO – Erguido em 27 a.C. por Marcos Agripa e reconstruído por Adriano no início do século 2 d.C., o Panteão é a mais completa estrutura remanescente do Império Romano. Ele também permanece como uma das maiores maravilhas arquitetônicas desse império: o diâmetro de sua cúpula é exatamente igual à sua altura, e sua sustentação é feita por colunas ocultas nas paredes. Nele se encontra o túmulo do pintor Rafael. **ONDE:** Piazza della Rotonda. Tel. (39) 06-6830-0230.

FÓRUM ROMANO E FÓRUM IMPERIAL – Centro da vida romana nos tempos da República, o Fórum Romano era uma pedreira e um pasto antes do início das escavações no século XIX. Somente com a ajuda de um mapa e de um guia é possível dar algum sentido às ruínas, que incluem vários templos; o Umbilicus Urbus, considerado o centro de Roma (e, por extensão, do Império); a Cúria, o principal assento do Senado romano; e a Casa das Virgens Vestais, lar das jovens que guardavam o fogo sagrado do Templo de Vesta. Júlio César começou a construir o Fórum Imperial como uma afirmação do poder dos imperadores. É possível ver esse fórum, que já serviu de sede para a Bolsa de Valores de Roma; o Fórum de Augusto, erguido para comemorar a derrota dos assassinos de César; a famosa Coluna de Trajano e muito mais. **ONDE:** Via dei Fori Imperiali. Tel. (39) 06-699-0110; www.capitolium.org.

ESCADARIA ESPANHOLA – Projetados por Francesco de Sanctis e construídos entre 1723 e 1725, esses largos degraus ascendem em três majestosas fileiras desde a movimentada Piazza di Spagna até à igreja francesa Trinità dei Monti, um dos monumentos mais marcantes da cidade e um ótimo lugar para se assistir ao pôr-do-sol, com vista para as sete colinas de Roma. A escadaria deve seu nome à embaixada da Espanha, que, no século XIX, ocupava um palácio nas proximidades. A fonte em forma de barco na *piazza* foi projetada no final do século XVI por Bernini ou por seu pai (o júri ainda está deliberando). A casa onde viveu e morreu o poeta inglês John Keats fica ao lado da escadaria. **ONDE:** Piazza di Spagna.

FONTANA DI TREVI – Projetada por Nicolo Salvi e concluída em 1762, a fonte barroca mostra Netuno de pé numa carruagem puxada por corcéis alados. **ONDE:** Piazza di Trevi. (Ver também HOTEL FONTANA, página 156.)

CIDADE DO VATICANO – O acesso mais conhecido à Cidade do Vaticano, o menor Estado independente do mundo, é pela Praça de São Pedro, cercada pelas colunas dispostas em elipse e encimadas por cerca de 140 santos. À frente está a fachada da Basílica de São Pedro, o centro mundial do catolicismo. Ali ficava o Circo de Nero, onde São Pedro foi crucificado. Em 324, o imperador Constantino ordenou que nesse lugar fosse erguida uma basílica em honra ao santo. A estrutura atual data dos séculos XVI e XVII e contém esculturas magníficas, a cúpula projetada por Michelangelo, assim como sua *Pietà*, além de muitas outras atrações que atendem plenamente às expectativas que o local desperta. Ao norte da praça, os museus do Vaticano (tel. (39) 06-6988-4341; www.vatican.va) abrigam uma das maiores coleções de arte do mundo, com peças que datam da Antiguidade à Renascença, incluindo as *stanze* de Rafael (várias salas contendo muitas das obras-primas do artista), distribuídas por um labirinto de palácios e galerias. A maior jóia da coleção é a famosa Capela Sistina, cujo teto foi pintado entre 1508 e 1512 por Michelangelo (ver CAPELA SISTINA na página **157**).

OUTRAS ATRAÇÕES IMPERDÍVEIS

BOCCA DELLA VERITÀ – Reviva a cena do clássico dos anos 1950 com Audrey Hepburn, *A princesa e o plebeu*: vá até o átrio da Igreja de Santa Maria e coloque a mão dentro da Boca da Verdade – segundo a lenda, se alguém puser a mão ali e contar uma mentira, será mordido pela boca. Cuidado com o que vai dizer! **ONDE:** Piazza della Bocca della Verità.

FEIRA DO CAMPO DEI FIORI – Um dos grandes mercados ao ar livre da Itália, funciona diariamente oferecendo aos turistas o espetáculo da extroversão típica dos italianos na sua forma mais espontânea e teatral. Protegidas do sol pelos *ombrelloni*, as barracas exibem produtos frescos – venha antes das 9h ou os chefs dos restaurantes da cidade terão levado o que há de melhor. Depois que a última barraca desaparece, ainda é possível apreciar a vida cotidiana dos romanos na sua expressão mais autêntica. Os clientes do popular bar La Vineria espalham-se pela praça, com copos de vinho na mão, para discutir o último escândalo político ou o resultado do futebol.

OSTIA ANTICA – Tão sugestiva quanto Pompéia e duas vezes mais bem preservada, a melhor das atrações secretas de Roma pode ser alcançada até de metrô. Escavações no antigo porto de Roma revelaram muito da distante história do Império Romano. **ONDE:** Viale dei Romagnoli, Ostia Antica (25km a sudoeste de Roma). Tel. (39) 06-5635-8099.

PIAZZA NAVONA – O melhor da vida noturna da Cidade Eterna encontra-se ali. Num clima ameno, é possível sentar-se na calçada em frente ao café Tre Scalini para assistir ao desfile dos pedestres e provar uma iguaria especial, o *tartufo*, uma rica mistura de chocolate que deve seu nome à semelhança que tem com um tipo de trufa. Tendo ao fundo a barroca *Fonte dos quatro rios*, de Bernini, o visitante aprecia a passagem de uma série de personagens fellinianos – um elenco em que se misturam, por exemplo, estudantes alemães, casais aposentados da Flórida e moradores de Roma de todos os tipos e tendências imagináveis.

VIA CONDOTTI – A Via Condotti e sua rede de ruas próximas ao pé da Escadaria Espanhola oferecem opções de compras em lojas ultrasofisticadas, além de serem a passarela ideal para o ritual da *passeggiata* (passeio a pé) do final da tarde. É nessa área livre de automóveis e com uma atmosfera interessante que está situado o mais antigo café de Roma, o Caffè Greco, um estabelecimento mais do que centenário, onde figuras célebres, como Casanova, Goethe e Lord Byron, pararam para um cafezinho.

ONDE FICAR

GRAND HOTEL – Fechado durante anos enquanto era restaurado para recuperar sua glória original, o Grand Hotel, construído em 1894, foi o primeiro hotel do mundo a dispor de luz elétrica. Como é de se esperar de uma construção do século XIX, seu interior é ricamente ornamentado – a decoração dos quartos exibe uma combinação dos estilos Império, Regência e Luís XV. Mesmo que você não se hospede ali, vale a pena tomar um chá ou um drinque no bar, um lugar ideal para ver e ser visto. **ONDE:** Via Vittorio Emanuele Orlando (perto da estação ferroviária, da Escadaria Espanhola e da Fontana di Trevi). Tel. (39) 06-47091; www.starwood italy.com. **QUANTO:** o preço da diária é alto.

INGHILTERRA – O melhor dos hotéis-butique, o Inghilterra, que tem uma localização central, era um dos favoritos muito antes de as lojas Valentino e Gucci começarem a brotar à sua volta. Ali ainda se encontram a amabilidade e o charme dos velhos tempos. Além disso, quem se hospeda em uma das suítes do último andar saboreia um café da manhã inesquecível com uma bela vista num terraço florido. **ONDE:** Via Bocca di Leone (próximo à Escadaria Espanhola). Tel. (39) 06-69-981; www.charming hotels.it/inghilterra. **QUANTO:** preço alto.

HOTEL FONTANA – O nome é uma referência à Fontana di Trevi (onde Anita Ekberg mergulhou em *A doce vida*). Alguns dos quartos da frente são tão próximos dessa fonte que seria possível pular das janelas para dentro dela. Mas você não precisa chegar a tanto: basta jogar três moedas na água para garantir a sua volta um dia. A vista dali é inebriante, especialmente após o anoitecer, quando essa exuberante obra de arte é iluminada em toda a sua grandiosidade barroca. **ONDE:** Piazza di Trevi. Tel. (39) 06-678-6113. **QUANTO:** preço moderado.

ONDE COMER E BEBER

CAFFÈ SANT'EUSTACHIO – Sempre lotado de clientes romanos em busca do melhor *espresso* – eles dizem que o segredo do café servido ali está na água. Oferece também o melhor cappuccino da cidade – jamais pedido depois das 11h, a não ser por estrangeiros desinformados. **ONDE:** Piazza Sant'Eustachio. Tel. (39) 06-861309.

DA CHECCO ER CARRETTIERE – Uma das últimas trattorias clássicas de Roma. Entre os grandes prazeres de uma caminhada pelo antigo bairro boêmio do Trastevere, atualmente prestes a ser tomado pela elite, está conseguir uma das cobiçadas mesas ao ar livre do Da Checco e saborear um dos deliciosos *antipasti* da casa. **ONDE:** Via Benedetta. Tel. (39) 06-581-7018.

DA FORTUNATO AL PANTHEON – Há décadas essa casa é uma das favoritas da população local. Os pratos da culinária romana simples e bem elaborada são servidos por garçons de paletó e gravata-borboleta a uma vasta clientela endinheirada. Horas e horas são gastas em conversas diante de algumas das melhores refeições servidas na cidade – será que ninguém trabalha em Roma? **ONDE:** Via del Pantheon. Tel. (39) 06-679-2788.

DER PALLARO – Típico, autêntico, simples e situado na pitoresca vizinhança do Campo dei Fiori – quem consegue não gostar desse lugar? As flores são de plástico e não há propriamente um cardápio: a refeição de quatro pratos que a *Signora* Paola por acaso estiver preparando na cozinha naquele dia acabará chegando à sua frente. (Tente obter uma mesa ao ar livre.) **ONDE:** Largo del Pallaro. Tel. (39) 06-6880-1488.

GIOLITTI – É a mais antiga *gelateria* da cidade, portanto dificilmente você estará sozinho na fila para saborear alguns dos seus mais de 50 sabores de sorvete artesanal. Onde mais você encontraria sorvete de champanhe? Escolha uma mesa e peça o acintosamente grande Copa Olimpico, uma amostra de quase todos os sabores oferecidos pela casa. **ONDE:** Via Uffici del Vicario. Tel. (39) 06-699-1243.

LA ROSETTA – Pequeno e chique. Grande parte dos frutos do mar frescos consumidos ali chegam diariamente da Sicília, terra natal do talentoso chef da casa. É caro, mas vale a pena. O La Rosetta é hoje uma instituição querida pela cidade. Conta com muitos clientes fiéis entre a população de Roma e também entre os visitantes regulares da capital italiana. **ONDE:** Via della Rosetta. Tel. (39) 06-686-1002.

TRIMANI WINE BAR – Uma casa com paredes cobertas com painéis de madeira e administrada por uma família, o Trimani está instalado nas imediações da estação ferroviária. Refeições simples mas sofisticadas servem de complemento perfeito para dezenas de excelentes vinhos – a maioria italianos – servidos na taça. A seleção é ainda mais apurada na enoteca da família Trimani logo na esquina. **ONDE:** Via Cernaia. Tel. (39) 06-446-9661; www.trimani.com.

O teto mais famoso do mundo

CAPELA SISTINA

Roma, Lácio, Itália

Os afrescos que cobrem o teto e as paredes da Capela Sistina têm algo de hipnótico e estão entre as maiores realizações da civilização ocidental. Os historiadores sempre souberam que Michelangelo também era um mestre da pintura (ainda que, depois do sucesso da sua escultura *Davi*, ele só pintasse esporadicamente, até ser contratado pelo Papa Júlio para decorar a Sistina), mas a maior revelação proporcionada por essa restauração que exigiu 14 anos – a mais polêmica de que se tem notícia – foi o surpreendente uso que ele fez da luz e das cores fortes. Essas características foram drasticamente embotadas por séculos de poeira, sujeira, incenso e pela fumaça das velas. Apesar de ter começado a pintar apoiado por uma equipe de assistentes e aprendizes, Michelangelo despediu todos antes de trabalhar sozinho durante quatro anos até, em 1512, mostrar sua obra a um Papa e a um público boquiabertos. Depois que uma equipe internacional concluiu a restauração desse trabalho magnífico que descreve cenas bíblicas (a criação de Adão é o foco central da pintura), ela voltou sua atenção para a parede atrás do altar principal, na qual o artista pintou o igualmente poderoso *Juízo Final*. Sua conclusão, em 1541, deixou o Papa Pio III de joelhos. Embora Michelangelo costume ser associado a Florença, sua cidade natal (onde sua obra está representada pela escultura *Davi* e pelas Capelas Medici), ele também marcou fortemente sua presença na Cidade Eterna. Com toda a razão, a Capela Sistina está no topo da lista de prioridades de qualquer turista, mas ninguém deve se esquecer de que a *Pietà*, na Basílica de São Pedro, confirma sua genialidade no campo da escultura, enquanto a elegante Piazza del Campidoglio atesta seu talento natural como arquiteto e planejador urbano: uma das praças mais copiadas do mundo (reinterpretada no Lincoln Center de Nova York), ela foi preservada em sua essência exatamente como ele a projetou.

O QUE: lugar. **ONDE:** é parte dos Museus do Vaticano, na Cidade do Vaticano, Viale Vaticano. Tel. (39) 06-69-88-33-33. Para visitas guiadas, reservas pela Il Sogno; tel. (39) 06-8530-1758; fax (39) 06-8530-1756; il sogno@romeguide.it. **QUANTO:** ingresso U$9, visita guiada U$14. **QUANDO:** aberta diariamente, exceto nos primeiros 3 Dom. do mês. **MELHOR ÉPOCA:** está sempre lotada; chegue cedo, antes da abertura às 8h45.

Uma trilha pela encosta com fantásticas vistas para o mar

CINQUETERRE

Ligúria, Itália

Conhecidas conjuntamente como as Cinco Terras, escondidas em pequenas enseadas ao longo da costa escarpada da Riviera da Ligúria, as Cinqueterre eram no passado ignoradas por quem não era da região. Recentemente ligados por uma estrada ao resto da Itália e também entre eles, esses cinco vilarejos mostram um Mediterrâneo intocado, que já não existe: a Itália como era há um século ou mais. Esse é um dos trechos de maior beleza da costa do país, com penhascos tão íngremes que durante séculos essas aldeias de pescadores só se comunicaram umas com as outras por barco ou por uma rede de trilhas (*sentieri*) precárias percorridas por mulas. Hoje, em sua maior parte pavimentadas, elas formam um caminho como poucos na Europa – um dos mais fáceis de seguir e ao mesmo tempo um dos que proporcionam as vistas mais espetaculares. No final do dia, seu esforço será recompensado com um prato de massa com molho *pesto*, seguido de uma garrafa do vinho local gelado, *sciacchetrà*. Com nomes poéticos como Via dell'Amore, essas trilhas atravessam uma área coberta pela chamada *macchia*, o ecossistema típico do Mediterrâneo, que está desaparecendo lentamente da região. A vegetação é formada por pereiras, oliveiras e, por toda parte, vinhas, localizadas de forma ousada em degraus cavados nas encostas. Ali vinhos conceituados vêm sendo produzidos pelo menos desde o século XIV, quando foram elogiados por Boccaccio. Monterosso é o primeiro dos vilarejos, o que fica mais ao norte, com alguns poucos hotéis e o único trecho de cais encontrado entre as cinco aldeias, o que o torna naturalmente uma base para se conhecer a região. Dizem que é possível chegar à quinta aldeia, Riomaggiore, a pé, em cinco ou seis horas – mas para que a pressa?

O QUE: lugar. **ONDE:** Monterosso, 90km a leste de Gênova; a 10km de Levanto. Trens locais da ferrovia Gênova–La Spezia param nos 5 vilarejos. **ONDE FICAR:** Hotel Porto Roca, construído num penhasco acima de Monterosso al Mare, Via Corone, 1. Tel. (39) 0187-81-75-02; fax (39) 0187-81-76-92; portoroca@cinqueterre.it; www.portoroca.it. Peça um quarto com vista para o mar. *Quanto*: duplos com vista para o mar a partir de U$224. *Quando*: aberto de meados de Mar.–Out. **MELHOR ÉPOCA:** Mai., Jun. e Set.; evite os fins de semana.

Um cartão-postal da Riviera italiana

PORTOFINO

Ligúria, Itália

No concurso de beleza entre as localidades da Ligúria, região em forma de crescente conhecida como a Riviera italiana, Portofino ganha fácil o primeiro lugar. O pequeno e perfeito porto da cidade foi declarado patrimônio histórico, e Portofino é considerado o vilarejo mais fotografado do mundo. As fachadas das casas dos pescadores são pintadas com as cores vivas que deram fama à Ligúria – mostarda, ocre, rosa e ferrugem. Não mais uma aldeia de pescadores, Portofino agora abriga *villas* (casas) cheias de estilo nas colinas que a cercam. Os pequenos barcos que flutuam na marina (ao lado de iates de 45m) não são mais usados para a pesca, e sim para passeios. Esse vilarejo incrivelmente lindo fica situado na extremidade de uma península que é uma reserva protegida com todo o cuidado pelo Estado. Nele se cruzam várias trilhas de onde se avistam belas paisagens na costa. Os restaurantes ao longo do porto também despertam entusiasmo, apesar de estarem localizados num ponto típico para turistas. Siga o rastro deixado pelo perfume da massa *trenette* ao molho *pesto* e pelos camarões grelhados: você acabará diante da maravilhosa simplicidade de uma refeição da Ligúria.

Estrategicamente situado numa colina acima da cidade está um dos refúgios mais famosos do mundo, o Hotel Splendido. Se a lista dos hóspedes VIPs não bastar para deixá-lo deslumbrado (o duque e a duquesa de Windsor foram os primeiros a assinar o livro de visitantes em 1952), a vista a partir do alto desse hotel cinco estrelas, que já foi um mosteiro beneditino e também uma *villa*, o deixará. O exuberante jardim de 1,5ha de vegetação semitropical é tão magnífico que pode resistir à concorrência até mesmo do cenário perfeito do porto lá embaixo (e do recém-inaugurado hotel associado, o Splendido Mare). O simples prazer de tomar um drinque no terraço do Splendido com vista para a romântica baía e sua península coberta de florestas é o suficiente para transformar qualquer fim de tarde num acontecimento. Groucho Marx resumiu muito bem: "Lugar maravilhoso, gente maravilhosa."

Jantando alfresco *em Portofino.*

O QUE: cidade, restaurante, hotel. **PORTOFINO:** 38km a sudeste de Gênova, 171km ao sul de Milão. **HOTEL SPLENDIDO:** Salita Baratta, 6. Tel. (39) 0185-26-7801; fax (39) 0185-26-7806; reservations@ splendido.net; www.splendido.orient-express.com. *Quanto*: duplos com vista para o mar U$935 (no Splendido Mare, duplos com vista para o mar U$710). *Quando*: aberto Abr.–Dez. **MELHOR ÉPOCA:** Mai., Jun. e Set. Os engarrafamentos na estrada ao longo da costa que leva ao hotel põem à prova a paciência dos motoristas nos meses de Jul. e Ago.

A mais bela de todas as cidades com lagos

BELLAGIO

Lombardia, Itália

Nesse promontório coberto de bosques, onde se encontram os lagos Como e Lecco, as pessoas que nasceram para a boa vida podem hospedar-se em qualquer um dos quartos com vista para o lago do Grand Hotel Villa Serbelloni e deleitar-se com a mesma atmosfera mágica que encantou Plínio, o Jovem no século I d.C. A cobiçada Suíte Real desse hotel no estilo belle époque foi ocupada no passado por cabeças coroadas, mas todos os aposentos proporcionam a mesma vista para o lago Como, cuja beleza natural atraiu Goethe, Shelley, Byron e muitos outros. Para o poeta Wordsworth, esse lago era "um tesouro que a Terra guarda para si mesma". A própria Bellagio é uma das cidades mais belas da Europa, ainda que não seja mais o destino exclusivo e aristocrático de antigamente. O tempo passou, mas a banda continua a tocar à beira do lago e sob as estrelas, e o ar revigorante dos jardins e o perfume das flores sugerem algo autenticamente italiano nesse cenário que parece suíço. O verdadeiro charme do Grand Hotel está no sentido concreto que ele transmite do passado e na exuberância formal do seu parque – que não deve ser confundido com os 20ha de um terraço ajardinado de mesmo nome, situado numa colina em frente ao lago, no lugar onde ficava a *villa* (casa) de Plínio. Essa paisagem inspirou compositores como Verdi, Rossini e Bellini. Você descobrirá por quê.

O QUE: hotel, cidade, lugar. **BELLAGIO:** 77km ao norte de Milão, 30km a nordeste de Como. **GRAND HOTEL VILLA SERBELLONI:** Via Roma, 1. Tel. (39) 031-95-02-16; fax (39) 031-95-15-29; inforequest@villaserbelloni.it; www.villaserbelloni.it. **QUANTO:** duplos a partir de U$200 (baixa temporada), a partir de U$300 (alta temporada). **QUANDO:** aberto da Páscoa–Nov. **MELHOR ÉPOCA:** primavera e outono.

O Grand Hotel Villa Serbelloni, de linhas neoclássicas, foi inaugurado em 1973.

A última palavra em compras e um restaurante único

NO RITMO DE MILÃO

Milão, Lombardia, Itália

Experiência imperdível para consumistas assumidos, a Via Montenapoleone e suas imediações estão no centro da área de compras que ostenta o maior índice de sofisticação por metro quadrado do planeta. Fazer compras nesse exclusivíssimo "triângulo dourado" de ruas repletas de lojas sofisticadas é o próprio paraíso para os que contam com um saldo bancário ilimitado, mas um purgatório para os que se vêem impedidos de passar das vitrines. A incansável preocupação que a cidade demonstra com moda, design, arquitetura e comida está mais do que representada nesse quarteirão nobre de Milão – das irretocáveis butiques administradas por altos sacerdotes e sacerdotisas da moda italiana às casas de chá e lojas de alimentos instaladas em construções do século XIX. Os arranjos nas vitrines oscilam entre grandes extravagâncias e decorações mais despojadas no estilo zen. O mesmo vale para as lojas de móveis e design – tudo ali segue o compasso de uma cidade que dita o ritmo vertiginoso das últimas modas e tendências.

Quer você esteja sobrecarregado com uma pilha de sacolas de compras, quer esteja visualmente exausto após apreciar centenas de vitrines e produtos, o lugar ideal para aterrissar com suas bolsas é o Four Seasons Hotel Milano, um oásis de tranqüilidade em meio à agitação do corredor de compras que é a Via Montenapoleone. A ordem de religiosas que fundou esse antigo convento em 1450 só deixou o prédio no século XVIII. Esse misto de mosteiro e *villa* (casa) foi transformado num hotel de luxo do século XXI – um espaço que consegue aliar a suntuosidade ao sossego. Fragmentos de afrescos, colunas antigas e tetos abobadados convivem com quartos sofisticados, espaçosos banheiros de mármore, pisos aquecidos, restaurantes conceituados e um saguão de uma elegância despretensiosa (a antiga capela do convento) que atrai tanto os *milanesi* quanto os hóspedes do hotel, conseguindo ser ao mesmo tempo um refúgio e um espelho da cidade.

Dê o toque final num dia cheio de estilo com um jantar no maravilhoso Aimo e Nadia, localizado num recanto sem grandes atrativos da cidade. O restaurante é comandado por esse casal. Os dois se conheceram ainda crianças num vilarejo perto de Lucca, na Toscana, e hoje compartilham a cozinha e a horta, onde cultivam os saborosos e frescos ingredientes que usam na casa. Seu cardápio, em permanente mudança, deve muito às raízes toscanas da dupla, mas jantar ali significa saborear a culinária italiana na sua forma mais pura, o que garante ao restaurante um grande número de clientes fiéis.

O QUE: compras, hotel, restaurante. **FOUR SEASONS HOTEL MILANO:** Via Gesù, 8, entre a Via Montenapoleone e a Via della

O Four Seasons Hotel Milano.

Spiga. Tel. (39) 02-77-088; fax (39) 02-77-08-50-07; milano@fourseasons.com; www.fourseasons.com/Milan. *Quanto*: duplos a partir de U$460. **AIMO E NADIA:** Via Montecuccoli, 6. Tel. (39) 02-41-68-86; fax (39) 02-48-30-20-05; www.aimoenadia.com. *Quanto*: jantar U$90. *Quando*: Seg.–Sáb.

A obra-prima da arte gótica da Itália

IL DUOMO

Milão, Lombardia, Itália

Em termos de tamanho e impacto, poucas construções superam o Duomo de Milão. No estilo gótico, essa é a maior catedral do mundo – e a única a ultrapassá-la, em qualquer estilo, é a Basílica de São Pedro, em Roma.

Embora sua construção tenha sido iniciada pelos Visconti em 1386, ela só foi concluída há cerca de 100 anos. Suas 135 agulhas de mármore e 2.245 estátuas feitas desse mesmo material bastam para manter os olhos do visitante ocupados durante dias; porém, milanesas em elegantes sapatos de salto alto, cavalheiros envergando ternos Zegna e adolescentes com roupas da moda atravessam a ampla *piazza* sem dirigir a esse incrível bolo de noiva o olhar de grande admiração que ele merece. Um elevador que vai até o terraço proporciona a chance de perambular em meio a uma floresta de pináculos de mármore branco (que assumem uma tonalidade rosa sob a luz apropriada) e de observar de perto os arcobotantes, elementos em forma de meio arco posicionados na parte externa dos edifícios góticos. O lugar oferece vistas maravilhosas da cidade mais agitada da Itália e permite vislumbrar os

Alpes suíços a 80km de distância quando o ar está limpo da poluição e do nevoeiro espesso que costumam cobrir Milão. O interior da catedral é de uma simplicidade espartana, apesar de haver espaço ali para provavelmente 40.000 pessoas sentadas – quem, afinal, eles estavam esperando? Shelley jurava que esse era o melhor lugar para se ler Dante, pois está sempre fresco, mesmo na mais abafada das tardes. É verdade, mas só se você ignorar a sinistra estátua de São Bartolomeu, que, esfolado vivo, foi retratado segurando a própria pele.

O Que: lugar. **Onde:** Piazza Duomo. **Quanto:** ingresso para o terraço e o elevador.

A catedral domina a principal praça de Milão.

Uma das mais formidáveis obras de Leonardo

A Última Ceia

Milão, Lombardia, Itália

Onde mais você pode dizer a um motorista de táxi o nome de uma pintura e ter certeza de que ele o levará até ela? Todo milanês que se preza, seja ou não taxista, conhece o lugar onde está *Il Cenacolo (A Última Ceia)*, de Leonardo da Vinci, uma das imagens mais famosas do mundo, escondida na igreja gótica de Santa Maria delle Grazie. O país inteiro acompanhou sua cuidadosa restauração, que se arrastou por 20 anos até ser concluída em 1999. Numa parede do que foi no passado o refeitório do convento adjacente à igreja, Leonardo criou esse imponente mural de 8,5m. Captando o momento impregnado de emoção no qual Judas traiu Jesus, essa pintura começou a se deteriorar quase que imediatamente após seu término, em 1495. Sua recente restauração foi tão polêmica quanto a da Capela Sistina. Para muitos historiadores, apenas uma pequena e preciosa parte das cores e do desenho originais sobreviveu, uma vez que ao longo do tempo a obra teria sido excessivamente reinterpretada (e distorcida) por um grande número de restauradores (houve sete restaurações desde 1726). Outros especialistas, contudo, louvam o esforço recente como um trabalho de grande paciência e habilidade. Todos, porém, são unânimes em afirmar que essa é uma das mais importantes pinturas de Leonardo, aquela na qual ele pôs "as intenções da sua alma" em cada toque do pincel. Durante anos, o artista procurou entre criminosos as feições adequadas ao rosto de Judas. O resultado, segundo o historiador da arte Giorgio Vasari, foi "a própria encarnação da perfídia e da desumanidade".

O Que: lugar. **Onde:** Chiesa di Santa Maria delle Gazie, Piazza Santa Maria delle Grazie. **Quanto:** ingresso. **Quando:** Ter.–Sex.

O teatro lírico mais famoso do mundo

O Scala de Milão

Milão, Lombardia, Itália

Todo dia 7 de dezembro a cidade de Milão se veste a caráter para a abertura da temporada de ópera do Teatro alla Scala. É um publico sofisticado, apaixonado, impossível de agradar e tão teatral quanto o espetáculo que se desenrola no palco. Após 1.000 dias de uma ampla e cuidadosa reforma, o mais conhecido teatro lírico do mundo reabriu as portas em 2004 para surpresa e sincera aprovação de muitos – a estrela inconteste em sua própria noite de glória. Os destaques da restauração de U$78.000.000 do Scala – projetado por Giuseppe Piermarini e inaugurado em 1778 – são a sua esplêndida acústica (que já era considerada uma das melhores do mundo) e a radical transformação dos bastidores, agora um show de tecnologia do século XXI. Desde os seus primeiros dias, esse porta-jóias de veludos e dourados recebe o melhor do mundo da ópera. Ali estrearam *Otelo* e *Falstaff*, de Verdi, *Turandot*, de Puccini, e *Norma*, de Bellini. Maria Callas cantou mais vezes no Scala de Milão do que em qualquer outro palco. Também beneficiado pela ampla reforma, o aconchegante Museo alla Scala, visita obrigatória para os amantes da ópera, reabriu em seu lugar original (entrada pelo Largo Ghiringhelli) e resistiu ao recente afastamento do diretor musical do teatro, Ricardo Muti, de renome internacional.

O QUE: lugar, evento. **ONDE:** Via Filodrammatici, 2, Piazza alla Scala. Tel. (39) 02-720-037-44; www.teatroallascala.org. **QUANDO:** a temporada de ópera vai de 7 de Dez.– final de Jul.; balé e concertos nos outros meses.

O Scala, após uma reforma maravilhosa.

O glamour da costa e a mística do interior

LA COSTA SMERALDA

Sardenha, Itália

Considerada no passado uma encruzilhada entre o Ocidente e o Oriente, a Sardenha só deixou de ser uma região obscura e misteriosa no fim dos anos 1960. A chamada Costa Smeralda, uma extensão de 54km de um límpido litoral salpicado de grandes rochas arredondadas pela erosão, era uma área tão selvagem quanto intocada quando foi comprada por um consórcio internacional formado por homens de negócios liderados pelo príncipe Karim, o Aga Khan. O objetivo do príncipe era criar uma espécie de Xanadu para o lazer dos integrantes do grupo e de seus amigos, conservando a beleza natural do lugar. Os empreendimentos cinco estrelas que eles construíram ali transformaram a economia da ilha, tradicionalmente baseada na agricultura e na criação de animais. A Sardenha hoje é considerada um dos recantos mais glamourosos à disposição dos ricos e famosos. Dois hotéis de luxo isolados destacam-se por ocupar o melhor trecho do litoral. O maravilhosamente romântico Hotel Pitrizza harmoniza-se com o litoral rochoso de forma perfeita e é o endereço apropriado para os que buscam isolamento e tranqüilidade. Por outro lado, o elegante e rústico Cala di Volpe é um verdadeiro teatro, uma mistura de vilarejo medieval com a cidade natal dos Flintstones, sem Fred e Barney. Seus hóspedes, na grande maioria italianos, encarnam o mais puro espírito da *dolce vita*: bonitos, cheios de jóias, na última moda, bronzeados e exuberantes, eles enchem de glamour essa área privativa da costa.

O Hotel Cala di Volpe foi projetado para parecer um vilarejo.

No interior agreste da ilha, porém, os sardos, que no passado foram perseguidos e viram sua terra natal ser cobiçada por todas as potências marítimas do Mediterrâneo, continuam a manter suas tradições, seus costumes folclóricos e um dialeto único (parecido com o latim falado). Essa é a outra Sardenha, a que está muito afastada do espírito cosmopolita da Costa Smeralda e por onde só os viajantes intrépidos se aventuram. Pontilhando as montanhas do interior, há cerca de 7.000 *nuraghi*, estruturas de pedra, em sua maioria na forma de cones, que datam da Idade do Bronze e só são encontradas na Sardenha. Muito pouca coisa mudou ali desde a visita do escritor D. H. Lawrence em 1921, quando, admirado, descreveu essa ilha como um lugar "entre a África e a Europa, perdido no meio do nada".

O Que: ilha, hotel, lugar. **Sardenha:** 180km a oeste da costa italiana. **La Costa Smeralda:** situada no litoral nordeste da Sardenha, 12km ao norte de Olbia, principal ponto de chegada dos barcos provenientes de Gênova, Livorno, Civitavecchia e Nápoles. Também há vôos regulares. **Hotel Pitrizza:** tel. (39) 0789-930-111; fax (39) 0789-930-611. *Quanto*: duplos a partir de U$1.350 (baixa temporada), a partir de U$2.300 (alta temporada), inclui todas as refeições. **Hotel Cala di Volpe:** tel. (39) 0789-976-111; fax (39) 0789-976-617. *Quanto*: duplos a partir de U$950 (baixa temporada), a partir de U$2.300 (alta temporada), inclui todas as refeições. *Quando*: aberto Mai.–Nov. **Melhor Época:** Jun.–Ago.

Um arquipélago de jóias vulcânicas e de simplicidade chique

Ilhas Eólicas

Sicília, Itália

O nome desse arquipélago composto por sete ilhas, também conhecidas como ilhas Lipari, origina-se de Éolo, o deus grego dos ventos. Situadas no lado nordeste da Sicília, as Eólicas aparecem como meros pontinhos no mapa do mar Mediterrâneo. Nelas se encontram grutas, baías, cavernas, trilhas e vulcões ativos. Comparados ao monte Etna, na costa leste da Sicília ali perto, os vulcões nas ilhas de Stromboli e Vulcano (onde, segundo a lenda, Éolo viveu) não passam de bebês; eles criaram paisagens melancólicas, belos trechos de terra e praias de areias negras. Lipari, a bela capital e a maior das ilhas, possui uma animada cidade antiga, onde se destaca um castelo do século XVII, sede de um conceituado museu de arqueologia. Uma estrada aprazível rodeia a ilha de Salina, ainda intacta, juntamente com os seus dois vulcões extintos. Sua paisagem rústica serviu de cenário para o filme *O carteiro e o poeta*. Mas Panarea é a verdadeira jóia do arquipélago, conservando uma mistura de simplicidade e sofisticação. Descoberta nos anos 1960 como uma alternativa boêmia ao resort elitista de Capri, hoje ela é o destino preferido de nomes do mundo da moda e do design do norte da Itália que buscam um lugar despojado e tranqüilo para curtir o verão. A única chance de desfrutar de algum glamour, por mínimo que seja, é com um jantar no Hotel Raya, cujo terraço exposto à brisa e seu excelente restaurante proporcionam vistas para as espetaculares rochas vulcânicas mar adentro e para Iddu, o vulcão de Stromboli, que nunca pára de roncar.

O Que: ilha, hotel. **Ilhas Eólicas:** Vulcano é a ilha mais próxima da Sicília, a 35km do seu litoral norte. Aerobarcos (*aliscafi*) e outras embarcações com destino às demais ilhas partem de Nápoles (cerca de 5 horas de aerobarco). Do litoral norte da Sicília saem barcos de Palermo, Milazzo e Messina. As ilhas do arquipélago são interligadas por um serviço interno de barcos. As opções de transporte diminuem bastante fora da temporada. **Hotel Raya:** Panarea. Tel. (39) 090-983-013; fax (39) 090-983-103; info@hotelraya.it; www.hotelraya.it. *Quanto*: duplos a partir de U$200 (baixa temporada), a partir de U$360 (alta temporada, inclui meia-pensão para 2 pessoas). *Quando*: aberto de fins de Mar.–Out. **Melhor Época:** menos lotado de turistas em Mai., Jun. e Set.

Epicentro da arqueologia da Grécia antiga

VALE DOS TEMPLOS

Agrigento, Sicília, Itália

O principal motivo para visitar Agrigento – chamada de "a mais perfeita das cidades dos mortais" por Píndaro, poeta da Grécia antiga – é poder perambular pelo Valle dei Templi (vale dos Templos), uma incrível seqüência de templos dóricos dourados que serpenteiam ao longo de uma extensa encosta de frente para o mar. Outra atração imperdível é uma visita ao museu arqueológico de altíssimo nível. Os gregos, que chegaram à Sicília no século VIII a.C., começaram a edificar esses templos cerca de 300 anos mais tarde. Essas construções, que estão entre as imagens mais fotografadas da Sicília, são a maior concentração de exemplos da arquitetura grega antiga fora da Grécia. O Tempio della Concordia (Templo da Concórdia), erguido por volta de 430 a.C., é uma das jóias do mundo helênico. Com 34 colunas exteriores ainda de pé, é um dos dois mais bem preservados templos gregos no mundo inteiro. Três vezes maior do que ele, o Tempio di Giove (Templo de Zeus – divindade cujo nome latino é Júpiter) é o terceiro maior templo grego já construído. Arqueólogos acreditam que ele talvez seja maior do que a Basílica de São Pedro, em Roma. Ao alvorecer e ao pôr-do-sol, o vale aparece sob uma luz particularmente impressionante. É possível apreciar essa vista com todo o conforto hospedando-se nos quartos 205 e 206 do Hotel Villa Athena, uma *villa* (casa) do século XVIII que foi reformada e que tem uma localização excepcional, em frente ao Tempio della Concordia. No início de fevereiro, com a floração das perfumadas amendoeiras, o vale e os campos das redondezas ficam cobertos de branco. Nessa época, a cidade se dedica à realização de um festival com carros alegóricos, jogos e doces de marzipã elaborados nos mais diferentes formatos – de flores de cacto a grandes limões amarelos que parecem reais o bastante para serem espremidos.

O QUE: lugar, hotel. **VALE DOS TEMPLOS:** no sudoeste da Sicília, 127km ao sul de Palermo. **HOTEL VILLA ATHENA:** Via Valle dei Templi, 33, Agrigento. Tel. (39) 0922-59-62-88; fax (39) 0922-40-21-80. *Quanto*: duplos a partir de U$176. **MELHOR ÉPOCA:** Fev. e Jun., antes de o siroco começar a soprar a partir da África.

O deus Vulcano, o Pilar do Céu

MONTE ETNA

Sicília, Itália

A maioria dos visitantes tem sua primeira visão do mais alto e mais ativo vulcão da Europa – chamado pelos gregos antigos de Pilar do Céu – a partir do Teatro Grego, maravilhosamente localizado na cidade-resort de

Taormina. O pico do Etna, coberto de neve, é visível a uma distância de até 240km quando não está oculto pela neblina. Enquanto ele continuar a soltar uma fumaça branca, tudo estará em paz. Mas a fumaça tem ficado negra com uma freqüência maior do que a desejada, o que vem provocando inquietação entre os mais de 1.000.000 de moradores da região. Os habitantes cultivam uma relação secular de amor e ódio com *'a muntagna*, como a chamam no seu dialeto, construindo e reconstruindo suas casas perigosamente perto da montanha instável. O Etna já entrou em erupção 300 vezes desde o primeiro registro há cerca de 3.000 anos (a última vez foi em 2001). Numa das erupções mais violentas, em 1667, rios de lava destruíram grande parte de Catânia, a 30km de distância. Nenhuma outra área da Sicília possui terrenos tão férteis quanto esses onde uvas, laranjas, limões, azeitonas e amêndoas crescem de maneira exuberante nas encostas próximas ao vulcão. No entanto, uma excursão de ônibus que atravessa esse cinturão verde subindo rumo à cratera do vulcão logo chega a uma paisagem lunar – lúgubre, sombria e fascinante. Um teleférico leva os visitantes sobre os montes de lava congelada, pequenas crateras e buracos por onde escapa a fumaça – a visão desse caos petrificado rumo ao pico do Etna a mais de 3.000m de altura é um dos passeios mais impressionantes de uma viagem à Itália.

O Que: lugar. **Onde:** 30km ao norte de Catânia, na costa leste da Sicília. Viagens diárias são realizadas a partir de Catânia e Taormina. **Quando:** é possível subir o monte Etna entre Abr.–Out.

Uma varanda natural de onde se admira o monte Etna

Taormina

Sicília, Itália

Há mais de 23 séculos, quando a Sicília fazia parte da Magna Graecia, essa pequenina cidade sobre uma montanha já era admirada por suas vistas espetaculares. Na condição de resort mais sofisticado da Sicília, Taormina foi assim descrita por Guy de Maupassant: "Tudo o que existe na terra capaz de seduzir os olhos, o espírito e a imaginação." Seu anfiteatro construído pelos gregos antigos está numa das localizações mais encantadoras do planeta. Dali se vêem o cume nevado do monte Etna emoldurado pelas colunas erguidas no palco e, mais além, o estreito de Messina e a *terra firma* da Itália e da Europa. Com uma acústica igualmente impressionante, o teatro, escavado na rocha de uma das faces do monte Tauro a uma altitude de 205m, ainda é utilizado como sede de um festival anual de arte que inclui exibições de filmes e apresentações de música. Assistir ali à encenação de um drama clássico grego pouco antes do pôr-do-sol é uma experiência ímpar. O passatempo favorito da cidade é uma despreocupada *passeggiata* (passeio a pé) ao longo de suas butiques, lojas de artesanato e de curiosidades. Abrigadas à sombra das buganvílias, essas ruas são intercaladas com *piazze* discretas e mirantes que proporcionam vistas panorâmicas. Não deixe de dar uma parada num café e provar uma *granita*, tradicional sobremesa local (gelo raspado com sabor à escolha) enquanto assiste ao Etna soltar suas tranqüilas baforadas no céu da Sicília.

Recolha-se então ao hotel local que comprova uma antiga máxima: a Igreja e o Estado sempre ficam com as melhores propriedades. O Hotel San Domenico, estabelecimento luxuoso com vistas fantásticas para o Etna, está instalado num prédio que foi construído como um mosteiro dominicano em 1430. Hoje é o melhor hotel da Sicília e um dos mais românticos da Itália.

Seus quartos ocupam as celas (ainda que ampliadas) que os monges usaram até o século passado. Esses religiosos jamais reconheceriam as camas de madeira ricamente trabalhadas, os lençóis passados de forma impecável nem o serviço de primeira. Prove um suco de romã gelado antes de fazer uma refeição na antiga capela, agora um bar sofisticado. O jantar no salão principal, local do antigo refeitório, é um evento culinário. O amplo jardim é um oásis com perfume de jasmim, embelezado por palmeiras e limoeiros, de onde se tem uma vista quase perfeita do mar Jônico em seu azul-celeste.

O QUE: cidade, hotel. **TAORMINA:** 249km a leste de Palermo, 53km ao norte de Catânia. **HOTEL SAN DOMENICO:** Piazza San Domenico, 5. Tel. (39) 0942-613-111; fax (39) 0942-62-55-06; san-domenico@thi.it; www. thi.it. *Quanto*: duplos a partir de U$236 (baixa temporada), a partir de U$293 (alta temporada). **MELHOR ÉPOCA:** Abr.–Mai., Set.–Out.; festival de música, balé e ópera, fim de Jun.–meados de Set.

Os mais primorosos afrescos de Piero della Francesca

BASÍLICA DE SAN FRANCESCO

Arezzo, Toscana, Itália

As regiões vizinhas da Toscana e da Úmbria foram o berço de importantes mestres da Renascença, entre eles o adorado Piero della Francesca, pintor do século XV, cuja grande série de afrescos cobre a abside da Basílica de San Francesco, erguida no século XIV. *A lenda da verdadeira cruz*, de 1452-1466, iniciada quando o artista tinha pouco mais de 30 anos, descreve a lenda contada num manuscrito do século XIII segundo a qual um ramo da Árvore da Vida foi plantado no túmulo de Adão. O ramo criou raízes e acabou sendo usado para fazer a cruz na qual Cristo foi crucificado. Ocultos por tapumes durante 15 anos, os afrescos estão novamente expostos, restaurados de forma brilhante.

Não vá embora de Arezzo sem visitar a belamente inclinada Piazza Grande, cercada de *palazzi*. Arezzo se vê transportada de volta à Idade Média durante os festejos históricos da Giostra del Saracino, um torneio de cavaleiros encenado no último domingo de agosto e no primeiro domingo de setembro. Antes do início do evento, um organizado *corteo* (cortejo) desfila pelas estreitas ruas de pedras com ricas fantasias e armaduras originais dispostas em cavaleiros e cavalos com a supervisão do diretor Franco Zefirelli, que é natural da Toscana e um dos maiores fãs da Giostra.

O QUE: lugar, cidade, evento. **BASÍLICA DE SAN FRANCESCO:** Piazza San Francesco (Arezzo fica 76km a leste de Siena, 82km ao sul de Florença). **GIOSTRA DEL SARACINO:** para comprar ingressos, entre em contato com o escritório de turismo local na Piazza della Repubblica, 22, perto da estação ferroviária. Tel. (39) 0575-37-76-78; fax (39) 0575-20-839. **MELHOR ÉPOCA:** a melhor feira de antiguidades da Itália é realizada na Piazza Grande, no 1.º Sáb. de cada mês.

"O Deus que criou as colinas em torno de Florença era um artista. Não! Ele era um ourives, um gravurista, um escultor e um pintor: Ele era um florentino." — ANATOLE FRANCE

FLORENÇA

Toscana, Itália

Berço e coração da Renascença, Florença é uma cidade aristocrática e orgulhosa cujas ruas e *piazze* são ladeadas de torres medievais, cafés centenários e *palazzi* que mais parecem fortalezas. O risco de você sobrecarregar seus sentidos ali é bem real. E ainda há outro problema: o que escolher para um bis?

As 10 Maiores Atrações

MUSEU BARGELLO – Instalado num *palazzo* gótico que foi construído em 1255 para ser um arsenal e uma fortaleza, o Bargello posteriormente funcionou como sede da administração da cidade e cadeia antes de ser transformado em museu em 1965. Hoje ele abriga a maior coleção de esculturas renascentistas de Florença, com obras de Michelangelo (entre as mais antigas), Donatello, Cellini, Giambologna e Luca e Giovanni della Robia. Entre os destaques estão *Apolo*, *Baco* (parecendo ligeiramente grogue) e *Pitti Tondo* (a Madonna com o Menino), de Michelangelo; além do *Davi* e do *São Jorge*, de Donatello. O acervo do museu também apresenta coleções de armas medievais, tapetes orientais, esculturas de marfim, porcelanas do século XVI e afrescos da escola de Giotto, bem como medalhas históricas da Renascença. **ONDE:** Via del Proconsolo. Tel. (39) 055-238-8606.

IGREJA DE SANTA CROCE – Construída entre 1294 e 1442, mas ostentando uma fachada do século XIX, a sombria Santa Croce está repleta de afrescos do século XIV e de túmulos de florentinos ilustres, incluindo Michelangelo, Rossini, Maquiavel e Galileu. Ali também há um memorial em honra de Dante, que morreu no exílio em Ravenna. No transepto direito, afrescos de Giotto são encontrados na Cappella Peruzzi e na Cappella Bardi – nesta última, que ganhou notoriedade como cenário do filme *Uma janela para o amor*, estão *A morte de São Francisco* e *O julgamento pelo fogo diante do sultão do Egito*, entre os trabalhos mais conhecidos do artista. O transepto esquerdo abriga o célebre crucifixo de Donatello. Na Cappella Baroncelli, os afrescos de Taddeo Gaddi descrevem cenas da vida da Virgem, enquanto na Cappella Castellani, no transepto direito, estão os vitrais que o filho de Gaddi, Agnolo, desenhou para o alto santuário do altar, além dos santos e do ciclo da *Lenda da verdadeira cruz* que ele pintou nas paredes. **ONDE:** Piazza Santa Croce. Tel. (39) 055-244-619.

IGREJA DE SANTA MARIA NOVELLA – Construída pela Ordem dos Dominicanos no fim do século XIII e início do XIV, Santa Maria Novella é a única das grandes igrejas florentinas a exibir uma fachada original – desenhada em mármore multicolorido, ela combina de modo harmonioso os estilos românico e renascentista. Seu interior está tomado por afrescos de Domenico Ghirlandaio (a maior atração da igreja, atrás do altar principal), Filippino Lippi e Nardo di Cione. Outros destaques in-

A fachada original de mármore colorido da Igreja de Santa Maria Novella.

cluem o púlpito do qual foi proferida a denúncia contra Galileu por sua afirmação de que a Terra girava em torno do Sol; a *Trinità* (Trindade), de Masaccio, primeira pintura a empregar a perfeita perspectiva linear matemática; e duas famosas cruzes – uma de Giotto, suspensa sobre a sacristia, e uma de Brunelleschi, na Cappella Gondi (atrás do altar principal), esculpida como um exemplo para Donatello depois que este revelou sua interpretação menos convencional na Igreja de Santa Croce. **ONDE:** Piazza Santa Maria Novella. Tel. (39) 055-215-918.

GALLERIA DELL'ACCADEMIA – Fundada em 1784 como uma academia de artistas, a Accademia tem servido, desde 1873, como o lar do *Davi* de Michelangelo, esculpido entre 1501 e 1504 e que se manteve por quase quatro séculos como atração principal da Piazza della Signoria (atualmente uma réplica ocupa seu lugar no lado de fora). Além dessa obra-prima, criada pelo artista aos 29 anos com um bloco de mármore que havia sido descartado, o museu também abriga outras obras suas: *São Mateus* e os quatro *Prisioneiros*, inacabados, com suas formas lutando para escapar do mármore. Ninguém sabe ao certo se essas figuras não foram terminadas ou se Michelangelo teve a intenção de retratá-las presas nos blocos de pedra. Nas outras galerias há um grande número de peças que datam do século XIV ao XIX. **ONDE:** Via Ricasoli. Tel. (39) 055-238-8612.

IL DUOMO (CATEDRAL DE SANTA MARIA DEI FIORI) – Projetada originalmente em 1296 por Arnolfo di Cambio, o Duomo de Florença foi na realidade obra de muitos arquitetos que superaram enormes desafios técnicos para criar o que é provavelmente a maior realização da arquitetura renascentista. Finalmente consagrada em 1436, a catedral ostenta a enorme cúpula octogonal de Filippo Brunelleschi (a maior do mundo quando foi construída e hoje o símbolo por excelência de Florença). Seu interior abriga o enorme afresco *Juízo Final*, de Giorgio Vasari e Federico Zuccari; vitrais de Lorenzo Ghiberti; e o grande relógio de Paolo Uccello, na parede da entrada. A fachada de mármore vermelho, branco e verde foi um acréscimo feito no século XIX. Para completar a visita, conheça também outras duas grandes atrações: o batistério, com as *Portas do paraíso*, célebres obras de bronze criadas por Ghiberti, e o esguio campanário de Giotto, com vista para a Florença renascentista do topo dos seus 414 degraus. **ONDE:** Piazza del Duomo, tel. (39) 055-230-2885.

CAPELAS MEDICI – Parte do monumental complexo de San Lorenzo (a igreja paroquial dos Medici, que vale a pena ser vista, mas que costuma ser ignorada pelos turistas), as capelas Medici foram os primeiros projetos arquitetônicos de Michelangelo. Elas começaram a ser construídas na década de 1520 com o objetivo de guardar os restos mortais de Lourenço, o Magnífico e de três outros integrantes do clã governante. São conhecidas por suas estátuas alegóricas da Aurora, na forma de um personagem feminino, e do Anoitecer, um personagem masculino. Essas esculturas reclinadas adornam o túmulo de Lourenço II, duque de Urbino (neto de Lourenço, o Magnífico). As capelas são também famosas pelas figuras do Dia (masculina) e da Noite (feminina) no túmulo de Juliano, duque de Nemours. Ironicamente, Michelangelo não concluiu os dois túmulos mais importantes – os de Lourenço, o Magnífico e de seu irmão, Juliano, que jazem sob uma lápide simples do lado oposto ao altar. Tumbas posteriores (e menos importantes) abrigam os restos mortais dos integrantes da família Medici que governaram até os últimos dias de seu domínio em 1737. **ONDE:** Piazza Madonna degli Aldobrandini (no Mercato San Lorenzo), com acesso por uma entrada à parte na Igreja de San Lorenzo. Tel. (39) 055-238-8602.

MUSEU SAN MARCO – O frade mais célebre desse mosteiro do século XIII (ampliado no século XV) foi Fra Angelico, e hoje em dia esse museu concentra a maior coleção de pinturas suas na Itália. Ali estão sua obra-prima de 1442, *A crucificação*, um grande número de painéis e altares e uma série de afrescos que enfeitam muitas das celas simples onde os monges viviam e oravam. (Savonarola, o fundamentalista arrebatado que conquistou e depois perdeu a simpatia dos Medici, foi superior do mosteiro e ocupou a cela 11.) Dos cerca de seis afrescos que retratam a Última Ceia encontrados nos vários mosteiros de Florença, o que está no refeitório de San Marco, pintado por Domenico Ghirlandaio, é um dos mais importantes. Ghirlandaio ensinou a um ainda jovem Michelangelo a técnica do afresco, algo que seria de grande valia para este último décadas depois na Capela Sistina. **ONDE:** Piazza San Marco. Tel. (39) 055-238-8608.

PIAZZA DELLA SIGNORIA E PALAZZO VECCHIO – Por mais de 700 anos a Piazza della Signoria foi o centro cívico de Florença. Hoje em dia, ela é uma popular galeria de esculturas a céu aberto que atrai turistas para seus cafés e para uma vida noturna que anima a madrugada. Algumas das esculturas são originais (como o bronze do grão-duque Cosimo I sobre o cavalo, de Giambologna), enquanto outras (como o *Davi*, de Michelangelo, e *Marzocco* e *Judite e Holofernes*, de Donatello) são réplicas – as obras originais estão em diferentes museus da cidade, protegidas dos efeitos do clima. Em frente à fonte de *Netuno*, de Bartolomeo Ammannati, há uma placa marcando o local exato onde Savonarola acendeu sua fogueira das vaidades na década de 1490, estimulando a população a queimar espelhos, livros, jogos, perucas, pinturas e outros símbolos de irreligiosidade decadente. O zelo por esse tipo de puritanismo demonstrado pelos florentinos não durou muito. Em 1498, depois de enforcar Savonarola, eles o queimaram exatamente no mesmo lugar.

Num dos lados da *piazza*, está o PALAZZO VECCHIO (tel. 39/ 055-276-8465), estrutura gótica projetada por Arnolfo di Cambio. Construído entre 1299 e 1302 para abrigar a Signoria, sede da administração da cidade, continua servindo até hoje como prefeitura de Florença. Lá dentro, a Sala dei Cinquecento abrigava as assembléias dos 500 cidadãos que ditavam os destinos da república florentina. Perto de uma das paredes está a escultura *Vitória* (1533-1534), de Michelangelo. No segundo andar se encontram o *Quartiere degli Elementi*, decorado com afrescos de Vasari; os aposentos de Eleonora de Toledo, lar durante 10 anos do duque Cosimo I de Medici e de sua esposa espanhola, até eles se mudarem para o Palazzo Pitti, do outro lado do rio; e a estátua original *Judite e Holofernes*, de Donatello.

O PALAZZO PITTI E A GALLERIA PALATINA – Construído pelo rico negociante e banqueiro Luca Pitti no fim do século XV, o Palácio Pitti foi comprado em 1550 pelos Medici. Esses duques que governavam a cidade o ampliaram significativamente e o tornaram sua residência oficial. Hoje em dia, ele abriga alguns dos mais importantes museus de Florença, com destaque para a GALLERIA PALATINA, o museu mais importante de Florença depois do Uffizi (tel. 39/ 055-238-8614). Em suas 26 salas são exibidas obras da Alta Renascença e também de artistas de épocas posteriores, incluindo Ticiano, Rafael, Rubens, Murillo e

Caravaggio. Entre os outros museus estão o Museu da Prata, a Galeria de Arte Moderna, o Museu da Porcelana e a Galeria do Vestuário. A maior parte da decoração de seus interiores foi criada no século XVII, incluindo os afrescos de Pietro da Cortona nos principais aposentos dos Medici. Depois dessa visita, faça um piquenique nos Jardins Boboli, do século XVI, que sobem pela encosta atrás do palácio.

Outras Atrações Imperdíveis

Il Ponte Vecchio – Construída em 1345 por Taddeo Gaddi, é a mais antiga e conhecida ponte sobre o rio Arno. As clássicas lojas instaladas na própria ponte eram ocupadas por açougueiros, mas os duques da família Medici fizeram objeção ao mau cheiro e as substituíram por ourivesarias e oficinas de prata que até hoje existem, vendendo desde peças dignas de figurar num museu a outras mais acessíveis. A notoriedade dessa ponte fez com que os alemães não a explodissem ao baterem em retirada durante a Segunda Guerra Mundial – foi a única ponte sobre o Arno a não ser destruída. **Onde:** ela liga a Via por Santa Maria, na margem norte, à Via Guicciardini, na margem sul.

Maggio Musicale Fiorentino – Como capital da cultura, Florença é uma anfitriã mais do que indicada para sediar uma das maiores e mais esperadas celebrações de música clássica, ópera e dança na Europa. Promovido pela primeira vez em 1933, o festival vem sendo realizado anualmente desde 1937. Sua direção artística foi entregue, em 1985, ao maestro Zubin Mehta, que tem convidado tanto nomes em ascensão quanto estrelas internacionais. O evento começa no início de maio, com grandes espetáculos de encerramento que costumam ser apresentados na Piazza della Signoria no fim de junho ou início de julho. **Onde:** tel. 800-112-211 (na Itália) ou (39) 0577-223-806; tickets@maggiofiorentino.com; www.maggiofiorentino.com.

Mercato Nuovo – Antes de deixar a cidade, visite esse mercado que, apesar de "novo", está em atividade desde o século XVI. Mesmo que você não encontre nada de muito interessante entre as mercadorias, aproveite para esfregar o nariz de metal do *porcellino* (javali), gesto que, diz a lenda, fará com que você volte logo a Florença. **Onde:** Via por Santa Maria com Via Porta Rossa.

Mercato San Lorenzo – O maior e melhor mercado ao ar livre da Itália é um local 100% turístico, onde centenas de barraquinhas com toldos brancos enchem diariamente as ruas em torno da Igreja de San Lorenzo e do Mercato Centrale, este último coberto (vale a pena conhecer os dois). Trata-se do lugar ideal para comprar encomendas e lembranças que se deseja levar para casa, assim como para mergulhar no espírito da cidade. **Onde:** ruas transversais entre a estação ferroviária e o Duomo.

Pôr-do-sol na Piazzale Michelangiolo – Dignas de cartão-postal, as vistas de Florença apreciadas a partir dessa praça no alto de uma colina inspiraram mais de um mestre da Renascença. Ponto de grande popularidade no roteiro dos ônibus de excursão durante o dia e entre jovens e ciclistas à noite, a praça é também um local perfeito para encontros de namorados. Ali está uma das réplicas de *Davi*, de Michelangelo (a outra está na Piazza della Signoria). No verão, prolongue o passeio: suba até às barraquinhas de melancia e à Gelateria Michelangiolo, sempre lotada. **Onde:** Viale Michelangiolo.

Vésperas na Igreja de San Miniato – A mais antiga igreja de Florença, essa amada estrutura românica do século XI domina a colina mais alta da cidade. O cenário romântico onde está instalada, com vistas panorâmicas e cantos de passarinhos, a torna o melhor local da cidade para casamentos. Com sua programação diária de cantos gregorianos, ela funciona como uma máquina do tempo ideal para os que querem voltar à atmosfera da Idade Média. **Onde:** Via del Monte alle Croci, perto da Piazzale Michelangiolo. Tel. (39) 055-234-2731.

Onde Ficar

Hotel Helvetia e Bristol – De Stravinsky à família real dinamarquesa, muita gente famosa hospedou-se nesse *palazzo* do século XIX amplamente reformado, que apresenta uma suntuosa mistura de conforto inglês com elegância italiana. Está instalado numa rua transversal, entre a chique Via Tornbuoni, com suas lojas incomparáveis, e o Duomo, o coração de Florença, a meio minuto de caminhada. **ONDE:** Via dei Pescioni, perto do Palazzo Strozzi. Tel. 888-505-050 (na Itália). **QUANTO:** preço alto.

TORRE DI BELLOSGUARDO – A um mundo de distância (mas a apenas 10 minutos de táxi) do centro histórico de Florença, essa elegante *villa* (casa) com afrescos do século XIV situada no topo de uma colina proporciona incríveis vistas da cidade e das colinas à sua volta a partir da suíte na altíssima torre do século VII. Vistas semelhantes podem ser apreciadas da encantadora piscina do hotel. Dante, dizem, encontrou sossego ali. **ONDE:** Via Roti Michelozzi, nas colinas acima da antiga Porta Romana. Tel. (39) 055-229-8145. **QUANTO:** preço de moderado a alto.

PENSIONE LA SCALETTA – Os quartos não são o que essa pensão administrada por uma família oferece de mais atraente. O melhor é retirar-se, com seu cappuccino, para o terraço de onde se descortina uma vista de 360º, abrangendo o Palazzo Pitti, ao lado, os exuberantes Jardins Boboli e os telhados antigos ao redor – um merecido repouso para os que se exauriram nas compras. **ONDE:** Via Guicciardini, perto da Piazza Pitti. Tel. (39) 055-283-028. **QUANTO:** preço baixo.

ONDE COMER E BEBER

CAFFÈ RIVOIRE – No inverno, o interior aconchegante desse café tradicional sugere a especialidade da casa: chocolate meio-amargo (com o tradicional *panna*, ou creme de leite fresco batido). Num clima mais ameno, porém, as mesas do lado de fora na Piazza della Signoria são um posto de observação excelente para se ver a praça e assistir ao desfile dos que passam por ali. Mesmo num dia de menor movimento, haverá sempre a réplica em tamanho real de *Davi*, de Michelangelo, e outras estátuas para apreciar. **ONDE:** Piazza della Signoria. Tel. (39) 055-214-412.

ENOTECA PINCHIORRI – Os amantes da boa mesa se ajoelham em sinal de reverência à simples menção do nome desse templo da alta gastronomia. Numa região há muito conhecida por suas trattorias rústicas e simples, esse elegante *ristorante* encontrou uma clientela leal entre os ricos e famosos oferecendo um serviço aristocrático, pratos sob sofisticadas redomas de prata e uma carta de vinhos amplamente reconhecida como uma das melhores da Itália – o que não é pouca coisa. Uma experiência difícil de esquecer – assim como a conta. **ONDE:** Via Ghibellina. Tel. (39) 055-242-777; www.pinchiorri.it.

Prove um dos sanduíches de estômago de boi num dos pontos tradicionais de Florença.

FUORI PORTA – O mais popular *wine bar* de Florença está instalado logo depois das muralhas do século XIV que cercam a cidade e do portão de San Niccolò, no caminho (ida e volta) da Piazzale Michelangiolo. Os melhores tintos da Toscana podem ser saboreados ali, taça a taça, acompanhados de uma longa série de tira-gostos que fazem a alegria de qualquer um. **ONDE:** Via del Monte alle Croci. Tel. (39) 055-234-2483.

LA TRIPPERIA – Hoje em dia só restam alguns dos ambulantes que vendem sanduíches recheados com estômago de boi, uma iguaria regional muito apreciada entre os florentinos de todas as classes sociais. Se você quiser deixar o trabalho de lamber os lábios para a população local e apenas olhar, vá até o trailer conhecido como Trippaio, que vende montes de vísceras diariamente em frente ao principal escritório da American Express. **ONDE:** Via Dante Alighieri.

NERBONE – Arregace as mangas e junte-se aos feirantes e clientes que param nesse endereço popular para saborear uma refeição rápida, simples e caseira no balcão, sob o teto do Mercato Centrale, uma construção do século XIX. **ONDE:** estande 292, Mercato Centrale. Tel. (39) 055-219-949.

OMERO – Depois de apreciar a vista do lado de fora, entre no restaurante para se deliciar com uma refeição no tradicional estilo toscano. Todos vão ali pela massa e também pela melhor e mais tenra *bistecca alla fiorentina* da cidade e pelos *carciofini* (corações de alcachofra) na estação dessa planta. Uma refeição composta por cinco pratos diferentes não deixa muito espaço para nenhuma entrada, mas a maior parte dos clientes ainda consegue escolher uma das cinco sobremesas do cardápio. **ONDE:** Via Pian dei Giullari, Arcetri (a 15 minutos do centro de Florença de táxi). Tel. (39) 055-220-053; www.ristoranteomero.it.

OSTERIA DEL CAFFÈ ITALIANO – Instalada num *palazzo* do início da Renascença, essa elegante *osteria* apresenta uma convidativa combinação em suas instalações: na parte da frente, um *wine bar* de ambiente descontraído, com paredes decoradas com painéis de madeira; atrás, um salão de jantar ligeiramente mais formal. Esse é o melhor lugar da cidade para uma *degustazione* à sua própria maneira, taça a taça. Sob tetos abobadados e lustres de ferro fundido, antigas mesas de madeira exibem salames e queijos de primeira qualidade. Um ambiente em que freqüentadores habituais e de perfis bastante variados se sentem muito à vontade. **ONDE:** Via Isola delle Stinche, perto da Piazza Santa Croce. Tel. (39) 055-289-368; www.caffeitaliano.it.

VIVOLI – Os puristas podem até dizer que essa sorveteria já não é a número um da cidade. Mas é melhor não contar isso às multidões do lado de fora, que escolhem seus sorvetes favoritos de uma variada lista em que figuram desde sabores comuns mas deliciosos, como o de baunilha, até os de uísque, arroz e figo. Além disso, a Piazza Santa Croce está a apenas um quarteirão de distância com seus bancos de pedra, ideais para quem quer se sentar e descansar. **ONDE:** Via Isola delle Stinche, perto da Piazza Santa Croce. Tel. (39) 055-292-334; www.vivoli.it.

Uma vitrine dos dias de glória da Renascença

GALERIAS UFFIZI

Florença, Toscana, Itália

Nesse palácio projetado em 1560 pelo arquiteto Giorgio Vasari para o grão-duque Cosimo de Medici, estão algumas das obras-primas mais conhecidas e reproduzidas da civilização ocidental. Contendo o maior acervo do mundo de pinturas renascentistas desse nível, as Uffizi estão entre as mais importantes galerias de arte do planeta. Colecionadas pela própria família Medici ao longo de muito tempo, as soberbas peças ali reunidas formam um painel do incomparável patrimônio artístico da Itália, abrangendo seis séculos. A freqüência das multidões às salas dedicadas a Botticelli (*Alegoria da primavera* e *O nascimento de Vênus*) confirma sua posição entre as mais populares. Também estão expostas fantásticas obras dos primeiros anos da Renascença, pintadas por nomes como Cimabue e Giotto, cujas inovações técnicas abriram caminho para muitos outros. Michelangelo, um filho de Florença, está representado ali por sua única pintura sobre tela que chegou aos nossos dias: *Doni tondo*. E há outras criações seminais de mestres como Leonardo da Vinci, Piero della Francesca, Filippo Lippi, Rafael... a lista é interminável. Stendhal, ao andar pelas ruas de Florença, chegou a desmaiar depois de ter seus sentidos sobrecarregados com as sensações proporcionadas pela cidade (sem dúvida, ele deve ter parado em muitos dos 66 museus locais). Portanto, quem visita as Uffizi deve se precaver contra a "síndrome de Stendhal". Projetadas em forma de "U", essas galerias merecem mais de uma visita – e cada uma delas deve ser coroada com um *caffè* no bar do museu que dá para a Piazza della Signoria, centro do passado e do presente da cidade.

O QUE: lugar. **ONDE:** Piazzalle degli Uffizi, perto da Piazza della Signoria; tel. (39) 055-238-8651-652; fax (39) 055-238-8699; info@uffizi.firenze.it; www.uffizi.firenze.it. **QUANTO:** ingresso. **QUANDO:** Ter.–Dom.

Cidade natal e inspiração de Puccini

LUCCA

Toscana, Itália

Felizmente ignorada pelo turismo de massa e protegida por suas muralhas renascentistas perfeitamente preservadas, essa é a típica cidadezinha toscana, dessas que vemos plantadas sobre uma colina – só que sem a colina.

Como Lucca é uma cidade bastante plana, vale a pena alugar uma bicicleta e circular por suas antigas e preservadas ruas de pedras arredondadas e visitar os velhos *palazzi*, que hoje abrigam lojas de antiguidades e de comida. Das suas dezenas de igrejas medievais, as mais importantes são a rebuscada San Michele in Foro (cuja construção teve início em 1143) e o imponente Duomo, uma catedral do século XI. Relaxe tomando um *gelato* (sorvete) no Antico Caffè Simo, onde Giacomo Puccini, o mais ilustre filho de Lucca, costumava passar as tardes. Nem pense em partir da cidade sem almoçar na merecidamente popular trattoria Da Giulio in Pelleria, um dos mais autênticos e amados endereços gastronômicos da Toscana. Depois de recobrar as forças, siga por um caminho de quase 5km à sombra de carvalhos até às muralhas da cidade, de onde você terá uma ampla vista dos antigos bosques de oliveiras que se estendem para além do centro histórico: a área da *lucchesia* dá ao mundo o seu melhor azeite de oliva.

O QUE: cidade, restaurante. **LUCCA:** 72km a oeste de Florença. **DA GIULIO IN PELLERIA:** Via delle Conce, 45, Piazza San Donato. Tel./fax (39) 0583-55-948. *Quanto*: jantar U$18. *Quando*: almoço e jantar, Ter.–Sáb. **MELHOR EPOCA:** Set.–Out., a temporada local de ópera sempre apresenta obras de Puccini; uma feira de antiguidades ao ar livre é realizada no 3.º Dom. de cada mês.

Uma cidade consagrada ao vinho

MONTALCINO

Toscana, Itália

Uma lenda local atribui a fundação da Abbazia di Sant'Antimo a Carlos Magno (742-814), imperador do Sacro Império Romano. No entanto, o edifício data apenas de 1118. Erguida em meio a um bosque de oliveiras à beira do caminho que liga Roma a Santiago de Compostela, na Espanha, a abadia foi construída com travertino e com alabastro local, de uma luminosa cor de mel, extraído de Volterra, ali perto. Essa construção, ainda mais bonita quando iluminada pelo sol do fim da tarde da Toscana, é um brilhante exemplo de arquitetura românica medieval e um dos mais primorosos encontrados na Itália. Os sete monges da Ordem dos Norbertinos (premonstratenses), que vivem numa fazenda ali perto, todos os dias enchem a cavernosa igreja com seus cantos gregorianos em intervalos regulares, evocando um ambiente de história e mistério que transporta os visitantes de volta à Idade Média. Será por puro acaso que todos os sete monges cantam como querubins? Eles vão convencê-lo de que é a acústica: ela é perfeita. Depois de assistir às vésperas, faça uma caminhada de 10 minutos até Il Molino, um velho moinho de pedra transformado em hotel, que muitos dizem ser, assim como a abadia, do século XII. Reconstruído em 1606, seguiu funcionando como moinho até ser restaurado em 1998. Hóspedes passam a noite em quartos lindamente decorados, num ambiente tranqüilo à sombra de oliveiras e árvores frutíferas.

O rótulo artístico do vinho Brunello di Montalcino.

No dia seguinte, passeie por Montalcino para conhecer a cidade e saborear seus vinhos: o premier DOCG Brunello e seu primo mais leve, o Rosso di Montalcino. Essa pequena cidade é pacata porém próspera. Instalada sobre uma colina, mudou muito pouco desde o século XVI. Situada a mais de 600m acima do nível do mar, ela proporciona vistas encantadoras para além dos desbotados telhados de terracota, uma paisagem coberta de vinhas que dão as uvas *sangiovese grosso*, usadas na preparação do vinho Brunello, um dos tintos de maior prestígio produzidos na Itália. Suba até à Fortezza do século XIV que serve de enoteca e saboreie taças de Brunello ou sente-se durante horas no Caffè Fiaschetteria Italiana, um estabelecimento do século XIX, na Piazza del Popolo. No escritório de turismo da cidade, você obterá mapas e prospectos sobre as dezenas de propriedades vinícolas locais com e sem reconhecimento internacional, cujas áreas ocupam boa parte dos 30km² desse recanto do sul da Toscana.

Se tiver tempo, pense sobre a possibilidade de hospedar-se numa *villa* de sonho: a Poggio di Sopra, uma casa de fazenda do século XVIII, feita de pedra, que foi restaurada com todo o requinte. Está situada num local imponente – o alto de uma colina em meio às extensas vinhas pertencentes a uma propriedade vinícola nova porém de grande prestígio, a Castello Romitorio.

O QUE: cidade, lugar, hotel. **MONTALCINO:** 41km ao sul de Siena, 213km ao norte de Roma. **ABBAZIA DI SANT'ANTIMO:** 11km ao sul de Montalcino (siga as placas até Castelnuovo dell'Abate), tel. (39) 0577-83-56-59. *Quando*: Seg.–Sáb., missa com canto às 17h; Dom. missa com canto às 18h30. Veja a programação para outros horários. **IL MOLINO DI SANT'ANTIMO:** tel. (39) 0577-897-220; fax (39) 0577-897-026 cavittor@tin.it; www.castelloromitorio.com. Acomoda no máximo 8 hóspedes. *Quanto*: U$4.000 a semana (baixa temporada) até U$6.000 (alta temporada), inclui serviço de empregada doméstica e várias facilidades. **POGGIO DI SOPRA:** a 9km de Montalcino. Tel. (39) 0577-897-220; fax (39) 0577-897-026; Castello_Romitorio@sienanet.it; www.castelloromitorio.com. Dividido em 2 apartamentos que podem acomodar de 4 a 6 hóspedes, no máximo. *Quanto*: a semana, a U$1.200 (baixa temporada) e U$2.000 (alta temporada), inclui serviço de empregada doméstica e facilidades. **MELHOR ÉPOCA:** Mai.–Out.

Vinhos e paisagens inebriantes

CHIANTI E SAN GIMIGNANO

Toscana, Itália

Chianti é a mais bela das regiões vinícolas da Itália, além do mais importante centro produtor de vinhos tintos premier do país, cuja reputação hoje em dia não poderia ser melhor. Situada no centro da Toscana, ela se localiza entre Florença e Siena. A produção de vinhos ali remonta aos tempos dos etruscos, antes, portanto, da Roma antiga. Rodar preguiçosamente por essas estradas, parando aqui e ali para provar um vinho, é um prazer realçado pela perfeição cinematográfica da paisagem. Nem os "motoristas responsáveis" resistem à tentação. A antiga Via Chiantigiana liga uma série de cidades associadas ao vinho, que se estendem por uma região historicamente rica e repleta de colinas verdejantes, castelos medievais, casas de fazenda feitas de pedra e propriedades vinícolas que incluem tanto pequenos produtores quanto nomes tradicionais, como Antinori, Frescobaldi e Ricasoli. Produzindo vinho de primeira qualidade num cenário que não poderia ser mais pitoresco, a pequenina propriedade do Castello di Volpaia, um empreendimento familiar do século XIV, acolhe um número limitado de

A cidade de Montereggione, numa das colinas de Chianti.

hóspedes no seu singular estabelecimento dedicado ao *agriturismo*. Refeições opcionais preparadas exclusivamente para os hóspedes põem em destaque os principais produtos sazonais da região, além do azeite de oliva, do mel, das conservas e do vinagre balsâmico elaborados pela própria família. Mas ali as refeições, por mais deliciosas que sejam, servem essencialmente de acompanhamento para as melhores safras do vinho Voltaia – que adquire um sabor ainda mais primoroso quando consumido perto das colinas onde suas uvas são cultivadas.

Exatamente numa dessas colinas está San Gimignano, uma cidade que há séculos vem cativando a imaginação dos viajantes. A peculiar silhueta de suas construções contra o céu é marcada por nada menos do que 14 torres medievais dos séculos XII e XIII – apenas uma amostra das cerca de 70 estruturas semelhantes que existem ali. Tente chegar a San Gimignano no fim do dia, quando as caravanas de ônibus turísticos já tiverem ido embora e devolvido o lugar a seus habitantes. Vá ao Palazzo del Popolo e suba ao topo da Torre Grossa, a mais alta da cidade, com 35m. Lá de cima você apreciará vistas da cidade e de suas torres e do Val d'Elsa mais além. Acomode-se então no espaçoso e rústico restaurante Bel Soggiorno (no hotel de mesmo nome), onde o cardápio divide as atenções com as paisagens dos campos da Toscana, emolduradas por enormes janelas. A carne de caça, abundante nos bosques que cobrem as colinas das redondezas, é a especialidade da casa. Uma seleção dos melhores *chianti* completa a refeição. Ali perto, em duas *piazze* contíguas, é apresentada uma rica programação de verão que inclui desde espetáculos de balé ao ar livre até óperas. Imagine os lamentos musicais da *Tosca* deslizando pelo ar entre as torres medievais de San Gimignano.

O Que: hotel, cidade, restaurante, evento. **Castello di Volpaia:** 55km ao sul de Florença, 7km ao norte de Radda in Chianti. Tel. (39) 0577-738-006; fax 0577-738-619; info@volpaia.com; www.volpaia.com. *Villas* (casas) e apartamentos com capacidade para 2–11 hóspedes estão disponíveis durante todo o ano. *Quanto*: duplos com cozinha a partir de U$525 por pessoa (baixa temporada), a partir de U$850 (alta temporada). *Melhor época*: em 10 de Ago. é realizada a festa do padroeiro do Castello di Volpaia, Lorenzo, com queima de fogos e um festival. **San Gimignano:** 56km a sudoeste de Florença. *Melhor época*: música de verão e festival de dança, meados de Jun.–Ago. **Restaurante Bel Soggiorno:** Via San Giovanni, 91. Tel.: (39) 577-94-31-49. *Quanto*: jantar U$30.

O centro das atenções de Siena

A Piazza del Campo e o Palio

Siena, Toscana, Itália

Fotos aéreas da Piazza del Campo, margeada por *palazzi* dos séculos XIII e XIV, revelam sua incomum forma de concha, mas elas não nos preparam para sua dimensão e beleza. Construída no ponto onde as três colinas de Siena convergem, a praça é dividida em nove faixas adornadas com mármore, cada uma delas representando o antigo Governo dos Nove e, dizem também, imitando as dobras no manto da Virgem Maria. Num dos cantos da praça está o Palazzo Pubblico, com sua Torre del Mangia, a segunda mais alta da Itália, com 102m. Se você subir seus 505 degraus, será recompensado com uma fabulosa vista dos idílicos campos de Chianti, que se estendem na direção de Florença. Mas a vista provavelmente será melhor de qualquer uma das mesas do café lá embaixo, além de não lhe causar cansaço nem vertigem. A *piazza* sempre foi o centro das atenções na cidade, servindo de palco para a tradicional corrida de cavalos – montados sem sela – conhecida como o Palio.

Histeria e emoção animam esse evento que é realizado duas vezes por ano e que culmina em 90 segundos e três eletrizantes voltas no chão coberto com terra em torno da praça. Mas a corrida é precedida por um desfile histórico no qual cada uma das 17 *contrade*, divisões históricas da cidade (que têm nomes como Girafa, Torre, Lobo e Onda), é representada por dezenas de pajens, tocadores de tambor e porta-estandartes que vestem elaborados trajes históricos com as cores heráldicas de sua *contrada* e usam inclusive armaduras de cavaleiros. Um dos destaques da parada é a exibição dos porta-estandartes, que lançam as bandeiras para o alto em movimentos sincronizados –uma prática à qual os jovens de Siena se dedicam desde a infância.

Essa evocação da pompa e circunstância do passado medieval de Siena não é motivada pelos dólares dos turistas, e sim pelos fortes sentimentos dos participantes em relação à sua *contrada*, à cidade e à sua história – sem falar nas seculares rivalidades entre os diferentes feudos (a corrida teve início no século XII). Só dez *contrade* competem em cada disputa, numa seleção determinada por sorteio. Nessa prova traiçoeira e sem regras fixas, o primeiro cavalo a cruzar a linha de chegada (mesmo sem o cavaleiro) vence. O prêmio? Uma bandeira pintada com a imagem da Virgem Maria, mais o direito de ficar contando vantagens o ano inteiro.

A não ser que você viva em Siena, tentar conseguir ingressos pode ser uma experiência frustrante. A alternativa é passar horas sob o sol da Toscana, de pé, numa praça lotada com 50.000 novos amigos.

O QUE: lugar, cidade, evento. **PIAZZA DEL CAMPO:** Siena fica 34km ao sul de Florença. **PALIO:** Escritório de Turismo de Siena, Piazza del Campo, 56. Tel. (39) 0577-28-05-51; fax (39) 0577-281-041; aptsiena@siena.turismo.toscana.it; www.ilpaliodisiena.it. *Quanto*: U$125 para lugares descobertos. *Quando*: 2 de Jul. e 16 de Ago.

Devoção no paraíso

BASÍLICA DE SÃO FRANCISCO

Assis, Úmbria, Itália

A humanidade, a humildade e o amor pela natureza demonstrados por São Francisco de alguma forma conseguem sobreviver à atmosfera de ostensiva comercialização que envolve essa pequenina cidade de tons rosados, situada numa das colinas da Úmbria: o espírito do jovem frade que costumava andar descalço – o filho favorito da cidade de Assis – continua vivo. A enorme basílica erguida em sua homenagem (que o teria deixado desolado) é resultado de uma verdadeira façanha arquitetônica da Idade Média e ainda considerada uma das maravilhas da engenharia da época. No início do século XIII, Giotto cobriu grande parte das áreas superiores e inferiores dessa construção com afrescos notáveis, os primeiros a romper com os padrões dos ícones estáticos herdados da escola bizantina. Sua obra-prima descreve a vida de São Francisco em 28 cenas. Em 1977, um terremoto devastador causou grandes danos não apenas à estrutura do prédio como também a essa obra de arte inestimável. O trabalho de restauração que foi realizado para as comemorações do Jubileu na Itália, em 2000, atingiu um ponto notável, mas cuidadosos reparos ainda continuarão a ser feitos por muitos anos. A maioria dos turistas visita Assis numa tarde; a tranqüilidade e a beleza que tanto comoveram o jovem São Francisco ficam mais evidentes durante o entardecer e no início das manhãs. Considere a possibilidade de passar uma noite no confortável Hotel Umbra. Administrado por uma família, ele está instalado num edifício do século XV erguido sobre fundações romanas. Seus quartos dos fundos proporcionam vistas para o sereno vale da Úmbria ao som do canto de passarinhos.

O QUE: lugar, cidade, hotel. **ASSIS:** 177km a nordeste de Roma. **HOTEL UMBRA:** Via degli Archi, 6. Tel. (39) 075-81-22-40; fax (39) 075-81-36-53; humbra@mail.caribusiness.it; www.caribusiness.it/carifo/az/hotelumbra. *Quando*: de meados de Mar.–meados de Jan. *Quanto*: duplos a partir de U$95. **MELHOR ÉPOCA:** primavera e outono.

Um passeio sobre geleiras

CRUZANDO O MACIÇO DO MONT BLANC

Courmayeur, Vale d'Aosta, Itália

Courmayeur é uma das mais populares estações de esqui da Europa. Aninhada ao pé do Mont Blanc (Monte Bianco) – a montanha mais alta do continente europeu) –, ela está situada estrategicamente em meio a uma dúzia de picos com mais de 4.000m de altura. O passeio de teleférico que parte de La Palud levando aventureiros com nervos de aço para o alto do maciço do Mont Blanc e até Chamonix, na França (traga seu passaporte), é um dos mais impressionantes dos Alpes. Chamado apropriadamente de "passeio sobre as geleiras", ele oferece uma viagem em três etapas cujo momento mais eletrizante é a travessia do enorme abismo do Valée Blanche e de um mar de campos nevados, com os viajantes suspensos a mais de 600m antes de chegarem ao mirante exatamente acima de Chamonix (onde o bar com um terraço ao sol oferece algumas das vistas mais espetaculares do mundo).

De volta a terra firme lá embaixo, os visitantes podem curtir a cidade alpina de Courmayeur, um tanto antiquada, mas de muita classe. Entreves, um pequeno vilarejo ali perto, abriga o La Maison de Filippo, um dos restaurantes mais famosos dos Alpes. Nessa casa, uma avalanche de antepastos compõe a maior parte de uma refeição aparentemente interminável. Esse clima festivo de "coma-o-quanto-você-agüentar" valeu ao restaurante o apelido de "Chalé dos Glutões" entre os esquiadores famintos.

O QUE: experiência, cidade, restaurante. **VIAGEM DE TELEFÉRICO:** partida de La Palud, 3km ao norte de Courmayeur, 35km a noroeste de Aosta. *Quanto*: ida e volta U$50. *Quando*: cerca de 12 partidas diárias. O teleférico para Chamonix funciona de Abr.–Set; até a metade do caminho, o ano todo. *Melhor* *hora*: início da manhã, quando o tempo está mais claro. **La Maison de Filippo:** 3km ao norte de Courmayer, em Entreves. Tel. (39) 0165-869-797 e (39) 0165-869-705; www.lamaison.com. *Quanto*: jantar U$35. *Quando*: aberto Qua.–Seg., Dez.–Mai.

Um passeio pelas Dolomitas

Cortina d'Ampezzo

Vêneto, Itália

Rodar pela estrada que corta a beleza majestosa dos picos e agulhas das montanhas Dolomitas no norte da região dos Alpes italianos é uma experiência que está para os amantes de montanhas assim como a Costa de Amalfi está para os que gostam de apreciar um mar intensamente azul. Os mais de 100km – de grande beleza e muitos sustos – ligando Bolzano à cidade e estação de esqui de Cortina são resultado de uma proeza em matéria de engenharia rodoviária. A espantosa paisagem que a estrada revela deixa de queixo caído os que imaginam a Itália como uma sucessão de suaves colinas ocupadas por vinhas e oliveiras. A estrada, cujo ápice é o Passo del Pordoi (desfiladeiro de Pordoi), no centro da cordilheira, termina em Cortina, conhecida como "A Pérola das Dolomitas". A mais de 1.200m de altura, é considerada a mais perfeita área para se esquiar da Itália e uma das melhores da Europa. As Olimpíadas de Inverno realizadas ali em 1956 deram status internacional a Cortina, com cerca de 150km de pistas para esquiadores de nível intermediário a avançado. Esquis à parte, a cidade por si só é um sofisticado resort, animado o ano inteiro e procurado pela *bella gente* de Roma e Milão, que vai até lá não apenas para esquiar e fazer caminhadas como também para praticar a arte do *dolce far niente*. Para quem chega ali com a determinação de relaxar, fazer compras, dormir até tarde, passar duas horas à mesa do jantar, ficar olhando as outras pessoas – e, quem sabe, até encaixar alguns minutos de esqui nessa programação –, o ideal é hospedar-se no célebre e centenário Miramonti Majestic Grand Hotel, um antigo pavilhão de caça austro-húngaro situado num magnífico vale montanhoso nos arredores da cidade. A maior parte dos quartos tem sacadas e vistas magníficas. Em seu interior, em meio à decoração alpina, uma lareira acesa e um bar aconchegante oferecendo 18 tipos de chocolate quente criam uma atmosfera acolhedora.

O Miramonti Majestic Grand Hotel proporciona vistas deslumbrantes dos Alpes.

O Que: experiência, cidade, hotel. **Cortina d'Ampezzo:** a 411km de Milão, 161km ao norte de Veneza. **Miramonti Majestic Grand Hotel:** Via Pezie, 103, Cortina. Tel. (39) 0436-42-01;

fax (39) 0436-867-019; www.dolomiti.org/ita/cortina/alberghi/miramonti. *Quanto*: duplos a partir de U$100 por pessoa (baixa temporada), a partir de U$275 (alta temporada; mínimo 1 semana), inclui café da manhã e jantar. *Quando*: aberto fim de Dez.–fim de Mar. e Jun.–Ago. **Melhor Época:** Fev., Mar., Jul. e Ago.

"Quando fui a Veneza, meu sonho transformou-se no meu lar."
—Marcel Proust

Veneza

Vêneto, Itália

Ali está ela: a Veneza dos seus sonhos, capaz de seduzir, intrigar, desorientar e divertir visitantes como nenhuma outra cidade do mundo. Enevoada e mística ponte entre o Oriente e o Ocidente, com um pé em cada lado, mas sem pertencer a nenhum dos dois, essa cidade é como uma rainha que, embora tenha perdido o viço, ainda consegue encantar. O inesgotável fluxo de turistas que ela atrai começou a se formar há mais de 1.000 anos e não é de espantar que isso tenha acontecido: como disse o escritor Henry James, uma visita a Veneza é o início de um eterno caso de amor.

As 10 Maiores Atrações

Gallerie Dell'Accademia – O maior museu de Veneza, a Accademia ostenta a mais abrangente coleção de grandes mestres venezianos em todo o mundo, com obras que datam do século XIII ao XVIII, incluindo todos os pintores mais importantes, como Ticiano, Tintoretto, Giorgione, Veronese, Bellini e Carpaccio. Ali, apreciando-se representações da Veneza do século XV, causa surpresa perceber como a cidade mudou tão pouco desde então. **Onde:** Campo della Carità, Dorsoduro. Tel. (39) 041-522-2247.

O Ca' d'Oro e a Galleria Giorgio Franchetti – Criado no início do século XX pelo barão Giorgio Franchetti, um filantropo, o Ca' d'Oro compreende dois palácios contíguos (o imponente Ca' d'Oro, do século XV – um dos mais conhecidos e belos palácios ao longo do canal –, e o Ca' Duodo, menor), contendo a coleção particular de pinturas, esculturas e mobiliário que pertencia a esse nobre e que foi doada por ele ao governo italiano durante a Primeira Guerra Mundial. Entre as obras-primas expostas estão *Vênus*, de Ticiano, e *São Sebastião*, de Mantegna. **Onde:** no Grande Canal, Cannaregio. Tel. (39) 041-523-8790.

Chiesa dei Frari (Igreja dos Frades) – Numa cidade repleta de igrejas, esse imenso bastião dos Franciscanos – construído do século XIII ao XIV – destaca-se como o lar de várias obras-primas, incluindo *A assunção*, de Ticiano, descrevendo a subida da Virgem Maria ao céu; *São João Batista*, escultura de madeira de Donatello; e o tríptico de Bellini *A Madona e o Menino no trono*, de 1488. **Onde:** Campo dei Frari, San Polo. Tel. (39) 041-522-2637.

Chiesa dei Santi Giovanni e Paolo (Igreja de São João e São Paulo) – Também construída do século XIII ao XIV, essa enorme igreja gótica – a maior de Veneza depois da Basilica di San Marco – abriga os túmulos de 25 doges (supremos magistrados eleitos da antiga república de Veneza, que tinham um poder quase absoluto), além de obras de muitos dos principais pintores da cidade, incluindo Bellini e Veronese, que retrataram nos tetos cenas do Novo Testamento. À direita da igreja está a famosa estátua de bronze do mercenário Bartolomeo Colleoni, criada por Andrea del Verrocchio no século XV. A figura montada a cavalo é uma das maiores esculturas do início da Renascença. **ONDE:** Campo SS. Giovanni e Paolo, Castello. Tel. (39) 041-523-5913.

PALLAZO DUCALE (PALÁCIO DOS DOGES) – Entre a Basilica di San Marco e a bacia de São Marcos situa-se o palácio de onde os doges governaram, durante 1.000 anos, La Serenissima (a mais tranqüila das repúblicas), além da maior parte do Mediterrâneo Oriental. Nesse antigo regime, cada doge eleito permanecia no cargo até morrer. Repleto de telas dos maiores artistas venezianos, incluindo Veronese e Tintoretto, a atual estrutura de mármore rosa e branco é fruto do trabalho de muitos arquitetos ao longo dos séculos. Ela foi projetada com o objetivo de impressionar os visitantes que chegavam por barco, apresentando a riqueza e o poder de Veneza. Entre as atrações principais estão os aposentos do doge, a sala de assembléia do Conselho dos Dez e a Ponte dos Suspiros (Ponte dei Sospiri), que liga o Ducale ao Palazzo delle Prigioni, onde presos eram mantidos depois de julgados pelo Conselho. A ponte foi assim batizada pelos poetas românticos. Faça uma visita guiada – ou com um fone de ouvido – para compreender plenamente o palácio e o império marítimo governado dos seus salões. **ONDE:** Piazzetta San Marco, San Marco. Tel. (39) 041-522-4951.

Conheça a cidade de uma maneira tipicamente veneziana.

O GRANDE CANAL – Principal avenida de Veneza, essa via aquática de cerca de 3km, ladeada por centenas de *palazzi* bizantinos e góticos castigados pelo tempo, fervilha com uma vida bastante característica. Compre um bilhete (de valor irrisório) para o *vaporetto* (ônibus flutuante) número 1, que percorre o Canalazzo em forma de "S" em toda a sua extensão, num passeio através de 1.000 anos de história local, esquivando-se de gôndolas e barcos cargueiros. Partindo ou da Piazza San Marco ou da estação ferroviária de Santa Lucia, faça o percurso duas vezes: uma durante o dia, para ver a agitação, e outra à noite, para desfrutar de uma visão silenciosa e romântica.

COLEÇÃO PEGGY GUGGENHEIM – Uma das maiores coleções de arte moderna do mundo, exposta num *palazzo* no Grande Canal que já foi residência de Peggy Guggenheim, mecenas de grandes artistas do século XX, incluindo seu marido, Max Ernst, e o pintor americano Jackson Pollock. Sua coleção inclui obras de Duchamp, Picasso, Léger, Klee, Magritte, Rothko, Chagall, Mondrian e muitos outros. Num jardim de esculturas é possível ver criações de Giacometti, Claire Falkenstein e Mirko. Curiosamente, esse palácio, cujas obras tiveram início na década de 1750, é uma construção inacabada – ele foi planejado para ter dois andares a mais. **ONDE:** Calle Venier dei Leoni, Dorsoduro. Tel. (39) 041-520-6288; www.guggenheim-venice.it.

BASILICA DI SAN MARCO – Erguida na extremidade leste da Piazza San Marco, a basílica foi construída originalmente como o local do repouso final de São Marcos, cujo corpo foi retirado às escondidas de Alexandria por dois mercadores em 828. A estrutura atual é a terceira igreja edificada no mesmo local e data do século XI. No estilo bizantino, parecendo uma mesquita, essa é uma das igrejas católicas mais belamente decoradas de todo o mundo, coroada por réplicas da *Quadriga*, os quatro cavalos de bronze levados a Veneza como produtos da pilhagem de Constantinopla em 1204. (Os originais agora estão no Museu de São Marcos, dentro da basílica.) Outras "apropriações" originárias de diferentes pontos do então vasto império mercantil de Veneza decoram o interior e o exterior dessa construção. Mosaicos bizantinos cobrem os tetos parcamente iluminados do interior. O sarcófago de São Marcos repousa sob quatro colunas no presbitério, enquanto atrás do altar fica o retábulo Pala d'Oro, um dos maiores tesouros da basílica, com mais de 2.000 pedras preciosas. **ONDE:** Piazza San Marco, San Marco. Tel. (39) 041-522-5205.

PIAZZA SAN MARCO – Considerada no passado, e ainda hoje, o centro de Veneza, essa é uma das mais belas praças do mundo, cheia de cafés, lojas, turistas e – é claro – de multidões de pombos gorduchos. No lado maior da praça, que não é exatamente quadrada, estão a magnífica Basilica di San Marco (veja o texto anterior) e o célebre Campanile, a estrutura mais alta de Veneza. A torre atual é uma recriação erguida no século XX a partir da construção original do século VIII, que desmoronou em 1902. Suba até o seu topo para apreciar uma vista fantástica. Num dia claro, às vezes é possível ver o perfil distante das montanhas Dolomitas.

Quando chegou ali em 1797, Napoleão disse que a praça era "a mais primorosa sala de estar da Europa", e ela pode muito bem continuar a ser considerada assim. Legiões de visitantes olham embevecidos para suas elegantes colunatas e para a fachada ornamentada da basílica enquanto saboreiam um *espresso* no Caffè Florian (veja o texto a seguir) ou no Caffè Quadri ao som de orquestras ou simplesmente se sentam ali para um bate-papo ao sol. A cada 60 minutos, dois mouros de bronze anunciam a hora lá no alto da Torre dell'Orologio, do século XV. Para admirar a praça em todos os seus aspectos, visite-a várias vezes: de manhã bem cedo, para aproveitá-la sozinho; à tarde, para o espetáculo oferecido pelas multidões; e à noite, para um cenário intensamente romântico.

SCUOLA GRANDE DI SAN ROCCO – Construída em 1515 para ser a sede de uma fraternidade religiosa e social (uma das muitas existentes em Veneza na época), essa estrutura é, de longe, a mais conhecida de todas, graças à sua coleção de obras de Tintoretto, que pintou cerca de 50 trabalhos para a Scuola entre 1564 e 1594. É a mais abrangente coleção do mundo focalizando a sombria e dramática obra desse artista. O último andar abriga cenas do Novo e do Velho Testamento, inclusive *A crucificação*, considerada a obra-prima de Tintoretto. **ONDE:** Campo San Rocco, San Polo. Tel. (39) 041-523-4864.

OUTRAS ATRAÇÕES IMPERDÍVEIS

GÔNDOLA, GÔNDOLA! – Tudo bem, as gôndolas são vergonhosamente turísticas, têm preços extorsivos e os venezianos não chegam nem perto delas, mas também proporcionam a maneira mais prazerosa e romântica de explorar os cantos menos óbvios dessa cidade sem igual cujas ruas são cheias d'água. O gondoleiro não canta e às vezes pode não ser nada simpático, porém esse ainda é o melhor modo de você deslizar em silêncio nessa encantadora rede de mais de 150 pequenos e tranqüilos canais, imerso na sua própria fantasia, viajando 500 anos de volta no tempo, ao auge da Sereníssima República. **ONDE:** os gondoleiros reúnem-se em todos os pontos turísticos, inclusive no entorno do Palazzo Ducale e da Ponte Rialto.

TORCELLO – Nem pense em imitar Katharine Hepburn mergulhando nas águas de um dos canais de Veneza (como ela fez no clássico *Quando o coração floresce*, de 1955), mas encontre um equivalente do ator Rossano Brazzi e dirija-se à verdejante e quase deserta ilha de Torcello para um piquenique idílico, longe das multidões de turistas e dos pombos da Piazza San Marco. Esqueceu a cesta de piquenique? A aconchegante Trattoria al Ponte del Diavolo (tel. 39/041-730-401) é a melhor opção, com suas mesas ao ar livre para um almoço no jardim. Como sobremesa, visite a antiga Catedral de Torcello e seus incríveis mosaicos bizantinos dos séculos XII e XIII, que estão entre os mais importantes da Europa. **ONDE:** situada na extremidade nordeste da laguna veneziana, ela pode ser alcançada de *vaporetto* (saindo da Ponte della Paglia e do terminal Fondamenta Nove) ou num passeio pelas "ilhas de fora", que inclui as ilhas de Burano (conhecida por suas rendas) e de Murano (célebre por seus cristais).

IGREJA DE VIVALDI – Conhecida oficialmente como Igreja da Pietà, esse é o local onde o maestro barroco Antonio Vivaldi trabalhou regendo o coro de um orfanato e conservatório entre 1703 e 1741 enquanto compunha algumas de suas obras-primas. Essas criações (e outras de seus contemporâneos) hoje são executadas regularmente ali à luz de velas. Nada como ouvir uma apresentação de *Le quattro staggioni* (As quatro estações) sob um teto que ostenta um luminoso afresco de Tiepolo. Ou será que o que encanta mais é a excelente acústica? **ONDE:** Riva degli Schiavoni, Castello. Tel. (39) 041-522-2171; www.vivaldi.it.

ONDE FICAR

HOTEL DANIELI – Classificado como um dos melhores hotéis históricos do mundo, o Danieli, de frente para o canal, ocupa uma residência de um doge do século XIV. Seu pátio interno é atualmente o espetacular saguão do hotel, onde fica o convidativo Bar Dandolo. O espaço oferece um ambiente singular para quem deseja relaxar – tanto curiosos interessados em conhecer o local quanto hóspedes que vão subir até às suas magníficas suítes com janelas para o Grande Canal. (Dica: os quartos que não têm vista para o canal não valem o preço da diária – adequada à carteira de um doge.) **ONDE:** Riva degli Schiavoni, Castello. Tel. (39) 041-522-6480; www.starwood.com/danieli. **QUANTO:** preço alto.

HOTEL FLORA – Mesmo antes de cruzar as portas de vidro desse hotel aconchegante, é possível ver o pátio e a vegetação exuberante que inspiraram a escolha do seu nome. Os hóspedes costumam permanecer a maior parte do tempo nesse pequeno oásis durante os meses mais amenos, tomando o café da manhã, um chá ou um aperitivo em meio à tranqüilidade criada por grandes trepadeiras e lindas flores. Alguns quartos privilegiados têm janelas que dão para esse jardim secreto, mas o aposento mais cobiçado é o quarto do último andar, na extremidade do prédio. Ele tem vista para o palácio que, dizem, foi da Desdêmona de *Otelo*. **ONDE:** Calle Larga XXII Marzo, San Marco. Tel. (39) 041-520-5844. **QUANTO:** preço moderado.

HOTEL AI DO MORI – É um endereço cinco estrelas cujos quartos dos andares mais altos dão para as cúpulas bizantinas da Basilica di San Marco. Seu destaque é o Quarto do Artista, cuja varanda fica tão perto dos mouros de bronze da torre do relógio da Piazza San Marco que dá até para impedir que eles soem a badalada de cada hora. No entanto, certifique-se de que seus joelhos agüentam a subida: o hotel não tem elevador. **ONDE:** Calle Larga San Marco, San Marco. Tel. (39) 041-520-4817; www.hotelaidomori.com. **QUANTO:** preço baixo.

ONDE COMER E BEBER

OS CAFÉS DA PIAZZA SAN MARCO – Durante os meses frios, o interior típico do século XVIII do CAFFÈ FLORIAN (tel. 39/041-528-

5338) faz desse lugar a melhor opção da praça. No entanto, quando o clima melhora e as mesas são colocadas nas calçadas, onde as *orchestrine* tocam suas intermináveis músicas ao luar, qualquer um dos cafés ao ar livre se torna uma boa pedida. Você pode até se rebelar e procurar o menos conhecido CAFFÈ CHIOGGIA (tel. 39/041-528-5011) logo na esquina, de frente para a fachada de mármore rosa e branco do Palazzo Ducale. Seu quarteto de jazz é o melhor, e dali é possível contemplar a flotilha de gôndolas estacionadas nas águas da célebre laguna à direita ou ficar assistindo aos mouros de bronze darem suas badaladas na torre do relógio à esquerda. **ONDE:** Piazza San Marco, San Marco.

CANTINA DO MORI – Despretensiosa e transbordando de bom humor, a Cantina do Mori é o mais amado *bacaro* (*wine bar*) de Veneza. Misture-se à multidão de freqüentadores habituais, peça uma taça de um vinho tinto da região (custa uma ninharia) e prove uma série de *cichetti* (pequenas porções de comida no estilo das *tapas*, tira-gostos típicos espanhóis). Professores e proprietários de *palazzi* bebem ao lado de vendedores e comerciantes do mercado de peixes localizado ali perto. Esse ambiente antigo é tão autêntico que ninguém se espantaria se Casanova aparecesse em pessoa e o cumprimentasse com um tapinha no ombro. Há vários *bacari* nos bairros da cidade: experimente todos. **ONDE:** Calle due Mori, Castello. Tel. (39) 041-522-5401.

CLUB DEL DOGE – Não há provavelmente endereço mais mágico no Grande Canal do que o do restaurante instalado no terraço do magnífico Gritti Palace Hotel, do século XVI. Exatamente em frente a ele está a pérola solitária de Veneza, a igreja barroca Chiesa della Salute (Igreja da Boa Saúde). Suas colunas se tornam ainda mais graciosas quando iluminadas à noite. Caso os quartos suntuosos do Gritti Palace não sejam para o seu bolso, poupe o bastante para pagar pelo menos por um jantar à luz de velas ou por um aperitivo no fim da tarde no terraço ao ar livre – sobretudo se você for um estadista ou quiser se sentir (ou gastar) como um deles. **ONDE:** Gritti Palace Hotel, Campo Santa Maria del Giglio, San Marco. Tel. (39) 041-794-611; www.starwood.com/grittipalace.

DA FIORE – Numa cidade de ótimos restaurantes de peixe, o Da Fiore costuma ser considerado o melhor deles, com poucos rivais capazes de superar seu nível de qualidade e a paixão demonstrada por seus proprietários, a chef Mara Martin e seu marido, Maurizio. Fluente em inglês, a equipe de atendimento explica os muitos detalhes de um cardápio complexo, que exibe raras iguarias do Adriático, todas preparadas à perfeição. **ONDE:** Calle del Scaleter, Campo San Polo, San Polo. Tel. (39) 041-721-308.

HARRY'S BAR – Na outra ponta do espectro da Cantina do Mori está o pequeno e quase indefinível Harry's, que é também o bar mais conhecido do mundo. Uma multidão internacional aparece ali para saber o motivo de tanto interesse – e a maior parte dessas pessoas pede os sanduíches Bellini e Club, as especialidades da casa. Você pode deixar o bar sem entender muito bem o que atraía Hemingway a esse lugar ou então acrescentar seu nome à interminável lista de freqüentadores. Alguns deles sobem as escadas para experimentar o célebre restaurante, mais conhecido por seus preços estratosféricos do que pelo cardápio, bom no seu estilo clássico e – às vezes – até mesmo excelente. **ONDE:** Calle Vallaresso, San Marco. Tel. (39) 041-528-5777.

OS MERCADOS DE RIALTO – Uma caminhada pelos Mercados de Rialto fará você retroceder no tempo, alguns séculos atrás, quando essas feiras dedicadas a *erberia* (legumes, frutas, verduras, etc.) e *pescheria* (pescados) eram as mais importantes do Mediterrâneo. Galeras descarregavam seus produtos exóticos de pontos longínquos da República de Veneza nesse mesmo cais, e uma confusão de línguas apregoava uma fantástica variedade de mercadorias – especiarias, café, sedas, marfim. Aos poucos, o mercado vem perdendo sua autenticidade: há barraquinhas vendendo chapéus de gondoleiros, enquanto rendas chinesas são oferecidas como se fossem de Burano. Apesar disso, o mercado pesqueiro de todos os dias mantém a animação, exibindo peixes dos mais variados tipos e formatos, além de criaturas exóticas, diferentes de tudo o que você já viu. Observe-os ali de dia antes que eles acabem no prato do seu jantar à noite. **ONDE:** perto da Ponte Rialto, San Polo.

Um palco que hipnotiza

CARNEVALE

Veneza, Vêneto, Itália

Até à sua queda diante do exército de Napoleão em 1789, o Império Veneziano, então com 1.000 anos de existência, parecia sustentado apenas pelo ritual hedonístico do seu Carnevale – evento anual que atraía pessoas muito ricas de todas as cortes da Europa. Elas tomavam parte em festividades libertinas e descomedidas que se prolongavam por semanas, às vezes meses. Ressuscitado em 1980, o carnaval de Veneza retomou seu curso como se nunca tivesse sido interrompido por todos aqueles anos. Esqueça a bagunça e o hedonismo do Rio de Janeiro: em Veneza, o Carnevale é uma reencenação do canto do cisne da Sereníssima República, com muitas perucas empoadas e tecidos finos, cascatas de rendas, fantasias à moda do século XVIII que evocam os dias de Casanova, dândis e, por toda parte, personagens da Commedia dell'Arte, a escola de teatro italiana.

Vestidos a caráter para uma das festas à fantasia em Veneza.

Muitos concertos e eventos despertam Veneza do período de hibernação por que passa no inverno, lotando praças, igrejas e palácios bizantinos com carnavalescos mascarados. Fora do alcance da maioria dos mortais, com exceção de alguns convidados sortudos, estão os bailes de máscara à luz de velas promovidos pelos descendentes dos doges e das que já foram as poderosas famílias nobres de Veneza. Uma das raras exceções é também uma das festas mais suntuosas da cidade: faça a reserva com bastante antecedência para Il Ballo del Doge (o Baile do Doge), realizado no Palazzo Pisani Moretta, do século XV – uma residência particular no Grande Canal coberta de afrescos. Trata-se de uma noite repleta de banquetes extravagantes e de menestréis que perambulam pelo palácio. Tudo ocorre em meio a uma atmosfera mágica, iluminada por 1.000 velas, recriando os dias em que a Sereníssima República ainda mantinha seus domínios e a vida em Veneza era mesmo como um sonho.

O QUE: evento. **CARNEVALE:** últimos 10 dias anteriores à Ter. de carnaval (véspera da Qua. de cinzas). **BALLO DEL DOGE:** realizado no Sáb. antes da Ter. de carnaval. Tel./fax (39) 041-528-7543; martshop@tin.it. *Quanto*: U$450 por pessoa, incluindo jantar, bebidas e as apresentações durante a noite.

Um oásis flutuante ao alcance de um passeio de lancha

Hotel Cipriani

Veneza, Vêneto, Itália

Como se fosse uma propriedade particular ou um country club no centro de Veneza, o Hotel Cipriani guarda uma maravilhosa distância da agitação dos turistas que dá o tom à cidade. Mas a magnífica Piazza San Marco está bem perto, ao alcance de um curto passeio de lancha. Sua chegada a esse hotel provavelmente será inesquecível. Situado na extremidade da pacata ilha de Giudecca, o Cipriani, com seus jardins floridos e sua piscina olímpica (ambos itens luxuosos em Veneza, onde a terra é escassa), além dos seus belos e discretos quartos cujas paredes são ornamentadas com sedas Fortuny, é um autêntico santuário: a qualidade do seu serviço e o conforto que oferece não têm rivais na cidade. Se você não estiver preocupado com o preço da diária, instale-se no anexo, o Palazzo Vendramin, ou Palazzetto, uma jóia do século XV devidamente restaurada, onde a *dolce vita* fica ainda mais doce: dos 12 luxuosos apartamentos que contam com mordomos, os melhores têm vistas deslumbrantes para o canal e o Pallazo Ducale mais além. O restaurante do Cipriani é excelente e um dos mais sofisticados de Veneza. Como o próprio saguão, ele não é imponente nem grandioso, mas não há como se enganar a respeito de sua elegância refinada e discreta. O "Cip", o bar flutuante do hotel, é o novo *point* da cidade, ideal para relaxar durante uma hora enquanto se toma um irretocável Bellini feito de Prosecco e se prova um purê de pêssego disponível apenas na temporada certa (de maio a agosto). A perfeição descontraída do hotel deve-se, em grande parte, ao seu gerente, Natale Rusconi, altamente conceituado nos círculos ligados à hotelaria.

O Que: hotel, restaurante. **Onde:** Ilha Giudecca. Tel. (39) 041-520-7744; fax (39) 041-520-3930; info@hotelcipriani.it; www.hotelcipriani.it. **Quanto:** duplos a partir de U$560 (baixa temporada), Palazzo Vendramin a partir de U$690. Almoço no Cip U$40. **Quando:** o edifício principal fecha de Nov.–meados de Abr.

O trem dos reis, o rei dos trens

Simplon-Orient-Express de Veneza

Veneza, Vêneto, Itália

O primeiro Orient-Express partiu de Paris rumo a Istambul em 1883 para percorrer um trajeto de 2.735km pela Europa. Suspenso em 1977, ele está de volta aos trilhos, agora com o nome Simplon-Orient-Express de

Veneza (VSOE), e ainda proporciona uma viagem que deixa lembranças para toda a vida. Os lendários vagões originais recuperaram todo o seu antigo esplendor do século XIX graças a um trabalho de restauração de suas peças de madeira marchetada e de seus metais polidos. Assim, a mais perfeita e luxuosa viagem de trem está novamente disponível, ainda que sem os espiões, as estrelas de cinema mudo e as figuras da realeza de outros tempos. De qualquer forma, muito do glamour e da mística dos anos 1920, popularizados por Agatha Christie, perduram. O jantar e o serviço impecável continuam tão maravilhosos quanto se poderia esperar da mais famosa viagem de trem do mundo – uma espécie de hotel cinco estrelas sobre os trilhos. Agora existe uma rede de rotas que se estende pelo continente (ligando, por exemplo, Roma, Praga e Istambul), mas a tradicional viagem de 32 horas de Veneza a Londres ainda é a que recebe mais pedidos de reservas. E, mesmo que haja algumas paradas e uma grande variedade de paisagens ao longo do caminho, o Orient-Express é uma experiência voltada sobretudo para o próprio trem. Enquanto a tendência geral das viagens por estradas de ferro é priorizar a alta velocidade, relegando o serviço ao básico, nesse trem o passageiro tem a oportunidade de reviver os anos dourados das ferrovias.

O QUE: experiência. **ONDE:** Veneza–Londres e vice-versa. Estão sendo oferecidas opções cada vez mais variadas em termos de viagens noturnas (incluindo Florença e Roma, na Itália). www.orient-expresstrains.com. **QUANTO:** Veneza–Londres U$2.020 por pessoa, du-

O Simplon-Orient-Express de Veneza nos Alpes austríacos.

plos, inclui todas as refeições e o chá a bordo (é possível fazer reservas para trechos mais curtos, como Veneza–Paris). **QUANDO:** meados de Mar.–fim de Nov.

Terra de Romeu, Julieta e Aída

VERONA

Vêneto, Itália

Dê folga à sua desilusão e mergulhe no clima romântico de Verona. Determinados a manter vivo o mito de Romeu e Julieta, funcionários da administração da cidade escolheram determinado *palazzo* do século XIV – completo, com a indispensável sacada – como a residência da família Capuleto. Milhões de turistas e apaixonados vão até lá em busca do mesmo ar que os amantes criados por Shakespeare respiraram. As pichações e as mensagens de amor deixadas para trás, registradas em todas as línguas possíveis e imagináveis, são inocentes, bem-humoradas e revelam às vezes uma amargura sutil. Não saia do modesto pátio sem antes passar a mão no seio direito de uma Julieta de bronze – é uma tradição peculiar para a qual ninguém consegue dar uma explicação satisfatória.

No verão, junte-se a seus companheiros de peregrinação romântica para uma noite de ópera no impecavelmente preservado anfiteatro romano, construído há mais de 2.000 anos. A acústica perfeita sobreviveu aos séculos, fazendo desse palco um dos mais fascinantes para apresentações ao vivo (e sem microfone) atualmente. Desde 1913, quando foi apresentada pela primeira vez para comemorar os 100 anos do nascimento de Verdi, *Aída* tem sido uma atração constante na programação anual, e os ingressos para esse espetáculo são os mais disputados. José Carreras pode parecer bem pequenino quando visto dos lugares mais altos e mais baratos do anfiteatro (e você terá sorte se conseguir um desses, pois os 20.000 ingressos sempre se esgotam), mas a voz dele soará cristalina e clara como nunca em meio ao ar fresco da noite. A vista das montanhas das vizinhanças faz parte do pacote sem nenhum custo extra. Mesmo quem não é fanático por ópera guardará algo precioso na memória depois de ver a entrada de centenas de figurantes no palco durante a Marcha Triunfal de *Aída*. Após a ópera, siga para o histórico Caffè Dante e sente-se ao ar livre na mais bela praça de Verona, a Piazza dei Signori.

O QUE: cidade, lugar, evento. **VERONA:** 114 km a oeste de Veneza. Para mais informações, entre em contato com info@tourism.verona.it; www.tourism.verona.it. **CASA DI GIULIETA (CASA DE JULIETA):** Via Cappello, 23. *Quanto*: ingresso. **APRESENTAÇÕES DE ÓPERA:** Arena di Verona. *Como*: a bilheteria fica na Via Dietro Anfiteatro 6/B. Tel. (39) 045-80-05-151; fax (39) 045-80-13-287; www.arena.it para obter ingressos, programação e outras informações. *Quanto*: a partir de U$14. *Quando*: fim de Jun.– início de Set.

Uma ilha de história e cultura ímpares

CRETA

Grécia

A maior das ilhas gregas é também uma das mais fascinantes do país. Creta é o berço da cultura minóica, a primeira civilização avançada da Europa, e Cnossos – só descoberta em 1900 – era a sua capital. No passado se pensava que o Palácio de Cnossos, que foi reconstruído, tinha sido o lar do lendário rei Minos, cuja mulher deu à luz o Minotauro – criatura meio touro, meio homem –, que vivia de sacrifícios humanos e habitava um labirinto secreto sob o palácio. A construção é de 1700 a.C., porém o brilho e o vigor de seus afrescos, assim como sua organização e a sofisticação das suas linhas, fazem com que pareça quase contemporânea. A restauração de Cnossos foi motivo de um debate acalorado entre arqueólogos, que a consideraram, na melhor das hipóteses, fruto das especulações bem-intencionadas de seu colega sir Arthur Evans, no início do século XX. Os aposentos reais são, sem dúvida, o próprio símbolo dos padrões luxuosos da vida na corte, somando quatro andares de cômodos que dão uma idéia da vida minóica há cerca de 3.000 anos. Muitos de seus afrescos e tesouros (sem igual no mundo antigo) foram removidos e hoje estão no Museu Arqueológico de

As ruínas do Palácio de Cnossos.

Héraclion (que só perde para o de Atenas). Essas peças retratam uma sociedade pacífica e consideravelmente avançada para seu tempo. Os puristas preferirão o Palácio de Faistos ali perto. As escavações que o revelaram foram feitas quase na mesma época que as de Cnossos. Os dois palácios datam do mesmo período, mas Faistos, ao contrário de Cnossos, foi deixado praticamente em ruínas.

A mais espetacular atração de Creta em termos de natureza é vista ao longo da garganta de Samariá, o mais comprido desfiladeiro da Europa. A popular porém cansativa caminhada descendo as montanhas Brancas começa com um declive de 900m de altitude durante o primeiro quilômetro e meio no íngreme e ziguezagueante Xylóscalo (Degraus de Madeira). Depois disso, uma trilha bastante utilizada percorre cerca de 17km num nível mais plano, um caminho onde é possível sentir o cheiro do tomilho e do orégano silvestres que crescem por ali. Se você tiver sorte, pode até topar com as raras *kri-kri* (cabras selvagens de Creta) que habitam a região. O ponto alto da caminhada é o Sidirósportes (Portões de Ferro), onde os adeptos do passeio se espremem num espaço de apenas 2,7m, o ponto mais estreito do desfiladeiro, entre duas paredes de rocha de mais de 600m de altura de cada lado. Cerca de cinco ou sete horas depois, a trilha acaba conduzindo a um vilarejo no litoral e a um mergulho refrescante no mar da Líbia. O ponto de partida para a caminhada costuma ser a cidade costeira de Chania, conhecida por seu porto, que evoca a história do lugar.

Não muito perto dali, mas merecendo sem dúvida uma visita, fica o Hotel Elounda Mare, construído numa encosta com vista privilegiada para a encantadora baía de Mirabella e para as montanhas ao longe. Metade das suítes conta com seus próprios jardins internos e pequenas piscinas privativas, ainda que um mar azul-turquesa esteja à disposição ao lado. A estética mediterrânea do Elounda Mare, um hábil equilíbrio entre a sofisticação do norte da Europa e a simplicidade típica da ilha, reflete-se no mobiliário grego tradicional mas de alta qualidade, assim como na sua cozinha. No hotel há três restaurantes conceituados que oferecem uma excelente seleção de frutos do mar frescos e extensas cartas de vinhos.

O QUE: ilha, lugar, hotel. **CNOSSOS:** 5km a sudeste de Héraclion. *Quanto*: ingresso. **FAISTOS:** 50km ao sul de Héraclion. *Quanto*: ingresso. **DESFILADEIRO DE SAMARIÁ:** Chania fica 137km a oeste de Héraclion. *Quando*: o desfiladeiro fica aberto de Mai.–meados de Out. *Melhor época*: Mai. e Set. As famosas flores silvestres de Creta florescem em Mai. **ELOUNDA MARE:** 80km a leste de Héraclion. Tel. (30) 841-041102; fax (30) 841-041307; info@eloundahotels.com; www.eloundahotels.com. *Quanto*: duplos com vista para o mar a partir de U$205 (baixa temporada), a partir de U$340 (alta temporada); bangalôs com piscinas privativas a partir de U$340 (baixa temporada), a partir de U$575 (alta temporada). **QUANDO:** aberto de Abr–Out.

Casas cubistas brancas com mar azul ao fundo

MYKONOS E DELOS

Ilhas Cíclades, Grécia

Há muito tempo Mykonos é a ilha das festas da Grécia. Sua imagem como ponto de encontro de gente jovem, bonita e que gosta de aparecer e de viajantes dispostos a dançar até o sol raiar tem atraído e afugentado

O casario branco de Mykonos.

visitantes em potencial. Linda como um cartão-postal, sua capital, Chora, é limpa, bem conservada e de uma brancura ofuscante. Clubes de aspecto cosmopolita, bares gays e praias maravilhosas pontuam uma ilha árida, na qual poucas das antigas tradições gregas sobrevivem. Ali a paisagem seca e rude é encantadora, salpicada de antigos moinhos desativados, cerca de 400 igrejas, capelas e santuários. Belo também é o conjunto de casas brancas empilhadas como cubos de açúcar com portas pintadas de azul-celeste e suas buganvílias vermelhas e cor-de-rosa. Mas toda essa visão pode ser prejudicada pelas multidões que invadem o lugar na alta temporada. O labirinto de ruas estreitas foi concebido para barrar o vento e confundir os piratas que infernizavam Mykonos nos séculos XVIII e XIX. Elas continuam a intrigar os turistas de hoje, que adoram se perder entre tabernas, butiques chiques e residências. O pelicano típico da região é um animal manso, mas um tanto rabugento, uma espécie de mascote da ilha que costuma desfilar pela área do cais parecendo ter tudo sob controle. A menor das ilhas Cíclades, Mykonos tem apenas 16 por 11km. É possível fugir das hordas de visitantes que desembarcam dos navios de cruzeiro optando por uma praia mais reservada, a 3km da cidade, onde fica o Kivotos Clubhotel, o melhor do lugar. Outra alternativa é embarcar para a ilha vizinha de Delos.

Pequena e varrida pelos ventos, Delos é descrita na mitologia grega como o berço de Apolo, deus da verdade e da luz, e de sua irmã gêmea, Ártemis, a deusa da Lua. Por volta do ano 1000 a.C., habitantes da Jônia já haviam se estabelecido na ilha, transformando-a num centro religioso. Com uma localização estratégica e protegida de ataques pelo seu status sagrado, Delos prosperou como o maior porto e centro de tráfico de escravos do mar Egeu antes de começar a ser progressivamente abandonada em torno do ano 70 a.C. Quase toda a ilha, de meros 2,5km^2, é um grande museu arqueológico ao ar livre, coberto de ruínas antigas, mosaicos e, nos meses de primavera, flores silvestres. As escavações, que começaram a ser feitas no fim do século XIX, continuam em curso. Sua atração mais fotografada é o Terraço dos Leões, onde cinco das nove esculturas originais dessas feras, feitas de mármore branco (por volta do século VII a.C.), permanecem na posição original. Talvez você se lembre de ter visto uma delas na entrada do Arsenal de Veneza – até hoje a Grécia continua tentando levá-la para seu lugar de origem.

O QUE: ilha, hotel. **MYKONOS:** o aeroporto local mantém vôos de/para Atenas e, na alta estação, para algumas cidades européias; 5–7 horas de barco, 3 horas de aerobarco a partir de Atenas. **KIVOTOS CLUBHOTEL:** baía de Ornos, a 3km da cidade. Tel. (30) 289-024094; fax (30) 289-022844; kivotos@kivotosclubhotel.gr; www.kivotosclubhotel.gr. *Quanto*: duplos a partir de U$200 (baixa temporada), a partir de U$290 (alta temporada). *Quando*: aberto de Abr.–Out. **DELOS:** acesso exclusivamente por barco a partir de Mykonos, a 25 minutos de distância. *Quando*: partidas todas as manhãs na alta temporada. **MELHOR ÉPOCA:** Mai., Set.–Out.

O modelo de ilha grega paradisíaca

SANTORINI

Ilhas Cíclades, Grécia

Essa ilha, a preferida de quase todos que visitam a Grécia, apresenta uma das paisagens menos comuns do mar Egeu. Seu nome oficial é Thira, ainda que o nome medieval Santorini – corruptela de Santa Irene, herança dos italianos que passaram por ali – seja mais empregado. Mas, não importa como seja conhecido, qualquer lugar tão lindo assim está fadado a ser parada obrigatória de todos os cruzeiros e atração fundamental nos itinerários de quem vai a essas ilhas. Grandes contingentes de turistas, que felizmente nunca permanecem mais do que algumas horas ali, costumam desembarcar durante os meses do verão. Há uma atividade vulcânica intensa (existem dois cones fumegantes no interior de uma caldeira submersa de 9,5km de diâmetro), e até hoje se especula que Santorini seja o que sobrou do reino perdido de Atlântida. Nesse rico solo vulcânico nada menos do que 36 variedades de uva são cultivadas: a ilha produz um vinho branco delicioso, que deixa todos muito alegres. As casas caiadas e em forma de cubos da pequena Oia – conhecida como um dos mais belos vilarejos do Mediterrâneo – localizam-se no alto de penhascos estriados de 300m de altura acima das águas cor de anil de sua caldeira privativa parcialmente submersa ("um vulcão azul pronto para ser bebido", escreveu o poeta grego e prêmio Nobel Odisseus Elytis).

Vista a partir dos penhascos de Santorini.

Em Oia, aproveite a visita ao máximo com uma estada no Perivolas, onde os terraços privativos de cada uma de suas 17 casas (cavernas restauradas) proporcionam vistas para paisagens que costumamos ver em cartões-postais. Saia dos seus arejados aposentos e tome um drinque diante de um panorama tão grandioso quanto o do Grande Canyon, só que mais bonito. Pode ser que existam hotéis mais luxuosos em Santorini, mas nenhum proporciona vistas do pôr-do-sol como as casas simples e elegantes do Perivolas, que é administrado por uma família. Essas casas caiadas, de um branco ofuscante, têm paredes e tetos curvos; cada terraço é o teto da casa que fica embaixo. Num deles está instalada uma piscina sem bordas: o tom de seu azul é idêntico ao do mar Egeu lá embaixo. Perivolas é resultado de muito amor. Os panos e tapetes produzidos pelo proprietário, tecidos e tingidos à mão, embelezam os cômodos elegantes do hotel, nos quais rendas artesanais adornam portas e janelas. O hotel fica a apenas dois minutos a pé do centro da pacata cidadezinha de Oia, e dali bastam 20 minutos de carro para se chegar à agitação da principal cidade da ilha, Thira. Mas, para o ritual diário do pôr-do-sol, não existe maior felicidade do que se sentar no seu próprio terraço tendo na mão uma taça do vinho branco local e na cabeça a expectativa de jantar mexilhões frescos grelhados num restaurante perto dali.

O QUE: ilha, hotel. **SANTORINI:** 12 horas de barco saindo de Atenas; um pequeno aeroporto mantém vôos diários para Atenas na alta temporada. **Perivolas:** em Oia, na ponta noroeste da ilha. Tel. (30) 286-071308; fax (30) 286-071309; perivolas@san.forthnet.gr; www.perivolas.gr. *Quanto*: duplos a partir de U$280 (baixa temporada), a partir de U$ 336 (alta temporada). *Quando*: aberto Abr.–Out. **Melhor Época:** Abr.–Jul. e Set.–Out.

Berço de um rico patrimônio religioso e artístico

Pátmos

Dodecaneso, Grécia

São João, o Teólogo, apóstolo e evangelista, inspirou-se para escrever o Livro do Apocalipse durante os dois anos de exílio que passou em Pátmos, após chegar ali em 95 d.C. A pequena caverna onde ele escutou a voz de Deus (hoje a Gruta Sagrada) situa-se no centro do Mosteiro do Apocalipse. Mas a maior atração é o Mosteiro de São João. A construção alta, que se eleva sobre a cidade, é um formidável exemplo de um complexo monástico do século XI, agrupando pátios e igrejas, erguido como uma fortaleza para proteger seus tesouros religiosos. Desde o começo, o mosteiro foi decorado com pinturas, entalhes e esculturas notáveis. Sua tradição ligada ao estudo consolidou sua reputação de importante centro monástico, um papel de prestígio que continua a exercer até hoje como ponto central da fé ortodoxa grega nas ilhas do país.

A enorme biblioteca do mosteiro, assim como seus arquivos, constituem um importante patrimônio cultural, que só perde para a coleção do monte Athos. Seus 900 anos de história foram celebrados com toda a pompa em 1988. No entanto, Pátmos também proporciona muitas satisfações de ordem mundana, com um interior montanhoso e fantásticas praias que atraem os menos inclinados à religião.

O Que: ilha, lugar. **Onde:** a 240km do continente. **Melhor Época:** Pátmos oferece uma experiência inesquecível durante a celebração da Semana Santa e da Páscoa ortodoxa grega (geralmente em Abr.).

Uma ponte entre a Europa e o Oriente

Rodes

Dodecaneso, Grécia

Graças à sua estratégica localização no caminho das rotas comerciais, Rodes sempre foi próspera. Do seu passado grandioso sobrou muito pouco (o Colosso de Rodes, estátua de bronze de cerca de 30m de altura e uma das sete maravilhas do mundo antigo, foi vendido como sucata no século VII d.C. depois que um terremoto o derrubou). No entanto, da Idade Média – período em que a ilha foi dominada por cruzados da Ordem dos Cavaleiros de São João – ainda restam muitos vestígios na Cidade Velha, a maior cidade medieval habitada em toda a Europa. As muralhas, maravilhosamente preservadas, são um dos maiores monumentos medievais do Mediterrâneo. Elas revelam a capacidade em termos de engenharia, bem como os recursos, tanto humanos quanto financeiros, de que os cavaleiros dispunham para manter os infiéis à distância. Com quase 5km de extensão e com até 12m de espessura em alguns trechos, as muralhas, rodeadas por um fosso duplo, cercam a Cidade Velha, uma moldura apropriada para o que já é, por si só, um monumento histórico. A divisão entre os cavaleiros era estabelecida em sete idiomas ou países de origem pelos quais suas respectivas hospedarias eram e ainda são conhecidas – placas identificam antigas construções como "Estalagem da Língua da Provença" e "Casa Espanhola". Rodes está a apenas 17km da costa da Turquia e até mesmo as muralhas imponentes não foram capazes de proteger os cavaleiros das hostes de Solimão I, o Magnífico e dos otomanos, em 1522. A influência estética deixada pelos 300 anos da presença turca ainda pode ser constatada na Cidade Velha. O lugar mais aprazível para

A Rua dos Cavaleiros.

se hospedar no interior das muralhas é o Hotel San Nikolis, instalado numa construção medieval cujo terraço serve de palco para um café da manhã com direito a vistas deslumbrantes.

O QUE: lugar, hotel. **CIDADE VELHA:** vôos diários e uma viagem de barco de 16 a 18 horas ligam Rodes a Atenas durante a alta temporada. **HOTEL SAN NIKOLIS:** Rua Hippodamou, 61. Tel. (30) 2241-034561; fax (30) 2241-032034; nikoliss@hol.gr; www.s-nikolis.gr. **QUANTO:** duplos a partir de U$140 (alta temporada). **MELHOR ÉPOCA:** Abr.–Nov.

O mais importante monumento da Antiguidade no mundo ocidental

A ACRÓPOLE

Atenas, Grécia

Ponto alto das realizações da civilização grega em sua fase áurea, o templo dórico altamente sofisticado conhecido como Partenon é a maior estrutura desse tipo construída na Grécia e ocupa o lugar mais elevado no horizonte da cidade (*acropolis* significa cidade alta) desde o século V a.C. Dedicado à deusa padroeira da cidade (Atena), foi originalmente pintado com cores tão vivas (a exemplo de todas as outras construções da Acrópole) que Plutarco, alarmado, teria reclamado: "Estamos dourando e enfeitando nossa cidade como se ela fosse uma mulher libertina." Nos dias de hoje, o monumento cintila ao sol nas cores branca e dourada, evidência perdida na história de que já funcionou também como igreja bizantina, catedral para os francos e mesquita para os otomanos. Deixe para o fim a visita ao museu, onde você poderá ver, entre outras magníficas estátuas, quatro das cariátides que originalmente serviam de colunas, além dos frisos de

O Partenon (no alto) e o anfiteatro Odeon, de Herodes Ático.

mármore que o lorde Elgin não conseguiu levar para a Inglaterra. O Festival de Verão de Atenas, principal evento artístico da Grécia, apresenta peças, músicas e balés inspirados em obras da Antiguidade, com a participação de artistas locais e internacionais. Construído no século II, o anfiteatro Odeon, de Herodes Ático, na encosta sul da Acrópole, tem uma acústica lendária.

O QUE: lugar, evento. **A ACRÓPOLE:** o platô de cerca de 3,2ha pode ser visitado facilmente de táxi ou ônibus. **FESTIVAL DE ATENAS:** ingresso, tel. (30) 1-0322-1459. *Quanto*: ingressos U$5–U$80 para as produções mais importantes. *Quando*: o festival é realizado de meados de Jun.–Set. **MELHOR ÉPOCA:** 1 vez por mês, durante a lua cheia, a Acrópole abre à noite. Ou então no fim da tarde, ao pôr-do-sol.

Uma sala dos tesouros em Atenas

MUSEU NACIONAL DE ARQUEOLOGIA

Atenas, Grécia

O Museu Nacional abriga mais obras-primas da Grécia antiga do que qualquer outro museu no mundo. Ver sua coleção inigualável de arte cicladense, minóica, micênica e grega clássica é algo imprescindível para quem pretende conhecer a Grécia. A estrela das esculturas dispostas nas salas do andar térreo é o bronze de uma figura viril, Poseidon (Netuno para os romanos), do século V a.C. – o corpo exibe o equilíbrio perfeito de um atleta prestes a lançar seu tridente. Outra atração irresistível é a sala onde estão as magníficas jóias bizantinas de ouro e a máscara funerária de um rei barbado – já se pensou que ele fosse Agamênon, mas agora se acredita que a máscara date do século XV a.C. Reserve parte do seu fôlego para apreciar a fantástica coleção proveniente de Thira. Instalada no primeiro andar, ela é composta por um grande número de cerâmicas e artefatos resgatados na ilha de Santorini (Thira), que datam dos tempos de uma civilização minóica contemporânea do Palácio de Cnossos em Creta. A coleção de Thira é conhecida por seus afrescos muito bem preservados, alguns dos quais foram levados de volta para Santorini, onde um novo museu está sendo construído.

O QUE: museu. **ONDE:** Rua Patission, 44, com Rua Tissitsa. Tel. (30) 1-0821-7724; fax (30) 1-0821-3573; protocol@eam.culture.gr; www.culture.gr. **QUANTO:** ingresso.

O mais famoso oráculo da Antiguidade, centro do universo

DELFOS

Grécia

Durante mais de 1.000 anos, Delfos foi a sede do mais importante oráculo da Grécia antiga, por meio do qual, acreditava-se, o próprio Apolo falava. De acordo com essa história, no sétimo dia de cada mês, uma sacerdotisa idosa e sábia (pítia) entrava em transe e balbuciava as profecias de Apolo para os sacerdotes que as retransmitiam na forma de charadas enigmáticas que poderiam ser interpretadas de muitas maneiras. Filas formavam-se com dias de antecedência, reunindo peregrinos de toda a Grécia e também estrangeiros. Tanto camponeses quanto grandes líderes mundiais consultavam o oráculo. Eles levavam animais para serem sacrificados e também as perguntas que queriam fazer inscritas em pequenas placas de pedra (muitas delas chegaram aos nossos dias). Delfos ainda conserva algo dessa antiga atmosfera de mistério. Localizado num cenário espetacular, entre duas rochas de tom rosado e diante do pico íngreme do monte Parnaso, ele teria sido fundado por Zeus, líder de todos os deuses, que apontou esse lugar como o centro do universo. Uma pedra, o *omphalos*, ainda marca o local que os antigos acreditavam ser o umbigo do mundo, no qual a sacerdotisa se sentava para receber o oráculo. Sobre o que restou das fundações do templo dórico de Apolo ainda existe um bem preservado teatro do século IV, que no passado foi palco dos Jogos Pítios, realizados a cada quatro anos, assim como os Jogos Olímpicos. Mais além, uma trilha conduz ao estádio, cujo estado de conservação é o melhor em toda a Grécia. Não deixe de visitar o museu de Delfos – sua pequena porém maravilhosa coleção exibe uma amostra dos espantosos tesouros que pertenceram à antiga Delfos. A célebre estátua de bronze de um auriga é da mesma época do anfiteatro e do estádio, um símbolo eterno dos Jogos Pítios.

O QUE: lugar. **ONDE:** 188km a noroeste de Atenas.

Um teatro da Grécia antiga em perfeito estado de conservação

EPIDAURO

Peloponeso, Grécia

Perfeitamente preservado, o teatro construído em Epidauro no século IV a.C possui uma acústica que até hoje é capaz de surpreender as maiores autoridades no assunto. A beleza do cenário em que está localizado e suas proporções harmoniosas não têm equivalente. As restaurações realizadas desde a sua descoberta no século XIX têm sido mínimas: o palco original, de terra batida, foi mantido, assim como as 54 bancadas com espaço para acomodar 14.000 pessoas – os assentos VIP marcados em vermelho ficam nas primeiras filas. Construído com precisão mecânica e com sensibilidade de artista para a paisagem ao fundo marcada por tranqüilas colinas, o teatro em Epidauro transformou-se num cenário popular para as produções do Festival de Teatro Antigo. Foi também – o que é compreensível – um dos lugares preferidos de Maria Callas para se apresentar. É um espaço mágico para se assistir a clássicos de Sófocles e Eurípides, mesmo que você não compreenda a língua em que estão sendo interpretados. Epidauro era o santuário de Asclépio, o deus grego da medicina, e costumava atrair os fracos e doentes das proximidades e de localidades distantes. Os tratamentos a que essas pessoas eram submetidas consistiam em atividade física, relaxamento, banhos e exercícios de ordem intelectual, de modo que era mais do que natural que esse teatro fosse integrado a um dos primeiros spas do mundo.

O Que: lugar, evento. **Onde:** a 40km de Nauplion. Tel. (30) 1-0322-1459 ou entre em contato com o Greek Festival S.A.; tel. (30) 1-092-82900; fax (30) 1-092-82933; www.greekfestival.gr. **Quanto:** ingressos U$10–U$26. **Quando:** produções do festival nos fins de semana em Jul.–Ago.

Centro espiritual do mundo ortodoxo oriental

Monte Athos

Norte da Grécia

O Império Bizantino pode ter terminado em 1453 com a queda de Constantinopla, mas é melhor não contar isso aos monges do monte Athos. Mulheres (e até mesmo fêmeas de animais domésticos) não são admitidas nos 225km^2 desse estado monástico semi-autônomo desde o século XI. Visitantes homens, no entanto, desde que com a devida autorização, podem entrar ali e retroceder 500 anos até à época áurea dessa teocracia, quando existiam mais de 40 mosteiros abrigando 40.000 monges. Atualmente existem 20 mosteiros. Vistas de fora, quase todas essas construções parecem castelos fortificados, uma lembrança dos tempos em que os religiosos ainda tinham que se proteger dos piratas, dos cruzados cristãos e dos turcos otomanos. Hoje em dia, uma comunidade de 2.000 monges mantém uma tradição voltada para o estudo e a liturgia. Manuscritos e obras de arte de valor inestimável foram sendo acumulados ao longo dos anos, por isso um vasto sortimento de relíquias e símbolos sagrados pode ser contemplado pelos visitantes que participam das preces da manhã e da tarde. Os interessados em comer com os monges no refeitório também são bem-vindos (as refeições são vegetarianas). Alguns monges são mais sociáveis e amistosos, outros indiferentes ao fluxo limitado porém constante de convidados durante os meses de verão, época em que é mais difícil obter uma autorização. Não há acesso por terra ao monte Athos. Sua área é cercada por uma densa floresta onde há uma exuberante vida animal. Homens gregos podem visitá-lo sem grandes restrições, mas apenas 10 homens adultos estrangeiros são autorizados a entrar ali por dia, e eles só têm permissão para hospedar-se por uma noite em qualquer um dos mosteiros.

O Que: lugar. **Como:** o primeiro passo, obrigatoriamente, é obter a carta de recomendação da seção consular da embaixada de seu país em Atenas para entrar em Athos numa data específica. Depois disso, eles o orientarão sobre o passo seguinte – conseguir uma autorização.

ESCANDINÁVIA

O maior museu de arte do norte da Europa

NY CARLSBERG GLYPTOTEK

Copenhague, Dinamarca

Tudo indica que quando os dinamarqueses brindaram à magnífica restauração e expansão de seu mais importante museu o tenham feito com cerveja. Afinal, o Ny Carlsberg Glyptotek foi criado pela mundialmente conhecida Cervejaria Carlsberg. Legado ao país há um século pelo magnata da cerveja Carl Jacobsen (que doou a Copenhague a estátua *Pequena sereia* em 1913), o Glyptotek tornou-se o maior e mais importante lar de estatuária, mosaicos e artefatos antigos do norte da Europa. Possui também uma inigualável coleção de 35 obras de Paul Gauguin (que foi casado durante um breve período com uma dinamarquesa), exibidas ao lado de obras-primas de outros pintores franceses do século XIX (Manet, Monet e Cézanne) e de artistas dinamarqueses. O museu abriga ainda a maior coleção de esculturas de Rodin fora de Paris e um dos três conjuntos completos de bronzes de Degas. A espaçosa nova ala, projetada pelo conceituado arquiteto dinamarquês Henning Larsen, foi aberta em 1996 durante o bem-sucedido turno de Copenhague como Capital Cultural da Europa. Contemporânea e arrojada, ela se mantém firme diante dos dois edifícios originais do museu, que datam do fim do século XIX e início do século XX, ambos com grandes galerias de iluminação zenital, arremates decorativos, painéis pintados e magníficos pisos de cerâmica. À maneira altamente civilizada e estilizada da cidade, os edifícios são interligados por um lindo jardim de inverno com cúpula de vidro e um charmoso café para quem deseja descansar os pés.

O QUE: lugar. **ONDE:** do outro lado da rua do Tivoli. Entrada pela Dantes Plads, 7. Tel. (45) 33-41-81-41; fax (45) 33-91-20-58; www.glyptotek.dk. **QUANTO:** ingresso U$4; grátis Qua. e Dom. **QUANDO:** Ter.–Sex.

A magia está viva na capital escandinava da diversão

TIVOLI GARDENS

Copenhague, Dinamarca

Se você procura a "maravilhosa Copenhague", a encontrará com certeza no lendário Tivoli Gardens. Ninguém curte mais esse clássico parque de diversões do que os próprios dinamarqueses – a ida a esse lugar tem sido uma venerada tradição de verão desde o dia em que ele foi inaugurado, em 1843. Mais de 100.000 pisca-piscas de Natal com luz branca e 400.000 flores compõem esse divertido (à noite romântico) cenário. Seus 8ha arborizados são animados com jogos, bandinhas e brinquedos (a montanha-russa de 1914, com seu rangido, é da mesma geração do carrossel de barquinhos vikings). Pistas de dança, cervejarias ao ar livre e uma programação completa de apresentações teatrais em palco aberto, a maior parte delas gratuita, divertem jovens e idosos e fazem com que eles voltem. Há dezenas de restaurantes e tendas de alimentação – algumas dessas opções são muito elegantes, embora caras. A comida tradicional do Tivoli (cachorro-quente com cebolas fritas) em geral é mais do que suficiente para a maioria. O Divan 2, o mais conhecido restaurante do parque, funciona desde que foi inaugurado pelo rei Cristiano VIII numa área distante do centro da cidade. É o mais requintado (leia-se caro) lugar para se jantar do Tivoli, com um impecável cardápio francês. Seu estabelecimento-irmão, o Divan 1, que é mais informal e tem preços mais baratos, inclina-se para a cozinha local. O Tivoli, que supostamente inspirou Walt Disney a criar a Disneylândia, está a uma imensa distância do arquetípico parque de diversões americano.

O Que: lugar, restaurante. **Tivoli Gardens:** entrada pela Vesterbrogade, 3. Tel. (45) 33-15-10-01; www.tivoligardens.com. *Quanto*: ingresso. *Quando*: aberto diariamente do final de Abr.–meados de Set.; de meados de Nov.–Natal com atrações limitadas. **Divan 2:** Tel. (45) 33-75-07-50; fax (45) 33-75-07-30; restau rant@divan2.dk; www.divan2.dk. *Quanto*: jantar U$45. **Melhor Época:** a magia do Tivoli é máxima à noite; visite de Mai.–início de Jun. para ver 100.000 tulipas em flor. Fogos de artifício logo antes da meia-noite Qua., Sex. e Sáb.

Ser ou não ser no Elsinore de Hamlet

Kronborg Slot

Helsingor, Dinamarca

O verdadeiro nome do Castelo de Elsinore é Kronborg Slot, e ele foi construído muito depois da época do príncipe da Dinamarca, em quem Shakespeare baseou seu atormentado e taciturno Hamlet. Mas esse fortificado ícone nórdico, com suas passagens secretas e sua sinistra masmorra, foi o cenário perfeito para a sombria tragédia escrita por Shakespeare. Depois de vários quilômetros de sonolentos povoados pesqueiros ao longo da rodovia litorânea ao norte de Copenhague, esse grande castelo cercado por um fosso se eleva sobre a cidade de Helsingor, que cresceu ao seu redor. Em "400 anos de pirataria legal", o Castelo de Helsingor (como também é chamado) abarrotou seus grandes cofres cobrando, para a coroa dinamarquesa, pedágio de navios que passavam por ali até à extinção desse tributo em 1857. Construído em 1420 e ampliado em 1574, o Kronborg tem o aspecto de uma ampla residência real renascentista. O sobriamente mobiliado Salão dos Cavaleiros é um dos maiores e mais antigos da Europa; a suntuosa capela ainda é o sonho de muitos casais de noivos dinamarqueses. Eventuais encenações de *Hamlet* são feitas à luz de tochas, no pátio, onde o público pode imaginar o nevoeiro espesso e o príncipe atormentado com "as fundas e flechas da sorte ultrajante". Enquanto isso, em alguma câmara sombria e úmida repousa o espírito do chefe viking Holger Danske, herói mítico da época de Carlos Magno. Segundo a lenda, enquanto ele estiver dormindo, o Reino da Dinamarca estará a salvo.

O Que: lugar. **Onde:** 45km ao norte de Copenhague, a 45 minutos de trem. Tel. (45) 49-21-30-78; fax (45) 49-21-30-52; kronborg@ses.dk; www.kronborgslot.dk. **Quanto:** U$9.

Uma incrível excursão, e não só pela arte

Museu Louisiana de Arte Moderna

Humlebaek, Dinamarca

Siga por uma das mais pitorescas estradas ao norte de Copenhague, na ilha da Zelândia, e vá até esse lindo museu situado num lugar fantástico da "Riviera Dinamarquesa". Desde sua fundação em 1958, o Museu Louisiana congrega arte, natureza e arquitetura em perfeita harmonia. Suas conceituadas mostras de clássicos modernos do segundo pós-guerra, assim como de arte contemporânea de vanguarda (às vezes controversa), são realizadas em espaçosos salões dotados de iluminação natural que exibem a própria essência do modernismo dinamarquês. Não menos impressionante é o seu acervo permanente, que inclui uma grande coleção das esguias e frágeis esculturas de Alberto Giacometti, além de obras de Picasso, Francis Bacon e Georg Baselitz. As águas brilhantes do Oresund, estreito que separa a Dinamarca da vizinha Suécia, disputam a atenção do visitante quando vistas das janelas do museu, enquanto o jardim de esculturas ao ar livre contém obras de artistas como Alexander Calder, Henry Moore e Jean Arp. O nome do museu tem uma origem curiosa: o proprietário original do terreno teve três mulheres, todas chamadas Louise.

O QUE: lugar. **ONDE:** 33km ao norte de Copenhague. Tel. (45) 49-19-07-19; linha para informações automáticas (45) 49-19-07-91; ingressos (45) 49-19-07-20; arrangement@louisiana.dk; www.louisiana.dk. **QUANTO:** ingresso U$7. **MELHOR ÉPOCA:** concertos de música de câmara em Jul. e Ago.

Um passeio pela história da Dinamarca na antiga capital do reino

Roskilde

Dinamarca

Antiga sede eclesiástica e capital do Reino da Dinamarca até 1455, Roskilde, situada às margens de um fiorde, festejou há pouco tempo seu 1000.º aniversário, e o espírito dessa comemoração permanece na cidade. Seu edifício mais marcante é a catedral gótica do século XIII, uma espécie de Abadia de Westminster da Dinamarca. É o local onde estão sepultados 38 reis dinamarqueses, cujos túmulos de mármore e alabastro refletem o estilo da época de cada um deles. Roskilde, há séculos um destacado centro comercial, nunca perdeu a identidade de cidade elegante e agradável, há muito a preferida pela realeza. Possui também uma animada população de estudantes e um grande e pitoresco mercado que ainda a faz fervilhar às quartas-feiras e aos sábados. No Vikingeskibshallen, melhor museu de navegação viking do país, estão cinco barcos em perfeito estado de conservação, descobertos e reconstruídos em 1957. Datados aproximadamente do ano 1000, supõe-se que tenham sido afundados no fiorde Roskilde para impedir a passagem de navios inimigos. Vale a pena entrar no velho vapor de madeira que sai de Roskilde para um cruzeiro por esse belíssimo fiorde. No fim de junho ou início de julho, uma multidão de jovens de várias nacionalidades vai a Roskilde para o maior festival de rock do norte da Europa. Durante esse evento, mais de 100 bandas tocam em sete localidades ao redor da antiga cidade.

O QUE: cidade, lugar, evento. **ROSKILDE:** 32km a oeste de Copenhague. **VIKINGESKIBSHALLEN:** Vindeboder, 12. Tel. (45) 46-30-02. *Quanto*: ingresso U$7. **FESTIVAL DE ROCK DE ROSKILDE:** Havsteensvej, 11-4000. Tel. (45) 46-36-66-13; fax (45) 46-32-14-99; www.roskildefestival.dk. *Quanto:* $152, incluindo camping. *Quando*: fim de Jun. ou início de Jul.

Um refúgio insular rico em história medieval

VISBY

Gotland, Suécia

Não é preciso muito tempo para se apaixonar por Gotland, uma misteriosa ilha banhada pelas águas escuras do Báltico a sudeste de Estocolmo. Ela é a maior das ilhas suecas (125km de comprimento) e está oficialmente integrada ao país desde 1679, mas mesmo assim nada tem de tipicamente sueco. No passado um estratégico centro do comércio hanseático, hoje Gotland oferece tranqüilidade e prados exuberantes, verdadeiros tapetes de orquídeas (35 variedades florescem ali), papoulas e flores silvestres. O viajante encontra também pântanos desérticos, muralhas de pedra, cerca de 100 igrejas rurais medievais intactas e propriedades agrícolas autênticas que remontam aos vikings do século VI (em nenhum outro lugar da Suécia foram descobertos tantos tesouros vikings e medievais). Espetaculares colunas de pedra, os monumentais "penedos do mar" talhados no calcário pelo vento e pelas ondas, pontilham um litoral marcado por extensas praias vazias, pequenas aldeias de pescadores e íngremes penhascos. O destaque de Gotland é a cidade hanseática de Visby, hoje um relicário vivo do apogeu da ilha no século XIV, quando esta era um território independente. Naquela época a proeminente Visby possuía 16 igrejas. Suas muralhas, com mais de 3km de extensão e 44 torres de vigilância, estão entre as mais bem conservadas da Europa e costumam ser comparadas às de Ávila, na Espanha, e às de Carcassone, na França.

Uma muralha medieval cerca a antiga cidade de Visby.

No verão, época dos festivais, Gotland

ocupa a linha de frente da vida artística e cultural da Suécia (Ingmar Bergman mora ali e filmou na ilha vizinha de Farö, ao norte). Faça sua reserva com bastante antecedência (de preferência no Wisby Hotell, o lugar mais simpático da ilha, uma edificação do século XIX restaurada, localizada no centro histórico) para a Semana Medieval anual de agosto. Durante esse evento, os cidadãos cuidam dos seus afazeres vestidos com trajes coloridos típicos da época e gibões de veludo, enquanto os menestréis e o teatro de rua levam a cidade de volta aos dias da Liga Hanseática, quando ela era tão vibrante, rica e poderosa quanto Londres e Paris.

O Que: ilha, cidade, hotel. **Visby:** a 97km da Suécia Ccontinental. O porto de Nynäshamn, o mais próximo de Estocolmo, está a 5 horas de Visby por barca. Há também vôos diários de 40 minutos. **Wisby Hotell:** Strandgatan, 6. Tel. (46) 498-257500; fax (46) 498-257550; info@wisbyhotell.se; www.wisbyhotell.se. *Quanto*: duplos a U$190 (baixa temporada) e U$210 (alta temporada). **Melhor Época:** na curta temporada de verão, Visby pode ficar lotada, embora o interior permaneça relativamente vazio. Mai. e Set. também são meses ótimos, mas menos apropriados ao nado. Festa do Midsommar (solstício de verão), entre 21-23 de Jun.; Semana Medieval, 1.ª semana de Ago.

O maior iglu do mundo

O Hotel de Gelo

Jukkasjärvi, Norrland, Suécia

Será o lugar mais frio do mundo para se hospedar? Pode apostar que sim. O Hotel de Gelo é um palácio magicamente translúcido, que tem quartos (e até uma Suíte Nupcial), cinema, um vodca bar de mais de 13m onde os copos são feitos de gelo, galerias e uma recepção com colunas de aspecto futurista cujas luminárias de puro gelo são acesas por lâmpadas de fibra óptica. Desde 1990, essa construção vem sendo erguida às margens do rio Torne todo mês de novembro. Na primavera, o hotel inteiro se derrete – suas 4.000t de neve e gelo densamente compactadas desaparecem no rio. Esse edifício já é por si só uma maravilha surrealista, mas as peças em seu interior são ainda mais admiráveis: os móveis, os objetos e as esculturas das partes comuns são criações de engenheiros e conhecidos entalhadores. O lugar também consegue ser surpreendentemente caloroso (está bem, talvez seja um exagero): a "cama", um bloco de gelo, é forrada com várias camadas de couro de rena e fica embaixo de sacos de dormir high-

A arquitetura do Hotel de Gelo muda de ano para ano.

tech. Você pode assar na sauna antes do lauto café da manhã e depois sair para um dia repleto de diversões (lembre-se apenas de que esse lugar fica ao norte do círculo polar Ártico e ali o sol não brilha durante seis semanas de dezembro e janeiro): escolha entre safáris em *snowmobiles* ou trenós puxados por cães, pescar no gelo, curtir os misteriosos desenhos da aurora boreal, esquiar, passear de helicóptero ou visitar povoados samis (povo antes chamado de lapão, que já foi nômade e hoje vive do pastoreio de renas). Para quem acha que dormir uma noite inteira num freezer cuja temperatura gira em torno de -4ºC é diversão mais do que suficiente, chalés convencionais perto dali oferecem acomodações alternativas com comodidades adequadas aos seres humanos, como aquecimento central, por exemplo.

O QUE: hotel. **ONDE:** vôos diários de 90 minutos partindo de Estocolmo. O Hotel de Gelo fica a 12km do aeroporto de Jukkasjärvi. Táxis convencionais fazem o transporte (ida e volta) para o hotel, mas peça um trenó puxado por cães ou um *snowmobile*. Tel. (46) 980-66800; fax (46) 980-66890; rec@icehotel.com; www.icehotel.com. **QUANTO:** triplos e quádruplos a partir de U$100, incluindo passeio guiado, saco de dormir térmico e banho matinal. **QUANDO:** meados de Dez.–final de Abr., quando a temperatura permite. **MELHOR ÉPOCA:** Jan. para a aurora boreal. As importantes festas e feiras sami (Marknad) são realizadas em Jokkmokk, a 200km de distância, na 1.ª semana de Fev.

Um castelo, uma pousada especial, uma cidade que sai bem na foto

CASTELO GRIPSHOLM

Mariefred, Svealand, Suécia

Uma visita à cativante cidadezinha de Mariefred, à beira de um lago, com sua grande atração, o imbatível castelo Gripsholm, é a excursão ideal partindo de Estocolmo. Inclua na programação um excelente almoço na celebrada propriedade rural Gripsholms Värdshus & Hotel, a mais antiga hospedaria da Suécia, e você terá uma idéia do que significa um dia perfeito. E a viagem é tão interessante quanto o destino: ida a bordo do pequeno vapor Mariefred, movido a carvão, e volta num trem de bitola estreita, também a vapor. O dia em Mariefred gira ao redor do castelo do século XVI, com suas torres em forma de cebola – localizado perto do lago Mälaren, ele observa atentamente a cidade. Ocupada até 1864, essa construção ainda é considerada um dos cinco palácios reais da Suécia. No entanto, ela é conhecida principalmente como o museu nacional do retrato – seu acervo de 4.000 peças, 1.220 delas em exibição, é o maior da Europa e um dos mais interessantes do mundo.

Para um magnífico almoço, reserve uma mesa de frente para o lago na varanda envidraçada do Gripsholms Värdshus & Hotel. Esse lugar começou a receber visitantes em 1609, quando era apenas uma hospedaria instalada onde antes existira um mosteiro (os barrotes do teto datam de 1507 e a adega, onde se podem fazer degustações, já era usada pelos monges em 1493). A equipe da casa é encantadora. O mesmo vale para os românticos quartos e suítes com vista para o lago, lindamente decorados no estilo rural. Tudo ali contribui para uma excursão ao mesmo tempo fácil e maravilhosa. Os visitantes que fazem esse passeio por apenas um dia costumam lamentar a falta de tempo: então traga sua escova de dentes e registre-se.

O Que: cidade, hotel, restaurante. **Mariefred:** 64km a sudoeste de Estocolmo. Barcos saem de Estocolmo de meados de Mai.–Set. Trens diários o ano todo. **Castelo Gripsholm:** ingresso. **Gripsholms Värdshus & Hotel:** Kyrkogatan, 1. Tel. (46) 159-34750; fax (46) 159-34777; info@gripsholms-vardshus.se; www.gripsholms-vardshus.se. *Quanto*: duplos a partir de U$235. Jantar U$50. **Melhor Época:** Jun.–Ago.; festa local 1.º Sáb. de Jun.

Baluartes de hospitalidade para ganhadores do Nobel e orçamentos nobres

O Grand Hôtel e o Operakällaren

Estocolmo, Svealand, Suécia

Na segunda semana de dezembro, o Grand Hôtel recebe os ganhadores do Prêmio Nobel e suas comitivas, mas durante todo o ano qualquer pessoa pode desfrutar a hospitalidade de alto nível do melhor hotel da Suécia, majestosamente localizado à beira-mar, no centro da cidade, desde 1874. Mesmo quem não tem a intenção de se hospedar ali deve dar uma parada nesse marco da antiga elegância, ainda que somente para um almoço no Grand Veranda, cujas vidraças dão para o porto. Esse restaurante é conhecido por seu célebre *smörgåsbord* (refeição típica dos países nórdicos com pratos frios e quentes) e suas massas caseiras. Outra pedida é tomar um drinque no clássico Cadier Bar.

O Grand Hôtel tem vista para o porto, a Cidade Velha e o Palácio Real.

O Grand é um hotel privado – fato que parece destacado pelo ambiente acolhedor e pelo sacrossanto credo administrativo segundo o qual cada pessoa que chega ali deve ser tratada como um "hóspede sagrado". Alguns dos mais exigentes paladares da Europa vão regularmente ao seu requintado Franska Matsalen (Salão de Jantar Francês), cujo cenário iluminado por candelabros é pura magia. Grandiosas vistas noturnas do Palácio Real iluminado, do outro lado da enseada, acompanham um jantar excepcional, abrilhantado com vinhos da mais impressionante adega da Suécia. Se ainda lhe restar algum dinheiro, peça um quarto com vista para o mar e reserve sua próxima refeição no Operakällaren.

Com uma localização ostensivamente luxuosa, dentro do Real Teatro de Ópera e em frente ao Palácio Real, o Operakällaren é um dos mais famosos restaurantes da Escandinávia desde a sua criação, em 1787, por decreto do rei Gustavo III (cujo assassinato, durante um baile de máscaras no próprio Teatro de Ópera em 1792, inspirou *Un Ballo in Maschera*, de Verdi). A partir de então, esse espaço evoluiu até se transformar num complexo de restaurantes que variam em formalidade e preço, cuja principal estrela é o salão de jantar belle époque, supervisionado pelo co-proprietário Stefan Catenacci, consultor culinário do casal real da Suécia. Esse é um dos lugares mais pomposos da cidade para uma refeição noturna, com suntuosos tapetes orientais, parede de carvalho entalhado, tetos decorados, extravagantes lustres de cristal e louças e talheres impecavelmente polidos. O filé de rena e as carnes da estação são os destaques da cozinha sueca e internacional. Apesar da excelente carta de vinhos, considere a possibilidade de brindar aos longos dias de verão com Stenborgare, a aguardente da casa.

O QUE: hotel, restaurante. **GRAND HÔTEL:** Södra Blasieholmshamnen, 8. Tel. (46) 8-6793500; fax (46) 8-6118686; guest@grandhotel.se; www.grandhotel.se. *Quanto*: duplos com vista para o canal U$425, sem vista U$365; Suíte Nobel U$1.185. Smörgåsbord no Grand Veranda U$32; jantar no Franska Matsalen $85. **OPERAKÄLLAREN:** entrada pelo Kungsträdgarden (Jardim Real), Karl XII.s Torg, 2. Tel. (46) 8-6765801; fax: (46) 8-6765872; kundservice@operakallaren.se; www.operakallaren.se. *Quanto*: jantar U$85.

O fugaz retorno dos longos dias de verão e uma celebração pagã da natureza

A FESTA DO MIDSOMMAR

Tallberg, Svealand, Suécia

Toda a Escandinávia comemora o festa nórdica do Midsommar (solstício de verão), mas parece que em nenhum lugar tão entusiasticamente quanto na Suécia. O antigo costume germânico de homenagear a própria vida tem raízes pagãs ancestrais – um rito de fertilidade realizado no exato momento em que o Sol e a Terra estão no auge de seus poderes reprodutivos. As pessoas vão para o campo, em geral vestidas com os coloridos trajes locais, e ressuscitam antigas tradições comendo os quitutes favoritos e tomando quantidades substanciais de aquavita. O resultado é gente de todas as idades e tipos cantando e dançando. As meninas acreditam que sonharão com seus futuros maridos se, antes de dormir, colocarem sob o travesseiro um buquê de nove tipos de flores-do-campo recém-colhidas. Mas, afinal, qual é a hora de dormir durante as longas horas do sol da meia-noite, quando até os pássaros se confundem?

O Åkerblads Hotel situa-se numa colina sobre o lago Siljan.

Um dos melhores lugares para comemorar o Midsommar é a província rural de Dalarna, na Suécia Central, junto ao belo lago Siljan, uma área montanhosa muitas vezes mencionada como o "distrito do folclore" sueco, onde as tradições e os costumes são carinhosamente preservados. Em boa parte, isso se deve ao empenho de antigas famílias locais, como os Åkerblads. Conheça-os visitando sua propriedade de mesmo nome, uma chácara do século XV transformada em hospedaria em 1910. A mescla de antiguidades (camas com dossel e relógios de pêndulo), pinturas decorativas e entalhes por toda parte acentua a atmosfera rural antiquada que faz a fama de Dalarna. Não perca a oportunidade de comer ali: os suecos partem de todos os pontos do país para fazer exatamente isso.

O QUE: evento, hotel, restaurante. **TALLBERG:** 283km a noroeste de Estocolmo. **ÅKERBLADS HOTEL:** tel. (46) 247-50800; fax (46) 247-50652; info@akerblads-tallberg.se; www.akerblads-tallberg.se. *Quanto*: duplo U$130. Jantar U$25. *Quando*: restaurante aberto diariamente para almoço e jantar. **MELHOR ÉPOCA:** Mai.–Set.; o Midsommar ocorre geralmente entre 21–23 de Jun., mas, para a igreja luterana sueca, cai no dia de São João Batista, 24 de Jun., em geral celebrado na Sex. mais próxima.

Onde natureza, comércio e cultura se encontram

BERGEN E TROLDHAUGEN

Noruega

Fundada em 1070, capital do Reino da Noruega durante a Idade Média, Bergen foi um posto avançado da poderosa Liga Hanseática de comunidades mercantis bálticas, organizada no século XII. O distrito portuário de Bryggen (Cais), que naquela época foi seu movimentado centro de comércio, ainda hoje possui um notável conjunto de armazéns e estalagens de madeira que abrigam oficinas de artesanato, cafés e o interessante Museu Hanseático. Embora a maioria das construções tenha sido destruída ao longo dos séculos por uma série de incêndios devastadores (o edifício do museu foi um dos poucos que sobreviveram), muitas delas foram laboriosa e repetidamente recriadas até à lenta extinção da liga, no século XVIII. A bela igreja românica de Santa Maria (Mariakirken), uma jóia original do século XII, funcionou durante três séculos como o principal ponto da vida espiritual para os mercadores hanseáticos. Bryggen é o único bairro remanescente de construções de madeira com telhados de duas águas e as características cores vermelho-tijolo e ocre, que se difundiram por todo o norte da Europa durante a época de maior in-

Até à década de 1830, Bergen foi a maior cidade da Noruega.

fluência da liga. Em grande medida, é essa área que explica o epíteto turístico de Bergen – a Cidade de Madeira.

Um pouco ao sul de Bergen está Troldhaugen (montanha do Troll, monstro mitológico da Escandinávia), casa de verão, do século XIX, do compositor norueguês Edvard Grieg (1843-1907), nascido em Bergen e ali sepultado ao lado da mulher. Assista a um concerto ali no verão ou no outono. No começo do verão há o conceituado Festival Internacional de Bergen, que apresenta uma grande variedade de espetáculos de artes cênicas e musicais, embora o destaque seja sempre a obra do mestre norueguês executada pela Orquestra Filarmônica de Bergen.

Cercada por sete montanhas (o funicular que leva a Floyen sobe a mais escarpada delas até à altitude de 300m, proporcionando vistas de belas paisagens), Bergen é não apenas uma base naturalmente pitoresca como também o mais prático portão de acesso aos incomparáveis fiordes da Noruega. Uma excursão de um dia a partir dessa cidade permite ver o que há de melhor nessa região fantasticamente bela do país. Comece com uma viagem de ônibus pela estrada íngreme e sinuosa que leva a Stalheim e desfrute a vista do vale abaixo. Em seguida, tome um barco em Gudvangen para navegar pelo Naerøy, o fiorde mais estreito da Noruega, e pelas Aurlands, que estão entre as mais bonitas ramificações do espetacular fiorde Sogne. Depois de apreciar esse deslumbrante panorama de beleza natural, faça a viagem de trem da cidade de Flam, debruçada num desfiladeiro a 870m de altitude, a Mydral. Em angustiantes 45 minutos, o trem percorre 19km de ferrovia com 20 túneis e 21 curvas fechadíssimas, passando por um grande número de quedas-d'água. A garantia do maquinista de que o trem é equipado com sete conjuntos de freios de emergência, acompanhada de um gole (ou dois) de aquavita em algum café de Bergen depois do passeio de 12 horas, será suficiente para acalmar os nervos dos mais sensíveis.

O **Que:** cidade, lugar, evento, experiência. **Bergen:** 558km a oeste de Oslo. Escritório de Informações Turísticas, Vaagsallmenningen, 1. Tel. (47) 55-55-20-00; fax (47) 55-32-14-64. **Troldhaugen:** 8km ao sul de Bergen. Tel. (47) 55-92-29-92; fax (47) 55-92-29-93; trold@online.no; www.troldhaugen.com. *Melhor época*: concertos em Troldhaugen do final de Jun.–meados de Nov. e durante o Festival Internacional de Bergen (11 dias no final de Mai. e início de Jun.); 15 de Jun. é aniversário de Edvard Grieg. **Cruzeiro pelo Fiorde Sogne:** *Como:* no Brasil, agência ViaBr Turismo (São Paulo). Tel. (11) 3871-3082; fax (11) 3801-2821; www.viabrturismo.com.br. Pacote: 12 dias, parte aérea (vôos São Paulo–Estocolmo e Copenhague–São Paulo), hotel e bilhetes para passeios de barcos, guia (espanhol); café da manhã e 1 jantar. *Quanto*: a partir de U$2.882. *Quando*: saídas mensais Mai.–Set.

Descobrindo a alegria contagiante do sol da meia-noite

Costa da Noruega e Cabo Norte

Bergen, Noruega

Os lendários navios de cruzeiro Hurtigruten navegam pela labiríntica costa da Noruega aquecida pela corrente do Golfo, uma belíssima região de fiordes, geleiras, montanhas e, nos meses de verão, de um sol que nunca se põe completamente. Único meio de contato das cidades remotas do norte do país – algumas acessíveis somente por mar –, essa frota de barcos de serviço pára em cerca de 35 portos entre Bergen e o círculo polar Ártico, próximo da fronteira com a Rússia, uma viagem (ida e volta) de 2.400km que dura 12 dias. O Hurtigruten não é um navio de cruzeiro de luxo, mas num cenário como esse as cabines confortáveis e a comida simples fazem parte da aventura de navegar de porto a porto, alguns grandes, outros pequenos. Certas paradas – como a do cabo Norte (Nordkapp), um mero penhasco de granito de 300m de altitude no gelado mar da Noruega – são longas o suficiente para permitir excursões terrestres opcionais. Dada a localização do cabo Norte, mais setentrional do que a do Alasca e da maior parte da Sibéria, o sol ali permanece acima da linha do horizonte de 12 de maio a 1.º de agosto e abaixo dela de 19 de novembro a 25 de janeiro. O platô, a 1.300km do início da calota polar ártica, é um lugar essencialmente inabitado, uma paisagem lunar ao mesmo tempo inóspita e romântica – uma tundra onde nada cresce. É uma região para ser amada ou odiada pelo visitante, mas estimulante para turistas aventureiros – basta ver a animação no observatório situado no alto do penhasco, o bar Champagne, onde a pessoa se sente como se estivesse prestes a cair do "fim do mundo", como escreveu um viajante italiano em 1664.

O QUE: lugar, experiência. **CRUZEIRO PELA COSTA:** em Bergen, procure qualquer agência de viagem. **COMO:** no Brasil, agência ViaBr Turismo (São Paulo). Tel. (11) 3871-3082; fax (11) 3801-2821; www.viabrturismo.com.br. Pacote: 15 dias, parte aérea (vôos São Paulo–Helsinque e Copenhague–São Paulo), traslado, hotel, guia (espanhol); café da manhã e 1 jantar. **QUANTO:** a partir de U$3.154. **QUANDO:** saídas mensais durante todo o ano. **MELHOR ÉPOCA:** Jun.–Ago. são os melhores meses, apesar do movimento.

Sentindo-se em casa num mundo de tradição e qualidade

O Museu Munch e o Hotel Continental

Oslo, Noruega

Edvard Munch (1863-1944) é até hoje imensamente popular, o único pintor nórdico cuja influência é reconhecida em todo o mundo. Seu relativo insucesso em vida (só postumamente foi aclamado o pai do Expressionismo) é evidenciado pelo fato de ter conservado consigo a maior parte de sua obra: mais de 22.000 peças foram doadas à cidade de Oslo em 1940, pouco antes de sua morte. Além disso, a coleção foi ampliada ao longo do tempo por doações de particulares, enchendo o Museu Munch, inaugurado em 1963, até o teto. Hoje o acervo é composto de pinturas, desenhos, aquarelas, gravuras, esculturas e objetos pessoais, como livros e cartas – uma parte das quais, editada, é exibida regularmente em sistema rotativo.

Munch, que perdeu a mãe aos cinco anos de idade, foi uma criança de saúde frágil. A luta de toda a sua vida contra as doenças e os tormentos mentais está presente em boa parte da sua obra, que vai do estilo realista ao expressionista moderno. Seu quadro mais famoso, *O grito*, e *A noite* (pintado, como *O grito*, na prolífica década de 1890, quando o artista já conquistara certo renome) estão nesse museu. A grande quantidade de obras em exibição, que cobre todas as fases da produção de Munch e suas influências estéticas, revela a presença constante da melancolia e da solidão.

O Hotel Continental, que há quatro gerações oferece as mais refinadas acomodações da capital, é propriedade da família Brochmann, que o construiu em 1900 e até hoje o administra de maneira impecável. Possui a maior coleção norueguesa de ilustrações de Munch – pertencentes à família –, usadas para decorar as áreas comuns. Com uma localização privilegiada, em frente ao Teatro Nacional e próximo ao Palácio Real, o hotel há muito mantém laços com o teatro, recebendo artistas e freqüentadores como convidados em seu célebre Theatercafeen. A mais autêntica recriação de um café vienense no norte da Europa, o Theatercafeen é lendário desde a sua inauguração. Animado e sempre cheio, só é eclipsado pelo seu estabelecimento-irmão, o mais formal e altamente recomendado Annen Etage, casa elegante onde são servidos os mais refinados jantares da cidade. O ambiente é totalmente diferente no bar e restaurante Lipp, do próprio hotel, lugar da moda freqüentado por gente bonita desde a sua abertura, no início da década de 1990.

O QUE: lugar, hotel, restaurante. **MUSEU MUNCH:** Toyengaten, 53. Tel. (47) 23-24-1400; fax (47) 23-24-1401; mm@munch.museum.no; www.munch.museum.no. *Quanto*: ingresso U$7. *Quando*: de Jun.–meados de Set., aberto diariamente; de meados de Set.– Mai., aberto Ter.–Sex. **HOTEL CONTINENTAL:** Stortingsgaten, 24-26. Tel. (47) 22-82-40-00; fax (47) 22-42-96-89; booking@hotel-continental.no; www.hotel.continental.no. *Quanto*: duplos a partir de U$265. Jantar no Theatercafeen e no Lipp U$50; no Annen Etage U$80.

Notáveis relíquias de 1.000 anos de existência

VIKINGSKIPHUSET

Oslo, Noruega

A era dos Vikings, quando os nórdicos aterrorizavam a costa da Europa, transcorreu aproximadamente de 800 a 1050 (diz-se que o intrépido explorador Leif Ericsson descobriu a América em 1001). É pequena a herança escrita sobre suas fulgurantes sagas e lendas, que foram abrilhantadas ao longo dos séculos por histórias transmitidas oralmente. O melhor lugar para se ter uma idéia da riqueza desse legado é o catedralesco Vikingskiphuset, ou Museu da Navegação Viking, construído em 1936 para abrigar três barcos funerários vikings do século IX, incrivelmente bem preservados, descobertos na virada do século no fiorde Oslo. Considerados os maiores tesouros ar-

Graciosos barcos vikings e seus tesouros funerários estão ali abrigados.

queológicos do país, os três barcos continham os corpos de chefes vikings e de uma rainha (que se acredita ser a avó de Harald Fairhair, líder que unificou a Noruega em meados de 900), todos sepultados com seus servos, animais de estimação e numerosos artefatos destinados a servi-los na outra vida no estilo real a que estavam acostumados. Esse conjunto constitui o maior achado viking já registrado, fundamental para o entendimento do distante passado marítimo da Noruega. As peças artísticas e artesanais encontradas confirmam que os vikings não eram mestres somente na arte de navegar.

O QUE: lugar. **ONDE:** Huk Aveny, 35, Bygdøy. Tel. (47) 22-43-83-79; info@ukm.uio.no. **QUANTO:** ingresso U$5.

Noruega espetacular

FIORDE GEIRANGER

Øye, Noruega

Obcecados pela busca do campo incomparável e da perfeita pesca de salmões e trutas, os europeus (britânicos, em particular) "descobriram" os fiordes da Noruega no final do século XIX. O paredão escarpado do fiorde Geiranger, de 16km de extensão, era – e ainda é – tido como o máximo: a Noruega verdadeiramente espetacular. Você pode vê-lo da notável Ornevegen (Estrada das Águias), que vai de Andalsnes a Geiranger, com suas 11 curvas fechadíssimas, de arrepiar os cabelos – concluída em 1952, ela continua sendo um espetacular feito de engenharia. Pare na curva da Águia para desfrutar a inesquecível vista do fiorde serpenteando vale adentro. Entre Andalsnes e Valldal, outra sinuosa rodovia, o Trollstigveien (caminho do Troll) corta uma das mais despovoadas regiões do país.

O Geiranger não é o mais acessível dos fiordes, mas provavelmente é o mais popular. Ali os turistas podem optar entre várias atrações – cruzeiros com duração de meio dia, excelente pesca de salmão, caminhadas, passeios de bicicleta, visitas a aldeias rurais inacessíveis por estradas e comovedoramente desertas, além de excursões a Jostedalsbreen, a maior geleira da Europa, e a espetaculares quedas-d'água que têm nomes como Sete Irmãs e Véu de Noiva. Uma excelente base para se desfrutar a região do fiorde Geiranger e do seu vizinho Norangs é o Union Hotel.

Sete quedas d'água formam a Sju Søstre (Sete Irmãs).

Um dos antigos "castelos dos fiordes" tão populares no final do século XIX, o hotel, hoje restaurado e modernizado, ainda é uma referência local: o rei Harald e a rainha Sonja, da Noruega, escolheram comemorar ali suas bodas de prata em 1993. Se você conseguir reservar o quarto 12, poderá tomar banho na banheira original do kaiser Guilherme, que ocupou esses aposentos pelo menos 25 vezes.

O QUE: lugar, hotel. **FIORDE GEIRANGER:** aproximadamente 7 horas de Oslo pela

Estrada Serpentina. **UNION HOTEL:** Øye, às margens do fiorde Norangs (a 373km de Bergen e a 427km de Oslo). Tel. (47) 70-06-21-00; fax (47) 70-06-21-16. *Quanto*: duplos U$160. *Quando*: aberto fim de Abr.–meados Out. **MELHOR ÉPOCA**: Mai.–Set.

O melhor e mais lindo espetáculo do inverno

A AURORA BOREAL

Tromsø, Noruega

As mesmas regiões extremas do norte da Europa que proporcionam intermináveis dias de sol no verão prometem algo igualmente notável durante os desanimados meses de inverno: a aurora boreal, ou "luzes do norte", um espetáculo extraordinário e silencioso de luzes que dançam no céu. Na maior parte das noites claras dessa estação, os ventos árticos encontram-se com a atmosfera da Terra, carregada de eletricidade, criando uma alvorada com essas aparições giratórias em torno do magnético pólo Norte. A cor predominante é o verde, mas, durante os grandes espetáculos noturnos, podem-se ver fugazes espirais cor-de-rosa e cinza nas bordas, com lampejos lilases no centro. As fartas explicações científicas desse fenômeno estão à disposição no Planetário Aurora Boreal, em Tromsø, portão de entrada do Ártico e auto-intitulada a "Paris do Norte". Mas, como as luzes da cidade diminuem a intensidade do espetáculo, guias samis (lapões) levam os visitantes, em *snowmobiles* ou trenós puxados por cães ou renas, ao interior gelado no norte da Noruega. Os samis, que antigamente eram nômades, hoje estão concentrados em cidades mais afastadas, como Karasjok (485km a leste), capital da região sami, e Kautokeino (418km a sudeste).

O QUE: experiência. **ONDE:** Tromsø situa-se 1.744km ao norte de Oslo. **QUANDO:** noites sem nuvens do final de Nov.–início de Abr. **MELHOR ÉPOCA:** Jan. ou Fev., por volta das 23h ou meia-noite. Em Tromsø é realizado o Festival da Aurora Boreal de música clássica e contemporânea, durante 4 dias, de meados–fim de Jan.

Jornada ao topo do mundo

PÓLO NORTE

Noruega

Há não mais de um século, nenhum homem jamais havia estado na latitude 90º norte. Parte oficial da Noruega, o pólo Norte, um lugar que fascinou gerações de exploradores, é um destino turístico, ainda que reservado à elite. Partindo da montanhosa e gelada ilha norueguesa de Spitsbergen, ou de Murmansk, o porto mais setentrional da Rússia, quebra-gelos especiais, movidos à energia nuclear e navegando a velocidades de até 20 nós, penetram na bacia do Ártico com sua mutante paisagem de gelo polido pelo vento. A bordo desses navios, enquanto as palestras e apresentações dos especialistas preenchem os dias em que o sol nunca se põe, os passageiros mantêm-se vigilantes para avistar ursos polares, focas, morsas e pássaros. Botes infláveis e helicópteros, usados para ações de reconhecimento de área, indispensável à navegação dos quebra-gelos, também proporcionam aos passageiros a chance de conhecer a região mais de perto. Ao atingir os 90º norte, o navio busca um lugar adequado para parar, baixa a prancha de desembarque (quando as condições do gelo assim permitem) e os passageiros descem para um passeio, um churrasco e, no caso dos mais valentes, um rápido mergulho no mar Ártico. Champanhes são abertos, há danças e comemorações; um membro da tripulação anda de bicicleta sobre um banco de gelo, outro joga golfe ártico (com bolas fluorescentes) e todos recordam os grandes nomes que conseguiram chegar a esse lugar mesmo enfrentando imensas adversidades. "O Pólo, finalmente!", escreveu Robert E. Peary em 6 de abril de 1909. "Uma busca de três séculos, meu sonho e minha ambição há 23 anos. Meu, finalmente."

Os ursos polares são destaque no pólo Norte.

São muito poucos os outros navios que conseguem atravessar águas com tanto gelo.

O QUE: experiência. **ONDE:** Spitsbergen, de onde parte o navio, situa-se a aproximadamente 2.012km de Oslo e 966km ao sul do pólo Norte. **COMO:** nos Estados Unidos, entre em contato com Quark Expeditions. Tel. (1) 800-356-5699 e (1) 203-656-0499; enquiry@quarkexpeditions.com. **QUANTO:** expedições de 13 noites a U$15.950 por pessoa, partindo de Oslo, inclui todos os vôos dentro da Noruega e do Ártico, acomodações (duplos), refeições e atividades. **QUANDO:** Jul.

Novamente o centro da vida social

HOTEL KÄMP

Helsinque, Finlândia

Depois de hibernar por 30 anos enquanto aguardava sua demolição, o Hotel Kämp renasceu com uma restauração empolgante, completa e sem restrição de custo. Majestosamente localizado na elegante Esplanada, no centro da cidade, o Kämp era tão notável por seu esplendor inigualável em 1887, ano de sua inauguração, quanto é hoje – um genuíno cinco estrelas douradas, a última palavra em luxo, sem rival em qualquer outro lugar da Escandinávia. Desde que entrou em funcionamento, ele se estabeleceu como o principal ponto de encontro de aristocratas, políticos, jornalistas, artistas e celebridades na capital. Foi também motivo de inspiração para o compositor Jean Sibelius, que lhe dedicou uma obra e o visitava sempre que possível, e para o artista sueco Victor Andren, cujo quadro *Uma festa no Kämp* ainda ocupa uma posição de destaque no exclusivo Restaurante Kämp. Refletindo fielmente o espírito da Helsinque do fim do século XIX, o hotel ostenta confortavelmente o slogan: "Você tem que ser algo muito especial para nascer duas vezes."

O Salão do Espelho é o mais amplo local de encontros do hotel.

O QUE: hotel. **ONDE:** Pohjoisesplanadi, 29. Tel. (358) 9-576-111; fax (358) 9-576-1122; hotelkamp@luxurycollection.com; www.hotelkamp.fi. **QUANTO:** duplos a partir de U$ 350.

Um tributo ao design, à história e à cozinha finlandesa

O SAVOY

Helsinque, Finlândia

Três motivos explicam por que o Savoy é um dos mais importantes restaurantes da Finlândia. Primeiro, o seu projeto, belo e elegante, encomendado em 1937 a Alvar Aalto (1898-1976), um dos mais ilustres filhos da nação e que projetava de tudo – de postos de gasolina a aparelhos de iluminação. Segundo, era o lugar favorito do bem-amado herói do país, Carl Gustav Mannerheim ("Marski"), arquiteto da independência da Finlândia e presidente da primeira república, de 1944 a 1946. Siga seus passos pedindo seu coquetel favorito: Marskin Ryyppy (um drinque feito com vodca, aquavita, vermute e gim – conhecido em toda a Finlândia como "Marski" e que, dizem, o general consumia em grandes quantidades naqueles tempos difíceis). Ele também apreciava o *vorschmack*, um guisado feito com carne bovina e carne de carneiro moídas, arenque picado e cozido durante dois dias, servido com purê de batatas, picles, beterraba e coalhada. Há quem diga que esse prato, hoje uma tradição nacional, foi criação do próprio Mannerheim e que (eis a terceira razão) o Savoy ainda é o lugar que serve o melhor *vorschmack*.

Clientes de olho no célebre vaso sem estilo definido do restaurante ficarão felizes em saber que a loja Artek, próxima dali, é conhecida por seu catálogo de móveis, cerâmicas e objetos projetados por Alvar Aalto. Mas, para entender o alcance desse gênio e sua influência como principal nome do design escandinavo no século XX, visite a Finlandiatalo

(Sala Finlândia). Concluída em 1971, essa é a principal sala de concertos do país, onde a mais antiga orquestra sinfônica da Escandinávia se apresenta de setembro a maio.

O QUE: restaurante, lugar. **O SAVOY:** Eteläesplanadi, 14. Tel. (358) 9-684-4020; fax (358) 9-628-715. *Quanto*: jantar U$65. *Quando:* Seg.–Sex. **ARTEK:** Eteläesplanadi, 18. Tel. (358) 9-613-250. **FINLANDIATALO:** Mannerheimintie, 13e. Tel. (358) 9-402-4430.

Um santuário para Jean Sibelius

AINOLA

Järvenpää, Distrito do Lago, Finlândia

Jean Sibelius foi o maior compositor finlandês, e as levas de peregrinos que saem de todas as partes do mundo para visitar sua casa, batizada em homenagem à sua esposa, Aino, são prova do quanto ele é reverenciado. Nascido em 1865 perto dali, em Hämeenlinna, a mais antiga cidade insular da Finlândia (fundada em 1639), Sibelius viveu meio século nessa moderna *villa* (casa) no sul, até à sua morte, em 1957. Considerada uma obra de vanguarda na época de sua construção, ela foi projetada pelo arquiteto finlandês Lars Sonck, que já era conhecido pelo projeto da residência de verão do presidente da Finlândia. Tanto Sibelius quanto sua mulher foram sepultados na propriedade.

O museu não é apropriado para concertos, mas procure não deixar a Finlândia sem ouvir a execução das obras de Sibelius pela Orquestra Filarmônica da Finlândia, na Sala Finlândia, durante a temporada de inverno (de setembro a maio). O festival de artes de Helsinque (com muita música), no fim do verão, é o maior e um dos mais importantes da Escandinávia. Criado na década de 1950 como a Semana Sibelius, o evento cresceu e hoje abrange todas as formas de dança e música, do jazz ao pop, e a apresentação das composições desse artista é sempre um aguardado destaque.

O QUE: lugar, evento. **ONDE:** a 39 km de Helsinque. Tel. (358) 9-287-322; www.jarvenpaa.fi/english. **QUANTO:** ingresso. **QUANDO:** aberto Ter.–Dom. **MELHOR ÉPOCA:** o Festival de Helsinque é realizado da 2.ª quinzena de Ago.–início de Set.

Ópera sob as estrelas – e sol da meia-noite – num castelo insular

FESTIVAL DE ÓPERA DE SAVONLINNA

Distrito do Lago, Finlândia

A Finlândia é um país de lagos (cerca de 188.000), enseadas litorâneas e rios, desde o distrito do lago Saimaa, próximo da fronteira com a Rússia, até o golfo de Bótnia, no oeste. É também uma das regiões com o maior número de matas do planeta – uma rede interligada de lagos cercados por densas florestas de pinheiros e bétulas cria uma visão de natureza intocada que raramente se vê em algum lugar.

Em meio a esse lindo cenário, a cidade de Savonlinna ocupa três ilhas do lago Saimaa, no limite oriental do distrito do Lago. Durante muito tempo usada como balneário pelos czares da Rússia e seus séquitos, a cidade é mais conhecida desde 1912 por seu festival de ópera, o principal do norte da Europa, realizado anualmente no pátio do Castelo Olavinlinna, do século XV. Uma bem preservada fortaleza insular construída para repelir ataques vindos do leste e hoje ligada ao continente por uma ponte, o castelo proporciona um dos cenários mais evocativos entre todos os festivais de música ao ar livre, realçado pela fraca luz natural que brilha por longas horas a partir do fim do dia.

Castelo de Olavinlinna.

Hoje só existe uma opção de alojamento para quem busca uma atmosfera e um cenário capazes de prolongar a magia de uma noite de ópera: o Hotel Rauhalinna, uma fantasia mourisca/vitoriana que um general do exército do czar mandou construir no lago em 1897 para presentear a esposa. Acessível por estrada ou barco partindo do porto de Savonlinna, o hotel é uma atração merecidamente popular. Experimente seu conhecido almoço "Bufê dos Czares" ou dê pelo menos uma parada no café para apreciar as belas vistas do lago.

O QUE: cidade, evento, hotel. **SAVONLINNA:** 340km a nordeste de Helsinque. **FESTIVAL DE ÓPERA DE SAVONLINNA:** Olavinkatu, 27. Tel. (358) 15-476-750; fax para reserva de ingressos (358) 15-476-7540; info@operafestival.fi; www.operafestival.fi. *Quanto:* ingressos U$50–U$110. *Quando*: Jul.–início de Ago. **HOTEL RAUHALINNA:** 16km por estrada (30 minutos de barco), partindo de Savonlinna. Tel. (358) 15-739-5430; fax (358) 15-272-524. *Quanto:* duplos a partir de U$200 durante a temporada de ópera. Almoço "Bufê dos Czares" U$28 (somente em Jul.). **QUANDO:** hotel aberto do início de Jun.–final de Ago.

Aventura em meio aos bancos de gelo nórdicos

CRUZEIRO NO QUEBRA-GELO

Kemi, Lapônia, Finlândia

O Sampo, um dos poucos quebra-gelos turísticos do mundo, oferece uma experiência única em seu gênero sobre o gelo do golfo de Bótnia, no extremo norte do mar Báltico. O cruzeiro de quatro horas parte de Kemi, ao sul do círculo polar Ártico, e se aventura pelo maior campo de gelo contínuo da Europa. Uma vez no mar, os passageiros são convidados a vestir impermeáveis de sobrevivência na cor laranja brilhante e boiar entre o gelo recém-quebrado, às vezes de 1m de espessura. Podem também descer do Sampo sobre as águas congeladas para pescar ou passear em *snowmobiles* e trenós puxados por cães. Qualquer uma dessas opções proporciona um divertido passeio em meio a uma solidão de tirar o fôlego, ao mesmo tempo esplêndida e surrealista, com a meia-luz do inverno se refletindo na superfície totalmente branca do mar. A Finlândia orgulha-se de ser a maior produtora mundial de navios quebra-gelo, portanto os passageiros estão em boas mãos. O próprio capitão é o guia de um fascinante roteiro pela embarcação, da ponte de comando à sala de máquinas.

Os roteiros turísticos com o quebra-gelo geralmente incluem atividades em terra, em Kemi e nas imediações, tais como safáris de inverno (passeios em *snowmobiles* ou em trenós puxados por cães ou renas, além de visitas aos povoados samis/lapões). Recriado todos os invernos desde 1996, o fantástico Castelo de Neve de Kemi fica maior e mais inventivo a cada ano. A fortaleza de neve, de três andares, apresenta um pátio, exibições de esculturas de gelo, uma capela, um café e um auditório onde são realizadas apresentações

O Sampo, quebra-gelo de 3.900t.

artísticas. Os visitantes podem pernoitar no "maior castelo de neve do mundo" – de preferência na Suíte Nupcial.

O QUE: experiência, hotel. **ONDE:** golfo de Bótnia, Lapônia, região do norte que abarca 1/3 da Finlândia, a 1 hora de vôo de Helsinque. **SAMPO:** reservas Sampo Tours. Tel. (358) 16-256-548; fax (358) 16-256-361; sampo@kemi.fi; www.sampotours.com. *Quanto*: U$150 por 1 dia de aventuras de inverno, incluindo meio dia no Sampo. Safáris de inverno mais longos pela Lapônia também disponíveis. *Quando*: partidas diárias, do final de Dez.–meados de Abr. **CASTELO DE NEVE:** tel. (358) 16-259-502; fax (358) 16-259-708; info@snowcastle.net; www.snowcastle.net. *Quanto*: duplos a partir de U$184, Suíte Nupcial U$230. *Quando*: aberto Fev.–final de Abr. **MELHOR ÉPOCA:** Jan. e Fev. para as auroras boreais.

A ilha de gelo e fogo

O ANEL RODOVIÁRIO

Islândia

O mais próximo vizinho europeu dos Estados Unidos, a enorme ilha vulcânica da Islândia (Terra do Gelo) tem um nome enganoso. Na verdade, 89% de seu território não tem gelo e possui paisagens que estão entre as mais incríveis do planeta, cheias de extremos e contrastes. Na Europa medieval acreditava-se que a Islândia era o umbral do inferno. Julio Verne escolheu um de seus vulcões como porta de entrada para seu livro *Viagem ao centro da Terra*. A palavra "gêiser" teve origem nesse país: Geysir é o nome da maior das numerosas fontes termais da ilha. Há também campos de lava, piscinas de lama borbulhante e chaminés de vapor. No entanto, se você olhar em outra direção, verá muito gelo, incluindo a espetacular lagoa glacial de Jokulsarlon, conhecida pelos icebergs que se separam da superfície da geleira e formam um labirinto em movimento para os barulhentos barcos de turismo. Em outra direção estão fazendas intocadas e pastagens extraordinariamente verdes, a maior parte delas ao longo da costa.

O Anel Rodoviário, uma pista com duas faixas (ou Via 1, a única disponível), perfaz um circuito de 1.400km ao redor da maior parte da ilha, permitindo que se observe tudo: os panoramas oceânicos, a tundra desértica, o fogo e o gelo no interior da região. Ao retornar a Reykjavik, a capital mais setentrional do mundo, o motorista se sente como se estivesse voltando de uma viagem à Lua.

Os islandeses costumam ser hospitaleiros e cosmopolitas. Se você fizer amizade com um deles, peça-lhe que o leve à lendária lagoa Azul, a 35 minutos da cidade. Ela está entre as dezenas de piscinas termais públicas que, como se acredita nesse país, são o segredo da

Uma das crateras vulcânicas da Islândia onde é possível nadar.

saúde e da beleza da Islândia. A região da piscina natural tem muita água rica em sílica, cuja cor azul-turquesa esbranquiçada provém de algas de cor azul-piscina. Com temperaturas próximas dos 39ºC, expelindo nuvens de vapor branco e uma usina de energia geotérmica do outro lado, o cenário é quase surrealista – como de resto toda a ilha.

O Que: experiência, ilha. **Onde:** Reykjavik está a 5 horas de avião de Washington, Boston e Nova York. O Anel Rodoviário começa e termina em Reykjavik. Para informações nos Estados Unidos, entre em contato com o Iceland Tourist Bureau. Tel. (1) 212-885-9700; info@goiceland.org; www.icelandtouristboard.com. **Melhor Época:** verão, quando a temperatura média em Reykjavik é de 10ºC. Em Jul., o pôr-do-sol é às 13h.

LESTE EUROPEU

Um trio de cidades-spa na Boêmia

CARLSBAD

Boêmia, República Tcheca

"Sinto-me numa espécie de paraíso, onde imperam a inocência e a espontaneidade", escreveu Goethe, que passou 16 verões em Karlovy Vary, mais conhecida por seu nome alemão, Carlsbad. Não é à toa que Beethoven, Brahms, Bach, Liszt e muitos outros tenham encontrado inspiração durante visitas freqüentes a essa cidade-spa rica em fontes termais. Graças às falhas geológicas no território

Fontes minerais foram descobertas em Carlsbad por volta de 1300.

da República Tcheca, ainda há mais 30 cidades-spa desse tipo na região, e Carlsbad é a maior e mais conhecida de todas. No que se refere à fama, só a secular rival Marianske Lazne (Marienbad) pode competir com ela. Há mais de 400 anos, ricos e famosos têm desfrutado das águas das 12 fontes termais naturais de Carlsbad, cujas temperaturas atingem de 24 a 70ºC. (A "décima terceira" fonte é o Becherovka, um licor produzido com ervas e minerais na região que, dizem, também tem poderes curativos.) Localizada num belo vale cheio de florestas, Carlsbad conservou sua pose de imponência e elegância, realçada pela bela arquitetura do século XIX.

Inaugurado em 1701, o Grand Hotel Pupp já foi um dos mais célebres hotéis da Europa. No seu livro de registro estão nomes ilustres, como Goethe, Paganini e Freud. Faça desse hotel sua base e dali pegue um carro em direção ao sul – são apenas 45 minutos – até Marienbad, menor e mais pacata do que sua vizinha. Suas mais de 30 fontes minerais eram as preferidas de Kafka, Chopin e do rei Eduardo VII. Dado o ritmo lento da cidade, muitos podem se surpreender com o fato de ela ter um campo de golfe de alta qualidade (o melhor do país). Para os mais curiosos, que disponham de tempo e de um carro, a terceira e menor cidade a integrar esse trio de famosos spas é Frantiskovy Lazne (Franzenbad), quase na fronteira com a Alemanha.

O Que: cidade, hotel. **Carlsbad:** 120km a oeste de Praga. **Grand Hotel Pupp:** Mírové nám, 2. Tel. (420) 17-3109111; fax (420) 17-3224032; sales@pupp.kpgroup.cz; www.pupp.cz. *Quanto*: duplos a partir de U$185. **Melhor Época:** outono. O Festival Internacional de Cinema de Karlovy Vary é realizado no início de Jul.

A redescoberta de uma preciosa jóia medieval

Cesky Krumlov

Boêmia, República Tcheca

Apesar de sua história notável, Cesky Krumlov é uma cidade viva, que oferece uma oportunidade interessante para quem deseja conhecer o autêntico estilo de vida de um vilarejo da Boêmia, especialmente fora da temporada turística, quando as multidões de visitantes, maiores a cada ano, refluem um pouco. Destacando-se em meio ao incrível conjunto de construções medievais, renascentistas, rococós e barrocas está o esplêndido Castelo de Krumlov hrad, também chamado de Castelo Schwarzenberg. Há castelos de sobra na República Tcheca, mas esse, com 300 aposentos, é o segundo maior do país – o primeiro é o de Praga. Durante cerca de três séculos foi a residência oficial da dinastia Rozenberk, a poderosa família que governou o sul da Boêmia de 1316 até o século XVI. Você também pode passar o tempo explorando os numerosos recantos e becos dessa cidade que parece ter saído intacta de um conto de fadas, passeando por suas ruelas tortuosas, pavimentadas com pedras. Algumas delas são tão estreitas que só se consegue andar por ali de lado.

A República Tcheca é famosa por suas cervejas – embora essa bebida tenha sido criada há mais de 1.000 anos, a do tipo *lager* (leve) foi inventada em 1842 em Plzen, ou Pilsen, uma cidade da Boêmia. Cesky Krumlov, aliás, tem sua própria fábrica de cervejas, a Eggenberg. A Beer Hall (na Rua Latrán, 27) é o lugar mais apropriado para provar essa cerveja escura direto do barril.

Deixe suas bagagens no Hotel Rüze – é o mais romântico da cidade e passou por uma reforma há pouco tempo. Essa construção renascentista do século XVI, que já abrigou um mosteiro jesuíta, oferece quartos encantadores (alguns com vistas incríveis para o centro histórico e para o castelo), além de contar com um excelente restaurante especializado em pratos tchecos tradicionais.

O QUE: cidade, hotel. **CESKY KRUMLOV:** 180km ao sul de Praga (a 56km da fronteira austríaca). *Quando*: castelo aberto Abr.–Out. **HOTEL RÜZE:** Horní, 154. Tel. (420) 380-772100; fax (420) 380-713146; info@hotelruze.cz; www.hotelruze.cz. *Quanto*: duplos a partir de U$91 (baixa temporada), a partir de U$139 (alta temporada). **MELHOR ÉPOCA:** primavera e outono. Festival Internacional de Música, 3 semanas em Ago.; Festival de Música Antiga, última semana de Jul.

O rio Vltava (Moldava) corre através e em torno de Cesky Krumlov.

Símbolo religioso e político de poder e glória

DISTRITO DO CASTELO

Praga, Boêmia, República Tcheca

A escarpada margem esquerda dessa "Cidade Dourada" proporciona uma das vistas mais belas da Europa: o Castelo de Praga (Prazsky hrad), instalado acima do curvo rio Vltava (ou Moldava), que corre lá embaixo, com a Catedral de São Vito (Chrám svatého Vita), uma obra-prima gótica, destacando-se ao fundo. Esse foi o berço da velha Praga, e tudo o que se desenvolveu a partir desse núcleo cresceu à sombra dessas construções lendárias. Uma caminhada pelas ruas desse pitoresco topo de colina, quase uma cidade dentro de uma cidade, revela vistas deslumbrantes do rio e da Ponte Carlos, também em estilo gótico. A célebre silhueta desenhada pelas torres e agulhas da baixa Cidade Velha (Staré Mesto) destaca-se em meio aos antigos telhados vermelhos da margem direita. Apresentando o aspecto de uma fortaleza, o Castelo de Praga é um formidável complexo de construções e pátios erguidos ao longo de um milênio, do século X ao XX. Seu núcleo espiritual é a catedral do século XIV, só concluída em 1929. De suas 21 capelas, a mais imponente é a dedicada ao "Bom Rei" Venceslau, santo padroeiro da Boêmia; outras honram príncipes e reis tchecos do século XI ao XIII.

O Palácio Real (Krávlovsky palác), ao lado, foi residência dos senhores da Boêmia entre os séculos XI e XVI. Ali o escritor dissidente Václav Havel tomou posse em 1990 como presidente da então Tchecoslováquia. Para muitos, o ponto alto da visita são os dois mais importantes museus de arte de Praga: a

A Ponte Carlos com o Castelo de Praga ao fundo.

Basílica de São Jorge, que, desativada como igreja, abriga uma coleção ímpar de arte tcheca, e o Palácio Sternberk, cujo acervo cobre seis séculos de arte européia. Se o incrível legado de 1.000 anos de arte do complexo do castelo o deixar zonzo, fuja para o aconchegante Hotel U Páva (o nome significa "pavão"), instalado numa rua encantadora iluminada por lampiões. Os quartos na parte da frente do hotel têm vistas inesquecíveis para o Castelo de Praga, que fica iluminado à noite.

Instalado a menos de 90m da Ponte Carlos e às margens do rio, o Four Seasons é o primeiro hotel realmente de luxo de Praga. Grande parte dele ocupa três clássicas construções dos séculos XVIII e XIX (uma delas serviu de lavanderia para o rei Carlos IV), com suítes que proporcionam vistas românticas para o rio e o castelo no alto da colina.

O QUE: lugar, hotel. **DISTRITO DO CASTELO:** na margem esquerda de Praga. **HOTEL U PÁVA:** U Luzického semináre, 32 (Malá Strana). Tel. (420) 2-575-33360; fax (420) 2-575-30919; hotelupava@iol.cz; www.romantichotels.cz. *Quanto*: duplos U$129 (baixa temporada), U$169 (alta temporada); com vista para o castelo U$186 (baixa temporada), U$197 (alta temporada). **FOUR SEASONS:** Veleslavinova, 2a. Tel. (420) 2-2142-7000; fax (420) 2-2142-6666; www.fourseasons.com. *Quanto*: a partir de U$397; suítes com vista para o castelo U$1.062.

A mais longa e mais bela ponte medieval da Europa

PONTE CARLOS

Praga, Boêmia, República Tcheca

O magnífico aspecto arquitetônico apresentado hoje por Praga foi em grande parte materializado no século XIV, nos dias de glória de Carlos IV, rei da Boêmia, Morávia e do Sacro Império Romano. Ele criou uma universidade em Praga e ordenou a construção, em 1357, da ponte que leva o seu nome e que é o símbolo mais amado e mais amplamente associado à cidade. Existem outras 14 pontes que cruzam o rio Vltava (que transbordou nas enchentes de 2002, as maiores da história), mas a vista a partir da base dessa ponte de pedestres na margem direita é qualquer coisa de tirar o fôlego, abrangendo uma ampla variedade de estilos arquitetônicos na colina da chamada Malá Strana (Cidade Baixa), que culmina no Castelo de Praga, na margem oposta. Trinta e seis imagens barrocas de santos, a maioria instalada ali no século XVII, marcam de maneira elegante os 16 arcos de passagem em sua parte inferior.

Uma enchente carregou a Ponte Judite, que precedeu a atual Ponte Carlos.

Apreciar a ponte em diferentes horas do dia é um ritual imperdível para qualquer visitante. De manhã bem cedo, com o rio Vltava cheio de cisnes, é possível admirá-la solitariamente, enquanto as estátuas dos santos parecem montar guarda em meio à bruma matinal. Por volta do meio-dia, ela é invadida por uma multidão formada por moradores de Praga, turistas, artistas de rua e vendedores de camisetas. À noite, quando a agitação e o espírito festivo diminuem, a ponte adquire uma atmosfera mágica, lançando seu encantamento sobre os que não se cansam de observá-la.

Bem próximo da ponte, o pequeno e charmoso hotel U Trí Pstrosu (Nos Três Avestruzes) oferece excelentes jantares, uma linda vista e quartos onde os tetos exibem traves de carvalho. A construção, que no passado abrigou o primeiro café da Boêmia, tem paredes seculares grossas o bastante para bloquear o barulho das multidões que passam lá fora. Peça um quarto numa das esquinas do edifício para ter os melhores panoramas.

O QUE: lugar, hotel. **U TRÍ PSTROSU:** Drazického námestí, 12. Tel. (420) 2-5753-3217; fax (420) 2-5753-2410; info@upstrosu.cz; www.upstrosu.cz. **QUANTO:** duplos a partir de U$200.

A cidade da música onde Mozart ainda vive

TEATRO ESTATAL

Praga, Boêmia, República Tcheca

Praga tem sido palco de um formidável renascimento cultural desde o fim dos 40 anos de regime comunista. Durante séculos um irresistível pólo de atração para instrumentistas ligados à música erudita ("Se é tcheco, é músico", reza um provérbio local), ela voltou a ser a cidade dos sonhos para os amantes do repertório clássico. Sede de festivais de grande prestígio, oferece fartas opções aos interessados em ouvir as obras de Bedřich Smetana e Antonín Dvořak, os grandes compositores tchecos do século XIX. Wolfgang Amadeus Mozart adorava essa cidade e era idolatrado por seus habitantes, o que contrastava com a frieza com que os austríacos o tratavam. O genial espírito de Mozart é quase palpável no Teatro Estatal (Stavovské divadlo), repleto de querubins, onde ele estreou e regeu, em 1787, sua ópera *Don Giovanni*. O teatro, que depois de restaurado recuperou sua elegância e seu tom verde-claro, foi reaberto em 1991 no 200.º aniversário da morte de Mozart. Ele é uma espetacular caixa de jóias tanto em seu interior, com suas bancadas de camarotes, quanto em sua parte externa. Os freqüentadores reconhecem no teatro o cenário de várias cenas de *Amadeus*, do diretor tcheco Milos Forman. Os direitos pagos pela produção do filme ajudaram a financiar os oito anos de reformas a que a casa foi submetida. Qualquer visitante dos dias de hoje provavelmente concordaria com a declaração de Gustave Flaubert de que "as três coisas mais maravilhosas já criadas são o mar, *Hamlet* e *Don Giovanni*, de Mozart".

O QUE: lugar, experiência. **ONDE:** Ovocny trh, 1. Tel. (420) 2-2490-1448 (informações); htprague@narodni-divadlo.cz; www.narodni-divadlo.cz. **QUANDO:** temporada de concertos e óperas em Set.–Jun. (*Don Giovanni* costuma ser apresentada). **MELHOR ÉPOCA:** Concertos do Festival de Música de Primavera de Praga (3 semanas começando no início ou em meados de Mai.); os ingressos são disputados.

O coração e a alma da cidade das torres

PRAÇA DA CIDADE VELHA

Praga, Boêmia, República Tcheca

A magnífica miscelânea arquitetônica da parte mais antiga da cidade de Praga encontra-se na margem direita do rio Vltava, não longe da ponte Carlos. As primeiras habitações da cidade foram erguidas ali, no século X, quando um florescente mercado cresceu às margens do rio a partir de uma localização estratégica, numa encruzilhada das rotas mercantis da Europa Central. Mil anos depois, a Praça da Cidade Velha (Staromestské námestí) continua a ser o centro de Praga. Essa é a área onde viveu Franz Kafka, mas não espere encontrar um clima de melancolia e paranóia nesse lugar. Nos dias de hoje, a praça funciona como um autêntico palco onde se vêem coloridos guarda-sóis de vários cafés, vitrines que exaltam o *kapitalismus*, jovens empresários colados aos seus celulares, músicos, mímicos e jogadores de tarô. Sem falar na multidão de turistas que aparece para assistir ao cortejo de apóstolos e figuras alegóricas no célebre relógio astronômico (Staromestská radnice) – de 600 anos de idade. Uma subida

Uma vista da praça, com a prefeitura à esquerda.

pelos 200 degraus da torre da antiga prefeitura descortina um incrível panorama dessa que é conhecida como a "Cidade das 100 Torres" – mas as torres e agulhas de Praga certamente somam o dobro disso. A exemplo de outras jóias arquitetônicas dessa capital, também a Igreja de Nossa Senhora de Tyn (Tynky chrám), construída no século XIV, está brilhando de nova, graças a uma reforma. Sua magnífica fachada gótica e seus dois frontões compõem uma das imagens mais conhecidas da cidade.

O QUE: lugar. **MELHOR ÉPOCA:** a Feira de Natal é realizada no início de Dez.–início de Jan. Festas ao ar livre e apresentações musicais são promovidas ao redor da árvore de Natal gigante. Há também uma feira da Páscoa.

Onde a história e a paisagem competem pela atenção

COLINA DO CASTELO

Budapeste, Hungria

Buda, na margem esquerda do rio Danúbio, é a parte mais antiga de Budapeste. De seu ponto mais alto – o Castelo Buda (ou Palácio Real), cuidadosamente restaurado –, são belíssimas as vistas do Danúbio e das monumentais construções de Peste. O percurso até lá pode ser igualmente deslumbrante: saindo de Peste, atravesse o Danúbio passando pela elegante ponte das Correntes de Budapeste, um dos marcos da cidade, e tome o funicular que o levará até à colina do Castelo, com suas ruas pavimentadas com pedras onde há edifícios da era dos Habsburgo. O enorme Castelo Buda ocupa a posição mais estratégica da cidade. Ali os reis húngaros ergueram uma residência de aspecto imponente, onde moraram durante os sete séculos seguintes. Hoje em dia, essa construção abriga quatro museus, incluindo a Galeria Nacional Húngara e alguns dos 14km de túneis subterrâneos medievais usados durante a Primeira Guerra Mundial. A vista do Bastião dos Pescadores, com seus sete torreões, é inspiradora, especialmente ao entardecer. Parte da atmosfera típica da Boêmia persiste nos aconchegantes cafés e livrarias, mas a área agora protegida pela Unesco, cheia de ruelas e lojas de artesanato, foi tomada de assalto pelos turistas e há anos nenhum aspirante a artista aparece por lá.

O Bastião dos Pescadores.

O endereço número um da área em termos de hotelaria é o Hilton, o único hotel nessa parte pacata e elegante da cidade. A solução arquitetônica adotada na sua construção demonstrou sensibilidade em relação ao patrimônio arquitetônico do local. O projeto premiado incorpora as ruínas de uma igreja do século XIII, enquanto a fachada barroca de um colégio jesuíta do século XVII foi aproveitada como entrada principal do hotel. O pequeno cassino do Hilton é o mais agradável da cidade (entre os mais de 12 que existem ali), mas pode ser que você considere mais interessante assistir aos concertos de música clássica no antigo pátio da igreja dos dominicanos.

O QUE: lugar, hotel. **CASTELO BUDA:** Budvári Palota Disztér, 17. **BUDAPEST HILTON HOTEL:** Hess Andras ter, 1–3. Tel. (36) 1-488-6600, fax (36) 1-488-6644; Hiltonhu@hungary.net; www.budapest.hilton.com. *Quanto*: duplos a partir de U$210.

Mesmo não sendo azul, ele é lindo – e como

A CURVA DO DANÚBIO

Budapeste, Hungria

Ao norte do ponto em que divide Buda de Peste, o largo rio Danúbio (Duna, para os húngaros) corre através de um estreito vale que muitos consideram o trecho mais bonito de todo o seu percurso de cerca de 3.000km de extensão, da floresta Negra ao mar Negro. Essa é a região conhecida como a Curva do Danúbio (Duna Kanyar), célebre por suas cidades históricas e belas paisagens. É também o destino clássico para viagens de um dia tanto dos estrangeiros cansados de cidades quanto dos próprios húngaros, que fazem o passeio de barco, carro ou trem. A mais popular das cidades ribeirinhas é Szentendre, que sofre com a comercialização desenfreada e com o grande número de turistas na alta temporada. Fundada na Idade Média pelos sérvios, que fugiam da invasão turca pelo sul, o vilarejo passou a ser procurado por artistas nos anos de 1920. Ainda conta com cerca de uma dúzia de igrejas ortodoxas em seu interior e com um surpreendente número de galerias e museus, entre os quais se destaca o que é dedicado ao ceramista húngaro Margit Kovács. Visitantes mais interessados em comprar artesanato, visitar cafés e perambular pelas ruas ladeadas de casas pintadas de amarelo, laranja e verde terão muito o que ver.

Um pouco mais ao norte está Esztergom, sede do Reino Magiar nos séculos XII e XIII.

O interior da Catedral de Esztergom.

Na condição de centro da Igreja Católica húngara, é a cidade mais sagrada do país. Também é nela que se localiza a maior catedral da Hungria, construída em meados do século XIX.

O QUE: experiência, cidade. **CURVA DO DANÚBIO:** barcos partem de Budapeste de meados de Abr.–meados de Out. **SZENTENDRE:** 21km ao norte de Budapeste, 1 hora e 30 minutos de barco. **ESZTERGOM:** 64km ao norte de Budapeste, 4 horas de barco (de aerobarco a viagem leva apenas 1 hora e 10 minutos).

Grande, imponente e tradicional, como nos velhos tempos

GUNDEL

Budapeste, Hungria

O mais conhecido e exuberante restaurante de Budapeste é também amplamente considerado o melhor do país – e talvez da Europa Oriental. Reaberto com grande destaque em 1992, depois de restaurado pelo americano de origem húngara George Lang (dono do Café des Artistes, em Nova York), ele conserva algo da magia que marcou sua inauguração em 1894, na época em que Budapeste ainda era a Paris do Leste Europeu. O cardápio é maravilhosamente antiquado, com muitos pratos clássicos preparados da mesma forma como eram servidos nos dias de glória do Gundel. Alguns dos melhores vinhos da Hungria nunca chegam a ser exportados e podem ser encontrados na extensa carta de vinhos do restaurante, a mais respeitada da cidade, incluindo o nobre e licoroso *tokay*, um dos muitos que têm o rótulo Gundel. Ao lado fica o restaurante-irmão do Gundel, o Bagolyvár (Castelo da Coruja), com um cardápio mais restrito, menos caro e mais caseiro – Lang, o proprietário das duas casas, quer que tanto os húngaros quanto os visitantes estrangeiros tenham a opção de escolher entre uma noite em grande estilo, com violinistas ciganos e tudo o mais, e uma alternativa mais simples e aconchegante.

O QUE: restaurante. **ONDE:** Allatkerti ut, 2, ut City Park (Peste). Tel. (36) 1-468-4040, fax (36) 1-363-1917; info@gundel.hu; www.gundel.hu. **QUANTO:** jantar no Gundel U$50; no Bagolyvár U$20.

Banhando-se no estilo dos antigos paxás otomanos

HOTEL GELLÉRT

Budapeste, Hungria

Os vestígios da ocupação da Hungria pelos turcos, de 1541 a 1686, ainda são detectados na reverência do país pela tradição dos banhos públicos, uma forma de lazer levada extremamente a sério pelos húngaros. Os numerosos estabelecimentos desse tipo existentes em Budapeste sobreviveram ao comunismo, mas nenhum de forma tão esplendorosa quanto os do Hotel Gellért. Esse veterano dos hotéis da capital, uma jóia art nouveau, foi construído por volta de 1900 sobre 18 generosas fontes termais (abertas ao público), tendo como inspiração as termas de Caracala. Sob as espetaculares cúpulas decoradas com vitrais e os mosaicos marchetados de ouro, moradores locais jogam xadrez em tabuleiros flutuantes, batem papo num tom quase sussurrante ou relaxam na água em piscinas cobertas com belos azulejos. Visitantes perambulam pelo local enrolados em toalhas (ou menos do que isso), esperando a hora da mas-

A construção das piscinas no interior do hotel teve início em 1916 e terminou dois anos depois.

sagem. Os mais de 30 spas existentes na cidade oferecem a oportunidade de participar do antigo ritual envolvendo as propriedades restauradoras dessas águas. Dizem que existem mais de 1.000 fontes termais subterrâneas na Hungria, 80 delas só em Budapeste, mas o Gellért é o Taj Mahal das termas – a maneira mais colorida e fascinante de deixar-se impregnar pela cultura da Europa Oriental, mesmo que apenas por algumas horas.

O QUE: hotel, experiência. **ONDE:** Szent Gellért Ter, 1 (Buda). Tel. (36) 1-385-2200; fax (36) 1-466-6631; resoff@gellert.hu; www.danubiusgroup.com. **QUANTO:** duplos a partir de U$140, inclui ingresso nos banhos. Ingresso nas termas para não-hóspedes U$8.

Símbolo da identidade nacional

COLINA WAWEL

Cracóvia, Polônia

O majestoso complexo de construções góticas e renascentistas que compõem a colina Wawel – o Palácio Real e a catedral – domina a vista da cidade a partir desse pequeno monte rochoso onde está localizado, acima do rio Víxstula. Essa foi a residência real por mais de 500 anos até o fim do século XVI, quando Varsóvia passou a ser a capital da Polônia. A colina Wawel é um símbolo do antigo reino: embora o complexo tenha sido depredado pelos nazistas, que o usaram como quartel-general durante a Segunda Guerra, muitos de seus aposentos ainda exibem enormes tapeçarias (é a maior coleção desse tipo na Europa), tetos com pinturas e decorações, além de um farto mobiliário barroco. Provavelmente você se verá cercado por grupos de crianças polonesas que, em uniformes escolares e em atitude de reverência, ouvem histórias sobre seu passado glorioso, quando a Cracóvia – *totius Poloniae urbs celeberrima* (a mais célebre cidade polonesa) – era invejada em toda a Europa.

A célebre catedral de 1364, chamada de

A Catedral de Wawel, construída no século XIV.

"santuário da nação", foi a sede do arcebispado de Karol Wojtyla, de 1963 até à sua eleição como Papa João Paulo II em 1978. Durante séculos, os reis poloneses foram coroados e enterrados ali; heróis e mártires também estão sepultados entre as muitas capelas e obras de arte.

Ao contrário de Varsóvia, a Cracóvia foi poupada da destruição durante a Segunda Guerra e por toda parte há vestígios de sua longa história e de seu notável patrimônio arquitetônico. Do castelo (e especialmente da torre Sigismundo da catedral) é possível avistar a maior parte da Cidade Velha (Stare Miasto), cerca de 10km² de ruas, prédios e monumentos seculares preservados que estão entre os mais belos e autênticos da Europa.

O Que: lugar. **Como:** para informações e reservas, entre em contato com o Escritório de Turismo; tel. (48) 12-422-5155 (ramal 291); fax (48) 12-422-1697; www.krakow-info.com/wawel.htm. **Quanto:** ingresso para o Palácio Real U$3; grátis às Seg. Ingresso para a catedral U$1,50.

Um tributo ao gênio da música da Polônia

A Cidade Natal de Chopin

Zelazowa Wola, Polônia

Filho de pai francês e mãe polonesa, Frédéric Chopin nasceu nessa pequena cidade a oeste de Varsóvia em 1810. Ele viveu na Polônia durante seus primeiros 20 anos, alcançando certa reputação basicamente como pianista, antes de chegar a Paris e depois conquistar glória internacional. Embora Chopin esteja sepultado na capital francesa, os amantes da música consideram uma peregrinação comovente empreender a viagem até o lugar onde ele nasceu (hoje o Museu Chopin) e ao parque arborizado que o cerca. Programe sua viagem a partir de maio (ida e volta no mesmo dia), saindo de Varsóvia na manhã de um domingo de verão para assistir a um dos concertos apresentados por virtuoses na mesma sala de estar onde Chopin criou suas primeiras valsas, polonesas, mazurcas e noturnos. A platéia embevecida é acomodada na área do jardim em frente à casa. Com as últimas notas de Chopin ainda ressoando, dirija-se ao Parque Nacional Kampinos. As trilhas bem sinalizadas partem da cidade de Zelazowa Wola e abrem caminho em meio a densas florestas e prados cheios de flores – uma paisagem que provavelmente inspirou o gênio criativo do compositor. Se você optar por não deixar o perímetro urbano de Varsóvia, informe-se sobre a programação dos concertos de verão com obras de Chopin que são realizados no maravilhoso Parque Lazienki, próximo do impressionante Memorial Frédéric Chopin, inaugurado em 1926.

O piano usado por Chopin nos últimos dois anos de sua vida.

O Que: lugar, evento. **Zelazowa Wola:** 53km a oeste de Varsóvia. **Museu Chopin:**

tel. (48) 22-827-9589; fax (48) 22-827-9599; info@chopin.pl; www.chopin.pl. **QUANTO:** ingressos para o Museu Chopin e para o parque em Zelazowa Wola. Ingresso para os concertos U$7,50. **QUANDO:** concertos Mai.–Set., às vezes programados para o aniversário da morte de Chopin (17 de Out.). Em Varsóvia, os mesmos meses. Competição Internacional Chopin de Piano realizada em Varsóvia a cada 5 anos (2005, 2010, etc.) com concertos programados em espaços diferentes e um grande concerto de gala em 17 de Out.

A Capel Sistina do Leste Europeu

OS MOSTEIROS PINTADOS DA MOLDÁVIA

Suceava, Moldávia, Romênia

Um grupo de mosteiros com vívidas pinturas é a grande atração desse distante recanto da Moldávia, no nordeste da Romênia, uma das áreas mais belas e ainda intocadas da Europa. Em sua maioria, essas construções são pintadas por dentro e por fora, de cima até embaixo, com rebuscados afrescos (promessas de redenção e advertências sobre a perdição) ainda bastante nítidos e com cores incrivelmente vivas considerando-se os 500 anos em que estiveram submetidos à ação dos elementos e aos caprichos de muitos governantes.

Reverenciados como obras-primas da arquitetura dos séculos XV e XVI, quando sobre essa região pesava a ameaça de invasão pelos turcos, os mosteiros fortificados foram cobertos com cenas bíblicas para instrução dos analfabetos fiéis ao cristianismo ortodoxo. Funcionando como uma espécie de Bíblia dos pobres, esses painéis da alta Idade Média são exemplos magníficos de uma estética bizantina que se inspirou no vigor da arte folclórica local, na mitologia e nas referências históricas aos turcos e a batalhas passadas, vencidas e perdidas. O mais impressionante deles é provavelmente o Mosteiro de Voronet, do século XV, conhecido pelos romenos como a Capela Sistina do Leste. Seu singular azul intenso é obtido com lápis-lazúli. Nas proximidades estão os mosteiros também pintados de Sucevita, Moldovita e Humor, todos habitados por pequenas comunidades de monjas que mantêm com fervor sua corrente de cristianismo ortodoxo nessa deslumbrante região montanhosa onde a vida tem resistido, com indiferença, à passagem dos últimos séculos.

O QUE: lugar. **ONDE:** 451km ao norte de Bucareste. Os mosteiros estão situados numa área de 72km diretamente a oeste de Suceava (Voronet, o mosteiro mais próximo de Suceava, está a 40km), capital da região e ponto de partida para excursões, acessível

Voronet, construído no fim do século XV, é dedicado a São Jorge.

por avião ou trem a partir de Bucareste. **Como:** para viagem em grupos de excursão, entre em contato com a Romantic Travel, em Bucareste. Tel. (40) 21-326-0438; fax (40) 21-326-3036; office@romantic.ro; www.romantic.ro. **Melhor Época:** verão e outono, quando o clima é melhor e as festas locais são mais numerosas.

Num recanto perdido da Europa Central

O Castelo do Conde Drácula

Bran, Transilvânia, Romênia

A figura do conde Drácula, que cativou a imaginação do escritor do século XIX Bram Stoker, existiu realmente. O príncipe Vlad Drácula da Valáquia (c. 1431-1476), que supostamente viveu no Castelo de Bran, na

O pai de Vlad era membro da Ordem do Dragão (o termo romeno dracul *significa dragão).*

região inóspita e isolada da Transilvânia, nunca foi conhecido por beber sangue – isso foi inventado por Stoker com base em suas pesquisas sobre as histórias relacionadas a vampiros que marcam o folclore do leste e sudeste da Europa. No entanto, Vlad era famoso por sua crueldade, que se mostrava, inclusive, no hábito de empalar seus adversários vivos em enormes estacas – uma prática que lhe valeu o apelido de Tepes (empalador). Seja como for, toda pessoa tem seu lado positivo; assim, na sua terra natal, ele é lembrado como um herói por suas batalhas contra o Império Otomano. Não há nenhuma prova de que o príncipe realmente tenha vivido no castelo medieval de Bran, mas esse fato não fez parar o fluxo constante de viajantes que vão até lá em busca de emoções. Eles consideram a "terra além da floresta" (significado de Transilvânia em latim) uma das grandes áreas ainda selvagens da Europa, numa região que parece não ter sido tocada pelo século XX e muito menos pelo século XXI. Nos limites da Transilvânia, em meio aos montes Cárpatos, cobertos de florestas, existem antigos vilarejos saxões onde fazendeiros ainda usam arados puxados por parelhas de bois e conservam um estilo de vida simples que de nenhum modo exclui o espírito hospitaleiro pelo qual há muito eles são conhecidos.

O Que: lugar. **Onde:** no condado de Brasov, na cidade de Bran, a 209km de Bucareste. Em Bucareste, entre em contato com a agência Paralela 45 para viagens planejadas; tel. (40) 21-311-1959; fax (40) 21-312-2774; office@paralela45.ro. **Melhor Época:** Mai.–Jun., Set.–Out.

Romance, neve e trilhos

EXPRESSO TRANSIBERIANO

Rússia

Seguindo pela mais longa estrada de ferro contínua do mundo, que proporciona uma das maiores viagens de trem do planeta, o Expresso Transiberiano percorre mais de 9.600km – um terço do diâmetro da Terra – e cruza áreas com seis fusos horários diferentes entre Moscou e Vladivostok, no litoral do Pacífico, um lugar fechado aos estrangeiros e à maioria dos russos durante a era soviética. Um dos grandes feitos heróicos da engenharia dos últimos 100 anos, a ferrovia atravessa a taiga, a estepe, o deserto e as montanhas. No passado a viagem se prolongava por muitos e árduos meses, mas essa épica jornada sobre trilhos pode ser feita hoje em vagões com todo o conforto em apenas duas semanas e na companhia de guias especializados.

Três rotas ligeiramente diferentes ligam Moscou e São Petersburgo, na Rússia Ocidental, ao Extremo Oriente, passando pela Sibéria, com a opção de incluir a Mongólia, terminando (ou começando) em Pequim. Cada viagem permite excursões e visitas prolongadas a capitais regionais, cidades e vilarejos distantes.

O QUE: experiência. **ONDE:** partidas na direção leste, saindo de Moscou e São Petersburgo; na direção oeste, saindo de Vladivostok, no Pacífico, de Pequim ou de Ulan Bator, na Mongólia. **COMO:** nos Estados Unidos, entre em contato com a MIR Corporation; tel. (1) 800-424-7289 e (1) 206-624-7389; fax (1) 206-624-7360; info@mircorp.com; www.mircorp.com. Na Grã-Bretanha, entre em contato com a Trans-Siberian Express; tel. (44) 1565-754-540; fax (44) 1565-634-172; mail@gwtravel.co.uk; www.gwtravel.co.uk. **QUANTO:** viagens de 13–15 dias com tudo incluído (parte terrestre), U$4.295 por pessoa, duplos. **QUANDO:** partidas final de Mai.–meados de Set.

Dentro das muralhas do Kremlin

O MUSEU DAS ARMAS E A PRAÇA VERMELHA

Moscou, Rússia

Assim que você estiver convencido de que está realmente no interior das muralhas do Kremlin, vá direto ao Museu das Armas para um curso intensivo sobre o estilo de vida dos ricos e famosos czares. O acervo reúne mais de 4.000 objetos que datam do século XII a 1917. Felizmente, algumas das peças mais importantes estão logo no começo da exposição (no Salão II): assim você pode apreciá-las antes de começar a ficar confuso sem saber para que lado olhar. Há uma maravilhosa coleção de 10 ovos de Páscoa de Fabergé – pequenos e intrincados universos criados como um tributo aos czares pelo genial joalheiro Peter Carl Fabergé, que se tornou o ourives da corte em 1885. O destaque entre eles é o delicado ovo de prata no qual foi gravado um mapa com o trajeto da Ferrovia Transiberiana. A "surpresa" no interior dessa peça é uma precisa miniatura dourada de uma locomotiva, com janelas de cristal e um pequenino rubi figurando como farol.

É preciso comprar um ingresso à parte para ver as impressionantes jóias da coroa dos Romanov na Almazny Fond (Câmara dos Diamantes), que peca pela falta de informação à disposição do visitante. Não há explicações escritas, mas não demora muito até que você se sinta atraído pelo cetro de Catarina, a Grande – encimado pelo diamante Orloff, um presente do conde Orloff, seu amante – e pela sua coroa, incrustada de diamantes. Não se esqueça de observar o diamante Xá, que o czar Nicolau I recebeu de presente do xá do Irã.

Não há fotos nem guias que o preparem para a sensação de estar parado no centro da ampla e magnífica Praça Vermelha. Em russo, a palavra *krasnaya* (vermelha) está estreitamente associada ao termo *krasivaya* (bela); no entanto, por muito tempo a Praça Vermelha continuará a ser vinculada ao comunismo e aos desfiles de tanques militares que costumavam ser realizados ali. Em sua face oeste se localiza o Kremlin e, ao lado deste, o Mausoléu de Lenin, onde o corpo embalsamado do líder russo permanece desde a sua morte, em 1924. Na extremidade mais distante da praça, situam-se os pináculos e as cúpulas em forma de cebola da Catedral de São Basílio, uma das construções mais conhecidas de Moscou, erguida por ordem de Ivan, o Terrível em meados do século XVI. Do lado oposto ao Kremlin, uma enorme estrutura de aço e vidro lembra as grandes estações ferroviárias de Londres e Paris – é o GUM, iniciais de "Loja de Departamentos do Estado". Desde que a poeira da perestróica baixou, é curioso ver como o capitalismo desenfreado e a proliferação de lojas de franquia repletas de mercadorias do Ocidente convivem com as antigas e mal abastecidas lojas russas, que parecem a caminho da extinção.

O QUE: lugar. **ONDE:** o Museu das Armas fica no lado sudoeste do Kremlin. *Quanto*: ingresso no Kremlin U$8, mais U$10 para o Museu das Armas. **ONDE FICAR:** Le Royal Meridien National Hotel está situado, em todo o seu esplendor art nouveau original, na Rua Mokhovaya, 15/1, do outro lado da Praça Vermelha. Tel. (7) 095-258-7000; fax (7) 095-258-7100; www.lemeridien.com. Peça o quarto Lenin ou um dos 30 quartos com vistas totais ou parciais da praça e do Kremlin. *Quanto*: duplos a partir de U$380, suítes com vista para a Praça Vermelha a partir de U$680.

A mais conhecida e influente instituição cultural russa

BOLSHOI

Moscou, Rússia

Durante décadas o Bolshoi foi uma instituição artística sagrada, florescendo tanto sob os czares quanto sob os líderes soviéticos. Com o enfraquecimento da economia da Rússia após a queda do comunismo, surgiram rumores de que o Bolshoi, exaurido, estaria se limitando a viver das glórias do passado. Mas hoje essa casa está entusiasmando os amantes da arte como uma das maiores companhias de ópe-

Hotel Metropole: opulência no velho estilo.

ra e de dança do mundo, voltando a ser uma força criativa à altura do magnífico e luxuoso teatro do século XIX que ocupa. Ainda que a tradição permaneça intocável – o repertório consiste basicamente dos clássicos russos –, inovações, reformas e novos talentos estão levando o Bolshoi para o século XXI. Nem todas as apresentações têm lotação esgotada, porém isso não quer dizer que seja fácil obter um ingresso.

Hospede-se do outro lado da rua num dos melhores hotéis da Rússia e consiga um lugar de primeira no teatro – pelo qual pagará uma gorjeta de primeira – enquanto desfruta a estada num cinco-estrelas que você talvez reconheça do filme *Doutor Jivago*. O Hotel Metropole, administrado por uma eficiente joint-venture russo-britânica, proporciona a opulência típica do século XIX. Mesmo que você não se hospede num de seus quartos, pare ali para um drinque a caminho do balé ou apareça para um extravagante café da manhã com caviar servido no salão com teto de vidro onde Lenin costumava fazer discursos inflamados.

O QUE: evento, hotel. **BALÉ E ÓPERA BOLSHOI:** Teatro Bolshoi, Teatralnaya Ploshchad, 1. Tel. (7) 095-392-9270; sales@bolshoi.ru; www.bolshoi.ru. *Quanto*: ingressos U$50–U$150. Informações sobre apresentações e ingressos podem ser obtidas nos hotéis. *Quando*: não há uma temporada definida de balé nem de ópera. O teatro fecha Jul.–Ago. **HOTEL METROPOLE:** Teatralny Proyezd, 1/4. Tel. (7) 095-927-6000; fax (7) 095-927-6010. *Quanto*: duplos a partir de U$300. Bufê do café da manhã U$30.

Os subterrâneos de Stalin

O METRÔ DE MOSCOU

Moscou, Rússia

Você talvez imagine que uma noite no Bolshoi celebrada com vodca e caviar será sua mais vívida lembrança de Moscou. Mas nem pense em deixar a cidade sem se aventurar por suas passagens subterrâneas, passeando no metrô mais barato do mundo (cerca de 30 centavos de dólar!). A primeira das 140 estações desse sistema altamente seguro foi concluída em 1935. Quanto mais antigas elas são, mais esmerada a decoração: estamos falando de lustres de cristal, dourados, mosaicos e reproduções de estátuas romanas. As estações mais bonitas e interessantes são as de Mayakovskaya, Kievskaya e Komsomolskaya. Algumas escadas rolantes são tão íngremes que dão a impressão de estar indo para o centro da Terra. O sistema de som anuncia a aproximação de cada estação – o que talvez não o ajude muito. Talvez a hora do rush seja um pouco desagradável para os claustrofóbicos, mas para outros ela proporciona momentos bastante inspiradores.

O Que: experiência. Nos Estados Unidos, para mais informações entre em contato com o Russian National Group; tel. (1) 212-575-3431; fax (1) 212-575-3434, info@russia-travel.com; www.russia-travel.com.

O principal tesouro da arte russa

Galeria Tretyakov

Moscou, Rússia

Sede da maior e mais importante coleção do mundo de arte russa dos séculos XIX e XX, a Galeria Tretyakov passou por quase 10 anos de restaurações e ampliação. Mesmo depois de ter dobrado seu espaço de exposições, ela só tem capacidade para exibir 5% do seu colossal acervo. O núcleo dessa assombrosa coletânea de obras de arte foi doado a Moscou pelo rico comerciante P. M. Tretyakov em 1892. Ali predominam obras do século XIX, às quais se juntaram aquisições posteriores feitas pelo governo. Também estão em exibição nesse espaço telas de pintores russos que ocuparam uma posição de vanguarda na arte européia no início da década de 1920, como Kandinsky, Chagall e Malevitch. Outro destaque é um excepcional grupo de ícones da arte do século XI. A galeria principal data do início dos anos 1900, um edifício exuberante no estilo art nouveau russo, que incorpora a residência de Tretyakov. Comparada ao Hermitage, em São Petersburgo, essa galeria proporciona uma experiência quase íntima.

O Que: lugar. **Onde:** 1km ao sul do Kremlin, Lavrushinsky Pereulok, 10. **Quanto:** ingresso U$9. **Quando:** aberto Ter.–Dom.

Um cruzeiro de Moscou a São Petersburgo

Os Canais dos Czares

Moscou, Rússia

Acompanhe a canção dos barqueiros do Volga num cruzeiro de Moscou a São Petersburgo, navegando pelos rios Volga e Svir, visitando as margens dos lagos Onega e Ladoga e explorando alguns dos vilarejos que formam o "Anel de Ouro" em torno de Moscou, onde há mosteiros e igrejas do século XI. Próximo a Moscou está Sergeiev Posad, a capital da Igreja Ortodoxa Russa, e a pequena cidade de Uglich, fundada em 1148. Ela conserva grande parte do seu charme graças à sua arquitetura original de madeira, incluindo a célebre Igreja Tsarevitch, construída em memória do filho de Ivan, o Terrível, morto misteriosamente nesse lugar.

No lago Onega – o segundo maior da Europa –, a ilha de Kizhi está cheia de extraordinários exemplos da antiga arquitetura de madeira. Entre suas maiores atrações está a Igreja da Transfiguração, com 22 cúpulas, erguida no século XVIII sem um único prego.

Sua base nesse passeio é um barco para cruzeiro em rios fabricado na Alemanha. Eficiente, sem ser luxuoso, ele é operado por suíços. Nas refeições a bordo, o toque de alguns chefs internacionais aprimora ainda mais uma experiência autenticamente russa.

Navegando pelo rio Volga.

O QUE: experiência. **ONDE:** partidas de Moscou e São Petersburgo. **COMO:** no Brasil, agência Tchekhov (São Paulo). Tel. (11) 3812-3030; www.tchekhov.com.br. Pacote Cruzeiro pela Rússia: 11 dias, saídas mensais, todas as refeições, traslados, guias e excursões. **QUANTO:** a partir de U$1.225; passagem aérea não incluída.

Na cultura russa, o Sol nunca se põe

O Festival Noites Brancas e o Grand Hotel Europe

São Petersburgo, Rússia

O nome desse evento criado há relativamente pouco tempo é uma referência à estação do ano na qual o Sol nunca se põe. O Festival Noites Brancas de música vem atraindo um grande público, entusiasmado com as várias atrações e espetáculos, uma programação cuja estrela é a excelente companhia de ópera e balé de São Petersburgo, assim como o teatro que tem seu nome – Kirov durante a era soviética e agora Mariinsky, como nos tempos do czarismo. O festival cultural, que se estende por um mês, oferece a uma platéia internacional a oportunidade de apreciar produções de altíssimo nível – de balés clássicos russos a concertos da Filarmônica de São Petersburgo –, além de shows de artistas visitantes, sempre de qualidade internacional.

O palco mais importante desses eventos, o Teatro Mariinsky, do século XIX, juntamente com o Bolshoi, de Moscou, foi berço de alguns dos grandes nomes do balé mundial. Assistir a um espetáculo ali deve ser uma prioridade, mesmo que o período das noites brancas já tenha se encerrado há muito tempo. Ponha sua melhor roupa, saboreie um champanhe durante o intervalo e misture-se ao público, ávido por reviver os anos dourados desse teatro.

Dê seqüência ao seu percurso histórico hospedando-se no Grand Hotel Europe. Administrado por uma joint-venture internacional, ele é uma espécie de reencarnação – à custa de uma ampla reforma – do antigo Europeiskaya, inaugurado em 1875 e o primeiro hotel de São Petersburgo. Muito da sua antiga atmosfera aristocrática desapareceu. Em seu lugar – para delícia dos atuais visitantes internacionais que seguem os passos de antigos hóspedes, como Gorki, Strauss e Debussy – surgiu um estabelecimento com serviço cinco estrelas e altamente sofisticado, algo ainda raro entre os novos hotéis da Rússia pós-comunismo.

Situado bem perto da Nevsky Prospekt, a Avenida Champs-Elysées de São Petersburgo, o Europe figurou como um símbolo radiante dos dias de prosperidade da Cidade dos Czares, época em que foi a capital russa, de 1712 a 1918. Agora, esse hotel volta a ser um ponto importante dessa cidade que despertou de um longo sono: seu elegante Caviar Bar é um local de encontro para os novos russos, que carregam celulares e charutos, enquanto seu elogiado Restaurante Europe proporciona um luxo e uma sofisticação culinária inexistentes nos tempos do comunismo. Caso você não se hospede nessa casa, passe cedo por ali num domingo para se servir no bufê do café da manhã ao som de jazz e sob um lindo teto com vitrais art nouveau.

O Que: evento, hotel. **Festival Noites Brancas:** no Teatro Mariinsky, Teatral'naya Ploshchad, 1/2. *Como:* no Brasil, agência Teresa Perez Tours (São Paulo). Tel. (11) 3365-4000; fax (11) 3365-4002; perez@teresaperez.com.br; www.teresaperez.com. Pacote: Moscou e São Petersburgo, 7 dias, vôo partindo de São Paulo (saídas mensais), parte aérea, hotel, café da manhã, traslados e ingressos a museus, monumentos, Circo de Moscou e Teatro Mariinsky. *Quanto:* a partir de 2.389 euros. *Quando:* últimas 2 semanas de julho. **Grand Hotel Europe:** Mikhailovskaya Ulitsa, 1/7. Tel. (7) 812-329-6000; fax (7) 812-329-6001; res@ghe.spb.ru; www.grand-hotel-europe.com. *Quanto:* duplos a partir de U$ 295 (baixa temporada), a partir de U$320 (alta temporada). Jantar no Restaurante Europe U$70.

Um labirinto e seus tesouros

O Hermitage

São Petersburgo, Rússia

Um visitante precisaria de cerca de nove anos para dar uma olhada, por mais breve que fosse, nas 150.000 obras no interminável labirinto do Museu Hermitage, com suas mais de 1.000 salas – e mesmo assim ele estaria vendo somente 5% do acervo! A altíssima qualidade de suas coleções (24 Rembrandts, 40 Rubens – só para dar um exemplo) é realçada pela incrível beleza dos próprios salões: o Hermitage foi o Palácio de Inverno de todos os czares e czarinas desde Catarina, a Grande.

Uma das melhores coleções de arte renascentista do mundo está no segundo andar, onde o ponto alto da visita são duas obras de Leonardo da Vinci e a única escultura renascentista do museu: *Menino agachado*, de Michelangelo. O último andar abriga obras importantes de Picasso e Matisse, assim como de uma série de impressionistas e pós-impressionistas. Os próprios salões são tão carregados de assoalhos com padrões elaborados, lustres de cristal, trabalhos de marchetaria, tetos com pinturas, objetos de jade, lápis-lazúli e âmbar que eles quase acabam ofuscando as obras de arte. É fácil imaginar os bailes de gala que aconteciam ali, sem falar nas reuniões importantes e declarações de guerra realizadas nas salas que eram então dedicadas a órgãos do governo. O Salão de Malaquita, quase que inteiramente decorado com essa pedra verde extraída de minas nos Urais, já é por si só uma obra de arte.

O Que: lugar. **Onde:** Dovortsovaya Naberezhnaya. Tel. (7) 812-110-3420; fax (7) 812-312-1567; www.hermitagemuseum.org. **Quanto:** ingresso. **Quando:** aberto Ter.–Dom.

Intimidade e pompa no mais belo palácio russo

PAVLOVSK

São Petersburgo, Rússia

O palácio branco e dourado que Catarina, a Grande construiu para seu filho Paulo I (Paulo é Pavel em russo, daí o nome Pavlovsk) tem sido cuidadosamente preservado ao longo dos anos, conservando a mesma aparência que tinha no fim do século XVIII, quando o jovem grão-duque chegou com sua grã-duquesa e sua prole de 10 crianças. Essa obra-prima no estilo neopalladiano foi erguida sobre um penhasco, com vista para uma propriedade de mais de 600ha. A antiga área real de caça integra hoje um lindo parque – com lagos, aléias de limoeiros, gramados, pavilhões e florestas – bastante freqüentado pelos habitantes de São Petersburgo. Os palácios e as propriedades da época foram projetados, em sua maioria, como símbolos do poder da Rússia imperial – palcos para eventos oficiais, bailes reais e entretenimentos que, em grandiosidade, superavam qualquer coisa parecida no Ocidente. Mas Pavlovsk, ao contrário, foi planejado para ser uma residência. Comparados aos quartos de outras construções do gênero, seus cerca de 45 aposentos são quase aconchegantes (além de refinados), e tudo o que abrigam tem ao mesmo tempo algo de precioso e de pessoal. Embora pareça ter sobrevivido miraculosamente intacto a todas as adversidades que marcaram a história do país, na verdade Pavlovsk é uma réplica criada com extraordinário apuro. As tropas de Hitler o utilizaram como quartel-general da Gestapo antes de incendiar essa construção e seus jardins quando se retiraram dali em 1944. Foi preciso um verdadeiro exército de artesãos e cerca de 25 anos para recriar um dos maiores monumentos arquitetônicos do passado pré-revolucionário da Rússia, com base em plantas originais, gravuras e correspondências. Funcionários leais do palácio ainda conseguiram enterrar, esconder em armazéns e proteger grande parte da mobília e das obras de arte, que assim puderam voltar para lá após a guerra.

O QUE: lugar. **ONDE:** 26km ao sul de São Petersburgo, perto de Pushkin. Tel. (7) 812-470-2156; www.pavlovskart.spb.ru/english. **QUANTO:** ingresso. **QUANDO:** Sáb.–Qui.

Um palácio de verão do czar comparável a Versalhes

PETRODVORETS

São Petersburgo, Rússia

Para uma amostra do incrível nível de opulência que havia na São Petesburgo imperial, pegue um dos barcos que partem do Palácio de Inverno (o Hermitage) e siga pelo rio Neva em direção ao golfo da Finlândia até chegar a Petrodvorets, o Palácio de Pedro, o Grande. Da mesma forma que São Petersburgo foi construída combinando elementos do Ocidente e do Oriente – excessivamente russa para ser européia e demasiado européia para ser russa –, Petrodvorets era a "janela para a Europa" do czar Pedro. Ele o ergueu no início do século XVIII para que a arquitetura dessa construção e a vida social de sua corte fossem comparáveis às de Versalhes, e também para mostrar aos grandes nomes da realeza européia que não deixava nada a desejar em relação a eles. O próprio Pedro traçou as linhas gerais do projeto desse extravagante palácio de verão com 120ha de jardins, com 66 fontes, 39 estátuas e 19km de canais escavados por trabalhadores. O projeto saiu do papel com a ajuda dos melhores arquitetos e engenheiros franceses e italianos. Durante os quase 900 dias de cerco que sofreu durante a Segunda Guerra, a cidade esteve perto de ser aniquilada pelas tropas alemãs. Mas esse projeto, idealizado por Pedro e concluído após sua morte por Catarina, a Grande, foi cuidadosamente reconstruído segundo os planos originais do czar.

O Grande Palácio e a Grande Cascata de Petrodvorets (antigamente chamado de Peterholf).

O QUE: lugar. **ONDE:** a 32km de São Petersburgo, na margem sul do golfo da Finlândia. Aerobarcos partem do Palácio de Inverno, em São Petersburgo, para uma viagem de 45 minutos. Mai.–Set. **QUANTO:** ingresso. **QUANDO:** fechado Seg. e na última Ter. de cada mês.

ESTADOS UNIDOS *E* CANADÁ

OCEANO ÁRTICO
Yukon
ALASCA
Mt. McKinley
MACKENZIE
Mackenzie
YUKON
Mt. Logan
Golfo do Alasca
Grande Lago do Urso
TERRITÓRIOS DO NORDESTE
TERRITÓRIO DE NUNAVUT
Grande Lago do Escravo
MAR DO LABRADOR
Baía de Hudson
OCEANO PACÍFICO
BRITISH COLUMBIA
ALBERTA
CANADÁ
SASKATCHEWAN
MANITOBA
ONTÁRIO
QUEBEC
NEWFOUNDLAND
Newfoundland
S. Saskatchewan
Grandes Lagos
Ottawa
VERMONT
MAINE
NOVA SCOTIA
1
2
OCEANO ATLÂNTICO
WASHINGTON
Missouri
MONTANA
DAKOTA DO NORTE
MINNESOTA
MICHIGAN
WISCONSIN
OREGON
IDAHO
WYOMING
DAKOTA DO SUL
IOWA
ILLINOIS
INDIANA
OHIO
NOVA YORK
PENSILVÂNIA
Washington, D.C.
NEW HAMPSHIRE
MASSACHUSSETS
RHODE ISLAND
CONNECTICUT
NOVA JERSEY
DELAWARE
MARYLAND
VIRGÍNIA OCIDENTAL
VIRGÍNIA
HAVAÍ
Great Salt Lake
NEVADA
SIERRA NEVADA
CALIFORNIA
UTAH
COLORADO
NEBRASKA
ESTADOS UNIDOS
KANSAS
MISSOURI
KENTUCKY
Mississippi
CAROLINA DO NORTE
TENNESSEE
ARIZONA
NOVO MÉXICO
OKLAHOMA
ARKANSAS
ALABAMA
CAROLINA DO SUL
GEÓRGIA
MONTANHAS ROCHOSAS
N
O
L
S
TEXAS
Colorado
LOUISIANA
1 PRINCE EDWARD ISLAND
2 NEW BRUNSWICK
FLÓRIDA
0
805 km
Golfo da Califórnia
Rio Grande
Delta do Mississippi
MISSISSIPPI
Golfo do México

ESTADOS UNIDOS

Uma das grandes maravilhas naturais dos Estados Unidos

O Monte McKinley e o Parque Nacional de Denali

Alasca, Estados Unidos

O monte McKinley, ponto culminante da América do Norte com 6.193m de altitude, e seu majestoso reflexo no esplêndido lago Wonder são as principais atrações do Parque Nacional de Denali, no Alasca, mas não as únicas. Todos os visitantes da reserva natural de 2.428.000ha (maior do que o estado de Massachusetts) voltam para casa levando na bagagem eletrizantes histórias sobre ursos-cinzentos, lobos, caribus, alces-americanos, carneiros Dall e águias douradas. E há também as vistas, as vastas paisagens de tundra e taiga subárticas, as geleiras e os vales profundos, além de numerosos cumes que quase competem com o monte McKinley, batizado em homenagem ao 25.º presidente dos Estados Unidos, porém sempre citado por ali por seu nome indígena atapasca: Denali, "o mais alto".

Embora o monte McKinley/Denali esteja quase sempre coberto de nuvens, você tem uma chance de vê-lo claro e próximo a partir de Camp Denali, uma rústica pousada criada por duas mulheres (e um dos respectivos maridos) que conduziam uma balsa em 1951, quando eles colonizavam terras ainda não classificadas como parque nacional. Hospedando-se numa das 17 cabanas feitas com toras de madeira, você será um dos 40 afortunados excursionistas a desfrutar a excelente comida e os serviços de uma equipe altamente qualificada. Mas não é só isso: terá também a oportunidade de conhecer o parque em caminhadas guiadas por naturalistas e em instrutivas atividades noturnas, além de poder observar a vida selvagem num ritmo tranqüilo. O turismo e os acampamentos são controlados com todo o rigor para proteger a frágil ecologia do parque, que tem apenas uma estrada, de 145km, dos quais somente os 25km iniciais são pavimentados, e que é vedada ao tráfego de veículos particulares. No verão, os dias são longuíssimos, com 16 a 20 horas de claridade para você curtir o cenário.

O QUE: lugar, hotel. **PARQUE NACIONAL DE DENALI:** 381km ao norte de Anchorage. Tel. (1) 907-683-2294; www.nps.gov/dena. *Quanto*: U$5. *Quando*: estrada do parque fechada de Out.–fim de Mai. por causa da neve; de Mai.–Set. o acesso é por ônibus oficial, U$17–U$33, dependendo do destino dentro do parque. **CAMP DENALI:** no interior do par-

O monte McKinley e o lago Nugget vistos de Camp Denali.

que, a 143km da entrada. Tel. (1) 907-683-2290; fax (1) 907-683-1568; info@campdenali.com; www.campdenali.com. *Quanto*: U$400 por pessoa, duplos, tudo incluído, com transporte de ida e volta desde a entrada do parque. *Quando*: aberto início de Jun.–início de Set. **MELHOR ÉPOCA:** Jun. para ver as flores silvestres e os pássaros; 21 de Jun. para o solstício de verão, quando as quase 24 horas de claridade proporcionam uma experiência única de observação da vida selvagem; Ago.–Set. para a folhagem de outono.

Um microcosmo do Alasca onde a natureza reina

PENÍNSULA DE KENAI

Alasca, Estados Unidos

A península de Kenai é uma área compacta de natureza do tamanho dos estados de Vermont e New Hampshire juntos, onde todas as maravilhas do Alasca estão disponíveis num único microcosmo: imensas geleiras (Portage e Exit), um litoral todo recortado com enseadas perfeitas para excursões de caiaque e uma exuberante vida selvagem terrestre e marinha. Partindo de Anchorage, são 200km de carro pela Seward Highway até Resurrection Bay e a cidade de Seward, batizada em homenagem ao secretário de Estado que em 1867 comprou o Alasca da Rússia por U$7.200.000 (menos de um *cent* por hectare), iniciativa zombeteiramente chamada de "A Loucura de Seward" até à descoberta de ouro ali 30 anos depois. Cidade pesqueira e madeireira, Seward é o ponto de partida de excursões de caiaque e cruzeiros marítimos pelo Parque Nacional de Kenai Fjors, onde há grande número de baleias, cachoeiras, ursos e deslizamentos de geleiras.

A rodovia acaba 160km ao sul, em Homer, uma cidadezinha muito simples e artística no extremo da península. Localizada numa impressionante língua de terra de 8km chamada "The Spit" (o cuspe), a pequena cidade considera-se um centro cultural e a "capital mundial do halibute" (Halibut Cove, outra cidade pesqueira, acessível somente por barco, é um dos recantos mais bonitos da península). Não deixe de conhecer o Salty Dawg Saloon, marco de Homer, uma antiga cabana de caçadores de peles, onde os turistas tomam cerveja junto com pescadores e operários das fábricas locais de enlatados.

Pegue um barco para um passeio pela belíssima baía de Kachemak, onde se podem ver andorinhas-do-mar, airos, cormorões, além das irrequietas lontras-do-mar. No distante litoral da baía fica uma encantadora pousada: a Kachemak Bay Wilderness Lodge, uma incrível combinação de refúgio e sala de aula com seis luxuosas cabanas privativas misturadas à paisagem. Alguns hóspedes vão até lá para pescar, outros para explorar a região na companhia dos naturalistas da casa, outros ainda para apanhar caranguejos, mexilhões, camarões, ostras, salmões e, é claro, halibutes, todos preparados à perfeição.

O QUE: lugar, cidade, hotel. **ONDE:** Kenai Peninsula Tourism, tel. (1) 907-283-3850; www.kenaipeninsula.org. **KACHEMAK BAY WILDERNESS LODGE:** tel. (1) 907-235-8910; fax (1) 907-235-8911; www.alaskawildernesslodge.com. *Quanto*: pacote de 3 noites a partir de U$1.800, tudo incluído, até a viagem de barco (ida e volta) a Homer. **MELHOR ÉPOCA:** em Mai. e Set. há menos movimento.

Energia e beleza de tirar o fôlego

A Inside Passage e a Glacier Bay

Alasca, Estados Unidos

O sudeste do Alasca é um reino de água e gelo, uma obra-prima natural em evolução, "uma solidão de gelo e neve e rochas recém-formadas, sombria, triste e misteriosa", como escreveu o naturalista John Muir, que o visitou em 1879. Há um século a área era completamente ocupada pelo gelo; hoje, as imensas geleiras continuam a avançar e recuar a seu bel-prazer e os barcos ainda são o principal meio de transporte até elas. Nessa vastidão marinha, as baleias imperam. Cardumes de orcas e jubartes alimentam-se e acasalam-se ali antes de nadar milhares de quilômetros para passar o inverno nas águas quentes do Havaí e do mar de Cortez, no México. Filhotes de foca brincam sobre pedaços de icebergs e ursos vagueiam pelos rios e litorais à caça de salmões.

Um terço dos visitantes do Alasca faz o cruzeiro pela Inside Passage, uma rota de 1.600km ao longo da estreita faixa de continente e ilhas que formam o segmento meridional do Alasca (Alaska Panhandle). São quase 20 linhas navegando nessas águas todo verão, com navios que vão de pequenos barcos de expedição a cidades flutuantes com mais de 2.000 passageiros. Partindo geralmente de Vancouver, British Columbia (Canadá), no extremo sul da rota, da tranqüila cidade de Juneau (Alasca), no extremo norte, e de Seward, no golfo do Alasca, eles singram as águas calmas e cristalinas dos espetaculares fiordes do Alaska Panhandle, parando em portos turísticos, como Ketchikan, e, se você tiver a felicidade de estar num barco pequeno, em portos não turísticos, como Haines e Petersburg. Sitka, conhecida como a "Paris do Pacífico" durante o século XIX, ainda lembra seus dias de entreposto comercial do Império Russo.

O extremo norte da Inside Passage é coroado pelo magnífico Parque Nacional de Glacier Bay, uma ramificação de fiorde de 105km, que abriga uma dúzia de geleiras e uma rica vida selvagem. O parque é acessível por barco a partir da cidade continental de Gustavus, situada na entrada da baía, onde começa também o Icy Strait. Nessa região ainda em estado bruto, a refinada e acolhedora Gustavus Inn, hospedaria de aspecto maravilhosamente diferente, é uma excelente base para explorar a área de Glacier Bay caso você não seja muito chegado a cruzeiros.

O QUE: lugar, experiência, hotel. **CRUZEIROS:** barcos pequenos (capacidade para 40–140 passageiros) são o melhor meio de ir ao Alasca para quem deseja um contato maior com a natureza. As melhores operadoras são a Lindblad Expeditions, tel. (1) 800-EXPEDITION e (1) 212-765-7740, www.expeditions.com; a Glacier Bay Tours and Cruises, tel. (1) 800-451-5952; www.glacierbay/cruiseline.com; e a Cruise West, tel. (1) 800-580-0072, www.cruisewest.com. A Radisson Seven Seas Cruises oferece acomodações muito mais luxuosas num navio de tamanho médio para 700 passageiros; tel. (1) 877-505-5370; www.rssc.com. *Quando*: a temporada de cruzeiros estende-se de Mai.–Set. Em geral os cruzeiros duram 7 noites. **GUSTAVUS INN:** na entrada de Glacier Bay. Tel. (1) 800-649-5220 e (1) 907-697-2254; fax (1) 907-697-2255; www.gustavusinn.com. *Quanto*: U$150 por pessoa, por noite, duplos, incluindo todas as refeições, traslado do aeroporto, caminhadas ecológicas à tarde, bicicletas e varas de pescar. *Quando*: aberta meados de Mai.–meados de Set. **Melhor Época:** Mai. e Jun. pegam as últimas chuvas; Jul. e Ago. são mais quentes. Jun.–Ago. é a temporada de acasalamento das baleias; neve em Set. não é incomum.

Um resort no meio do deserto onde o golfe impera

O Boulders Resort e o Golden Door Spa

Carefree, Arizona, Estados Unidos

O Arizona é o paraíso dos golfistas. Entre seus mais de 250 campos, o Boulders, com dois campos verdes de 18 buracos projetados por Jay Morrish em profundo contraste com o espetacular cenário do deserto, é de fato digno de nota. A propriedade é cercada por penedos de granito de 12.000.000 de anos, do tamanho de casas, em meio aos quais se encontram engenhosamente aninhadas construções no estilo Flintstones. Mas não só do golfe e da sua magnífica localização vive o resort: o Boulders é também um dos mais pródigos hotéis do sudoeste. Desde a sua inauguração, em 1985, ele tem sido regularmente cotado como um dos melhores da América do Norte. Com a abertura do Golden Door Spa, conhecido em todo o mundo, o hóspede pode dispor agora, em seu magnífico santuário de mais de 3.000m², de tratamentos corporais e de rejuvenescimento. Paisagens impressionantes são vistas das janelas das 160 *casitas* que têm apenas um quarto – todas elas dão para o deserto de Sonora, juncado de cactos. As trilhas de cavalgada que cortam os 530ha de terreno intocado prometem momentos à la John Wayne. O hotel – situado numa cidade curiosamente batizada de Carefree (Despreocupada) que tem ruas com nomes como Why Worry Lane (Alameda Por Que se Preocupar) – é operado por uma simpática equipe de funcionários sempre atenta e solícita. Depois do último buraco, a diversão prossegue com passeios de balão ao pôr-do-sol e, à noite, com um excelente jantar num dos oito restaurantes do resort. Resta ainda a oportunidade de seguir num jipe de excursão acompanhado de um astrônomo local para apreciar estrelas como você nunca viu antes – tudo em meio ao aroma de galhos de zimbro queimando nas fogueiras. O silêncio do deserto só é quebrado pelo uivo ocasional de um coiote solitário.

O Que: hotel. **Onde:** N. Tom Darlington Drive, 34.631. (Carefree fica 53km ao norte de Phoenix e 21km ao norte de Scottsdale.) Tel. (1) 800-553-1717 e (1) 480-488-9009; fax (1) 480-488-4118; www.wyndham.com/boulders. **Quanto:** *casitas* a partir de U$139 (baixa temporada) e U$625 (alta temporada). **Melhor Época:** Jan.–Mai., com uma série de concertos ao luar em Abr.–Jun.

Penedos ancestrais rodeiam o resort.

O sagrado museu a céu aberto da nação navajo

MONUMENTO NACIONAL CÂNION DE CHELLY

Chinle, Arizona, Estados Unidos

Embora não possa ser comparado à espantosa vastidão do Grand Canyon, a quatro horas de viagem de carro dali, o cânion de Chelly (nome derivado do navajo *tsegi*, "cânion das rochas") é uma exibição permanente de 2.000 anos de história da América Nativa, dotada de magia e espiritualidade próprias. Paredões de arenito puro erguem-se a mais de 182m de altura nesse cânion de 336km², cujas formas e cores mutantes assumem matizes de rara beleza de acordo com a luz do dia. O cânion é mais conhecido, porém, pelas habitações de vários pavimentos construídas em seus penhascos com pedras e barro seco ao sol pelo povo *anasazi* entre 700 e 1300 da nossa era. Misteriosamente abandonadas no século XIV, essas são as habitações mais antigas dos Estados Unidos. Os navajos (uma das 15 tribos que vivem no Arizona) passaram a ocupar o cânion em caráter permanente a partir do século XVIII. Cerca de 500 indígenas ainda cultivam os campos, cuidam de cabras e ovelhas e trabalham como guias de turismo, uma vez que as visitas desacompanhadas e não autorizadas são proibidas. O cânion, localizado no nordeste do Arizona, faz parte da Reserva Indígena Navajo, a maior da América do Norte, considerada uma nação soberana de mais de 200.000 habitantes cujo idioma oficial é o navajo. O cânion de Chelly é um dos lugares mais sagrados dessa tribo. Apesar do movimento turístico de verão, ainda é fácil encontrar silêncio e solidão nesse vasto território rochoso. Alguns dos mais importantes pictogramas (arte rupestre) do país ornam as rochas do deserto. Eles foram deixados ali por navajos, *anasazis* e, antes deles, pelos *basketmakers* (cesteiros), povo cuja presença no cânion remonta ao século IV d.C. A equipe da Thunderbird Lodge, pousada localizada na entrada do cânion, é composta apenas de navajos. A casa oferece as únicas acomodações oficiais dentro do parque, instaladas num antigo armazém rural, além da hospitalidade da América Nativa e das excursões em jipe aberto, apelidadas "Shake and Bake" ("Sacuda-se e asse") por causa da precariedade das estradas de terra e do calor escaldante do verão.

A Spider Rock, no cânion de Chelly.

O QUE: lugar, hotel. **CÂNION DE CHELLY:** 555km a nordeste de Phoenix. O Centro de Visitantes do Cânion de Chelly, em Chinle, funciona durante todo o ano. Tel. (1) 928-674-5500; www.nps.gov/cach/. **Thunderbird Lodge:** Chinle. Tel. (1) 800-679-2473 e (1) 928-674-5841; fax (1) 928-674-5844; www.tbirdlodge.com. *Quanto*: duplos a partir de U$60 (baixa temporada) e a partir de U$106 (alta temporada). **Melhor Época:** Mai.–Out. A cerimônia navajo Powwow (fim de semana de 4 de julho) e o evento anual Feira e Rodeio da Nação Navajo (no fim de Ago.–início de Set.) são realizados em Window Rock, capital da Reserva Indígena.

Uma obra-prima da natureza

O Grand Canyon

Flagstaff, Arizona, Estados Unidos

Poucas coisas neste mundo causam uma admiração tão grande quanto o primeiro contato com o Grand Canyon. Hipnotizado, o naturalista John Muir escreveu: "Ele lhe parecerá como uma ficção, tão extraterreno na sua cor e imponência e na magnitude de sua arquitetura que é como se você o estivesse encontrando depois de morto em alguma outra estrela." A natureza levou 2.000.000.000 de anos para criar esse gigantesco abismo – com 27km de largura em alguns pontos –, combinando alternadamente fenômenos geológicos de elevação e erosão com a força permanente do rio Colorado, que o segue por 445km a 1.600m de profundidade. A cada ano, mais de 4.000.000 de visitantes afluem ao parque para observar seu maravilhoso colorido de tons pastel em constante mutação e os imprevisíveis jogos de luz e sombra. Noventa por cento dessas pessoas não chegam a conhecer o centro de visitantes e as exposições, museus e lojas da altamente popular (e congestionada) South Rim (margem sul), a 2.133m de altitude.

Jogos de cor, luz e sombra no Grand Canyon.

Faça uma reserva com pelo menos um ano de antecedência (ou reze por desistências de última hora) no El Tovar Hotel, construído em 1905 numa localização magnífica por trabalhadores hopis com pedras nativas e toras de pinheiro *ponderosa*. Quando você puder desfrutar momentos de silêncio numa das cadeiras de balanço de sua ampla varanda com vista para o fim do mundo, descobrirá o motivo pelo qual ele é considerado a jóia da coroa dos hotéis dos parques nacionais.

De South Rim partem excursões de um dia em mulas até Plateau Point, situado a meio caminho da base do cânion. Participantes de excursões mais longas, em mulas ou a pé, pernoitam no Phantom Ranch, um rancho rústico e extremamente simples do começo do século XX que é a única opção de hospedagem abaixo da margem do cânion.

Uma pitoresca estrada de 378km que corta territórios verdadeiramente impressionantes liga South Rim à remota e mais tranqüila North Rim. Situada numa elevação, a 2.438m de altitude, ela só funciona de meados de maio a outubro. Uma das formas mais poéticas de admirar o cânion é vê-lo de baixo para cima. A descida das corredeiras do rio Colorado em caiaque, canoa ou bote a motor é uma das maiores aventuras nos Estados Unidos, com lugar garantido em todas as listas de atrações.

O QUE: lugar, hotel. **GRAND CANYON:** South Rim situa-se 370km ao norte de Phoenix, 128km ao norte de Flagstaff; North Rim localiza-se 566km ao norte de Phoenix, 338km ao norte de Flagstaff. Tel. (1) 928-638-7888; www.nps.gov/grca. *Quanto*: estacionamento no parque U$20 por carro. **EL TOVAR HOTEL, PHANTOM RANCH, EXCURSÕES UTILIZANDO MULAS E DESCIDA DAS CORREDEIRAS:** para todas essas atrações, entre em contato com Grand Canyon National Park Lodges, tel. (1) 303-297-2757; fax (1) 303-297-3175; www.grandcanyonlodges.com. *Quanto*: El Tovar Hotel, duplos a partir de U$129 o ano inteiro (3 suítes com vista para o cânion U$289); aceitam-se reservas com 23 meses de antecedência. Phantom Ranch, U$28 por pessoa que chega a pé, em dormitórios para 10 pessoas. Passeios de mula U$345 por pessoa durante todo o ano, incluídas todas as refeições e pernoite numa cabana. Rafting suave, 4 horas de duração, U$107 por pessoa, incluído almoço. **RAFTING NAS CORREDEIRAS** (excursões de mais de 1 dia): Wilderness River Adventures, tel. (1) 800-992-8022. **QUANDO:** parque, hotéis e trekking durante todo o ano. **MELHOR ÉPOCA:** Mai.–Ago. é o período de maior movimento, portanto considere Mar., Abr., Set. e Out. Nos meses de Nov.–Fev. a região tem uma beleza toda própria.

Uma encantadora região desértica e seu oásis de luxo

RED ROCK COUNTRY

Sedona, Arizona, Estados Unidos

O contador de histórias local Zane Grey fez da espetacular Red Rock Country (terra das Rochas Vermelhas) o pano de fundo de seu clássico de 1924, *O grito da terra*. A maioria dos visitantes tem um déjà vu ao chegar, graças aos mais de 80 filmes de faroeste – entre os quais *Johnny Guitar* e *Flechas ardentes* – que ali e no vizinho estado de Utah encontraram a locação perfeita para seus índios e caubóis.

Não surpreende que o terreno estriado como um "bolo em camadas" e as formações verticais de arenito tenham atraído toda uma comunidade de artistas a Sedona (começando com Max Ernst na década de 1950) – as visitas às formações rochosas e às galerias estão entre as principais diversões locais. Adeptos da nova era gravitam ao redor da cidade em busca de centros eletromagnéticos – de cujos vórtices emanam poderes curativos e energias naturais, dizem eles (como em Machu Picchu e Stonehenge). Verdade ou não, é impossível negar o caráter especial de Sedona. Esse território sagrado é o paraíso da tribo yavapai-apache – para esse povo, foi ali que a primeira mulher se acasalou com o Sol e deu início à raça humana.

Construído a 1.370m de altitude (para escapar do verão escaldante) num terreno de 28ha, o singular Enchantment Resort integra-se perfeitamente ao ambiente do deserto, uma paisagem ancestral e peculiarmente erodida cujas cores vão do rosa e laranja ao terra-de-siena e escarlate, dependendo das condições do dia e da posição do Sol. Esteja logo cedo à porta da frente da sua *casita* de argila para uma caminhada ou uma excursão em jipe aberto até o fantástico Boynton Canyon e esteja de volta ao luxuoso casulo do hotel a tempo de pegar um churrasco à beira da piscina. Seja também uma testemunha de um dos mais arrebatadores poentes do Oeste – aprecie-o da sua varanda privativa ou do terraço aberto do excelente restaurante yavapai do resort.

O QUE: lugar, hotel. **ONDE:** Sedona fica 193km ao norte de Phoenix e 177km ao sul do Grand Canyon. **ENCHANTMENT RESORT:** Boynton Canyon Road, 525. Tel. (1) 800-826-4180 e (1) 928-282-2900; fax (1) 928-282-9249; info@enchantmentresort.com; www.enchantmentresort.com. *Quanto*: duplos a partir de U$195 (baixa temporada) e a partir de U$375 (alta temporada). **MELHOR ÉPOCA:** vários festivais de arte e música em Jun.–Ago., embora sejam os meses mais quentes (quando secos); Festival de Jazz em Set.

Um centro de vida saudável de classe internacional

CANYON RANCH HEALTH RESORT

Tucson, Arizona, Estados Unidos

Pioneiro entre os resorts de vida saudável para ambos os sexos nos Estados Unidos, o Canyon Ranch, inaugurado em 1979, tornou-se umas das mais festejadas mecas da saúde e bem-estar do país. Situado num belíssimo trecho de cerca de 61ha no deserto de Sonora, ao pé dos montes Santa Catalina, ele é regularmente cotado em elevadas posições nas revistas sobre viagens e spas. A programação ininterrupta, as aulas e atividades complementares (opcionais) podem intimidar a princípio, mas só até você descobrir que não precisa fazer nada mais do que passar o dia descansando à beira de qualquer uma das três piscinas. Os exercícios destinam-se à boa forma do corpo, da mente e da alma: além das mais de 50 sessões diárias de atividades físicas disponíveis, há outras programações, que vão de revigorantes caminhadas de 13km às 6h pelas montanhas juncadas de cactos imensos a discussões noturnas sobre uma grande variedade de temas, conduzidas por palestrantes convidados. Os corpos esculpidos, de fechar o comércio, são amplamente superados em número pelas pessoas comuns que vão a esse lugar para fugir da vida estressante e de hábitos prejudiciais. Os tratamentos do spa são o principal ingrediente da concepção abrangente de vida saudável adotada pelo rancho – quem há de resistir a massagens com pérolas trituradas e manteiga de leite de cabra? A cozinha com sotaque do sudoeste é memorável, com demonstrações diárias que provam que até você pode preparar as especialidades do chef. A filosofia do Canyon Ranch é proporcionar aos hóspedes férias que eles possam levar consigo para casa – o que não impede que muitos deles retornem para uma nova estada. O spa tem uma instalação co-irmã magnificamente localizada e digna dos mesmos elogios nas montanhas Berkshire, em Massachusetts.

O QUE: hotel, experiência. **ONDE:** East Rockcliff Road, 8.600 (a 30 minutos do aeroporto de Tucson). Tel. (1) 800-742-9000 e (1) 520-749-9000; fax (1) 520-749-7755; www.canyonranch.com. **QUANTO:** pacote mínimo de 4 noites na alta temporada a partir de U$2.700 por pessoa (duplos), incluindo um grande número de serviços de saúde e spa. **MELHOR ÉPOCA:** os preços caem de 20 a 40% de Jun.–Set., os meses mais quentes.

O lugar mais baixo a que se pode chegar

PARQUE NACIONAL DO VALE DA MORTE

Califórnia, Estados Unidos

Localizado no coração do deserto de Mojave, o Parque Nacional do Vale da Morte desfruta da ambígua distinção de ser o lugar mais baixo, mais seco e mais quente dos Estados Unidos, com verões escaldantes em que a temperatura chega a atingir 49ºC – em 1913 alcançou 56ºC. Seu nome assustador atrai gente de todo o mundo, mas o que é mais surpreendente na chegada não é a aspereza da região, e sim sua beleza espetacular e variada, em que a secura do passo Deadman (Homem Morto) e do cânion Dry Bone (Osso Seco), por exemplo, contrasta com colinas e montanhas espetaculares, como o pico do Telescópio, de 3.352m de altitude. Centenas de espécies vegetais e animais nativas desse ambiente árido, 40 das quais não existem em nenhum outro lugar do planeta, vivem sob o sol do deserto.

O vale da Morte não é exatamente um vale, mas uma depressão entre duas cadeias de montanhas que estão se erguendo e se afastando lentamente uma da outra. Há mais de 10.000 anos, esse lugar era um grande lago de água doce com profundidade de até 182m. Passados milhares de anos de clima quente e seco, hoje só resta uma áspera planície salgada. Nos limites do longo e estreito parque (225km de uma ponta a outra – aproximadamente o tamanho do estado de Connecticut), um dos cenários mais populares é o de Artists Palette, onde os depósitos minerais colorem as montanhas com faixas vermelhas, rosa, laranja, roxas e verdes. Outros locais de interesse são Zabriskie Point, que proporciona vistas impressionantes das montanhas enrugadas, e 36km² de dunas esculpidas à perfeição, como no Saara. Procure a estrada sem saída que leva ao pico apropriadamente batizado de Dante's View (Vista de Dante), a 1.600m de altitude – a partir dali é possível avistar até 160km de distância num raio de 360º, incluindo os pontos mais alto e mais baixo dos Estados Unidos continental (isto é, sem considerar o Alasca e o Havaí): o monte Whitney, de 4.417m de altitude, e Badwater, uma pequena piscina natural de água escura 86m abaixo do nível do mar.

Os carros com ar-condicionado e as hospedarias de luxo melhoraram a experiência que levou os pioneiros do século XIX a dar esse nome ao vale. Entre as opções de hospedagem destaca-se a suntuosa Furnace Creek Inn, hospedaria que é um verdadeiro oásis de fontes naturais e jardins de palmeiras com um magnífico campo de golfe de 18 buracos. Erguida em 1927, essa construção de pedra e tijolo no estilo das instalações de missionários é histórica. Ela e seu rancho vizinho, no estilo motel, mais acessível ao bolso, são um antigo refúgio de fim de semana dos estressados de Los Angeles. Ao redor da piscina abastecida com água da fonte, você ouvirá todas as línguas do mundo – um ponto ideal para observar as cores mutantes das montanhas Panamint no fim da tarde. À noite, maravilhe-se com o céu do deserto, um verdadeiro oceano de estrelas brilhantes.

O Que: lugar, hotel. **Parque Nacional do Vale da Morte:** na divisa entre os estados da Califórnia e Nevada, 480km a nordeste de Los Angeles, 193km a noroeste de Las Vegas. Tel. (1) 760-786-3200; www.nps.gov/deva. *Quanto:* ingresso U$10 por carro. **Furnace Creek Inn:** tel. (1) 760-786-2345; fax (1) 760-786-2423; www.furnacecreekresort.com. *Quanto*: duplos a partir de U$155 (baixa temporada) e a partir de U$265 (alta temporada). **Melhor Época:** Out.–Mai.; o amanhecer e o pôr-do-sol para apreciar a força e as mudanças da luz.

O spa dos spas

O Golden Door

Escondido, Califórnia, Estados Unidos

Quando cruzar a porta desse spa, esqueça o ceticismo e deixe para trás as semanas de oito dias com telefone celular, jantares de negócios, babás, prazos e insônia. Fundado em 1958 pela decana dos spas Deborah Szekely, do Rancho La Puerta, México, o Golden Door foi o primeiro centro de vida saudável a combinar os nascentes conceitos norte-americanos de boa forma com tratamentos corporais europeus, o que desde então se tornou o padrão máximo no gênero. Regularmente cotado entre os melhores spas da região, o Golden Door, que só recebe 40 hóspedes em seu lindo terreno de 140ha, é projetado no estilo japonês, com áreas verdes bem cuidadas, jardins de areia para meditação, passarelas de madeira e lagos de *koi* (carpas coloridas). Os hóspedes (somente mulheres, exceto nas quatro semanas anuais em que ambos os sexos são admitidos e nas cinco semanas exclusivas para homens) passam quase todo o tempo ao ar livre em comunhão com a natureza e, durante toda a semana da estada, num bem-aventurado desligamento do mundo exterior.

Todas as acomodações da elegante pousada rústica no estilo *ryokan* japonês são frugais, tranqüilas e individuais, para respeitar o espaço pessoal. Quatro funcionários por hóspede garantem um tratamento de primeira. Cada cliente tem um *personal trainer* que prepara a programação diária de acordo com suas preferências e necessidades. Comece o dia com uma caminhada ao amanhecer ou com um café na cama. No meio da tarde, opte por uma sessão de relaxamento com uma hora de massagem no seu próprio quarto. Um dos destaques dessa estada é a cozinha inovadora do spa. O cardápio é pobre em gordura e sal, sem no entanto sacrificar o sabor, e quase todos os ingredientes são colhidos na própria horta orgânica da propriedade. Antes de se deitar, tome um banho quente de imersão seguido da massagem *ki-atsu*, a versão Golden Door da *watsu*.

O Que: hotel, experiência. **Onde:** Deer Springs Road, 777, 13km ao norte de Escondido, 48km a nordeste de San Diego, 160km ao sul de Los Angeles. Tel. (1) 800-424-0777 e (1) 760-744-5777; www.goldendoor.com. **Quanto:** U$6.025 por pessoa, por semana, tudo incluído, exceto aulas de tênis. **Melhor Época:** Set.–Mai.

Um futurístico santuário da arte antiga

GETTY CENTER

Los Angeles, Califórnia, Estados Unidos

Obra-prima do arquiteto Richard Meier, o Getty Center, inaugurado em 1997, é uma moderna acrópole com vista para a cidade de Los Angeles e o Pacífico, instalada no alto de uma das montanhas de Santa Mônica.

Localizados numa área de 44ha, seus seis edifícios, cuja construção levou 14 anos ao custo de U$1.000.000.000, abrigam seu crescente acervo de arte anterior ao século XX e uma biblioteca de história da arte com mais de 1.000.000 de volumes. A própria cidadela é por si só uma cintilante obra de arte de vidro e mármore travertino branco. As resplandecentes galerias, algumas de grande altura, recebem muita luz natural e são intercaladas de pátios, fontes, passarelas e janelas que emolduram os jardins projetados por Robert Irwin e as vistas adjacentes. *Os íris*, de Van Gogh, e cinco Cézannes (incluindo *Natureza-morta com maçãs*) são os atrativos do Getty para o grande público, mas a força real desse museu ainda está nas suas coleções especiais com obras que vão da Renascença ao Impressionismo e arte decorativa européia do século XVIII.

Não há lugar mais espetacular para se ver o pôr-do-sol sobre o Pacífico do que o terraço panorâmico do restaurante do Getty, cuja cozinha de sabores californianos, asiáticos e mediterrâneos atrai tanta atenção quanto a arte. Essa mesma cozinha inovadora é responsável pelo cardápio simplificado do popular café do museu. A comida é uma parte importante do fascínio do Getty, um claro exemplo da atenção que a casa dedica ao clima do local e ao ambiente circundante.

Entre os demais museus que contribuem para a identidade cultural pop de Los Angeles estão o Museu de Arte de Los Angeles County (LACMA), o pequeno mas excelente Norton Simon, de Pasadena, o Huntington Gardens and Galleries, de San Marino, e o Getty Villa, museu co-irmão do Getty em Malibu. A construção deste último, inspirada na arquitetura de Pompéia, foi comandada à distância pelo bilionário do petróleo e expatriado norte-americano John Paul Getty, considerado um dos homens mais ricos dos tempos modernos, e concluída dois anos antes de sua morte, em 1976. Embora nunca a tenha visitado, ele pediu para ser enterrado ali. Esse museu hoje se dedica a um respeitável estudo das antiguidades gregas e romanas. Atualmente está em reforma, com reabertura prevista para 2006.

O QUE: lugar, restaurante. **ONDE:** Getty Center Drive, 1.200. Tel. (1) 310-440-7300; www.getty.edu. *Quanto*: ingresso gratuito; estacionamento U$5 (exigem-se reservas para estacionamento, exceto nas noites de Qui. e Sex.). Jantar U$50. **QUANDO:** aberto Ter.–Dom.

Uma acrópole que abriga a coleção de arte de um único homem.

Onde os Estados Unidos inventam a si mesmos

HOLLYWOOD

Los Angeles, Califórnia, Estados Unidos

Desde que os pioneiros do showbiz Cecil B. DeMille e Jesse Lasky foram atraídos pelo clima abençoado da Costa Oeste em 1911, Hollywood deixou de ser um lugar real para se tornar um conceito, um local cintilante, com fantasia, glamour e ambição. Já faz tempo, é verdade, que as únicas celebridades vistas no Hollywood Boulevard são as do museu de cera local, mas Hollywood vive hoje um renascimento no estilo Times Square, num esforço para recriar a emoção do apogeu da indústria cinematográfica. Um importante catalisador da revitalização da área é o Walt Disney Concert Hall, sede da Orquestra Filarmônica de Los Angeles, um salão de U$274.000.000 projetado pelo arquiteto Frank Gehry e inaugurado há pouco tempo. No Mann's Chinese Theatre (ainda conhecido pela maioria dos cinéfilos como Grauman's Chinese) pode-se literalmente seguir os passos de Charlie Chaplin, Marion Davies, Mary Pickford e outras 160 celebridades de 1927 até o presente, imortalizadas com as marcas de seus pés, mãos e até nariz (o de Jimmy Durante). Perto dali, a Calçada da Fama do Hollywood Boulevard, com 1,5km de extensão, homenageia mais de 2.000 astros e estrelas de 1960 em diante.

Visite a Universal Studios para ter uma idéia de como é o mundo do cinema.

A maioria dos estúdios já se mudou de Hollywood há muito tempo. Hoje, só a Paramount permanece fisicamente ali. Se você quiser ter uma idéia de como são feitos os filmes, vá a San Fernando Valley e Universal City, depois de Hollywood Hills. Além de ter décadas de história como estúdio de cinema, a Universal Studios transformou-se numa importante atração turística. A visita ao maior estúdio de cinema e televisão do mundo é uma diversão para toda a família, incluindo os céticos. Nos brinquedos com efeitos especiais, você vivenciará uma avalanche e um terremoto e terá também um inusitado encontro com um King Kong de 9m de altura.

Se o seu objetivo é ver de perto celebridades, como Harrison Ford, Goldie Hawn, Meg Ryan e Mel Gibson, está na cidade certa. Os restaurantes Scandia, Chasen's e Brown Derby não existem mais, porém o Musso & Frank Grill continua em funcionamento. Esse é um dos mais antigos restaurantes de Los Angeles, ponto de encontro da arraia-miúda do cinema desde 1919. Em seus compartimentos de madeira polida e assentos de couro, as pessoas bebem seu martíni Ketel One saboreando um cardápio dos anos 1920: Frango à la King, carne bovina em conserva com repolho, fígado de vitela grelhado com cebola e 11 tipos de batata. Com uma atmosfera um pouco menos retrô, o chique e ao mesmo tempo informal Ivy não apenas proporciona a rara oportunidade de se comer ao ar livre ao lado de algum astro como presta um atendimento até simpático aos turistas. Isso também vale para o sempre popular Spago Beverly Hills, onde virar o pescoço é uma atitude que não faz jus às fabulosas pizzas de Wolfgang Puck.

Para um contato imediato com o showbiz, o melhor e mais nostálgico lugar da cidade é o Hotel Bel Air – ali celebridades de hoje e de ontem buscam anonimato e serviço discreto em meio a 5ha de plantas nativas e subtropicais. Caminhos sombreados serpenteiam por entre lagos de cisnes até os bangalôs no estilo das antigas instalações de missionários – o de Marilyn Monroe foi transformado numa academia de ginástica.

O QUE: lugar, hotel, restaurante. **HOLLYWOOD:** Bureau de Convenções e Visitantes de Los Angeles; tel. (1) 213-624-7300; www.lacvb.com. **WALT DISNEY CONCERT HALL:** South Grand Avenue, 111. Tel. (1) 213-972-7211; www.musiccenter.org. **MANN'S CHINESE THEATRE:** Hollywood Boulevard, 6.925. Tel. (1) 323-464-8111; www.manntheatres.com. **UNIVERSAL STUDIOS HOLLYWOOD:** Universal City Plaza, 100, Universal City (a 8km de Hollywood). Tel. (1) 818-508-9600; www.universalstudioshollywood.com. *Quanto*: U$45. **MUSSO & FRANK GRILL:** Hollywood Boulevard, 6.667. Tel. (1) 323-467-7788. *Quanto*: jantar U$40. **IVY:** North Robertson Boulevard, 113, West Hollywood. Tel. (1) 310-274-8303. *Quanto*: U$40. **SPAGO BEVERLY HILLS:** North Canon Drive, 176, Beverly Hills. Tel. (1) 310-385-0880; www.wolfgang puck.com. *Quanto*: jantar U$85. **HOTEL BEL AIR:** Stone Canyon Road, 701, Bel Air. Tel. (1) 800-648-4097 e (1) 310-472-1211; www.hotelbelair.com. *Quanto*: a partir de U$385. Jantar no Terrace U$65. **MELHOR ÉPOCA:** início de Jul.–meados de Set., o Hollywood Bowl (no Griffith Park; www.hollywoodbowl.org) recebe a Filarmônica de Los Angeles, que executa ao ar livre um repertório que vai do jazz e do pop ao clássico; evite o "junho sombrio" e o agosto escaldante.

Golfe sagrado, maravilhas da natureza e all that jazz

PENÍNSULA DE MONTEREY

Califórnia, Estados Unidos

A Mãe Natureza fez hora extra na acidentada península de Monterey. Pacific Grove (também conhecida como Cidade das Borboletas por ser lugar de descanso de milhares de borboletas-monarcas migratórias) e a encantadora Carmel-by-the-Sea são atrações importantes, mas a antiga cidade pesqueira de Monterey permanece como o destaque da península. Imortalizada pelo escritor John Steinbeck, vencedor do Prêmio Nobel, ela é palco do Festival de Jazz de Monterey, o mais antigo festival de música do país – um superevento de três noites que atrai mais de 500 grandes músicos de todo o mundo.

Notória no passado por sua indústria de enlatados de baleias e sardinhas, Monterey foi também a primeira capital da Califórnia e até hoje conserva mais de 40 edifícios anteriores a 1850. Uma inesquecível experiência com a fantástica vida marinha da região é a visita ao Aquário da Baía de Monterey, de nível internacional, na Cannery Row, rua celebrizada pelo romance de 1945 de Steinbeck. O mágico "oceano interior" do aquário abriga 700 espécies marinhas da baía, entre as quais peixes, lontras-do-mar, tubarões, pingüins e a hipnótica e incrivelmente bela medusa. Para completar a experiência hospede-se na Old Monterey Inn, uma linda casa de 1929 no estilo Tudor inglês magnificamente restaurada e com apenas 10 quartos, todos eles mobiliados à perfeição.

A célebre 17-Mile Drive, única rodovia privada com pedágio a oeste do Mississippi e uma das mais magníficas estradas litorâneas dos Estados Unidos, liga Monterey à sua vizinha peninsular Carmel. Um microcosmo da beleza romântica do áspero litoral, essa estrada é coberta de ciprestes esculpidos pelo vento e pontilhada com afloramentos rochosos onde focas e leões-marinhos aproveitam os borrifos da água do mar. Além de suas atrações naturais, ela também exibe destaques criados pelo homem, como residências caríssimas, o lendário Pebble Beach Golf Links e cinco outros renomados campos de golfe. Lugar sagrado para amantes desse esporte, o campo de Pebble Beach, à beira-mar, lembra os desafiadores campos da Escócia e da Irlanda, onde os ventos são intensos, e é regularmente cotado como um dos mais espetaculares (e caros) campos públicos *tournament-class* do mundo.

As ruas arborizadas da bela, próspera e bem cuidada cidade de Carmel são cheias de galerias de arte, joalherias e lojas de presentes, além de cafés, a poucos minutos de uma linda praia em forma de meia-lua. A Missão Carmel, de 1770, foi o quartel-general de todo o sistema de missões da Califórnia (sob a direção do padre Junipero Serra, que está enterrado ali). A presença de Clint Eastwood, o mais ilustre morador da cidade, ainda se faz notar. A Hog's Breath Inn (pousada que pertenceu a Eastwood) é o lugar ideal para um Dirty Harry Burger ou um último drinque no pátio perto de uma das lareiras ao ar livre. Para algo mais substancial, saia da cidade e vá até Mission Ranch, uma fazenda de leite de 1850 com 9ha de terras à beira-mar que o ator recuperou em 1986 (mesmo ano em que foi eleito prefeito de Carmel) e transformou numa conceituada hospedaria rústica. Acomode-se num de seus 31 quartos ou pelo menos fique para jantar no salão do rancho, que é muito popular entre a população local.

O Que: lugar, experiência, evento, hotel, restaurante. **Onde:** Monterey fica 201km ao

Apreciando a baía no Aquário da Baía de Monterey.

sul de São Francisco e 555km ao norte de Los Angeles. Bureau de Convenções e Visitantes de Monterey County: tel. (1) 888-221-1010 e (1) 831-657-6400; www.montereyinfo.org. **Festival de Jazz de Monterey:** tel. (1) 925-275-9255 e (1) 831-373-3366; www.montereyjazzfestival.org. *Quanto*: ingressos U$30–U$165. *Quando*: 3.º fim de semana de Set. **Aquário da Baía de Monterey:** Cannery Row, 886, Monterey. Tel. (1) 831-648-4888; www.mbayaq.org. *Quanto*: U$18. **Old Monterey Inn:** Martin Street, 500, Monterey. Tel. (1) 800-350-2344 e (1) 831-375-8284; www.oldmontereyinn.com. *Quanto*: a partir de U$240–U$450. **Pebble Beach Golf Links:** tel. (1) 800-654-9300 e (1) 831-647-7500; www.pebblebeach.com. **Hog's Breath Inn:** San Carlos e Fifh Streets, Carmel. Tel. (1) 831-625-1044. **Mission Ranch:** Dolores Street, Carmel. Tel. (1) 800-538-8221 e (1) 831-624-6436; www.missionranchcarmel.com. *Quanto*: a partir de U$100. Jantar U$40. **Melhor Época:** 4 dias em meados de Ago. para o Pebble Beach Concours d'Elegance, evento em que são exibidos alguns dos mais belos carros antigos que existem; Jul./Ago. para as 3 semanas do Festival Bach de Carmel; Jan. para uma excelente observação de baleias; Jan./Fev. para ver as borboletas-monarcas.

A estrada para o céu

PACIFIC COAST HIGHWAY

Califórnia, Estados Unidos

Também conhecida por quem não é da região como Rota 1, a Pacific Coast Highway é a estrada dos sonhos do país. Pode-se ir de Los Angeles a San Diego na direção sul ou tomar a tradicional rota norte até São Francisco e além, passando pela cidade pesqueira de Mendocino, hoje uma colônia artística, rumo ao Oregon, cujo litoral é igualmente extraordinário.

Do coração de Los Angeles até Santa Mônica, passando pela enclausurada Malibu, são apenas 11km, mas você já se sentirá a léguas de distância. O passeio à beira-mar da descontraída comunidade – o píer de Santa Mônica – e o Farmer's Market (Mercado do Produtor) dos fins de semana (considerado por muitos profissionais um dos melhores do país) talvez causem um desvio momentâneo no roteiro da sua viagem de carro rumo ao norte. E a tentação não será menor quando você estiver costeando a vizinha Santa Bárbara, ao pé das espetaculares montanhas de Santa Ynez, cerca de 160km ao norte de Los Angeles. Essa idílica cidade formada ao redor da Missão de Santa Bárbara (o principal posto avançado espanhol no estado, fundado em 1786) permanece como um silencioso flashback do sonho dourado da Califórnia e às vezes é chamada de Riviera Norte-Americana. Suas excelentes propriedades vinícolas costumam ser comparadas às de Napa de 20 anos atrás, enquanto suas opções gastronômicas variam dos vegetais frescos fornecidos pelo magnífico Farmer's Market à maravilhosa La Super Rica Taqueria, um divertido restaurante na rua North Milpas – muitas pessoas juram que ali se come a melhor tortilha de milho do mundo. Mais de 12 hotéis-fazenda proporcionam descanso e a oportunidade de relaxar. Entre eles está o San Ysidro Ranch, desde 1893 um refúgio de ricos e famosos e onde John e Jackie Kennedy passaram a lua-de-mel.

Cerca de 80km ao norte de Santa Bárbara, a Pacific Coast Highway revela toda a sua majestade num fabuloso trecho escavado na rocha 200 a 400m acima do agitado Pacífico. Proporcionando a que é considerada a mais extraordinária viagem de carro nos Estados Unidos, com uma série de paradas imperdíveis, esse áspero e isolado trecho de 145km – que vai de San Simeon, passando por Big Sur, até à península de Monterey – é o incontestável ponto alto da rodovia litorânea.

Situada no alto do que seu proprietário, o magnata das comunicações William Randolph Hearst, chamava de "Montanha Encantada", a mansão Hearst em San Simeon é uma miscelânea mouro-espanhola de 115 cômodos capaz de horrorizar os puristas da arquitetura. Cercado por 51ha de jardins bem cuidados, esse "castelo" é uma homenagem ao romance, à excentricidade e ao esbanjamento, que custou a Hearst 30 anos de vida e boa parte da fortuna da família. Até hoje é a mais cara residência particular já construída nos Estados Unidos – uma bilionária Disneylândia de uma época de gastos desbragados. O frenesi aquisitivo de Hearst, durante o qual ele e seus representantes compraram, desmantelaram e reorganizaram ali claustros completos, tetos, consoles de lareira, coros e tapeçarias do mundo inteiro, resultou numa mixórdia de estilos e épocas que, em alguns casos, é disfarçada por sutis detalhes de bom gosto e refinamento. Um destaque da visita (a única forma

Quilômetros de vistas espetaculares na Ventana Inn.

de ver toda a propriedade) é o filme caseiro feito na época em que Marion Davies, amante de Hearst, transformou o castelo num playground para seus amigos de Hollywood: Clark Gable, Cary Grant, Charlie Chaplin e os irmãos Marx.

Depois dessa dose de extravagância humana, surge a obra-prima natural que é Big Sur, um deserto litorâneo no encontro das montanhas de Santa Lúcia com o Pacífico. A impetuosa arrebentação e o cenário escarpado escrevem um poema do qual você jamais se esquecerá: Henry Miller o chamou de "lugar grandioso, de eloqüente silêncio". Ainda pouco desenvolvida, a região caracteriza-se por uma solidão espetacular, com ferozes vagalhões oceânicos de um lado e, do outro, uma estrada estreita que serpenteia pela encosta da montanha. Pfeiffer Beach é de tirar o fôlego – como, aliás, quase tudo por ali. Pare para admirar a paisagem com um drinque ou um jantar no Nepenthe, com seu pátio suspenso 250m acima da arrebentação. Propriedade de Orson Welles e Rita Hayworth durante um breve período, esse restaurante é uma tradicional pausa no caminho de motoristas em busca de um mirante para ver o estupendo pôr-do-sol.

"Ventana" significa janela em espanhol. Espetacularmente localizada 365m acima do Pacífico, a Ventana Inn, hospedaria em Big Sur, é uma janela para você ver 80km de inesquecíveis panoramas do mar e das montanhas, seja do deque do seu quarto ou das vidraças das áreas comuns. Do outro lado da estrada, a Post Ranch Inn oferece o mesmo luxo informal e clima de natureza, mas com um toque de consciência ambiental. Em seu terraço tudo é romântico, calmo e relaxante, embora você possa também esticar as pernas nas numerosas trilhas em uma caminhada que segue por entre campos cobertos de relva, profundos desfiladeiros e altíssimas sequóias.

O Que: lugar, experiência, hotel, restaurante. **Onde:** San Simeon fica 402km ao norte de Los Angeles e 346km ao sul de São Francisco. Big Sur situa-se 241km ao sul de São Francisco. **San Ysidro Ranch:** Montecito. Tel. (1) 800-368-6788 e (1) 805-969-5046; www.sanysidroranch.com. *Quanto*: duplos a partir de U$399. **Monumento Histórico Estadual Hearst de San Simeon:** Hearst Castle Road, San Simeon. Tel. (1) 800-444-4445 e (1) 805-927-2020; www.hearstcastle.org. *Quanto*: visitas U$10–U$20. **Nepenthe:** Highway 1, Big Sur. Tel. (1) 831-667-2345; www.nepenthebigsur.com. *Quanto*: jantar U$30. **Ventana Inn:** Highway 1, Big Sur. Tel. (1) 800-628-6500 e (1) 831-667-2331; fax (1) 831-667-2419; www.ventanainn.com. *Quanto*: duplos a partir de U$369. **Post Ranch Inn:** Highway 1, Big Sur. Tel. (1) 800-527-2200 e (1) 831-667-2200; www.postranchinn.com. *Quanto*: duplos a partir de U$325 (baixa temporada) e a partir de U$485 (alta temporada). **Melhor Época:** Dez.–Fev. para ver as baleias.

Poesia em movimento

Os Bondes de São Francisco

São Francisco, Califórnia, Estados Unidos

Clichês tão charmosos quanto as gôndolas de Veneza e os ônibus de dois andares de Londres, os bondes de São Francisco são peças-chave do caráter singular da cidade e o único marco histórico nacional que se move.

Com o inconfundível ding! ding! ding! que anuncia sua presença tanto nos dias de nevoeiro quanto nos dias ensolarados, eles proporcionam uma espécie de viagem ao século XIX, quando eram o melhor meio de transporte para subir e descer os 43 morros da cidade de topografia mais interessante dos Estados Unidos. Hoje esses veículos ainda fazem seu serviço à velocidade constante de 15km por hora (movidos a cabo, não a motor), e suas três linhas constituem um dos últimos sistemas de bondes ainda existentes no mundo.

As linhas Powell-Hyde e Powell-Mason começam no centro de São Francisco, abaixo do agitado núcleo comercial de Union Square, e sobem até Nob Hill, um dos bairros mais elegantes da cidade, onde estão localizados dois de seus mais importantes hotéis: o Ritz-Carlton, considerado um dos melhores da região (e do mundo), e o Fairmont, um marco histórico reconstruído de maneira extravagante depois do terremoto de 1906 e onde Tony Bennett cantou pela primeira vez *I Left My Heart in San Francisco* (Deixei meu coração em São Francisco), em 1962. A linha Powell-Hyde termina em Fisherman's Wharf, zona portuária e atração turística que ainda hoje mantém uma boa dose de encanto. Vale a pena se juntar à multidão para saborear o caranguejo e o peixe com fritas dos quiosques à beira-mar e ficar apreciando a vista da prisão de Alcatraz (A Rocha) e da majestosa Golden Gate, ponte de 3,2km de extensão. Atravessá-la a pé é um passeio divertido, com direito a muito vento e panoramas espetaculares. Sabe-se lá quem decidiu pintá-la de laranja, mas Deus o perdoa mesmo assim.

Se for sábado, visite, perto dali, o Embarcadero e o popularíssimo Ferry Plaza Farmers' Market (Mercado dos Produtores de Ferry Plaza), o maior e melhor da cidade. Os vibrantes mercados de Chinatown (o segundo maior enclave chinês do país) são igualmente notáveis, cheios de gente, vegetais frescos e coisas que você não imaginaria que pudessem existir (muito menos ser comidas).

Telegraph Hill, no centro de North Beach (o melhor bairro para se passear a pé), oferece algumas das melhores vistas da cidade. Do alto da Coit Tower avistam-se a baía, pontes e ilhas. Você também vai querer dar uma caminhada por Haight-Ashbury, uma espécie de refúgio de hippies da década de 1960. Vá até Alta Vista Park, de onde é possível ver o centro de São Francisco, para admirar ao vivo o cartão-postal das *painted ladies* – uma fileira de casas vitorianas magnificamente pintadas na quadra 700 da Rua Steiner. A rica arquitetura de São Francisco é um de seus muitos tesouros.

O QUE: experiência, hotel. **SÃO FRANCISCO:** Bureau de Convenções e Visitantes de São Francisco; tel. (1) 415-391-2000; www.

sfvisitor.org. *Passagem de bonde* U$2. **The Ritz-Carlton:** Stockton Street, 600. Tel. (1) 415-296-7465; www.ritzcarlton.com. *Quanto*: duplos a partir de U$350. **Fairmont:** Mason Street, 950. Tel. (1) 415-772-5000; www.fairmont.com. *Quanto*: duplos a partir de U$189. **Melhor Época:** o fog aparece principalmente no verão e pode incomodar um pouco; a primavera (a melhor estação para o Golden Gate Park) e o outono são agradabilíssimos. O Ano-Novo chinês em Chinatown geralmente cai em Fev., com 2 semanas de festividades. O Festival Internacional de Cinema, de 2 semanas de duração, é realizado em Abr.–Mai. A Parada do Orgulho Gay é promovida na última semana de Jun. no distrito Castro, assumidamente gay. Verifique a programação do ano para se atualizar sobre o florescente circuito de arte e poesia da cidade.

O restaurante que mudou a maneira norte-americana de comer

Chez Panisse

Berkeley, Califórnia, Estados Unidos

Em 1971, comer fora para os norte-americanos significava pedir bife à Wellington e salada de alface com molho *thousand island* – mas isso foi antes de a jovem Alice Waters fazer uma instrutiva viagem à França, onde se encantou com os sabores ousados dos vegetais saídos da horta, das frutas colhidas no pé e dos peixes pescados na hora. Ao retornar aos Estados Unidos, a idealista formada em Berkeley abriu o Chez Panisse, dando vida à cozinha californiana, que transformou São Francisco num dos melhores centros gastronômicos do país e estabeleceu uma mudança no modo norte-americano de comer. Não fosse por ela, os restaurantes locais talvez nunca tivessem descoberto a salada verde, a pizza à lenha, os cogumelos silvestres, o queijo de cabra feito em casa e os vegetais orgânicos.

Identificado no mundo inteiro por seus pratos elaborados com ingredientes locais puros e absolutamente frescos, de preparo simples e bonita apresentação, o Chez Panisse (batizado em homenagem a um personagem da trilogia cinematográfica de Marcel Pagnol) segue firme e forte passados 30 anos. Ainda é difícil conseguir reservas ali, o cardápio continua a ser a preço fixo, com três ou quatro pratos diariamente, e a casa nunca oferece o mesmo prato dois dias seguidos. Cerca de 60 agricultores locais abastecem sua cozinha. Quando um deles consegue um novo tipo de romã ou queijo, a novidade aparece no menu da mesma noite, inspirando todas as refeições. Se você quer se lembrar do sabor que a comida deve ter, vá até lá.

No andar de cima, o animado e mais informal Café Panisse oferece a mesma sensibilidade sem frescuras num cardápio à la carte mais acessível ao bolso. Em São Francisco há vários restaurantes cujos proprietários e chefs se inspiraram em Waters, como o excelente e sempre popular Zuni Café.

O Que: restaurante. **Onde:** Shattuck Avenue, 1.517, Berkeley, 16km a nordeste de São Francisco. Tel. (1) 510-548-5525; fax (1) 510-548-0140; www.chezpanisse.com. **Quanto:** jantar a preço fixo a partir de U$58; no andar de cima, à la carte U$40. **Quando:** embaixo, somente jantar; no andar superior, almoço e jantar; ambos fechados Dom.

Napa e Sonoma e as mais importantes propriedades vinícolas dos Estados Unidos

REGIÃO VINÍCOLA DA CALIFÓRNIA

Califórnia, Estados Unidos

Se os Estados Unidos têm uma resposta à altura da Toscana como terra de bons vinhos, boa mesa e boa vida, trata-se dos vales do Napa e Sonoma. Esses irmãos gêmeos de intensa beleza, paisagem suave e caráter distinto, separados no nascimento pelas montanhas Mayacamas, produzem cerca de 7% de todo o vinho do mundo, muitos deles de qualidade internacional.

Napa, o mais conhecido e habitado, com 56km de extensão, possui cerca de 280 propriedades vinícolas (eram 20 em 1975) que produzem o cabernet próprio da região e muitas outras variedades. Entre as de maior destaque estão as renomadas Domaine Chandon, na pitoresca Yountville, e a prolífica Robert Mondavi, em Oakville. Mondavi, a rainha extra-oficial de Napa, há poucos anos inaugurou o Copia, centro cultural dedicado ao vinho, gastronomia, artes e humanidades.

O resort Meadowood, construído na década de 1960 para ser um clube privado de 100ha, ainda conserva um ar de nobreza. Uma certa formalidade de clube social permeia o conjunto formado pela pousada principal e pelas suítes no estilo chalé situadas nas montanhas. Um consultor cuida da adega, abastecida com vinhos de quase todos os produtores vinícolas do vale. Meadowood é a sede do principal evento vinícola da região, o Leilão de Vinhos do Vale do Napa, realizado sempre no começo de junho, com duração de três dias. Trata-se do maior e mais conceituado evento vinícola de caridade de todo o mundo; há atividades por todo o vale, mas o resort é o centro de comando.

O vagão Champagne Vista Dome, do Trem do Vinho do vale do Napa – quase a céu aberto.

Além de contar com os dois salões de jantar do Meadowood – que para alguns estão entre os melhores de Napa –, o vale está cheio de boas opções na área gastronômica – de restaurantes de beira de estrada e fornecedores de comida para viagem ao The French Laundry, considerado por muitos apreciadores da boa mesa o melhor restaurante dos Estados Unidos. Nessa casa de cantaria de 100 anos de idade, quase austera de tão simples, o chef autodidata Thomas Keller cria pratos espetaculares, conduzindo a cozinha californiana de inspiração francesa a alturas inimagináveis.

Para uma experiência multissensorial, suba a bordo do luxuoso Trem do Vinho do Vale do Napa, que vai de Napa a St. Helena, passando por 27 vinhas: uma abençoada viagem gastronômica de 58km, ida e volta, em vagões Pullman geração 1915 lindamente restaurados. São três horas de passeio com boa comida e bons vinhos. E você não precisa se preocupar com a recomendação "se beber, não dirija".

Na aparência, o pequeno condado de Sonoma é mais rústico e descontraído do que Napa. Mas não se deixe enganar pelo aspecto simpático e informal de suas 200 propriedades vinícolas: os vinhos dali – principalmente os cabernet, chardonnay e zinfandel – às vezes superam os de Napa, enquanto seus pomares e hortas abastecem as cozinhas dos melhores restaurantes da região. Os muitos restaurantes e pousadas de Sonoma são tão diversos quanto seus vinhos. A pequena Healdsburg, no vale do rio Russian, é o centro da ação, e a pousada Madrona Manor, uma construção do fim do século XIX, um verdadeiro padrão de elegância. Seu apreciado restaurante vitoriano também é destaque, com uma culinária baseada na abundante variedade dos vinhos de Sonoma e nos vegetais de sua horta particular.

O Que: lugar, hotel, restaurante, experiência. **Vales do Napa e Sonoma:** 80km–96km ao norte de São Francisco. Bureau de Conferências e Visitantes do Vale do Napa, tel. (1) 707-226-7459; www.napavalley.com. Bureau de Convenções e Visitantes do Condado de Sonoma, tel. (1) 707-996-1090; www.sonomavalley.com. **Copia:** First Street, 500, Napa. Tel. (1) 888-51-COPIA e (1) 707-259-1600; info@copia.org; www.copia.org. **Meadowood Napa Valley:** Meadowood Lane, 900, St. Helena, Napa. Tel. (1) 800-458-8080 e (1) 707-963-3646; fax (1) 707-963-3532; www.meadowood.com. *Quanto*: duplos a partir de U$425. Jantar U$40. **The French Laundry:** Washington Street, 6.640, Yountville, Napa. Tel. (1) 707-944-2380. *Quanto*: menu-degustação preço fixo a partir de U$115. *Quando*: jantar diariamente, almoço Sex.–Dom. Aceitam-se reservas com 2 meses de antecedência. **Trem do Vinho do Vale do Napa:** tel. (1) 800-427-4124 e (1) 707-253-2111; www.winetrain.com. *Quanto*: passeio de 3 horas; brunch com champanhe, almoço ou jantar incluídos (vinhos à parte) a partir de U$70. **Madrona Manor:** Westside Road, 1.001, Healdsburg, Sonoma. Tel. (1) 800-258-4003 e (1) 707-433-4231; www.madronamanor.com. *Quanto*: duplos a partir de U$195 (baixa temporada) e a partir de U$275 (alta temporada). **Melhor Época:** primavera para ver as flores silvestres; outono para a colheita, época de muitas festas.

A maravilha da High Sierra

Parque Nacional de Yosemite

Califórnia, Estados Unidos

"Nenhum templo construído pela mão do homem se compara a Yosemite", escreveu o naturalista John Muir, cujos esforços possibilitaram a criação do Parque Nacional de Yosemite em 1890. A maioria dos milhões de visitantes que na alta temporada afluem a esse templo natural deseja ver a espantosa beleza do vale Yosemite, a "Rua Principal" do parque, com 1km de comprimento por 1,6km de largura, cortada por um rio e guardada por penhascos e domos de puro granito com altitudes que variam de 600 a 1.200m. Evite os congestionamentos de verão explorando a parte posterior dessa área – 95% de um total de 100.000ha, quase o tamanho do estado de Rhode Island.

Muitas das atrações naturais de Yosemite,

imortalizadas nas fotografias de Ansel Adams, tornaram-se ícones da paisagem norte-americana. Entre elas está o Half Dome, pico sem vegetação, de 2.695m de altitude, que é a marca registrada de Yosemite. Há também El Capitan, o maior rochedo de granito da face da Terra – cuja altura equivale a 350 andares a partir da base do vale (duas vezes o tamanho do rochedo de Gibraltar) – que atrai alpinistas de todo o mundo. Outro destaque é a imponente Yosemite Falls, a mais alta catarata da América do Norte, com 739m de altura. Dividida em três segmentos – Upper Yosemite Fall (435m), quedas intermediárias (205m) e

As cintilantes cachoeiras de Yosemite.

Lower Yosemite Fall (97m) –, ela fica ainda mais espetacular na primavera e no começo do verão; no fim dessa estação, é reduzida a pouco mais do que um filete d'água.

A caminhada é uma das atividades mais praticadas no parque, cujos 1.287km de trilhas podem ser percorridos a cavalo, em mula ou a pé. Uma das trilhas mais populares é a Mist (Neblina). Moderadamente cansativa, ela proporciona closes da catarata Vernal Fall, de 96m de altura, e da cinematográfica Bridalveil Fall (Véu de Noiva), de 181m. Para os que preferem não sair do carro, 315km de estradas pavimentadas levam ao Glacier Point, de onde se descortinam magníficas vistas do vale, e a Mariposa Grove, refúgio de cerca de 500 imensas sequóias, entre as quais a Grizzly Giant, de 2.700 anos de idade, considerada a mais velha do mundo.

Inaugurado em 1927 com o nome dos habitantes originais do parque (em cujo idioma *yosemite* significa "urso cinzento"), o Ahwahnee Hotel é a hospedagem perfeita, uma das mais bem cotadas do conjunto de parques nacionais dos Estados Unidos. Uma obra-prima de pedra e madeira nativas, com vistas de tirar o fôlego. Os motivos decorativos de seu interior evocam o artesanato indígena *ahwahnee*, os lustres parecem ter sido feitos para um castelo, enquanto as lareiras são tão grandes que se pode caminhar dentro delas. Hóspedes e não-hóspedes são admitidos para almoço no salão de refeições com aspecto de caverna, onde janelões de mais de 7m de altura servem de moldura para as melhores paisagens do parque.

Ao sul de Yosemite, a Erna's Elderberry House e seu requintado anexo no estilo século XIX, o Château du Sureau, oferecem sofisticação européia, serviço atencioso e um clima de romance – qualidades surpreendentes para um lugar tão pequeno. Erna, a excelente chef (e entusiasmada proprietária) nascida em Viena, é tão inspirada pelo mercado local que muda o cardápio quase que diariamente. Seus pratos de influência francesa atraem os apreciadores da boa mesa tanto quanto o El Capitan atrai os adeptos do alpinismo.

O QUE: lugar, hotel, restaurante. **PARQUE NACIONAL DE YOSEMITE:** 306km a leste de São Francisco, 612km a nordeste de Los Angeles. Tel. (1) 209-372-0200; www.nps.gov/yose. *Quanto*: U$20 por carro por 7 dias de visita. **AHWAHNEE HOTEL:** tel. (1) 209-372-1407; fax (1) 209-372-1463; www.yosemitepark.com. *Quanto*: duplos a partir de U$348. **CHÂTEAU DU SUREAU:** Oakhurst (a 25km do acesso sul de Yosemite). Tel. (1) 559-683-6860; fax (1) 559-683-0800; www.chateausureau.com. *Quanto*: duplos a partir de U$350, jantar de 6 pratos U$82. **MELHOR ÉPOCA:** meados de Ago. para a espetacular chuva de meteoros Perseida; fim de Out.–início de Nov. para o auge da folhagem de outono; Nov.–Mar. para encontrar menos movimento. O Jantar de Natal Bracebridge no Ahwahnee é uma linda tradição, por isso faça a reserva com antecedência.

A maior e mais esplêndida residência dos Estados Unidos

BILTMORE ESTATE

Asheville, Carolina do Norte, Estados Unidos

Em 1887, George Washington Vanderbilt II, que se imaginava membro da realeza norte-americana, quis construir sua propriedade rural nas montanhas Blue Ridge seguindo o modelo dos castelos franceses do vale do Loire – talvez até mesmo de Versalhes. Há quem diga que conseguiu superá-los. A construção de Biltmore demandou seis anos, 1.000 trabalhadores, 11.000.000 de tijolos e sabe-se lá quanto de sua fortuna. O acesso ao castelo é medido em quilômetros, e sua planta baixa estende-se por muitos hectares. São 250 cômodos – com tetos que chegam a atingir 21m de altura –, entre os quais 34 quartos e 43 banheiros. Ali também há comodidades que eram incomuns na virada do século, como telefone (10 aparelhos), água corrente fria e quente, elevadores e refrigeração. Nos jantares, de sete pratos, cada um dos 64 hóspedes sentados à mesa usava não menos do que 15 utensílios. Ainda hoje a casa conta com 650 empregados. Entre as 1.600 gravuras e pinturas coletadas por Vanderbilt em suas andanças estão obras de Renoir, Dürer e Sargent. Frederick Law Olmsted, o gênio do paisagismo que criou o Central Park de Nova York, deixou sua marca nos mais de 50.000ha da propriedade original (dos quais restam apenas formidáveis 3.237ha). O jardim floresce o ano inteiro – no Walled Garden, 50.000 tulipas anunciam a chegada da primavera –, mas é a esplendorosa celebração do Natal o que realmente maravilha os visitantes dessa residência. Nessa ocasião há passeios e concertos à luz de velas em suas galerias e salões adornados com 35 imponentes árvores e 300m de arranjos decorativos feitos com ramos verdes.

Na época de sua inauguração, em 1913, críticos entusiasmados proclamaram o Grove Park Inn Resort and Spa "o melhor hotel de férias do mundo". Durante décadas ali se hospedaram pessoas da alta sociedade da região vizinha de Biltmore, além de presidentes norte-americanos, industriais, como Henry Ford, e celebridades, como Zelda e F. Scott Fitzgerald. Hoje reformado, o Grove Park voltou a ter o glamour e a elegância rústica dos anos dourados – de seu grandioso Great Hall ao excepcional Horizons Restaurant and Sunset Terrace, cujo mirante de 915m de altura proporciona vistas incomparáveis das montanhas Blue Ridge.

A decoração do hotel é inspirada nas magníficas pousadas rústicas dos parques nacionais do país. Imensos fragmentos de granito extraídos de pedreiras locais (alguns chegando a pesar 4,5t) são usados nas paredes de pedra, enquanto os entalhes em madeira de carvalho indicam um apurado trabalho de artesanato. Durante a reforma, parte da mobília e dos acessórios artesanais vendidos ao longo dos anos foi recuperada e levada de volta ao seu lar apalache, devolvendo ao hotel o título de maior proprietário privado de móveis no estilo *arts and crafts* norte-americano e ajudando a consolidar sua antiga reputação de destino turístico de classe internacional.

O QUE: lugar, hotel. **BILTMORE ESTATE:** One Approach Road (Highway 25), Asheville. Tel. (1) 800-543-2961; www.biltmore.com. *Quanto*: ingresso U$36. **GROVE PARK INN RESORT AND SPA:** Macon Avenue, 290, Asheville. Tel. (1) 800-438-5800 e (1) 704-252-2711; info@groveparkinn.com. *Quanto*: duplos a partir de U$119 (baixa temporada) e a partir de U$179 (alta temporada). **MELHOR ÉPOCA:** meados de Abr.–meados de Mai. para o Festival das Flores; 11 Nov.–31 Dez. para as festas de fim de ano.

O parque mais popular do país

PARQUE NACIONAL DE GREAT SMOKY MOUNTAINS

Carolina do Norte, Estados Unidos

Os índios cherokees chamavam essa região ocidental da Carolina do Norte de Shaconage ("montanhas de fumaça azul") por causa da "fumaça" que cobre os picos das montanhas, causada não pelo fogo mas pela transpiração e pela evaporação. Hoje, o Parque Nacional de Great Smoky Mountains, de 2.072km², com seus 16 picos de mais de 1.800m de altitude e nenhum com menos de 1.500m num raio de 58km, atrai mais do dobro de visitantes do que qualquer outro dos mais de 300 parques nacionais dos Estados Unidos (mesmo o Grand Canyon ocupa um distante segundo lugar). Os espetáculos visuais são numerosos e a diversidade do território explica a grande variedade da flora, com mais de 120 espécies de árvores (contra 20 de Yellowstone, por exemplo) e mais de 1.600 espécies de flores, que cobrem as montanhas e os prados do início da primavera ao fim do outono. Cerca da metade dos 1.300km de trilhas sinalizadas permite que os visitantes explorem essa área da forma como fizeram seus primeiros ocupantes: a cavalo (quatro estábulos dentro do parque alugam animais para passeios guiados).

O mais visitado parque nacional dos Estados Unidos.

Localizada numa altitude de 1.500m, The Swag Country Inn (o nome refere-se a uma depressão entre duas montanhas) promove-se como a mais alta pousada do leste dos Estados Unidos, com acesso próprio para caminhadas no parque. Seis cabanas e estruturas apalachianas originais foram transportadas de outro lugar e montadas nos 100ha de terreno montanhoso densamente arborizado dessa propriedade. O toque rústico da decoração é dado por lareiras, objetos norte-americanos antigos e colchas feitas à mão, enquanto banheiras quentes e outros luxos lhe emprestam um ar sofisticado. Vista a partir da soberba perspectiva da pousada, é fácil entender por que essa paisagem magnífica há muito tempo serve de inspiração para comunidades religiosas. O poeta local Joyce Kilmer lhe dedicou um pequeno verso: "Acho que nunca verei / um poema tão lindo quanto uma árvore."

O QUE: lugar, hotel. **PARQUE NACIONAL DE GREAT SMOKY MOUNTAINS:** a 112km da divisa da Carolina do Norte com o Tennessee.

O acesso principal do parque na Carolina do Norte fica em Cherokee. Tel. (1) 865-436-1200; www.nps.gov/grsm. *Quanto*: ingresso gratuito. **The Swag Country Inn:** a 21km de Waynesville (33km a leste do acesso para carros em Cherokee). Tel. (1) 800-789-7672 e (1) 828-926-0430; fax (1) 828-926-2036; www.theswag.com. *Quanto*: duplos a partir de U$325 (dias de semana) e a partir de U$390 (fins de semana), incluídas todas as refeições, para 2 pessoas. *Quando*: aberto de Mai.–meados de Nov. **Melhor Época:** Mai. para as flores da primavera; Out. para a belíssima folhagem de outono.

Elegância total

O Coração de Charleston

Carolina do Sul, Estados Unidos

Encantadora e muito quente, Charleston, a mais bem preservada das cidades coloniais dos Estados Unidos, seduz os visitantes com um lânguido mistério, charme europeu, arquitetura histórica, simpáticos cidadãos e, ultimamente, com um excitante circuito artístico e gastronômico – sinal de que vive uma nova era de ouro.

Fundada em 1670, Charleston precisou de menos de um século para se tornar uma das cidades mais ricas da América colonial. Apesar de reduzida a pouco mais do que escombros pelos britânicos durante a revolução, um século mais tarde se firmou como o símbolo da resistência sulista quando os primeiros tiros da Guerra Civil foram disparados no Forte Sumter, que guarda o porto de Charleston, então ocupado pelas forças da União. Faça um curso intensivo sobre seu legado com uma visita ao Museu de Charleston, o mais antigo do país (fundado em 1773), na Meeting Street, 360, no centro do Distrito Histórico. Uma impressão mais pessoal da cidade é dada pelo Festival de Casas e Jardins, realizado anualmente na primavera. Esse evento é uma rara oportunidade para dar uma olhada nas mais de 150 magníficas residências particulares e seus respectivos jardins murados. Há um evento similar no outono, promovido pela Preservation Society (Sociedade Preservacionista). Para um pernoite histórico, vale hospedar-se na belíssima 2 Meeting Street Inn. Exibindo uma das mais notáveis fachadas da cidade, essa hospedaria, uma jóia vitoriana de 1890, resplandece ainda mais em seu interior, com tetos de madeira de carvalho trabalhada e pés-direitos de até 3,6m, vitrais de Louis Tiffany e apenas nove quartos de hóspedes, todos decorados com antiguidades inglesas.

Peça o Spell Room, antiga suíte senhorial com torreão, que dá acesso à varanda do se-

O charme vitoriano numa esquina da Battery Street, Charleston.

gundo andar, onde se pode saborear o chá da tarde e o generoso café da manhã sulista. Não menos atraente é o café da manhã no jardim, entre magnólias e azaléias e à sombra de cerejeiras japonesas e carvalhos centenários.

O Que: cidade, evento, hotel. **Charleston:** Bureau de Visitantes de Charleston; tel. (1) 800-744-0006 e (1) 843-853-8000; www.charlestoncvb.com. **Festival de Casas e Jardins:** Historic Charleston Foundation (Fundação Histórica de Charleston); tel. (1) 843-722-3405; www.historiccharleston.org. *Quanto*: ingressos U$45 para 8–10 residências. *Quando*: 1 mês de duração a partir de meados de Mar. **Circuito de Residências da Sociedade Preservacionista:** Tel. (1) 843-722-4630; www.preservationsociety.org. *Quanto:* ingressos U$40 para 8–10 residências. *Quando*: fim de Set., início de Out. **2 Meeting Street Inn:** Meeting Street, 2. Tel. (1) 843-723-7322; www.twomeetingstreet.com. *Quanto:* duplos a partir de U$190. **Melhor Época:** Mar.–Jun. e Set.–Dez., quando o clima é mais agradável; meados de Mar. é o auge da floração das camélias, azaléias e rosas.

Lugar para esquiar, ser visto e curtir uma animada vida cultural

Aspen

Colorado, Estados Unidos

O Colorado é a central de esqui das montanhas Rochosas, com mais de duas dúzias de estações. Entre elas, Aspen é sem sombra de dúvida a mais conhecida e sofisticada, a opção de inverno das celebridades de Hollywood e das pessoas que as seguem. Com 3.352m de altitude, o imponente monte Aspen ("Ajax" para os locais) não é lugar para iniciantes. Mas, nos 19km de montanhas da região, três outras estações – Snowmass, Buttermilk e Aspen Highlands – proporcionam diversão menos radical e uma animada vida noturna. No total são 281 pistas numa área de 1.746ha e condições de esqui em geral excelentes, tudo ligado por serviços de transporte gratuitos e bilhetes de teleférico transferíveis.

A espetacular beleza exterior do local pode ser comparada aos magníficos interiores do Little Nell, o único hotel *ski-in/ski-out* (que permite ao hóspede chegar e sair de esqui) de Aspen, despretensioso porém elegante, localizado na principal montanha da estação. Com ar de chalé de esqui europeu, está localizado a dois passos do suave Silver Queen, o mais longo teleférico de um único estágio do mundo, que leva os esportistas a quase 1.000m de altitude em apenas 13 minutos. O movimentado bar e o premiado restaurante do Little Nell são lugares de referência, tanto na temporada quanto fora dela. Quando o esqui sai de cena, as demais atrações de Aspen passam ao primeiro plano: uma rica vida comunitária e um bem preservado casario do final do século XIX, construído durante o surto de mineração de prata na cidade e cujo pano de fundo é o esplendor natural das Rochosas do Colorado. O ponto alto da série anual de eventos artísticos e culturais é o Festival de Música de Aspen, um Tanglewood de verão em miniatura, com duração de oito semanas, conhecido pela variedade e fôlego de sua agenda musical.

O Que: cidade, experiência, hotel, evento. **Aspen:** 320km a sudoeste de Denver, com serviço aéreo. Para informações sobre esqui, entre em contato com a Aspen Skiing Company; tel. (1) 800-525-6200; www.aspensnowmass.com. *Quando*: a temporada de esqui geralmente começa no Thanksgiving (Dia de Ação de Graças, comemorado na 4.ª Qui. de Nov.) e termina de meados–fim de Abr. **Little Nell:** East Durant Street, 675. Tel. (1) 970-920-4600; fax (1) 970-920-4670; www.thelittlenell.com. *Quanto*: duplos a partir de U$330 (baixa temporada) e U$550 (alta temporada). **Festival de Música de Aspen:** tel. (1) 970-925-3254; festival@aspenmusic.org; www.aspenmusicfestival.com. *Quando*: meados Jun.–meados de Ago. **Melhor Época:** meados de Dez.–Mar., condições ótimas para a prática do esqui. Out. é menos congestionado. Convém evitar os "meses de lama", do fim de Abr.–meados de Mai.

As casas no penhasco do misterioso povo do Four Corners

Parque Nacional de Mesa Verde

Cortez, Colorado, Estados Unidos

Dos mais de 300 parques nacionais dos Estados Unidos, o Mesa Verde (assim batizado por causa de suas florestas de pinheiros e zimbros) é o único dedicado exclusivamente à arqueologia. Ali, o povo *anasazi* (rebatizado de "*puebloans* ancestrais") floresceu a partir de cerca de 600 d.C. e atingiu o ápice de sua cultura entre os séculos XI e XIII, época em que começou a construir elaboradas habitações de argila e pedra, com vários pavimentos, sob os paredões rochosos do cânion. No século XIV, os *anasazi* abandonaram a região por motivos que permanecem obscuros. O homem branco não tomou pleno conhecimento dessas habitações até à década de 1870. Passados 10 anos, porém, a região já era mencionada como um potencial parque nacional. As explorações começaram em 1888, e até hoje foram identificados mais de 4.000 sítios arqueológicos, dos quais cerca de 600 são moradias nas rochas. Somente poucos deles foram escavados, entre os quais os destaques do parque: Cliff Palace, de 156 cômodos, e Balcony House (ambos na Mesa Chapin), e Long House, na Mesa Wetherill. O acesso é estritamente controlado. Muitos sítios, incluindo esses três, só podem ser visitados na companhia de um guarda-florestal. Os dois Mesa Top Loops, de 9,6km, até pouco tempo cha-

O Mesa Verde é a maior reserva arqueológica dos Estados Unidos.

mados de Ruins Road Drive (circuito das ruínas) oferecem excursões motorizadas com dezenas de mirantes.

O Parque Nacional de Mesa Verde situa-se na região denominada Four Corners (Quatro Cantos), ponto nas divisas dos estados de Utah, Colorado, Novo México e Arizona – de Park Point, o trecho mais alto do parque (2.612m), podem-se ver todos eles. O único lugar para você esticar o corpo dentro do parque é uma modesta pousada: a Far View Lodge, que só é notável pelo fato de todos os seus quartos proporcionarem uma vista de até 160km de distância até o Four Corners.

O Que: lugar, hotel. **Onde:** extremo sudoeste do Colorado, 56km a oeste de Durango e 16km a leste de Cortez. Centro de Visitantes em Cortez, tel. (1) 970-529-4465; www.nps.gov/meve. *Quanto*: ingresso U$10 por carro. *Quando:* o parque pode ser visitado durante todo o ano, mas alguns sítios arqueológicos abrem somente em Abr.–Out. **Far View Lodge:** em frente ao Centro de Visitantes. Tel. (1) 800-449-2288 e (1) 970-529-4422; fax (1) 970-533-7831; www.visitmesaverde.com. *Quanto*: duplos a partir de U$86 (baixa temporada) e a partir de U$102 (alta temporada). *Quando*: Abr.–Out. **Melhor Época:** menos movimento em Abr.–Jun. e fim de Ago.–Out. A mostra Intertribal Arts and Crafts é realizada geralmente (mas não sempre) no último fim de semana de Jul.; o Mesa Verde Country Indian Arts and Western Culture Festival é promovido no fim de semana do Memorial Day (última segunda-feira de Mai.).

Um destaque natural

Parque Nacional das Montanhas Rochosas

Estes Park, Colorado, Estados Unidos

O Parque Nacional das Montanhas Rochosas possui 191 picos escarpados em seus 1.074km² – 113 deles com mais de 3.000m e 78 com mais de 3.600m de altura. Longs Peak (4.344m), o mais alto de todos, certamente inspirou os versos que celebram a majestade das montanhas púrpura dos Estados Unidos. Há vistas incríveis desses picos a partir da Trail Ridge Road, considerada a mais alta rodovia contínua do país, chegando a atingir 3.600m de altitude. Ela foi construída em 1932 ao longo de um antigo caminho indígena que atravessa o Continental Divide (divisor de águas). Percorrê-la é um passeio extraordinário, com panoramas inigualáveis, às vezes deslumbrantes.

Mais de 560km de suaves trilhas naturais proporcionam ao visitante a chance de trocar a sempre movimentada Ridge Road pela solidão das magníficas áreas ermas do parque, com suas densas e frescas florestas, riachos caudalosos, lagos e prados elevados. A região inteira é um refúgio de vida selvagem, com alguns animais mais ariscos (o lince e o puma) e outros mais amistosos, como o alce, o veado-mula e o carneiro-selvagem (ou carneiro-das-montanhas rochosas), que se tornou o símbolo do parque.

Ali não existem alojamentos, mas a 5km da entrada estão o Estes Park e o célebre Stanley Hotel, que inspirou Stephen King a escrever, durante umas férias passadas no quarto 217, o thriller *O iluminado*. Construído em 1909 por F. O. Stanley, co-inventor do automóvel Stanley Steamer, esse integrante neoclássico-georgiano do Registro Nacional de Sítios Históricos dos Estados Unidos tira o máximo partido de sua maravilhosa localização, rica ambientação histórica e amplos panoramas para o lago Estes e o Continental Divide.

O QUE: lugar, hotel. **PARQUE NACIONAL DAS MONTANHAS ROCHOSAS:** o Estes Park (acesso leste do parque) fica 130km a noroeste de Denver; o acesso a oeste é feito por Grand Lake. Em ambos há informações sobre o parque e os serviços para o visitante. A Trail Ridge Road, de 72km, conecta os 2 acessos. Informações; tel. (1) 970-586-1206; www.nps.gov/romo. Quanto: ingresso U$15 por carro. Quando: aberto durante todo o ano; trilha Ridge Road aberta do Memorial Day (última Seg. de Mai.) até meados de Out. Neve ligeira no meio do verão não é incomum. **STANLEY HOTEL:** Wonderview, 333, Estes Park. Tel. (1) 800-976-1377 e (1) 970-586-3371; fax (1) 970-586-373; www.stanleyhotel.com. *Quanto:* duplos a partir de U$149 (baixa temporada) e a partir de U$179 (alta temporada). **MELHOR ÉPOCA:** Mai.–Set. (também a mais movimentada). O Stanley Hotel promove uma tradicional celebração de 4 de Jul.

O melhor esqui dos Estados Unidos

VAIL

Colorado, Estados Unidos

Com 193 pistas em 26km^2 (2.140ha de área própria para o esqui) em meio a imponentes paisagens nevadas, Vail é a maior estação de esqui numa única montanha dos Estados Unidos e também umas das mais populares, perfeita para todos os níveis. Ali você pode esquiar durante uma semana sem nunca repetir uma descida nem se cansar da notável variedade do terreno, que tem diferentes graus de dificuldade, a maioria dos quais intermediários. A assombrosa amplidão do legendário Back Bowls, um mar de neve com até 11km de largura que cobre o lado sul da montanha, deixa atordoada a maioria dos estreantes.

Num dia movimentado, Vail recebe de sete a oito pessoas por hectare.

Vail tem dinheiro, tecnologia de ponta e muita ação, o que inclui a maior rede mundial de elevadores de alta velocidade numa única montanha, a maior escola de esqui do mundo (com mais de 850 instrutores), mais de 100 restaurantes e 200 lojas em sua vila pseudotirolesa exclusiva para pedestres, a 2.474m de altitude.

Sua mais nova aquisição, a primeira do gênero no circuito norte-americano de esqui, é a área de Blue Sky Basin, projetada para proporcionar aos esquiadores de nível intermediário e avançado uma experiência em terreno não tratado. Ali não há pistas convencionais, apenas 261ha de território natural e neve virgem. Além disso, o bilhete de esqui é válido também para as estações de Beaver Creek, Breckenridge e Keystone, todas localizadas num raio de 64km e conectadas por serviços de transporte aéreo.

Com a inauguração de Vail, em 1962, a The Lodge at Vail foi construída para funcionar como dormitório dos funcionários da estação. Por ser a única pousada do lugar naquele período, teve direito à melhor das localizações: a encosta da montanha, no coração de Vail Village. Embora hoje em dia Vail possua algumas das mais elegantes opções de hospedagem do mundo do esqui, quem gosta do bom e do melhor ainda procura a Lodge, há muito transformada numa luxuosa propriedade de *ski-in/ski-out* (que permite ao hóspede chegar e sair de esqui). Com seu charme de chalé alpino, talvez seja uma das melhores dos Estados Unidos.

O QUE: cidade, experiência, hotel. **VAIL:** 161km a oeste de Denver; o Aeroporto de Vail/Eagle County fica 56km a oeste da cidade. Para informações gerais e sobre esqui, entre em contato com o departamento de atividades de Vail; tel. (1) 800-475-4543 e (1) 970-476-4888; www.vail.com. *Quando*: temporada de esqui, meados de Nov.–meados de Abr. **THE LODGE AT VAIL:** East Gore Creek Drive, 174. Tel. (1) 800-331-LODG e (1) 970-476-7425; fax (1) 970-476-7425; www.lodgeatvail.com. *Quanto*: duplos a partir de U$120 (baixa temporada) e a partir de U$440 (alta temporada). **MELHOR ÉPOCA:** meados de Jan.–meados de Mar. para condições ótimas de esqui; Jun.–Set. para atividades de verão.

O protótipo da pequena cidade norte-americana e sua mais antiga hospedaria

ESSEX

Connecticut, Estados Unidos

Essex é uma cidade ribeirinha de aspecto novo e perfeito, com um único sinal de trânsito, e onde ainda prevalece o espírito solene da época revolucionária – e sem nenhum fast-food por perto. Possui alguns dos melhores exemplos de arquitetura antiga nos estilos colonial e federal do país, construídos quando ela era próspera e célebre por sua indústria naval, atividade que ali se estabeleceu em 1645 e floresceu até o advento das ferrovias, na metade do século XIX. Em Main Street e nas estreitas ruas secundárias, cercas brancas emolduram construções marcantes, muitas das quais ainda são residências particulares, enquanto outras foram transformadas em lojas de antiguidades e especialidades.

Um dos mais célebres prédios da cidade é o da Griswold Inn, a mais antiga hospedaria em funcionamento ininterrupto de Connecticut e uma das primeiras dos Estados Unidos. Inaugurada em 1776, foi a primeira construção de três andares do estado. O coração da Griswold é seu famoso e imperdível Tap Room, que abrigou a primeira escola da cidade, construída em 1738 em outro lugar e mais tarde levada para lá. Uma estufa ocupa o centro desse salão, enquanto as paredes, revestidas de madeira, exibem uma respeitada coleção de peças que remetem a temas marinhos e gravuras originais da Currier & Ives – a maior coleção particular do gênero hoje existente. Boa parte do burburinho da hospedaria (incluindo o *dixieland jazz* e a *banjo music*) emana dali e é um atrativo permanente para moradores locais, freqüentadores que chegam de barco, iatistas de Long Island Sound e, é claro, para marinheiros de primeira viagem em busca de nostalgia. Quem decide pernoitar pode escolher entre seus elegantes quartos. Muitas pessoas ficam para o fim de semana só para disputar o primeiro lugar na fila do café da manhã dominical Sunday Hunt, um verdadeiro banquete que, segundo a lenda, foi criado pelos britânicos que tomaram a hospedaria durante a guerra de 1812. Os hóspedes são atraídos não apenas pelo magnífico bufê da casa (as salsichas são preparadas com uma receita histórica) como também pelo espírito de camaradagem particularmente convidativo que a envolve, refletindo o papel-chave que a Gris há muito tempo desempenha em Essex.

O QUE: cidade, hotel, restaurante. **ESSEX:** 193km ao norte da cidade de Nova York, 56km ao sul de Hartford, 32km a sudoeste de Mystic. Connecticut's Heritage River Valley; tel. (1) 860-244-8181; www.enjoycentralct.com. **GRISWOLD INN:** Main Street, 36. Tel. (1) 860-767-1776; fax (1) 860-767-0481; griswoldinn@snet.net; www.griswoldinn.com. *Quanto*: duplos a partir de U$125. Jantar U$30, café da manhã Sunday Hunt U$15. **MELHOR ÉPOCA:** entre os muitos feriados locais há o Loser's Day Parade (Desfile do Dia dos Derrotados), primeiro Sáb. de Mai., que comemora o malsucedido ataque britânico a Essex em 1814. Essex e a Griswold são também particularmente atraentes quando decorados para as festas de Natal.

Residência e lugar de inspiração de um ícone norte-americano

A CASA DE MARK TWAIN

Hartford, Connecticut, Estados Unidos

Admiradores literários de todo o mundo visitam a residência de um dos mais célebres e amados escritores norte-americanos, Samuel Clemens, também conhecido como Mark Twain, pseudônimo inspirado no termo usado pelos pilotos de embarcações do rio Mississippi para designar a profundidade de duas braças. Disse Twain: "Para nós, a nossa casa... tinha coração, alma e olhos para nos ver... era nossa, gozávamos de sua confiança e de suas boas graças e vivíamos na paz de sua bênção." Nessa construção, um projeto no estilo vitoriano encomendado por Twain ao arquiteto nova-iorquino Edward Tuckerman Potter, ele morou com a esposa, Olivia, e as três filhas, de 1874 a 1891, período em que escreveu algumas de suas mais aclamadas obras – *As aventuras de Tom Sawyer*, *As aventuras de Huckleberry Finn*, *O príncipe e o mendigo* e *Um ianque na corte do rei Artur*. Hoje magnificamente restaurada, a mansão exibe trabalhos decorativos de Louis Comfort Tiffany (é um dos dois interiores projetados por ele ainda existentes nos Estados Unidos) e uma imensa coleção de quase 10.000 objetos da época vitoriana. As visitas guiadas destacam os itens que pertenceram a Twain e à sua família: a apreciada mesa de bilhar na qual ele espalhava seus manuscritos para editá-los; a máquina compositora Paige, de 3t, uma desventurada invenção em que Twain investiu e que o levou (junto com um mau investimento em suspensórios) à bancarrota; a cama *master* do século XIX, comprada durante uma viagem à Itália, em que Twain e Olivia dormiam ao contrário para poder apreciar os esmerados entalhes da cabeceira.

Em frente à residência do escritor fica o chalé que pertenceu à escritora Harriet Beecher Stowe, cujo romance antiescravagista *A cabana do pai Tomás* é considerado o primeiro best-seller internacional. Embora menos ambiciosa, sua casa é também aberta ao público.

O QUE: lugar. **ONDE:** Farmington Avenue, 351. (Hartford fica 175km a nordeste da cidade de Nova York, 72km ao norte de New Haven.) Tel. (1) 860-247-0998; www.marktwainhouse.org; **QUANTO:** ingresso U$9, inclui visita guiada. **QUANDO:** fechada Ter. de Jan.–Abr. e Nov. **MELHOR ÉPOCA:** Natal, quando enfeitada no estilo vitoriano.

Um símbolo de Hartford conservado por amor a Mark Twain.

Uma realidade alternativa esculpida pela natureza

BADLANDS

Dakota do Sul, Estados Unidos

O general Alfred Sully as descreveu como "o inferno sem fogo"; para os índios lakota sioux e os caçadores de peles e exploradores franceses do século XIX, elas eram o Mako Sica e "les mauvaises Terres" – as terras ruins. Frank Lloyd Wright escreveu: "O que vi me deixou o indescritível sentimento de um lugar diverso, misterioso – uma arquitetura remota, etérea, levemente tocada pelo traço e a silhueta dos egípcios e maias." Durante 500.000 anos, a força da erosão escavou profundamente o solo macio do Parque Nacional de Badlands e nele esculpiu uma estranha paisagem de cones, cristas, fendas, ravinas, pináculos e precipícios, com formações de mais de 300m de altitude sempre pintadas em cores variadas de acordo com as camadas de depósitos minerais. Percorra a Badlands Loop, uma estrada de 64km que propicia um amplo panorama da teatralidade da natureza, principalmente ao amanhecer, ao anoitecer e logo depois da chuva, quando o jogo de luz e sombra é mais poético.

A força da erosão criou uma paisagem extraterrena.

Vale lembrar a previsão de que em 500.000 anos as Badlands terão sido totalmente consumidas pela erosão. Portanto, é melhor ir vê-las já.

O QUE: lugar. **ONDE:** 128km a leste de Rapid City. Centro de Visitantes de Ben Reifel, Highway 240, Interior. Tel. (1) 605-433-5361; www.nps.gov/badl. **QUANTO:** ingresso U$10 por carro. **MELHOR ÉPOCA:** inverno, quando não se vê ninguém por ali.

Terra sagrada de heróis: o monte Rushmore, o Crazy Horse e o Custer

BLACK HILLS

Dakota do Sul, Estados Unidos

Chamadas de "montanhas Negras" por causa da densa sombra de seus pinheiros *ponderosa*, as Black Hills da Dakota do Sul foram durante séculos consideradas sagradas pelos lakota sioux, que no passado formavam a mais poderosa tribo indígena do oeste do país. Hoje, graças à paixão de um grupo de artistas, a própria terra consagrou-se de outra forma. Foram necessários 14 anos (1927-1941) de trabalho obsessivo do escultor de origem dinamarquesa e norte-americana Gutzon Borglum, de seu filho Lincoln e de cerca de 400 trabalhadores para concluir um monumental projeto artístico e de engenharia que ninguém julgava possível: esculpir as efígies de George Washington, Thomas Jefferson, Theodore Roosevelt e Abraham Lincoln na rocha do monte Rushmore numa altura equivalente a seis andares. Só para dar uma idéia: os olhos de George Washington têm 3,35m de largura e seu nariz 7,90m de comprimento. O sinal no rosto de Lincoln tem 40cm de largura.

A apenas 27km de distância, o gigantesco Memorial Crazy Horse vai aos poucos tomando forma. Também esculpida em granito, essa obra, quando concluída por volta de 2050, após um século de trabalho, retratará o maior guerreiro da América Nativa montado em seu corcel, ultrapassando o monte Rushmore em 171m. A narina do cavalo terá largura suficiente para abrigar uma casa de cinco cômodos.

De Crazy Horse tome o rumo leste pela belíssima Needles Highway, de 22km, para ver as impressionantes agulhas de granito talhadas há 1.000.000.000 de anos. Em seguida vá ao lago Sylvan e, dali, para o norte até à estrada Spearfish Canyon Scenic Byway, cuja paisagem você facilmente reconhecerá como a do cenário épico do filme *Dança com lobos*, de Kevin Costner. Outra opção é deixar as malas na acolhedora State Game Lodge, pousada que serviu de residência de verão ao presidente Calvin Coolidge. Entre os sete quartos dessa construção histórica está aquele que o 30.º presidente norte-americano e sua esposa ocuparam durante três meses em 1927. A State Game Lodge é uma das três pousadas existentes dentro do Parque Estadual Custer, cujo circuito interno Wildlife Loop Road, de 29km, atravessa campinas sem cercas por onde circula um felpudo rebanho de 1.500 búfalos.

Escalando uma formação das Black Hills.

O QUE: lugar, hotel, experiência. **MONTE RUSHMORE:** 40km a sudoeste de Rapid City.

Centro de Orientação, Keystone. Tel. (1) 605-574-2523; www.nps.gov/moru. *Quanto*: ingresso gratuito, estacionamento U$8. **Memorial Crazy Horse:** 27km a sudoeste do monte Rushmore. Tel. (1) 605-673-4681; www.crazyhorse.org. *Quanto*: U$9. **Parque Estadual Custer:** 32km ao sul do monte Rushmore. Tel. (1) 605-255-4515; www.custerstatepark.info. *Quanto*: ingresso U$12 por carro. **State Game Lodge:** Tel. (1) 800-658-3530; www.custerresorts.com. *Quanto*: duplos a partir de U$99, Quarto de Coolidge U$225. *Quando*: aberto início de Mai.–início de Out. **Melhor Época:** Jun.–Ago. às 9h e Set. às 8h para a cerimônia diária de iluminação do monte Rushmore; fim de Set. e início de Out. para o Rodeio de Búfalos do Parque Estadual Custer.

Uma janela para a história e um olhar para o futuro

Centro Espacial Kennedy

Cabo Canaveral, Flórida, Estados Unidos

Até o mais indiferente dos visitantes é inteiramente tomado de admiração no Centro Espacial Kennedy, um monumento vivo à ousadia tecnológica dos Estados Unidos. Ocupando uma área de 60.000ha em meio a alagados e pântanos, esse centro é o quartel-general da indústria de foguetes e da exploração espacial realizada pelo país desde 1950, quando o Bumper 8 foi lançado do cabo Canaveral. Dali partiram: Alan Shepard, o primeiro norte-americano a chegar ao espaço, em 1961; os primeiros seres humanos a pisar no solo lunar, a bordo da Apolo 11, em julho de 1969; e a tripulação do desventurado ônibus espacial Colúmbia, em janeiro de 2002. Embora algumas áreas estejam fechadas ao público por causa do aumento das medidas de segurança após os atentados de 11 de setembro de 2001, ainda há muito para ser visto e vivenciado em apresentações multimídia, experiências com objetos reais e sessões de perguntas e respostas com astronautas. Tudo isso estimula adultos e crianças a se empenhar pela excelência. Comece pelo Complexo dos Visitantes, onde o Rocket Garden traça a evolução do programa espacial norte-americano com a exibição de oito foguetes verdadeiros, entre os quais um Mercury Atlas similar ao que lançou John Glenn no espaço em 1962. Do outro lado da praça, duas salas de projeção Imax 3-D com telas de seis andares e sistemas de som que sacodem as cadeiras arrastam a platéia para uma eletrizante aventura de descoberta. Há uma réplica de um ônibus espacial instalada

Apesar de duas grandes tragédias com ônibus espaciais, o programa espacial dos Estados Unidos continua a ser motivo de orgulho para muitos norte-americanos.

perto do centro de controle de lançamentos, onde são realizadas palestras sobre as missões atuais.

Do Complexo, tome o ônibus para uma turnê guiada, passando pela mundialmente conhecida plataforma de lançamento LC-39 e dirija-se em seguida ao Centro Apolo/Saturno V para uma simulação narrada do lançamento da Apolo 8 e um contato direto com o foguete lunar Saturno V, de 110m de altura, o mais poderoso já construído. Libere o máximo de adrenalina com uma visita ao Astronaut Hall of Fame, situado 9,5km a oeste, onde os aspirantes a astronautas podem experimentar um simulador de força-G, um simulador de vôos espaciais que faz movimentos rápidos de 360º e um simulador da gravidade da Lua – brinquedos de arrepiar que são a única coisa que falta ao Centro Espacial Kennedy.

O Que: lugar. **Onde:** 72km a leste de Orlando, 355km ao norte de Miami. Tel. (1) 321-449-4444; www.kennedyspacecenter.com. **Quanto:** ingresso U$26 (bilhete separado para o Astronaut Hall of Fame U$14). **Melhor Época:** para ver o lançamento de um ônibus espacial, acesse o site www.ksc.nasa.gov e clique em "Next Shuttle Launch" para obter informações atualizadas.

O grande pantanal norte-americano

Parque Nacional de Everglades

Flórida, Estados Unidos

Os amantes da natureza e os "ecocuriosos" terão um dia de muita atividade na maior área pantanosa do país, hoje sob proteção governamental. O Everglades, um pântano subtropical de água doce de 600.000ha, é o terceiro maior parque nacional do território continental dos Estados Unidos – à sua frente estão o vale da Morte e Yellowstone. Localizado num ponto de fácil acesso no extremo sul da Flórida, um quintal de Miami climaticamente a anos-luz de South Beach, Everglades é a Flórida tal como ela era antes da chegada dos exploradores espanhóis – e do ser humano em geral. Meio terra e meio água, o parque é um ecossistema complexo e frágil, o lar ameaçado de milhares de espécies animais e vegetais, um denso manguezal entrecortado por um labirinto de estreitos canais de nomes como rio do Tubarão, baía do Inferno, riacho do Cemitério e rio dos Perdidos. Passarelas de madeira, trilhas de bicicleta e botes infláveis (estes últimos proibidos dentro dos limites do parque) permitem que se tenha uma clara idéia da fauna e da flora dos pântanos circundantes, mas a melhor maneira de penetrar no mistério e na história do Everglades é de caiaque ou canoa, de preferência na companhia de um guia.

Naturalistas bem informados apontam os habitantes do parque – peixes-boi, íbis, garças-brancas, águias-pescadoras, águias-de-cabeça-branca, crocodilos, tartarugas, mais de 14 espécies nativas de cobras e, se você tiver bastante sorte, um dos 10 espécimes remanescentes da pantera-da-flórida que moram ali. A observação dos pássaros pode ser excepcional quando os bandos que migram no inverno se juntam à comunidade de 347 espécies locais. Os aficionados por plantas têm mais de 1.000 espécies para estudar, além do onipresente "capim-serra", tão comum nessa região que ela é muitas vezes chamada de "rio de capim". A bela luz cambiante que se espalha por toda a paisagem do Everglades, com certeza bastante diferente de tudo o que você já viu, sublinha a fragilidade desse meio ambiente.

O QUE: experiência. **ONDE:** as 2 entradas principais situam-se a cerca de 65km do centro de Miami, uma delas 16km a oeste de Homestead/Florida City e a outra (Shark Valley) próxima à U.S. 41/Tamiami Trail. O acesso oeste fica perto de Naples, na Highway 29, Everglades City. Informações gerais: tel. (1) 305-242-7700; www.nps.gov/ever. **QUANTO:** ingresso U$10 por carro. **COMO:** a North American Canoe Tours fornece canoas e caiaques para excursões do tipo "faça você mesmo" e aventuras de 1 a 14 noites acompanhadas de guias. Tel. (1) 239-695-4666; fax (1) 239-695-4155; www.evergladesadventures.com. *Quanto*: aluguel de canoa U$35 por dia, aluguel de caiaque U$45 ou mais por dia; excursões guiadas de 1 dia em caiaque/canoa a partir de U$119 por pessoa (mínimo 4 pessoas); passeios guiados com 1 pernoite a partir de U$500 por pessoa (mínimo 4 participantes). **QUANDO:** aberto durante todo o ano; o fornecedor de equipamentos opera de Out.–Mai. **MELHOR ÉPOCA:** em Jan.–Mar., o clima é mais agradável, há menos insetos e a vida selvagem é abundante. Infelizmente é também a época de maior movimento.

O charme e a cor do último resort dos Estados Unidos

KEY WEST

Flórida, Estados Unidos

Situada no fim de uma rodovia de 185km cujas 42 pontes à flor do oceano ligam ao continente 51 das 822 ilhas da Flórida, Key West, considerada a região mais meridional do território continental dos Estados Unidos, é uma cidade insular com fama de extravagante, amalucada, despreocupada e boêmia – um cadinho tropical de cultura caribenha, latino-americana e norte-americana. Ali vivem os nativos do lugar (conhecidos como *conches*), escritores, artistas, aposentados e uma grande comunidade gay. Todos eles residem em casas vitorianas restauradas, de tons pastel e influência bahamense, e em curiosos chalés *conch* pintados de branco. Muitos deles trocam o automóvel pela bicicleta ou simplesmente circulam a pé, pois a ilha é pequena e plana, fácil de percorrer das duas formas. Quase diariamente (na alta temporada pelo menos), milhares de passageiros de navios de cruzeiro vão até lá tomar um drinque obrigatório no legendário Sloppy Joe's, na Duval Street, rua que começa no oceano Atlântico e termina 1,6km depois no golfo do México.

Quem prefere fugir da corrida às lojas de turistas da Duval Street encontra uma Key West mais histórica na Hemingway House, onde nas horas de sossego ainda se pode sentir a aura do ganhador do Prêmio Nobel de Literatura de 1954, que foi a Key West em 1930, sucumbiu ao seu encanto e passou a década seguinte escrevendo, bebendo e pescando prolificamente ali. Papa, como Hemingway era carinhosamente chamado, ajudou a colocar a ilha no mapa como uma cidade festiva por excelência, onde a *margarita* é a bebida oficial e a atitude típica é o "tudo é permitido". Sinta o clima tomando um coquetel ao pôr-do-sol nas mesas de piquenique do Schooner Wharf, de onde moradores da cidade, clientes e turistas contemplam o lindo céu, uma singular pintura a dedo de Key West em tons coral. Quem estiver em busca de emoções mais pagãs pode se dirigir ao píer da Praça Mallory, onde o ritual diário do ocaso é ampliado por um elenco de malabaristas, engolidores de fogo e artistas de rua.

Ao fim de um dia bastante agitado, garanta seu oásis de civilidade reservando um apartamento no Gardens Hotel, cujo nome é uma homenagem à paixão que sua ex-proprietária, Peggy Mills, tinha pelo jardim: de 1930 até à sua morte, em 1979, ela o tornou uma manifestação artística, seu paraíso particular, a obra da sua vida. Não fossem os sinuosos caminhos feitos com tijolos centenários originários de Cuba e da América Central (usados como lastro nos antigos galeões), os hóspedes se perderiam em meio à beleza extraterrena das buganvílias, orquídeas e samambaias que florescem sob o manto verde de suas faias e palmeiras. O edifício principal, de dois andares (residência do primeiro proprietário datada de 1870), e dois anexos, todos no estilo das fazendas das Índias Ocidentais, escondem-se atrás de sólidos muros no coração da Cidade Velha, o distrito histórico de Key West. Enquanto a apenas alguns passos do portão principal a salsa e o reggae correm soltos nos bares da Duval Street, a única música que se ouve do lado de dentro é o borbulhar rítmico das fontes, o giro preguiçoso dos ventiladores de teto e o canto dos pássaros. Isso é música para acompanhar o café da manhã na varanda de tijolos ao ar livre, ocasião em que os bolinhos de limão-doce de Key West quase roubam a cena.

O Que: ilha, hotel. **Key West:** 250km a sudoeste de Miami. Informações turísticas tel. (1) 800-FLA-KEYS; www.fla-keys.com. **The Gardens Hotel:** Angela Street, 526. Tel. (1) 800-526-2664 e (1) 305-294-2661; fax (1) 305-292-1007; reservations@gardenshotel.com; www.gardenshotel.com. *Quanto*: duplos a partir de U$130 (baixa temporada) e a partir de U$235 (alta temporada). **Melhor Época:** Nov.–Páscoa. A Fantasy Fest (www.fantasyfest.net) são 10 dias de mascaradas e feiras no final de Out., culminando com o Grande Desfile do último Sáb.

Uma eterna atração do circuito chique de Miami

O Delano

Miami Beach, Flórida, Estados Unidos

Já faz tempo que a poeira baixou desde o surto de inaugurações e reformas de hotéis com design na década de 1990, mas a ousadia e o estilo do Delano, o pioneiro do grupo, ainda estão no epicentro do circuito social de Miami.

Iniciada em 1995, a parceria yin-yang do hoteleiro Ian Schrager com o designer Philippe Starck atraiu imediatamente para esse marco oceânico tropical de 1947 – despojado e inteiramente branco – a atenção dos que entendem de estilo em todo o mundo. (Seu nome, escolhido durante o espírito patriótico do pós-guerra, homenageia o presidente Franklin Delano Roosevelt.) Para entender o motivo de seu sucesso, prenda o fôlego e entre no cinematográfico saguão de madeira escura cercado de diáfanas cortinas brancas de 9m de altura. A arquitetura do hotel, que até os minimalistas qualificariam de minimalista, é de uma requintada simplicidade, cheia de ângulos e efeitos surrealistas capazes de surpreender e intrigar não apenas sua clientela internacional, composta de gente elegante, como qualquer pessoa que esteja cansada do onipresente estilo art déco das redondezas. O

A incomparável piscina e "salão de água" do Delano.

mesmo estilo leve e branco se estende aos quartos, mas a ênfase está nos espaços comuns – saguões, restaurantes e bares. A fantástica piscina é a preferida de South Beach e uma das mais famosas do mundo, com música clássica embaixo d'água e cadeiras e mesas de café na parte rasa, com água à altura dos tornozelos. Embora Madonna não seja mais sócia, a reserva no formal porém descontraído restaurante Blue Door ainda é uma ambicionada conquista.

O QUE: hotel, restaurante. **ONDE:** Collins Avenue, 1.685. Tel. (1) 800-555-5001 e (1) 305-672-2000; fax (1) 305-532-0099; delano@ianschragerhotels.com; www.ianschragerhotels.com. **QUANTO:** duplos a partir de U$225 (baixa temporada) e a partir de U$375 (alta temporada); com vista total para o mar a partir de U$325 (baixa temporada) e a partir de U$675 (alta temporada). Jantar no Blue Door U$80. **MELHOR ÉPOCA:** Jan.–Abr. para pegar tempo bom.

Uma instituição de South Beach

JOE'S STONE CRAB

Miami Beach, Flórida, Estados Unidos

"Antes de So, Joe", apregoa a maior casa de caranguejos de Miami Beach (e possivelmente do país), referindo-se a suas décadas de prestígio anteriores ao renascimento de South Beach, hoje no auge da moda. Sua fama se espalhou rapidamente com a inauguração da casa em 1913, um empreendimento administrado por uma família. Desde então, a fila para entrar é sempre longa. No cardápio, o *stone crab* (caranguejo gigante dos Estados Unidos), iguaria de carne macia que, assim como a palmeira e o brasão do estado, é um símbolo de Miami, especialmente deliciosa por só estar disponível na estação (meados de outubro a meados de maio). No Joe's, esses crustáceos são servidos em quatro tamanhos (de médio a imenso), e o pedido típico é uma imponente pilha de caranguejos, acompanhada de molho de manteiga derretida ou molho de mostarda picante e cremoso, salada de repolho, creme de espinafre e batatas-doces *à cottage*. Para sobremesa, a torta de limão-doce de Key é a grande pedida. É tudo fresquíssimo e de excelente qualidade. Para quem não pode ir lá pessoalmente, o Joe's envia o pedido pelo FedEx durante a noite. Isso ajuda a explicar por que a casa vende em média 200t de caranguejo durante a estação. Num dia bom, 1t é consumida somente no restaurante – que tem 450 lugares –, servida por garçons formalmente trajados. Os caranguejos do Joe's são doces e tenros, mas não baratos, apesar de pescados em águas locais – o escritor Damon Runyon disse certa vez que eram cobrados por quilate. Vá assim mesmo e descubra o porquê de tanto prestígio – de qualquer modo, prepare-se para esperar.

O QUE: restaurante. **ONDE:** Washington Avenue, 11. Tel. (1) 305-673-0365; fax (1) 305-673-0295; para entrega à distância, tel. (1) 800-780-2722; para levar, tel. (1) 305-673-4611; www.joestonecrab.com. **QUANTO:** jantar U$50. **QUANDO:** aberto Ter.–Sáb., meados Out.–meados de Mai. **MELHOR ÉPOCA:** as filas costumam ser menores por volta das 17h.

Um show art déco na Riviera norte-americana

SOUTH BEACH

Miami Beach, Flórida, Estados Unidos

Enquanto Miami continua a cultivar seu papel de ponto internacional, South Beach permanece como seu coração – vibrante, charmoso e multicultural – durante 24 horas por dias, sete dias por semana. Boa parte do fascínio visual do bairro se deve a Ocean Drive, sua avenida oceânica orlada de palmeiras ao longo da qual (da Rua 21 à Rua 5 e, virando à direita, para Alton Road) se estende a maior concentração de arquitetura art déco tropical de todo o mundo: cerca de 800 tesouros em tons pastel das décadas de 1920, 1930 e 1940. Hoje incluída no Registro Nacional de Lugares Históricos, essa eletrizante mistura de edifícios cinza-azulados, lavanda, rosa e pêssego abriga cafés ao ar livre, lojas, boates, condomínios residenciais, hotéis chiques e restaurantes de padrão internacional. Mas a verdadeira obra de arte ali é o desfile de pessoas. Se o mundo inteiro é um teatro, Ocean Drive, com suas calçadas e restaurantes lotados de gente bonita de parar o tráfego, é o palco. E o melhor lugar para apreciar tudo isso é o Café Cardozo (do Cardozo Hotel, esquina da Rua 13 com a Ocean Drive), uma espécie de palanque 24 horas que lhe permite sair da frente do movimento turístico incessante para apreciar a paisagem.

Um dos muitos hotéis art déco de South Beach.

Caso você queira fugir dos patinadores, euro-invasores e presunçosos em geral, refugie-se no arejado oásis do Tides Hotel, um art déco campeão de 1936, totalmente *fashion* e ao mesmo tempo cheio de classe. Decorados com sobriedade e bom gosto, todos os seus imensos quartos de frente para o mar têm telescópios para quem quer curtir o panorama praieiro. O pequeno porém excelente restaurante do térreo, chamado 1.220 at the Tides (o endereço do hotel), é uma experiência completa em termos de cenário e cozinha.

O QUE: lugar, hotel, restaurante. **SOUTH BEACH:** fica no extremo sul de Miami Beach, que é formada por 17 ilhas da baía de Biscayne, ao largo do litoral leste de Miami, uma cidade independente. **ART DECO DISTRICT:** caminhadas guiadas de 90 minutos são organizadas pela Miami Design Preservation Lea-gue (MDPL) na Art Deco Welcome Center, Ocean Drive, 1.001. Tel. (1) 305-531-3484; www.mdpl.org. *Quanto*: U$15 por pessoa. *Quando*: Qui. e Sáb.

The Tides Hotel: Ocean Drive, 1.220. Tel. (1) 800-688-7678 e (1) 305-531-8800; fax (1) 305-672-2881; www.islandoutpost.com. *Quanto*: duplos a partir de U$395 (baixa temporada) e U$525 (alta temporada). Jantar no 1.220 at the Tides U$100. **Melhor Época:** 2.º fim de semana de Jan. para o Fim de Semana do Art Déco, festival anual com filmes, palestras, música e feiras livres. Para informações, entre em contato com o MDPL (ver ao lado).

O resort turístico mais popular do mundo

Walt Disney World Resort

Orlando, Flórida, Estados Unidos

Ainda a principal referência para os parques temáticos do mundo inteiro, essa criação original do gigante do entretenimento e gênio do desenho animado Walt Disney é um universo de fantasia em contínua expansão que celebra a magia, a tecnologia, a natureza e, é claro, o Mickey Mouse. A partir de sua abertura, há mais de 30 anos, a Disney World transformou um antigo pasto de 12.000ha num fabuloso conjunto de quatro parques temáticos principais, cada um com personalidade própria. O Magic Kingdom (Reino Encantado), inaugurado em 1971, é um mundo de fantasia que gira em torno do Castelo de Cinderela, onde estão duas das mais famosas e distintas atrações do lugar: It's a Small World e Space Mountain. O Epcot (Experimental Prototype Community of Tomorrow), de 1982, é um parque temático educativo cujas principais atrações estão mais ligadas à mente, como no caso da populariíssima Spaceship Earth. Nos estúdios Disney-MGM (1989), os visitantes passeiam por um set de filmagem ("uma Hollywood que nunca foi e sempre será", diz sua placa comemorativa) que mescla nostalgia com maravilhas high-tech – não deixe de ir a Twilight Zone Tower of Terror. Com 200ha e mais de 1.000 animais de grande porte (entre girafas e leões) vagando por um ambiente natural inspirado no Serengeti africano, o Animal Kingdom (Reino Animal), de 1998, é o maior e mais novo parque temático da Disney World. Três parques temáticos aquáticos completam as opções desse resort.

Existem numerosas opções de hospedagem menos caras (e menos fantásticas) na região de Orlando, mas a magia será mais longa se você se hospedar num dos hotéis-resort administrados pela própria Disney. As vantagens são muitas, incluindo a logística: eles ficam perto das principais atrações e são ligados por barcos, ônibus e monotrilho gratuitos. Entre as luxuosas opções, o Grand Floridian Resort and Spa é um dos mais elegantes e de aspecto menos contemporâneo. Sua arquitetura vitoriana com frontões evoca os dias aprazíveis de um resort de veraneio da virada do século.

O Que: lugar, hotel. **Walt Disney World:** a 45 minutos do Aeroporto Internacional de Orlando. Informações gerais sobre estacionamento e hospedagem; tel. (1) 800-828-0228 e (1) 407-W-DISNEY; www.disneyworld.com. *Quanto*: ingressos para 1 dia U$50 adultos, U$40 crianças; passes de 4, 5, 6 e 7 dias (entrada para os parques aquáticos à parte) U$199–U$399 adultos, U$159–U$256 crianças. **Disney's Grand Floridian Resort and Spa:** Seven Seas Lagoon. Tel. (1) 407-824-3000; fax (1) 407-824-3186; www.disneyworld.com. *Quanto*: duplos a partir de U$329 (baixa temporada) e U$429 (alta temporada). **Melhor Época:** a afluência é maior nos feriados escolares; o Thanksgiving (Dia de Ação de Graças, 4.ª Qui. de Nov.) é menos movimentado do que o Natal e as férias de verão; os meses mais tranqüilos são Jan. e Set.–Nov.; chegar bem cedo de manhã é o ideal para evitar as multidões à tarde.

O máximo da comida caseira

A Pensão da Sra. Wilkes

Savannah, Geórgia, Estados Unidos

Não há placa do lado de fora dessa venerável instituição, mas isso não impede que as filas se formem à sua porta diariamente às 10h45. Quando o sino do almoço toca às 11h30, a multidão esfomeada se atropela para pegar lugar nas grandes mesas comunais, que logo desaparecem sob as despretensiosas mas transbordantes travessas e tigelas da refeição mais farta da Geórgia – celebração culinária de uma época lembrada com carinho pelos habitantes de Savannah. A Sra. Wilkes abriu o restaurante em 1943 e o administrou por quase 60 anos (ela faleceu em 2002). Hoje a casa é mantida por três gerações de familiares seus que sabem tudo de comida caseira. Os pratos são os favoritos dos velhos tempos, tão despretensiosos quanto o porão onde funciona o restaurante. O cardápio está sempre mudando para agradar à clientela de freqüentadores assíduos, mas o viajante sortudo talvez encontre a célebre galinha frita ou assada com creme de broa de milho. Com sorte, poderá também provar o quiabo ensopado, o guisado de siri com pimenta ao xerez, o suflê de batata-doce e o arroz-vermelho de Savannah, especialidade das planícies costeiras das Carolinas e da Geórgia. Ostentar uma "fome de estivador" é comum por ali; portanto, encher o prato duas ou três vezes é algo bem visto – a família Wilkes quer que você saia satisfeito. Enquanto estiver lá, porém, faça questão de conversar com as pessoas da sua mesa: a camaradagem, tanto quanto a comida, é o que torna essa experiência inesquecível.

O Que: restaurante. **Onde:** West Jones, 107. Tel. (1) 912-232-5997 (não se fazem reservas); www.mrswilkes.com. **Quanto:** U$13. **Quando:** almoço do tipo "coma à vontade", Seg.–Sex. Chegue às 10h45.

Passeando pelos românticos cenários do "velho sul"

Distrito Histórico de Savannah

Geórgia, Estados Unidos

Savannah, uma obra-prima urbana, é a melhor cidade norte-americana para se caminhar. Seu distrito histórico tem 5km² de área com mais de 1.000 casas coloniais e edifícios comerciais maravilhosamente restaurados, tudo pontuado com o verde de 21 das 24 praças de 1,5ha da cidade original. Com sua perfeita rede de praças traçada em linhas verticais e horizontais, Savannah, a primeira cidade planejada dos Estados Unidos, foi fundada em 1733 em nome de George II pelo general britânico James Oglethorpe. O "ouro branco" (ou "rei algodão") passou então a encher os cofres da cidade portuária com ouro de verdade, trazendo consigo mansões elegantes que atravessaram os séculos até passar à proteção da Historic Savannah Foundation, criada em 1955 (não deixe de visitar a imponente Davenport House, de 1820, na East York Street, 321). Em 1864, o general William Tecumseh Sherman terminou ali sua "marcha para o mar", poupando a cidade por ordem de Lincoln – e mais tarde oferecendo-a ao presidente como presente de Natal.

Para poder apreciar plenamente os encantos da Savannah de hoje em dia, hospede-se numa das dezenas de *bed and breaksfast* e hospedarias criadas nas notáveis residências históricas da cidade. A disputa é acirrada, mas a maioria das pessoas concorda que a elegante Gastonian é uma das que correm na frente. Instalada em duas casas de estilo italiano e numa cocheira da década de 1860, a pousada foi cuidadosamente restaurada com cores autênticas de Savannah e papel de parede Scalamandre em padrões originais. Os quartos têm lareiras que funcionam, e na maioria deles há camas de baldaquino (com pralina sobre os travesseiros) e generosos banheiros. É um desafio não sucumbir ao lendário café da manhã sulista da Gastonian, que inclui sopa de melão, *muffins* de cereja caseiros e ovos mexidos.

O QUE: lugar, hotel. **DISTRITO HISTÓRICO:** para a lista dos eventos e visitas guiadas, entre em contato com o Centro de Visitantes de Savannah; tel. (1) 877-SAVANNAH e (1) 912-944-0455; www.savannahvisit.com. **THE GASTONIAN:** East Gaston Street, 220. Tel. (1) 800-322-6603 e (1) 912-232-2869; fax (1) 912- 232-0710; gastonian@aol.com; www.gastonian.com. *Quanto*: duplos a partir de U$180 (baixa temporada) e a partir de U$275 (alta temporada). **MELHOR ÉPOCA:** o Circuito de Casas e Jardins de Savannah (www.savannahtourofhomes.org) dura 4 dias e geralmente é realizado no final de Mar., quando as azáleas começam a florescer. O Circuito de Jardins Históricos da Primavera acontece anualmente em meados de Mai.

À noite as bebidas são servidas na sala de estar do Gastonian.

Peões, paisagens lunares e um céu deslumbrante

BIG ISLAND

Havaí, Estados Unidos

Big Island – a ilha mais primitiva do espetacular arquipélago havaiano – é um lugar único, onde predominam os contrastes e os superlativos. Maior e mais jovem ilha do Pacífico, ela é uma das menos procuradas pelos turistas, um lugar de desertos de lava negra e densas florestas tropicais. Abriga cinco vulcões (entre os quais o Kilauea e o Mauna Loa, dois dos mais ativos do mundo) e apresenta uma grande diversidade climática – se quiser, você pode esquiar e surfar no mesmo dia. Com 150km de comprimento por 122km de largura, a ilha é realmente grande – duas vezes o tamanho de todas as outras ilhas havaianas juntas (aproximadamente o tamanho do estado de Connecticut), com uma anel rodoviário de cerca de 402km, que pode ser percorrido em sete horas de viagem. O rei Kamehameha, o Grande, que nasceu ali em 1758, uniu o reino insular entre 1785 e 1810 e convidou mercadores estrangeiros a se estabelecer na ilha; hoje, os reis dos negócios vão até lá jogar golfe em campos de classe internacional, notórios por sua beleza.

Desde a praia de areia negra em sua entrada, o exuberante vale Waipio estende-se por 9,6km entre paredões de rocha que chegam a atingir 1.600m de altitude e o separam da densa floresta. Com seus rios de águas límpidas, abruptas cachoeiras e cavalos selvagens, o sagrado "vale dos Reis" de tempos passados desperta no recém-chegado o sentimento de que se trata de um lugar esquecido pelo tempo. Perto dali, em Waimea (também chamada Kamuela), a parte alta da ilha, com 800m de altitude, cerca de 5.000 cabeças de gado pastam nos 91.000ha de uma das maiores fazendas de gado dos Estados Unidos, o bicentenário Parker Ranch. O visitante mais audacioso tem a opção de alugar um dos 400 cavalos da fazenda para explorar a exuberante região, seguindo os peões *paniolo* do Havaí.

Logo abaixo fica Kohala Coast, litoral de lava negra onde se destacam a deslumbrante praia de areia branca de Kaunaoa e o Parque Estadual de Hapuna Beach, extraordinárias exceções às praias da jovem ilha, que não chegam a ser tão decantadas. Uma localização perfeita para o pioneiro e modelar super-resort Mauna Kea, construído em 1965 por Laurance Rockefeller. Discreto, acolhedor e surpreendentemente luxuoso considerando-se o ambiente desértico em que está situado, o resort tem a oferecer um campo de golfe de 18 buracos assinado por Robert Trent Jones Sr. – um dos melhores, mais antigos e mais fotografados do estado – e uma coleção de 1.600 obras de arte asiática e do Pacífico.

Kohala Coast termina onde começa a acidentada Kona Coast (costa a sotavento). A cidade litorânea de Kailua-Kona é muito conhecida por suas praias perfeitas para a prática do mergulho com snorkel (Kahaluu, por exemplo) e principalmente pela pesca de peixes de grande porte – seus marlins-azuis, ali chamados de *granders*, chegam a pesar 453kg. Acomodações nada extravagantes são a regra geral, cuja principal exceção é o requintado Four Seasons Resort Hualalai, um oásis despojado e arejado no estilo "fazenda chique" com bangalôs baixos e áreas de natação isoladas. Aberto apenas aos hóspedes do resort, o campo de golfe de 18 buracos, projetado por Jack Nicklaus, estende-se sobre uma camada de lava oriunda da erupção, em 1801, do vulcão que tem seu nome, hoje extinto.

Vista panorâmica do campo de golfe Mauna Kea.

Para um luau tradicional, vá a Kona Village, um lugar iluminado por tochas *tiki*, cujas festas das noites de sexta-feira à beira da lagoa, as mais antigas e autênticas da ilha, conservam o espírito do velho Havaí e conseguem escapar à vulgarização. Os *hales* (chalés) rústicos do refúgio, cobertos com sapê, são inspirados na cultura dos povos polinésios do Havaí, ilhas Fiji e Samoa e têm decoração interna típica. Mas, onde quer que você fique na costa oeste, esteja atento para ver as baleias jubarte (de dezembro a abril) e o lendário "clarão verde" do pôr-do-sol – duas atrações que podem ser observadas melhor na região de Kona.

O verdadeiro show da ilha, o lugar onde a mãe natureza colocou toda a sua energia, porém, é o Parque Nacional dos Vulcões do Havaí – ali mora Pele, a deusa dos vulcões. Em erupção desde 1983, a mais longa de que se tem registro, o monte Kilauea (cujo nome significa "espalhando muito vômito") vem desde então acrescentando centenas de hectares à superfície da ilha. Da rústica Volcano House, o único hotel existente dentro do parque, pode-se acessar a Crater Rim, uma estrada de 17km que circunda a cratera do Kilauea, e a Chain of Craters, estrada de 45km que vai do Centro de Visitantes até o litoral, 1.219m abaixo. Ambas estendem-se por uma surreal paisagem lunar de força bruta, fumarolas sibilantes e torrentes de lava líquida e petrificada. No pico nevado da vizinha Mauna Kea (montanha Branca), o ponto mais alto de todo o Havaí, 10 países construíram telescópios ultramodernos: graças a uma incrível claridade, dessa elevação se pode ver 90% do céu. Mas quem for sensível à falta de oxigênio talvez se contente com uma vista apenas levemente ousada a partir de sua rede de praia no hotel.

O QUE: ilha, lugar, hotel, restaurante. **HAVAÍ (BIG ISLAND):** vôos diretos de Los Angeles e São Francisco, mais conexão de 30 minutos partindo de Honolulu. Bureau de Visitantes de Big Island; tel. (1) 800-648-2441; www.bigisland.org. **MAUNA KEA:** Kohala. Tel. (1) 800-882-6060 e (1) 808-882-7222; fax (1) 808-882-5700; www.princeresortshawaii.com. *Quanto*: duplos a partir de U$360. **FOUR SEASONS RESORT HUALALAI:** Kona. Tel. (1) 888-340-5662 e 808-325-800; fax (1) 808-325-8100; www.fourseasons.com/hualalai. *Quanto*: duplos a partir de U$520. **KONA VILLAGE:** Kailua-Kona. Tel. (1) 800-367-5290 e (1) 808-325-5555; fax (1) 808-325-5124; www.konavillage.com. *Quanto*: duplos a partir de U$500, incluídas todas as refeições para 2 pessoas. Luau para não-hóspedes U$76. **MELHOR ÉPOCA:** o tempo muda pouco, mas convém evitar o mês mais quente (Set.) e a época mais chuvosa (Dez.–Fev.); fim de semana seguinte à Páscoa para o Festival Merrie Monarch Hula (Hilo), o principal concurso de hula-hula antiga e moderna do estado, com duração de 1 semana (indispensável comprar entradas com antecedência; procure o Bureau de Visitantes); fim de Set.–início de Out. para a Semana Aloha; Mai. para o Ironman Triathlon e o Torneio de Pesca de Peixes de Grande Porte.

A ilha-jardim (do Éden)

KAUAI

Havaí, Estados Unidos

Mais verde e mais antiga ilha do arquipélago do Havaí, a exuberante e intemporal Kauai é basicamente um único imenso vulcão a 4.828m do fundo do mar que vem proporcionando cenários paradisíacos a filmes de Hollywood e programas de televisão, como *Jurassic Park*, *Feitiço havaiano*, *King Kong* e *A Ilha da Fantasia*. A população de Kauai (não mais de 5% do total do estado), considerada a mais simpática do Havaí, é adepta do modo de vida tradicional do arquipélago:

sem pressa e focado na beleza natural, muito diferente da ostentação típica dos resorts da ilha vizinha de Maui.

Com 48km de largura máxima (pode-se circundá-la em apenas duas horas), essa ilha relativamente pequena tem dois terços impenetráveis. Mas o último terço, que espetáculo! O ponto alto da beleza desse lugar é o litoral norte, talvez o local mais bonito de todo o Havaí. Acredita-se que Na Pali Coast ("os rochedos") seja um dos terrenos que vêm sofrendo mais rapidamente os efeitos da erosão em todo o mundo, com dobras profundas e penhascos denteados à beira-mar, de 914m de altitude. Ali não há estradas, porém existem trilhas que conduzem a magníficas praias e cavernas marinhas isoladas. Embora haja passeios de helicóptero, as melhores formas de se conhecer o fabuloso trecho de 24km de litoral de florestas densas que se esconde ao pé desses penhascos escarpados são o bote inflável, os caiaques e (para caminhantes experientes) a cansativa trilha Kalalau.

O Princeville Resort é uma das maiores e mais irresistíveis áreas destinadas ao golfe no estado, com dois campos projetados por Robert Trent Jones Jr.: o Makai Course, com três circuitos de 9 buracos, e o Prince Course, de 18 buracos, considerado o número um do Havaí pela revista *Golf Digest*. Instalado em níveis que vão baixando até à escarpa à beiramar, o campo é tão bonito quanto os penhascos e a baía Hanalei que dele se descortinam.

Kauai diz possuir as mais belas praias do arquipélago. A melhor e mais conhecida é a de Hanalei, com 3,2km, o centro do surfe em Kauai. Foi ali que Mitzi Gaynor jurou esquecer Rossano Brazzi no clássico musical *Ao sul do Pacífico*, de 1957, e essa também é a terra encantada onde Puff, o Dragão Mágico se divertia em meio aos nevoeiros do outono. No coração da costa sul, a praia de Poipu é outro recanto célebre por sua beleza, pelos locais de mergulho e por sedutores resorts, como o Hyatt Regency Kauai Resort and Spa, que tem 20ha de paisagismo exuberante, instalação ambientalmente correta, spa a céu aberto e campo de golfe assinado por Robert Trent Jones Jr. A pouca distância, Kapaa, a maior cidade da ilha, com 5.000 habitantes, é outra praia irresistível da Royal Coconut Coast.

Os penhascos de Na Pali atingem 914m acima do nível do mar.

Waimea, mais conhecida como o lugar onde em 1778 o navegador britânico James Cook lançou âncora pela primeira vez no Havaí, é uma cidade que também merece uma visita. Localizada na entrada do cânion de Waimea, de 22km, foi chamada por Mark Twain de "Grand Canyon do Pacífico". Dos mirantes se pode ver todo o vale, de 3,6km de largura e 900m de profundidade, colorido de ocre, ferrugem e âmbar. A única opção de hospedagem digna de nota na costa oeste é a Waimea Plantation Cottages, um conjunto de 50 casas de trabalhadores do começo do século XIX restauradas e reposicionadas em meio a um lindo coqueiral à beiramar. A atmosfera de fazenda antiga que as envolve (a cana-de-açúcar ainda é um dos principais produtos agrícolas da ilha) faz com que conservem o aspecto de residências.

O monte Waialeale fica bem no centro dessa ilha quase redonda. Seu cume, de 1.569m, sempre coberto de nuvens, é considerado um dos lugares mais úmidos do mundo, com índice pluviométrico médio anual de 11.277mm. No restante de Kauai a precipitação é muito menor (partes de sua região recebem apenas 980mm por ano), embora em média chova mais ali do que no resto do estado. Por causa disso, a ilha é conhecida no arquipélago como o lugar onde nasce o arco-íris. O manto de flores e plantas de estufa que a cobre mais parece um grande jardim botânico, e foi por esse motivo que ela ganhou o apelido de "ilha Jardim".

O QUE: ilha, hotel. **KAUAI:** 160km a noroeste e a 30 minutos de vôo de Honolulu. Vôos diários e diretos de Los Angeles. Bureau de Visitantes de Kauai; tel. (1) 800-262-1400 e (1) 808-245-3971; fax (1) 808-246-9235; www.kauaidiscovery.com. **PRINCEVILLE RESORT:** tel. (1) 800-826-4400 e (1) 808-826-9644; www.princeville.com. *Quanto*: duplos a partir de U$405. **HYATT REGENCY KAUAI RESORT AND SPA:** Poipu Road, 1.571. Tel. (1) 800-55-HYATT e (1) 808-742-1234; fax (1) 808-742-1557; info@kauaipo.hyatt.com; www.kauai.hyatt.com. *Quanto*: duplos a partir de U$395. **WAIMEA PLANTATION COTTAGES:** tel. (1) 800-992-4632 e (1) 808-338-1625; fax (1) 808-338-2338; www.waimea-plantation.com. *Quanto*: chalés de frente para o mar a partir de U$235. **MELHOR ÉPOCA:** meados de Set. para o Festival de Aloha e o Festival Kauai Mokihana, com competições de hula-hula.

O destino preferido dos apreciadores de ilhas e golfe

MAUI

Havaí, Estados Unidos

Quem não concorda com o ditado local *Maui no ka oi* ("Maui é o máximo")? Conhecida também como Valley Isle ("ilha Vale"), seu nome provém do semideus polinésio que, após ter retirado do mar todas as ilhas do Havaí, decidiu fazer dessa – a mais bonita de todas elas – o seu lar. Nada supera a visão do imenso monte Haleakala (Casa do Sol), de 3.055m de altitude, nem as vistas que ele proporciona. Esse vulcão adormecido tem a maior cratera do mundo – tão grande que poderia conter a ilha de Manhattan. Uma tradição obrigatória a ser seguida pelos visitantes é subir até seu pico às 3h para ver o nascer do sol ("O espetáculo mais sublime que eu já presenciei", disse Mark Twain) e depois descer de bicicleta os 61km de ziguezagues da Haleakala Crater Road, passando por três zonas climáticas diferentes. Num dia claro há inspiradoras vistas das plantações de cana-de-açúcar e abacaxi da ilha, de parte de seus célebres 67km de praias e de quatro ilhas vizinhas – Molokai, Lanai, Kahoolawe e Hawaii. Ao largo da costa sudoeste, você verá também algumas das baleias jubartes do Pacífico Norte que vão aos milhares a essas águas ricas em algas para acasalar e dar cria depois de passarem o verão no Alasca – a maior concentração do gênero em todo o mundo.

Além de seguir pela Haleakala Crater Road para chegar ao topo do monte, outro conhecido programa rodoviário da ilha (e um dos mais pitorescos do Pacífico) é a estreita e sinuosa "rodovia" Hana, no exuberante e isolado litoral nordeste. Segundo estimativas não oficiais, ela tem 617 curvas, 54 pontes com passagem para um só veículo, dezenas de cachoeiras e numerosos panoramas. Partindo da antiga e calma cidade canavieira de Paia (que, assim como a praia vizinha de Hookipa, se tornou mundialmente célebre pelo windsurfe e o kitesurfe), são necessárias de duas a três horas para subir e descer antes de chegar à estrada de 80km até à tradicional e tranqüila Hana, cidade natal de uma grande porcentagem de havaianos e reduto da cultura local. O lugar não tem nada de extraordinário, salvo o inigualável e recém-reformado Hotel Hana-Mui, o refúgio mais exclusivo da ilha, criado em 1946 por um empresário norte-americano e hoje associado ao famoso Post

Ranch Inn, da Califórnia. Instalados em 26ha de terreno da encosta que desce até o litoral escarpado, os chalés do Hana-Mui ficam a uma caminhada de distância de duas lindas praias, a de Hamoa Bay, orlada de palmeiras, e a de Kaihalulu, a única praia vulcânica de areias vermelhas em todo o Pacífico.

De norte a sul da abençoada costa ocidental de Maui há campos de golfe de classe internacional. O Kapalua encerra cinco angras e é margeado por uma plantação de abacaxis, o Kaanapali é o maior e mais antigo e o Wailea, o mais ostentoso, com magníficas vistas das ilhas-irmãs de Maui. O Makena é o promotor do Hawaii State Open. Se tivessem que escolher, os profissionais provavelmente ficariam com o Plantation (o mais novo dos três campos do Kapalua) e o Gold Course (a menina-dos-olhos dos três que pertencem ao Wailea). Hospedando-se em qualquer um dos três melhores hotéis da região, você poderá jogar em todos eles. O Grand Wailea Resort Hotel & Spa possui 780 quartos, um luxuoso spa de 4.600m² e um impressionante parque aquático com cachoeiras, corredeiras, escorregas e nove piscinas – uma escolha ideal para apreciadores de spa que viajam com os filhos. Apenas ligeiramente menor, o classicamente elegante Ritz-Carlton Kapalua oferece 548 quartos e serviço impecável em meio a um esplendoroso cenário de fazenda histórica. No Four Seasons Resort Maui at Wailea há serviço de primeira qualidade e restaurantes de alta classe, entre os quais o Spago.

Na costa oeste de Maui fica também a pitoresca aldeia baleeira de Lahaina, do século XIX, hoje o principal núcleo de excursões para ver as baleias que os moradores locais tentavam pescar no passado. Antiga sede da Coroa, Lahaina é hoje uma cidade deliciosa de se percorrer a pé, com casas vitorianas restauradas que abrigam galerias de arte, cafés da moda, restaurantes, além de um grande número de lojas de souvenirs. No Old Laiana Luau, a tradicional hula-hula e a autêntica comida havaiana são experiências que você não terá em Waikiki.

O QUE: ilha, hotel, restaurante. **MAUI:** a 25 minutos de vôo de Honolulu. Bureau de Visitantes de Maui: tel. (1) 800-525-6284 e (1) 808-244-3530; fax (1) 808-244-1337; www.visitmaui.com. **HOTEL HANA-MAUI:** Hana. Tel. (1) 800-321-HANA e (1) 808-248-8211; fax (1) 808-248-7202; reservations@hotelhanamaui.com; www.hotelhanamaui.com. *Quanto*: duplos a partir de U$295. **GRAND WAILEA RESORT HOTEL & SPA:** Wailea. Tel. (1) 800-888-6100 e (1) 808-875-1234; fax (1) 808-874-2442; www.grandwailea.com. *Quanto*: duplos a partir de U$465. **RITZ-CARLTON KAPALUA:** Kapalua. Tel. (1) 800-262-8440; fax (1) 808-669-1566; www.ritzcarlton.com. **FOUR SEASONS RESORT MAUI AT WAILEA:** tel. (1) 800-332-3442 e (1) 808-874-8000; fax (1) 808-874-2222; www.fourseasons.com/maui. **OLD LAHAINA LUAU:** Front Street, 1.251, Lahaina. Tel. (1) 800-248-5828 e (1) 808-667-1998; www.oldlahainaluau.com. *Quanto*: U$78. **MELHOR ÉPOCA:** Jun. para tempo mais ensolarado e seco; Nov.–Jun. para ver baleias (auge Jan.–Mar.)

Waikiki e muito mais

OAHU

Havaí, Estados Unidos

Oahu significa "lugar de reunião". Dos tempos em que a realeza havaiana escolheu a praia de Waikiki para construir suas primeiras modestas casas até meados do século XX, quando Pearl Harbor se tornou a base da frota dos Estados Unidos no Pacífico, e daí até hoje, época em que seus 4km de areia fazem de Waikiki uma das praias urbanas mais conhecidas do mundo, Oahu é um verdadeiro ímã. Kalakaua, o último rei do Havaí, governou ali no Palácio Iolani, a única residência real em território norte-americano. Depois da Segunda Guerra Mundial, os construtores tomaram cada centímetro da então desabitada Waikiki, o que resultou na atual cornucópia de balneários tropicais um ao lado do outro. Tendo ao fundo o espetacular cenário da montanha Diamond Head, o mais célebre marco do Havaí, a praia é notória pelo surfe em ondas pequenas e como ponto de observação de pessoas das mais diferentes nacionalidades.

Íntimo e suntuoso, desde 1917 um oásis de elegância, o Halekulani (Casa Digna do Céu) é o principal hotel do arquipélago havaiano e um dos melhores dos Estados Unidos. Para o jantar mais romântico (e caro) da cidade, vá ao La Mer, seu restaurante de classe internacional, cujo soberbo preparo do peixe fresco com ingredientes da ilha constitui uma reinterpretação dos princípios clássicos da cozinha francesa. Menos formal, o salão de jantar Orchids, junto ao saguão, é provavelmente o melhor da cidade, com um brunch aos domingos que atrai tanto famílias havaianas quanto visitantes com os mais de 200 deliciosos pratos servido no bufê. À beira da praia, o restaurante House Without a Key, do hotel, é há muito um concorrido ponto de encontro para assistir ao pôr-do-sol – na maior parte das noites, o trio Islanders toca e canta canções tradicionais havaianas, como *Hilo Hattie,* embaixo de uma árvore *kiawe* centenária, acompanhado de uma hipnótica dançarina de hula-hula.

Um charme de tempos passados é o Royal Hawaiian, o "Palácio Cor-de-Rosa do Pacífico", uma verdadeira instituição local, fundada em 1927. Ele ocupou o mais largo trecho de praia em Waikiki e hoje permanece fiel à sua época, embora cuidadosamente atualizado. Seu bar junto à praia serve o melhor *mai tai* (aperitivo típico) da cidade, e o luau das segundas-feiras já é um clássico.

Honolulu é a essência de Oahu. Sua fartura de restaurantes revela a excitante diversidade étnica local e seu papel de encruzilhada do Pacífico. O Alan Wong's, santuário da cozinha regional havaiana, é um lugar que não tem nada de extraordinário, exceto ser o palco onde o mais original dos profissionais do circuito gastronômico da cidade exibe sua magia com ingredientes nativos. Outro chef maravilhoso é Roy Yamaguchi, a maior história de sucesso do Havaí: a rede de restaurantes que leva seu nome estende-se de Guam a Pebble Beach. Alguns desses estabelecimentos talvez estejam fora do padrão, mas a matriz – movimentada, barulhenta e divertida – nunca deixou a desejar desde a sua inauguração em 1988. Há também o despretensioso Ono Hawaiian Foods, um conhecido bar local que serve pratos de que você nunca ouviu falar – de porco *kalua* (assado num buraco cavado na terra) enrolado em folhas de *laulau* (inhame) ao pudim de *haupia*, feito com leite de coco –, além, é claro, do favorito havaiano da época da guerra: Spam (carne enlatada).

Em Oahu Ocidental, a 40 minutos e a anos-luz de distância do burburinho de Waikiki, o Ihilani Resort and Spa mostra por que é o melhor refúgio do barulho da cidade grande, com numerosas comodidades cinco estrelas, um spa inspirado em ancestrais terapias havaianas, cenário à beira-mar e poentes espetaculares – para não falar do associado Ko-Olina Golf Club, um dos melhores de Oahu.

Se Honolulu o faz recordar que Oahu é a ilha mais densamente habitada do Havaí (quase 10 vezes mais do que Maui), o U.S.S. Arizona Memorial lembra a você o lugar dessa cidade na história do século XX. Mas Oahu pode também significar praias desertas, rochedos pontiagudos (*pali*) e vegetação exuberante a poucos minutos de Honolulu. Os surfistas são unânimes em dizer que as ondas gigantes da lendária North Shore, que vai de Haleiwa a Kahuku (incluindo Waimea Bay, Sunset Beach e Banzai Pipeline), são garantia do melhor surfe do mundo durante os meses de "inverno", de novembro a março. As ondas diminuem substancialmente no verão. Para esportes menos radicais, vá a Hanauma Bay (baía Curva), uma linda praia cheia de palmeiras que proporciona o melhor mergulho com snorkel de todas as ilhas do Havaí. (Dica: chegue cedo.) Com suas águas azul-turquesa e areia branca finíssima, para não falar dos cenários deslumbrantes da Rodovia Kalanianaole, que envolve os penhascos, a idílica Lanikai, um pitoresco passeio de 20 minutos a partir de Honolulu, e sua vizinha Kailua (ponto de surfe de classe internacional) estão cotadas entre as melhores praias dos Estados Unidos.

O QUE: ilha, hotel, restaurante, experiência. **OAHU:** Honolulu fica a cerca de 5 horas de avião da costa oeste dos Estados Unidos. Bureau de Visitantes de Oahu; tel. (1) 877-525-6248; www.visit-oahu.com. **HALEKULANI:** Kalia Road, 2.199. Tel. (1) 800-367-2343 e (1) 808-923-2311; www.halekulani.com. *Quanto*: duplos com vista para o mar a partir de U$440. Jantar no La Mer U$45; jantar no Orchids U$40; brunch de Dom. no Orchids U$38. **ROYAL HAWAIIAN:** Kalakaua Avenue, 2.259. Tel. (1) 800-782-9488 e (1) 808-923-7311; www.royal-hawaiian.com. *Quanto*: duplos com vista para o mar a partir de U$565. **ALAN WONG'S:** South King Street, 1.857. Tel. (1) 808-949-2526. *Quanto*: jantar U$53. **ROY'S:** Kalanianaole Highway, 6.600, Hawaii Kai (13km a leste de Waikiki). Tel. (1) 808-396-7697. *Quanto*: jantar U$35. **ONO HAWAIIAN FOODS:** Kapahulu Avenue, 726. Tel. (1) 808-737-2275. *Quanto*: almoço U$10. *Quando*: fechado Dom. **IHILANI RESORT AND SPA:** KoOlina. Tel. (1) 800-626-4446 e (1) 808-679-0079; www.ihilani.com. *Quanto*: duplos a partir de U$355. **MELHOR ÉPOCA:** os maiores festivais de hula-hula são o King Kamehameha Hula Competition (Jun.) e o Prince Lot Hula Festival (Jul.); o Aloha Festival (em Oahu, meados–fim de Set.); Triple Crown Pro-Surfing Championship (Nov.–Dez.) em Sunset Beach; Dez.–Fev. é a estação das chuvas.

A maior aventura em rio nos Estados Unidos

O MIDDLE FORK DO RIO SALMON

Stanley, Idaho, Estados Unidos

"O que importa é a jornada, não o destino", escreveu Montaigne, máxima que vale para a descida do Middle Fork, um agitado braço do rio Salmon com 160km de extensão e 100 corredeiras – pura adrenalina em meio a 52.000km² de terras selvagens em Idaho, a maior área sob proteção federal no território continental dos Estados Unidos. Ao lado do rafting no Grand Canyon, essa é a maior aventura em rio no país. Poderosas corredeiras de nível quatro a cinco levam você por espetaculares gargantas rochosas, passando por praias arenosas ótimas para pernoitar acampado e por fontes termais naturais que são uma bênção para seu corpo moído. Ursos, lontras, cabritos monteses, alces e grandes aves de rapina são comuns. Os praticantes de rafting podem fazer também soberbas pescarias – as decantadas águas cristalinas de Idaho são ricas em vários tipos de trutas. Mas o astro principal é o próprio rio Salmon, o maior e mais cenográfico do estado, ainda preservado, chamado de rio do Não Retorno pelos exploradores Lewis e Clark por ser de difícil transposição.

Como Idaho tem 5.000km de corredeiras – mais do que qualquer outro estado no território continental dos Estados Unidos –, muitos fornecedores de equipamentos para rafting organizam excursões de primeira classe ao Middle Fork. A maioria promove também passeios ao Hells Canyon (a mais profunda ravina na América do Norte, superando até o Grand Canyon), no rio Snake e no rio Salmon, com suas divertidas corredeiras de nível três. Entre as melhores empresas que realizam excursões ao Middle Fork, poucas são tão experientes quanto a Rocky Mountain River Tours, administrada desde 1978 por Dave e Sheila Mills. Tem histórico impecável, emprega os melhores guias e oferece refeições inacreditavelmente fartas e de excelente qualidade, incluindo jantares sob um manto de estrelas brilhantes à luz de fogueiras.

O QUE: experiência, lugar. **ONDE:** o ponto de partida fica a 70km de Stanley e 210km a nordeste de Boise, o aeroporto mais próximo. **COMO:** Rocky Mountain River Tours; tel. (1) 208-345-2400 (telefone de verão 1/208-756-4808); dave@rafttrips.com; www.rockymountainrivertours.com. **QUANTO:** excursões de no mínimo 4 dias U$995 por pessoa, tudo incluído, com recepção em Stanley; oferecem-se excursões de 5 e 6 dias. **QUANDO:** excursões fim de Mai.–Set. **MELHOR ÉPOCA:** Mai. e Jun. para quem busca emoção; Jul. para tempo bom e excelentes corredeiras; Ago. para boas corredeiras e tempo mais quente; Set. para corredeiras calmas e divertidas e melhor pescaria.

O crepúsculo às margens do rio Salmon.

A rainha das Rochosas: a mais tradicional estação de esqui do país

SUN VALLEY RESORT

Sun Valley, Idaho, Estados Unidos

Antes de Vail, Aspen e Telluride, havia Sun Valley, a primeira estação de esqui dos Estados Unidos, criada em 1936 pelo estadista Averell Harriman e ainda hoje considerada a melhor dos Estados Unidos. Então presidente do conselho diretor da Union Pacific Railroad, Harriman fez o resort com o objetivo de ocupar seus trens durante os meses de inverno. Para incentivar estadas mais longas, acrescentou ao conjunto uma luxuosa pousada: a Sun Valley Lodge. Desde a inauguração, o resort passou a atrair uma multidão de celebridades (a atriz Norma Shearer casou-se ali com seu instrutor de esqui), uma vez que as escarpadas montanhas Sawtooth (com 42 picos de no mínimo 3.000m de altitude) atendiam facilmente suas exigências sempre que os Alpes lhes pareciam muito distantes para um único fim de semana. Hoje, os famosos chegam em jatinhos particulares a essa estação onde os mais velozes teleféricos e os maiores sistemas de neve artificial do mundo se estabeleceram no lugar das primeiras cadeiras teleféricas (preço na época: 25cents). Mas o índice de 80% de dias de sol e o clima descontraído de cidade pequena permanecem os mesmos, permitindo a Sun Valley conservar seu status de número um entre as estações de esqui do país. Sua principal montanha, um pico de classe internacional afetuosamente chamado pelo diminutivo Baldy (Carequinha), tem uma descida vertical de 1.036m; de suas 65 pistas de esqui, 45% são de nível intermediário. A região oferece também o melhor esqui nórdico/*cross country* dos Estados Unidos e é igualmente popular como lugar de diversão no verão.

Boa parte da ação pós-esqui acontece a poucos quilômetros, na antiga cidade mineira de Ketchum, que apareceu no mapa pela primeira vez quando Ernest Hemingway ali se estabeleceu em 1939. Seu amor pela região ajudou a promover as excelentes pescarias, caçadas, caminhadas e passeios a cavalo que o vale Big Wood River propicia nos meses de verão. Papa, como o escritor era carinhosamente chamado, continua presente ali: além de ter sido sepultado nesse lugar em 1961, seu espírito permanece no histórico e elegante Pioneer Saloon, o lugar onde ainda se come a melhor costela com batatas de Idaho.

O Que: lugar, experiência, cidade, hotel, restaurante. **Sun Valley:** 160km a leste de Boise, 480km ao norte de Salt Lake City; o aeroporto mais próximo fica 18km ao sul, em Hailey. Informações sobre esqui: tel. (1) 800-786-8259; www.sunvalley.com. *Quando*: temporada de esqui do fim de Nov.–Abr. **Sun Valley Lodge:** tel. (1) 800-786-8259 e (1) 208-622-4111; fax (1) 208-622-2030; reservations@sunvalley.com; *Quanto*: duplos a partir de U$89 (baixa temporada) e U$129 (alta temporada). **Pioneer Saloon:** North Main Street, 308, Ketchum. Tel. (1) 208-726-3139; fax (1) 208-726-5367; www.pioneersaloon.com. *Quanto*: jantar U$20. **Melhor Época:** Fev.–Mar. para esquiar.

Aninhado ao pé da montanha Bald, um dos muitos restaurantes do resort.

Um notável guardião de obras-primas

Instituto de Arte de Chicago

Illinois, Estados Unidos

Chicago, a cidade norte-americana por excelência, é merecidamente a sede de uma das principais instituições de arte dos Estados Unidos, detentora de um dos maiores acervos do mundo – mais de 225.000 peças distribuídas em 10 seções, com exibição de qualidade primorosa. Duas das mais importantes obras da pintura nacional estão ali: *American Gothic* (Gótico americano), de Grant Wood (seu dentista posou como o fazendeiro que segura o forcado, e sua irmã como a filha solteirona ao lado), e *Nighthawks* (Falcões noturnos), célebre cena pintada por Edward Hooper. A coleção surrealista que inclui *Tempo transfixado*, de Magritte, é de nível internacional, mas o renome do museu provavelmente se deve mais ao seu acervo de pintura impressionista e pós-impressionista francesa, cuja qualidade não é superada por nenhuma outra coleção norte-americana. Ela inclui peças célebres, como a obra-prima pontilhista *Um domingo à tarde na ilha La Grande Jatte – 1884*, de Seurat, e uma série de *Montes de trigo*, de Monet (antes chamados *Montes de feno*; seis deles permanecem em exibição a maior parte do tempo). As filas de estudantes e o silêncio dos visitantes que apreciam esses trabalhos testemunham o amor da cidade por essa casa, cujo quadro de associados é o maior de todos os museus de arte dos Estados Unidos. Seu centenário edifício em estilo renascentista é um dos muitos motivos que dão a Chicago o status de capital mundial da arquitetura dos séculos XIX e XX. Para fechar a visita com chave de ouro, conheça a impressionante loja do museu e dê uma parada sem pressa no Garden Restaurant, ao ar livre (aberto de junho a setembro), ou então jante no elegante Restaurant on the Park, junto ao verdejante Grant Park, uma das mais belas áreas públicas locais.

American Gothic, *de Grant Wood.*

O QUE: lugar. **ONDE:** South Michigan Avenue, esquina com Adams Street. Tel. (1) 312-443-3600; www.artic.edu. *Quanto*: doação recomendada U$10; Ter. ingresso gratuito. **MELHOR ÉPOCA:** Ter. aberto até às 20h.

No topo da cadeia alimentar

CHARLIE TROTTER'S

Chicago, Illinois, Estados Unidos

Será Charlie Trotter o maior chef dos Estados Unidos? Os gourmets atropelam-se para descobrir, tornando a reserva para uma das 28 mesas de seu restaurante o bilhete mais disputado de Chicago. Conhecido pela apresentação artística, criativa e sempre renovada da moderna cozinha norte-americana, bem como por seu lendário tratamento dos vegetais, Trotter se notabilizou por suas requintadas e complexas mesclas de ingredientes da mais alta qualidade, combinados de formas nunca antes imaginadas pelo cliente comum. Não se trata simplesmente de comida, mas de arte. Dos três menus fixos que mudam a cada noite, os mais célebres são os cardápios-degustação de 8 a 10 pratos, tão requintados quanto quaisquer outros detalhes dessa casa imponente e

Charlie Trotter sugere que você se programe para três horas de experiência gastronômica.

sobriamente elegante de Lincoln Park, onde mais de 40 motivos chineses prendem a atenção do cliente. Não menos notável é a extensa carta de vinhos – concebida com todo o cuidado, é considerada uma das melhores do país. A mesa mais cobiçada do restaurante (com uma lista de espera de até quatro meses) é a da cozinha, de onde se pode observar Trotter em ação. Foi ali que o rei sueco Karl Gustaf XVI (ele próprio aspirante a chef por diversão) jantou certa noite; mais tarde, convidou Trotter para compartilhar alguns de seus segredos culinários – de monarca para monarca.

O QUE: restaurante. **ONDE:** West Armitage Avenue, 816. Tel. (1) 773-248-6228; fax (1) 773-248-6088; info@charlietrotters.com; www.charlietrotters.com. **QUANTO:** cardápio-degustação especial U$125, cardápio-degustação de vegetais U$100, cardápio-degustação da mesa da cozinha U$175. **QUANDO:** aberto Ter.–Sáb., somente para jantar. Aceitam-se reservas com 4 meses de antecedência.

Música norte-americana por excelência na mais norte-americana das cidades

CIRCUITO DO BLUES DE CHICAGO

Illinois, Estados Unidos

Depois de Nova York, Chicago é a mais importante capital cultural dos Estados Unidos – e é a música que vem sempre à mente como sua principal contribuição. A Orquestra Sinfônica de Chicago é uma das maiores instituições culturais do país (uma experiência fantástica, seja em sua sede tradicional, seja no Ravinia Festival, em North Shore, no verão). O Festival de Jazz de Chicago, por sua vez, atrai multidões todo mês de agosto. Mas a música da qual a cidade é praticamente inseparável desde a década de 1930 é o blues, uma das formas de arte mais verdadeiramente norte-americanas.

O Festival de Blues de Chicago atrai mais de meio milhão de pessoas.

Mistura de tradições musicais africanas e européias, nascido e criado no sul na época da escravidão, o blues chegou ao norte com a migração afro-americana. Saiu do delta do Mississippi agrícola para a dureza das ruas do South Side de Chicago, onde se eletrificou, transformando-se na música caracteristicamente urbana que floresceu ao longo da década de 1950. Sua estrela declinou com o advento da Motown e do rock'n'roll, mas ele está outra vez em ascensão. O público que lota os clubes de blues da cidade transcende etnias e gerações.

Todo mês de maio (ou início de junho), os shows do Festival de Blues de Chicago são realizados em seis palcos diferentes no Grant Park, à beira do lago, onde os fãs podem apreciar uma vista deslumbrante dos decantados contornos dos edifícios contra o céu da cidade. É o maior festival de blues dos Estados Unidos, com mais de 70 apresentações que atraem pessoas do mundo inteiro. Quem tem nome com certeza já tocou nesse evento, como Ray Charles, B. B. King, Shirley King, Stevie Ray Vaughn e Ruth Brown.

Mas não é preciso esperar o festival para ouvir blues de primeira qualidade em Chicago. Em qualquer época do ano se pode ir ao South Side, o lugar onde tudo começou – com algumas exceções, ali ainda se encontram os melhores clubes de blues. Além do Buddy Guy's Legends, no Loop sul, onde o lendário Buddy Guy (considerado por Eric Clapton o maior guitarrista vivo) se apresenta ocasionalmente, há muitas outras casas do gênero em South Side com artistas que valem a viagem até essa área barra-pesada.

O QUE: experiência, evento. **FESTIVAL DE BLUES DE CHICAGO:** Grant Park. Informações: tel. (1) 312-744-3315; www.cityofchicago.org/specialevent. *Quanto*: ingresso gratuito. *Quando*: 4 dias no fim de Mai. ou início de Jun. **FESTIVAL DE JAZZ DE CHICAGO:** Grant Park. Informações, telefone e site acima. *Quanto:* ingresso gratuito. *Quando*: fim de semana do Dia do Trabalho (1.ª Seg. de Set.). **BUDDY GUY'S LEGENDS:** South Wabash Avenue, 754. Tel. (1) 312-427-0333; www.buddyguys.com.

Oak Park: um museu vivo da prairie school

CIRCUITO FRANK LLOYD WRIGHT

Chicago, Illinois, Estados Unidos

Chicago está para a arquitetura do final do século XIX/século XX assim como Paris está para a culinária e Florença para a arte renascentista. De Louis Sullivan a Mies van der Rohe, o centro da cidade é uma cronologia completa das forças seminais do período. Mas você precisa ir até o subúrbio de Oak Park para dar uma olhada no conjunto das primeiras obras de Frank Lloyd Wright, o jovem autodidata que fundou a escola de arquitetura conhecida como *prairie school*. Tirando sua inspiração da linha horizontal das Grandes Planícies, Wright tornou-se o mais ilustre arquiteto dos Estados Unidos – e talvez o maior do mundo (como ele próprio afirmou certa vez numa entrevista). Subúrbio nada prosaico, Oak Park reflete a genialidade de Wright em cerca de 25 residências particulares e edifícios projetados ou reformados por ele entre 1889 e 1913. Juntas, essas construções (e outras mais no subúrbio vizinho de River Forest) já

A residência e estúdio de Frank Lloyd Wright.

indicavam o que o jovem mestre iria se tornar.

A maioria dessas obras – inclusive a extraordinária Moore-Dugal Home (Forest Avenue, 333), de 1895, a residência projetada por Wright mais conhecida em todo o mundo – é hoje propriedade particular de simpáticos aficionados por esse arquiteto que as mantêm em ótimo estado. Embora não costumem ser abertas ao público (exceto durante o Circuito Wright Plus, em meados de maio), elas proporcionam prazer suficiente para quem as observa de fora. Se você quiser conhecer os interiores, há duas opções: a Frank Lloyd Wright Home and Studio (casa e estúdio do arquiteto) e o Unity Temple. Em 1889, aos 23 anos de idade, o recém-casado Wright construiu sua própria casa em Oak Park. Nos anos seguintes, ela se tornaria seu laboratório de projetos, campo de prova, obra viva e lar da sua primeira família, que logo incluiria seis filhos. Wright também projetou a maior parte da mobília, portanto a visita promete muitos vislumbres de como funcionava essa mente notável. Ele mesmo acreditava que sua obra-prima era o Unity Temple, de 1908, uma igreja paroquial unitarista da qual era membro. Chamava-a de sua "pequena jóia". Nas proximidades, a Cheney House lhe proporciona uma rara oportunidade de passar a noite num edifício projetado por Wright. O projeto é de 1903-1904, mas uma data mais significativa talvez seja 1909, quando o arquiteto fugiu para a Europa com a Sra. Cheney, provocando um dos maiores escândalos da época.

O QUE: lugar, hotel. **ONDE:** 16km a oeste do centro de Chicago. **FRANK LLOYD WRIGHT HOME AND STUDIO:** Chicago Avenue, 951, esquina com Forest Avenue. Tel. (1) 708-848-1976; flwpr@wrightplus.org; www.wrightplus.org. *Quanto*: ingresso U$9. *Quando*: visitas guiadas diariamente. **UNITY TEMPLE:** Lake Street, 875. Tel. (1) 708-848-6225; www.unitytemple.org. **CHENEY HOUSE:** North East Avenue, 520. Tel. (1) 708-524-2067; fax (1) 312-641-3418; airwaves61@aol.com; www.oakparknet.com. *Quanto*: suítes a partir de U$155. **COMO:** o Centro de Arquitetura de Chicago, na South Michigan Avenue, 224 (em frente ao Instituto de Arte), oferece mais de 65 roteiros do centro da cidade, inclusive os que destacam as obras de Wright em Oak Park. Tel. (1) 312-922-3432; www.architecture.org. *Quando*: roteiros a pé em Oak Park, Dom.; roteiros de ônibus em Oak Park, manhãs de Sáb. e Ter. **MELHOR ÉPOCA:** durante 1 semana em meados de Mai., o Circuito Wright Plus oferece acesso a uma série de residências particulares projetadas por Wright. Entre em contato com o Frank Lloyd Wright Preservation Trust. Tel. (1) 708-848-1976; www.wrightplus.org.

Um estilo de vida que segue lentamente

O Grande Leilão Amish

Shipshewana, Indiana, Estados Unidos

Cavalos e carruagens começam a chegar antes do amanhecer para o Leilão de Antiguidades e Miscelânea de Shipshewana – evento semanal realizado nesse vilarejo de 542 habitantes que é o coração de uma das maiores comunidades amish e menonita dos Estados Unidos. O leilão (e mercado) é uma atração tanto para quem quer ver os objetos à venda (por ali aparecem negociantes e pechincheiros de lugares distantes, como a Califórnia e Nova York) quanto para os que desejam observar as pessoas que saem das fazendas próximas para fazer compras. Fazendeiros com chapéus negros de abas largas e barbas como as descritas no Velho Testamento vão até lá arrematar ferramentas manuais, cerâmicas, utensílios de cozinha e até mesmo velhas máquinas de lavar. Desde que começou a ser realizado, em 1922, o leilão não pára de crescer. No Auction Barn, leiloeiros vendem valiosas antiguidades ao lado de objetos de coleção de valor duvidoso. Mas fique na área até sexta-feira para assistir ao Leilão de Cavalos e Pôneis.

Você pode conhecer de perto a região agrícola dos condados de Elkhart e LaGrange, onde vivem 17.000 amish, com um demorado passeio pelos 160km da trilha Heritage, que começa e termina na cidade de Elkhart. Em meio a pomares e fazendas intocados pelo tempo e sempre atrás de alguma vagarosa carruagem, os motoristas percorrem as estreitas estradas rurais da região orientados por CDs e cassetes disponíveis no Centro de Visitantes de Elkhart. É nessa paisagem serena que se aninha a Checkerberry Inn, uma acolhedora hospedaria com jeito de casa de fazenda que recebe os visitantes com estilo e simpatia. Todos os quartos são decorados com mobília rústica, às vezes francesa, de extremo bom gosto. Símbolos amish – chapéus de aba larga pendurados na parede e cobertas acolchoadas aqui e ali – lembram aos hóspedes onde eles estão. Portas francesas abrem-se para os 40ha da adorável fazenda, cuja despensa, abastecida com ingredientes frescos do campo, fez do restaurante da casa um dos favoritos dessa região.

Uma imagem comum no Amish Country, norte do estado de Indiana.

O QUE: evento, lugar, hotel, restaurante. **SHIPSHEWANA:** 210km a leste de Chicago, 240km ao norte de Indianápolis. O Centro de Visitantes de Elkhart County fica 35km a oeste de Shipshewana. Tel. (1) 800-860-5957; www.AmishCountry.org. **LEILÃO DE ANTIGUIDADES E MISCELÂNEA DE SHIPSHEWANA:** para informações, entre em contato com o Centro de Visitantes. *Quando:* sempre Qua., durante todo o ano; Mercado das Pulgas Ter.–Qua., Mai.–Out.; Leilão de Cavalos e Pôneis de Shipshewana, Sex. de manhã, o ano todo. **CHECKERBERRY INN:** County Road 37, Goshen. Tel. (1) 574-642-4445; www.checkerberryinn.com. *Quanto*: duplos a partir de U$125. Jantar U$30. *Quando*: jantar Ter.–Sáb. Fechado Jan. **MELHOR ÉPOCA:** evite o período de maior movimento fazendo sua visita na primavera, no início ou no fim do verão e no outono.

A melhor bebida fabricada nos Estados Unidos

CIRCUITO DO BOURBON

Bardstown, Kentucky, Estados Unidos

O precioso e inebriante bourbon, uma espécie de uísque destilado de milho nativo feito com água mineral local rica em calcário, é produzido quase que exclusivamente em nove destilarias de Kentucky (das 22 anteriores à Lei Seca). Quase 95% de todo o bourbon do mundo é produzido nesse estado. Cada marca tem seu próprio sabor e caráter, definidos principalmente pelos barris de carvalho-branco, novos e previamente queimados, onde envelhece por um mínimo de dois anos (a maioria delas é submetida a esse processo por pelo menos o dobro desse tempo). O renascimento do uísque na década de 1980 angariou para o bourbon uma nova onda de atenção e respeito. As reservas especiais, que têm de seis a oito anos e são em geral mais fortes do que a média, ajudaram muito a melhorar a imagem da bebida.

Sete das nove destilarias de Kentucky são abertas ao público. Bardstown é a capital "de fato" da região do bourbon. A Barton's e a Heaven Hill localizam-se na cidade, a Jim Beam fica 19km a oeste e a Maker's Mark, 27km ao sul (105km ao sul de Louisville). Esta última, a mais antiga destilaria em funcionamento nos Estados Unidos (fundada em 1805) e hoje um marco histórico nacional, está instalada numa área de 400ha de terras agrícolas. Seu produto só se tornou disponível em todo o país em 1982. As mundialmente conhecidas Wild Turkey e Four Roses situam-se 65km a leste de Bardstown, perto de Lawrenceburg. A Labrot & Graham, cujo elixir é elogiado por todos, de Mark Twain a Walt Whitman, foi fundada em 1812 perto de Versailles.

Os apreciadores do bourbon não podem deixar de ir ao Festival do Bourbon de Kentucky, um evento anual de cinco dias com música ao vivo, dança, circuitos históricos, provas, excelente comida (com várias especialidades regadas a bourbon, não apenas sobremesas) – e uma imensa dose da hospitalidade característica de Kentucky.

O QUE: experiência, evento. **CIRCUITO DAS DESTILARIAS:** para informações sobre as destilarias abertas ao público, entre em contato com o Escritório de Turismo de Bardstown; tel. (1) 800-638-4877 e (1) 502-348-4877; www.bardstowntourism.com. *Quando*: destilarias abertas para visitação diariamente, durante todo o ano. **FESTIVAL DO BOURBON DE KENTUCKY:** Bardstown. Tel. (1) 800-638-4877; www.kybourbonfestival.com. *Quando*: 3.ª semana de Set., com duração de 5 dias. **MELHOR ÉPOCA:** Set.–Out., especialmente durante o Festival do Bourbon.

A Labrot & Graham continua a destilar o bourbon em tradicionais alambiques de cobre.

A mais importante corrida de cavalos dos Estados Unidos

O DERBY DE KENTUCKY

Louisville, Kentucky, Estados Unidos

"O Derby de Kentucky, o que quer que seja – uma corrida, uma emoção, uma turbulência, uma explosão – é uma das coisas mais belas, violentas e prazerosas que eu já presenciei", escreveu o romancista John

Steinbeck. Classificado um tanto exageradamente como "os dois minutos mais espetaculares do esporte", o Derby de Kentucky é o mais antigo evento esportivo realizado ininterruptamente nos Estados Unidos e uma das mais conceituadas corridas de cavalos do mundo. Embora o início de suas competições date de 1789, o Churchill Downs de Louisville não foi oficialmente inaugurado até quase 100 anos depois (época em que o primeiro prêmio do páreo era de apenas U$1.000). Os 10 dias de festividades começam em meados de abril, a melhor época do ano no estado, quando ocorre a floração dos cornisos. A belíssima comemoração Thunder Over Louisville, maior queima anual de fogos do país, dá início ao evento, seguindo-se o Desfile Pégaso, a Grande Corrida de Balões de Ar Quente, concertos ao vivo e corridas de barcos a vapor, tudo regado a rios de *mint juleps*, uma bebida à base de uísque com açúcar, gelo moído e hortelã. Para participar de todas as atrações, os mais abonados veteranos do Derby hospedam-se no Seelbach Hotel desde a sua inauguração em 1905. F. Scott Fitzgerald ficou tão impressionado com a suntuosidade do lugar que decidiu ambientar ali uma cena de *O grande Gatsby*.

Os apreciadores de cavalos que não puderem assistir ao "Run for the Roses" (apelido dado ao Derby de Kentucky por Bill Corum, colunista esportivo que mais tarde se tornou presidente do Churchill Downs) podem curtir o "Dawn at the Downs" (descida matinal à pista de corrida) a partir do sábado anterior ao Derby e de segunda a quinta da mesma semana. A pista fica aberta ao público das 7h às 10h. Enquanto observam as celebridades eqüinas (e algum eventual competidor do Derby) fazendo seu treinamento, os visitantes se servem do bufê matinal à Kentucky. Se por acaso você perder a próxima temporada, poderá reviver a emoção das corridas passadas no Museu do Derby de Kentucky, onde as trajetórias de seus muitos campeões estão maravilhosamente documentadas.

O QUE: evento, hotel. **CHURCHILL DOWNS/DERBY DE KENTUCKY:** Central Avenue, 700, Louisville (145km a oeste de Lexington). Tel. (1) 502-636-4400; www.churchilldowns.com. *Quanto:* ingressos comuns para o Kentucky Derby, somente lugares em pé, vendidos no dia da corrida (sem acesso a áreas de assentos reservados), U$40; informe-se sobre reservas de lugares sentados. *Quando*: Derby no 1.º Sáb. de Mai. (pedidos de ingresso por escrito são recebidos entre Mai. e Set. do ano anterior). **SEELBACH HOTEL:** 4th Avenue, 500. Tel. (1) 800-333-3399 e (1) 502-585-3200; fax (1) 502-585-9239. *Quanto*: duplos U$115 (baixa temporada); preços para a semana do Derby a consultar. **MUSEU DO DERBY DE KENTUCKY:** em Churchill Downs. Tel. (1) 502-637-7097; www.derbymuseum.org. *Quanto:* ingresso U$8. *Quando*: aberto diariamente. **MELHOR ÉPOCA:** fim de Abr. e início de Mai. para o Derby, fim de Abr.–1.ª semana de Jul. para reuniões da primavera; última semana de Out. para reuniões de outono.

Uma mistura de prazeres na menos norte-americana das cidades norte-americanas

O BAIRRO FRANCÊS

Nova Orleans, Louisiana, Estados Unidos

"N'Awlins", como dizem os moradores locais, ou Big Easy, como também é chamada no país, é uma fascinante cidade cheia de contradições, uma mescla de estilos francês, espanhol, crioulo e sulista que combina à perfeição a decadência e a elegância, o conservadorismo sulista e a libertinagem expressa, a extroversão e o ritmo sonolento, a gentileza e o espalhafato. É difícil imaginar uma cidade mais impulsiva, sedutora (foi o lugar escolhido por Rhett Butler para passar a lua-de-mel com Scarlett O'Hara em *E o vento levou*) e com uma culinária tão apetitosa – seu circuito gastronômico é um dos mais notáveis dos Estados Unidos (veja em Circuito dos Restaurantes de Nova Orleans, abaixo) e a música está em toda parte.

A fartura dos prazeres de Nova Orleans se comprime nas animadas ruas que formam o Vieux Carré (Bairro Francês), o centro intensamente turístico mas também residencial da cidade, um compacto bairro de 90 quadras, onde as ruas foram pavimentadas com pedra por franceses e espanhóis na década de 1720. Edifícios históricos orgulhosamente desbotados dos séculos XVIII e XIX abrigam lojas chiques que exibem peças com qualidade de museu ao lado de outras que vendem patê de crocodilo e apetrechos de vodu, todas abertas o dia inteiro. Nas ruas, corre-se o risco de saturar os sentidos com músicos, mágicos, médiuns, esculturas humanas e sapateadores (com tampas de garrafas nos sapatos). A Jackson Square, junto ao rio Mississippi, é o epicentro do movimento – pode-se apreciar tudo de uma mesa ao ar livre do Café du Monde, no lado sombreado da praça, aberto 24 horas e célebre por seus *beignets* (biscoitos quadrados de massa frita, polvilhados de açúcar) e café com chicória, um curioso hábito adotado ali no tempo da Guerra Civil.

O QUE: lugar. **ONDE:** entre o rio Mississippi e a Rampart Street, no sentido norte, e da Esplanade Avenue à Canal Street, no sentido leste–oeste. A Jackson Square fica na Madison Street, entre a Decatur e a Chartres Street. O Café du Monde situa-se na Decatur, 800. Informações no site www.frenchquarter.com. **MELHOR ÉPOCA:** início da primavera para o Mardi Gras (o carnaval local); começo de Abr. para o French Quarter Festival, num fim de semana de 3 dias; fim de Abr. para o Jazz Fest – embora em quase todos os fins de semana do ano seja realizado algum tipo de festival. Os meses de tempo melhor são Fev. e Mar., Out. e Nov.

De botequins a palácios da alta gastronomia crioula

CIRCUITO DOS RESTAURANTES DE NOVA ORLEANS

Nova Orleans, Louisiana, Estados Unidos

Em Crescent City (um dos apelidos de Nova Orleans), a comida é uma religião. Esse é um lugar onde o mais simples boteco de bairro merece uma visita tanto quanto um restaurante chique tradicional. Emeril Lagasse (um emigrado de Massachusetts que adotou a Louisiana como terra natal) talvez tenha inflado a imagem gastronômica que a mídia vem fazendo da cidade nos últimos anos, mas com certeza ele não partiu do nada. Nova Orleans sempre esteve ombro a ombro com Nova York e São Francisco na lista dos melhores lugares dos Estados Unidos para os viajantes que apreciam a boa mesa.

Na cidade onde nasceu o jazz, o Jazz Brunch do Commander's Palace é uma tradição de fim de semana igualmente cultivada por moradores e turistas. Instalado numa casa vitoriana azul e branca do lendário Garden

District, o Commander's, com sua cozinha decididamente crioula, é a encarnação da cordialidade de Nova Orleans. Esteja você no Garden Room, o preferido da população local, ou à sombra do imenso carvalho do pátio, peça as especialidades da casa: sopa de tartaruga ao *sherry*, pescado tostado com cobertura de noz-pecã e o célebre suflê de pão ao molho bourbon, que evapora ao tocar na sua língua.

No Bairro Francês, jantar no Galatoire's é uma tradição de mais de meio século na cidade, embora sua política igualitarista de não aceitar reservas (para o salão principal somente) por vezes leve celebridades e visitantes a fazer fila na Bourbon Street – os homens sempre de jaqueta, não importa a temperatura, para atender à exigência de traje de época. No interior, a decoração elaborada com acessórios de cobre, espelhos reluzentes, madeira polida, pisos de cerâmica preta, branca e verde e uma dúzia de ventiladores de teto não mudou muito ao longo dos anos, assim como o cardápio. Garçons vestidos a rigor servem aperitivos do tipo Remoulade de Camarão e Ostras Rockefeller e entradas como as célebres Costeletas de Cordeiro Béarnaise, Truta Marguery e Pompano frito recém-pescado nas águas do golfo. A comida só é superada pelo espetáculo nas mesas, cujo ponto alto é o almoço da sexta-feira: todos bebem, batucam nas mesas e contam histórias. O *Happy Birthday* é cantado pelo menos uma vez em meio ao alarido de vozes e garrafas sendo abertas. Até os neófitos acabam aderindo ao espírito de confraternização e elegante decadência desses almoços prolongados.

Há momentos em que tudo o que se quer é evitar lugares chiques. Quando essa vontade é muito forte, o melhor a fazer é ir à Acme Oyster House, o mais venerado botequim da cidade desde a sua fundação, em 1910. Familiar e despretensioso, sempre cheio e animado, esse lugar é a garantia de uma noite de simplicidade em que freqüentadores, artistas e turistas se acotovelam à espera de comida boa e confiável, acompanhada das cervejas locais Dixie e Abita estupidamente geladas. Além das premiadas ostras frescas cruas e salgadas e dos *po'boys* (sanduíches) de ostra frita (preparados com pão francês bem crocante), há um cardápio completo de pratos típicos elaborados à perfeição, que inclui, entre outras atrações, o Gumbo Poopa (pão francês recheado com salsicha, acompanhado de *gumbo* de camarão e arroz), jambalaia crioula (arroz temperado servido com salsicha defumada e frango) e lagostim da estação *étouffée*. O imenso espelho atrás do balcão de mármore reflete todo o movimento de arregaçar as mangas e comer vorazmente as ostras, incluindo o trabalho dos cinco descascadores que abrem cerca de 5.000 delas por dia sem parar.

Entre os outros destaques sagrados para apreciadores da boa mesa estão o Mother's, próximo ao bairro francês, onde uma mordida no *po'boy* de frutos do mar fritos explica por que a fila costuma se estender porta afora. Administrado pelos proprietários Jerry e John Amato, esse restaurante de estilo caseiro está em funcionamento há mais de meio século. A desbotada e informal Napoleon House, outra grande pedida, serve uma *muffuletta* (sanduíche de salame com provolone e azeitonas no pão italiano) considerada a melhor da cidade. A fama de seu drinque Pimm's Cup também não pode ser ignorada. Há ainda o Nola, o bastião do próprio Emeril Lagasse; o Antoine's, altar-mor da tradição alta-cozinha; e o Bayona, com seu cardápio mais contemporâneo e internacional.

O QUE: restaurante. **COMMANDER'S PALACE:** Washington Avenue, 1.403. Tel. (1) 504-899-8221; www.commanderspalace.com. *Quanto*: brunch U$29, jantar U$40. *Quando*: jantar diariamente, almoço Seg.–Sex., brunch Sáb.–Dom. **GALATOIRE'S:** Bourbon Street, 209. Tel. (1) 504-525-2021; www.galatoires.com. *Quanto*: jantar U$45. *Quando*: almoço e jantar diariamente, exceto Seg. **ACME OYSTER HOUSE:** Iberville Street, 724. Tel. (1) 504-522-5973; www.acmeoyster.com. *Quanto*: 12 ostras em meia concha U$7, jantar U$15. *Quando*: almoço e jantar diariamente; servem-se ostras durante todo o ano.

Napoleon House: Chartres Street, 500. Tel. (1) 504-524-9752. *Quanto*: jantar U$30. *Quando*: almoço e jantar diariamente. **Nola:** St. Louis Street, 534. Tel. (1) 504-522-6652; www.emerils.com. *Quanto*: jantar U$35. *Quando*: almoço e jantar Seg.–Sáb., Dom. somente jantar. **Antoine's:** St. Louis Street, 713. Tel. (1) 504-581-4422; www.antoines.com. *Quanto*: jantar U$45. *Quando*: almoço e jantar Seg.–Sáb. **Bayona:** Dauphine Street, 430. Tel. (1) 504-525-4455; www.bayona.com. *Quanto*: jantar U$45. *Quando*: almoço e jantar Seg.–Sex., Sáb. somente jantar. **Mother's:** Poydras Street, 401. Tel. (1) 504-523-9656; www.mothersrestaurant.com. *Quanto*: *po'boys* U$6,50–U$11. **Melhor Época:** o ano todo, embora seja melhor comer ostras nos meses mais frescos (Out.–Mai.), quando elas são mais gordurosas e salgadas.

Deixa a diversão rolar

Mardi Gras

Nova Orleans, Louisiana, Estados Unidos

Mardi Gras seria o céu sem as multidões de foliões meio bêbados, mas também não seria Mardi Gras. Portanto, quem estiver com o espírito aberto à diversão deve se esbaldar na maior e mais divertida festa dos Estados Unidos. São meses de intensos preparativos dedicados à construção de esmerados carros alegóricos de dois e três andares e na confecção das fantasias. Toda essa atividade culmina nos 12 dias de desfiles movidos a bandas de música que antecedem o evento propriamente dito. (O Mardi Gras, que significa "terça-feira gorda" em francês, é a véspera da quarta-feira de cinzas, abertura dos 40 dias da Quaresma católica que termina no Domingo de Páscoa.) É o exuberante banquete de Nova Orleans, um estonteante entrelaçamento de suas centenárias raízes culturais caribenhas e européias, ao mesmo tempo um show comercial para atrair os dólares do turismo e uma respeitada tradição local em torno da qual os normalmente conservadores habitantes da cidade organizam seu ano. Essa festa é deles, mas o mundo inteiro está convidado.

Chegue cedo e garanta seu lugar ao longo do roteiro do desfile pela St. Charles Avenue e Canal Street, em meio ao mar de carnavalescos gritando "*Throw me something, mister!*" ("Jogue alguma coisa para mim, senhor!") – o mantra da festa que todo habitante de Nova Orleans aprende no colo da mãe. Toneladas de *throws* – moedas de plástico, bijuterias e colares baratos – são atiradas pelos foliões do alto dos carros alegóricos nos cerca de 50 desfiles que começam para valer duas semanas antes da terça-feira gorda. Os maiores e melhores – com os célebres carros alegóricos – têm início na terça-feira anterior a essa e são realizados dia e noite.

O Que: evento. **Onde:** informações tel. (1) 800-672-6124; www.mardigras.com; www.neworleanscvb.com. **Quando:** o Mardi Gras é um feriado móvel, ligado à Páscoa. A abertura oficial da temporada do carnaval ocorre na Décima Segunda Noite, ou Epifania, em 6 de janeiro. Há dezenas de bailes de máscaras noturnos até à terça-feira gorda, a maioria promovida por clubes privados ou *krewes*. É difícil, mas não impossível, conseguir ingressos para alguns deles. Para mais informações, entre em contato com o escritório de turismo local.

Uma singular união de música e cultura

O Jazz and Heritage Festival de Nova Orleans

Nova Orleans, Louisiana, Estados Unidos

O Jazz and Heritage Festival de Nova Orleans, uma das grandes festas anuais dos Estados Unidos, ultimamente vem sendo um páreo duro para o Mardi Gras. Durante 10 dias, 4.000 músicos em 11 palcos realizam esplêndidas apresentações de jazz, música cajun e latina, zydeco, R & B, country e western, rock, gospel e ritmos afro-caribenhos – em meio ao incansável desfile das exuberantes bandas de metais. Os astros do jazz e do soul, entre os quais artistas de Nova Orleans, como Wynton Marsalis, Harry Connick Jr. e os Neville Brothers, não poderiam faltar a essa festança. Nem você. E o palco é dividido pelo que há de melhor na tradição culinária de Nova Orleans – de *po'boys* (sanduíches) de camarão, lagostim e jacaré picante à jambalaia. Sobremesa? Experimente as incontáveis variantes de pralinas, tortas de noz-pecã e pães de batata-doce.

Uma apresentação de blues acústico contribui para a riqueza de sons do Festival de Jazz de Nova Orleans.

O QUE: evento. **ONDE:** Fair Grounds Race Track. Informações tel. (1) 504-522-4786; www.nojazzfest.com. **QUANTO:** ingressos U$18 com antecedência, U$25 na bilheteria, com direito a 1 dia na Heritage Fair; os preços para os concertos da noite variam. **QUANDO:** 10 dias começando no fim de Abr.

A natureza selvagem da ilha de Mount Desert

Parque Nacional de Acadia

Maine, Estados Unidos

A ilha de Mount Desert é o tesouro nacional do Maine: são 450km² de caminhadas, vistas panorâmicas, pousadas e lugares onde comer, tão cativantes hoje quanto no começo do século XX, época em que os Rockefeller, Astor, Ford, Vanderbilt e seus congêneres fundaram ali uma colônia de veraneio. Tempos depois, essas famílias doaram a maior parte da ilha ao governo, que em 1929 destinou 60% da área, acrescidos de algumas ilhas vizinhas, à criação do majestoso Parque Nacional de Acadia, com 14.000ha. Nesse lugar, você pode curtir extraordinárias estradas à beira-mar pontilhadas de rochas escarpadas açoitadas pela arrebentação, observar baleias e degustar lagostas apreciando a paisagem.

A imutável tranqüilidade da ilha é colocada à prova pelo número sempre crescente de visitantes – a estrada Park Loop, de 32km, que é a principal atração do parque, atrai multidões, mas o turismo motorizado não é novidade. Já em 1917, insatisfeito com a chegada do automóvel à ilha, John D. Rockefeller Jr. deu início à construção de 90km de estradas para veículos de tração animal, ligadas por pontes, hoje talvez o mais encantador conjunto de vias exclusivas para pedestres e bicicletas do país. No inverno, elas se transformam numa esplêndida rede de pistas de esqui. Por toda a Mount Desert, os cerca de 190km de trilhas de caminhada proporcionam magníficas vistas sem exigir muito esforço. A maioria das pessoas, porém, precisará de carro para participar de uma atividade tradicional no parque: assistir ao amanhecer no monte Cadillac, ponto mais elevado da costa atlântica, com 466m de altitude, onde os primeiros raios de sol chegam aos Estados Unidos. No fim da tarde, procure estar na Jordan Pond House, na Park Loop, a tempo de saborear o chá com *muffins* no gramado em frente ao restaurante, outra tradição secular da ilha. Pernoite no rústico Claremont Hotel and Cottages, magnificamente instalado em 2,4ha de terreno à beira-mar desde 1869.

Descanse nas cadeiras de balanço da varanda do hotel apreciando a poética vista da enseada de Somes Sound, protegida de ambos os lados pelos montes Acadia. Você pode admirar a mesma paisagem idílica sentado junto à janela da sala de jantar, onde um generoso café da manhã carrega as baterias de quem se levanta cedo para uma excursão ao monte Cadillac.

O Que: ilha, lugar, hotel. **Ilha Mount Desert:** ligada ao continente por uma estrada elevada, 58km a sudeste de Bangor. **Parque Nacional de Acadia:** informações gerais, tel. (1) 207-288-3338; www.nps.gov/acad. *Quanto*: ingresso U$10 por carro. *Quando*: aberto diariamente durante todo o ano, embora a estrada Park Loop permaneça fechada no inverno. **Claremont Hotel and Cottages:** Southwest Harbor, perto da entrada de Somes Sound. Tel. (1) 207-244-5036; www.theclaremonthotel.com. *Quanto*: duplos a partir de U$115 (baixa temporada) e a partir de U$175 (alta temporada). **Melhor Época:** Jul.–Ago para pegar bom tempo e boas condições de observação de baleias (embora seja também o período de maior movimento); primavera e outono (folhagem de outono) são também muito bons.

O melhor passeio à vela do litoral leste

Associação de Veleiros do Maine

Camden, Maine, Estados Unidos

Com suas quase 3.000 ilhas, a baía de Penobscot – destaque absoluto do litoral escarpado e intocado do Maine (que tem 5.600km de extensão, considerando-se todas as regiões banhadas pelo mar, entre baías, estuários e ilhas) – é um centro marítimo desde o século XVII. Suas águas abrigam a maior frota nacional de escunas de madeira. Essas embarcações do final do século XIX e início do século

XX são especializadas em passeios marítimos de três a seis dias, sempre dentro do alcance visual da costa coberta de pinheiros e espruces e salpicada dos fabulosos mas ainda discretos "chalés" de telhas de madeira construídos há 100 anos por ricos veranistas. Ir aonde o vento leva pelas águas de cruzeiro mais típicas dos Estados Unidos significa celebrar poentes cinematográficos, passar por faróis saídos de quadros de Andrew Wyeth e curtir

Os passageiros ajudam a tripulação a conduzir o barco.

paradas improvisadas em pequenas ilhas desertas para saborear banquetes de lagostas compradas vivas momentos antes em algum pesqueiro por ali. As acomodações dentro do barco são em geral pequenas e modestas, e não há vida noturna, exceto a contagem de estrelas cadentes, mas quase dá para você terminar aquele best-seller à luz da lua.

O QUE: experiência. **ONDE:** os cruzeiros zarpam de Camden, Rockland e Rockport. Camden fica 96km a sudoeste de Bangor e 305km ao norte de Boston. **COMO:** várias agências na baía de Penobscot organizam cruzeiros. A Associação de Veleiros do Maine (Maine Windjammer Association) representa o maior número de embarcações: 14 (todas particulares), 9 das quais classificadas como Marcos Históricos Nacionais. Tel. (1) 800-807-WIND; windjam@acadia.net; www.sailmainecoast.com. **QUANTO:** a partir de U$400, em média, por pessoa, por 3 dias, tudo incluído. **QUANDO:** partidas meados de Mai.–meados de Out. **MELHOR ÉPOCA:** Jul. e Ago.

Onde imperam os crustáceos

FESTIVAL DE LAGOSTA DO MAINE

Rockland, Maine, Estados Unidos

Durante séculos considerada comida de pobre (seu aspecto não ajuda muito), a lagosta hoje é tida como a comida dos deuses, o que faz do Maine um verdadeiro paraíso para quem aprecia esse prato. A *Homarus americanus* (lagosta-americana), motivo de sua fama, é geralmente considerada o melhor crustáceo comestível do mar, tão tenra e suculenta que quase se pode dispensar a obrigatória manteiga derretida. O Maine e a lagosta são praticamente sinônimos (por algum tempo ela simbolizou o estado nas placas dos automóveis), e com justa razão: a produção média anual no litoral do estado ultrapassa as 16.000t – mais da metade do total nacional. Rockland, na baía de Penobscot, a capital universal desse crustáceo, promove há mais de 50 anos um Festival de Lagosta com música ao vivo, concursos de pratos de frutos do mar, degustação de lagostas, coroação da Deusa do Mar e americanismos suficientes para durar pelo menos até o ano seguinte.

Mesmo não estando com disposição para

Homo sapiens *saboreando* Homarus americanus.

festividades, você pode saborear celestiais pratos de lagosta a qualquer hora do dia em milhares de barracas, cabanas, lagos e viveiros que se encontram nas localidades costeiras do Maine – parece que toda cidade com capacidade para fazer um barco flutuar tem um. Os preparos mais simples são os melhores e mais tipicamente ianques – cozida no vapor ou fervida, embora o rolinho de lagosta (geralmente servido num pãozinho de cachorro-quente com pedaços de carne direto na concha) seja uma alternativa mais popular, que dá menos trabalho e faz menos lambança. Quanto a onde jantar, só pode ser no cais, em meio ao cheiro do mar, ao barulho das ondas e ao grasnido das gaivotas, que vão dar rasantes em direção às suas desprezadas batatas fritas.

O QUE: evento, restaurante. **ONDE:** a 98km de Bangor, a 125km de Portland e a 305km de Boston. O Festival de Lagosta é realizado em Harbor Park, na baía de Penobscot. Tel. (1) 800-LOB-CLAW e (1) 207-596-0376; www.mainelobsterfestival.com. **QUANDO:** 5 dias (Qua.–Dom.) no fim de Jul.–início de Ago. **MELHOR ÉPOCA:** a "estação" da lagosta dura o ano inteiro. As lagostas trocam de casca no começo do verão, quando as de casca mole, ou *shedder*, são pescadas e servidas; são mais fáceis de comer e as preferidas de muitos, embora as de casca dura tenham mais carne.

O fascínio norte-americano no litoral leste

BAÍA DE CHESAPEAKE

St. Michael's, Maryland, Estados Unidos

O recortado litoral leste da baía de Chesapeake é uma trama de canais com seculares pontas de terra agrícola que terminam à beira d'água. Pequenas cidades marítimas fundadas ali nos séculos XVII e XVIII como estaleiros e portos comerciais continuam intocadas e populares como destino de barcos de passeio mais discretos. O triângulo formado por St. Michael's, Oxford e Easton é um enclave de casas do período pré-revolucionário e federalista muito bem preservadas, a 20km umas das outras. Com suas elegantes residências avarandadas, suas lindas magnólias, suas pousadas históricas e muitos antiquários, essas graciosas e sossegadas cidades são um verdadeiro prazer para se conhecer a pé. St. Michael's é a mais visitada delas. Seu altamente conceituado Museu Marítimo da Baía de Chesapeake, em Navy Point, dedica-se a preservar a herança cultural da baía.

O principal passatempo dos visitantes da baía de Chesapeake (ou baía dos Mariscos Grandes, no idioma dos índios *susquehanna*) é degustar os célebres caranguejos da região, que James Michener chamou de "a melhor comida do mundo" em seu romance épico *A baía de Chesapeake*. Ao lado do siri-azul do Atlântico, do mexilhão, do sável e do cantarilho, o pato-selvagem e o ganso-selvagem lembram os freqüentadores de restaurantes que essa é também uma região de caça. Da ostra, comum no passado, praticamente só resta a lembrança. As chalupas de duas velas agora oferecem cruzeiros de algumas horas a alguns dias de duração.

Mais ao sul está Crisfield, a "capital mundial do caranguejo", de onde partem regularmente barcos para as ilhas Tangier e Smith, congeladas no tempo, cujos barqueiros tiram seu sustento da baía de Chesapeake desde o século XVII.

Se preço não for problema, monte sua base na requintada Inn at Perry Cabin, a mais luxuosa opção de hospedagem da região, pertencente à seleta cadeia Orient Express Hotels. Construída no início do século XIX à beira do rio e do cais, a grande propriedade Colonial Revival foi adquirida e cuidadosamente reformada pelo grupo em 1999.

O QUE: cidade, lugar, hotel. **ST. MICHAEL'S:** 112km a leste de Washington D.C., 144km a sudoeste da Filadélfia. **THE INN AT PERRY CABIN:** tel. (1) 800-722-2949 e (1) 410-745-2200; fax (1) 410-745-3348; info@perrycabin.com; www.perrycabin.com. *Quanto*: a partir de U$395. Jantar U$50. **MELHOR ÉPOCA:** meados de Jun., Festival de Barcos Clássicos e Antigos de St. Michael's; Ago., Festival do Caranguejo de Crisfield; início de Nov., Festival de Aves Aquáticas de Easton, com duração de 3 dias. Apreciadores de caranguejo: Jun.–Jul. para os de casca mole, e Ago.–Out. para os de casca dura.

Uma caminhada pela mais histórica das cidades norte-americanas

TRILHA DA LIBERDADE

Boston, Massachusetts, Estados Unidos

Boston é compacta, fácil de percorrer e impregnada de história, o que a torna uma das melhores e mais interessantes cidades para se caminhar nos Estados Unidos. Tudo fica perto quando se faz a pé os 4,8km da Trilha da Liberdade (Freedom Trail), e sem guia. Começando no Boston Common (um antigo pasto, hoje o mais antigo parque do país), segue-se uma trilha marcada por uma linha vermelha que passa por 18 marcos do período revolucionário, entre os quais igrejas, cemitérios, monumentos, sedes de governo e o navio U.S.S. Constitution, também conhecido como Old Ironsides (Casco Velho), apelido que ganhou na guerra de 1812. Lançado ao mar em 1797, o Constitution, que nunca perdeu uma batalha, flutua até hoje e é o mais antigo navio de guerra da Marinha dos Estados Unidos. A trilha passa também pelo Faneuil Hall, primeiro mercado de Boston e antigo local de reuniões e fórum público da colônia. Sempre lotado e vibrante, ele hoje abriga o venerável restaurante Durgin Park, que, embora não tenha nada de chique, é muito apreciado. Não deixe de visitar a Casa de Paul Revere, construída em 1860 e comprada por esse patriota,

Paul Revere a cavalo.

artesão e comerciante de prata e sua família em 1770. De dois andares e toda revestida de madeira, é a mais antiga residência de Boston e uma das mais extraordinárias construções residenciais do século XVII existentes no país. Nessa trilha também está a Old State House, sede do governo britânico nas colônias e mais antigo prédio público de Boston (1713).

O QUE: experiência. **ONDE:** comece pelo Escritório de Informação ao Visitante, na Tremont Street, próximo ao Boston Common. Informações: tel. (1) 888-SEE-BOSTO; www.thefreedomtrail.org e www.BostonUSA.com. **QUANTO:** alguns lugares de visitação cobram ingresso. **MELHOR ÉPOCA:** Mai.–Out. e Jul. para a Harborfest.

A singular criação do gosto pessoal de uma mulher

MUSEU ISABELLA STEWART GARDNER

Boston, Massachusetts, Estados Unidos

Os museus de Beantown, como Boston também é conhecida, são verdadeiras pérolas. O Museu de Belas-Artes, carro-chefe da cidade e um dos melhores do país, é especialmente apreciado por sua inigualável coleção de arte asiática e japonesa. Entre os mais aconchegantes, porém, o grande destaque é o pequeno e requintado Gardner Museum, que guarda um idiossincrático acervo de arte européia, asiática e norte-americana grande o suficiente para exaurir qualquer freqüentador de museus. Na década de 1890, a rica e altamente individualista Sra. Gardner pediu ao historiador da arte Bernard Berenson para ajudá-la a montar uma das mais importantes coleções particulares dos Estados Unidos. A exibição foi aberta ao público em 1903 com mais de 2.500 objetos, incluindo obras de Giotto, Rafael, Rembrandt e o único afresco de Piero della Francesca existente fora da Itália. A estrela do museu é, provavelmente, *Europa*, de Ticiano, há muito considerado um dos melhores quadros italianos no país. O retrato de Gardner pintado por John Singer Sargent hoje reina no museu, mas não é a única forma pela qual a influência dessa mulher se manifesta: o testamento deixado por ela especifica que o acervo deve permanecer sob curatela, visando "à educação e à apreciação do público para sempre". Isso significa que a casa – construída em 1900 como um palácio veneziano do século XV e conhecida como Fenway Court quando a Sra. Gardner morava ali – permanece exatamente como a "Sra. Jack" a deixou ao falecer, em 1924: um eclético mosaico de objetos vitoria-

A Sala Holandesa do museu.

nos dispostos de forma mais ou menos aleatória em quatro andares de cômodos com galerias de janelas altas ao redor de um magnífico pátio ornado de flores e estatuária.

O QUE: lugar. **ONDE:** The Fenway, 280. Tel. (1) 617-566-1401; www.gardnermuseum.org. **QUANTO:** ingresso U$10 dias úteis, U$11 fim de semana. **QUANDO:** aberto Ter.–Dom. **MELHOR ÉPOCA:** o jardim fica mais bonito no Natal, quando se enche de poinsétias e azevinhos, e em Abr., época da floração dos narcisos. O museu promove a melhor série de concertos de música de câmara da cidade em Set.–Jun, no Tapestry Room.

Natureza selvagem e intocada

RESERVA NACIONAL DE CAPE COD

Massachusetts, Estados Unidos

A Reserva Nacional de Cape Cod, uma faixa de 64km de dunas açoitadas pelo mar que só começou a contar com proteção federal a partir de 1961 (graças ao seu assíduo veranista John F. Kennedy), na verdade mudou pouquíssimo desde que o escritor Henry David Thoreau percorreu a região na década de 1850. Ele a descreveu como um lugar onde "um homem pode ficar e virar as costas ao resto da América". De Chatham, no "cotovelo" da península, ao sul, até à artística Provincetown, seu "punho", no extremo norte, o solitário litoral de praias amplas e abertas, faróis, grandes ondas e vegetação característica é uma das mais grandiosas paisagens dos Estados Unidos – mais de 17.000ha de dunas espetaculares, mar onipresente e um jogo de luzes sempre em mutação. No outono, uma das melhores estações na região, o Outer Cape é a rota de mais de 300 espécies migratórias. Antigamente nada mais do que um arenoso caminho indígena, a Old King's Highway (também chamada de Rota 6A) é hoje uma sinuosa estrada com duas faixas de tráfego relativamente livre de núcleos comerciais e placas de néon. Partindo do limite setentrional do cabo (Lower Cape), ela passa por cidades como Truro e Eastham, que muitos consideram a mais pura essência do espírito de Cape Cod.

Chatham, uma clássica cidade da Nova Inglaterra, é há muito tempo um refúgio dos ricos discretos. Testemunha disso é o

As extraordinárias dunas de Cape Cod.

Chatham Bars Inn, um venerável monumento a épocas passadas majestosamente instalado num terreno de 16ha à beira-mar. Construído como pavilhão de caça em 1914, o histórico hotel possui uma notável lista de comodidades e é muito apreciado por causa de seus aristocráticos porém simpáticos funcionários, seus chalés, sua grande varanda com cadeiras de vime viradas para a praia e pelo assado de mariscos e lagostas da Nova Inglaterra nas noites de quarta-feira, sob a luz das estrelas.

O Que: lugar, hotel. **Chatham:** a 145km de Boston e a 435km de Nova York. **Chatham Bars Inn:** Shore Road. Tel. (1) 800-527-4884 e (1) 508-945-0096; fax (1) 508-945-6785; www.chathambarsinn.com. *Quanto*: duplos a partir de U$150 (baixa temporada) e a partir de U$310 (alta temporada). **Melhor Época:** a primavera e o outono são ótimas estações, há menos movimento; a água do mar é mais quente no fim de Ago. As famílias preferem os feriados de Ação de Graças e Natal.

Um refúgio cultural nos Berkshires

Festival de Música de Tanglewood

Lenox, Massachusetts, Estados Unidos

Tranqüila sede de verão da Orquestra Sinfônica de Boston durante os últimos 60 anos ou mais, a propriedade Tanglewood, com 85ha em meio à alta região dos Berkshires, é uma festa para os amantes da arte. Iniciada modestamente em 1934, sua série de concertos acabou se transformando no mais célebre e prestigiado festival musical de verão dos Estados Unidos. Artistas de renome mundial apresentam-se toda noite nos dias de semana, mas a verdadeira atração de Tanglewood são os concertos populares de fim de semana, quando os amantes da música se acomodam com seus elaborados apetrechos para piquenique no magnífico Great Lawn, onde desfrutam de uma deliciosa noitada sob as estrelas. A temporada anual culmina no Dia do Trabalho (nos Estados Unidos, a primeira segunda-feira de setembro) com o Festival de Jazz de Tanglewood.

A cultura erudita mantém vivas essas suaves colinas. The Mount, a casa de verão em Lenox da romancista Edith Wharton, ganhadora do Prêmio Pulitzer, é lugar de leituras e outros eventos. As populares apresentações da Shakespeare & Co., realizadas desde 2001, agora têm uma nova sede na Kemble Street, 70. Os visitantes podem se hospedar bem perto, na Gables Inn, que foi residência de Wharton antes da construção de sua casa de verão. Os entusiastas da dança vão ao Jacob's Pillow, o mais antigo festival de dança moderna do país. Realizado desde 1933 num parque de 60ha na Rota 20, na localidade rural de Becket (a 24km de Tanglewood), o evento pode apresentar balé clássico numa noite e hip-hop, jazz e flamenco na noite seguinte.

Alie a alta cultura à alta hospitalidade optando pelo elegante hotel-fazenda Blantyre, uma propriedade de 40ha que possui um dos últimos castelos do tipo "casa de veraneio" dos anos dourados do fim do século XIX nessa região. O tratamento especial antes reservado ao dono da residência Tudor é hoje dispensado aos privilegiados hóspedes, incluindo uma irretocável cesta de piquenique para os concertos de Tanglewood.

O QUE: evento, hotel. **FESTIVAL DE MÚSICA DE TANGLEWOOD:** Lenox fica 193km a oeste de Boston e 241km ao norte de Nova York. Bilheteria; tel. (1) 888-266-1200; www.bso.org e www.berkshires.org. *Quanto*: ingressos U$25–U$90; lugar no gramado U$15. *Quando*: fim de Jun.–fim de semana do Dia do Trabalho (primeira Seg. de Set.). **BLANTYRE:** Blantyre Road, Lenox (a 3,2km do centro). Tel. (1) 413-637-3556; fax (1) 413-637-4282; welcome@blantyre.com; www.blantyre.com. *Quanto*: duplos a partir de U$375, suítes a partir de U$425. *Quando*: aberto início de Mai.–começo de Nov. **MELHOR ÉPOCA:** à parte o festival, Jul. e Ago. por causa do tempo; fim de Set.–Out para a folhagem de outono, que é maravilhosa.

Charme da Nova Inglaterra à flor do oceano

MARTHA'S VINEYARD

Massachusetts, Estados Unidos

Batizada em 1602 pelo explorador britânico Bartholomew Gosnold em homenagem à sua filha, a ilha de Martha's Vineyard, de 259km², apesar de não mais coberta por vinhedos silvestres, ainda promete o fascínio insular, a mística da Nova Inglaterra e um estilo de vida marcado pela discrição. Em termos de paisagens e cidades, é mais diversificada do que a ilha essencialmente plana de Nantucket, sua vizinha, a 45km de distância. Suas inconstantes dunas e seus pântanos de mirtilos lembram Cape Cod, embora Martha's Vineyard seja em geral menos desenvolvida. Oak Bluffs é uma fantasia parada no tempo com sua alegre e divertida mistura de cerca de 300 chalés vitorianos de cores diversas. Em West Tisbury há o Saturday Farmers' Market (o maior mercado de produtos agrícolas na Nova Inglaterra), assim como o Alley's General Store no estilo "Vendemos Quase Tudo", o mais antigo negócio da ilha, em operação desde 1858. Com todos esses americanismos, esse lugar apresenta um alto índice de celebridades: os VIPs beneficiam-se do tradicional respeito local pela privacidade e pela segurança (ali ainda se deixam casas e carros abertos). Em termos de hospedagem, a Charlotte Inn, na bela Edgartown, tem uma sofisticada localização central – não é lugar para sandálias de dedo e redes na varanda. Tradicional, elegante e ciosa de seu serviço, essa hospedaria é um agrupamento de cinco casas dos séculos XVIII e XIX ligadas por jardins convencionais e decoradas à maneira rural inglesa. Boa parte de sua fama pode ser atribuída ao seu estelar restaurante francês L'Etoile, que serve requintados e românticos jantares à luz de velas numa refinada estufa cheia de plantas e cujo generoso café da manhã de cortesia é banhado pelo sol e pelo aroma de panquecas de mirtilo fresquinhas.

O QUE: ilha, hotel, restaurante. **MARTHA'S VINEYARD:** 8km ao sul de Falmouth (Cape Cod); balsas diárias de Woods Hole, Cape Cod, a Vineyard Haven e, periodicamente, a Oak Bluffs. **THE CHARLOTTE INN:** South Summer Street, 27, Edgartown. Tel. (1) 508-627-4151; fax (1) 508-627-4652. *Quanto*: duplos a partir de U$250 (baixa temporada) e a partir de U$295 (alta temporada). Jantar a preço fixo no L'Etoile U$72. *Quando*: hotel aberto durante todo o ano; restaurante aberto diariamente (fora da temporada, só nos fins de semana). **MELHOR ÉPOCA:** Mai.–Out.

Um mundo remoto numa cápsula do tempo

NANTUCKET

Massachusetts, Estados Unidos

No idioma dos índios *wampanoag*, o nome da ilha significa "terra distante". E Nantucket é exatamente assim. A 48km de distância do litoral de Massachusetts, mas parecendo que está a anos-luz dali, essa ilha de 126km² flutua numa cápsula de tempo e espaço toda própria. O espírito de quem chega na balsa de Cape Cod a esse intocado enclave de casas de madeira dos séculos XVIII e XIX é de pura aventura. Cerca de 12.000 residentes moram ali durante todo o ano, número que sobe facilmente para 55.000 no verão. A orgulhosa comunidade local faz o que pode para manter vivo o caráter peculiar da ilha, que reúne uma enfática esquisitice ianque misturada à tradicional cortesia da Nova Inglaterra, a discreta impressão de que tem dinheiro de família e o apreço zeloso e profundamente enraizado pela história e integridade de Nantucket.

Estendendo-se por suas praias e brejos, está um dos mais bem protegidos distritos históricos dos Estados Unidos, com uma legislação edilícia altamente restritiva. Mais de 800 residências e mansões de comandantes quacres foram construídas entre 1740 e 1840, quando a ilha era a capital mundial da pesca de baleias – não é por acaso que no romance *Moby Dick*, de Melville, o capitão Ahab e o imediato Starbuck são de Nantucket. Suas casas de telhados rosa esmaecido lhe renderam o apelido The Little Grey Lady of the Sea ("Senhorinha Cinzenta do Mar"). A mais resplandecente dessas residências, instaladas em romântico isolamento numa nesga de terra a 13km da encantadora Nantucket Town, é The Wauwinet, a melhor opção de hospedagem local. Esse clássico santuário de telhado de cedro datado de 1860 é uma hospedaria isolada num trecho de 41km de litoral protegido como refúgio de vida selvagem. Seu ambiente campo/praia carregado de antiguidades, informal embora um tanto luxuoso, estende-se ao excelente e sempre popular restaurante Topper's, onde especialidades como o ensopado de frutos do mar defumados e as vieiras tostadas da baía de Nantucket celebram a generosidade de suas águas.

O QUE: ilha, hotel, restaurante. **NANTUCKET:** balsas partem de Hyannis (95km a sudeste de Boston) várias vezes por dia, durante todo o ano, chegando à ilha em 2 horas. **THE WAUWINET:** Wauwinet Road, 120. Tel. (1) 800-426-8718 e (1) 508-228-0145; fax (1) 508-228-7135; www.wauwinet.com. *Quanto*: duplos a partir de U$230 (baixa temporada) e a partir de U$600 (alta temporada). Jantar no Topper's U$125. *Quando*: hotel e restaurante abertos início de Mai.–fim de Out. **MELHOR ÉPOCA:** Mai., Jun. e Set.

O belo casario histórico da ilha.

A vida no sul como antes da Guerra Civil

CIRCUITO DE NATCHEZ

Natchez, Mississippi, Estados Unidos

Qualquer excursão ao Deep South (Sul Profundo) tem que incluir uma visita a Natchez, que já foi um movimentado porto fluvial do Mississippi e quarta cidade mais rica dos Estados Unidos (depois de Nova York, Boston e Filadélfia). Hoje ela é um verdadeiro museu vivo de arquitetura pré-Guerra Civil. Construídas entre 1790 e 1861, quando o mercado de algodão e cana-de-açúcar inundou de riquezas os cofres da cidade, as opulentas fazendas e elegantes mansões urbanas dão uma idéia de como era o modo de vida dos brancos ricos do Mississippi antes do conflito. Ironicamente, sua preservação se deve à ocupação da cidade pelo exército da União no começo da guerra, o que poupou Natchez de danos materiais significativos.

Mais de 500 tesouros arquitetônicos permanecem intactos, muitos ainda ocupados e cuidadosamente preservados por descendentes dos proprietários originais.

Na primavera, as azaléias, camélias, magnólias e magníficas plantas de floração anual fazem da Visitação da Primavera a Natchez, iniciada em 1932, a grande atração local. Mais de 30 residências particulares (muitas com imponentes jardins) são abertas ao público. Com seu charme e sua hospitalidade, os proprietários e anfitriões, vestidos com trajes pré-guerra, desarmam os visitantes. Cerca da metade das casas permanece aberta ao público durante todo o ano, boa parte delas funcionando como opções de hospedagem. A mais luxuosa é a neoclássica Monmouth, de 1818, que pertenceu a um governador do Mississippi antes da Guerra Civil. Peça o quarto dele, com cama de baldaquino e o toucador onde ele guardava suas muitas perucas. Ali você também vai apreciar a vista para o célebre jardim de 10ha e o cemitério da família.

Monmouth foi residência do general John A. Quitman.

O QUE: cidade, experiência, hotel, evento. **NATCHEZ:** 185km a sudoeste de Jackson, 276km a noroeste de Nova Orleans. **NATCHEZ PILGRIMAGE TOURS:** Tel. (1) 800-647-6742 e (1) 601-446-6631; fax (1) 601-446-8687; www.natchezpilgrimage.com. *Quando*: Visitação da Primavera, 4 semanas em Mar.–Abr.; Visitação do Outono, 3 semanas em Out. **MONMOUTH:** Melrose Avenue, 36. Tel. (1) 800-828-4531 e (1) 601-442-5852; fax (1) 601-446-7762. *Quanto*: duplos U$160 (baixa temporada) e a partir de U$170 (alta temporada); jantar de 5 pratos U$40. **MELHOR ÉPOCA:** Mar.–Mai. e Out.–Nov. Assista ao Desfile Confederado (também conhecido como Desfile Histórico de Natchez), realizado somente durante a Visitação da Primavera, quando centenas de voluntários trajados a caráter transportam a platéia com música e dança aos dias do velho sul (Sex., Sáb., Seg. e Qua. durante toda a visitação).

Céu espetacular, lugar espetacular, pescaria espetacular

Complete Fly Fisher

Wise River, Montana, Estados Unidos

"Na nossa família não havia uma clara distinção entre religião e pescaria", são as primeiras palavras do clássico romance de Norman McLean *A River Runs Through It* (Um rio corre através disso), ambientado em Montana. O mesmo se poderia dizer da maioria das pessoas desse estado, lar espiritual de pescadores de toda parte. Gente do mundo inteiro se aventura em seus rios de classe internacional, com mais peixes por quilômetro do que qualquer outro. Toda a família das trutas está representada ali – marrom, arco-íris e de arroio, entre outras. E o cenário também não fica a desejar.

Os lendários rios Big Hole e Beaverhead têm poucos rivais em termos de qualidade de pescaria e cenário de montanhas. A mais conhecida hospedaria da região – classificada entre as melhores opções de hospedagem de pesca do planeta por John Randolf, proprietário e editor-chefe da revista *Fly Fisherman* – é a Complete Fly Fisher. Sua localização às margens do Big Hole e próxima aos rios Wise, Beaverhead, Bitterroot, Clark Fork e Missouri proporciona ótimas pescarias; seu tamanho reduzido (no máximo 14 hóspedes) estimula a camaradagem e o clima familiar. Quase todo hóspede tem jeito de freqüentador que está de volta para mais uma semana de pescaria de trutas-arco-íris e marrons em quantidades que não se vêem em nenhum outro lugar. Mas até os novatos podem pegar trutas grandes com a ajuda dos experientes instrutores da hospedaria. Os proprietários David e Christine Decker prometem não apenas uma estada maravilhosa como também uma sutil mudança de perspectiva.

O jantar na encantadora varanda à beira do rio é tão importante quanto a pescaria, algo muito mais sofisticado do que se poderia esperar nessa intocada região selvagem, superando o que muitos hóspedes têm na sua própria casa. Aceitam-se pedidos especiais, mas por que fazer isso se o chef Lori Dooner aparece regularmente com criações como mero assado ao vinagrete de baunilha e cítricos seguido de um *crème brûlée* de chocolate?

Tentando pegar uma truta grande no Big Hole.

O Que: experiência, hotel. **Onde:** 64km ao sul de Butte. Tel. (1) 866-832-3175 e (1) 406-832-3175; fax (1) 406-832-3169; com fly@montana.com; www.completeflyfisher.com. **Quanto:** estada de 6 noites U$2.800 por pescador; duplos; tudo incluído, de refeições a guia e equipamentos. Estadas mais curtas a combinar. **Quando:** aberto 15 Mai.–15 Out. **Melhor Época:** Jun.–Ago., tempo bom; Mai. e Set.–Out. proporcionam pescarias produtivas em ambientes solitários.

Majestade esculpida no gelo

PARQUE NACIONAL GLACIER

Montana, Estados Unidos

A inspiradora paisagem do Parque Glacier foi talhada há milênios pelo movimento de imensas geleiras. A beleza dessa região é tão assombrosa que os índios *blackfeet* consideram-na território sagrado. "Se não é o quintal de Deus", disse o comediante Robin Williams, "Ele certamente mora por perto." Freqüentemente chamado de Pequena Suíça e de Alpes americanos, o parque é um lugar perfeito para caminhadas, com mais de 1.000km de trilhas conservadas em meio a espetaculares campinas cobertas de flores silvestres. Há ótimas oportunidades para se observar a abundante vida selvagem – cabritos-monteses, carneiros-selvagens, veados, alces, glutões, lobos, mais de 300 ursos-cinzentos ameaçados de extinção (a maior concentração do território continental dos Estados Unidos) e centenas de ursos-negros não tão ameaçados.

Um passeio menos cansativo que dura cerca de duas horas de carro é a Estrada Going-to-the-Sun, de 80km de extensão, que divide mais ou menos em duas metades os 400.000ha do parque. Por entre montanhas esculpidas pelo gelo, a estrada leva das colinas mais baixas do parque até o passo Logan, a 2.025m de altitude, no topo do Continental Divide (divisor de águas, o ponto alto do passeio), passando por lagos em forma de fiordes, umas 1.000 cachoeiras sazonais e densas florestas sempre verdes. Dentro do parque há 36 geleiras nomeadas das 150 que existiam em meados do século XIX. Os especialistas acreditam que, nesse ritmo, as geleiras que dão nome ao parque terão desaparecido por volta de 2030. Um meio interessante de se conhecer essa área, os Ônibus Vermelhos com capota de lona começaram a circular por essas rotas na década de 1930 e agora estão de volta após uma renovação ambientalmente correta feita pela Ford Motor Company.

O paraíso dos excursionistas nos Alpes americanos.

Entre as muitas opções de hospedagem no estilo pinheiro *ponderosa* – construídas ali no início do século XX para fascinar os visitantes –, o Many Glacier Hotel, no estilo suíço, é talvez a mais popular e de mais bela localização. Majestaticamente isolado na paisagem alpina às margens do lago Swiftcurrent, é um hotel rústico, charmoso e cheio de tradição. Os quartos são espartanos, mas, se você conseguir um dos 50 que têm sacadas, as vistas espetaculares de Grinnell Point compensarão a falta de comodidades. Caso prefira uma pousada, a Lake McDonald Lodge oferece aposentos mais confortáveis embora menos pitorescos.

O QUE: lugar, hotel. **PARQUE NACIONAL GLACIER:** extremo norte das montanhas Rochosas norte-americanas, na fronteira com o

Canadá. O acesso oeste ao parque, em West Glacier, fica 40km a nordeste de Kalispell, o aeroporto mais próximo. A Estrada Going-to-the-Sun vai de West Glacier, a oeste, a St. Mary, a leste. Informações sobre o parque: tel. (1) 406-888-7800; www.nps.gov/glac. *Quanto*: U$5 por pessoa ou U$10 por carro. *Quando*: o parque fica aberto durante todo o ano, mas boa parte da Estrada Going-to-the Sun só fica aberta do início de Jun.–meados de Out. **MANY GLACIER HOTEL/LAKE MCDONALD LODGE:** tel. (1) 406-756-2444; fax (1) 406-482-1375; info@glacierparkinc.com; www.glacierparkinc.com. *Quanto*: a partir de U$142. *Quando*: fim de Mai.–fim de Set. **MELHOR ÉPOCA:** verão.

Uma casa no que já foi o oeste selvagem

TRIPLE CREEK RANCH

Darby, Montana, Estados Unidos

Esse lugar já pode já ter sido o oeste selvagem, mas hoje há civilização por essas paragens. Mesmo chamado de rancho, Triple Creek é, na realidade, um luxuoso resort aonde vão pessoas da cidade que querem fazer como no filme *Em busca do ouro perdido*: passar aperto à moda dos "ricos e famosos" em meio à beleza das montanhas Rochosas. Aninhado ao pé do pico Trapper, no extremo sudeste de Montana, Triple Creek exibe em grande estilo a posição de "O Último Melhor Lugar". São 19 cabanas de toras de madeira em meio a 178ha de altíssimos pinheiros *ponderosa*, com vista para a imensidão do vale Bitterroot, perto dos parques nacionais de Yellowstone e Glacier. A solidão é espetacular, mas o que surpreende – além das comodidades de primeira qualidade no que se refere às acomodações e refeições – é a inesperada sofisticação do serviço, altamente personalizado, dispensado pelos simpáticos funcionários.

Passando aperto em alto estilo no Triple Creek Ranch.

Na primavera os hóspedes curtem mountain bike, caminhadas e cavalgadas pelos prados da montanha atapetados de lírios-do-vale, dedaleiras e violetas. Os meses de inverno garantem 7,5m de neve e poucas filas no teleférico da Lost Trail Powder Mountain, uma área de esqui próxima, nas montanhas Bitterroot. Quem chega em busca de diversões menos cansativas pode tomar um refinado banho quente de imersão à luz da lua no seu deque privativo. Outras alternativas são: programar um passeio de carro até à pequena cidade que tem o poético nome de Wisdom (Sabedoria); mandar fazer um chapéu sob medida na estrada de Darby, cidade que parece ter saído de um filme de faroeste; ou simplesmente permanecer no hotel saboreando um drinque à base de rum diante da lareira crepitante enquanto o pessoal da cozinha opera sua mágica. Como quase todo o mundo no Triple Creek, eles fazem o possível e o impossível para tornar sua refeição algo mais do que excepcional.

O Que: hotel. **Onde:** 120km ao sul do aeroporto de Missoula. West Fork Stage Route, 5.551; tel. (1) 800-654-2943 e (1) 406-821-4600; fax (1) 406-821-4666; tcr@bitterroot.net; www.triplecreekranch.com. **Quanto:** a partir de U$510 por casal, incluídas as refeições e a maior parte das atividades no rancho. **Quando:** fechado Nov. **Melhor Época:** Fev., Jun. e Set.–Out. Fim de Jul., Festival do Morango de Darby; fim de semana do Dia do Trabalho (nos Estados Unidos, a primeira Seg. de Set.), Feira de Ravalli County.

Mais do que sofisticado

O Bellagio

Las Vegas, Nevada, Estados Unidos

Imponente *palazzo* à italiana inspirado no seu célebre homônimo do lago de Como, o Bellagio é um pioneiro que está um ponto acima do brilho e do estilo exagerados de Las Vegas. O que não quer dizer que não seja grandioso e excessivo em todos os seus aspectos – mas seu exagero é acompanhado de bom gosto. Um dos maiores hotéis do mundo, com 36 andares, cerca de 3.000 quartos e um dos maiores cassinos da cidade (ao lado do MGM Grand e do Riviera), é também o mais caro já construído na cidade, valendo hoje U$1.600.000.000. O mármore que se vê em toda parte faria inveja a um Medici.

Se até alguns anos atrás as pessoas iam a Las Vegas para jogar nos cassinos (U$7.700.000.000 ainda são deixados ali todo ano), hoje os restaurantes cinco estrelas da cidade são uma atração concorrente. E em nenhum lugar o fascínio é maior do que sob o teto do Bellagio. Na defesa do time de restaurantes do hotel estão o nada modesto Buffet (afrouxe o cinto para a notória orgia gastronômica de domingo) e o premiadíssimo Picasso, com originais do pintor abrilhantando as paredes. Mas há muitas outras opções: o Aqua, de frutos do mar, com toda a sua cortesia e colorida ostentação; o Le Cirque, uma requintada miniatura de seu lendário primo Manhattan; o Prime, um glamouroso restaurante de carnes no estilo da década de 1930, administrado por Jean-Georges Vongerichten; e por aí vai. Após a sobremesa, deixe-se seduzir pelas mais de 1.000 fontes que jorram seguindo uma coreografia ao som de música num lago artificial de mais de 3ha; faça uma incursão noturna pelo setor das piscinas no estilo mediterrâneo e dê um mergulho numa das seis à sua disposição; ou assista à incrível apresentação subaquática do Cirque du Soleil (no teatro de U$60.000.000 especialmente projetado para o hotel), que com certeza o deixará em transe. A essa altura, a boate Bellagio's Light já estará no maior agito, provando que você não precisará sair do complexo do hotel desde o momento em que fizer registro de entrada até o fechamento da conta. Ah, e como é Las Vegas, o Bellagio tem também duas capelas para casamentos, abertas 24 horas.

O Que: hotel, restaurante. **Onde:** Las Vegas Boulevard South, 3.600. Tel. (1) 888-987-6667 e (1) 702-693-7111; www.bellagio.com. **Quanto:** duplos a partir de U$159. **Melhor Época:** Abr. e Out., quando o tempo é melhor e há menos gente.

Onde a vulgaridade exagerada se encontra com a nova classe

Las Vegas Strip

Nevada, Estados Unidos

O trecho de 5,6km do Las Vegas Boulevard conhecido como Strip é a capital mundial do brilho, enfeitado com palácios do prazer, capelas para casamentos-relâmpago, bufês de carne de primeira a preço fixo – e, é claro, animado por todo tipo de jogo a qualquer hora. Era ali que o gângster Bugsy Siegel ditava as regras e onde o Rat Pack (grupo informal que incluía, entre outros, Frank Sinatra, Dean Martin, Sammy Davis Jr. e Shirley MacLaine) ditava o estilo. Também foi lá que o bilionário Howard Hughes se escondeu e onde Elvis Presley fez sua última temporada. Tudo isso está mudando. Empenhada em se promover como destino de férias para a família, Vegas quer adquirir respeitabilidade, trocando sua imagem de Cidade do Pecado pelo luxo, que tem mais a ver com prazer do que com malícia.

Mas o visitante ainda encontra *dinner shows* espalhafatosos (estrelando, Debbie Reynolds, Wayne Newton e Celine Dion) e pode visitar lugares especiais, como o Museu Liberace (perto do Strip, na East Tropicana Avenue, 1.775), o Museu Elvis-a-Rama (Industrial Road, 3.401), além da Candlelight Wedding Chapel (Las Vegas Boulevard South, 2.855), que, com outras 25 capelas, é cenário de cerca de 80.000 casamentos ao ano. O passo seguinte é ver a nova geração de megahotéis temáticos, como o Venetian, o Paris, o Mandala Bay e o New York, New York, que se apropriam de ícones mundiais e lhes dão proporções exorbitantes. Como o exagero aumenta à medida que Vegas sobe de nível, não surpreende que entre seus 225 hotéis estejam 19 dos maiores do mundo, incluindo o MGM Grand, o campeão, com mais de 5.000 quartos. Tudo ali é deslumbrante e artificial, um lugar que nunca fecha, onde o dinheiro é a única coisa real. E onde, quando o cassino está cheio demais às duas da manhã, você pode ir às compras.

O QUE: cidade, lugar. **ONDE:** 465km a leste de Los Angeles. Bureau de Turismo de Las Vegas, tel. (1) 800-522-9555 e (1) 702-739-1482; www.lvtb.com. **MELHOR ÉPOCA:** Jun.–Ago. são extremamente quentes. Por outro lado, é quando as diárias dos hotéis são mais baixas, e, de qualquer modo, Vegas é uma metrópole com ar condicionado.

A trilha apalache e as White Mountains

Monte Washington

North Conway, New Hampshire, Estados Unidos

Mais célebre opção para caminhada dos Estados Unidos, a trilha dos Apalaches acompanha boa parte da costa leste do país – das florestas do Maine, ao norte, até o monte Springer, na Geórgia, um percurso de mais de 3.370km. Estima-se que são necessários 5.000.000 de passos para atravessar os 14 estados da trilha. O trecho mais longo é o da Virgínia (876km) e o ponto mais alto o Great Smokies, no Tennessee (2.024m). A opinião geral é de que uma das partes mais belas e desafiadoras desse trajeto é a de New Hampshire. Cerca de metade do trecho da AT (como os excursionistas gostam de chamá-la) nesse estado está na Floresta Nacional de White Mountain, um parque escarpado de 268.000ha que desde o século XIX atrai os amantes dos grandes espaços, excursionistas em especial. A célebre AT é apenas um dos muitos caminhos de uma intrincada rede de 1.930km de trilhas que variam das fáceis de percorrer às extremamente difíceis.

O vovô das White Mountains, ou montanhas Brancas (assim chamadas porque seus picos graníticos estão muitas vezes cobertos de neve), é o monte Washington, o ponto culminante da costa leste, com 1.916m de altitude, notório por seu clima tão inóspito e imprevisível quanto o da Antártida. A excursão mais popular da região é a da Cremalheira do Monte Washington – uma estrada de ferro que foi inovadora na época de sua construção, em 1869 –, cujo trem resfolega ao longo da espetacular subida de 5,6km até o pico do monte Washington. Também se pode chegar lá a pé ou de carro (programe uma hora de subida e outra de descida pela estrada de 12,9km e não se esqueça de verificar os freios). Outra excursão local muito procurada é a da merecidamente célebre Kancamagus Highway (também conhecida como Kanc), uma rodovia de 53km que se estende de Lincoln, a oeste, a North Conway, a leste. Na época da folhagem de outono, um passeio pela Kanc é o que a Nova Inglaterra tem de melhor a oferecer em matéria de paisagem.

É difícil concorrer com tantos espetáculos naturais, mas o majestoso Mount Washington Hotel ostenta 607ha de terras. Seu destaque é um mastodonte de 200 quartos que desde 1902 hospeda os visitantes proporcionando-lhes uma perfeita parada para descanso. Garanta uma cadeira de balanço na varanda de 275m do hotel para apreciar a beleza das montanhas da cordilheira Presidential sem ter que calcar suas botas de caminhada.

O QUE: lugar, experiência, hotel. **MONTE WASHINGTON:** 265km ao norte de Boston e 530km ao norte de Nova York. Câmara de Comércio de Mount Washington Valley, em North Conway, tel. (1) 800-367-3364 e (1) 603-356-3171; www.mtwashingtonvalley.org. **CREMALHEIRA DO MONTE WASHINGTON:** (1) 800-922-8825; www.thecog.com. *Quando*: cremalheira e estrada para o pico do monte Washington fim de Abr.–Out., quando o tempo permite. *Quanto*: U$49 ida e volta. **MOUNT WASHINGTON HOTEL:** Bretton Woods (a 9,5km da estação da cremalheira). Tel. (1) 877-873-0626; hotelinfo@mtwashington.com; www.mtwashington.com. *Quanto*: a partir de U$130 por pessoa, incluídos café da manhã, jantar e uso das instalações. **MELHOR ÉPOCA:** Jun., Jul.; fim de Set.–meados Out., folhagem de outono; meados de Dez., fim de semana do Natal Vitoriano do hotel.

Um magnífico isolamento, selvagem para sempre

PARQUE ADIRONDACKS

Nova York, Estados Unidos

Maior parque do território continental dos Estados Unidos – mais extenso do que Yosemite e do que o estado de Massachusetts –, o Parque Estadual de Adirondacks é legalmente protegido para permanecer "selvagem para sempre". Ainda conserva o ar aristocrático da época em que os Whitney, Vanderbilt e Rockefeller, senhores do universo do século XIX, escolheram essas vastidões inacessíveis para construir suas "Grandes Cabanas", com os empregados a reboque – uma das cabanas tinha uma criada somente para tirar as teias de aranha. Cercadas de florestas primevas, montanhas e mais de 2.500 lagos e represas, as construções combinavam luxo com charme rústico, usando toras de árvores nativas minimamente trabalhadas (às vezes ainda com casca), galhos (quanto mais retorcidos melhor) e o artesanato de madeira que passou a ser conhecido como estilo Adirondack.

O Adirondacks tem 2.430.000ha para quem quiser explorar.

Menos de duas dúzias dessas grandes cabanas sobreviveram. Muitas delas são de propriedade das famílias que as construíram, outras estão integradas a colônias de férias e instituições educacionais. Pouquíssimas servem de hotéis, dos quais o mais luxuoso é o Point, um conjunto de nove unidades erguidas em 1932 por William Avery Rockefeller, sobrinho-neto de John D. Conhecido no passado como Camp Wonundra e localizado às margens do lago Upper Saranac, de 13km de extensão, suas áreas comuns e seus amplos 11 quartos exalam o espírito de uma outra época, com lareiras de pedra talhada e lindas paredes revestidas de espruce. O clima é o de uma reunião de convidados, com refeições à luz de velas e uma excepcional carta de vinhos (traje a rigor opcional às quartas-feiras). Obrigados a um magnífico isolamento dada a falta de telefones, faxes e aparelhos de TV, os felizardos hóspedes passam dias idílicos andando de canoa, pescando e explorando as trilhas que se estendem pela área do hotel e avançam pelas terras do parque.

Se você deseja se hospedar no Point mas seu orçamento não permite, opte por uma pousada: a Lake Placid Lodge, construída em 1882 na margem ocidental do lago, que tem os mesmos proprietários e administradores do Point. No povoado Lake Placid (sede das Olimpíadas de Inverno de 1932 e 1980), há várias instalações de esqui e patinação na temporada de inverno. Para apreciar a serena beleza da região com uma experiência aquática, programe uma tarde a bordo do elegante Lady of the Lake, um Fay & Bowen de 40 pés com capacidade para 30 passageiros, construído em 1929, um dos dois ainda existentes nos Estados Unidos.

O QUE: lugar, hotel. **PARQUE ADIRONDACKS:** 402km ao norte de Nova York. Conselho Regional de Turismo de Adirondack; tel. (1) 518-846-8016; www.adirondacks.org. **THE POINT:** Saranac Lake. Tel. (1) 800-255-3530 e (1) 518-891-5674; fax (1) 518-891-1152; www.thepointresort.com. *Quanto*: U$1.200–U$2.500 por noite, durante todo o ano, inclui todas as refeições e atividades para 2 pessoas. *Quando*: hotel e restaurante abertos durante todo o ano. **LAKE PLACID LODGE:** Whiteface Inn Road, Lake Placid. Tel. (1) 877-523-2700 e (1) 518-523-2700; fax (1) 518-523-1124; www.lakeplacidlodge.com. *Quanto*: duplos a partir de U$400, cabanas a partir de U$625. Jantar U$65. **MELHOR ÉPOCA:** Jun.–Ago., para tempo bom; Set.–Out. para a folhagem de outono e uma série de pequenos festivais rurais. Os meses de neve têm sua própria beleza especial.

Vinhos de primeira e charme de cidade pequena

LAGOS FINGER

Nova York, Estados Unidos

Os índios iroqueses atribuíam a criação desses lagos longos e um tanto estreitos ao Grande Espírito, que com as próprias mãos teria abençoado essa região particularmente bela do noroeste do estado de Nova York.

Contudo, a menos que o Grande Espírito tivesse 11 dedos, o mais provável é que uma geleira lhes tenha dado forma milênios atrás. Todos eles são bastante fundos – Cayuga e Sêneca, os dois maiores, têm profundidade de 122m e 192m, respectivamente, e cerca de 60km de comprimento – e estão emoldurados de forma pitoresca por margens de acentuada inclinação. Dispostos paralelamente, os lagos abrangem uma área que não ultrapassa 160km de largura numa região bucólica onde nas lojas de produtos agrícolas o que vale ainda é a palavra. Ali as sonolentas ruas principais de cidades do século XIX, como Geneva, Skaneateles e Hammondsport, convidam a caminhadas e à caça de antiguidades. Barcos de passeio cruzam os lagos e o visitante é bem-vindo a bordo do navio de 48 pés que faz a entrega de correspondência no lago Skaneateles, uma das últimas rotas marítimas usadas para esse serviço nos Estados Unidos.

Com solo e topografia que se assemelham à melhor das regiões vinícolas da Alemanha, os mais de 70 vinhedos "de butique" (o mais antigo é da década de 1860) dos lagos Finger são altamente conceituados no plano nacional, senão internacional, com vinhos brancos, sobretudo os riesling e chardonnay, reconhecidos como alguns dos melhores do país. Uma experiência extraordinária é visitar

A entrega da correspondência da tarde no lago Skaneateles.

a propriedade vinícola pioneira Dr. Konstantin Frank's Vinifera Wine Cellars, em Hammondsport, com vista para o lago Keuka (considerado por muitas pessoas o mais bonito), e a Hermann J. Wiemer Vineyard, em Dundee.

Às margens do lago Sêneca está o Geneva on the Lake, um hotel construído em 1910 sob inspiração de uma *villa* (casa) rural romana que cativou o proprietário. Um jardim parterre conduz à piscina, à beira do lago, uma bênção quando este está muito gelado para o mergulho. Junto às águas branco-azuladas do lago Skaneateles – o mais alto dos Finger e um dos mais limpos do país –, o Mirbeau Inn and Spa é o paraíso dos francófilos, com banhos de lama e massagens com água de Vichy, um restaurante excepcional e pequenos lagos artificias de lírios que parecem saídos de um quadro de Monet. Recém-inaugurado, mas com aspecto de propriedade rural de 200 anos, o Mirbeau Inn é aconchegante e perfeitamente integrado a essa região que transpira todo o charme da pequena cidade norte-americana.

O Que: lugar, experiência, hotel. **Região dos lagos Finger:** 36km a sudoeste do aeroporto de Syracuse; 346km a oeste de Albany; 480km a noroeste de Nova York. Entre em contato com a Finger Lakes Tourism; tel. (1) 800-548-4386 e (1) 315-536-7488; fax (1) 315-536-1237; info@fingerlakes.org; www.fingerlakes.org. **Dr. Konstantin Frank's Vinifera Wine Cellars:** Middle Road, 9.749, Hammondsport. Tel. (1) 800-320-0735 e (1) 607-868-4884; fax (1) 607-868-4884; frankwines@aol.com; www.drfrank wines.com. **Hermann J. Wiemer Vineyard:** Route 14, 3.962, Dundee. Tel. (1) 800-371-7971 e (1) 607-243-7971; fax (1) 607-243-7983; wines@wiemer.com; www.wiemer. com. **Geneva on The Lake Resort:** Lochland Road, 1.001 (Route 14), Geneva; tel. (1) 800-343-6382 e (1) 315-789-7190; fax (1) 315-789-0322; www.genevaonthelake.com. *Quanto*: duplos com vista para o lago U$152 (baixa temporada) e a partir de U$227 (alta temporada). **Mirbeau Inn and Spa:** West Genesse Street, 851, Skaneateles. Tel. (1) 877-647-2328 e (1) 315-685-5006; fax (1) 315-685-5150; www.mirbeau.com. *Quanto*: duplos a partir de U$150 (baixa temporada) e a partir de U$225 (alta temporada). Jantar U$50.

Onde nasceu a bela América

O Vale do Rio Hudson

Nova York, Estados Unidos

Em 1609, o explorador holandês Henry Hudson subiu o rio que hoje leva seu nome em busca da passagem para o Oriente. Não a encontrou, mas descobriu o que veio a ser um dos mais pitorescos cursos d'água do mundo.

Embora não muito longo, com 505km, o Hudson é um dos rios mais importantes dos Estados Unidos em termos históricos e comerciais – o vale do Hudson foi o lugar onde viveram figuras literárias como o escritor Washington Irving (*Rip Van Winkle* e *A lenda do cavaleiro sem cabeça* foram ambientados ali) e o cenário de 92 batalhas da Guerra Revolucionária entre Nova York e Saratoga. Conhecido pelos norte-americanos nativos como o "rio de mão dupla" pelo fato de levar a água do oceano a lugares distantes como Albany, o Hudson e suas cidades foram alguns dos primeiros destinos turísticos do país. Faça um passeio pelas estradas vicinais que passam por haras irretocáveis, fazendas de leite e pomares, depois pare para almoçar e comprar antiguidades em cidades ribeirinhas dos séculos XVIII e XIX, como Nyack, Cold Spring, Kingston e Hudson, esta com sua hospedaria-farol de 1869.

A indústria ofuscou um pouco da beleza que inspirou Thomas Cole, Frederic Church e outros pintores de paisagens da escola do rio Hudson, do século XIX – o primeiro movimento artístico genuinamente norte-americano –, mas muita coisa ao longo do rio permanece surpreendentemente intocada. Church consideraria pouco mudadas as amplas vistas de Olana, sua casa mourisca de 1872, no alto do morro. Chegue antes do pôr-do-sol para entender por que ele dizia que ali era "o centro do mundo". Essa paisagem agrícola aberta e ondulada abriga também uma das mais antigas hospedarias dos Estados Unidos, a Rhinebeck's Beekman Arms, inaugurada em 1776. Reserve com antecedência uma mesa no seu premiado restaurante, uma filial interiorana do chef nova-iorquino Larry Forgione, formado no conceituado Culinary Institute of América, no vizinho Hyde Park. Amplamente conhecido em círculos gastronômicos internacionais como "a outra CIA", o instituto, criado em 1946 e instalado num antigo seminário, com seus quatro restaurantes operados por estudantes e abertos ao público, permanece como o mais antigo e mais importante do país.

Em Hyde Park também está Springwood, propriedade de 117ha onde Franklin D. Roosevelt morou durante toda a vida e cujas vistas do Hudson inspiraram esse homem que exerceria quatro mandatos como presidente dos Estados Unidos. A Biblioteca e Museu Presidencial FDR também se localiza nessa área, próxima a uma mansão Vanderbilt de 54 cômodos.

Ao longo dos anos, o vale tem atraído artistas e apreciadores da arte. Logo ao norte de West Point (a mais antiga academia militar e certamente a de mais bela localização nos Estados Unidos), o Centro de Arte Storm King, um dos mais importantes parques de esculturas a céu aberto do país, convida a piqueniques em seus 202ha de terreno de encosta de cenário panorâmico. Ali estão representados mais de 120 artistas de renome internacional do período pós-1945, com obras monumentais em tamanho.

Na cidade de Beacon, na margem direita, a mais nova aquisição artística do vale é a Dia:Beacon, filial da fundação nova-iorquina inaugurada em maio de 2003. Funcionando num imponente edifício de 1929 antes ocupado por uma indústria gráfica, ela exibe obras importantes (e muitas vezes enormes) da década de 1960 até o presente, incluindo peças de Donald Judd, Andy Warhol, Richard Serra e Cy Twombly.

O Que: lugar, hotel, restaurante. **Vale do Hudson:** Hudson Valley Tourism; tel. (1) 800-232-4782 e (1) 845-291-2136; www.travelhudsonvalley.com. **Olana:** na RD2, periferia de Hudson, 1,6km ao sul da ponte Rip Van Winkle. Tel. (1) 518-828-0135; www.olana.org. **Beekman Arms:** Mill Street, 6.387, Rhinebeck. Tel. (1) 845-876-7077; www.beekmanarms.com. *Quanto*: duplos a partir de U$95 (baixa temporada) e a partir de U$125 (alta temporada). Jantar U$35. **Culinary Institute of America:** Campus Drive, Hyde Park. Tel. (1) 845-471-6608; www.ciachef.edu. **Casa de Franklin D. Roosevelt, Springwood:** Hyde Park. Tel. (1) 845-229-9115; fax (1) 845-229-0739; www.nps.gov/hofr. *Quanto*: acesso grátis ao parque e jardins; visita guiada à casa de FDR e à Biblioteca e Museu Presidencial FDR U$14. **West Point:** Highland Falls. Tel. (1) 845-938-2638; www.usma.edu. **Centro de Arte Storm King:** Old Pleasant Hill Road, Mountainville. Tel. (1) 845-534-3115; fax (1) 845-534-4457; www.skac.org. *Quanto*: ingresso U$9. *Quando*: Abr.–início Nov. **Dia: Beacon:** Beacon. Tel. (1) 845-440-0100; info@diabeacon.org; www.diabeacon.org. **Melhor Época:** Mai., pela beleza da primavera; verão, para uma série de festivais e eventos; Out., para a folhagem de outono.

"Se você se entedia em Nova York, a culpa é só sua." — *Myrna Loy*

NOVA YORK

Nova York, Estados Unidos

Essa é Metrópolis. Essa é Gotham City. Essa é a cidade que todas as outras gostariam de ser – "a única cidade-cidade de verdade", como disse Truman Capote. Andando rápido, falando depressa e nunca jogando conversa fora, cerca de 8.000.000 de nova-iorquinos circulam diariamente pelos cânions urbanos formados pelos arranha-céus locais com o mesmo admirável orgulho e espírito de comunidade que demonstraram diante do ataque terrorista de 11 de setembro de 2001. Eles dizem que essa é a capital do mundo... E talvez seja mesmo.

As 10 Maiores Atrações

Museu de História Natural – Há dinossauros ali! E 36.000.000 de outras coisas – de rochas lunares ao topázio brasileiro Princess, a maior pedra lapidada do mundo, com 21.005 quilates. Não deixe de apreciar o Salão da Biodiversidade e os dioramas de vida animal e rural. Sua mais recente aquisição, o futurístico Rose Center para a Terra e o Espaço, é uma esfera de aço e alumínio com altura equivalente a quatro andares, inserida num cubo de vidro, que contém o novo Hayden Planetarium, o maior e mais poderoso simulador de realidade virtual do planeta, capaz de transportar os visitantes pela Via Láctea e além. **Onde:** Central Park West, altura da 79th Street. Tel. (1) 212-769-5100; www.amnh.org.

Um popular residente do Museu de História Natural.

Central Park – Construído entre 1859 e 1870 de acordo com o projeto de Frederick Law Olmsted e Calvert Vaux, o Central Park é um milagre urbano, um oásis verde de 340ha totalmente cercado de arranha-céus. Alguns de seus destaques são a fonte Bethesda, o romântico Loeb Boathouse Restaurant, o Wollman Memorial Ice Rink, o Sheep Meadow (um imenso gramado que no verão fica lotado de gente tomando sol), o carrossel com 58 cavalos de madeira entalhados à mão e o Conservatory Garden, um refúgio que é uma pérola perto do canto nordeste do parque. No verão, os visitantes podem assistir a apresentações gratuitas da Metropolitan Opera e da Filarmônica de Nova York; a concertos no Summer Stage, com uma gama de astros internacionais do pop, reggae, música internacional e outros; e a peças de Shakespeare. **Onde:** entre a 59th Street e a 110th Street (sentido sul–norte) e

5th Avenue e Central Park West (sentido leste–oeste). Tel. (1) 212-310-6600; www.centralparknyc.org.

EMPIRE STATE BUILDING – Mesmo não sendo o mais bonito arranha-céu de Nova York (o prédio da Chrysler, na 42th Street, geralmente leva esse título), o Empire State, com 443m de altura e uma iluminação noturna calculada para se adequar à época do ano, é sem dúvida o mais simbólico. Concluído em 1931 – dois anos antes da fatídica subida de King Kong à sua torre –, esse edifício reinou como o mais alto do mundo até à construção das Torres Gêmeas do World Trade Center, em 1970 e 1972, mas sempre foi o favorito dos românticos, como no clássico imortal *Tarde demais para esquecer*, com Cary Grant e Deborah Kerr. O romance está à espera de todos os visitantes no observatório a céu aberto do 86.º andar, com vistas que alcançam até 128km em todas as direções. **ONDE:** 5th Avenue, altura da 34th Street. Tel. (1) 212-736-3100; www.esbnyc.com.

MUSEU FRICK – Construída em 1914, essa linda mansão no estilo francês abriga uma coleção particular de arte basicamente européia. Veja a descrição em A Milha dos Museus, na pág. 331.

LINCOLN CENTER – Desde a inauguração da primeira das suas oito salas em 1962, o Lincoln Center é o grande destaque do circuito de artes cênicas de Nova York. Entre suas 12 companhias permanentes estão o Balé da Cidade de Nova York, o American Ballet Theatre, a Filarmônica de Nova York e a Metropolitan Opera, que muitas pessoas consideram a melhor do mundo. No verão, grupos de dança fazem apresentações de swing, salsa e outros ritmos na Josie Robertson Plaza como parte da série Midsummer Night Swing. Não deixe de dar uma olhada nos dois imensos murais de Marc Chagall que ficam atrás da fachada de vidro da Metropolitan Opera House – *Source of Music* (Fonte da música) e *Triumph of Music* (Triunfo da música). **ONDE:** Broadway e 64th Street. Tel. (1) 212-546-2656; www.lincolncenter.org.

METROPOLITAN MUSEUM OF ART – O maior museu do hemisfério ocidental – e um dos melhores. Veja a descrição em A Milha dos Museus, na pág. 331.

MUSEU DE ARTE MODERNA – Depois de permanecer fechado para reformas por mais de dois anos, o MoMA reabriu em novembro de 2004 com muita badalação. Remodelado e ampliado de acordo com o projeto de Yoshio Taniguchi, esse museu de 58.528m² tem agora quase que o dobro de seu tamanho original. Fundado em 1929 para promover novas formas de expressão artística, o MoMA possui hoje o melhor acervo mundial de obras do final do século XIX até o presente, entre as quais *Noite estrelada*, de Van Gogh, *Les Demoiselles d'Avignon* (As donzelas de Avignon), de Picasso (1907), *Dança*, de Matisse (Primeira Versão), e *One* (Um), de Jackson Pollock (Número 31, 1950). Outros destaques são os 3.000 objetos da coleção Arquitetura e Design (de utensílios de cozinha e aparelhos de mesa a automóveis e helicópteros); a coleção Cinema e Mídia, com 4.000.000 de fotogramas e 19.000 filmes; o acervo de fotografias, com trabalhos de Man Ray, Walker Evans, Dorothea Lange e Ansel Adams, entre outros. Visitantes cansados de apreciar tantas atrações podem escolher entre os seguintes lugares para fazer uma pausa: o Jardim de Esculturas Abby Aldrich Rockefeller – onde obras de Giacometti, Picasso, Rodin e outros artistas estão expostas ao ar livre –, os dois cafés informais ou o conceituado restaurante The Modern, dirigido pelo chef Gabriel Kreuther. **ONDE:** MoMA, West 53rd Street, 11. Tel. (1) 212-708-9400; www.moma.org.

ROCKEFELLER CENTER NO NATAL – O Rockefeller Center é um conjunto de edifícios de escritórios, mas que edifícios! E que magnífico espaço público eles cercam! Construído na década de 1930 por John D. Rockefeller, trata-se de uma obra-prima da arquitetura moderna, com relevos art déco e esculturas inspiradas na mitologia grega, que presta homenagem ao otimismo norte-americano diante da Grande Depressão. O complexo atinge o máximo de seu esplendor no fim do ano, quando um espruce iluminado de 23–27m de altura assume o papel de árvore de Natal oficial da cidade, tendo abaixo um rinque de patinação no gelo incrivelmente romântico. Depois de uma patinada, vá até o Radio City Music Hall (esquina da 6th Avenue com a 50th Street; tel. 1/212-247-4777; www.radiocity.com), a obra-prima art déco do conjunto, para assistir ao Christmas Spectacular, um grandioso show anual no estilo Broadway estrelado pelas Rockettes. **ONDE:** entre a 48th Street e a 50th Street (sentido sul–norte) e a 5th Avenue e a 6th Avenue (sentido leste–oeste); tel. do Rockefeller Center: (1) 212-632-3975; www.rockefellercenter.com.

ESTÁTUA DA LIBERDADE E ELLIS ISLAND – Símbolos da mescla de culturas do país, chamada de *melting pot* (cadinho) pelos norte-americanos, ambas localizadas no porto de Nova York. Veja a descrição completa em Centro Histórico de Nova York, na pág. 329.

TIMES SQUARE/42ND STREET – No passado a capital do entretenimento nos Estados Unidos, com magníficas salas de cinema, glamourosas *showgirls* e os célebres gânsgsteres do musical *Guys-and-Dolls* adaptado da obra de Damon Runyon, a Times Square acabou se transformando num pântano de drogas e shows eróticos na década de 1970, com as ruas cheias de pequenos delinqüentes e gente do submundo em geral. Tudo isso mudou nos anos 1990, quando a cidade convidou a Disney e uma série de outros gigantes empresariais para colaborar na revitalização da área. Hoje, a Times Square é uma espécie de Disneylândia sem o castelo da Cinderela, um distrito de negócios e diversão familiar que exibe poucos traços do seu passado suspeito. As antigas salas de cinema do chamado "Great White Way" foram restauradas e o teatro Broadway sobreviveu intacto. Além disso, o néon ali é suficiente para rivalizar com Las Vegas e fazer girar a cabeça dos turistas. Na noite de ano-novo, esse é o centro da festa – 500.000 pessoas desafiam o frio de até 10º negativos à espera da virada do ano e da festa subseqüente. **ONDE:** tecnicamente, entre a 42nd Street e a 48th Street (sentido sul–norte) na Broadway e 7th Avenue, mas a animação se estende para o oeste até à 9th Avenue e para o norte até à 54th Street.

Lady Liberty.

OUTRAS ATRAÇÕES IMPERDÍVEIS

BIG ONION WALKING TOURS – Muito antes de se tornar conhecida como Big Apple (Grande Maçã), Nova York era a Big Onion (Grande Cebola) – um lugar que se podia descascar camada após camada sem nunca chegar ao miolo. A Big Onion Walking Tours oferece aos visitantes uma visão de várias dessas camadas, passadas e presentes, com visitas guiadas aos bairros Greenwich Village, Harlem e outros, além de roteiros históricos e excursões especializadas que exploram o mundo do trabalho, o universo gay e os demais estratos sociais da Apple/Onion. Todos os guias têm curso superior em História Americana pelas universidades de Colúmbia e Nova York. **ONDE:** organizam-se visitas a pé o ano inteiro, partindo de vários pontos de encontro em toda a cidade. Tel. (1) 212-439-1090; www.bigonion.com.

ZOOLÓGICO DO BRONX – Fundado em 1899, o Bronx Zoo abriga mais de 6.000 animais, a maioria deles em ambientes projetados para reproduzir seu habitat natural. Com 107ha, o maior zoológico metropolitano dos Estados Unidos tem seções como as Terras Altas do Himalaia, onde vivem os raros leopardos da neve; a Floresta de Gorilas do Congo, de 2,6ha, com uma das maiores colônias de gorilas da planície criados em cativeiro; e a Ásia Selvagem, cujo monotrilho transporta o visitante por uma planície habitada por elefantes, tigres e rinocerontes asiáticos. A pouca distância dali, o Jardim Botânico de Nova York é um oásis de 100ha de um tipo diferente, com 27 jardins a céu aberto e a maior estufa vitoriana dos Estados Unidos – o Palácio de Cristal de Nova York. **Zoológico do Bronx:** Fordham Road e Bronx River Parkway, Bronx. Tel. (1) 718-367-1010; www.wcs.org. **Jardim Botânico de Nova York:** 200th Street e Kazimiroff Boulevard, Bronx. Tel. (1) 718-817-8700; www.nybg.org.

Jardim Botânico do Brooklyn – Fundado em 1910, o BBG (Brooklyn Botanic Gardens) é o jardim mais popular de Nova York. São 21ha de terras adjacentes ao Prospect Park (projetado por Frederick Law Olmsted e Calvert Vaux após sua bem-sucedida experiência no Central Park), com mais de 12.000 espécies de plantas dispostas em mais de 20 jardins e coleções, que incluem, entre outras atrações, o Cranford Rose Garden; o Shakespeare Garden, no estilo inglês; o Hill-and-Pond Garden japonês; e o Cherry Esplanade, um dos lugares mais bonitos para se ver a floração das cerejeiras fora do Japão, sempre na primavera. **Onde:** Washington Avenue, 1.000, Brooklyn. Tel. (1) 718-623-7200; www.bbg.org.

Ponte do Brooklyn – Concluída em 1883 após 14 anos de construção, essa imensa ponte suspensa pode não ser a oitava maravilha do mundo (como garantiam os relações-públicas da época), mas é indiscutivelmente uma das pérolas arquitetônicas de Nova York, um símbolo ao mesmo tempo monumental e elegante que liga a baixa Manhattan ao bairro Brooklyn Heights, do século XIX. Você pode ter uma verdadeira sensação de retorno no tempo atravessando-a pela passarela central, que se estende entre imensas redes de cabos de aço de sustentação. Para ver alguns dos melhores panoramas urbanos do mundo, vá de metrô até Brooklyn Heights, explore o bairro e depois retorne a Manhattan caminhando pela ponte. **Onde:** nas linhas A e C do metrô, salte na estação High Street (1.ª parada no Brooklyn), caminhe até Cadman Plaza East, no lado leste do estreito Cadman Plaza Park. Ao norte do parque você encontrará, sob um viaduto, a escada que leva à passarela da ponte. **Brooklyn Heights:** nos limites da Old Fulton Street e Atlantic Avenue (sentido norte–sul) e Court Street/Cadman Plaza West e East River (sentido leste–oeste). Da estação de metrô de High Street (veja acima), dirija-se para o oeste até Promenade.

The Cloisters – Instalado no alto de um penhasco à beira do rio no belo Fort Tryon Park, norte da ilha de Manhattan, o Cloisters é uma seção do Metropolitan Museum of Art dedicada à arte e arquitetura da Europa medieval. Seu complexo contém estruturas autênticas do século XII ao XV, trazidas da Europa e remontadas, entre as quais estão partes de cinco claustros medievais franceses. Seu acervo contém mais de 5.000 obras, incluindo as célebres Tapeçarias do Unicórnio e numerosos manuscritos, artefatos de metal, vitrais e outras peças típicas do período medieval. **Onde:** Fort Tryon Park, perto da West 190th Street. Tel. (1) 212-923-3700; www.metmuseum.org.

Estação Grand Central – O mais provável é que você acabe passando por essa estação em algum momento (várias linhas de metrô param ali). Caso contrário, faça uma viagem especial até lá, porque a Grand Central é um dos melhores lugares da cidade para sentir o espírito da Nova York e dos Estados Unidos do começo do século XX – época em que os edifícios públicos ainda eram motivo de orgulho cívico. O exuberante exterior Beaux Arts da Grand Central é adornado com estátuas de Hércules, Minerva e Mercúrio; o teto de seu imenso saguão principal imita a abóbada celeste (tem até constelações); seus corredores arqueados e azulejados são tão elegantes quanto as galerias de uma mesquita; e suas imensas janelas iluminam o interior revestido de mármore com uma luz que só se vê em fotografias. Para uma experiência clássica da estação, almoce no Oyster Bar, no subsolo, que desde 1913 serve 1.800kg de frutos do mar frescos todos os dias, incluindo seu notório ensopado de lula à Nova Inglaterra e dezenas de tipos de ostras. **Onde:** 42nd Street, altura da Park Avenue; www.grandcentralter minal.com. **Oyster Bar:** tel. (1) 212-490-6650; www.oysterbarny.com.

Harlem Spirituals Tour – Desde a década de 1990 se vêem visitantes (principalmente europeus) com freqüência cada vez maior nos tradicionais serviços religiosos dominicais do Harlem, lugar de uma arrebatadora tradição negra gospel que nasceu com a escravidão e chegou ao norte com a migração afro-americana do começo do século XX. As melhores opções são a Mother A.M.E. (African Methodist Episcopal) Zion (West 137th Street, 140; tel. 1/212-234-1545), fundada em 1797 e com uma história que a liga à Underground Railroad (rede de ajuda aos escravos que desejavam escapar do cativeiro); a Igreja Batista Abyssinian (West 138th Street, 132; tel. 1/212-862-7474), conhecida por seu coral; e a Igreja Batista New Mount Zion (West 145th Street, 171; tel. 1/212-283-0788), dirigida pelo pastor Carl L. Washington Jr. Se você for fazer o passeio pela primeira vez, consulte os roteiros de ônibus organizados pela Harlem Spirituals (8th Avenue, 690; tel. 1/212-391-0900) que partem de *midtown*.

Uma Partida no Estádio Yankee – A menos de meia hora de metrô de *midtown*, esse estádio é um componente essencial da visita a Nova York. Consulte o site dos Yankees para ver a programação das partidas, compre ingressos com antecedência ou na bilheteria do estádio (na arquibancada os lugares são mais baratos e a torcida é mais animada) e pegue as linhas 4, D ou B do metrô (esta última somente nos dias úteis) até à estação da 161st Street – não há como errar porque é onde todos saltam. O cachorro-quente dali é provavelmente o mais caro do mundo, mas, tudo bem,

Não perca a chance de ver os Yankees em seu próprio estádio.

afinal só se vive uma vez. **Onde:** 161st Street e River Avenue, Bronx. Informações sobre ingressos: tel. (1) 718-293-6000; newyork. yankees.mlb.com.

Onde Ficar

O Four Seasons – Situado numa das ruas comerciais mais movimentadas da cidade, o Four Seasons, projetado pelo arquiteto I. M. Pei, é o destino das personalidades e dos que seguem suas pegadas Prada. Diárias estratosféricas talvez restrinjam sua visita ao fresco e suave saguão, que chega a se assemelhar a um templo em sua profunda quietude, ao Fifty Seven Fifty Seven Bar e ao restaurante homônimo, cenário dos cafés da manhã e almoços de alto nível da *midtown*. **Onde:** East 57th Street, 57; tel. (1) 800-332-3442 e (1) 212-758-5700; fax (1) 212-758-5711; www.four seasons.com/newyorkfs. *Quanto*: preço alto.

The Inn at Irving Place – The Inn at Irving Place é uma pérola – um refúgio pouco conhecido, sem nenhuma pompa, mas com muito charme. Essa hospedaria foi criada com a união de duas casas de 1834 decoradas com um esmero que faz lembrar o estilo elegante da Nova York de antigamente. A escritora Edith Wharton estaria muito à vontade nesse ambiente nobre e elegante. **Onde:** Irving Place, 56 (altura da East 17th Street). Tel. (1) 800-685-1447 e (1) 212-533-4600; fax (1) 212-533-4611; www.innatirving.com. *Quanto*: preço moderado.

O Plaza – O lendário Plaza ainda rouba a cena por sua localização, ali onde o dinamismo da 5th Avenue dá lugar ao verde tranqüilo do Central Park. Desde 1907, esse hotel com ar de castelo é conhecido por sua lista de hóspedes – da personagem infantil Eloise, criada por Kay Thompson, a Cary Grant. Segundo algumas pessoas, a menos que você consiga um quarto com vista para o parque, é melhor gastar seu dinheiro em outro lugar. Mas o chá do fim da tarde (ou o lendário brunch de domingo) no Palm Court do saguão e o Bloody Mary do Oak Room, o escuro e exclusivo bar com vista para o Central Park, deveriam estar na lista de qualquer um. **Onde:** West 59th Street, altura da 5th Avenue. Tel. (1) 800-441-1414 e (1) 212-759-3000; www.fairmont.com. *Quanto*: preço alto.

St. Regis Hotel – Construído por Jacob Astor em 1904 para ser sua residência particular, esse grandioso edifício Beaux Arts é ainda mais marcante hoje em dia. Porteiros de cartola, lustres de cristal, mobília Luís XV e serviço refinado fazem a alegria dos hóspedes adeptos do gênero. Ali fica um dos bares favoritos de Nova York – o King Cole Bar, de ambiente maravilhoso, cujo nome é uma referência ao mural de Maxfield Parrish. **Onde:** East 55th Street, 2. Tel. (1) 800-759-7550 e (1) 212-753-4500; fax (1) 212-787-3447; www.stregis.com. *Quanto*: preço alto.

Onde Comer e Beber

O Bouley e o Danube – Nova York está cheia de excelentes restaurantes dirigidos por chefs de nível internacional, entre os quais o Bouley (West Broadway, 120; tel. 1/212-964-2525; www.bouley.net), que é o mais confortável e informal. Embora francês até onde é possível, o chef e proprietário David Bouley absorve influências e sabores estrangeiros, transformando-os em criações extraordinariamente inspiradas. Esse impulso fez com que ele criasse o Danube (Hudson Street, 30; tel. 1/212-790-3771; www.thedanube.net), uma interpretação teatral da cozinha imperial austro-húngara, com uma decoração suntuosa que causa uma impressão duradoura. O cardápio elaborado pelo chef austríaco Mario Lohninger leva clássicos como o Wiener Schnitzel às alturas.

Carnegie Delicatessen – Imortalizado no filme de Woody Allen *Broadway Danny Rose*, o Carnegie é uma delicatéssen nova-iorquina da velha escola, no estilo kosher, com clima de pastrami e piadas de programas de televisão. As mesas ficam próximas umas das outras e os veteranos garçons, que gostam de provocar os turistas como parte de seu número, não estão brincando quando dizem que você não sentirá fome até a semana seguinte depois de comer um de seus pratos altamente calóricos. Os freqüentadores locais sempre pedem para dividir a refeição e nunca saem sem uma quentinha. Guarde lugar para o *cheesecake*. **Onde:** 7th Avenue, 854 (altura da 55th Street). Tel. (1) 800-334-5606 e (1) 212-757-2245; www.carnegiedeli.com.

Daniel – Considerado por outros chefs e clientes fiéis um dos mais brilhantes talentos formados na escola francesa de culinária, Daniel Boulud está pavimentando o caminho da alta-cozinha do futuro. Refinada fantasia é uma expressão que descreve de forma adequada tanto a decoração do restaurante que leva seu nome quanto seu poético cardápio, cujos pratos são tecnicamente complicados, perfeitamente executados e artisticamente apresentados. Você poderá se deleitar também com o espírito criativo de Boulud gastando menos no Café Boulud, ao lado (East 76th Street, 20; tel. 1/212-772-2600), e no mais recente DB Bistro Moderne (West 44th Street, 55; tel. 1/212-391-2400), célebre, com toda a justiça, por seu sofisticado hambúrguer. **Onde:** East 65th Street, 60; tel. 1/212-288-0033; www.danielnyc.com.

The Four Seasons – Nenhum restaurante personifica mais a elite do poder de Nova York do que o Four Seasons. Praticamente inalterado desde a sua construção, em 1959, com projeto de Philip Johnson, no marcante edifício da Seagrams, criado por Mies van der Rohe, esse é o lugar para você ir e ser paparicado por um serviço de primeira classe. Clientes de fora da cidade lotam a casa para jantar, mas os figurões da Big Apple usam-na como um restaurante simples para almoço. A comida justifica a fama que tem. **ONDE:** East 52nd Street, 99; tel. (1) 212-754-9494. www.fourseasonsrestaurant.com.

OS ITALIANOS – Nova York evoluiu muito desde a época em que comida italiana significava uma tigela de espaguete com orégano boiando em molho de tomate num restaurante familiar de Little Italy. Entre os da nova geração, o mais conhecido é o Babbo, propriedade de Mario Batali (Waverly Place, 110; tel. 1/212-777-0303; www.babbonyc.com), que apresenta aos nova-iorquinos mais curiosos língua de cordeiro, miolo de vitelo e ravióli recheado com carne de vaca, entre outras iguarias. Para paladares mais hesitantes, o cardápio tem clássicos do sul da Itália menos exóticos e igualmente deliciosos. Economize o dinheiro de uma passagem para a Toscana fazendo um programa confortável e aconchegante no Beppe (East 22nd Street, 45; tel. 1/212-982-8422), um restaurante rústico com paredes de tijolo aparente, teto com traves de madeira e lareira à lenha. Cesare Casella vem das montanhas de Lucca, onde todo o sabor dos cogumelos grelhados e das carnes assadas salta do prato, misturado ao aroma afrodisíaco de alecrim e ervas, assim como no seu restaurante. Vai ser difícil você encontrar defeito em qualquer uma das especialidades pan-italianas do Gonzo, de Vincent Scotto (West 13th Street, 140; tel. 1/212-645-4606), mas não deixe de provar uma de suas pizzas grelhadas, consideradas por muitas pessoas as melhores da cidade. A imensa e muito bem passada *bistecca alla fiorentina* é a mais autêntica dessa parte de Florença.

JEAN-GEORGES – Sabores misteriosos, combinações inovadoras, ingredientes pouco conhecidos e apresentações admiráveis continuam a cativar os iniciados que seguem Jean-Georges Vongerichten desde que ele começou a maravilhar os paladares da cidade. Da mais simples à mais complexa, cada obra-prima confirma que em sua casa reina uma das mais criativas inteligências culinárias dos Estados Unidos. **ONDE:** Central Park West, 1. Tel. (1) 212-299-3900; www.jean-georges.com.

LE BERNARDIN – Presença permanente na seleção dos melhores chefs de Nova York, o franco-americano Eric Ripert comanda a cozinha do Le Bernardin, um templo da elegância que começou a revolucionar a culinária de frutos do mar na década de 1980. Pouco temperados, ligeiramente cozidos ou apenas crus, seus pratos sempre diferentes surpreendem até os mais exigentes apreciadores da boa mesa. **ONDE:** West 51st Street, 155; tel. (1) 212-554-1515; www.le-bernardin.com.

NOBU – Um dos restaurantes de sushi mais copiados do mundo, essa badalada e inigualável casa de Tribeca merece boa parte do crédito por ter iniciado os nova-iorquinos nos mistérios do peixe cru. Seus chefs, mestres na arte do sushi, mantêm o salão de jantar povoado de celebridades sob o efeito hipnótico de seus frutos do mar aromáticos, absolutamente frescos e preparados com toda a perícia. Na porta ao lado, como o nome indica, fica o Next Door Nobu, cuja política de não fazer reservas e cobrar preços um pouco menos estratosféricos não compromete nem um pouco o encanto da noite. **ONDE:** Hudson Street, 105; tel. (1) 212-219-0500.

PETER LUGER STEAKHOUSE – Verdadeiro Partenon das carnes, o restaurante de Peter Luger talvez seja o melhor do gênero no país. Desde 1887 atrai os alegres carnívoros ao seu salão com ar de taverna da Nova York antiga sob a ponte de Williamsburg. Macios e perfeitos, seus filés de primeira qualidade são escolhidos a dedo e maturados no local. Se você pedir o cardápio, eles saberão que é a sua primeira vez ali. **ONDE:** Broadway, 178, Williamsburg, Brooklyn. Tel. (1) 718-387-7400; www.peterluger.com.

UNION SQUARE CAFÉ – Esse bistrô no estilo *New American* lhe proporcionará uma das melhores experiências de almoço ou jantar que você provavelmente já teve – se conseguir entrar. No comando de sua bem-sucedida operação está o cordial Danny Meyer, que sabe tudo sobre qualidade, serviço de alto nível e comida mediterrânea. Essa fórmula infalível explica a sólida popularidade do segundo restaurante mais querido da cidade, a bela e elegante Gramercy Tavern (East 20th Street, 42; tel. 1/212-477-0777), outra criação original de Meyer em parceria com o supertalentoso chef Tom Colicchio. **ONDE:** East 16th Street, 21; tel. (1) 212-243-4020.

Onde a cidade começou

CENTRO HISTÓRICO DE NOVA YORK

Estado de Nova York, Estados Unidos

Essa é a Nova York dos filmes preto-e-branco da década de 1930: ruas estreitas, arranha-céus imensos, executivos de terno e gravata, Cary Grant e taxistas com o sotaque característico de "New Yawk". Hoje, é claro, a maioria dos taxistas é de Bangladesh, mas o resto é mais ou menos igual – exceto Cary Grant. A colônia holandesa de Nieuw Amsterdam estabeleceu-se nessas terras em 1620. Em 1626, seu governador, Peter Minuit, fez uma aquisição lendária comprando dos índios, por U$24, a ilha de Manhattan, no que hoje é (ou está perto dali) o Bowling Green Park, um minúsculo triângulo verde no começo da Broadway. No extremo da ilha, o Battery Park proporciona uma magnífica vista do porto de Nova York e é também o ponto de partida do serviço de barcos para dois dos maiores símbolos dos Estados Unidos: a Estátua da Liberdade e a Ellis Island.

Lady Liberty (cujo nome oficial é Liberty Enlightening the World), projetada por Frédéric-Auguste Bartholdi e pelo engenheiro Alexandre-Gustave Eiffel, foi um presente dado pela França aos Estados Unidos em 1885 como símbolo de amizade e da concepção de liberdade compartilhada pelos dois países. Erguida sobre um pedestal de granito em Bedloe's Island (hoje Liberty Island), a estátua foi inaugurada em 28 de outubro de 1886. Na ocasião de seu centenário, ela passou por uma plástica notável.

Localizada um pouco ao norte de Liberty Island, Ellis Island foi o portão de entrada de cerca de 12.000.000 de imigrantes entre 1892 e 1954. Hoje, aproximadamente 40% dos norte-americanos têm algum ancestral que ingressou no país por ali. Uma reforma de seis anos de duração na década de 1980 resgatou a ilha do ostracismo, transformando-a num tocante memorial e centro de visitantes onde as pessoas podem pesquisar a chegada de seus ancestrais e saber mais sobre o próprio passado entrando pelas mesmas salas de bagagem e registro. Quem quiser ter uma boa vista da Estátua da Liberdade e do contorno dos edifícios contra o céu de Manhattan sem visitar os monumentos deve pegar o Staten Island Ferry, que sai a cada meia hora, cumprindo um trajeto de ida e volta ao mais afastado distrito de Nova York.

De volta a Manhattan, entre no labirinto de ruas ao norte do Battery Park para ouvir o coração do dinheiro batendo firme por toda a área da lendária Wall Street. Essa rua, cujo nome deriva de um muro erguido pelos holandeses como defesa contra ataques dos índios, é o centro financeiro do Novo Mundo há mais de dois séculos. A Bolsa de Nova York, instalada num belo prédio Beaux Arts projetado por George Post em 1903, é o centro da ação, o maior mercado de títulos do planeta.

É também em Wall Street que se localiza a Igreja Trinity, em sua época o edifício mais alto da cidade, com 85m. Construída em 1846 por William Upjohn, essa igreja episcopal é hoje menor do que quase tudo o que existe à sua volta, mas ela ainda funciona como local de culto e refúgio de paz. Ao meio-dia das segundas e terças-feiras realizam-se ali concertos gratuitos.

Cinco quadras ao norte fica a Capela de St. Paul. Construída em 1776 no estilo neoclássico georgiano, essa é a única igreja remanescente da Nova York pré-revolucionária. Seu cemitério está cheio de personalidades do século XVIII e início do XIX. George Washington a freqüentou após sua posse como presidente em 1789. Sua fama mais recente, porém, deve-se ao fato de ter funcionado como centro de apoio 24 horas para os trabalhadores envolvidos no resgate das vítimas do ataque ao World Trade Center em 11 de setembro de 2001. Nos dias que se seguiram ao atentado, a cerca de ferro da igreja ficou totalmente enfeitada com bilhetes, cartazes de pessoas desaparecidas, chapéus de bombeiros, bonés de beisebol, estandartes, pássaros de origami (simbolizando a paz) e outros itens dedicados aos mais de 2.500 mortos e desaparecidos. Hoje removido e arquivado pela igreja, o memorial deverá ser exibido no futuro num lugar ainda a ser determinado.

No momento em que escrevíamos, os 6,5ha antes ocupados pelo World Trade Center (atrás da capela de St. Paul) estavam para se tornar o local de uma nova construção. O projeto vencedor, escolhido num longo concurso de 15 meses de duração, foi apresentado pela firma do nova-iorquino Daniel Libeskind, mais conhecido pelo projeto do Museu Judaico de Berlim. Um memorial especial sobre o tema “Refletindo a Ausência” será criado pelos designers Michel Arad e Peter Walker, selecionados entre mais de 5.000 candidatos. O resultado dos trabalhos de reconstrução já é visível no vizinho World Financial Center. Seu Winter Garden, que teve o domo de vidro destruído pela queda dos destroços das torres, já está completamente reparado. Ali há restaurantes em pleno funcionamento e uma série de concertos gratuitos. A praça a céu aberto atrás do edifício, de frente para o rio Hudson, é um ótimo lugar nos dias quentes.

Subindo a Broadway, você passará pelo lindo Woolworth Building, que em 1913 era o mais alto edifício do mundo e a sede da rede Woolworth de lojas de artigos baratos, hoje extinta. Projetado por Cass Gilbert em estilo neogótico, essa construção parece uma Notre-Dame muito alta e estreita, cheia de arabescos de pedra, gárgulas, torres e agulhas. O prédio não é aberto à visitação pública, mas você pode entrar um momento para ver o catedralesco saguão.

Do outro lado da rua fica o extremo sul do City Hall Park, um espaço público restaurado cercado de edifícios do governo municipal: o surpreendentemente pequeno City Hall (fechado a visitantes); o imponente edifício Beaux Arts do Hall of Records, que abriga a história legal e fundiária completa de Manhattan desde o século XVII; o Municipal Building, um enorme anexo do City Hall; e a Tweed Courthouse, construída durante o reinado do lendário político nova-iorquino William “Boss” Tweed. Orçada em U$250.000, a construção do tribunal ultrapassou os U$14.000.000 – supostamente mais de 60% desse valor teria sido bancado por Tweed e seus sócios.

O Que: lugar. **Distrito Financeiro:** no extremo sul da ilha de Manhattan. Tel. (1) 212-484-1222; www.nycvisit.com. **Estátua da Liberdade:** www.nps.gov/stli. Informações sobre barcos: tel. (1) 212-269-5755; www.circlelineferry.com. *Quanto*: U$10. *Quando*: partida constante de barcos, diariamente, de Battery Park. **Ellis Island:** tel. (1) 212-363-3200; www.ellisisland.org. Informações sobre barcos pelo telefone citado. **Staten Island Ferry:** tel. (1) 718-815-BOAT; www.siferry.com. Partidas do Terminal Whitehall, em Whitehall Street e South Street. *Quanto*: gratuito. **Bolsa de Valores de Nova York:** Broad Street, 20; tel. (1) 212-656-5165; www.nyse.com. **Igreja Trinity:** Wall Street e Broadway. Tel. (1) 212-602-0800; www.trinitywallstreet.org. *Quanto*: concertos gratuitos, mas sugere-se uma contribuição. *Quando*: consulte o site para saber a programação dos concertos ao meio-dia. **Capela de St. Paul:** Broadway, entre a Vesey Street e a Fulton Street; tel. (1) 212-602-0800; www.saintpaulschapel.org. **World Financial Center:** West Street, altura da Vesey Street; tel. (1) 212-945-2600; www.worldfinancialcenter.com.

1.600m de cultura

A Milha dos Museus

Nova York, Nova York, Estados Unidos

No abastado Upper East Side de Manhattan, em frente ao Central Park, a 5th Avenue, no passado um lugar de mansões milionárias, hoje abriga outro tipo de riqueza. Muito afastadas do burburinho da *midtown*, as 22 quadras entre a 82nd Street e a 104th Street formam a chamada Museum Mile (Milha dos Museus), uma das maiores concentrações de museus do mundo, com muitos outros a poucas quadras ao sul.

O Metropolitan Museum of Art é, sem dúvida, o maior e um dos melhores museus do hemisfério ocidental, com um acervo de mais de 2.000.000 de obras de todo o mundo, da Idade da Pedra ao século XXI. Fundado em 1870 e transferido para sua sede atual em 1880, ele se expandiu a tal ponto que seu edifício neogótico original está hoje totalmente cercado de anexos. Entre seus principais destaques estão as galerias grega e romana; o Instituto do Vestuário; as coleções de arte chinesa e bizantina; a coleção de pintura européia, com obras de Tiepolo, Cézanne, Vermeer e Monet; a coleção de brasões e armaduras; a coleção egípcia, com múmias, esfinges e o deslumbrante Templo de Dendur, do século I, completo e apresentado como um presente do governo egípcio. Igualmente notável é a sala Frank Lloyd Wright, erguida com o propósito de espelhar a antiga sala de estar de Francis W. Little. Um popular refúgio de verão dos nova-iorquinos, com uma magnífica vista do Central Park, é o Roof Garden Café. De setembro a junho, o museu promove também uma série de concertos de música clássica em várias de suas melhores salas.

O Museu Solomon R. Guggenheim e sua linha espiral.

Para ver mais do trabalho de Frank Lloyd Wright, suba até o Museu Solomon R. Guggenheim. Projetado por Wright como uma espiral mais larga no topo do que na base, o edifício reflete o uso da forma orgânica pelo arquiteto. Vá de elevador até o topo e desça pelas galerias contínuas até o térreo, apreciando um acervo que se estende do final do século XIX até o presente. Lá estão a coleção original de arte não-objetiva de Mr. Guggenheim; a coleção de pintura e escultura surrealista e abstrata de Peggy Guggenheim; e obras impressionistas, pós-impressionistas, protomodernas, expressionistas alemãs, minimalistas, ambientais e de outras escolas modernas e contemporâneas.

Um pouco mais acima, o Museu da Cidade de Nova York é programa obrigatório para os aficionados por Gotham City, com suas coleções de gravuras e fotografias, pinturas e esculturas, artes decorativas, vestuário, brinquedos e objetos diversos que traçam a trajetória da cidade de pequena colônia holandesa a uma das principais metrópoles do mundo. A Theater Collection é uma das melhores do planeta, cobrindo o teatro de Nova York do final do século XVIII até o presente com reproduções de cenários e vestuário, fotografias e roteiros originais, roupas, cartazes e cartões comemorativos. A Marine Collection concentra-se na história marítima da cidade, com 100 modelos de navios históricos e outras tantas pinturas do porto local ao longo dos anos. No quinto andar, os quartos de dormir e vestir de John D. Rockefeller, do século XIX, são mantidos intactos, transferidos para lá de sua casa na West 55th Street, 4.

Na 91st Street, o Museu Nacional de Design Cooper-Hewitt ocupa a antiga mansão de outro célebre magnata local, Andrew Carnegie. Integrante da Smithsonian Institution, esse é o único museu dos Estados Unidos exclusivamente dedicado ao design histórico e contemporâneo, com coleções de desenho industrial e artes decorativas, desenhos, gravuras e projetos gráficos. As bibliotecas e os arquivos do museu são abertos ao público com hora marcada.

Uma quadra ao norte, o Museu Judaico celebra 4.000 anos da cultura hebraica por meio da pintura, escultura, desenhos, fotografia e artefatos arqueológicos e cotidianos – cerca de 28.000 peças ao todo. A exibição permanente *Culture and Continuity: The Jewish Journey* (Cultura e continuidade: a jornada judaica) conta a história da experiência do povo judeu desde tempos imemoriais até os dias de hoje, utilizando-se de arte, arqueologia, objetos cerimoniais, vídeos e mídia interativa.

Tecnicamente não inseridos na Milha dos Museus, o Museu Whitney de Arte Americana e o Frick são tão próximos (e importantes) que é bobagem não incluí-los aqui. O Whitney abriga aquele que é possivelmente o melhor acervo de arte norte-americana do século XX em todo o mundo. Fundado por Gertrude Vanderbilt Whitney em 1930 para exibir obras de artistas nacionais pouco divulgados, essa casa possui um conjunto de peças cada vez maior, que hoje chega a ser de mais de 14.000. Entre os destaques estão trabalhos de Edward Hopper, Alexander Calder, Georgia O'Keeffe, Reginald Marsh, Claes Oldenburg, Alex Katz e Stuart Davis. O sólido edifício de granito do museu, descrito por um crítico como "um zigurate babilônio invertido" na época de sua construção em 1966, foi projetado pelo arquiteto húngaro Marcel Breuer, da escola Bauhaus.

O Frick ocupa o outro pólo do espectro artístico, concentrando-se nos mestres europeus. Está instalado numa magnífica mansão que imita o estilo francês do século XVII, construída em 1914 pelo magnata do aço e das ferrovias Henry Clay Frick. Seu interior, retrato de uma época, parece o que ele foi no passado: a residência de um homem desmesuradamente rico com inclinação para a arte. Muito querido pelos nova-iorquinos por sua intimidade e pela relativa ausência de grandes multidões, o museu é célebre por suas lindas decorações de Natal. Obras de Rembrandt, Vermeer, Holbein, Velázquez, Ticiano, El Greco, Bellini e Goya são suas estrelas.

Outros integrantes da Milha são: El Museo del Barrio, o único de Nova York dedicado à história e cultura latinas; o National Academy Museum, com uma coleção de arte norte-americana dos séculos XIX e XX; o Centro Cultural Alemão Goethe House, que promove mostras de artistas alemães; e a Neue Galerie New York, dedicada à arte e ao design alemães e austríaco do início do século XX.

O QUE: lugar. **METROPOLITAN MUSEUM OF ART:** 5th Avenue, 1.000, altura da 82nd Street. Tel. (1) 212-535-7710; www.metmu seum.org. *Quanto*: doação sugerida U$12. *Quando*: Ter.–Sex. **MUSEU SOLOMON R. GUGGENHEIM:** 5th Avenue, 1.071, altura da 89th Street. Tel. (1) 212-423-3500; www.guggen heim.org. *Quanto*: ingresso U$15. *Quando*: Sex.–Qua. **MUSEU DA CIDADE DE NOVA YORK:** 5th Avenue, 1.220, altura da 103rd Street. Tel. (1) 212-534-1672; www.mcny.org. *Quanto:* ingresso U$7. *Quando*: Qua.–Sáb. **MUSEU NACIONAL DE DESIGN COOPER-HEWITT:** East 91st Street, 2, altura da 5th Avenue. Tel. (1) 212-849-8400. www.si.edu/ndm. *Quanto:* ingresso U$10. *Quando*: Ter.– Dom. **MUSEU JUDAICO:** 5th Avenue, 1.109, altura da 92nd Street. Tel. (1) 212-423-3200; www.jewishmu seum.org. *Quanto:* ingresso U$8. *Quando*: Dom.–Sex. **MUSEU WHITNEY DE ARTE AMERICANA:** Madison Avenue, 945, altura da 75th Street. Tel. (1) 1-800-WHITNEY; www.whitney. org. *Quanto:* ingresso U$12. *Quando*: Ter.–Dom. **MUSEU FRICK:** East 70th Street, 1, altura da 5th Avenue. Tel. (1) 212-288-0700; www. frick.org. *Quanto*: ingresso U$12. *Quando*: Ter.–Dom. **EL MUSEO DEL BARRIO:** 5th Avenue, 1.230, altura da 104th Street. Tel. (1) 212-831-7272; www.elmuseo.org. *Quanto*: ingresso U$5. *Quando*: Qua.–Dom. **NATIONAL ACADEMY MUSEUM:** 5th Avenue, 1.083, altura da 89th Street. Tel. (1) 212-369-4880; www.nationalacademy.org. *Quanto*: ingresso U$10. *Quando*: Qua.–Dom. **CENTRO CULTURAL ALEMÃO GOETHE HOUSE:** 5th Avenue, 1.014, altura da 82nd Street. Tel. (1) 212-439-8700; www.goethe.de/newyork. *Quanto*: ingresso gratuito. *Quando*: biblioteca Ter.–Dom.; galeria Dom.–Sex. **NEUE GALERIE NEW YORK:** 5th Avenue, 1.048, altura da 86th Street. Tel. (1) 212-628-6200; www.neuegalerie.org. *Quanto*: ingresso U$10. *Quando*: Sex.–Seg.

O evento mais fotografado do mundo

FESTA DE BALÕES DE ALBUQUERQUE

Novo México, Estados Unidos

Pouco antes do amanhecer, mais de 750 imensos balões de ar quente posicionados em 28ha de terreno preparam-se para subir durante a Baloon Fiesta de Albuquerque. A confraria internacional dos entusiastas do balonismo concentra-se até à aguardada ascensão em massa que ocorre às 7h, cobrindo o céu da manhã de balões de todas as cores, formas e dimensões, entre os quais cerca de 70 modelos "especiais" com formatos diversos – de motocicletas Harley Davidson a vacas saltando por cima da Lua. Até você pode pegar uma carona para o céu: basta providenciar sua inscrição com os organizadores do evento. Lá em cima, o silêncio extraterreno do deserto só é interrompido pela errática liberação de rajadas de gás

A subida em massa dos balões cobre o céu ao amanhecer.

enquanto você vê o sol da manhã aquecer as montanhas Sandia. Mas tudo é muito excitante em terra também, sobretudo para os fãs da fotografia. Considerado o "evento mais fotografado do mundo", esse festival enche de balões o céu da maior cidade do Novo México durante nove dias todo mês de outubro e é matéria das revistas norte-americanas por meses a fio. Se o brilho dos balões iluminando o céu da noite não for suficiente para você, as queimas de fogos comemorativas com certeza serão.

O Que: evento, experiência. **Festa de Balões:** Balloon Fiesta Park. Tel. (1) 505-821-1000; www.aibf.org. **Passeios de balão:** entre em contato com a Rainbow Ryders, Inc., tel. (1) 505-823-1111; fax (1) 505-823-1110; morehotair@rainbowryders.com; www.rainbowryders.com. *Quanto*: U$225 o 1.º passeio, U$195 o 2.º. **Quando:** 9 dias no início de outubro.

Redescobrindo a mãe de todas as estradas

Rota 66

Albuquerque, Novo México, Estados Unidos

Nat King Cole disse para sairmos atrás de diversão na Rota 66; um número incalculável de refugiados do árido centro-sul norte-americano percorreu a "mãe de todas as rodovias" à procura de oportunidades. Na época dos beatniks, incontáveis libertários – inspirados pelos romances de Jack Kerouac e pela interminável série de TV exibida nos anos 1960 *Rota 66* – puseram o pé na estrada em busca de aventura pelo preço de um tanque de gasolina. Aberta em 1926 e pavimentada em 1937, a Rota 66 já teve 3.938km de extensão, passando por cidades de oito estados – de Chicago, em Illinois, a Santa Mônica, na Califórnia. Foi a grande rodovia leste–oeste dos Estados Unidos até ser jogada para escanteio pelas vias interestaduais construídas nas décadas de 1950, 1960 e 1970. Mas como se mata uma estrada que era feita muito mais de ideais do que de asfalto? Não é nada fácil, porém hoje 85% dela é um conjunto de rodovias rurais, a maior parte de duas faixas, que os viajantes têm que procurar.

É a partir de Albuquerque, no Novo México, que você pode pegar um dos mais longos trechos da mais norte-americana de todas as estradas. Outros segmentos, em diversas partes do estado, conduzem a verdadeiros fantasmas de décadas passadas – postos de gasolina, restaurantes de beira de estrada, entrepostos de comércio, churrascarias, paradas de caminhão e uma profusão de motéis. Ainda podem se encontrar, congelados no tempo e operando no ramo da nostalgia, alguns exemplares dos clássicos motéis da Rota 66 – um conceito novo em sua época que encontrou um nicho e prosperou ao longo da lendária rodovia. Alguns dos mais conhecidos, todos eles construídos na época do surgimento da estrada, são o El Vado, em Albuquerque, o Blue Swallow, em Tucumcari (em frente ao Tepee Curios), e o El Rancho, em Gallup, uma das capitais dos filmes de faroeste entre 1929 e 1964 – quem sabe você fica hospedado no quarto que foi de Kirk Douglas?

O Que: experiência, hotel. **Rota 66:** informação e mapas, entre em contato com a National Historic Route 66 Federation: tel. (1) 818-352-7232; www.national66.org. **El Vado Motel:** Central S.W, 2.500 (Highway 66), Albuquerque. Tel. (1) 505-243-4594; www.route66.com. *Quanto*: duplos a partir de U$32. **Blue Swallow Motel:** Route 66 Boulevard, 815, Tucumcari (281km a leste de

Albuquerque). Tel. (1) 505-461-9849; www.blueswallowmotel.com. *Quanto*: duplos a partir de U$32. **El Rancho:** East Highway 66, 1.000, Gallup (219km a oeste de Albuquerque). Tel. (1) 505-863-9311; www.elranchohotel.com. *Quanto*: duplos a partir de U$52.

Uma maravilha natural debaixo da terra

Parque Nacional das Cavernas de Carlsbad

Carlsbad, Novo México, Estados Unidos

Um dos mais espetaculares sistemas de cavernas do mundo, o Parque Nacional das Cavernas de Carlsbad tem mais de 100 dessas atrações subterrâneas, entre as quais a própria Carlsbad, notória por seu Grande Salão, com 68m de altura e tamanho equivalente a seis campos de futebol, e a Lechuguilla, uma das maiores do planeta. Essas cavernas, cuja formação se deu ao longo de milhões de anos, eram conhecidas dos nativos norte-americanos já no século X (como provam os pictogramas visíveis nas paredes da entrada), porém só foram descobertas pelos colonizadores modernos há cerca de 100 anos.

As formações surreais das cavernas de Carlsbad.

Inteiramente atentos à sinalização durante suas explorações e acompanhados pelo som da água que pinga sem parar e pelo cheiro adocicado dos excrementos de morcego, os visitantes penetram nas profundezas da terra do deserto de Chihuahua para ver formações rochosas surreais e frágeis depósitos de minerais com os mais variados aspectos, de drapejados e colares de pérolas a esculturas rococós, cachos de uvas e cachoeiras. Apesar dos 30.000.000 de pessoas que ali estiveram desde que as cavernas se tornaram um parque nacional em 1923 e dos 5km de caminhos pavimentados que descem até 250m de profundidade, essa ainda é uma experiência com a natureza bruta. Ela não chega a ser assustadora, mas é sinistra e definitivamente fascinante tanto pela geologia quanto pela fauna das cavernas. No verão, as colônias de morcegos mexicanos que as habitam podem somar centenas de milhares desses animais. E que espetáculo eles proporcionam quando, ao anoitecer, saem em massa para o deserto em busca de insetos, formando uma nuvem de quilômetros de extensão. As colônias podem levar até 45 minutos para sair das cavernas e para retornar a elas ao amanhecer.

O Que: lugar. **Onde:** 458km a sudeste de Santa Fé, 230km a nordeste de El Paso. Tel. (1) 505-785-2232; www.nps.gov/cave. **Quanto:** ingresso U$6. **Melhor Época:** de meados de Mai.–Out. para ver os morcegos, que passam o inverno no México. A temperatura média anual nas cavernas é de 13° C.

Onde o pôr-do-sol do deserto rouba o espetáculo

A Ópera de Santa Fé

Santa Fé, Novo México, Estados Unidos

Fundada em 1957 e desde então cada vez mais bem-sucedida, a Ópera de Santa Fé ficou famosa por sua programação inovadora, variada e arriscada – um repertório que combina clássicos com obras pouco executadas e freqüentes estréias norte-americanas e mundiais. Além de apresentar talentos de renome internacional, a companhia é também conhecida por descobrir grandes vozes. Mas serão a música e o cenário as maiores atrações? Os espetáculos são realizados num anfiteatro parcialmente fechado, esculpido numa encosta, cenário esplêndido que maximiza a beleza deslumbrante das montanhas Sangre de Cristo e inspira tanto os artistas quanto a sofisticada platéia, boa parte da qual vem de muito longe. As noites de estréia são abertas pela tradicional festa black tie no estacionamento do teatro, com bufê servido pelos melhores restaurantes da cidade.

O Que: evento. **Onde:** 11km ao norte de Santa Fé, na U.S. 84. Ingressos na bilheteria da Ópera de Santa Fé; tel. (1) 800-280-4654 e (1) 505-986-5900; fax (1) 505-995-3030; www.santafeopera.org. **Quando:** fim de Jun.–fim de Ago.

Banho sob as estrelas

Ten Thousand Waves

Santa Fé, Novo México, Estados Unidos

Pegue o ambiente de uma tradicional *onsen* (fonte de águas termais) do Japão, acrescente ao redor o magnífico panorama das montanhas Sangre de Cristo e o perfume de pinheiros e folhas de zimbro, junte a emoção de cercar tudo isso dentro de um grande espaço e você terá Ten Thousand Waves, um retiro de vida saudável único em seu gênero. Deixe o acanhamento no balcão de entrada desse oásis com sete banheiras privativas e duas coletivas. Ali a palavra de ordem é relaxar. E, se é verdade que muitas pessoas vão a esse lugar apenas pelas águas, a maioria delas aproveita as variadas opções de tratamentos corporais oferecidas: *salt glows* (esfoliação da pele com óleos aromáticos misturados com sais minerais, seguida da aplicação de cremes especiais), banhos de ervas, algo que se chama Nightingale Facial e diversos tipos de massagem – de simples esfregadelas com essência de sândalo à Four Hands One Heart, massagem com dois terapeutas de uma só vez.

Inaugurado em 1981, o Waves (como é chamado pelos moradores locais) é um pouco nova era, um pouco zen e um pouco *high desert*, tudo combinado com a sóbria elegância da estética japonesa e oriental. As oito suítes de hóspedes das Casas da Lua são retiros tranqüilos, com esteiras de tatame e *futons* supergrossos. Quem fica para passar a noite tem a opção de tomar um banho de imersão sob o céu estrelado. É difícil acreditar que se está tão longe do Oriente, apesar do aviso no pátio: "Tóquio, 10.070km."

O QUE: hotel. **ONDE:** Hyde Park Road, 3.451 (5,6km do centro de Santa Fé). Tel. (1) 505-982-9304; fax (1) 505-989-5077; info@tenthousandwaves.com; www.tenthousandwaves.com. **QUANTO:** duplos a partir de U$190, com livre acesso à banheira coletiva; hóspedes que só ficam para o dia pagam U$19,50 por pessoa, por hora, em banheira privativa e U$13,25 por pessoa na coletiva. **MELHOR ÉPOCA:** inverno, para experimentar a banheira quente externa durante uma neve ligeira; meses de verão até Set., quando os jardins estão no auge.

No balanço de Cleveland

O Hall da Fama e o Museu do Rock and Roll

Cleveland, Ohio, Estados Unidos

Há muito tempo a cidade de Cleveland é conhecida por sua respeitada Orquestra Sinfônica, mas um dos principais motivos da sua recente ascensão como centro de cultura – e criação de tendências – foi a inauguração, em 1995, do Hall da Fama do Rock and Roll (também conhecido como Hall do Rock), uma ousada estrutura de sete pavimentos às margens do lago Erie, toda de vidro e porcelana, assinada pelo arquiteto I. M. Pei. Em seu interior, instigantes mostras interativas, arquivos e vídeos prestam homenagem a artistas, compositores, produtores, disc jockeys e demais pessoas que lançaram o gênero na década de 1950 e o sustentam até hoje. Ali estão em exibição mais de 100.000 itens que evocam lembranças, além de tocantes objetos pessoais pertencentes à realeza musical, entre os quais o uniforme de escoteiro de Jim Morrison, o Porsche 1965 de Janis Joplin e o Eliminator da banda ZZ Top. Você verá também os boletins escolares dos Everly Brothers e rascunhos de letras de Jimi Hendrix junto com suas torturadas guitarras Stratocaster. Há ainda o diploma do segundo grau de Buddy Holly e roupas que Chuck Berry, Iggy Pop e The Temptations usaram em seus shows. As mostras especiais combinam música, história e sociologia.

O evento anual mais badalado do Hall da Fama do Rock and Roll, a cerimônia de inclusão, continua a ser realizado em Nova York e Los Angeles, as mecas da indústria fonográfica. Então por que Cleveland? Talvez porque Alan Freed, um disc jockey local, tenha sido o criador do termo rock-'n'-roll, em 1952, mesmo ano em que a cidade patrocinou o Moondog Coronation Ball, o primeiro concerto de rock. Tudo isso e mais uma série de trivialidades da cultura pop inundam o Hall do Rock de energia e música, muita música.

O QUE: lugar. **ONDE:** One Key Plaza, North Coast Harbor. Tel. (1) 800-764-ROCK e (1) 216-781-7625; www.rockhall.com. **QUANTO:** ingresso U$18.

Como era o vale de Napa

O VALE DE WILLAMETTE

Oregon, Estados Unidos

No fim da histórica trilha do Oregon, a menos de uma hora de carro de Portland, estão o vale de Willamette e seus 4.500ha de magníficos vinhedos. Muito parecida com o que era o vale californiano de Napa em seus primeiros tempos, essa é uma exuberante região agrícola, uma das duas áreas produtoras de vinho que vêm tornando o Oregon objeto da inveja de vinicultores – de franceses a californianos. Em Willamette há cerca de 260 (e serão mais) propriedades vinícolas, entre pequenas unidades artesanais e empresas comerciais, que estão à altura de qualquer uma do vale de Napa. Cada curva das irregulares estradas locais revela belas pousadas, celeiros pitorescos, restaurantes inovadores e quiosques de produtos agrícolas. Atravessando o centro do vale de norte a sul pela panorâmica Rota 99W, você encontrará as pequenas cidades de Newberg, onde está a Rex Hill Vineyards, cujos vinhos e museu justificam uma parada; Beaverton, da Ponzi Vineyards, uma das propriedades vinícolas pioneiras do estado; e Dundee, da Argyle Winery, produtora dos primeiros vinhos do Oregon servidos na Casa Branca.

A cidade de Dayton merece um pernoite. Hospedando-se na Wine Country Farm B&B and Cellars, você apreciará amplas vistas das colinas viníferas do estado, além de ter acesso direto às populares salas de prova dessa encantadora casa de fazenda de 1910. Terá também a oportunidade de experimentar o inusitado cardápio da Joel Palmer House, criado pelo célebre chef Jack Czarnecki, caçador de trufas e cogumelos, cujo premiado restaurante é um lugar de peregrinação de apreciadores da boa mesa.

O QUE: lugar, hotel, restaurante. **VALE DE WILLAMETTE:** Oregon Wine Board; tel. (1) 503-228-8336; www.oregonwine.org. Câmara de Comércio de Yamhill; tel. (1) 503-472-6096 e (1) 503-883-7770; www.oregonwinecountry.org. **REX HILL VINEYARDS:** North Highway 99W, 30.835, Newberg. Tel. (1) 503-538-0666; www.rexhill.com. **PONZI VINEYARDS:** Beaverton. Tel. (1) 503-628-1227; www.ponziwines.com. **ARGYLE WINERY:** Dundee. Tel. (1) 888-4-ARGYLE e (1) 503-538-8520; www.argylewinery.com. **WINE COUNTRY FARM B&B AND CELLARS:** Breyman Orchards Road, Dayton. Tel. (1) 800-261-3446 e (1) 503-864-3109; fax (1) 503-864-3109; www.winecountryfarm.com. *Quanto*: duplos a partir de U$115. **JOEL PALMER HOUSE:** Ferry Street, 600, Dayton. Tel. (1) 503-864-2995; www.joelpalmer.com. *Quanto*: jantar U$35. *Quando*: jantar Ter.–Sáb. **MELHOR ÉPOCA:** a maioria das propriedades vinícolas fica aberta ao público na primavera e no outono; International Pinot Noir Celebration, tel. (1) 800-775-4762 e (1) 503-472-8964.

As videiras de Ponzi Vineyards.

O tesouro acumulado de um único homem

FUNDAÇÃO BARNES

Filadélfia, Pensilvânia, Estados Unidos

Todos visitam o Museu de Arte da Filadélfia – o 3.º maior dos Estados Unidos, com 300.000 obras de arte, cotado como um dos melhores do país –, mas é difícil entender por que pouco se fala da Fundação Barnes, que tem um dos acervos mais importantes do mundo, com cerca de 6.000 peças avaliadas em mais de U$6.000.000.000. O destaque de suas 23 galerias é a coleção de pintura moderna e pós-impressionista francesa, com 181 obras de Renoir, 69 Cézannes, 60 Matisses e 44 Picassos, além de muitos outros artistas europeus, como Van Gogh, Degas, Corot, Seurat, Monet, Manet, Goya e El Greco. Arte africana e curiosidades, como dobradiças rústicas e outros objetos, estão dispostos ao lado dos mestres para ressaltar as similaridades de concepção. O acesso limitado deve-se a restrições da administração do distrito, por isso as galerias nunca estão lotadas (ou seja, marque sua visita com antecedência nas épocas de maior movimento). O belo arboreto da galeria, de 5ha, é um dos segredos da cidade.

A fundação tem o nome do Dr. Albert Barnes, que, embora tenha nascido pobre, aos 40 anos se tornou um milionário das patentes de remédios. Na época de sua morte, aos 79 anos, em 1951, já era um colecionador de arte brilhante. O espírito do Dr. Barnes continua a ser sentido na sua mansão de inspiração francesa, onde essa peculiar coleção permanece como originalmente organizada, em respeito à sua vontade expressa em testamento.

O QUE: lugar. **ONDE:** North Latches Lane, 300, subúrbio de Merion, pela Main Line, a cerca de 16km do centro da cidade. Tel. (1) 610-667-0920; www.barnesfoundation.org. *Quanto*: ingresso U$5, incluídos os jardins. Visitas guiadas por livres-docentes 2 vezes por dia. **QUANDO:** os ingressos devem ser reservados com antecedência (nos meses de maior movimento, pelo menos 60 dias antes). Aberta Sex.–Dom., Set.–Jun.; Qua.–Sex., Jul.–Ago. **MELHOR ÉPOCA:** os jardins ficam viçosos na primavera e no outono, portanto é mais difícil conseguir ingressos nessas estações. A disponibilidade de ingressos é maior em Jul. e Ago.

A maior festa de flores em área coberta do mundo

MOSTRA DE FLORES DA FILADÉLFIA

Filadélfia, Pensilvânia, Estados Unidos

A mais antiga e conceituada mostra de flores dos Estados Unidos, que é realizada quase todo ano desde 1829 pela Sociedade de Horticultura da Pensilvânia, é também a melhor: um grande festival que transforma cada metro quadrado dos 40ha do Centro de Convenções da Filadélfia num fantástico jardim de botões e árvores em flor. As 60 mostras principais são de tirar o fôlego, mas as 2.500 exibições amadoras organizadas em 580 categorias competitivas são páreo duro para os profissionais. Mais de 200 juízes de todo o país concedem prêmios na penúltima noite do evento, que tem uma semana de duração. Nesse período, são realizados seminários e demonstrações práticas de poda, replantio, bonsai e topiaria, além de debates sobre o uso de fertilizantes e uma feira tentadora. Os lucros da mostra – geralmente mais de U$1.000.000 – retornam para a cidade na forma de conservação dos jardins públicos e de projetos de embelezamento dessa áreas. No total, a Sociedade de Horticultura analisa mais de 2.000 projetos de jardins, fundamentais para que a Filadélfia se mantenha como a cidade sempre verde imaginada pelo seu fundador, William Penn.

O Que: evento. **Onde:** Centro de Convenções da Pensilvânia, 12th Street e Arch Street. Sociedade de Horticultura da Pensilvânia: tel. (1) 215-988-8899; www.theflowershow.com. **Quanto:** U$20. **Quando:** início de Mai., com duração de 1 semana.

Uma festa gastronômica para príncipes e mendigos

Filadélfia Gastronômica

Filadélfia, Pensilvânia, Estados Unidos

Não mais um mero ponto de parada entre Washington, D.C. e Nova York, a Filadélfia vem retomando seu lugar entre os grandes centros norte-americanos com um vibrante circuito gastronômico que começa a atrair os apreciadores da boa mesa de toda a costa leste. O alto status culinário da cidade foi estabelecido há mais de 30 anos por Georges Perrier, chef e proprietário do Le Bec-Fin, um clássico da alta-cozinha que desde 1970 se mantém como o melhor restaurante francês da costa leste (e talvez dos Estados Unidos). Seu elegante ambiente, que lembra os salões parisienses da virada do século, exala opulência, enquanto no andar de baixo o Le Bar Lyonnais (o "baby Bec"), seu bistrô mais intimista, oferece um cardápio igualmente requintado, porém mais em conta, que prima pela simplicidade e leveza. A uma quadra de distância situa-se a Brasserie Perrier, que acomoda um bem-vindo excedente dos devotados tietes do chef.

Georges Perrier, chef e proprietário do Le Bec-Fin, em sua movimentada cozinha.

Se você não fizer reserva com semanas de antecedência, pode não conseguir mesa em nenhum dos restaurantes de Monsieur Perrier na Walnut Street (graças a ele, hoje conhecida como "a fileira dos restaurantes"), o que por outro lado lhe dará a oportunidade de se virar com o outro clássico da Filadélfia, o *cheese-steak*: uma montanha de finas fatias de carne grelhada e bastante acebolada com cobertura de Cheez Whiz (queijo fundido). A escolha do queijo divide opiniões: o provolone e o americano são aceitáveis. De qualquer forma, um monstro calórico, onde quer que você o encontre. Uma trindade de venerados restaurantes reclama o título de melhor da Filadélfia: o Jim's Steaks (também conhecido por servir um excelente *hoagie*, versão local do sanduíche submarino); o venerado Pat's King of Stakes, onde – a se acreditar na propaganda – Pat Olivieri inventou o *cheesesteak* em 1932 (hoje o lugar é administrado por seu sobrinho-neto); e, do outro lado da rua, o Geno's, arqui-rival do Pat's.

O QUE: restaurante. **LE BEC-FIN E LE BAR LYONNAIS:** Walnut Street, 1.523; tel. (1) 215-567-1000; www.lebecfin.com. *Quanto*: no Le Bec-Fin, refeição de 6 pratos, preço fixo U$120; jantar no Le Bar Lyonnais U$45. *Quando*: almoço Seg.–Sex. **BRASSERIE PERRIER:** Walnut Street, 1.619. Tel. (1) 215-568-3000; www.brasserieperrier.com. *Quanto*: jantar U$45. *Quando*: almoço Seg.–Sáb., jantar diariamente. **JIM'S STEAKS:** South Street, 400. Tel. (1) 215-928-1911; www.jimsteaks.com. *Quanto*: U$6–U$9. *Quando*: almoço e jantar diariamente. **PAT'S KING OF STEAKS:** Passyunk Avenue, 1.237. Tel. (1) 215-468-1546; www.patskingofsteaks.com. *Quanto*: U$5–U$9. *Quando*: aberto diariamente, 24 horas. **GENO'S:** South Ninth, 1.219, altura da Passyunk Avenue. Tel. (1) 215-389-0659; www.geno steaks.com. *Quanto*: U$5–U$9. *Quando*: aberto diariamente, 24 horas.

O berço do governo norte-americano

PARQUE NACIONAL DA INDEPENDÊNCIA

Filadélfia, Pensilvânia, Estados Unidos

Também chamada de Cidade do Amor Fraterno, a Filadélfia possui aquele que talvez seja o mais importante distrito histórico de todas as cidades norte-americanas, um "L" de 17 quadras com mais de 15 edifícios e monumentos criado em 1948 por um ato do Congresso. O conjunto é ancorado pelo Independence Hall, um prédio de estilo georgiano de tijolos vermelhos. Construído em 1732 para ser a sede do governo da Pensilvânia, nele foi votada e assinada a Declaração de Independência em 4 de julho de 1776, adotados os Artigos da Confederação em 1778 e redigida pelos patriotas a Constituição dos Estados Unidos em 1787. Os originais da Declaração e da Constituição ficam em exibição permanente na Ala Oeste do edifício, adjacente ao Independence Mall. Logo adiante está o Congress Hall, onde se reuniram o Senado e a Câmara dos Deputados dos Estados Unidos de 1790 a 1800 (quando a Filadélfia cedeu seu lugar de

O Independence Hall é reconhecido como o berço dos Estados Unidos.

capital do país à recém-construída Washington, D.C.) e onde foi adotada a Declaração dos Direitos (Bill of Rights), as primeiras 10 emendas à Constituição. Nas imediações fica o Sino da Liberdade, de quase 1t, fabricado numa fundição inglesa em 1752 e durante mais de dois séculos um dos mais importantes símbolos mundiais da liberdade.

Funcionando como uma espécie de portal do distrito histórico, o novo e avançado Centro de Visitantes da Independência oferece filmes de orientação, balcão de informações e ingressos para as atrações da cidade.

O Que: lugar. **Onde:** Centro de Visitantes da Independência, 6th Street e Market Street. Tel. (1) 800-537-7676; www.independencevisitorcenter.com. **Quanto:** o ingresso para o Independence Hall é gratuito, mas é exigido e deve ser reservado com o National Park Service. **Como:** o Center City Philadelphia organiza dezenas de caminhadas guiadas pela cidade, incluindo o Parque Nacional da Independência, do início de Mai.–fim de Out., Ação de Graças, Natal e Ano-Novo. Tel. (1) 215-440-5500; www.centercityphila.org. *Quanto:* U$10. **Melhor Época:** Jan.–Ago., apesar das filas. Durante 10 dias há eventos em comemoração ao 4 de Julho, incluindo queima de fogos, exposições, concertos e atividades por toda a cidade.

Casas de veraneio do tamanho de castelos numa cidade litorânea

Cliff Walk

Newport, Rhode Island, Estados Unidos

Tanto as férias americanas à beira-mar quanto a expressão "consumo conspícuo" nasceram no século XIX em Newport, onde famílias da alta sociedade, como Vanderbilt e Astor, iam passar algumas semanas do verão para fugir do calor da cidade. Quem tem ostenta, e foi exatamente isso o que elas fizeram em Newport: construíram no litoral rochoso imensas "casas de veraneio" inspiradas em castelos europeus e transformaram a ilha na capital americana das regatas. Era a desmesurada opulência dos anos dourados. Uma estimulante caminhada por Cliff Walk, uma histórica trilha nacional de 5,6km que acompanha o litoral bravio do Atlântico a 9m acima do nível do mar, proporciona a visão de uma notável convergência de beleza natural e artificial, com 150 anos de herança arquitetônica norte-americana. O grande destaque é, sem dúvida, o Breakers, um palácio no estilo renascentista italiano com 70 cômodos (23 quartos de dormir) e pé-direito de 12m. Erguido em 1895 para Cornelius Vanderbilt II, é o maior da cidade, resultado de dois anos de trabalho de

O arquiteto do Breakers inspirou-se em palácios italianos do século XVI.

cerca de 2.000 operários, incluindo um grupo de artesãos provenientes da Europa. Outro ponto alto é o menos grandioso – com apenas 40 cômodos – Rosecliff, criado em 1902 pelo arquiteto Stanford White, que se inspirou no Grand Trianon, de Versalhes.

Os 20km² da cidade abrigam uma concentração impressionante de construções dos séculos XVII e XVIII, 80 das quais foram restauradas pela herdeira do tabaco Doris Duke, que morreu em 1993. Numerosas opções de hospedagem, entre pousadas, *bed and breakfasts* e hotéis, pontilham a cidade, embora nenhuma delas ostente a opulência das "casas de veraneio". Mas você não estará mal acomodado na Castle Hill Inn and Resort. Magnificamente isolada numa península de 16ha na entrada da baía de Narragansett, a 15 minutos de Cliff Walk, essa hospedaria vitoriana promete fabulosos jantares de frutos do mar, um brunch lendário e uma praia particular. Newport é também a sede do decano dos festivais de jazz, o JVC Jazz Festival Newport, realizado no histórico Forte Adams. Promovido pela primeira vez em 1954, é ainda o evento mais famoso do mundo nesse gênero.

O QUE: lugar, hotel, restaurante, evento. **NEWPORT:** 209km a nordeste da cidade de Nova York. O acesso a Cliff Walk se dá pelo Memorial Boulevard. Bureau de Visitantes; tel. (1) 800-976-5122 e (1) 401-849-8048; www.gonewport.com. **AS MANSÕES:** Preservation Society of Newport County; tel. (1) 401-847-1000; www.newportmansions.org. *Quanto:* U$15 somente o Breakers; U$25 para 3 mansões; U$31 para 5 mansões. *Quando*: as 11 mansões mantidas pela Preservation Society ficam abertas diariamente de meados de Mai.–meados de Out.; fora de temporada, pelo menos 1 mansão fica aberta diariamente; no Natal, 3 ficam abertas. **CASTLE HILL INN AND RESORT:** Ocean Drive, 590. Tel. (1) 888-466-1355 e (1) 401-849-3800; fax (1) 401-849-3838; info@castlehillinn.com; www.castlehillinn.com. *Quanto:* duplos a partir de U$175 (baixa temporada) e U$395 (alta temporada). **MELHOR ÉPOCA:** pacote de verão inclui música clássica em mansões diversas durante o Festival de Música de Newport (2 semanas em meados de Jul.; www.newportmusic.org). O Apple & Eve Folk Festival Newport é realizado geralmente no 1.º fim de semana de Ago., seguido do JVC Jazz Festival Newport, na 2.ª semana de Ago. (Para ambos, www.festivalproductions.net.) A regata do New York Yacht Club é sempre promovida num fim de semana entre o final de Jun. e meados de Jul.

Não há lugar como a nossa casa

GRACELAND E O CIRCUITO DE ELVIS

Memphis, Tennessee, Estados Unidos

Residência mais visitada dos Estados Unidos depois da Casa Branca (isto é, quando esta última fica aberta à visitação), a Mansão Graceland, de Elvis Presley, é piegas e cafona, porém também interessante, divertida e às vezes muito comovente. Desde o dia em que o cantor foi para lá com o pai e a mãe em 1957, Graceland tornou-se seu abrigo e refúgio, um lugar de relaxamento ambientado de uma forma que o fazia se sentir "em casa" – lustres de cristal, tapetes felpudos, espelhos

O Rei em seus dias de glória.

dourados, vitrais, cortinas azul-pavão e douradas e muito mais. O espírito de Elvis, uma das figuras mais importantes da música e da cultura do século XX, está presente em todos os cantos da residência. Em matéria de viagens nostálgicas, essa é uma parada essencial. Os tempos mudaram, mas Graceland não: permanece congelada em 1977, ano em que o cantor foi sepultado na área da propriedade conhecida como Jardim da Meditação.

Os destaques da visita são o célebre Cadillac Fleetwood 1955 de Elvis (além de outros 21 carros), seus cintilantes figurinos, a incrível e exagerada Jungle Room (sala de estar que se tornou seu estúdio) e o Hall of Gold, uma galeria de 24m de comprimento com fileiras de LPs e compactos de ouro e platina que representam mais de um 1.000.000.000 de discos vendidos em todo o mundo – mais do que já foi alcançado por qualquer outro artista ou banda na história da indústria fonográfica. Em frente ao portão de Graceland, situa-se o Heartbreak Hotel, um verdadeiro santuário do kitsch.

Um passeio ao estúdio Sun Records é também obrigatório no circuito de Memphis. Ali Elvis gravou seu primeiro disco, *That's All Right*, em 1954. A divertida visita a esse lugar relembra o dia em que o cantor – influenciado pela mistura de blues negro, country branco, gospel e spiritual típica do centro-sul – deu o passo decisivo para o surgimento do rock-and-roll. Essa foi apenas a mais recente das inovações musicais surgidas em Memphis, onde em 1909 o jovem trompetista W. C. Handy, "pai do blues", apresentou sua versão do Delta blues ao circuito musical de Beale Street, e dali ao mundo inteiro. Hoje, algumas quadras da Beale são iluminadas pelo néon de clubes e bares simples que ficam animados com música, em geral muito boa, até bem depois da meia-noite.

O QUE: lugar, hotel. **MANSÃO GRACELAND:** Elvis Presley Boulevard, 3.734. Tel. (1) 800-238-2000 e (1) 901-332-3322; www.elvis.com/graceland. *Quanto*: U$25. **ELVIS PRESLEY HEARTBREAK HOTEL:** Elvis Presley Boulevard, 3.677. Tel. (1) 877-777-0606; fax (1) 901-332-2107; www.elvis.com/epheartbreakhotel. *Quanto*: a partir de U$90. **SUN RECORDS STUDIO:** Union Avenue, 706. Tel. (1) 800-441-6249 e (1) 901-521-0664; www.sunstudio.com. **MELHOR ÉPOCA:** 8 de Jan., aniversário de Elvis; a semana em torno de 16 de Ago. (aniversário de sua morte) para a Semana Elvis Presley; início de Mai. para o Festival de Música de Beale Street, com duração de 3 dias.

A capital norte-americana da carne de porco

AS CHURRASCARIAS DE MEMPHIS

Memphis, Tennessee, Estados Unidos

Memphis não é só Elvis. Seu *barbecue* (churrasco) é há muito tempo um símbolo da comida soul, ligada desde o início à história do blues. Estamos falando de suculentos churrascos de carne de porco, e não de boi, como em outros lugares, e é mais ou menos uma regra que as melhores refeições desse tipo sejam também as que produzam a maior lambança. Das centenas de churrascarias de Memphis, muitas são instituições mundialmente conhecidas em atividade há mais de 50 anos, com decorações simples e igualmente antigas. Uma das melhores é a Rendezvous, ou 'Vous, onde 10.000 refeições semanais são servidas num barulhento ambiente de restaurante universitário. Ali as costelas são grelhadas, e não defumadas, e esfregadas com temperos depois (e às vezes antes) de ficarem prontas – um jeito de fazer churrasco que é comum sobretudo em Memphis. Essa casa fica escondida numa rua secundária perto do conceituado Peabody Hotel, que vale uma visita só para assistir ao desfile de patos treinados que duas vezes por dia atravessam o saguão neo-renascentista ao som de John Philip Sousa.

O mesmo método usado para se temperar a carne de porco é empregado no preparo do frango, prato distintivo do Cozy Corner, também notório por seu salsichão *bologna* grelhado e sua deliciosa ponta de costela tostada. Uma variação igualmente apreciada são as costelas do Interstate Bar-B-Que, de Jim Neely, regadas com um molho agridoce de lamber os dedos, o mesmo que acompanha uma curiosa especialidade da casa: o saborosíssimo churrasco de espaguete.

Para alcançar o nirvana do churrasco, não deixe de ir ao descomedido Campeonato Mundial de Churrasco, evento da festa anual Memphis in May, que reúne mais de 300 equipes de todo o mundo à beira do Mississippi. Com suas receitas secretas, elas contribuem para a arte singularmente americana do *barbecue*.

O QUE: restaurante, evento. **RENDEZVOUS:** South Second Street, 52. Tel. (1) 901-523-2746. *Quanto*: jantar U$25. *Quando*: somente jantar Ter.–Sáb., almoço e jantar Sex.–Sáb. **COZY CORNER:** North Parkway, 745. Tel. (1) 901-527-9158. *Quanto*: jantar U$15. *Quando*: fechado Dom. e Seg. **INTERSTATE BAR-B-QUE:** South Third Street, 2.265. Tel. (1) 901-775-2304. *Quanto*: U$10. *Quando*: almoço e jantar diariamente. **MEMPHIS IN MAY:** o Campeonato Mundial de Churrasco é realizado no Parque Tom Lee. Tel. (1) 901-525-4611; www.memphisinmay.org. *Quanto*: ingresso U$7. *Quando*: meados de Mai., duração de 3 dias.

Uma cidade onde se vive e respira música

CIRCUITO MUSICAL DE NASHVILLE

Nashville, Tennessee, Estados Unidos

Conhecida como "cidade da música dos Estados Unidos" desde a estréia, em 1925, do Grand Ole Opry, um programa radiofônico ao vivo transmitido nas noites de sábado, Nashville é a sede da hoje globalizada indústria da música country e tem como prová-lo. A espetacular nova sede do Hall da Fama da Música Country é a guardiã de uma infinidade de objetos e artefatos, como o Cadillac de "ouro puro" de Elvis, de 1960, o chapéu de palha de Minnie Pearl com a etiqueta de preço pendurada e os tênis de Willie Nelson. Uma venerável coleção de lembranças. Três cinemas exibem clips dos maiores artistas da música country, mas você pode ir direto à fonte, o

Grand Ole Opry, que sobrevive como uma tradição da família sulista mesmo depois de sua controvertida mudança, em 1974, do velho Ryman Auditorium para a nova sede de Opryland Drive. Ali, todo fim de semana, nomes da atualidade e legendas dos velhos tempos tocam, além do country tradicional, bluegrass, gospel, honky-tonk e rockabilly. De Hank Williams a Vince Gill, de Patsy Cline a Trisha Yearwood e de George Jones a Garth Brooks, é difícil encontrar um artista consagrado que em algum momento de sua carreira não tenha se apresentado nessa casa.

Em outra parte da cidade, o pequeno Bluebird Café continua a levar a música ao vivo a sério, apresentando novos e antigos talentos num dos mais badalados palcos da cidade. Na novamente vibrante área dos clubes da Lower Broadway, em frente ao Ryman Auditorium, o informal Tootsie's Orchid Lounge apresenta música ao vivo desde 1960. Você pode se misturar com o que há de melhor no Loveless Café, tão célebre pelo seu café da manhã com ovos e presunto do campo e bolinhos amanteigados quanto pelos artistas do Grand Ole Opry, que há mais de 40 anos fazem dele seu ponto preferido. Ou então vá em junho, quando a Feira Internacional dos Fãs da Música Country atrai a Nashville uma multidão de admiradores desse gênero musical para uma festa que dura 4 dias.

O QUE: lugar, evento. **HALL DA FAMA DA MÚSICA COUNTRY:** Fifth Avenue, 222, South. Tel. (1) 800-852-6437 e (1) 615-416-2001; www.countrymusichalloffame.com. *Quanto*: U$15. **GRAND OLE OPRY:** Opryland Drive, 2.804. Tel. (1) 615-889-3060; www.opry.com. *Quanto*: ingressos U$26–U$44. *Quando*: Sex. e Sáb.; shows extras nos meses de verão. **BLUEBIRD CAFÉ:** Hillsboro Road, 4.104. Tel. (1) 615-383-1461; www.bluebirdcafe.com. **TOOTSIE'S ORCHID LOUNGE:** Broadway, 422. Tel. (1) 615-726-0463; www.tootsies.net. **LOVELESS CAFÉ:** Route 5, Highway 100. Tel. (1) 615-646-9700; www.lovelesscafe.com. **FEIRA INTERNACIONAL DOS FÃS DA MÚSICA COUNTRY:** tel. (1) 866-FAN-FAIR; www.fanfair.com. *Quanto*: pacotes de 4 dias a partir de U$125.

Em grande estilo nas Smoky Mountains

BLACKBERRY FARM

Walland, Tennessee, Estados Unidos

Exclusivo, porém informal e confortável, o hotel Blackberry Farm ocupa 10km² de terras situadas a 6,5km do Parque Nacional de Great Smoky Mountains. Embora haja muita coisa para fazer ali, é difícil resistir à sua longa varanda onde numerosas cadeiras de balanço dão para vistas simplesmente deslumbrantes. Quem deseja companhia pode se juntar aos 8.000.000 de visitantes anuais do parque nacional (o mais visitado dos Estados Unidos), mas há a opção de explorar a extensa rede de trilhas particulares do hotel – a pé, de bicicleta ou a cavalo –, nas quais não se vê uma alma viva. Outra alternativa é fazer um tratamento de spa no próprio Blackberry Farm, uma casa de fazenda da década de 1870. O rústico ambiente de montanha faz contraponto à elegância acolhedora e romântica do hotel, à sua discreta sofisticação e a seu serviço impecável. Essa combinação – mais a contribuição do talentoso chef John Fleer, criador dos melhores pratos do Tennessee – ajuda a explicar a fama que o Blackberry Farm tem de ser o "Ritz-Carlton da floresta".

O QUE: hotel, restaurante. **ONDE:** West

A acolhedora varanda do Blackberry Farm.

Millers Cove Road, 1.471, Walland, 48 km ao sul de Knoxville e 315km a leste de Nashville (20km do acesso mais próximo ao Parque Nacional de Great Smoky Mountains, em Townsend). Tel. (1) 800-273-6004 e (1) 865-984-8166; fax (1) 865-681-7753; info@blackberryfarm.com. *Quanto*: duplos a partir de U$495, inclui café da manhã, refinado almoço-piquenique e jantar de 5 pratos à luz de velas. **MELHOR ÉPOCA:** Out. e Nov. para uma folhagem intensamente colorida.

Vivendo como magnata

MANSION ON TURTLE CREEK

Dallas, Texas, Estados Unidos

Mansion on Turtle Creek, o único hotel cinco estrelas de Dallas, aparece regularmente na diminuta lista dos melhores hotéis dos Estados Unidos. Hospedando-se ali, você se sentirá como Sheppard King, o barão do petróleo e do algodão do Texas para quem essa mansão de estuque cor-de-rosa no estilo renascentista foi construída na década de 1920. King perdeu tudo durante a Depressão, o que abriu caminho para a transformação de sua residência num hotel de luxo onde os estratosfericamente ricos podem desfrutar o privilégio e o requinte de uma época passada, com um impecável serviço que conserva uma saudável dose do espírito social texano. Uma torre de quartos e suítes de aspecto mais contemporâneo foi mais tarde acrescentada ao edifício principal.

Tão célebre quanto o hotel é seu restaurante, de mesmo nome, que apareceu pela primeira vez no mapa gastronômico quando o arrojado Dean Fearing, natural de Kentucky (conhecido por ter ajudado a criar a cozinha do sudoeste), assumiu o comando da casa. Depois de muitos prêmios e livros de culinária, Fearing ainda faz sucesso com a sua copiadíssima sopa de tortilha e seus exclusivos tacos de lagosta. O cardápio do serviço de quarto 24-horas é o mesmo do restaurante, mas vale a pena o esforço de deixar seu ambiente privativo requintadamente mobiliado para uma noite no belo restaurante e bar anexo, instalado na mansão original. A premiada adega de vinhos, com 12.000 garrafas, está instalada na casa-forte do antigo proprietário.

O QUE: hotel, restaurante. **ONDE:** Turtle Creek Boulevard, 2.821. Tel. (1) 800-527-5432 e (1) 214-559-2100; fax (1) 214-528-4187; www.mansiononturtlecreek.com. Restaurante: tel. (1) 214-526-2121. *Quanto*: duplos a partir de U$325. Jantar U$70. **QUANDO:** restaurante para almoço e jantar diariamente.

Pequena e sofisticada, a maior surpresa cultural do Texas

Coleção De Menil

Houston, Texas, Estados Unidos

A coleção De Menil pode ser vista num arborizado bairro residencial a sudoeste do centro de Houston. Amplamente apreciada como um dos acervos particulares mais extraordinários e ecléticos dos Estados Unidos, ela reúne cerca de 15.000 objetos (um número sempre variável em exibição) acumulados por Dominique de Menil, francesa de nascimento, e seu marido John, ambos já falecidos. Às vezes descritos como os Medici dos Estados Unidos, os De Menil (cuja fortuna provém da empresa de prestação de serviços petrolíferos Schlumberger, Ltd., fundada pelo pai e o tio de Dominique) foram lendários como patronos das artes de Houston. Dominique viveu por mais 25 anos após o falecimento do marido (ela morreu em 1997, aos 89 anos de idade), e é seu espírito expansivo que se mostra com tanta intensidade nesse acervo individualista e poético.

Inaugurado em 1987 num edifício simples e elegante projetado pelo arquiteto italiano Renzo Piano, o museu De Menil exibe um ambiente discreto (há uma livraria, mas não guias de áudio, e o ingresso é gratuito), banhado de luz natural texana habilidosamente filtrada. Ali, apreciar arte é uma experiência íntima, exatamente o que Dominique pretendia.

Freqüentemente comparado a outras pequenas pérolas do circuito de museus dos Estados Unidos – a Fundação Barnes da Filadélfia e o Frick de Nova York –, o De Menil é, sob muitos aspectos, mais amplo do que todos eles. Em seu coração estão a merecidamente célebre coleção surrealista, com obras de Man Ray, Duchamp e Ernst, e uma das melhores coleções mundiais de Magritte. Essa casa é igualmente rica em trabalhos de outros artistas europeus do século XX, como Picasso, Matisse, Giacometti e Rodin. O anexo construído em frente em 1995 (também projetado por Piano) possui nove galerias com a obra do pintor norte-americano Cy Twombly, outro favorito dos De Menil.

Arte sublime num ambiente íntimo.

O Que: lugar. **Onde:** Sul Ross Street, 1.515. Tel. (1) 713-525-9400; www.menil.org. *Quanto*: ingresso gratuito. **Quando:** aberto de Qua.–Dom.

Natureza sem limites

Parque Nacional de Bryce Canyon

Utah, Estados Unidos

O Bryce Canyon não é exatamente um cânion, mas um mágico anfiteatro que milhões de anos de chuva, neve e gelo escavaram em seus penhascos de calcário cor-de-rosa e brancos. Seus picos e colunas se erguem do solo como estalagmites de aspecto sobrenatural, criando formações que se assemelham a grutas descobertas. Eles são singulares em suas cores vivas de tonalidades minerais e formas irregulares, mais espessas no topo – resultado do fato de suas camadas superiores mais duras permanecerem firmes enquanto as mais baixas vão sendo afetadas pela erosão. Os índios *paiute* acreditavam que essas rochas eram antigos habitantes transformados em pedras por causa de seus malfeitos, humanos congelados para sempre no tempo por um deus vingativo. Tal como as manchas de Rörschach e as nuvens, as agulhas delicadamente esculpidas do parque podem assumir aparências diversas a critério do observador – a girafa de uma pessoa pode ser o Elvis de outra –, embora os arcos, as pontes e os pequenos orifícios que completam o cenário sejam inconfundíveis. Para entrar fundo no espírito do lugar, vá ao Sunset Point na hora a que se refere o nome (o pôr-do-sol) e veja o céu imitar as cores das pedras.

As esculturas naturais do Bryce Canyon.

O nome desse fantástico cânion é uma homenagem ao colono mórmon Ebeneezer Bryce, autor do comentário de que essa área era "um inferno para se perder vacas". Ele tentou de tudo para criar gado nessas ásperas paragens na década de 1870. Cinqüenta anos depois, a Bryce Canyon Lodge foi construída para receber os visitantes desse pequeno parque de 145km², um quintalzinho se comparado ao Grand Canyon. Erguidas com grandes vigas de pinheiro *ponderosa* e pedras nativas, as aconchegantes cabanas da pousada são dispostas ao redor do edifício principal, onde se servem ótimas refeições.

O Que: lugar, hotel. **Parque Nacional de Bryce Canyon:** 418km ao sul de Salt Lake City. Centro de Visitantes: tel. (1) 435-834-5322; www.nps.gov/brca. *Quanto*: U$20 por carro. **Bryce Canyon Lodge:** tel. (1) 888-297-2757 e (1) 435-834-5361; www.brycecanyonlodge.com. *Quanto*: quartos de motel a partir de U$110; cabanas a partir de U$120. *Quando*: aberto de Abr.–Out. **Melhor Época:** verão, quando a altitude do parque (2.400m) mantém a temperatura agradável.

O coração da aventura

MOAB E O RED ROCK COUNTRY

Utah, Estados Unidos

Situada em meio a uma incrível região desértica, tão distante de tudo que Butch Cassidy a considerou o lugar ideal para se esconder, Moab tornou-se a meca dos *mountain-bikers* de todo o mundo. Some a isso adeptos do rafting e das caminhadas, entusiastas de veículos com tração nas quatro rodas, alpinistas e amantes de esportes radicais em geral e você terá encontrado a explicação para a repentina popularidade de Moab. Fundada por mórmons em 1855 com o mesmo nome da cidade do rio Jordão, ela passou por um período de crescimento com a alta do urânio, mas estava em franca decadência quando, na década de 1980, ex-mineiros e a comunidade tiveram a brilhante idéia de acoplar pneus grossos e arredondados a bicicletas robustas para se aventurar pelo vasto e asperamente belo território dos Parques Nacionais Canyonlands e Arches (lembre-se de *Telma e Louise* e *Indiana Jones e a última cruzada*). Canyonlands, o maior parque nacional de Utah, cujos acessos ficam 56km a sudoeste e 48km a noroeste de Moab, possui centenas de quilômetros de estradas poeirentas que atravessam uma paisagem surreal de penhascos, mesas, agulhas, rochas regulares, arcos imensos e desfiladeiros profundos. O Parque Nacional Arches, 8km a nordeste de Moab, com seus mais de 2.000 arcos naturais formados pelas intempéries, é o paraíso dos fotógrafos. Os dois parques têm aproximadamente 36km de estradas panorâmicas pavimentadas.

Um dos muitos arcos naturais da região.

Na saída de Moab, os 16km da trilha Slickrock são um torturante desafio, uma verdadeira montanha-russa em meio a uma paisagem lunar de arenito erodido, com vistas recompensadoras do rio Colorado lá embaixo.

Fornecedores locais de equipamentos organizam excursões com acampamento que duram vários dias e também disponibilizam veículos *off-road* para seguir os grupos de *biking* durante um dia inteiro, garantindo comida, apoio, água abundante (particularmente importante no calor brutal do deserto), band-aids e chuveiros portáteis. O rafting e o caiaque são maravilhosos no calmo trecho do rio Colorado em Moab. A apenas um dia de viagem há corredeiras de nível dois e quatro. Qualquer que seja sua opção de aventura, porém, faça a reserva com antecedência: os segredos de Moab foram revelados na década de 1990 e até mesmo os muitos hotéis e hospedarias mais novos têm que se virar para atender a demanda por acomodações. Quem já conhece esse passeio costuma optar pela nova Gonzo Inn, perto de Main Street, com sua decoração retrô da década de 1970.

O Que: lugar, hotel. **Onde:** 383km a sudeste de Salt Lake City. Em Moab, Centro de Visitantes: tel. (1) 800-635-6622 e (1) 435-259-8825; www.discovermoab.com. **Gonzo Inn:** West 200, 100, South. Tel. (1) 800-791-4044 e (1) 435-259-2515; fax (1) 435-259-6992; www.gonzoinn.com. *Quanto*: duplos a partir de U$80 (baixa temporada) e a partir de U$130 (alta temporada). **Melhor Época:** em Mar.–fim de Mai. e meados de Set.–começo de Nov. o tempo é melhor para *biking* (e o movimento também é maior); na semana anterior ao Dom. de Páscoa, há o Jeep Safari; em meados de Out. é realizado o Fat Tire Festival, de 4 dias de duração.

A clássica paisagem dos filmes de faroeste

Monument Valley

Utah, Estados Unidos

Se você gosta de filmes de faroeste, certamente conhece essa paisagem – uma maravilha ancestral que foi o cenário perfeito de dezenas de clássicos do gênero no cinema e na televisão, assim como de comerciais de automóveis, outdoors e fotos de moda. Tudo começou em 1939 com *No tempo das diligências*, obra-prima de John Ford que elevou o ator de filmes B John Wayne à categoria de astro de Hollywood. *Forte apache*, *Rastros de ódio* e outros se seguiram, tornando essa áspera região de monólitos vermelhos, penhascos esculpidos pelo vento e mesas de até 300m de altitude formadas pela erosão um símbolo indelével do Velho Oeste. E fazendo de John Ford um membro honorário da tribo navajo.

Desde o começo, a Goulding's Lodge é o epicentro da atividade cinematográfica em Monument Valley, fornecendo às equipes (e visitantes ocasionais) as únicas acomodações dignas de nota nessa longínqua região de 5.180km². Como Monument Valley está situado nas terras sagradas dos navajos, os visitantes devem ser acompanhados por guias indígenas sempre que forem a qualquer lugar fora dos 27km de estradas panorâmicas, devidamente sinalizadas, mas não pavimentadas, do parque. Algumas horas de passeio com um guia navajo são sucesso garantido. Sacolejando pelas poeirentas estradas do parque até às áreas mais remotas onde estão pictogramas, ruínas dos *anasazi* e também arcos naturais, você aprenderá muito sobre o legado da nação navajo, a maior tribo dos Estados Unidos, com cerca de 300.000 membros. Formada em sua maior parte por deserto (muitas vezes acima dos 1.500m de altitude), a reserva navajo, de 70.000 km², tem uma área maior do que a da Nova Inglaterra. Nela está não apenas Monument Valley como também o Four Corners, o único lugar dos Estados Unidos que é divisa comum de quatro estados – Utah, Colorado, Arizona e Novo México.

O Que: lugar, hotel. **Monument Valley:** nos dois lados da divisa Utah–Arizona, a 386km de Phoenix. O acesso oficial ao parque fica a oeste da U.S. 163, 241km ao sul de Moab e 635km ao sul de Salt Lake City. Centro de Visitantes de Monument Valley: tel. (1) 435-727-5870; www.navajonationparks.org. *Quanto*: ingresso U$5 por pessoa. **Goulding's Lodge:** a 10km da entrada do parque. Tel. (1) 800-874-0902 e (1) 435-727-3231;

www.gouldings.com. *Quanto*: duplos a partir de U$68 (baixa temporada) e a partir de U$160 (alta temporada). Visitas guiadas por índios navajos, de 2 horas e 30 minutos a 1 dia, a partir de U$32. **MELHOR ÉPOCA:** pôr-do-sol (ou tente a lua cheia); primavera e outono, quando a temperatura é mais fresca (por causa da altitude) e o movimento é menor.

A melhor neve do mundo, exatamente como diz a placa do carro

PARK CITY E AS MONTANHAS WASATCH

Utah, Estados Unidos

Com 14 grandes estações de esqui a menos de uma hora de carro de Salt Lake City e um índice de precipitação de 12.700mm anuais em algumas áreas, não surpreende que Utah tenha sido escolhido para sediar as Olimpíadas de Inverno de 2002. Os esquiadores mais experientes encontram em Alta e na vizinha Snowbird declives desafiadores e a neve mais fina que se pode imaginar. Mas aqueles que além de pistas bem conservadas buscam hotéis requintados e tratamento de primeira preferem a chique mas despretensiosa Deer Valley, umas das três estações de esqui (junto com Park City Mountain e The Canyons) cujas pistas e depressões convergem para a centenária cidade mineira de Park City. Núcleo da vida social dos jogos de inverno de Salt Lake City, a cidade continua sendo o mais animado ponto de atração pós-esqui de uma região de resto bastante parada. Em Deer Valley, a Stein Eriksen Lodge tem o nome de seu fundador, o carismático ganhador da medalha de ouro de 1952, que ainda atua como anfitrião e diretor de esqui. A localização dessa pousada, em meio às montanhas, os quartos aconchegantes (a maioria deles com lareira), as áreas comuns, a luxuosa decoração escandinava e o serviço impecável lhe garantem o título de uma das melhores opções de hospedagem *ski-in/ski-out* (que permite ao hóspede chegar e sair de esqui) do mundo.

Na saída de Park City, o refúgio de esqui Sundance (batizado por seu fundador Robert Redford com o nome de seu personagem no filme *Butch Cassidy e Sundance Kid*, de 1969) é tanto um resort quanto, desde 1981, a sede do festival de cinema de mesmo nome, a primeira vitrine do cinema independente da América do Norte. Em sua maioria, os eventos e as sessões do festival são agora realizados em Park City, mas boa parte dessas atividades continua a ser promovida em Sundance Village, um conjunto ordenado de forma perfeita e ambientalmente correto de chalés rústicos mas cheios de estilo, que mesclam a natureza com a arte sem poluir a paisagem dos 2.430ha de bosques de pinheiros e álamos. Há sessões, aulas e eventos durante todo o ano e, no inverno, esqui nórdico e alpino, esta última modalidade no pico Airhead, de 2.514m de altitude, lugar da única hospedagem no alto de uma montanha em Utah. De suas cabanas Bearclaw vêem-se paisagens magníficas.

O QUE: cidade, lugar, hotel. **PARK CITY:** 48km a leste de Salt Lake City. Informações sobre as condições para a prática do esqui em todo o estado: tel. (1) 801-521-8102. **DEER VALLEY:** informações para visitantes; tel. (1) 800-424-3337 e (1) 435-649-1000;

www.deervalley.com. **STEIN ERIKSEN LODGE:** tel. (1) 800-453-1302 e (1) 435-649-3700; fax (1) 435-645-6429; www.steinlodge.com. *Quanto*: duplos a partir de U$205 (baixa temporada) e a partir de U$670 (alta temporada). **SUNDANCE SKI RESORT/SUNDANCE VILLAGE:** 64km a sudoeste de Park City. Tel. (1) 800-892-1600 e (1) 801-225-4107; fax (1) 801-226-1937; reservations@sundance-utah.com; www.sundanceresort.com. *Quanto*: estúdios a partir de U$225 (baixa temporada) e U$350 (alta temporada). **FESTIVAL DE CINEMA DE SUNDANCE:** tel. (1) 801-328-3456; www.sundance.org. *Quanto*: U$10 por sessão; ingressos para sessões múltiplas a partir de U$150. *Quando*: 10 dias no fim de Jan. **MELHOR ÉPOCA:** de meados de Jun. até Ago. para o Festival de Música nas Montanhas; 1.ª semana de Ago. para o Festival de Artes de Park City; de Jan.–começo de Mar. para as melhores condições de esqui. A Orquestra Sinfônica de Utah realiza concertos ao ar livre em Deer Valley todo Sáb. à noite em Jun.–Ago.

Toda a glória da música

CORAL DO TABERNÁCULO MÓRMON

Salt Lake City, Utah, Estados Unidos

O canto é uma parte importante da religião mórmon desde que Brigham Young levou seus seguidores para o oeste em uma caravana, assegurando-se de que entre eles houvesse músicos para manter elevado o moral dos pioneiros e seus olhos voltados para Deus. O primeiro coral mórmon cantou no que é hoje Salt Lake City pouco depois da chegada de Young e seu séqüito de maltrapilhos em 1847. Nesse mesmo lugar foi inaugurado, 20 anos depois, o hoje célebre Tabernáculo Mórmon.

A sala acusticamente perfeita de 6.500 lugares está sempre cheia de membros da Igreja de Jesus Cristo dos Santos dos Últimos Dias, além de visitantes, muitos dos quais já familiarizados com os 360 membros do coral e seu órgão de 1.623 tubos, graças a gravações e a um programa semanal de rádio. Apesar de seu aspecto profissional, o coral, que lota auditórios e óperas de todo o mundo, é de fato uma organização estritamente voluntária formada por professores, corretores de seguros, secretárias e donas-de-casa. As apresentações dominicais são comoventes e enaltecedoras, porém é no concerto anual de Natal que o coral atinge o máximo de seu esplendor, sempre com algum famoso cantor convidado, uma orquestra completa e o contagiante espírito de dia santo. O Tabernáculo, tão venerado pelos mórmons quanto o Vaticano pelos católicos, situa-se na Temple Square, no centro da cidade. A âncora do complexo de 14ha é o maciço Templo de Salt Lake, com suas seis torres terminadas em agulhas, símbolo de um credo que chegou ao século XX como o mais perseguido dos Estados Unidos e começa o século XXI como um dos mais poderosos, com quase 12.000.000 de membros, metade dos quais fora do país. Infelizmente, o templo só é aberto aos membros da Igreja.

O QUE: lugar, evento. **ONDE:** Serviço de

Atendimento aos Convidados na Temple Square e Centro de Visitantes, North Temple Street, 50. Tel. (1) 801-240-4872; www.lds.org. *Quanto*: visitas e acesso gratuitos ao Tabernáculo e a apresentações do coro. **Quando:** o Tabernáculo é aberto diariamente. Visitas guiadas a cada 15 minutos. Ensaios do coro Qui. às 20h; apresentações Dom. às 9h30. **Melhor Época:** Dez., com 2 concertos de Natal.

O nirvana da folhagem de outono e a melhor das hospedarias de Vermont

Northeast Kingdom

Vermont, Estados Unidos

Em 1949, um ex-senador americano de Vermont, impressionado com a eterna beleza e o isolamento dos três condados mais setentrionais de seu estado (Orleans, Essex e Caledônia), chamou-os de Northeast Kingdom (Reino do Nordeste). No outono, quando a folhagem das árvores adquire cores ígneas, esse talvez seja o lugar mais bonito dos Estados Unidos. As montanhas cobertas de bosques de bordos, faias e freixos abrigam aldeias sonolentas, povoados com uma igreja solitária e belíssimos lagos – em especial o Willoughby, que parece um fiorde, muitas vezes comparado ao lago Lucerna, da Suíça. O portal informal da região é St. Johnsbury ("St. J"), mas procure em seu mapa lugares alternativos, como Peacham (611 habitantes), provavelmente onde se obtêm as mais belas fotos de Vermont durante a folhagem de outono. Se você estiver de carro, deixe-se perder no vale em meio a lindas fazendas cuja população de vacas já foi maior do que a de seus orgulhosos proprietários ianques. Os invernos rigorosos e o total isolamento mantiveram o desenvolvimento e o turismo à distância, mais ao sul. Por isso, no outono, quando uma vívida paleta de cores cobre essas montanhas de vermelho, laranja, amarelo e dourado, você talvez tenha a sensação de que descobriu um segredo bem guardado. Estradas e caminhos secundários fazem desse lugar um paraíso também para ciclistas, estejam eles circulando por conta própria ou em passeios organizados pelas pousadas.

A Inn on the Common, localizada na remota região de montanha Craftsbury, é uma das mais agradáveis e românticas hospedarias do estado. Ocupando um terreno de 40ha contíguo a uma das mais belas áreas públicas da Nova Inglaterra, ela é a obra de toda a vida do casal de proprietários, impecavelmente bem-sucedido em sua intenção de criar o perfeito portal da Nova Inglaterra. Suas três casas, no estilo do período federalista (das quais apenas uma de fato tem vista para a área pública), datam de 1790-1840. Com uma carta de vinhos impressionante, seu conceituado restaurante justifica uma reserva. Para os adeptos de esportes de inverno: a hospedaria fica próxima ao Craftsbury Nordic Ski Center, conhecido por seus 110km de pistas.

O Que: lugar, hotel, experiência. **St. Johnsbury:** 528km ao norte da cidade de Nova York e 120km a leste de Burlington. Câmara de Comércio de Northeast Kingdom: tel. (1) 800-639-6379 e (1) 802-748-3678; www.nekchamber.com (com informações atualizadas sobre a folhagem). **Inn on the Common:** tel. (1) 800-521-2233 e (1) 802-586-9619; info@innonthecommon.com; www.

innonthecommon.com. *Quanto*: duplos a partir de U$139 (baixa temporada) e a partir de U$249 (alta temporada). Jantar U$40. *Quando*: aberta durante todo o ano; restaurante, somente jantar. **Melhor Época:** o auge da folhagem de outono acontece geralmente no fim de Set.–início de Out. O Festival da Folhagem de Outono do Northeast Kingdom começa no último Dom. de Set. e dura 1 semana, com eventos (de cafés da manhã em igrejas a visitas a fazendas produtoras de leite) numa cidade diferente a cada dia.

Onde as montanhas são vivas

Stowe Mountain Resort

Stowe, Vermont, Estados Unidos

Começando na fronteira de Massachusetts e seguindo 320km para o norte ao longo das escarpas das Green Mountains, a sinuosa e pitoresca Rota 100 de duas faixas é a estrada rural e rua principal de Vermont. Durante os meses de inverno é também chamada de rodovia dos esquiadores, pois conecta nove grandes estações de esqui alpino. Em seu extremo norte, na direção da fronteira com o Canadá, fica Stowe Mountain Resort, a rainha das estações de esqui do nordeste dos Estados Unidos e uma das mais antigas do país, criada na década de 1930. Killington e Okemo podem ter superado Stowe no que se refere a pistas com superfícies mais lisas e também em tecnologia e tamanho, mas os desafiadores declives do resort e o cenário urbano bicentenário de Vermont – com a indispensável igreja de campanário branco e o tradicional armazém rural – garantem sua popularidade como um dos mais belos e românticos refúgios de esqui do país. Embora ali haja muita coisa para manter ocupados os esquiadores iniciantes e intermediários, os destaques da programação são exclusivos para os mais experientes: as quatro íngremes pistas na encosta do monte Mansfield, chamadas Front Four – Starr, Goat, National e Liftline.

São quatro áreas de esqui *cross-country* interconectadas, com 150km de pistas preparadas e outros 100km de território bruto. A maior delas mistura-se com os 1.100ha da Trapp Family Lodge, primeiro centro de esqui *cross-country* dos Estados Unidos, criado em 1968. Foi ali que a família austríaca de *A noviça rebelde* se estabeleceu em 1942, depois de atravessar os Alpes para fugir dos nazistas. O aconchego tirolês, o serviço europeu e a garantia dos excelentes pratos *wiener schnitzel* e *spaetzle* em seu célebre restaurante fazem dessa pousada no estilo chalé uma das mais encantadoras da região. Maria Von Trapp, que morreu ali em 1987, legou sua obra ao filho mais novo, o sempre jovial Johannes, e à filha, Rosmarie, que comanda as cantorias das noites de terça e quinta-feira.

O Que: lugar, experiência, hotel. **Stowe Mountain Resort:** 72km a leste de Burlington, 531km ao norte da cidade de Nova York. Associação da Região de Stowe; tel. (1) 800-24-STOWE e (1) 802-253-7321; www.stowe.com. **Trapp Family Lodge:** a 8km de Stowe, Trapp Hill Road, 700. Tel. (1) 800-826-7000 e (1) 802-253-8511; info@trappfamily.com; www.trappfamily.com. *Quanto*: duplos U$195 (baixa temporada) e U$270 (alta temporada). **Melhor Época:** fim de Jan. para o Carnaval de Inverno de Stowe, que dura 1 semana; Jan.–Fev. para o melhor esqui alpino e *cross-country*; Mar. para uma boa base de neve e também para ver a fabricação de *maple syrup*.

A rainha das montanhas da costa leste e suas luxuosas pousadas

KILLINGTON E WOODSTOCK

Vermont, Estados Unidos

Killington, a Aspen da costa leste, não é uma clássica e romântica estação de esqui de Vermont (para isso você deve ir a Stowe), mas é a primeira a abrir (fim de outubro) e a última a fechar (maio). Possui também uma descida vertical poucos centímetros menos longa do que a de Aspen e os mais avançados equipamentos de fabricação de neve, além de ficar a pouca distância das grandes cidades do nordeste. Mas, a menos que você seja um entusiasta de seus vinte e poucos anos, o ambiente amplo e agressivo de Killington pode desgastá-lo após algumas descidas espetaculares. Nesse caso, fuja para Woodstock, uma pequena cidade cosmopolita e com cenário de cartão de Natal, que reivindica o título de a mais antiga estação de esqui dos Estados Unidos e lugar do primeiro dispositivo de ascensão do país. Laurance Rockefeller casou-se ali em 1934 com a neta de um magnata das ferrovias e conservacionista local. Juntos, eles passaram os 60 anos seguintes fazendo de Woodstock a "mais bonita das pequenas cidades nacionais", segundo o *Ladies' Home Journal*. Entre outras coisas, abriram em 1969 o rústico mas elegante Woodstock Inn and Resort numa área verde da cidade, incorporando a Richardson's Tavern, uma construção de 1793. O resort opera o Centro de Esqui Turístico de Woodstock, com quase 64km de pistas de esqui *cross-country* e o enganosamente denominado Suicide Six, com declives e 23 pistas de esqui. As comodidades ali são por si mesmas grandes atrações, mas, com 142 quartos, esse lugar não pode propocionar aconchego. Se é isso o que você quer, desça a estrada e vá para a exclusiva Twin Farms, a mais luxuosa pousada-resort da Nova Inglaterra. Isolado em meio a 121ha de magníficos bosques e extensas campinas, esse santuário do século XVIII (que o escritor Sinclair Lewis, ganhador do Prêmio Nobel, deu à esposa como presente de casamento em 1928) oferece arte de primeira, serviço impecável, vinhos e refeições inesquecíveis e 15 quartos projetados um a um, com lareiras perfeitas e uma eclética decoração elaborada com tesouros de todo o mundo – tudo por uma diária um pouco menor do que o PIB de alguns pequenos países.

O QUE: cidade, hotel, experiência. **KILLINGTON:** 128km ao sul de Burlington, 450km ao norte da cidade de Nova York. **WOODSTOCK:** 32km a leste de Killington. Câmara de Comércio de Woodstock: tel. (1) 802-457-3555; www.woodstockvt.com. **WOODSTOCK INN AND RESORT:** tel. (1) 800-448-7900 e (1) 802-457-1100; fax (1) 802-457-6699; www.woodstockinn.com. *Quanto*: duplos a partir de U$129 (baixa temporada) e a partir de U$195 (alta temporada). **TWIN FARMS:** 16km ao norte de Woodstock. Tel. (1) 800-894-6327 e (1) 802-234-9999; fax (1) 802-234-9990; www.twinfarms.com. *Quanto*: U$900–U$2.400, incluídas todas as refeições e uso de toda a área de recreação e equipamentos do local. *Quando*: fechada Abr. (estação da lama). **MELHOR ÉPOCA:** meados de Dez. para o Fim de Semana do Brinde em Woodstock; Jan.–Fev. para melhores condições para a prática do esqui.

Em busca de vida, liberdade e luxo

MONTICELLO

Virgínia, Estados Unidos

Mais famosa residência histórica dos Estados Unidos, Monticello ("pequena montanha") foi a casa dos sonhos e lugar do descanso final de Thomas Jefferson – estadista, visionário, autor principal da Declaração de Independência e único arquiteto a assumir a presidência dos Estados Unidos. "Em nenhum outro lugar me sinto tão feliz", disse ele. Com vista para os 800ha remanescentes dos 2.023 que formavam a fazenda original da família Jefferson, a casa serve como uma espécie de autobiografia do presidente que, embora conhecido como escritor, preferiu não escrever a história da sua vida. De autoria do próprio Jefferson, o projeto dessa construção de três andares no estilo palladiano foi influenciado por sua experiência na França como representante diplomático dos Estados Unidos de 1785 a 1789. As obras tiveram início em 1769, quando ele tinha apenas 26 anos de idade, e concluídas 20 anos depois, no último ano de seu mandato presidencial. Nos pomares e jardins do exterior, Jefferson cultivou vários tipos de ervilhas (sua comida favorita) e colheu, em 1807, uma das primeiras safras de uvas européias no Novo Mundo. Os 11 cômodos do primeiro pavimento, os únicos abertos ao público do total de 33, guardam os objetos pessoais de Jefferson, ali deixados como se o seu proprietário tivesse saído para dar uma volta.

O caso de amor da Virgínia com Thomas Jefferson prossegue na conceituada Universidade da Virgínia, em Charlottesville, a querida "vila universitária" por ele fundada e projetada. Podem-se fazer visitas guiadas pelo pequeno porém sofisticado campus de colunatas, onde estão sinuosos muros de tijolos e a rotunda inspirada no Pantheon, que levou o Instituto de Arquitetos dos Estados Unidos a conferir ao campus de Jefferson o título de realização arquitetônica de destaque nos Estados Unidos em 1976. Os admiradores de Edgar Allan Poe podem dar uma olhada no edifício da West Range, 13, onde o escritor residiu como universitário no ano de 1826 até seu padrasto cortar seus proventos. Para prolongar esse passeio, hospede-se na Clifton Inn, uma casa de 1799 no estilo federalista construída num terreno então pertencente à família Jefferson pelo genro do presidente, que a utilizou como ponto comercial e, mais tarde, como residência.

O QUE: lugar, hotel, restaurante. **MONTICELLO:** 3,2km a sudeste de Charlottesville,

Thomas Jefferson morreu em Monticello em 4 de julho de 1826.

201km a sudoeste de Washington, D.C. Tel. (1) 434-984-9822; www.monticello.org. *Quanto*: U$13, incluída visita guiada. **CLIFTON INN:** Clifton Inn Drive, Charlottesville. Tel. (1) 888-971-1800 e (1) 434-971-1800; www.cliftoninn.com. *Quanto*: duplos a partir de U$175 (baixa temporada) e a partir de U$250 (alta temporada). Jantar U$45. **MELHOR ÉPOCA:** 4 de julho para o Dia da Independência em Monticello e a Cerimônia de Naturalização, quando são concedidos títulos de cidadão americano em meio a festividades que celebram tanto a assinatura da Declaração de Independência, realizada em 1776, quanto a morte de Jefferson exatos 50 anos depois.

Um santuário da alta-cozinha nas montanhas Blue Ridge

THE INN AT LITTLE WASHINGTON

Washington, Virgínia, Estados Unidos

Será essa a mais romântica casa de campo do mundo? Vai ser difícil você achar uma que tenha conquistado tantos prêmios e elogios por sua maravilhosa combinação de restaurante, acomodações e cenário. Construída em 1749 ao pé das montanhas Blue Ridge e no coração do território de caça da Virgínia, a "Pequena" Washington tem hoje uma população de apenas 180 habitantes, a menos que se contem os políticos que chegam ali de limusine vindos da "grande" Washington, D.C. por venerarem esse lugar como uma espécie de refúgio celestial do estresse de governar os Estados Unidos. Clientes como esses estão habituados ao melhor. Eles vão embora encantados, dizendo maravilhas sobre The Inn – que já foi chamada de nirvana dos gastrônomos e obra de arte. A cozinha não pertence a nenhuma categoria definida, parecendo ora inovadora, ora regional, ora *country*, ora americana de alta classe. Tanto os 14 quartos perfeitamente mobiliados quanto as refeições têm qualquer coisa de teatral, mas com um grau apropriado de sobriedade. George Washington nunca passou uma noite ali. Infelizmente para ele.

O QUE: hotel, restaurante. **ONDE:** Middle Street e Main Street, Washington (107 km a oeste de Washington, D.C.). Tel. (1) 540-675-3800; fax (1) 540-675-3100; www.theinnatlittlewashington.com. **QUANTO:** duplos a partir de U$370 (baixa temporada) e a partir de U$615 (alta temporada). Jantar a partir de U$118.

Elogiado como um dos refúgios gastronômicos de mais alta classe do país.

Um dia numa capital da realeza

WILLIAMSBURG COLONIAL

Williamsburg, Virgínia, Estados Unidos

Recriação meticulosa dos anos críticos 1750-1755 – o fim da época colonial –, esse espantosamente detalhado museu histórico vivo e a céu aberto é habitado por ferreiros, carpinteiros, seleiros, fabricantes de perucas, boticários, "escravos" (mais da metade da população da cidade no século XVIII), homens livres, comerciantes e membros da pequena nobreza, todos vestidos com roupas de época e prontos para um bate-bapo com os visitantes. Batizada em homenagem a William III, Williamsburg foi capital da Virgínia de 1699 a 1780. Em 1926, John D. Rockefeller Jr. promoveu e financiou (ao custo de U$68.000.000) a restauração completa da cidade, tão escrupulosa e historicamente precisa que hoje é difícil dizer quais dos 500 edifícios foram revitalizados e quais foram totalmente reconstruídos. Os grandes destaques são: o Palácio do Governador, no estilo georgiano, com imensos jardins de azevinho e topiaria; o Capitólio; o Tribunal de Justiça, tendo à frente o cepo e o pelourinho; e a Casa de George Wythe, que foi residência de Thomas Jefferson.

Atividades educacionais e palestras são realizadas por toda a cidade. Há também os desfiles da Pífaros e Tambores da Williamsburg Colonial. Você pode se ver frente a frente com Thomas Jefferson e outras figuras de destaque da história norte-americana e com os cidadãos que levam suas vidas cotidianas imersos em seus personagens. Quatro tabernas históricas garantem o clima da época e cardápios com os pratos preferidos da região – apenas não espere excelências gastronômicas. A Josiah Chowning's é provavelmente a mais autêntica e a Christiana Campbell's já serviu um esfomeado George Washington – o verdadeiro.

A elegante Williamsburg Inn, de 1937, é o destaque entre as opções de alojamento da Colonial Williamsburg Foundation, uma instituição sem fins lucrativos. Querendo acomodações menos extravagantes e mais autênticas, a pousada também administra 28 Casas Coloniais restauradas, situadas nas ruas pavimentadas com pedras do Centro Histórico.

O QUE: lugar, hotel. **WILLIAMSBURG COLONIAL:** 241 km ao sul de Washington, D.C., 241km a sudeste de Charlottesville. Tel. (1) 800-HISTORY e (1) 757-220-7645; www.colonialwilliamsburg.org. *Quanto*: ingresso U$37 por um dia. **WILLIAMSBURG INN:** East Francis Street, 136; tel. (1) 800-447-8679 e (1) 757-229-1000; fax (1) 757-220-7096. *Quan-*

Tocadores de pífaro e tambor integravam o exército da Virgínia no século XVIII.

to: duplos a partir de U$335 (baixa temporada) e a partir de U$440 (alta temporada). **CASAS COLONIAIS:** registro de entrada na East Francis Street, 302-B; tel. (1) 800-447-8679 e (1) 757-229-1000. *Quanto*: quartos duplos a partir de U$125 (baixa temporada) e a partir de U$195 (alta temporada). **MELHOR ÉPOCA:** no período das férias escolares costuma haver grandes multidões. As festas de fim de ano começam na 1.ª semana de Dez., com cantores de rua, concertos à luz de velas e outros eventos.

Descendo os rios do estado das montanhas

WHITE-WATER RAFTING NA VIRGÍNIA OCIDENTAL

Virgínia Ocidental, Estados Unidos

Com uma das maiores taxas de emoção por corredeira dos Estados Unidos, os rios da Virgínia Ocidental são regularmente listados entre os 10 melhores do mundo para a prática do rafting. A paisagem é tão acidentada (e parecida com as de Idaho e do Colorado) que o lugar costuma ser chamado de Oeste do Leste. A maioria dos fornecedores de equipamentos sugere experimentar o inadequadamente batizado rio Novo (New River) – na verdade, o segundo rio mais antigo do mundo depois do Nilo – porque ele possui tanto partes calmas quanto corredeiras em grande declive, onde a água fica branca e espumante (*white-waters*). Um segmento de 85km na parte alta dos seus 370km foi classificado como um rio panorâmico nacional, e é tão calmo no verão que você pode até levar sua avó.

Na região centro-sul do estado, entre imensas gargantas e acidentados terrenos de floresta apalachiana, o assustador rio Gauley é o que representa o maior desafio – mais estreito, mais longo e duas vezes mais íngreme do que o rio Novo. Durante a "vazão de outono", no começo de setembro, quando a represa é aberta por 23 dias para baixar o nível do lago artificial Summersville, o poderoso rio se torna o lugar ideal para quem busca descidas profundas, que ali têm nomes como Deus o Ajude e Grito Verdadeiro (já deu para você ter uma idéia), e corredeiras contínuas de níveis quatro e cinco. A sua adrenalina ainda vai estar jorrando até muito depois do fim da aventura.

O QUE: experiência. **ONDE:** 500km a sudoeste de Washington, D.C. Para obter informações gerais e a lista dos mais de 30 fornecedores de equipamentos licenciados no estado, entre em contato com o Departamento de Turismo da Virgínia Ocidental: tel. (1) 800-225-5982; www.callwva.com. **COMO:** Wildwater Expeditions, Lansing; tel. (1) 800-982-7238 e (1) 304-658-4007; www.wvaraft.com.

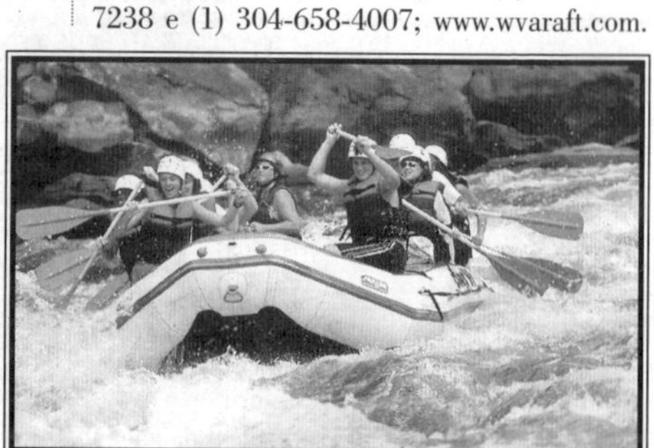

A Virgínia Ocidental possui alguns dos melhores lugares do mundo para white-water *rafting.*

QUANDO: rio Novo, de Abr.–fim de Out.; rio Gauley, 6 fins de semana consecutivos, começando na semana seguinte ao Dia do Trabalho (nos Estados Unidos, 1.ª Seg. de Set.) **QUANTO:** excursão de 1 dia pelo rio Novo a partir de U$79; excursão de 1 dia pelo rio Gauley, U$99. São organizadas excursões de vários dias com acampamento.

Um microcosmo de Seattle à beira do cais

O MERCADO DE PIKE PLACE

Seattle, Washington, Estados Unidos

Seatlle é praticamente toda cercada de água, portanto qualquer visita a essa próspera metrópole da costa do Pacífico deve começar pela beira do cais, entre as enseadas que sempre foram sua seiva vital e ao alcance dos grasnidos das gaivotas e das sirenes de nevoeiro dos navios. O exuberante Mercado de Pike Place, localizado na baía Elliot, nas proximidades do Sea Aquarium, é uma instituição de Seattle desde 1907, o que o torna o mais antigo mercado do produtor em operação ininterrupta dos Estados Unidos. Atração turística igualmente amada por moradores locais e visitantes, seus 16 edifícios de vários pavimentos, com 600 vendedores que falam dezenas de línguas, se distribuem por sete quadras urbanas. De forma surpreendente, o mercado manteve-se quase inalterado durante a maior parte de sua pitoresca vida, com peixeiros brincalhões que gritam "Peixe no alto!" e "Peixe voando baixo!" antes de lançá-los como se faz no futebol americano para divertir os que passam por ali. A variedade de frutos do mar é espantosa – observe especialidades locais, como o caranguejo-de-dungeness recém-pescado, o salmão-coho, o halibute, a vieira-rosada das ilhas San Juan, o camarão do noroeste e as lulas e ostras, sobre montanhas de gelo picado.

A cidade que deu ao mundo a cadeia de cafés Starbucks oferece uma dose de cafeína em cada esquina (a Starbucks original é de 1971 e funciona nesse mercado), além de jóias, bijuterias, pão fresco, flores que não acabam mais e a oportunidade de experimentar os mais variados petiscos. À altura da produção agrícola local, a produção pesqueira (antes destinada apenas aos mercados distantes) e a crescente população asiática de Seattle propiciam um circuito gastronômico sofisticado.

Peixeiro com seus produtos frescos no Mercado de Pike Place.

Embora não se passe fome em Pike Place, como aliás em nenhum outro lugar dessa cidade, os 15 minutos de táxi até o Ray's Boathouse, o melhor restaurante à beira do cais, valem cada centavo: na parte de cima, um clássico de Seattle, o popular deque de verão aonde se vai de bermuda e sandálias; no térreo, um restaurante mais refinado – tudo isso com a melhor vista da baía de Shilshole. Este é o seu "momento Seattle": ver o sol se pôr sobre Puget Sound e as montanhas Olympic enquanto saboreia um peixe bem preparado, simples e incrivelmente fresco, como o bacalhau negro grelhado marinado em saquê.

O QUE: lugar, restaurante. **MERCADO DE PIKE PLACE:** quiosque para informações e entrada principal na First Avenue e em Pike Place. **RAY'S BOATHOUSE:** Seaview Avenue, 6.049. Tel. (1) 206-789-3770; rays@rays.com; www.rays.com. *Quanto*: jantar $25. *Quando*: almoço e jantar diariamente **MELHOR ÉPOCA:** Jun.–Set. para tempo melhor; fim de Mai. para o Festival de Rua do Mercado de Pike Place, com 1 semana de duração.

Um santuário de heróis dos Estados Unidos

O NATIONAL MALL E SEUS MONUMENTOS

Washington, D.C., Estados Unidos

O National Mall, uma esplanada verde-esmeralda, é ao mesmo tempo a rua principal e a grande praça dos Estados Unidos. Esse é o lugar que os manifestantes escolhem para protestar, aonde os moradores locais levam os cães para passear, aonde os estagiários se dirigem para passar as horas de almoço tomando sol e, é claro, aonde vão os turistas assim que chegam a Washington.

Para surpresa de muitos visitantes, a sede do governo norte-americano, com todos as suas atrações históricas, é também uma cidade bonita. Fundada em 1791, ela foi a primeira capital planejada do mundo, intencionalmente construída em cima de um pântano. Hoje, seus mais importantes museus e monumentos se alinham ao longo dos 3,2km do National Mall, com o Capitólio a leste, o Lincoln Memorial a oeste e o imenso obelisco do Monumento a Washington no centro.

O Monumento a Washington, concluído em 1884, foi o primeiro a ser erguido no Mall. Do alto dos seus 169m, o visitante pode apreciar vistas panorâmicas espetaculares, em todas as direções. Sua imagem é refletida num espelho-d'água que se estende a oeste até os degraus do neoclássico Lincoln Memorial, onde o circunspecto presidente da Guerra Civil olha adiante, tendo gravadas atrás de si as solenes palavras do seu Discurso de Gettysburg. Essa parte do Mall é particularmente bela quando iluminada à noite e quando as cerejeiras que o país recebeu de presente do Japão em 1912 florescem aos milhares.

Ao sul do Monumento a Washington, o clássico e sereno Jefferson Memorial parece um templo às margens da Tidal Basin. A estátua de bronze do terceiro presidente, com quase 6m de altura, fica embaixo da elegante rotunda com colunatas, cercada por passagens da Declaração de Independência. Erguido em 1997, o Franklin Delano Roosevelt Memorial é o mais recente acréscimo presidencial feito ao Mall, com quatro galerias a céu aberto (uma para cada um de seus mandatos presidenciais) e uma série de estátuas representando Roosevelt, sua esposa, Eleanor, e seu cachorro Fala. Perto do Lincoln Memorial, o Vietnam Memorial, em forma de V, é possivelmente o mais emocionante de todos eles: um simples muro de granito negro pousado no solo, com os nomes inscritos dos 58.209 norte-americanos que morreram ou desapareceram na mais longa guerra travada pelos Estados Unidos. O Memorial à Segunda Guerra Mundial é a mais recente obra agregada ao complexo.

Ao norte do Monumento a Washington, o gramado da Elipse liga o Mall à Casa Branca, uma das residências mais célebres do mundo. A maioria (quando não a totalidade) dos seus 132 cômodos (e 32 banheiros) é fechada à visitação pública e não adianta nem pedir licença para ver o Salão Oval. (Consulte o escritório de turismo sobre a chance de uma visita; havendo disponibilidade, são necessários ingressos.) Arranje lugar em sua intensa programação turística para ir ao Capitólio, à Biblioteca do Congresso e ao Arquivo Nacional. Tanto para ver e tão pouco tempo...

Se ninguém lhe mandar um convite para passar uma noite no quarto de Lincoln na Casa Branca, peça um quarto no Hay-Adams Hotel, uma construção de 1927 no estilo renascentista italiano, do outro lado da Pennsylvania Avenue, onde os quartos mais caros dão vista para a Casa Branca. Desde 1928 o Hay-Adams é a opção de hospedagem preferida de diplomatas e chefes de Estado visitantes. Ou então vá ao lugar aonde os moradores locais levam os amigos turistas: o bar da cobertura do Hotel Washington, de onde se tem a melhor vista da Casa Branca e do Tesouro em toda a cidade.

O QUE: lugar, experiência, hotel. **WASHINGTON MALL:** informações turísticas; tel. (1) 202-485-9880; www.nps.gov/nama. Também com a Washington, D.C., Convention and Tourism Corporation; tel. (1) 800-422-8644 e (1) 202-789-7000; www.washington.org. *Quanto*: ingresso gratuito em todos os monumentos. **HAY-ADAMS HOTEL:** 16th Street, 800, Northwest. Tel. (1) 800-853-6807 e (1) 202-638-6600; fax (1) 202-638-2716; www.hayadams.com. *Quanto*: duplos a partir de U$299. **HOTEL WASHINGTON:** Pennsylvania Avenue, altura da 15th Street; tel. (1) 202-638-5900; fax (1) 202-638-1594; www.hotelwashington.com. *Quanto*: duplos a partir de U$235. **MELHOR ÉPOCA:** fim de Mar.–Abr. para a Festa da Floração das Cerejeiras; fim da primavera e outono para pegar tempo bom.

A guardiã da herança norte-americana

A SMITHSONIAN INSTITUTION E MUITO MAIS

Washington, D.C., Estados Unidos

Já chamada “o sótão da nação”, a Smithsonian Institution é o maior museu e complexo de pesquisas em todo o mundo. São 18 museus (16 deles em Washington) e mais de 142.000.000 de obras de arte e outros objetos – e a entrada é franca. O National Air and Space Museum é um dos mais visitados do planeta, imperdível para crianças de todas as idades e seus respectivos pais. Não deixe de ver o avião Spirit of St. Louis, de Charles Lindbergh, as naves Apollo e os sempre grandiosos filmes da IMAX. A Galeria de Arte Freer e a Galeria Arthur M. Sackler (às quais ele é ligado por um túnel subterrâneo) têm algumas das melhores coleções mundiais de arte asiática. O Museu Nacional de Arte Africana possui uma vasta coleção de arte tradicional e contemporânea de todo o continente africano, enquanto o Museu Nacional de História Natural atrai multidões para ver seus assustadores dinossauros e o enorme diamante Hope, de 45,5

A galeria Marcos da Aviação do National Space and Air Museum.

quilates. O cilíndrico Hirshhorn Museum and Sculpture Garden, erguido ao redor das cerca de 11.500 peças doadas pelo colecionador que lhe dá o nome, é um animado curso intensivo de arte do século XX. A lista do patrimônio dessa instituição é interminável.

Boa parte do tesouro formado pelos mais de 50 museus de Washington está reunida em frente ao Capitólio, onde se estende a grama do National Mall. O grande destaque é a Galeria Nacional de Arte, um dos três grandes museus dos Estados Unidos (junto com o Metropolitan de Nova York e o Instituto de Arte de Chicago) e um dos mais extraordinários do mundo. Incrementado em 1978 por um acréscimo projetado pelo arquiteto I. M. Pei (seu trabalho mais conhecido no país), esse plácido museu exibe uma maravilhosa seleção de mestres holandeses e flamengos, impressionistas franceses e um poético retrato de Ginevra de' Benci (1474), o único óleo de Leonardo da Vinci no hemisfério ocidental. Pela quantidade e qualidade de suas obras-primas, esse é sem dúvida um bom lugar para você passar o dia.

Abrigada numa bela mansão neogeorgiana que pertenceu ao colecionador que lhe deu o nome, a Coleção Phillips, um pouco mais distante do Mall, foi o primeiro museu de arte moderna do país. Ao sul, a Galeria Corcoran possui o melhor acervo mundial de arte do século XIX. A experiência mais forte e dolorosa nesse passeio pela cidade é, sem dúvida, a visita ao Museu do Holocausto, dedicado às vítimas do genocídio nazista de 1933 a 1945. E onde mais senão em Washington você encontraria o International Spy Museum, que desmistifica segredos da espionagem de todas as épocas e partes do globo.

Para quem busca as jóias mais íntimas e pouco badaladas da cidade, há o Dumbarton Oaks, numa linda mansão que abriga maravilhosas coleções de arte bizantina e pré-colombiana entre terraços esmeradamente ajardinados. A noroeste, com vista para o Rock Creek Park, o Hillwood Museum and Gardens, um edifício georgiano de 41 cômodos, exibe sua imensa coleção de objetos decorativos da França e da Rússia imperial, que inclui ícones e ovos Fabergé.

O QUE: lugar. **SMITHSONIAN INSTITUTION:** Centro de Informações, Jefferson Drive, 1.000 (no National Mall). Tel. (1) 202-633-1000; www.smithsonian.org. *Quanto*: ingresso gratuito. Bureau de Visitantes de Washington; tel. (1) 800-422-8644 e (1) 202-789-7000; www.washington.org. **GALERIA NACIONAL DE ARTE:** no National Mall, entre a 3rd Street e a 9th Street, altura da Constitution Avenue, Northwest. Tel. (1) 202-737-4215; www.nga.gov. *Quanto*: ingresso gratuito. **COLEÇÃO PHILLIPS:** 21st Street, 1.600, Northwest, altura da Q Street. Tel. (1) 202-387-2151; www.phillipscollection.org. *Quanto*: durante a semana, ingresso gratuito; fins de semana U$8, com mostras especiais. **MUSEU DO HOLOCAUSTO:** ao sul do National Mall e da Independence Avenue, Southwest, entre a 14th Street e Raoul Wallenberg Place. Tel. (1) 202-488-0400; www.ushmm.org. *Quanto*: ingresso gratuito, mas são necessários passes com tempo marcado para a exibição permanente; www.tickets.com; tel. (1) 800-400-9373. **INTERNATIONAL SPY MUSEUM:** F Street, 800, Northwest. Tel. (1) 866-SPY-MUSEUM e (1) 202-EYE-SPY-U; www.spymuseum.org. *Quanto*: ingresso U$11. **DUMBARTON OAKS:** 32nd Street, 1.703, Northwest. Tel. (1) 202-339-6401;

www.doaks.org. *Quanto*: ingresso gratuito no museu; jardins U$5 Mar.–Out. (ingresso gratuito Nov.–Fev.) **HILLWOOD MUSEUM AND GARDENS:** Linnean Avenue, 4.155, Northwest. Tel. (1) 877-HILLWOOD e (1) 202-686-5807; fax (1) 202-966-7846; www.hillwoodmuseum.org. *Quanto*: exigem-se reservas e depósito de U$10.

Férias levadas a sério: descanso, tranqüilidade e romance

CANOE BAY

Chetek, Wisconsin, Estados Unidos

No passado um retiro dos Batistas do Sétimo Dia, esse isolado resort em Indianhead, região de densas florestas no estado de Wisconsin, foi recriado para o deleite exclusivo de nada mais do que 19 casais, sem crianças, sem barcos a motor, sem telefones nos quartos e sem coordenador de atividades para perturbar a tranqüilidade. Os requintados quartos e chalés de frente para o lago – todos com lareiras de pedra-de-mão e banheiras de hidromassagem duplas – lembram a genialidade de Frank Lloyd Wright, natural de Wisconsin, e mesclam-se perfeitamente aos bosques do entorno. Na verdade, foi John Rattenbury, pupilo de Wright e seu colaborador no projeto do Museu Guggenheim de Nova York, que em 2000 projetou para o resort o Rattenbury Cottage, no alto da montanha. Essa construção levou a um nível ainda mais alto o estilo naturalista, embora sofisticado, da propriedade.

Um lugar ideal para os casais descansarem e recarregarem as baterias.

Mais de 6,5km de trilhas pitorescas cruzam os 113ha de bosques de Canoe Bay, onde uma rica amostra de vida selvagem – veados, faisões, mergulhões e gansos – vive às margens de três lagos escondidos. Quase todos os hóspedes tomam o café da manhã na cama, passeiam de canoa pelas águas imaculadas e fazem massagens no próprio quarto. No jantar à luz de velas, saboreiam delícias de um cardápio diferente a cada dia (acompanhadas de uma seleção dos 700 vinhos da carta) no restaurante com janelões que os deixam de frente para o mágico pôr-do-sol no lago Wahdoon.

O QUE: hotel. **ONDE:** Route 8, 28 (193km a leste de Minneapolis, 563km a noroeste de Chicago). Tel. (1) 800-568-1995 e (1) 715-924-4594; fax (1) 715-924-2078; www.canoebay.com. **QUANTO:** duplos a partir de U$300 (baixa temporada), Rattenbury Cottage a partir de U$725. Cardápio do chef a preço fixo U$55. **MELHOR ÉPOCA:** Jun.–Ago. para desfrutar as dádivas do lago; 1.ª quinzena de Out. para o auge da folhagem de outono.

Uma maravilha geológica quase espiritual

Parque Nacional de Grand Teton

Wyoming, Estados Unidos

Menos altos e nevados do que várias outras cadeias montanhosas dos Estados Unidos, os 12 picos da cadeia Teton ainda levam o título de campeões da beleza geológica do país como os mais fotogênicos de todos. Muitas vezes chamadas de "Grand Tetons" (embora o "Grand Teton" seja apenas o mais alto dos 12), essas montanhas apresentam uma proporção tão perfeita que os caçadores de peles franco-canadenses do início do século XIX lhes deram o duradouro apelido que se traduz simplesmente como "grandes tetas". Com até 2.133m acima do solo plano do vale Jackson Hole (que está 1.950m acima do nível do mar), em Wyoming, essas escarpadas formações talhadas pelas geleiras são as mais jovens das Rochosas e se estendem por uma área de parque relativamente pequena – 125.000ha, um sexto do tamanho de seu vizinho Yellowstone. Sem nenhum contraforte para bloquear a visão frontal total dos picos, até para os não profissionais é fácil tirar uma foto extraordinária.

Ao pé da cadeia de montanhas, o avanço glacial escavou uma faixa de lagos profundos e gelados cor azul-safira dos quais o Jenny é um dos mais bonitos e, portanto, um dos mais populares e visitados. Dali partem as trilhas para o Cascade Canyon, as Hidden Falls e o impressionante Inspiration Point. Com 370km de trilhas, o Parque Nacional de Grand Teton é feito para os adeptos das caminhadas. No Jackson, o maior lago, com 24km de extensão, há cruzeiros à ilha Elk e ao longo de sua margem ocidental, onde começam as montanhas. Passeios guiados serpenteiam por um trecho calmo do rio Snake, de Deadman's Bar até Moose. O circuito viário de 72km que começa em Moose e passa por Moran Junction exibe um cenário igualmente espetacular sem sair da terra firme.

A popular Jenny Lake Lodge, uma das melhores e mais bem situadas opções de hospedagem do parque – e uma das mais caras de todo o sistema de parques nacionais dos Estados Unidos –, começou como um resort no campo para os grã-finos da costa leste que iam até lá curtir umas semanas de vida rústica. Seus elegantes aposentos costumam ser reservados com um ano de antecedência para aqueles que não se importam nem um pouco com o estilo rústico que se encontra ali. Aci-

Muitas vezes eleitas as mais belas montanhas dos Estados Unidos.

ma de tudo, não perca o jantar no salão revestido de madeira.

O QUE: lugar, hotel. **PARQUE NACIONAL DE GRAND TETON:** a sede e o Centro de Visitantes ficam em Moose, 20km ao norte de Jackson e 11km ao sul do Parque Nacional de Yellowstone. Tel. (1) 307-739-3300; www.nps.gov/grte. *Quanto*: ingresso U$20 por carro (inclui ingresso para Yellowstone), válido por 7 dias. **JENNY LAKE LODGE:** entre em contato com a Grand Teton Lodge Company: tel. (1) 800-628-9988 e (1) 307-733-4647; fax (1) 307-543-3358. *Quanto*: U$444 por cabana em duplos; incluídos café da manhã, jantar de 5 pratos, passeios a cavalo e uso de bicicletas. *Quando*: aberto início de Mai.–início de Out. **MELHOR ÉPOCA:** Jul.–Ago. é um período mais quente e movimentado, com a floração de mais de 900 variedades de flores silvestres; Jun.–Set. para ver os alces; Jun. (primeiras flores silvestres) e Set. (folhagem de outono) são menos movimentados.

A principal reserva natural dos Estados Unidos

PARQUE NACIONAL DE YELLOWSTONE

Wyoming, Estados Unidos

Fundado em 1872, o mais antigo parque nacional dos Estados Unidos (e do mundo) é mais conhecido por seus aspectos geotérmicos – remanescentes de um tumultuado passado vulcânico descrito pelo escritor Rudyard Kipling como "o planalto do inferno". A maioria dos visitantes aflui à Upper Geyser Basin, na metade sul de Yellowstone, para ver os 150 gêiseres que, junto com as 10.000 piscinas de lama borbulhante, fumarolas sibilantes e fontes de vapor quente, atuam como válvulas de pressão, liberando o calor e o vapor que há embaixo. O parque tem 300 gêiseres (cerca da metade dos que existem em todo o globo), mas o superastro é o Old Faithful, cujos jatos atingem 56m de altura a cada 68-98 minutos. É o gêiser mais afamado do mundo e sinônimo de Yellowstone.

O Old Faithful é apenas um dos 300 gêiseres de Yellowstone, mas com certeza o preferido.

A Old Faithful Inn, construída em 1904, ainda é a maior construção de toras de madeira que existe. Seu estilo "todo o conforto no meio de um ambiente selvagem" ditou a moda para todas as grandes pousadas do sistema de parques nacionais dos Estados Unidos. Caso você não faça a reserva com um ano de antecedência, dificilmente encontrará lugar nessa marcante hospedaria rústica, mas dê pelo menos uma olhada no seu espantoso saguão de seis andares e na enorme lareira central, cuja chaminé foi feita com 500t de pedras vulcânicas. A comida do restaurante não é notável, porém a vista quase cara a cara com o gêiser Old Faithful é. Das nove opções de hospedagem do parque, a mais antiga é o elegante Hotel on Lake Yellowstone, concluído em 1891.

Mas as curiosidades geotérmicas não são tudo o que Yellowstone tem a oferecer. Segundo maior parque do sistema nacional fora do Alasca, sua diversidade natural e abundante vida selvagem estão entre as maiores do planeta. O Grand Canyon do rio Yellowstone proporciona uma de suas vistas mais estupendas. Com 38km de comprimento e até 365m de profundidade, o cânion começa na espetacular Lower Falls, uma queda-d'água de mais de 93m (quase duas vezes mais alta do que Niagara Falls) sobre o rio que se localiza abaixo. Ursos e bisões circulam pelo vale Hayden, o maior prado do parque, ao lado de 25.000 alces, 1.000 alces-americanos e 148 espécies de pássaros. A águia-calva reina no céu e até o lobo-cinzento das montanhas Rochosas – que o parque se esforçou para erradicar na década de 1930 – voltou (foi reintroduzido ali em 1995).

Noventa e nove por cento dos visitantes de Yellowstone nunca se afastam mais de 5km das estradas, deixando de aproveitar os 1.900km de trilhas de caminhadas e algumas das mais intocadas regiões selvagens dos Estados Unidos. Se você não tem tempo nem propensão para caminhadas, opte pelo fantástico percurso de 228km do Grand Loop em forma de 8 que liga os cinco acessos do parque e passa perto da maior parte das atrações.

O QUE: lugar, hotel. **PARQUE NACIONAL DE YELLOWSTONE:** no noroeste de Wyoming. O parque tem 5 acessos, localizados nos limites norte, leste, nordeste, sul e oeste. Tel. (1) 307-344-7381; www.nps.gov/yell. *Quanto*: U$20 por carro (inclui ingresso para o Parque Nacional de Grand Teton), válido por 7 dias. *Quando*: os acessos norte e nordeste ficam abertos durante todo o ano; os demais somente no início de Mai.–início de Nov. **OLD FAITHFUL INN:** central de reservas para todas as pousadas do Parque Nacional de Yellowstone e para algumas áreas de acampamento; tel. (1) 307-344-7311; www.travelyellowstone.com. *Quanto*: duplos a partir de U$101. *Quando*: aberto de meados de Mai.–meados de Out. **MELHOR ÉPOCA:** Mai.–meados de Jun., Set.–meados de Out. (a época de maior movimento é Jul.–Ago.); os meses de neve no inverno podem ser mágicos (2 pousadas permanecem abertas) e o esqui *cross-country* é excepcional.

CANADÁ

A maravilha das Rochosas no estilo canadense

PARQUES NACIONAIS DE BANFF, JASPER E YOHO

Alberta, Canadá

Situados a oeste de Edmonton e seguindo-se um ao outro no sentido norte–sul ao longo de mais de 480km, os parques nacionais de Banff, Jasper e Yoho juntam-se a vários outros parques menores, formando o Rocky

Um castelo de gelo no majestoso Fairmont Chateau Lake Louise.

Mountains Parks World Heritage Site, uma das maiores áreas protegidas do mundo. Os três parques nacionais de Alberta atraem quase 7.000.000 de visitantes por ano. O motivo é sua beleza: montanhas escarpadas e prados de altitude, cachoeiras espetaculares, geleiras e campos de gelo, cânions profundos e lagos gelados mais parecidos com espelhos que dão acesso a outro universo. Totalmente à vontade nessa paisagem, alces, renas, carneiros-selvagens e ursos-negros e cinzentos aparecem com freqüência – uma dádiva para os entusiastas da vida selvagem com câmeras na mão. Por sua vez, os luxuosos hotéis construídos pela Canadian Pacific Railway no final do século XIX estão entre as mais belas e clássicas opções de hospedagem da América do Norte.

O Banff, primeiro parque nacional do Canadá, incorporado como um pequeno trecho de 26km² em 1885 e hoje transformado num gigante de 6.880km², é o destino turístico número um do país. Suas atrações mais célebres são os lagos Louise e Moraine, ambos cercados por altas montanhas nevadas que se refletem em suas extraterrenas águas verde-jade (resultado de depósitos aluviais ricos em minerais oriundos das geleiras circundantes). O Louise é mais amplamente conhecido por sua grande área de esqui, sua vila-resort e seu Fairmont Chateau Lake Louise, um suntuoso hotel com torreões no estilo eduardiano, provavelmente o mais espetacular das montanhas Rochosas. O lago Moraine, 13km a leste do Louise, é a atração preferida daqueles que buscam uma experiência menos comercial, com uma trilha de caminhada que contorna a margem norte do lago ao pé de montanhas de mais de 3.000m de altitude. A sudeste, o Johnson Canyon é outro excelente lugar para caminhadas, com uma trilha que passa por penhascos de 30m de altura, túneis escavados sob a rocha viva e pequenas pontes de madeira para pedestres, além de sete cachoeiras que respingam água sobre os visitantes, rumo a uma série de lagos verde-esmeralda conhecidos como *inkpots* (potes de tinta).

Mais ao sul fica a cidade de Banff, um lugar surpreendentemente cheio de estilo, considerando-se sua remota localização. Situado num ponto esplendoroso ao sul do rio Bow, o Fairmont Banff Springs Hotel – outra criação da Canadian Pacific – proporciona vistas notáveis, serviço atencioso, um excelente spa e um campo de golfe de classe internacional.

Ao norte, a Icefields Parkway liga o lago Louise ao Parque Nacional de Jasper em meio a um espetáculo de geleiras escarpadas, vales profundos, cachoeiras, florestas subalpinas e o Columbia Icefield, uma das maiores áreas de acúmulo de gelo ao sul do círculo Ártico, que se estende por quase 300km².

Maior parque nacional das Rochosas canadenses, o Jasper tem um cenário mais áspero e uma vibração menos turística. As oportunidades de caminhadas são muitas. Suas populares trilhas serpenteiam pelo estreito cânion Maligne e além, e pode-se praticar rafting nos rios Athabasca e Sunwapta. Enquanto os pescadores se divertem no lago Maligne (o maior lago alimentado por geleiras nas Rochosas), as fontes termais Miette proporcionam banhos de imersão em piscinas a céu aberto cercadas de florestas e montanhas.

A oeste de Banff e Jasper, o Parque Nacional de Yoho – cujo nome provém de uma expressão de admiração e respeito dos índios *cree* – é muito menor, com cerca de 1.313km² de área e mais de 400km de trilhas de caminhada bem conservadas. Sua história também está ligada à Canadian Pacific, que em 1909 abriu dois túneis através das montanhas. Hoje é possível ver os trens entrando e saindo desde o Lower

Spiral Tunnels Viewpoint, 16km a leste da cidade de Field, situada aproximadamente no coração do parque. No centro de visitantes estão disponíveis informações sobre o sítio arqueológico de Burgess Shale, em cujas montanhas foram descobertas criaturas do mar que cobria essa região no período cambriano. Da cidade partem caminhadas organizadas até o sítio.

Onze quilômetros a noroeste de Field, o lago glaciário Emerald é uma das atrações mais populares do Yoho, um lugar cercado por montanhas, perfeito para caminhadas, canoagem e passeios a cavalo. A Emerald Lake Lodge oferece as melhores acomodações do parque em seus 24 chalés de dois andares. Outros 4,8km de trilhas levam até Takakkaw Falls, a segunda cachoeira mais alta do Canadá, com uma queda de 381m.

O Que: lugar, hotel, experiência. **Parque Nacional de Banff:** 129km a oeste de Calgary. Tel. (1) 403-762-1550; www.parkscanada.gc.ca/banff. *Quanto*: U$6 por pessoa. **Fairmont Chateau Lake Louise:** tel. (1) 800-441-1414 e (1) 403-522-3511; fax (1) 403-522-3834; chateaulakelouise@fairmont.com; www.fairmont.com/lakelouise. *Quanto*: a partir de U$177 (baixa temporada) e a partir de U$360 (alta temporada). **Fairmont Banff Springs Hotel:** Spray Avenue, Banff. Tel. (1) 800-441-1414 e (1) 403-762-5755; fax (1) 403-762-2211; www.fairmont.com/banffsprings. *Quanto*: a partir de U$165 (baixa temporada) e a partir de U$305 (alta temporada). **Parque Nacional de Jasper:** 412km a noroeste de Calgary. Tel. (1) 780-852-6176; www.parkscanada.gc.ca/jasper. *Quanto*: U$3 por pessoa. **Parque Nacional de Yoho:** 209km a oeste de Calgary. Tel. (1) 250-343-6783; www.parkscanada.gc.ca/pn-np/bc/yoho. *Quanto*: U$3 por pessoa. **Emerald Lake Lodge:** tel. (1) 800-663-6336 e (1) 403-410-7411; fax (1) 403-410-7406; www.emeraldlakelodge.com. *Quanto*: duplos a partir de U$145 (baixa temporada) e a partir de U$300 (alta temporada). **Melhor Época:** Jan.–Mar. melhor para a prática do esqui em Banff; fim de Jan.–início de Fev. para o Winterfest; meados de Jul.–meados de Ago. para o Festival de Arte de Banff; Set.–Out. para a folhagem de outono; os meses de maior movimento são Jul. e Ago.

Ao longo da coluna vertebral do Canadá

As Rochosas Canadenses por Trem

Alberta, Canadá

Ao contrário do seu vizinho do sul, o Canadá conservou a tradição das viagens de trem desde a conclusão, em 1885, da Canadian Pacific Railway (CPR). Ao mesmo tempo uma maravilha da engenharia e um "ato de insana imprudência", essa ferrovia uniu a nação e evitou que a isolada província da British Columbia viesse a se tornar território dos Estados Unidos. "Já que não podemos exportar o cenário, vamos importar os turistas", declarou William Van Horne, primeiro presidente da CPR.

A rota da ferrovia pelas montanhas Rochosas canadenses é considerada uma das viagens de trem mais espetaculares de todo o mundo – os fãs desse tipo de passeio não podem morrer sem conhecê-la. Ao longo de um trecho de 3.620km no oeste de Alberta, a CPR passa por centenas de picos e agulhas relativamente jovens em termos geológicos (60.000.000 de anos), cujas silhuetas graníticas são encimadas por geleiras denteadas e pontiagudas. O panorama segue num crescendo até chegar ao monte Robson, o rei das Rochosas canadenses, que se projeta no céu da Bristish Columbia a 3.953m de altitude.

Os amantes das viagens de trem têm várias opções para explorar essa região inspiradora e quase desprovida de rodovias. O Rocky Mountaineer, maior serviço ferroviário privado de passageiros da América do Norte, é merecidamente conhecido por sua viagem de dois dias entre Vancouver (Bristish Columbia) e Jasper, Banff e Calgary (Alberta), sempre durante o dia (os pernoites são feitos fora do trem). Seus vagões de observação com teto de vidro proporcionam lindas vistas panorâmicas, e o jantar é de excelente qualidade.

Para oferecer uma experiência nostálgica mais autêntica, o American Orient Express recriou o estilo e o romantismo das grandes viagens ferroviárias transcontinentais do passado com vagões das décadas de 1940 e 1950 elegantemente restaurados e serviço e comida de alto nível. Tendo as Rochosas como destaque incontestável, o Express realiza a viagem de 3.381km entre Montreal e Vancouver em 10 dias, com saídas do trem para visitas a cidades históricas e parques nacionais.

Para quem tem menos tempo, o mesmo roteiro ferroviário continental que engloba cinco províncias pode ser feito pelo trem estatal nacional. Nos vagões estilo art déco da VIA Rail a viagem de 4.466km entre Toronto e Vancouver dura três dias, mas há também a opção do bilhete aberto, que permite desembarcar para explorar os tesouros do Canadá urbano e rural e retomar a viagem em data posterior. O Corridor Service liga Toronto a Halifax, Nova Scotia, ponto mais oriental da linha, completando a espantosa aventura de 6.400km através do país, única em seu gênero.

O QUE: experiência. **ROCKY MOUNTAINEER RAILWAY TOURS:** tel. (1) 800-665-7245 e (1) 604-606-7245; www.rockymountaineer.com. *Quanto*: viagem de 2 dias a partir de U$375, tudo incluído, em cabine dupla; oferecem-se roteiros mais longos. *Quando*: meados de Abr.–meados de Out. **AMERICAN ORIENT EXPRESS:** tel. (1) 800-320-4206 e (1) 630-663-4550; www.americanorientexpress.com. *Quanto*: viagem de 10 dias Montreal–Vancouver e vice-versa a partir de U$4.290, tudo incluído, em cabine dupla. *Quando*: fim de Jul.–início de Set. **VIA RAIL CANADA:** tel. (1) 888-842-7245; www.viarail.ca. *Quanto*: Toronto–Vancouver a partir de U$493 por pessoa; a partir de U$2.286 com pernoite em cabine dupla; oferecem-se viagens mais curtas.

Um lugar sossegado na estrada que vai para lugar nenhum

AS ILHAS GULF E A HASTINGS HOUSE

British Columbia, Canadá

O arquipélago de Gulf Islands – uma faixa de cerca de 100 picos montanhosos parcialmente submersos no estreito da Geórgia, entre a ilha de Vancouver e a British Columbia continental – é a versão canadense das

O sereno litoral rochoso das ilhas Gulf.

populares ilhas San Juan, no estado norte-americano de Washington, embora nem de longe tão movimentado. Os viajantes de fim de semana provenientes de Vancouver e Victoria apreciam a atmosfera sossegada e discreta e o jeito antiquado das cidades e vilas que povoam 25 das ilhas do arquipélago. Num passeio de caiaque por essas águas, é mais provável você dar de cara com uma foca ou um boto do que com outro turista.

Das cinco ilhas mais visitadas do sul do arquipélago, a de Salt Spring é a maior e mais badalada, com 132km de litoral rochoso e população de 9.000 habitantes. Situada numa angra protegida, salpicada de barcos à vela, Ganges, a cidade mais importante da ilha, vem se tornando conhecida por sua pequena mas crescente colônia de artistas e artesãos, alguns de renome internacional.

Estranhamente instalada sobre a cidade, em meio a 12ha de jardins ingleses floridos, abetos altíssimos e com magnífica vista para o mar, está a Hastings House, uma construção no estilo Tudor e um dos mais exclusivos refúgios do Canadá Ocidental. Apesar da decoração elegante, mistura de propriedade rural inglesa com pousada campestre chique, essa casa adota o estilo informal das ilhas Gulf, exceto no jantar, ao qual os homens devem comparecer vestindo paletó. Seus jantares estão entre os melhores a oeste de Vancouver, preparados com ingredientes provenientes de horta e pomar próprios, das fazendas locais e das ricas águas das ilhas.

O QUE: ilha, hotel, restaurante. **ILHAS GULF:** Tourism Vancouver Island; tel. (1) 250-754-3500; fax (1) 250-754-3599; info@islands.bc.ca; www.islands.bc.ca. **BC FERRIES:** há barcos partindo de Victoria e de outras localidades. Tel. (1) 250-386-3431; www.bcferries.com. **HASTINGS HOUSE:** Upper Ganges Road, 160, ilha de Salt Spring. Tel. (1) 800-661-9255 e (1) 250-537-2362; fax (1) 250-537-5333; hasthouse@saltspring.com; www.hastingshouse.com. *Quando*: meados de Mar.–meados de Nov. *Quanto*: duplos a partir de U$225 (baixa temporada) e a partir de U$290 (alta temporada). Jantar U$55. **MELHOR ÉPOCA:** Abr.–Out. para tempo melhor e feiras livres aos Sáb.

O paraíso nas alturas

HELICÓPTEROS PARA ESQUI E CAMINHADAS

British Columbia, Canadá

O remoto extremo sudeste da província da Bristish Columbia, o maior vazio contínuo das Américas, é um país das maravilhas que aguarda para ser explorado – mas como, se a região é completamente desprovida de estradas?

A Canadian Mountain Holidays resolveu o problema a partir de 1965, transportando para lá os entusiastas dos espaços abertos a bordo de sua frota de helicópteros. Hoje, além de ser uma das mais renomadas operadoras de aventuras com helicópteros do mundo, essa empresa administra também 12 hospedarias construídas a mais de 1.200m de altitude nas cadeias de Cariboo, Bugaboo, Monashee e Purcells, sudeste da Bristish Columbia. Nos meses de inverno, essas pousadas oferecem aos cerca de 40 hóspedes que praticam o heliesqui acesso exclusivo a 36.000km² de neve virgem – cerca de 300 vezes mais do que o maior dos resorts de esqui da América do Norte tem a oferecer, e sem teleférico (ou cabos de teleférico) à vista. É um programa exclusivo para esquiadores experientes, de nível intermediário a avançado: ao longo de uma frenética semana, os helicópteros realizam o desembarque dos passageiros, que podem fazer de 8 a 15 descidas diferentes por dia, sempre em neve jamais marcada por quaisquer outros rastros humanos. As preferências e aptidões do esportista – além das considerações dos guias especializados e pilotos sobre o tempo e as condições da neve – determinam a aventura do dia, invariavelmente sustentada por cafés da manhã de montanhistas e jantares de epicuristas, com uma massagem para arrematar.

Assim que a neve derrete, a expectativa passa a ser a de caminhar por um mundo primevo cheio de flores silvestres, imensas geleiras, riachos e vistas monumentais de dezenas de picos nevados de cerca de 1.600m de altitude. Algumas caminhadas com transporte feito por helicóptero são adequadas para grupos compostos por pessoas de até quatro gerações; outras exigem certo grau de competência técnica e até experiência em montanhismo – as possibilidades são muitas.

O Que: experiência. **Onde:** as excursões partem de Calgary. Transporte terrestre (4 a 6 horas de ônibus de Calgary, seguidas de 15 minutos de helicóptero a qualquer uma das 12 pousadas nas montanhas) incluído no preço. **Como:** Canadian Mountain Holidays (CMH), Banff, Alberta. Tel. (1) 800-661-0252 e (1) 403-762-7100; info@cmhinc.com; www.cmhski.com e www.cmhhike.com. **Quanto:** 1 semana de esqui, de Sáb. a Sáb., tudo incluído (com equipamento), a partir de U$2.650. Dos vários pacotes de caminhadas disponíveis, o mais popular é o de 3 noites, a partir de U$1.348, tudo incluído. Todos os preços em duplos. **Quando:** esqui Dez.–Mai; caminhadas início de Jun.–fim de Set. **Melhor Época:** Dez. e Mai. para esqui a preços de baixa temporada; início de Jul.–meados de Ago. para caminhadas entre flores silvestres.

Dupla montanha, duplo prazer

Whistler-Blackcomb Ski Resort

British Columbia, Canadá

Confirmando que chegar a esse lugar é metade da diversão, a espetacular estrada litorânea Sea-to-Sky, de 120km de extensão, que liga Vancouver a Whistler-Blackcomb, é provavelmente o mais belo acesso a um resort de esqui que há no mundo. À exceção de Alberta, nenhuma outra província do Canadá tem montanhas tão belas e grandiosas quanto a British Columbia. Essa rodovia e um dia nas encostas não deixam dúvidas sobre isso. Ligadas em sua base por um povoado no estilo europeu sem acesso para carros chamado Whistler Village, as montanhas gêmeas Whistler e Blackcomb, além de serem os maiores destinos de esqui da América do Norte, são regularmente classificadas entre os melhores do continente – com a vantagem adicional dos tíquetes de teleférico dois-por-um.

Esse é um lugar de superlativos: a maior queda vertical (mais de 1.524m) de todos os resorts de esqui da América do Norte, 2.830ha de terreno próprio para a prática de esqui (800 a mais do que o maior resort dos Estados Unidos), mais de 200 pistas sinalizadas, 12 imensas depressões no terreno alpino, inimagináveis 9m de neve por ano e uma temporada que vai do fim de novembro a maio (com esqui de verão na Blackcomb de meados de junho a agosto). Como se não bastasse tudo isso, há o incomparável sistema de teleféricos de alta velocidade e uma simpática e eficiente equipe (de garçons a instrutores de esqui). Na verdade, o próprio tamanho da Whistler-Blackcomb permite que mais de 1.000.000 de visitantes anuais desapareçam nas pistas de sua preferência, e assim o lugar nunca parece realmente cheio. O único possível aspecto negativo é o tempo, bastante imprevisível: com a base do resort 670m acima do nível do mar, chove com freqüência lá embaixo, mas o tempo quase sempre se mostra melhor quando se sobe a montanha. Então faça isso.

Embora 55% das pistas de ambas as montanhas sejam classificadas para praticantes intermediários, a Whistler-Blackcomb tornou-se um clássico para esquiadores avançados e radicais – sua candidatura às Olimpíadas de 2010 indica a qualidade do terreno. As descidas são tão extensas (a mais longa tem 11km) quanto espetacularmente situadas, com vistas deslumbrantes desde o teleférico. Esquiadores insaciáveis têm também a alternativa do heliesqui guiado.

O Whistler-Blackcomb possui mais opções de hospedagem nas montanhas do que qualquer outro resort da América do Norte. Mas a única com características *ski-in/ski-out* (que permite ao hóspede chegar e sair de esqui) é o elegante Fairmont Chateau Whistler Resort, uma simpática fortaleza com empena no estilo dos hotéis de luxo da ferrovia Canadian Pacific, que domina a área de esqui da base do monte Blackcomb. Com 560 quartos, esse resort não é propriamente íntimo, tampouco barato (sobretudo suas aristocráticas suítes), mas é o lugar para quem quer esquiar e ser visto. Seu célebre brunch de domingo é motivo suficiente para hospedar-se lá, assim como seus tratamentos de spa, verdadeiros nirvanas para um corpo maltratado por um dia inteiro de esqui. Com a mudança da estação, o Chateau Whistler converte-se sem dificuldade num resort de veraneio: seu campo de 18 buracos assinado por Robert Trent Jones Jr. é sempre cotado como o melhor do Canadá e há ainda três outros situados a pequena distância dali.

O Que: experiência, hotel. **Whistler-Blackcomb:** Tourism Whistler-Blackcomb, tel. (1) 800-766-0449; www.mywhistler.com. Para obter informações sobre o hotel, entre em contato com a Resorts Reservations: tel. (1) 888-284-9999. **Fairmont Chateau Whistler Resort:** Chateau Boulevard, 4.599. Tel. (1) 800-441-1414 e (1) 604-938-8000; www.fairmont.com/whistler. *Quanto*: a partir de U$199 (baixa temporada) e a partir de U$529 (alta temporada); brunch U$36. **Melhor Época:** evite o rush da Sex. à noite em Vancouver rumo à rodovia Sea-to-Sky/Highway 99; evite também os limites de temporada de Dez. e Abr. se quiser esquiar na montanha toda.

Onde é impossível se cansar da natureza

Parque Nacional do Pacific Rim

Ilha de Vancouver, British Columbia, Canadá

O viajante que deixa a encantadora e absolutamente britânica cidade de Victoria, no extremo sul da ilha de Vancouver, vê a civilização ser substituída de imediato pela imponente paisagem natural do nordeste do Pacífico. Contornando lagos azul-prata, a sinuosa estrada de duas faixas sobe os desfiladeiros da montanha e atravessa densas florestas de altos espruces, cicutas e cedros que figuram entre as maiores e mais velhas árvores da América do Norte. A Reserva Parque Nacional do Pacific Rim, situada na acidentada e pouco povoada costa ocidental da ilha, é um território sagrado para os ecoturistas. Sua trilha West Coast é classificada pela organização ecológica Sierra Club como uma das mais espetaculares e desafiadoras caminhadas do continente norte-americano. No verão, excursionistas de todo o mundo vão ao parque percorrer os 75km do trajeto, cujos graus de dificuldade variam de intermediário a avançado. Os novatos podem apreciar a grandiosidade da ilha nas caminhadas menos exigentes que a área tem a oferecer ou então seguir pelos 11km da praia de Long Beach, que na maré baixa chega a 450m de largura – outro ponto alto da reserva. No passado, o litoral rochoso da região era conhecido entre os navegantes como o Cemitério do Pacífico por causa das ferozes tormentas de inverno que açoitam esses escarpados promontórios. Mas a tragédia de ontem é a atração turística de hoje: a enorme quantidade de navios naufragados é material histórico para a exploração dos adeptos do mergulho com cilindro. A diversificada vida marinha local é também um importante destaque: leões-marinhos, águias-calvas e uma grande quantidade de baleias conferem a Clayoquot Sound e ao arquipélago Broken Group, em Barkley Sound, um notável interesse ecológico.

Ali até o inverno é hipnótico. Ventos fortes, rajadas de chuva e ondas de 6m de altura geraram o curioso passatempo de observar as tempestades desde a costa ocidental ao redor de Tofino, o charmoso povoado onde termina a Transcanadian Highway e começa informalmente o parque. Sete quilômetros ao sul está a robusta e elegante Wickaninnish Inn, uma hospedaria que surpreende pelo luxo nessas paragens remotas, de onde é possível observar de camarote a fúria da natureza. Todos os quartos têm janelas do chão ao teto e sacadas privativas tão próximas do mar que você pode ouvir as ondas enquanto relaxa ao lado da lareira ou mergulha na ba-

Deleite-se com as vistas oceânicas na Wickaninnish Inn.

nheira quente junto à janela. No Pointe, o restaurante da hospedaria, as vistas de 240º competem com as especialidades regionais do chef em termos de espetáculo.

O Que: ilha, lugar, hotel. **Reserva Parque Nacional do Pacific Rim:** tel. (1) 250-726-7721; www.parkscanada.gc.ca/pacrim. *Quanto*: U$5,25 por carro; permissão de caminhada na trilha West Coast U$45. *Quando*: trilha West Coast aberta de Mai.–fim de Set. **Wickaninnish Inn:** em Tofino, a 5 horas de carro de Victoria, ligado a Vancouver por barco e avião. Tel. (1) 800-333-4604 e (1) 250-725-3100; www.wickinn.com. *Quanto*: duplos a partir de U$136 (baixa temporada) e a partir de U$240 (alta temporada). Jantar U$80. **Melhor Época:** Jun. e Jul. para tempo quente e dias longos. Nov.–Fev. costuma ser um período de tempestades. O Festival das Baleias do Pacific Rim, com duração de 2 semanas, é realizado em Mar., quando cerca de 20.000 desses animais migram para o norte passando pela costa ocidental da ilha.

Paraíso de luxo dos amantes da boa mesa no limite da América do Norte

A Sooke Harbour House e o Aerie Resort

Ilha de Vancouver, British Columbia, Canadá

Com uma magnífica diversidade de frutos do mar proporcionada pelo Pacífico, um elevado índice pluviométrico anual e um ameno clima litorâneo que cria uma das melhores condições para a produção agrícola em toda a América do Norte, a ilha de Vancouver era uma revolução culinária prestes a acontecer. Portanto, não surpreende que dois hotéis-restaurantes, hoje conhecidos em todo o mundo, tenham sido abertos a pouca distância de Victoria – a essencialmente britânica e aconchegante capital da British Columbia. Dali, um belo passeio de carro num cenário panorâmico leva até ambos.

Localizada num promontório coberto de bosques com vista para a acolhedora enseada e o estreito de San Juan de Fuca mais além, a imaculadamente branca Sooke Harbour House, de Sinclair e Fredrica Philips, há muito é aclamada como um dos hotéis-restaurantes mais procurados pelos apreciadores da autêntica cozinha regional em todo o continente. Servidas sob a luz de candelabros em meio a um belíssimo panorama, suas deliciosas refeições são acompanhadas por vinhos de uma premiada carta de mais de 2.000 itens, 40 dos quais oferecidos em taças. Seus magníficos jardins se estendem até à beira-mar, com 400 variedades de ervas raras, flores comestíveis e vegetais orgânicos que são utilizados de maneira generosa e inovadora nos pratos do cardápio, sempre diferentes e únicos em seu gênero. Todos os quartos têm lareiras, e a maioria deles é equipada com banheiras de hidromassagem para dois, posicionadas de modo que os hóspedes possam apreciar a maravilhosa vista. Irresistíveis almoços embalados para viagem incentivam os visitantes a sair e explorar as atrações naturais da região.

Menos caseiro e mais formal (e por isso a opção preferida de muitos casais em ocasiões especiais), o Aerie Resort é um grande concorrente da Sooke Harbour House, com sua cozinha excepcional e sua localização cinematográfica no alto do pico Malahat, a 365m de altitude, com vista para o Finlayson Arm e a ilha de Vancouver, ao sul. A hospitalidade européia, a rigorosa atenção aos detalhes e a maravilhosa mescla de conforto e elegância proporcionadas pela proprietária Maria Schuster, austríaca de nascimento, e sua diligente equipe de funcionários fazem da estada ali uma ocasião especial. A comida combina elementos da culinária francesa clássica com uma gama de possibilidades oferecidas pelo Pacífico, tudo com um leve toque antigo para combinar com o cenário.

O QUE: hotel, restaurante. **SOOKE HARBOUR HOUSE:** Whiffen Spit Road, 1.528, Sooke (37km a oeste de Victoria); tel. (1) 800-889-9688 e (1) 250-642-3421; fax (1) 250-642-6988; www.sookeharbourhouse.com. *Quanto*: duplos a partir de U$180 (baixa temporada) e a partir de U$210 (alta temporada), incluídos café da manhã e almoço. Jantar U$45. *Quando*: aberto durante todo o ano; jantar Dom.–Ter. **AERIE RESORT:** Ebedora Lane, 600, Malahat (32km ao norte de Victoria). Tel. (1) 800-518-1933 e (1) 250-743-7115; fax (1) 250-743-4766; www.aerie.bc.ca. *Quanto*: a partir de U$130 (baixa temporada) e a partir de U$200 (alta temporada), incluídos café da manhã e almoço. Jantar U$38.

Navegando entre as orcas

STUBBS ISLAND WHALE WATCHING

Ilha de Vancouver, British Columbia, Canadá

Quaint Telegraph Cove, um agrupamento de casas de madeira precariamente construídas sobre palafitas no extremo nordeste da ilha de Vancouver, tem uma população de cerca de 11 habitantes. Mas é dos residentes que vivem ao largo da costa que as pessoas querem se aproximar. Separando a ilha de Vancouver do litoral coberto de pinheiros da província de British Columbia, o estreito de Johnstone é o habitat sazonal da maior concentração de orcas (baleias assassinas) que há no mundo. Cerca de 100 espécimes habitam essas águas do fim de junho até os meses de inverno. A Stubbs Island Whale Watching é a empresa operadora de dois barcos de 60 pés autorizados pela Guarda Costeira, ambos com aquecimento interno, deques de observação e hidrofones que permitem aos passageiros bisbilhotar as tristes melodias e outros sinais de comunicação das baleias. Com uma curiosidade que se compara à dos próprios visitantes, esses imensos e silenciosos animais costumam se aproximar dos barcos, que se tornaram familiares para eles ao longo dos 23 anos de existência da empresa (o índice de sucesso na observação é de 90%). Individualmente batizadas e identificadas por suas cicatrizes, pelas manchas brancas em formato de sela e pelos lobos horizontais de suas caudas, as orcas nadam por essas águas tranqüilas mergulhando e depois subindo à tona em meio às expressões de admiração dos extasiados visitantes. Quem será que está observando quem?

O QUE: experiência. **ONDE:** 402km a noroeste de Victoria. Stubbs Island Whale Watching; tel. (1) 800-665-3066 e (1) 250-928-3185; fax (1) 250-928-3102; stubbs@north.island.net; www.stubbs-island.com.

Quanto: U$68 por 3 horas e 30 minutos de passeio. *Quando*: fim de Mai.–meados de Out. Jun.–Set. cruzeiros diários. **MELHOR ÉPOCA:** Jul.–Set.

Tesouros de história, arte e cultura nativas

O ROYAL BRITISH COLUMBIA E O MUSEU DE ANTROPOLOGIA

Victoria e Vancouver, British Columbia, Canadá

Regularmente classificado como um dos 10 melhores museus da América do Norte, o Royal British Columbia é tão divertido para crianças e adultos quanto interessante para moradores locais e turistas. Ali o visitante acompanha a história da província desde a Idade do Gelo (o mamute de 3m de altura é sucesso garantido com as crianças) até os núcleos históricos de pesca e mineração, com dioramas de alta qualidade que mostram toda a riqueza da fauna e flora das montanhas, deltas e florestas tropicais temperadas. Uma moderna mostra sobre o clima usa imagens de satélite, *webcams* ao vivo e material gráfico e textual para explicar os padrões e mudanças do clima. Talvez ainda mais interessante seja a Galeria dos Povos Primitivos, que detalha a história das várias nações nativas da região litorânea antes e depois da chegada dos europeus, com exibições de máscaras talhadas à mão, vestuário e ornatos de cabeça cerimoniais, acessórios, tecidos decorativos e colunas de totens. Atrás do museu fica o Parque Thunderbird, a maior coleção de colunas de totens que há no mundo. Vez por outra, entalhadores de madeira fazem demonstrações ao vivo de seus métodos ancestrais.

Peça da Galeria dos Povos Primitivos do Royal British Columbia.

Em Vancouver, a maior cidade da província, os especialistas em museus garantem que o acervo de arte e cultura nativas do Museu de Antropologia não é menos espetacular, fazendo com que valha a pena a viagem de 30 minutos da ilha de Granville até o campus da Universidade da British Columbia. Instalado num edifício com projeto premiado de Arthur Erickson, o museu é célebre pela escultura de cedro *The Raven and the First Men* (O corvo e os homens primitivos), do artista *haida* Bill Reid. Ninguém sabe quem é o vencedor do concurso de colunas de totens – os acervos dos dois museus são igualmente notáveis.

O QUE: lugar. **ROYAL BRITISH COLUMBIA MUSEUM:** Belleville Street, 675,Victoria. Tel. (1) 888-447-7977 e (1) 250-356-7226; www.royalbcmuseum.bc.ca. *Quanto*: passe para 2 dias U$6. **MUSEU DE ANTROPOLOGIA:** Universidade de British Columbia, Northwest Marine Drive, 6.393, Vancouver. Tel. (1) 604-822-3825 (mensagem gravada) e (1) 604-822-5087; www.moa.ubc.ca. *Quando*: diariamente de meados de Mai.–Ago.; fechado Seg. fora da temporada. *Quanto*: U$4,50; ingresso gratuito nas noites de Ter.

A bucólica ilha onde nasceu o Canadá

ILHA DE PRINCE EDWARD

Canadá

Bucólica em toda a sua extensão, com pequenas cidades aninhadas em meio a colinas verdes, a ilha de Prince Edward é cercada pelas águas frias do Atlântico Norte e atravessada por estradas de terra vermelha, a marca visível de seu leito profundo de arenito. Com a maior parte de sua economia baseada na agricultura, ela é a menor e a mais densamente habitada província do Canadá – estatística em que é difícil acreditar quando se olha em volta e só se vê gado e (quem sabe) um solitário trator à distância. Daí se pode avaliar o quanto é pequena a população em uma grande área do país. Do mar os pescadores trazem a outra parte da produção da ilha: lagostas, lulas, vieiras e ostras. Na cidade de Summerside, durante o Carnaval da Lagosta, em meados de julho, há banquetes, concursos de rabeca e jogos. O restaurante Fisherman's Wharf, em North Rustico, tem tanques junto à cozinha com capacidade para conservar até 18.000kg de lagostas, de maio a outubro. A caça à foca, no passado uma importante fonte de recursos, foi substituída pelo ecoturismo, com passeios de meio dia e um dia inteiro às vastas banquisas a oeste das ilhas Magdalen, aonde mais de 400.000 focas retornam todo ano para procriar. Conhecidos como *white-coats* (casacos brancos) por causa de seu pêlo sedoso, os filhotes desses animais foram caçados com finalidades comerciais até o dia em que a opinião pública obrigou o governo a proibir essa prática.

Uma das casas de garrafas de Cap-Egmont.

O estilo de vida bucólico da ilha de Prince Edward foi alimentado por seu isolamento. Mesmo hoje – depois de ligada ao continente pela ponte da Confederação, de 13km, construída em 1997 –, a sensação que ela desperta continua a ser a da tranqüila vida no campo. As pitorescas estradas vermelhas são perfeitas para se andar de carro e bicicleta. Três rotas oficialmente recomendadas foram projetadas para exibir os aspectos mais interessantes dessa província. A Kings Byway, na costa leste, serpenteia entre dezenas de pequenos povoados rurais e campos verdes, proporcionando magníficas vistas do oceano. A Lady Slipper Drive, na costa oeste, é ainda mais rural, passando por faróis, aldeias e (entre outras coisas) um grupo de casas construídas somente com garrafas recicladas na localidade de Cap-Egmont.

A Blue Heron Drive é provavelmente a rota mais percorrida (e mais comercial), passando pelo Parque Nacional da Ilha de Prince Edward, no litoral norte, onde está a casa de Lucy Maud Montgomery, autora de *Anne of Green Gables* (Anne de Green Gables). O parque, situado num lindo trecho do litoral do golfo de São Lourenço, possui 40km de praias, dunas e penhascos de rocha vermelha, além de lagoas, bosques e fauna selvagem. Cavendish, a cidade mais visitada da região, fica na parte turística, com diversas lojas dedicadas à escritora e à sua criação. Lucy nasceu ali em 1874, em meio ao cenário de seu futuro romance. Hoje traduzido para cerca de 15 idiomas (ainda não para o português), o livro tem fã-clubes em muitos países e atrai cerca de 350.000 visitantes anualmente à Green Gables House e a outros lugares. Como opções de hospedagem, existem cabanas bem próximas à Gables House, no Green Gables Bungalow Court, mas a Dalvay by the Sea Heritage Inn é mais interessante. Construída em 1895, essa mansão vitoriana à beira-mar é desde a década de 1930 um resort de veraneio, com um ambiente sem TV nem telefone; os quartos são simples e claros e a cozinha do chef Keith Wilson, com influências do Mediterrâneo, do norte da África, da Ásia e da bacia do Pacífico, excelente.

Charlottetown, ao sul de Cavendish e do parque, é a cidade onde os Pais da Confederação se reuniram em 1864 para discutir a unificação do país. A Provence House foi o local da reunião. Hoje a Confederation Chamber e várias outras salas estão abertas à visitação, todas restauradas para readquirir o aspecto que tinham no século XIX.

O centro histórico de Charlottetown tem calçamento de pedra e ruas com iluminação a gás ladeadas de mansões do século XVIII, muitas delas transformadas em hospedarias e *bed and breakfasts*. Na área do cais, onde os comerciantes que as construíram ganhavam a vida, os armazéns foram convertidos em restaurantes de frutos do mar, lojas e casas noturnas. A maioria dos primeiros ocupantes da ilha de Prince Edward era natural da Irlanda, Escócia, Inglaterra e França. Hoje, seus descendentes tocam música tradicional celta e acadiana em lugares como o Irish Hall e o Olde Dublin Pub.

O QUE: ilha, evento, restaurante, experiência, lugar, hotel. **ILHA DE PRINCE EDWARD:** a 13km de New Brunswick pela ponte da Confederação. **PEI TOURISM:** tel. (1) 888-734-7529; www.peiplay.com. **CARNAVAL DA LAGOSTA DE SUMMERSIDE:** tel. (1) 902-436-4925; lobster@pei.aibn.com. *Quando*: meados de Jul. **FISHERMAN'S WHARF RESTAURANT:** Route 6, North Rustico. Tel. (1) 877-289-1010 e (1) 902-963-2669; fax (1) 902-963-3291; fishwharf@pei.aibn.com; www.peisland.com/fishermanswharf. *Quando*: aberto todos os dias de meados de Mai.–meados de Out. *Quanto:* jantar U$16. **EXCURSÕES PARA OBSERVAÇÃO DE FOCAS:** Atlantic Marine Wildlife Tours. Tel. (1) 506-459-7325. Há helicópteros partindo de Charlottetown. *Quanto*: U$415 por passeio de meio dia, U$570 o dia inteiro. *Quando*: 1.as 2 semanas de Mar. **PARQUE NACIONAL DA ILHA DE PRINCE EDWARD:** Tel. (1) 902-672-6350; www.parkscanada.gc.ca/pn-np/pe/pei-ipe. *Quanto*: U$2. **GREEN GABLES HOUSE:** Palmers Lane, 2, Cavendish. Tel. (1) 902-963-3370; www.gov.pe.ca/greengables. **MUSEU ANNE OF GREEN GABLES NA PROPRIEDADE SILVER BUSH:** Route 20, Park Corner. Tel. (1) 800-665-2663 e (1) 902-886-2884; www.annesociety.org/anne. *Quanto*: ingresso U$1,50. **DALVAY BY THE SEA HERITAGE INN:** próxima à Route 6, Tracadie. Tel. (1) 902-672-2048; fax (1) 902-672-2741 (verão) e (1) 902-672-1408 (inverno); www.dalvaybythesea.com. *Quanto*: duplos a partir de U$130; chalés a partir de U$265. *Quando*: aberta Jun.–Set. **MELHOR ÉPOCA:** verão para tempo melhor; meados de Set.–fim de Out. para a folhagem de outono; início de Mar. para observação de focas.

Os reis da tundra

SAFÁRI DO URSO-POLAR

Cape Churchill, Manitoba, Canadá

A África tem a planície do Serengeti, a América do Sul tem a bacia do Amazonas e a América do Norte tem Cape Churchill, na baía de Hudson – a capital mundial do urso-polar, um dos maiores predadores do planeta.

Milhares de ursos-polares reúnem-se todo ano em Cape Churchill.

Embora em geral esquivos, os ursos-polares – que chegam a pesar 680kg – reúnem-se anualmente em Cape Churchill, antes de a baía de Hudson congelar, para caçar focas nas banquisas. De seus buggies próprios para circular na tundra, os excursionistas observam famílias de ursos brincando e se divertindo no gelo. Dos filhotes recém-nascidos só se vêem os olhos e narizes negros contra o branco da neve. A flora e a fauna da tundra ártica formam um magnífico pano de fundo para os amantes da natureza, enquanto a deslumbrante aparição da aurora boreal ilumina o gélido céu da noite.

O QUE: experiência. **ONDE:** aproximadamente 1.014km ao norte de Winnipeg. **COMO:** Natural Habitat Adventures: tel. (1) 800-543-8917 e (1) 303-449-3711; www.nathab.com. **QUANTO:** excursões de 6–7 dias a partir de U$2.895 por pessoa, incluídos vôos charter entre Winnipeg e Cape Churchill. **QUANDO:** meados de Out.–meados de Nov.

Uma montanha-russa de marés

BAÍA DE FUNDY

New Brunswick, Canadá

A baía de Fundy é um lugar simplesmente maravilhoso onde as marés, as mais altas do mundo, chegam a subir 14,6m em seis horas – mais do que 22 vezes a média em mar aberto. O Parque Nacional de Fundy, criado em 1948, protege 207km² de terras ao longo da costa ocidental da baía, cujas águas frias e marés são responsáveis pela formação de bosques de espruces e abetos, além de pântanos de água doce e salgada num litoral rochoso salpicado de cavernas, em cujos penedos as marés rápidas e violentas talharam fantásticas formas. A diferença entre as marés baixa e alta é tão impressionante que em Alma Beach o visitante pode ter que caminhar por mais de 1km de área plana deixada pela vazante da maré para chegar à beira d'água – retornando de caiaque algumas horas mais tarde, quando 100.000.000.000t de água afluem, produzindo um bramido conhecido como "a voz da Lua". Nas velhas rochas de arenito à beira-mar se vêem fósseis de plantas de milhões de anos, enquanto ao largo, na maré baixa, milhares de pássaros migratórios se alimentam dos crustáceos aprisionados pelo recuo da água.

O parque ao redor de Alma é muito bem cuidado, com jardins e muros de pedra. Ali são oferecidas várias modalidades de esporte, entre as quais o golfe e o tênis. No mar, pode-se escolher entre a observação de baleias (a baía abriga a maior população de baleias-francas, ameaçadas de extinção, de todo o mundo), o caiaque e a canoagem. Há muitas opções de caminhadas, com 125km de trilhas cruzando os 13km de litoral do parque e seu interior montanhoso, cujo platô é recortado por vales profundos e riachos velozes.

Para quem prefere atividades menos desafiadoras o ideal é seguir pela Fundy Coastal Drive, estrada que vai de St. Stephen a Aulac, passando por muita beleza natural e lindas cidades, como a vila de St. Andrews, do século XIX, com seu notável Fairmont Algonquin Hotel. Construído em 1889 para receber veranistas ricos que procuravam fugir do calor da cidade, o Algonquin é uma magnífica mansão rural de telhado vermelho que proporciona vistas para a baía a partir dos seus andares mais altos. Quem deseja algo menor pode optar pela Kingsbrae Arms, regularmente classificada como uma das melhores hospedarias da região. Construída em 1897, ela tem apenas oito quartos, todos decorados com extremo bom gosto, de onde também se aprecia a bela paisagem da baía. Ao lado, o Kingsbrae Gardens oferece ao visitante 11ha de lindas flores e panoramas.

Sessenta e quatro quilômetros a nordeste do parque nacional, as Hopewell Rocks ("Os Vasos de Flores Mais Famosos do Mundo"), um grupo de imensos penedos cobertos de árvores e escavados na base por séculos de erosão das marés, são, de longe, o marco mais fotografado da baía de Fundy. Segundo uma lenda local *mi'kmaq*, os penedos são homens que foram transformados em pedra por tentarem escapar das furiosas baleias que os haviam escravizado.

O Que: lugar, experiência, hotel. **Baía de Fundy:** entre New Brunswick e Nova Scotia. Informações aos visitantes; tel. (1) 800-561-0123; www.highest-tides.com. **Parque Nacional de Fundy:** Route 114, New Brunswick. Centros de visitantes nos acessos leste, em Alma, e oeste, em Wolfe Lake. Tel. (1) 506-887-6000; www.parkscanada.gc.ca/fundy. *Quanto*: U$2,60 por pessoa. **Fairmont Algonquin:** Adolphus Street, 184, St. Andrews. Tel. (1) 800-441-1414 e (1) 506-529-8823; fax (1) 506-529-7162; algonquinresort@fairmont.com; www.fairmont.com/algonquin. *Quanto*: duplos a partir de U$76 (baixa temporada) e a partir de U$135 (alta temporada). **Kingsbrae Arms:** King Street, 219,

O Kingsbrae Arms, na cidade histórica de St. Andrews.

St. Andrews. Tel. (1) 506-529-1897; fax (1) 506-529-1197; reservations@kingsbrae.com; www.kingsbrae.com. *Quanto*: duplos a partir de U$375 (baixa temporada) e a partir de U$750 (alta temporada). *Quando*: fechado Dez.–Fev. **Melhor Época:** início de Ago. para o Festival de Chocolate de St. Stephen; fim de Set.–começo de Out. para a folhagem de outono e melhores condições de observação de baleias.

Um pedaço da Escócia no Ocidente

A Ilha de Cape Breton e a Cabot Trail

Nova Scotia, Canadá

Ligada ao restante da Nova Scotia por uma estreita ponte, a ilha de Cape Breton é tão escocesa quanto é possível nesse lado do Atlântico, um lugar onde a influência cultural do assentamento francês original foi diluída com a chegada de milhares de famílias de agricultores escoceses entre 1770 e 1850. A similaridade da região com a *auld sod* (velha terra), com suas montanhas e penhascos litorâneos, certamente deve ter sido um atrativo para eles, mas é o orgulho que mantém vivas até hoje as tradições gaélicas presentes na música, na arte e, em alguma medida, no idioma.

A beleza natural e a cultura da ilha revelam-se nos 296km da Cabot Trail, estrada batizada em homenagem ao explorador italiano Giovanni Caboto (também conhecido como John Cabot), que, ao tomar conhecimento da viagem de Colombo, zarpou de Bristol, Inglaterra, e aportou na ilha de Cape Breton em 1497.

Seguindo o pitoresco e escarpado litoral que acompanha o Parque Nacional de Cape Breton Highlands, essa estrada, uma das mais panorâmicas da América do Norte, passa por aldeias de pescadores, vales inabitados e mirantes de onde muitas vezes se consegue ver baleias das espécies rorqual e minke se alimentando lá embaixo no oceano. O mais espetacular, porém, é o trecho de 43km que vai de Chéticamp, ao norte, a Pleasant Bay, com suas impressionantes vistas da costa ocidental. A Cabot Trail pode ser percorrida de carro num único dia, mas você estará sendo injusto consigo mesmo se fizer isso. O ideal é estacionar e fazer uma caminhada em qualquer uma das mais de 30 trilhas do parque de 1.530km^2 (a maioria é bastante suave) e dar uma parada em qualquer das aldeias de pescadores ao longo da pista, como é o caso de Pleasant Bay, com 350 habitantes.

Na localidade de Ingonish, na costa oriental, está Keltic Lodge, um resort no estilo Tudor de paredes imaculadamente brancas e telhado vermelho situado numa ponta de terra tão estreita que mais parece uma ilha. As vistas deslumbrantes deixam qualquer um de queixo caído, assim como o campo de golfe Highland Links, cotado como um dos melhores do Canadá. Ao norte dali, a pequena e idílica Mary Ann Falls é provavelmente a cachoeira mais visitada do país. Ao sul, em South Gut St. Ann's (onde começa oficialmente a Cabot Trail), o Gaelic College of Celtic Arts and Crafts promove o Gaelic Mod, festival anual de um dia de duração dedicado ao idioma e à poesia gaélica tradicional, com oficinas, bacalhoada no jantar e um *ceilidh* (pronuncia-se quei-li) de música e dança tradicional. O Great Hall of Clans é um museu que preserva a história da presença escocesa em Cape Breton. Em outubro, o festival Celtic Colours, de nove dias de duração, é celebrado em toda a ilha com dezenas de concertos, palestras e oficinas sobre o folclore gaélico, tecidos e gaitas de foles.

O QUE: lugar, hotel, evento. **ILHA DE CAPE BRETON:** 266km a nordeste de Halifax. Departamento de Turismo da Nova Scotia; tel. (1) 800-565-0000 e (1) 902-425-5781; www.explore.gov.ns.ca. **PARQUE NACIONAL DE CAPE BRETON HIGHLANDS:** acessos em Chéticamp e Ingonish. Tel. (1) 902-224-2306 e (1) 902-285-2691; www.parkscanada.gc.ca/pn-np/ns/cbreton. *Quanto*: U$2,25 por pessoa. **KELTIC LODGE:** Middle Head Peninsula, Ingonish Beach. Tel. (1) 800-565-0444 e (1) 902-285-2880; fax (1) 902-285-2859; www.signatureresorts.com/keltic. *Quanto*: a partir de U$177 (baixa temporada) e a partir de U$204 (alta temporada). **GAELIC COLLEGE OF CELTIC ARTS AND CRAFTS:** com vista para a baía de St. Ann. Tel. (1) 902-295-3411; www.gaeliccollege.edu. *Quando*: Jun.–Set.; Gaelic Mod, meados de Ago. **FESTIVAL CELTIC COLOURS:** tel. (1) 877-285-2321 e (1) 902-562-6700; www.celtic-colours.com. *Quanto*: o preço dos ingressos varia. *Quando*: meados de Out. **MELHOR ÉPOCA:** Jul. para tempo melhor; Ago. para o Gaelic Mod; verão para o circuito Cabot Trail; Out. para o Celtic Colours e a folhagem de outono.

A beleza estrondosa da natureza

CATARATAS DO NIÁGARA

Ontário, Canadá

Localizadas na fronteira dos Estados Unidos com o Canadá, as cataratas do Niágara recebem suas águas de quatro dos cinco Grandes Lagos e as despejam 60m abaixo à taxa de 190.000.000 de litros por minuto.

Desde sua formação, as cataratas já se moveram cerca de 11km rio acima.

Com 1.600m de largura total, elas são divididas por ilhas em três seções: as American Falls, de 323m, que incluem uma pequena seção chamada Bridal Veil Falls (Véu de Noiva), e as Horseshoe Falls (Ferradura), com 792m, no lado canadense, que atraem a maior parte da atenção dos visitantes.

A sociedade ocidental tomou conhecimento das cataratas em 1678 quando o missionário jesuíta Louis Hennepin, curioso para saber de onde vinha o som estrondoso que escutava à distância, seguiu-o até à fonte, tornando-se assim o primeiro turista do Niágara. Quase três séculos depois, Rose (Marilyn Monroe) e George Loomis (Joseph Cotton) escolheram esse mesmo lugar para passar a lua-de-mel no filme *Torrentes de paixão*, de 1953 – foi o suficiente para que numerosos casais da vida real tivessem a mesma idéia. A partir daí, as cataratas tornaram-se a mais disputada capital da lua-de-mel no continente durante a maior parte do século XX, em especial nas décadas de 1950 e 1960. Hoje, legiões de casais lotam os muitos motéis de lua-de-mel e as paradas turísticas locais em busca de recordações daquela época. Mas, além desse badalado centro, essa área tem outros destaques pintados com cores mais fortes.

O lado canadense é muito mais animado, tanto em termos de vistas das cataratas quanto de diversão em geral – boates, restaurantes, hotéis sofisticados e o Casino Niagara, que foi ampliado e ganhou novas atrações nas áreas de jogos e alimentação. Ao norte das cataratas, a Niagara Parkway oferece um mundo inteiramente diverso, pontilhado de lindos jardins. No final dessa rodovia fica a encantadora cidade do século XIX Niagara-on-the-Lake, uma das mais bonitas do Canadá e centro da região vinícola de Niágara. Ali todas as grandes propriedades vinícolas são abertas ao público, incluindo a Peller Estates, a Inniskillin Wines (cujo galpão talvez tenha sido projetado por Frank Lloyd Wright, não se sabe ao certo), a Château des Charmes, a primeira do gênero no país a ganhar medalha de ouro na conceituada VinExpo de Bordeaux, e a Vineland Estates Winery, instalada numa antiga chácara menonita.

De volta às cataratas: a maneira clássica de apreciá-las, e também a melhor, é a bordo do Maid of the Mist, um resistente barco com capacidade para 600 passageiros, o décimo de uma linhagem de embarcações de mesmo nome que desde 1846 transporta os visitantes até à nuvem de água que se ergue da base das Horseshoe Falls. Você se sentirá muito feliz por poder usar os abrigos de chuva que eles têm a bordo.

Para uma vista diferente, mas que também pode deixá-lo molhado, faça o passeio Journey Behind the Falls, que desce 45m por elevador dentro da rocha até uma série de túneis artificiais que dão vista para a parte de trás da queda d'água. No lado dos Estados Unidos, o passeio Caverna dos Ventos conduz os visitantes à base das American Falls, enquanto o balão de hélio Flight of Angels leva até 30 passageiros a 121m de altura para 10 minutos de curtição daquela maravilha toda lá embaixo.

O Que: experiência, lugar. **Cataratas do Niágara:** a 644km da cidade de Nova York e a 145km de Toronto. Niagara Falls Tourism: tel. (1) 800-563-2557 e (1) 905-356-6061; www.discoverniagara.com. **Casino Niagara:** Falls Avenue, 5.705. Tel. (1) 888-946-3255; www.casinoniagara.com. **Circuito do Vinho de Niágara:** Conselho do Vinho de Ontário. Tel. (1) 800-263-2988 e (1) 905-684-8070, ramal 12; www.winesofontario.org. **Maid of the Mist:** partidas do cais embaixo da ponte Rainbow. Tel. (1) 905-358-5781; www.maidofthemist.com. *Quanto*: U$13. *Quando*: Abr.– Out. **Journey Behind the Falls:** em Table Rock House, próximo às Horseshoe Falls. Tel. (1) 905-354-1551. **Cave of the Winds:** Goat Island. Tel. (1) 716-278-1730; www.niagarafallslive.com/cave_of_the_winds.htm. *Quanto*: U$5,50. *Quando*: Mai.–Out. **Flight of Angels:** Rainbow Boulevard, 310, South. Tel. (1) 716-278-0824 e (1) 716-278-0825; falls@iaw.com. *Quanto*: U$20. *Quando*: Mai.–Out. **Melhor Época:** Abr.–Nov. para o Festival George Bernard Shaw, em Niagara-on-the-Lake (www.shawfest.com).

Arte canadense – passado, presente e futuro

GALERIA DE ARTE DE ONTÁRIO

Toronto, Ontário, Canadá

Detentora de um excepcional acervo de arte canadense e internacional, a Galeria de Arte de Ontário é um dos melhores museus da América do Norte. Fundada em 1900 por um grupo de cidadãos de Toronto, ela hoje possui mais de 36.000 obras do século XI ao XXI. Sua coleção de arte européia contém quadros de Tintoretto, Bruegel, Rembrandt, Renoir, Degas, Picasso, Gauguin e Van Gogh, enquanto a de arte contemporânea inclui *Elvis I* e *II*, de Andy Warhol, além de obras de Robert Smithson, Gerhard Richter, Claes Oldenburg e Franz Kline. Mas não deixe de apreciar os trabalhos dos artistas canadenses, que representam mais da metade do acervo do museu. Cronologicamente organizadas, as galerias focalizam toda a história da arte nacional – do período anterior à Confederação até os dias atuais. São retratos e paisagens do século XIX; cenas da vida canadense antiga pintadas pelo artista Cornelius Krieghoff; um excepcional salão do final do século XIX com fantásticas paredes vermelhas que exibem obras-primas de ícones locais, como Paul Peel e Lucius O'Brien; e uma ampla instalação com pinturas de Tom Thomson e o Grupo dos Sete, artistas canadenses do começo do século XX cujas criações celebram o esplendor de seu país. A galeria possui também uma extensa coleção de arte inuíte, incluindo obras-primas dos escultores Shorty Killiktree, George Tataniq, Paulassie Pootoogook e Oviloo Tunillee.

Em 1974, comovido com a mobilização dos cidadãos de Toronto para comprar sua escultura *O arqueiro* para a nova sede da prefeitura – diante da recusa dos legisladores em liberar os recursos necessários –, o escultor britânico Henry Moore doou ao museu mais de 800 trabalhos, entre os quais bronzes, xilogravuras, litografias, águas-fortes, gessos e desenhos – a maior coleção de obras de sua autoria em todo o mundo.

Mas a maior novidade diz respeito ao futuro. Em novembro de 2002 o museu anunciou que não apenas a sua coleção como o próprio edifício iriam passar por mudanças radicais. Kenneth Thomson, um importante colecionador de arte e homem de negócios canadense, doou mais de 2.000 trabalhos, entre os quais o *Massacre dos inocentes*, de Rubens, obras-primas dos artistas locais Paul Kane, Tom Thomson, Cornelius Krieghoff e Lawren Harris e uma estupenda coleção de objetos raros de arte européia da Idade Média até meados do século XIX. Para acomodar as aquisições e levar o museu ao século XXI, um projeto de expansão e reestruturação está sendo conduzido por Frank Gehry, arquiteto natural de Toronto e o gênio responsável pelo Museu Guggenheim de Bilbao. A conclusão das obras está prevista para 2007.

Os apreciadores devem visitar também o notável Royal Ontario Museum (que está passando por uma grande ampliação). A casa possui um extraordinário acervo de arte chinesa, uma ala para as artes decorativas européias, um laboratório de paleontologia com vários esqueletos de dinossauros, uma galeria dedicada à herança canadense e muitos outros destaques – ao todo são cerca de 6.000.000 de peças. As crianças adoram a Caverna do Morcego, um diorama que reproduz o interior da caverna de St. Clair, na Jamaica, com 3.000 morcegos que parecem absolutamente reais esvoaçando para lá e para cá.

O QUE: lugar. **GALERIA DE ARTE DE ONTÁRIO:** Dundas Street, 317, West. Tel. (1) 416-979-6648; www.ago.net. *Quanto*: U$8 (Qua. ingresso gratuito). *Quando*: fechado Seg. **ROYAL ONTARIO MUSEUM:** Queen's Park, 100. Tel. (1) 416-586-5549; www.rom.on.ca. *Quanto*: ingresso U$10 (Sex. à noite ingresso gratuito).

Esplendor natural na Newport do Norte

CHARLEVOIX

Québec, Canadá

Abrangendo 16.000km² da região laurenciana de Québec, Charlevoix é uma área de impressionante beleza natural, com montanhas cobertas de abetos, cedros e espruces. As pequenas vilas e resorts que povoam as margens do rio São Lourenço foram, no passado, destinos de férias de famílias americanas abastadas e celebridades internacionais, como Mary Pickford, Charlie Chaplin e o rei do Sião. Quando esteve ali de visita em 1892, o jovem William Howard Taft (que mais tarde se tornaria presidente dos Estados Unidos), disse que o ar da região "alegra como o champanhe, mas sem seus efeitos na manhã seguinte" e escolheu o lugar como seu local de férias para o resto da vida. As vilas franco-canadenses coletivamente conhecidas como Murray Bay formaram a "Newport do Norte", que atingiu um movimentado auge entre as décadas de 1870 e 1950. A chegada da ferrovia tornou o acesso dos visitantes mais fácil, ainda que um pouco menos romântico do que a bordo dos antigos *bateaux-blancs* da Canadian Steamship Line.

Embora a perfeição siga imperando no Manoir Richelieu, os hóspedes já não têm que vestir traje de noite para jantar nesse resort de 405 quartos instalado no alto de um penhasco. Inaugurado em 1899, no passado foi freqüentado pelos veranistas grã-finos mais despreocupados. Uma reforma executada em 1998 devolveu-lhe boa parte de sua imponência, uma mescla de tranqüilo charme rural, esplendor natural e vida de resort de classe internacional – o perfeito reflexo do que se encontra em Charlevoix. Num raio de quilômetros, montanhas e florestas coexistem com uma esparsa população fixa de cerca de 30.000 habitantes. Embora esse número alcance mais do que o dobro no verão, é pequeno o impacto que isso causa na solidão e na natureza campestre do lugar. O ecoturismo é a palavra de ordem, com numerosas opções de caminhadas, passeios de bicicleta, caiaque e canoagem nos dois parques nacionais das redondezas: o Parc des Grands Jardins, a 32km de Baie St. Paul (onde há um animado circuito artístico), e o Les Hautes-Gorges da Rivière Malbaie, uma hora de carro ao norte de St.-Aime-des-Lacs. Trinta e dois quilômetros ao norte de Murray Bay, as águas onde se encontram os rios São Lourenço e Saguenay são o habitat de verão de baleias das espécies branca, minke, jubarte, rorqual e azul. Para os menos afeitos à vida selvagem, o clube de golfe de Le Manoir Richelieu oferece um campo par-71 de 18 buracos numa área acima do rio, perto de La Malbaie.

La Pinsonnière, também em La Malbaie, é a melhor hospedaria da região – uma pousada rústica de paredes brancas com 26 quartos, serviço personalizado, elegância refinada, terraços floridos, lareiras nos quartos e grandes banheiras de hidromassagem nas melhores suítes. Coroando tudo isso, o cardápio sempre variado e inovador do conceituado restaurante do chef Jeannot Lavoie, que também supervisiona uma premiada adega com mais de 12.000 garrafas.

O Que: lugar, hotel, restaurante. **Murray Bay:** 80km a nordeste da cidade de Québec. **Fairmont Le Manoir Richelieu:** Rue Richelieu, 181, La Malbaie. Tel. (1) 800-441-1414 e (1) 418-665-3703; fax (1) 418-665-7736; manoirrichelieu@fairmont.com; www.fairmont.com/richelieu. *Quanto*: duplos a partir de U$149 (baixa temporada) e a partir de U$199 (alta temporada). **La Pinsonnière:** Rue St. Raphaël, 124, La Malbaie. Tel. (1) 800-387-4431 e (1) 418-665-4431; fax (1) 418-665-7156; pinsonniere@relaischateaux.com; www.lapinsonniere.com. *Quanto*: duplos a partir de U$115 (baixa temporada) e a partir de U$129 (alta temporada). Jantar U$40. **Melhor Época:** Jun.–Ago. para atividades ao ar livre e observação de baleias; Dez.–Fev. para esquiar e *snowmobil*.

A hospitalidade de Québec perto da fronteira com os Estados Unidos

Lake Massawippi

Québec, Canadá

Situada entre o rio São Lourenço e a fronteira de três estados americanos – Maine, New Hampshire e Vermont –, a região de Eastern Townships, na província de Québec, mescla o charme local com uma boa dose de cultura anglo-saxã, cortesia legada pelos leais à Grã-Bretanha que ali se estabeleceram nas décadas de 1770 e 1780 após sua fuga dos recém-independentes Estados Unidos da América. Essa é uma das mais belas áreas de Québec, com pequenas vilas e resorts vitorianos aninhados entre campos, pomares, lagos e majestosas montanhas. É um popular destino de férias dos habitantes da província, com numerosas opções para esportes ao ar livre no verão e no inverno e um outono quase impossível de descrever.

Com 16km de extensão, o lago Massawippi, localizado no sudeste de Eastern Townships e a menos de meia hora de carro da fronteira com os Estados Unidos, é a mais procurada das áreas de resort da região, especialmente ao redor do extremo norte de North Hatley, uma pequena cidade cheia de galerias de arte, restaurantes e lojas. Fugindo do calor do sul, americanos ricos começaram a veranear às margens do lago no começo do século XX, construindo residências luxuosas que em muitos casos acabaram transformadas em excelentes hospedarias.

Hovey Manor é uma delas. Erguida em 1899 por Henry Atkinson, um magnata da energia elétrica de Atlanta que todo verão ia até lá acompanhado de 18 empregados e 10 cavalos, essa mansão tem a fachada emoldurada por uma ampla varanda com colunas brancas. O interior é equipado com boa parte da mobília original de Atkinson, enquanto os jardins ingleses que se estendem por 10ha na encosta da montanha descem até duas pequenas praias do lago. O premiado restaurante e a carta de vinhos dessa hospedaria encantam o ano inteiro com seus jantares acompanhados de música clássica.

Ainda mais aclamado por sua cozinha, o amplo Auberge Hatley, no estilo colonial, foi construído em 1903 pela família escocesa-canadense Holt na encosta da montanha acima do lago. Seus 25 quartos, muitos dos quais com lareira, Jacuzzi e sacada com vista para o lago, são decorados com mobiliário rural de época, francês e inglês. No salão de jantar, os garçons retiram as cintilantes cúpulas de prata das bandejas revelando as inovadoras criações da culinária francesa do chef Alain Labrie, elaboradas com ervas e verduras cultivadas na horta da própria casa. Quem quiser ver como tudo é feito pode reservar a mesa do chef, instalada num recanto da cozinha onde é preparado um cardápio-surpresa especial de sete pratos acompanhado de vinhos escolhidos em visita prévia à adega da hospedaria, que tem 12.000 garrafas.

Em Ayer's Cliff, extremo sul do Massawippi, o Auberge Ripplecove (propriedade de Jeffrey Stafford, irmão de Steven Stafford, dono da Hovey Manor) fica bem em frente ao lago, um testemunho de seu começo como resort de pesca na década de 1940. Hoje, a Ripplecove é a hospedaria do Massawippi que mais se parece com um hotel. No verão oferece golfe, esportes aquáticos, tênis, caminhadas e passeios a cavalo; no inverno, esqui alpino e *cross-country*. Seus 35 quartos são aquecidos, aconchegantes e decorados com muito charme. Metade deles tem lareira, sacada e banheira de hidromassagem.

O QUE: lugar, hotel, restaurante. **LAGO MASSAWIPPI:** 161km a sudeste de Montreal, a menos de 32km da fronteira de Vermont. Eastern Townships Tourism; tel. (1) 800-355-5755 e (1) 819-820-2020; www.easterntownships.com. **HOVEY MANOR:** Chemin Hovey, North Hatley. Tel. (1) 800-661-2421 e (1) 819-842-2421; fax (1) 819-842-2248; www.manoirhovey.com. *Quanto*: a partir de U$160 (baixa temporada) e a partir de U$240 (alta temporada), jantar incluído. **AUBERGE HATLEY:** Rue Virgin, 325, North Hatley. Tel. (1) 819-842-2451; fax (1) 819-842-2907; auberge.hatley@northhatley.com; www.aubergehatley.com. *Quanto*: duplos a partir de U$260 (baixa temporada) e a partir de U$300 (alta temporada), jantar incluído. Mesa do chef U$35. *Quando*: mesa do chef disponível somente Qui.–Sáb. **AUBERGE RIPPLECOVE:** Chemin Ripplecove, 700, Ayer's Cliff. Tel. (1) 800-668-4296 e (1) 819-838-4296; fax (1) 819-838-5541; info@ripplecove.com; www.ripplecove.com. *Quanto*: duplos a partir de U$220 (baixa temporada) e a partir de U$265 (alta temporada), jantar incluído. Jantar U$35. **MELHOR ÉPOCA:** 1.ª semana de Out. para o auge da folhagem de outono.

Jazz, queima de fogos, cinema e muito riso

FESTIVAIS DE VERÃO DE MONTREAL

Québec, Canadá

Montreal é ao mesmo tempo um enclave iconoclasta de língua francesa na América do Norte de língua inglesa e uma metrópole internacional povoada de arranha-céus. É também uma cidade de festivais por excelência. Sua agenda de verão é preenchida com vários festivais de grande porte e uma boa quantidade de pequenos eventos.

O mais importante de todos eles é, sem dúvida, o Festival Internacional de Jazz, que reúne cerca de 2.000 músicos de primeira classe originários de 20 países (de Tony Bennett a Buju Banton, de Gonzalo Rubalcaba a Archie Shepp) e atrai um público de 1.500.000 de aficionados. No distrito de entretenimento or-

Todo ano os amantes da música se reúnem na Place des Arts para o Festival de Jazz de Montreal.

ganizado ao redor da Place des Arts, o grande salão de concertos de Montreal, 10 palcos instalados em praça pública abrigam 350 apresentações gratuitas, enquanto outras 150 animam auditórios em toda a cidade. Realizado anualmente desde 1979, o festival de jazz de Montreal é o maior do mundo, com muitas atrações para preferências variadas.

Toda semana durante os meses de junho e julho os céus da cidade são iluminados pelo Concurso Internacional de Fogos de Artifício (Le Mondial SAQ), em que os melhores pirotécnicos do globo, verdadeiros artistas do ramo, promovem a explosão de suas maiores, mais novas e mais revolucionárias criações na noite de Montreal ao som de música. Iniciado em 1985 no La Ronde, o mais extenso parque de diversões de Québec (localizado na ilha de St. Helene, no rio São Lourenço), o evento atrai anualmente cerca de 2.500.000 espectadores que assistem ao espetáculo a partir do parque, da ponte Jacques Cartier e das duas margens do rio São Lourenço.

No fim de agosto e começo de setembro, durante o Festival Mundial de Cinema, são exibidos mais de 400 filmes, com uma média de 250 estréias internacionais. Realizado pela primeira vez em 1977, esse evento, que se propõe a incentivar a diversidade cultural e o entendimento entre os povos, destaca a cada ano produções de um país diferente – dos Estados Unidos à Hungria, de Israel ao Irã e à Coréia.Com uma tônica mais leve, o festival Juste pour Rire (Só para Rir), em meados de julho, promove a idéia de que o humor pode ser reinventado, apresentando artistas que transcendem as fronteiras da forma. Iniciado em 1983, quando 16 comediantes de língua francesa atuaram para um público estimado em 5.000 pessoas, o evento cresceu, chegando hoje a receber aproximadamente 2.000 artistas que alegram uma platéia de mais de 1.500.000 pessoas em mais de 30 palcos ao longo da Rue St.-Denis, além de espectadores em todo o mundo por meio da TV. Outros destaques da programação de verão da cidade são: Les FrancoFolies de Montreal, que celebra a música francesa de todo o planeta; o Festival Celta de Montreal, com música, dança, narração de histórias, arte, comida e bebida celtas tradicionais; e o Festival Nuit d'Afrique (Noite da África), que promove a música da diáspora africana com concertos em locais fechados e abertos.

O QUE: eventos. **INFORMAÇÕES GERAIS SOBRE OS FESTIVAIS:** Tourism Montreal; tel. (1) 888-363-7777 e (1) 514-873-2015; www.tourism-montreal.org. Os festivais são realizados em diversos pontos da cidade, a preços variáveis. **FESTIVAL INTERNACIONAL DE JAZZ DE MONTREAL:** tel. (1) 888-515-0515 e (1) 514-871-1881; www.montrealjazzfest.com. *Quando*: fim de Jun.–início de Jul., com 10–11 dias de duração. **CONCURSO INTERNACIONAL DE FOGOS DE ARTIFÍCIO DE MONTREAL:** parque La Ronde, ilha de St.-Helene. Tel. (1) 514-397-2000; www.lemondialsaq.com. *Quando*: Jun.–Jul., geralmente nos fins de semana. **FESTIVAL MUNDIAL DE CINEMA:** tel. (1) 514-848-3883; www.ffm-montreal.org. *Quando*: fim de Ago.–início de Set., com 12 dias de duração. **FESTIVAL JUSTE POUR RIRE:** tel. (1) 888-244-3155 e (1) 514-845-3155; www.hahaha.com. *Quando*: meados de Jul., com 11 dias de duração. **LES FRANCOFOLIES DE MONTREAL:** tel. (1) 800-361-4595 e (1) 514-790-1245; www.francofolies.com. *Quando*: fim de Jul.–início de Ago., com 10 dias de duração. **FESTIVAL CELTA DE MONTREAL:** tel. (1) 514-481-3471; www.montrealcelticfestival.com. *Quando*: meados de Ago., com 4 dias de duração. **FESTIVAL NUIT D'AFRIQUE:** tel. (1) 514-499-9239; www.fest nuitafric.com. *Quando*: meados de Jul., com 11 dias de duração.

Um bastião da diáspora cultural francesa

VIEUX MONTRÉAL

Montreal, Québec, Canadá

Em 1535, Jacques Cartier aportou numa aldeia chamada Hochelaga, habitada por cerca de 1.000 índios iroqueses, tomou-a para a França e deu-lhe o novo nome de Mont Réal (Monte Real) em honra ao seu rei.

Porém nenhuma mudança de fato aconteceu até 1642, quando um grupo de missionários liderados por Paul de Chomedey ali chegou e se estabeleceu com a perspectiva de converter o povo nativo ao cristianismo. Em 30 anos, a missão se transformou em um assentamento de 1.500 habitantes, um importante centro comercial e base de operações de caçadores de peles e exploradores. Em 1759, quando a França perdeu essa região para os britânicos, a população de 5.000 habitantes ocupava cerca de 48ha de terras às margens do rio São Lourenço. Hoje essa área é conhecida como Vieux Montréal, ou Montreal Antiga. Apesar dos quase 250 anos de domínio britânico, da influência do Canadá de língua inglesa e da presença dos Estados Unidos à sua volta, ela permanece um bastião da diáspora cultural francesa, mantendo sua arquitetura, sua cozinha e seu estilo de vida.

Na década de 1960, as construções do lugar, a maioria delas dos séculos XVIII e XIX, e as ruas com calçamento de pedra se encontravam em péssimo estado de conservação. Um programa popular de restauração salvou-a de uma nociva modernização. O movimento valeu a pena: hoje o bairro é um centro de vida noturna, turismo e tradição de cafés, com uma atmosfera tão bem preservada que é comumente utilizado por produtores de cinema americanos e canadenses para locação de cenas européias. Não deixe de ir à Rue St.-Paul, com suas luminárias vitorianas e fascinantes praças públicas, como a Place d'Armes e a Place Jacques-Cartier. Esta última é o epicentro das atrações de verão de Montreal, com artistas de rua, cafés, quiosques de flores e filas de *calèches* puxadas a cavalo que esperam o visitante para levá-lo em um passeio pela Vieux Montréal. Nas imediações ficam alguns dos lugares mais belos e históricos da cidade, entre os quais a Basílica de Notre Dame, de 1824, com seu riquíssimo interior, o Seminário Sulpiciano, o mais antigo edifício de Montreal, de 1685, e o Édifice La Prévoyance, uma construção art déco que, por sua semelhança com o Empire State Building, dá à cidade um toque nova-iorquino. Ao longo da margem do rio, o Vieux Port (porto Antigo), antes um poeirento distrito de armazéns, foi transformado num passeio de 2,5km de parques, espaços de exibição, rinques de skate e playgrounds. É também o ponto de partida dos barcos que realizam atividades diversas no rio São Lourenço.

Para desfrutar de perfeitas acomodações do século XVIII em Montreal, hospede-se no Auberge Les Passants du Sans Soucy, um antigo depósito de peles construído em 1723, hoje transformado numa encantadora hospedaria cujos nove quartos – com paredes de pedra, tetos com traves, pisos de madeira polida e mobília tradicional de Québec – são verdadeiras máquinas do tempo. Para uma refeição ligeira, vá ao L'Express, na parte norte do bairro antigo, um dos lugares mais populares da cidade para a cozinha de bistrô francesa. Se você desejar algo mais elaborado, a Toque! oferece um cardápio sempre renovado que utiliza somente ingredientes frescos (e às vezes raros). Mesclando o francês moderno com uma leve pitada de influência asiática, essa casa serve a que é quase unanimemente considerada a melhor comida da cidade desde que foi inaugurada pelo chef e proprietário Normand LaPrise em 1993.

O QUE: lugar, hotel, restaurante. **VIEUX MONTRÉAL:** limitada ao norte pela Rue St.-Antoine, ao sul pelo rio São Lourenço e a leste e oeste pela Rue Berri e Rue McGill. **AUBERGE LES PASSANTS DU SANS SOUCY:** Rue St.-Paul, 171, Oueste. Tel. (1) 514-842-2634; fax (1) 514-842-2912; www.lesanssoucy.com. *Quanto*: duplos a partir de U$95 (baixa temporada) e a partir de U$107 (alta temporada). **L'EXPRESS:** Rue St.-Denis, 3.927. Tel. (1) 514-845-5333. *Quanto*: U$22. *Quando*: aberto diariamente para café da manhã, almoço e jantar. **TOQUE!:** Rue St.-Denis, 3.842. Tel. (1) 514-499-2084. *Quanto*: U$60. *Quando*: Ter.–Sáb., somente jantar. **MELHOR ÉPOCA:** Fev./Mar. para o festival de inverno High Lights (www.montrealhighlights.com); o verão para muitos outros festivais (ver Festivais de Verão de Montreal, nas págs. 389/390).

O rei da neve no leste canadense

MONT TREMBLANT RESORT

Québec, Canadá

Em 1938, numa visita ao monte Tremblant, de 914m de altitude, o milionário da Filadélfia Joe Ryan gostou do que viu, comprou-o e construiu o segundo verdadeiro resort de esqui da América do Norte, depois do Sun Valley, de Idaho, Estados Unidos. Ponto mais alto da região laurenciana do Canadá, o monte Tremblant deve seu nome (Montanha que Treme) a uma lenda dos índios algonquinos segundo a qual o grande deus Manitu dava uma sacudida na montanha toda vez que os humanos perturbavam a natureza.

O monte Tremblant desce até à vila de pedestres às margens do lago Tremblant.

É possível que a Intrawest, sediada em Vancouver (e proprietária do Whistler-Blackcomb, em British Columbia, e de outros resorts no continente), tivesse em mente a cólera do deus quando, no começo da década de 1990, investiu U$800.000.000 num imenso projeto de reconstrução que buscava mesclar as estruturas artificiais com a natureza, proporcionando aos visitantes contato imediato e permanente com as montanhas e os campos circundantes. Hoje o Mont Tremblant é considerado o melhor resort de esqui do leste da América do Norte, com mais de 74km de pistas (divididas em 92 descidas) que atraem esquiadores de todo o continente e lugares ainda mais distantes. Metade das pistas são de nível avançado, incluindo a assustadora Dynamite, a mais íngreme do Canadá, com 42º de inclinação. A ela se contrapõe a Nansen, de 5,6km, que desce suavemente os 650m de altitude da encosta em que está o resort.

Na base dos cinco teleféricos de alta velocidade fica a vila de Mont Tremblant, uma área exclusiva para pedestres projetada para se assemelhar ao distrito histórico da cidade de Québec, com ruas calçadas de pedra, sacadas de ferro batido, telhados de zinco e sinalização antiga. Mais de 80 bares, restaurantes e lojas ocupam os pavimentos térreos dos encantadores edifícios pintados com cores vivas, enquanto nos andares de cima estão apartamentos administrados e alugados pela Intrawest. O LeShack, na St.-Bernard Plaza, é o maior e mais popular ponto pós-esqui de Tremblant, com um cardápio continental, decoração rústica, esportes em tela grande e o mesmo ambiente descontraído e absolutamente despretensioso que reina em todo o resort. Não é o tipo de lugar para quem está a fim de badalação.

O centro de atividades oferece várias opções além do esqui, como passeios de trenó comum e puxado por cães, inclusive noturnos, arrematados com narração de histórias e chocolate quente. No La Source Acquaclub, propriedade do resort, há piscinas aquecidas em áreas fechadas, banho de vapor de eucalipto, banheira de hidromassagem e uma academia de ginástica.

A melhor opção de hospedagem da região é o Fairmont Mont Tremblant, um hotel *ski-in/ski-out* (que permite ao hóspede chegar e sair de esqui) localizado acima da vila. Harmoniosamente integrado à paisagem natural e decorado de forma agradável e aconchegante, esse hotel tem um quê de hospedaria rural, com seu interior de madeiras do norte (seguindo a tradição das residências em estilo provençal da Québec do século XIX) e seu saguão aquecido pela presença essencial da grande lareira de pedra. No verão, o Tremblant se transforma num lugar para canoagem, caminhadas, *mountain biking*, pescaria e alpinismo, com quilômetros de trilhas e dois campos de golfe de classe internacional de 18 buracos, o par-71 Le Diable e o par-72 Le Géant.

O QUE: experiência, hotel, restaurante. **MONT TREMBLANT RESORT:** 121km ao norte de Montreal. Tel. (1) 88-TREMBLANT e (1) 819-681-2000; www.tremblant.ca. *Quando*: esqui Nov.–fim de Abr. **FAIRMONT MONT TREMBLANT:** Chemin de la Chapelle, 3.045. Tel. (1) 819-681-7000; fax (1) 819-681-7099; fairmonttremblant@fairmont.com; www.fairmont.com/tremblant. *Quanto*: duplos a partir de U$120 (baixa temporada) e a partir de U$180 (alta temporada). Pacote com café da manhã e jantar a partir de U$190. **MELHOR ÉPOCA:** Dez.–Mar. para condições de esqui mais favoráveis.

Bom inverno na Vieux Québec

O CARNAVAL NO CORAÇÃO DA NOVA FRANÇA

Cidade de Québec, Québec, Canadá

Fundada em 1608 por Samuel de Champlain num promontório rochoso do rio São Lourenço, a cidade de Québec foi construída ao longo dos anos como um perfeito simulacro da velha França. Ali, onde 95% da população é de língua francesa, há ruas com calçamento de pedra, casas de pedras com telhado de ardósia, pâtisseries, *vin rouge* e baguetes frescas. Única cidade amuralhada da América do Norte, a Vieux Québec, ou Québec Antiga, é dividida em Haute-Ville e Basse-Ville (Cidade Alta e Cidade Baixa), designações hoje meramente geográficas, mas que já tiveram importância econômica e estratégica – a Cidade Baixa com seus armazéns e outras instalações do comércio fluvial, a Cidade Alta com suas casas edificadas nas partes elevadas como proteção contra os ingleses. Como se viu, essa medida preventiva não foi de grande valia: em 1759, o general britânico James Wolfe tomou o lugar depois de um cerco de dois meses. Embora ele tenha perdido a própria vida na luta, assegurou a hegemonia da Inglaterra sobre o continente. Os naturais de Québec ainda não se recuperaram desse choque e os mais nacionalistas até alimentam sonhos de separação do Canadá e criação de um país independente.

Para desfrutar todo o sabor de Québec, vá até lá em fevereiro para o carnaval de Québec, quando, ao longo de 17 dias, a população local faz as pazes com o clima. Hoje essa festa é um evento essencialmente familiar, diferente do que ocorria no passado, quando uma bebida chamada *caribou* (mistura de conhaque, vodca, *sherry* e vinho do Porto) nocauteava muitos homens fortes.

No célebre Dufferin Terrace, uma plataforma exclusiva para pedestres que oferece as melhores vistas da cidade, adultos e crianças podem se divertir em tobogãs de gelo. Nas Plains of Abraham – os campos onde franceses e britânicos se enfrentaram –, trenós puxados por cavalos transportam os visitantes a uma época mais simples. Em outros pontos da cidade, equipes de todas as partes do mundo competem em concursos de esculturas de neve, e espíritos mais indômitos disputam corridas de canoa no rio São Lourenço abarrotado de gelo. Foliões encasacados mais parecidos com o Michelin Man fazem fila em busca de balas de *maple syrup* diante de "barracões de açúcar" construídos com toras de madeira, enquanto outros ficam só de calção para um rápido mergulho na Banheira de Neve.

Para uma atividade menos corajosa no fim do dia, nada é mais Québec do que uma parada no Château Frontenac, um símbolo que domina o contorno dos edifícios contra o céu da cidade do alto de Cap Diamard, seu ponto mais elevado. No estilo de um castelo do vale do Loire e com um ar de que esteve sempre ali, o Frontenac tem, na verdade, pouco mais de cem anos. Foi construído em 1893 por William van Horne, magnata da ferrovia Canadian Pacific, para atrair turistas com a perspectiva de uma hospedagem de luxo. Em seu exterior se destacam os torreões de pedra e alvenaria, o telhado de cobre verde e as águas-furtadas; no interior destacam-se os labirínticos corredores que conduzem a alas diversas construídas com absoluta coerência estilística ao longo de um século. Reserve um quarto de número ímpar na torre principal para desfrutar a vista do rio São Lourenço ou um quarto de número par para apreciar o panorama dos telhados da cidade – provavelmente o cenário mais europeu dessa parte de Paris. Nos "quartos de lua-de-mel" e em várias suítes do décimo oitavo andar pode-se aliviar o frio do carnaval em banheiras de hidromassagem. Para espantá-lo de uma forma diferente, experimente um martíni em frente à lareira do bar do hotel, o St.-Laurent, debruçado sobre o Terrasse Dufferin.

O Que: evento, hotel. **Cidade de Québec:** 233km a nordeste de Montreal, 724km a nordeste de Toronto. Tourism Québec: tel. (1) 877-266-5687; www.bonjourquebec.com. **Carnaval de Québec:** tel. (1) 866-422-7628; www.carnaval.qc.ca. *Quando*: início de Fev., com duração de 17 dias. **Le Château Frontenac:** Rue des Carrières, 1. Tel. (1) 800-828-7447 e (1) 418-692-3861; fax (1) 418-692-1751; chateaufrontenac@fairmont.com; www.fairmot.com/frontenac. *Quanto*: duplos a partir de U$127 (baixa temporada) e a partir de U$158 (alta temporada).

BRASIL *e* AMÉRICA LATINA

BRASIL, AMÉRICA DO SUL E ANTÁRTIDA

MÉXICO E AMÉRICA CENTRAL

OCEANO ATLÂNTICO
MÉXICO
Cidade do México
MAR DO CARIBE
BELIZE
HONDURAS
GUATEMALA
NICARÁGUA
EL SALVADOR
PANAMÁ
COSTA RICA
Caracas
Orinoco
SURINAME
VENEZUELA
GUIANA
GUIANA FRANCESA
Golfo do Panamá
Bogotá
COLÔMBIA
PLANALTO DAS GUIANAS
Quito
Equador
Ilhas Galápagos
EQUADOR
Amazônia
PLANALTO BRASILEIRO
BRASIL
CORDILHEIRA DOS ANDES
PERU
PLANALTO DO MATO GROSSO
Lima
Lago Titicaca
La Paz
Brasília
BOLÍVIA
Sucre
Paraná
OCEANO PACÍFICO
PARAGUAI
Rio de Janeiro
CHILE
Assunção
SERRA DO MAR
ARGENTINA
CORDILHEIRA DOS ANDES
Ilha de Páscoa
URUGUAI
Buenos Aires
Montevidéu
Santiago
Rio da Prata
OCEANO ATLÂNTICO
Negro
N
O
L
S
0
805 km
Ilhas Falkland
ANTÁRTIDA
Estreito de Magalhães
Terra do Fogo
Cabo Horn

BRASIL

Uma fascinante viagem de exploração

Cruzeiro pelo Rio Amazonas

Manaus, Amazonas, Brasil

Há séculos o vasto reino do rio Amazonas fascina os exploradores. Navegar por suas águas é uma das grandes aventuras da vida. Suas dimensões – motivo pelo qual já foi chamado de "rio Mar" – são realmente impressionantes. Reunindo a força de mais de 1.000 afluentes e correndo por uma área de tamanho quase igual à do território continental dos Estados Unidos, o fluxo do Amazonas equivale a 10 vezes o do rio Mississippi. O Iberostar Grand Amazon foi o primeiro navio de luxo especialmente projetado para navegar no Amazonas. São 72 confortáveis cabines de 23m² cada uma, equipadas com televisão, telefone e varanda. No deck principal há duas piscinas com hidromassagem. Lanchas de desembarque, comandadas por guias e biólogos experientes, permitem a exploração de afluentes distantes, caminhadas pela floresta tropical e visitas a vilarejos ribeirinhos. Os destaques são o "encontro das águas", local onde a correnteza escura, cor de chá, do rio Negro se junta ao fluxo pardacento do Solimões, formando o rio Amazonas; uma pescaria de piranhas; um contato cara a cara com qualquer uma das numerosas espécies vivas (85% das quais já catalogadas pela ciência) que habitam o frágil e fascinante ecossistema do rio.

O QUE: experiência. **ONDE:** os cruzeiros pelo rio Amazonas começam e terminam em Manaus. **COMO:** a agência CVC oferece pacotes de até 6 dias para o navio Iberostar Grand Amazon, com vôos partindo de São Paulo. Tel. (11) 2191-8410; www.cvc.com.br. **QUANTO:** 6 dias/5 noites a partir de R$3.698 por pessoa em cabine dupla; refeições, bebidas, excursões, traslados e passagem aérea até Manaus incluídos. **QUANDO:** 2 saídas mensais.

A mais moderna casa na árvore

Hotel Ariaú Amazon Towers

Manaus, Amazonas, Brasil

Instalado no coração da Amazônia, a maior floresta tropical do planeta, o hotel Ariaú Amazon Towers está envolto pela voluptuosa beleza das densas copas das árvores no encontro dos rios Ariaú e Negro. O complexo hoteleiro, uma

O complexo do Ariaú no coração da floresta.

rede de sete torres cilíndricas e dois mirantes com cobertura de sapê e estrutura de madeira tropical ligadas por quilômetros de passarelas, apóia-se sobre palafitas de até 40m de altura. Algumas das torres, como a Casa do Tarzan, ficam a 33m do solo, com vistas de 360º para os milhares de tons de verde da Amazônia. Geradores de energia permitem desfrutar de comodidades como ventilador de teto e frigobar. No restaurante são preparados pães irresistíveis, além de deliciosos pratos com ingredientes locais e peixes frescos pescados no rio. Mas o verdadeiro luxo é a perfeita integração desse empreendimento ao ambiente amazônico com sua deslumbrante profusão de espécies animais e vegetais, um cenário vivo permanente. As excursões guiadas promovidas pelo hotel – em canoas e barcos ou a pé – são autênticas celebrações da floresta tropical, o verdadeiro laboratório da vida na Terra.

O QUE: hotel. **ONDE:** a 60km ou a 2 horas de barco rio acima a partir de Manaus. **COMO:** Tel. (92) 2121-5000 e 0800-702-5005; fax (92) 2121-5096; treetop@ariautowers.com.br; www.ariau.tur.br. **QUANTO:** pacote de 4 dias/3 noites a partir de R$937 por pessoa em duplos; traslado de Manaus, incluídos guias, refeições e excursões. **MELHOR ÉPOCA:** Jul.–Nov.

Delírio tropical com os bois Garantido e Caprichoso

FESTIVAL FOLCLÓRICO DE PARINTINS

Amazonas, Brasil

Engana-se quem pensa que na Amazônia só se vê verde por todo lado. Todos os anos, no último fim de semana de junho, a ilha de Parintins, na margem direita do rio Amazonas, muda de tom. Lá não há meio-termo: ou você é vermelho ou azul. Essas são as cores dos blocos folclóricos Garantido e Caprichoso, destaques de uma festa que atrai 30.000 pessoas ao bumbódromo local. Bumbódromo? É isso mesmo. Assim como o Rio de Janeiro tem seu sambódromo, em Parintins existe o bumbódromo, uma espécie de estádio onde são realizadas as apresentações de boi-bumbá. A festa é tipicamente amazônica, com influências africanas e indígenas, e conta sempre a mesma história: a lenda de um boi que é morto e

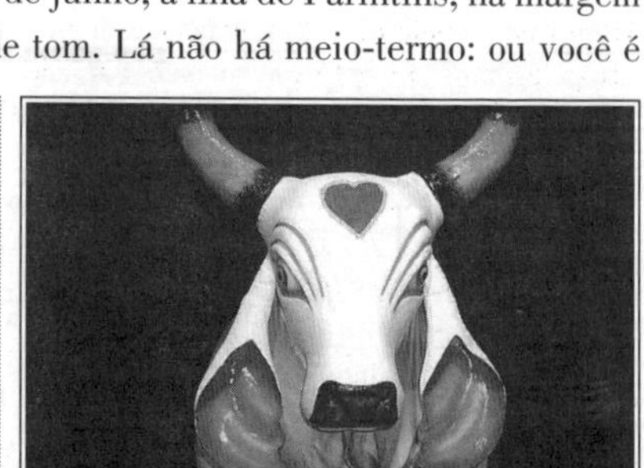

A venerada estrela do bumbódromo.

depois ressuscita pelas mãos de um pajé. O que faz do Festival Folclórico de Parintins um grande acontecimento é justamente a paixão e a imaginação dos diretores artísticos dos bois Garantido e Caprichoso para inovar a narrativa e acrescentar aos três dias de desfile – sim, são três dias – atrações de todos os tipos: bonecos gigantes, alegorias mecanizadas, luzes, shows pirotécnicos, etc. A rivalidade entre as duas equipes é enorme. Mesmo que você não torça por nenhuma delas, é bom escolher uma cor e encontrar sua turma – ficar em cima do muro não é permitido. Além disso, a animação das torcidas conta pontos para os bois. Cada apresentação dura cerca de três horas e coloca em cena 3.500 participantes por agremiação. É muita gente e muita energia num incessante delírio tropical.

O Que: evento. **Onde:** a 420km de Manaus, 16 horas de barco, 1 hora e 15 minutos de avião. **Como:** a agência Turispar organiza viagens para o festival, com partidas de Manaus. Tel. (92) 3656-2671; turispar@internect.com.br; site do festival www.parintins.com. **Quanto:** pacote de 3 dias a partir de R$1.379 por pessoa, com passagem aérea incluída. **Quando:** no último fim de semana de Jun.

Uma pitoresca balbúrdia no estuário do rio Amazonas

O Mercado Ver-o-Peso e o Restaurante Lá em Casa

Belém, Pará, Brasil

Belém é o ponto de partida da maior parte das viagens pelo rio Amazonas – e seu exuberante mercado Ver-o-Peso (cujo nome tem origem no posto de fiscalização alfandegária existente no período colonial) é um mar de produtos exóticos. A confusão hipnótica e o odor inebriante das ervas aromáticas, raízes medicinais, condimentos e essências de flores da floresta, além de poções e elixires milagrosos, deixam os visitantes em transe. Artigos como pele de cobra, sabonete de tartaruga e olhos de boto podem ser fruto de contrabando, mas mesmo assim aparecem ocasionalmente junto a outros itens ligados à macumba e ao vodu: afrodisíacos, amuletos, talismãs de dente de jacaré, pó de lagarto, cabeças de jibóia secas e outras mercadorias irreconhecíveis sobre as quais você talvez nem queira ouvir falar. O ar úmido traz o aroma de pratos de dar água na boca, preparados pelas mulheres locais para as centenas de vendedores do maior mercado ao ar livre do Brasil. Tudo isso em meio a uma cacofonia de blasfêmias, galanteios, lisonjas e pechinchas. A principal atração ali é a cornucópia das mais inusitadas espécies de peixes (piranha), carnes (tatu), frutas e vegetais, muitos dos quais podem ser comidos no mesmo dia no Lá em Casa, o melhor restaurante de cozinha brasileira de Belém.

Foi nessa cidade que os nativos apresentaram aos colonos a fantástica prodigalidade do Amazonas. Hoje, a afetuosa e falante proprietária e chef do Lá em Casa, Anna Maria Martins, e seu filho Paulo Martins, também chef, mantêm a tradição proporcionando aos clientes o melhor que o rio tem a oferecer. O prato principal da região é o pato no tucupi, em que a ave é servida num molho de ervas feito com o caldo da onipresente mandioca, ali elevada a uma forma de arte culinária.

A manhã é o melhor período para curtir o alvoroço do mercado Ver-o-Peso.

Somente os moradores locais demonstram ter um fraco por picadinho de tartaruga e pernas de rã. Há mais de 20 anos, dona Anna subiu o rio até às terras da família para aprender com os índios mais velhos. Desde então vem recebendo seus afortunados visitantes nesse ameno cenário colonial montado à sombra de um gigantesco flamboyant.

O QUE: lugar, restaurante. **MERCADO VER-O-PESO:** na área portuária ao longo da Avenida Castilho França, de frente para o píer. **LÁ EM CASA:** Avenida Governador José Malcher, 247. Tel. (91) 3242-4222; www.laemcasa.com.br; reservas@laemcasa.com. ***Quanto***: jantar R$50. ***Quando***: Seg.–Dom.

A maior procissão católica do mundo

CÍRIO DE NAZARÉ

Belém, Pará, Brasil

O Brasil orgulha-se muito de ser o maior país católico do mundo. Sendo assim, não é de estranhar que a maior festa católica do planeta também aconteça aqui. Todo ano, no segundo domingo de outubro, cerca de 2.000.000 de pessoas saem às ruas de Belém para acompanhar a procissão do Círio de Nazaré, um tradicional evento religioso celebrado desde 1793. Apesar do calor insuportável, a multidão de devotos e pagadores de promessas não deixa que sua fé na padroeira Nossa Senhora de Nazaré saia dali abalada. Muito pelo contrário, a intenção é fortalecê-la. Os mais fervorosos – e eles são muitos – acompanham o cortejo com as mãos grudadas na corda de 400m de comprimento que serve de isolamento para o altar da Virgem. Uns chegam a sangrar, outros são pisoteados, outros desmaiam, mas, mesmo assim, é difícil vê-los abandonar a corda. O disforme balé humano que se desenvolve em torno da santa é um espetáculo impressionante – e o fato de que ninguém morra durante o Círio parece ser apenas mais um dos milagres de Nossa Senhora. Aliás, é bom notar que a imagem que sai às ruas nem é a original. A verdadeira, de 28cm de altura, encontrada por um agricultor às margens de um riacho em 1700 fica permanentemente na Basílica de Nazaré, o ponto final da peregrinação.

O QUE: evento. **ONDE:** O Círio sai de manhã da Catedral da Sé, na Praça Frei Caetano Brandão, e percorre 5km até à Basílica de Nazaré, na Praça Justo Chermont. A procissão costuma durar 5 horas. **QUANDO:** no 2.° Dom. de Out.

Paisagens inexploradas e chuveiro quente no meio do nada

Acampando no Deserto do Jalapão

Tocantins, Brasil

Ali não há estradas, pequenos vilarejos, hotéis, restaurantes. Nada. Só a imensidão da natureza virgem e inexplorada. À primeira vista, o Parque Estadual do Jalapão parece um lugar árido, quente, inóspito – e essa imagem não está de todo errada. Porém, aqui e ali, no meio da paisagem de deserto, surgem verdadeiros oásis. São riachos que brotam do chão de areia avermelhada, lagos de águas cristalinas, cachoeiras e praias fluviais que têm atraído um número cada vez maior de turistas aventureiros. Motivados pelo inexplorado e o pouco conhecido, os mais destemidos rumam para o Jalapão por conta própria a bordo de possantes veículos com tração nas quatro rodas. Os que prezam um mínimo de conforto, no entanto, optam por pacotes que levam a acampamentos no meio de lugar nenhum. A Korubo Safáris Ecológicos, por exemplo, promove expedições pelas maravilhas do Jalapão a partir de um ***safari camp*** montado a quatro horas de viagem de Ponte Alta de Tocantins, o povoado mais próximo. De lá, todos os dias, pequenos grupos partem para explorar recantos como dunas, chapadas, a cachoeira da Velha e o Fervedouro, um poço com uma nascente tão poderosa que a força da água não permite que ninguém afunde. De volta ao acampamento, os hóspedes desfrutam de comodidades, como banho quente, refeições preparadas por um chef e camas com colchões macios.

O Que: lugar. **Onde:** 198km de Palmas até Ponte Alta de Tocantins, ponto de apoio para a exploração do Parque Estadual do Jalapão. **Como:** Korubo Safáris Ecológicos. Tel. (11) 3667-5053; www.korubo.com.br. **Quanto:** a partir de R$2.300 por pessoa, para 7 dias de viagem, em acomodações individuais; todas as refeições incluídas; café da manhã incluído nas 2 noites de hospedagem em Palmas. **Melhor Época:** Mai.–Set.

Um improvável deserto repleto de belas lagoas

Parque Nacional dos Lençóis Maranhenses

Maranhão, Brasil

Oficialmente o lugar é um deserto. Mas quem visita os Lençóis Maranhenses, com suas infinitas dunas brancas intercaladas por sinuosas lagoas de água doce e cristalina, custa a acreditar que isso tudo seja apenas um deserto. E, se não é deserto, o que é então? Um capricho da natureza – talvez essa seja a melhor resposta. Com 155.000ha, área do tamanho aproximado da cidade de São Paulo, o Parque Nacional dos Lençóis Maranhenses foi esculpido, ao longo dos séculos, pela ação do vento que sopra do mar e pelas chuvas que caem de dezembro a julho. O resultado é uma paisagem inimaginável para quem não a conhece. Duna após duna, há lagoas verdes e azuis, grandes e pequenas, em geral rasas, nas quais se pode nadar à vontade. Como quase todo paraíso ecológico que se preze, o parque dos Lençóis exige uma certa disposição física de quem se habilita a desbravá-lo. É preciso sair de São Luís numa viagem de carro que dura cerca de três horas até Barreirinhas, o modesto vilarejo que é a porta de entrada do lugar. Dali, de lancha pelo rio Preguiças em direção ao mar, ou em jipes com tração nas quatro rodas, chega-se a dunas de até 40m de altura e a lagoas belíssimas em passeios que ficam para sempre na memória. No fim do dia, nada como descansar e relaxar no aconchegante Porto Preguiças Resort, hotel localizado em meio a um bosque de carnaúbas, a apenas alguns minutos do centro de Barreirinhas.

No deserto, um cenário de sonhos.

O Que: lugar, hotel. **Parque Nacional dos Lençóis Maranhenses:** são 270km de São Luís a Barreirinhas, cidade que é a porta de entrada do parque. **Como:** a agência Ecotrilha organiza passeios pelas dunas e pelo rio Preguiças. Tel. (98) 3349-0372. *Quanto*: a partir de R$30 por pessoa. **Porto Preguiças Resort:** Estrada do Carnaubal, s/n.°. Tel. (98) 3349-1220; fax (98) 3349-0620; www.portopreguicas.com.br. *Quanto*: duplos a partir de R$195. **Melhor Época:** Jun.–Out.

De volta ao passado com o homem das cavernas brasileiro

Parque Nacional da Serra da Capivara

Piauí, Brasil

Sabe onde fica o parque arqueológico com a maior concentração de pinturas rupestres do planeta? No Piauí, um estado brasileiro do qual pouca gente mundo afora já ouviu falar, mas que abriga cerca de 550 sítios pré-históricos com desenhos que datam de até 48.000 anos. Segundo os arqueólogos, o homem das cavernas brasileiro tinha um talento fabuloso para a representação pictórica. Suas imagens – são aproximadamente 30.000 – descrevem cenas do cotidiano, como rituais de dança, caça, guerra e até relações sexuais. Há ainda animais, como veados, emas, botos, macacos, felinos e capivaras. Não por acaso, chama-se Parque Nacional da Serra da Capivara o lugar que abriga todo esse tesouro. Existem

Arte nativa milenar.

diversas cavernas, tocas e paredões ainda inexplorados, mas boa parte deles já pode ser visitada pelo público. Foram construídas passarelas que conduzem os visitantes até bem perto dos desenhos, porém eles não podem ser tocados para que se evitem danos. O parque conta ainda com formações rochosas curiosas – como a Pedra Furada –, cânions, penhascos e trilhas. Tudo isso numa área de 130.000ha, onde predomina a vegetação de caatinga e animais silvestres, como tamanduás, pacas, tatus e jaguatiricas, podem ser observados. Só se entra no parque acompanhado de um guia credenciado. Os que viajam por conta própria podem contratar o serviço nas pousadas da região por cerca de R$35.

O QUE: lugar. **ONDE:** a 269km de Petrolina; 509km de Teresina até São Raimundo Nonato, principal cidade de apoio aos visitantes do Parque Nacional da Serra da Capivara. **COMO:** a agência Free Way Brasil organiza excursões a partir de diversas cidades brasileiras. Tel. (11) 5088-0999; fax (11) 5574-1141; www.freeway.tur.br. *Quanto*: a partir de R$2.424 por pessoa para 6 dias de viagem, hospedagem em duplos. **MELHOR ÉPOCA:** Abr.–Set.

O charme intocado de uma das mais lindas praias do mundo

JERICOACOARA

Ceará, Brasil

O *New York Times* publicou há alguns anos: "Jericoacoara é um dos tesouros escondidos do planeta." O *Washington Post,* por sua vez, foi mais categórico ao afirmar que a praia, localizada na costa oeste do Ceará, é uma das 10 mais bonitas do mundo. Ora, o que esses dois grandes jornais americanos não sabiam é que os brasileiros já haviam descoberto esse paraíso há muito tempo – pelo menos desde os anos 1970, quando os primeiros mochileiros apareceram por lá. Quem se dispuser a desvendar os encantos de Jericoacoara terá que reunir mentalmente tudo o que já aprendeu sobre praias mundo afora e esquecer todas essas informações. Jericoacoara – ou "Jeri", para os íntimos – é única. Sua primeira característica marcante: chegar lá não é fácil. São cinco horas de carro a partir de Fortaleza, num percurso que inclui a travessia de dunas de 23km de extensão. O povoado é pequeno, sem sofisticação. A luz elétrica chegou a esse lugar há apenas alguns anos, as ruas não têm calçamento nem iluminação, não há agências bancárias e conforto ainda não é uma palavra de ordem. Mas a paisagem, praticamente intocada, é belíssima. A grande estrela local é a duna do pôr-do-sol, de onde, todas as tardes, turistas assistem ao mergulho que o sol faz no oceano. Também é impossível não se deslumbrar diante da Pedra Furada, uma formação rochosa avermelhada, em forma de arco, que avança majestosamente pelo mar.

Por causa dos ventos fortes, a praia principal de Jeri, aos pés das dunas, é ideal para o windsurfe – e muitos praticantes desse esporte rumam para lá durante todo o ano. Curiosamente, as melhores "praias" para um mergulho são as das lagoas de água doce de Jijoca, município do qual Jericoacoara é distrito. Tudo é calmo, relaxado e tranqüilo em Jeri, embora à noite o forró Recanto do Momento pegue fogo. Na alta temporada, todos os dias têm cara de sábado. Ou de domingo. O certo é que Jericoacoara parece um canto da Terra esquecido por Deus. Ou, ao contrário, um lugar ao qual Deus dedicou toda a sua atenção na hora da Criação.

O QUE: lugar. **ONDE:** 300km a oeste de Fortaleza. **COMO:** é preciso deixar o carro em Jijoca e atravessar 23km de dunas até Jericoacoara, de buggy ou jardineira. Essa travessia dura 1 hora e custa, em média, R$40. **ONDE FICAR:** o Mosquito Blue é o hotel com a melhor infra-estrutura do lugar. Rua Ismael, s/nº. Tel. (88) 3669-2203; fax (88) 3669-2204; www.mosquitoblue.com.br. *Quanto*: duplos a partir de R$200. **MELHOR ÉPOCA:** Jun.–Fev.

Incríveis montanhas-russas naturais

SURFANDO NAS DUNAS DE NATAL

Rio Grande do Norte, Brasil

As praias justificam a fama da cidade de Natal, e Genipabu é a melhor delas. Localizada no extremo leste do continente sul-americano, Natal tornou-se um destino obrigatório na Região Nordeste. Vinte e cinco quilômetros ao norte dessa capital se encontra uma vasta extensão de imensas dunas e algumas das mais belas praias do mundo, em especial Genipabu, onde passeios a cavalo e de jegue, surfe na areia e excursões de buggy são diversões a escolher. Os mais intrépidos podem alugar um desses veículos, mas ninguém conhece as dunas móveis, as curvas cheias de adrenalina das dunas como os "bugueiros" profissionais do local. Eles também conduzem o visitante às lagunas mais afastadas, aos lagos cercados por palmeiras e, depois dessa eletrizante aventura, a uma merecida comemoração com camarões fritos e cerveja gelada numa cabana rústica na praia. Para integrar-se ao espírito dessa bela e exótica paisagem, hospede-se no encantador Hotel Genipabu. Debruçado sobre as águas da praia, ele proporciona magníficas vistas desse fabuloso cenário de areia.

O QUE: lugar, experiência, hotel. **GENIPABU:** 24km ao norte de Natal. **HOTEL GENIPABU:** praia de Genipabu. Tel. (84) 3225-2063; fax (84) 3225-2071; hotel@genipabu.com.br; www.genipabu.com.br. *Quanto*: duplos R$180 (baixa temporada) e R$248 (alta temporada). **MELHOR ÉPOCA:** Nov.–Abr.

O balé dos golfinhos num ecossistema intocado

FERNANDO DE NORONHA

Pernambuco, Brasil

Um dos últimos grandes destinos para ecoturistas, o pouco conhecido e menos ainda visitado miniarquipélago de Fernando de Noronha proporciona uma experiência rara, somente comparável a Galápagos. Com visibilidade de mais de 100m de profundidade durante todo o ano, as águas tranqüilas desse bem guardado parque nacional marinho protegem um ecossistema absolutamente intocado. Não surpreende que esse paraíso de 21 ilhas seja considerado um dos mais extraordinários lugares do mundo para mergulho com cilindro e snorkel. Acrescente-se a isso a comunidade de mais de 600 golfinhos-rotadores que adota a baía dos Golfinhos como seu lar desde o século XVIII. Em excursões de barco e das escarpas da baía é possível vê-los desafiar a gravidade com suas acrobacias (porém não é mais permitido aos visitantes nadar próximo a eles). Assim como a fauna e a flora locais, os 1.600 cordiais moradores da ilha vulcânica principal não foram contaminados pelo contato externo. Muitos deles descendem de condenados que ali cumpriram pena nos séculos XVIII e XIX. Não há televisão, e a maior parte das acomodações é rudimentar, muitas vezes em alojamentos tipo bunker construídos durante o breve período em que a ilha foi uma base militar americana durante a Segunda Guerra Mundial.

Uma das maravilhas do litoral brasileiro à sua espera.

O QUE: ilha. **ONDE:** conectada por vôos diários a Recife e Natal. **COMO:** o ingresso de visitantes na ilha é limitado, portanto o melhor é reservar um pacote com antecedência. A agência local Atlantis Divers, em Natal, organiza viagens para o arquipélago. Tel. (84) 3206-8840; www.atlantisdivers.com.br. **ONDE FICAR:** a Pousada Maravilha, na praia do Sueste, é considerada a melhor de Fernando de Noronha. Tel. (81) 3619-0028; www.pousadamaravilha.com.br. ***Quanto***: duplos a partir de R$1.440, café da manhã e traslado do aeroporto incluídos. **MELHOR ÉPOCA:** Nov.–Abr.

Duas instituições diferentes de tudo o que você já viu

MUSEUS BRENNAND

Recife, Pernambuco, Brasil

Embora muito diferentes entre si – e diferentes de tudo o que você já viu –, os dois mais importantes centros culturais do Recife têm algo em comum: o sobrenome Brennand. A Oficina Cerâmica Francisco Brennand é um misto fascinante de museu, galeria de arte, jardim e ateliê comandado por Francisco Brennand, o mais notável ceramista brasileiro vivo. No início dos anos 1970 o artista começou a transformar a antiga fábrica de telhas e tijolos de sua família num grande espaço para sua própria obra. São aproximadamente 10.000m^2 de puro delírio visual, com jardins, labirintos, fontes e templos apinhados de esculturas que parecem pertencer a um mundo mágico e misterioso. Francisco Brennand é conhecido por dar formas exóticas – e eróticas – a seus trabalhos, tais como imensos pássaros, cobras mutantes, totens indecifráveis, falos estilizados, nádegas, seios, vaginas e o que mais a imaginação permitir alcançar. Tudo isso reunido – são cerca de 2.000 peças – forma um conjunto que deixa os visitantes pasmos e encantados. Criado por um primo de Francisco, o Instituto Ricardo Brennand, por sua vez, tem uma linha voltada para o passado do Brasil e do mundo. O empresário Ricardo Brennand coleciona objetos e obras de arte desde 1950. Para abrigar todas as peças que possui, construiu em sua propriedade, próxima à do primo, uma réplica de um castelo medieval que conta até com fosso e ponte levadiça. Lá, acomodou suas coleções de armaduras, facas, espadas e tapeçarias antigas de países como Itália, França, Alemanha, Turquia e Japão. Entre os 3.000 itens está a coleção de 15 quadros do pintor paisagista holandês Frans Post, que, no século XVII, retratou a vida em Pernambuco a mando do colonizador Maurício de Nassau.

O QUE: lugar. **OFICINA CERÂMICA FRANCISCO BRENNAND:** Avenida Caxangá, km 16, Várzea. Tel. (81) 3271-2466. *Quanto*: ingresso R$4. *Quando*: Seg.–Sex. **INSTITUTO RICARDO BRENNAND:** Alameda Antônio Brennand, km 14, Várzea. Tel. (81) 2121-0352. *Quanto*: ingresso gratuito. *Quando*: Ter.–Dom.

Onde o mar vira piscina no Nordeste brasileiro

PORTO DE GALINHAS

Pernambuco, Brasil

Essa é a mais popular praia da Região Nordeste. E, é claro, uma das mais bonitas. Seu atrativo incontestável são as piscinas naturais – emolduradas por corais e recifes – que se formam no mar nos horários de maré baixa. A temperatura da água é morna e praticamente não há ondas. O mar é verde, transparente, fascinante. Para completar, incontáveis peixinhos coloridos ajudam a enfeitar a paisagem. Não é difícil andar ou nadar até as piscinas. Mas há quem prefira, como meio de transporte, as muitas jangadas que circulam por ali. Leves e ligeiras, elas parecem levitar sobre o oceano. Na maré alta, porém, tudo perde um pouco da graça – e até a areia branca da praia junto à vila desaparece. Nessas horas, o jeito é arriscar roteiros alternativos, mas nem por isso menos atraentes. Serrambi e Maracaípe, ao sul, são duas belas praias das redondezas. Outra opção é um passeio de buggy pelas areias de Muro Alto, ao norte, que tem uma encantadora piscina natural de 2,5km de extensão.

Porto de Galinhas é uma cidade animada, agitada, pulsante, tanto durante o dia quanto à noite. Diversos bares e restaurantes fervilham na pequena – e sempre crescente – vila de pescadores central. Portanto, quem não estiver a fim de badalação deve hospedar-se no Nannai Beach Resort, localizado à beira da praia de Muro Alto, a 9km de Porto de Galinhas. O cenário é de sonhos com bangalôs no estilo polinésio que se distribuem sobre um espelho-d'água de 4.000m². As instalações são muito confortáveis e incluem até camas *king size*. Além disso, cada bangalô tem uma piscina particular cercada por densa vegetação, o que torna o ambiente indevassável. Ideal para casais em lua-de-mel.

O QUE: lugar, hotel. **PORTO DE GALI-**

NHAS: 60km ao sul do Recife. **NANNAI BEACH RESORT:** Praia de Muro Alto, s/nº. Tel. (81) 3552-0100; reservas@nannai.com.br; www.nannai.com.br. *Quanto:* duplos a partir de R$585; café da manhã e jantar incluídos. **MELHOR ÉPOCA:** Set.–Abr.

Onde cultura urbana e história se misturam

RECIFE E OLINDA

Pernambuco, Brasil

Enquanto Recife é uma cidade movimentada, sua vizinha Olinda é calma e tranqüila. Recife exibe de forma evidente as marcas da colonização holandesa, enquanto Olinda é toda portuguesa. O que salta aos olhos na geografia de Recife são as pontes sobre o rio Capiberibe. Em Olinda, o que domina a topografia são as ladeiras. As duas cidades são tão próximas – apenas 7km as separam – que Olinda chega a ser tomada como apenas um bairro de Recife, porém boa parte da história do Brasil está ali. Fundada em 1535 pelo português Duarte Coelho – que, ao avistar o lugar, teria dito "Oh, linda situação para uma vila!", daí seu nome –, ela ostenta diversas construções do século XVI. A Igreja da Sé, de 1537, é uma delas, assim como a Igreja do Carmo, de 1580. Mas seu maior tesouro é o Mosteiro de São Bento, de 1582, que exibe um suntuoso altar barroco de 14m de altura totalmente revestido de ouro. É adorável perder-se pelas ruas de Olinda e descobrir seus segredos. Ou, então, apostar no infalível, como um passeio pela charmosa Rua do Amparo, com seu colorido casario antigo que abriga ateliês de pintores, escultores e artesãos.

A Igreja da Sé: uma das construções mais antigas de Olinda.

Quando você se cansar do ritmo tranqüilo de Olinda, Recife estará sempre ali ao lado com sua pulsação de cidade grande e pólo cultural do Nordeste. A praia de Boa Viagem, uma das mais bonitas do Brasil em perímetro urbano, fervilha com gente bonita durante o dia. À noite, a animação migra para o revitalizado bairro do Recife Antigo, onde há sempre música boa no ar. Instalados em sobrados de até 400 anos de idade, bares, restaurantes e lojas de artesanato oferecem diversão até o dia amanhecer. Mas aí já é hora de ir à praia novamente – mais um dia no paraíso.

O QUE: cidade. **ONDE:** a 2 horas e 45 minutos de vôo do Rio de Janeiro; a 3 horas de vôo de São Paulo. **MELHOR ÉPOCA:** Set.–Abr.

Dançando quadrilha ao redor da fogueira

Festa de São João em Campina Grande

Paraíba, Brasil

São 30 dias de festa. Sem parar. Noite e dia. Assim é o mês de junho em Campina Grande, no interior da Paraíba. A cidade se orgulha de organizar "a maior Festa de São João do país". Tudo nesse evento é superlativo.

Caia no forró e esbalde-se nessa megafesta.

No Parque do Povo, uma área de 42.000m², cerca de 1.000.000 de pessoas costumam dançar madrugada adentro ao som de diferentes conjuntos de forró que se revezam para produzir mais de 500 horas de música. Há barraquinhas de comidas típicas, fogueiras imensas, bandeirinhas coloridas, cidade cenográfica, balões e muitos fogos de artifício. Um grande casamento coletivo – de verdade – é realizado entre os dias 12 e 18, como parte de uma homenagem a Santo Antônio, que, segundo a tradição popular, é o santo casamenteiro. Além das cômicas e tradicionais corridas de jegue da cidade, há as competições de quadrilha, cujos destaques são as coreografias, os figurinos incrementados e o alto grau de rivalidade entre as equipes. A festa junina de Campina Grande concorre com a de Caruaru, no estado vizinho de Pernambuco, também dita "a maior Festa de São João do Brasil". Seja como for, os dois eventos são boas oportunidades para se conferir como certas tradições centenárias – as festas do mês de junho foram trazidas para o país pelos missionários jesuítas na época da colonização – não perdem o fôlego nunca. Muito pelo contrário, estão sempre em ponto de combustão.

O Que: evento. **Onde:** a 125km de João Pessoa; a 190km de Recife. **Onde Ficar:** o Hotel Village é o melhor da região. Avenida Otacílio Nepomuceno, 1.285. Tel. (83) 3310-8000; campinagrande@hoteisvillage.com.br. ***Quanto***: duplos a partir de R$138. **Quando:** durante todo o mês de Jun.

Coração e alma de uma cidade afro-brasileira cheia de orgulho

Pelourinho

Salvador, Bahia, Brasil

Enclave arquitetônico e destaque da Cidade Alta de Salvador, o bairro do Pelourinho vem sendo restaurado e transformado no coração cultural de uma cidade há muito célebre pela riqueza de sua história colonial e de sua herança afro-brasileira. Mas essa opulência se baseou no lastimável, porém lucrativo, comércio de escravos africanos, que teve seu apogeu no século XVIII, quando foram concluídas as notáveis igrejas barrocas banhadas em ouro do Pelourinho. Essas igrejas, que estão entre as mais extraordinárias da América do Sul, se agrupam ao redor do que é hoje a Praça do Pelourinho, cujo nome é uma das muitas lembranças dos laços históricos e emocionais da cidade com a África e a escravidão. Lugar onde até o início do século XX moravam os descendentes dos europeus endinheirados de Salvador, o Pelourinho passou por um longo período de degradação social e colapso físico. A maciça restauração iniciada em 1992, no entanto, assegurou sua recuperação como refúgio de poetas e artistas e local de exibição do artesanato baiano. Construções de todas as cores agora abrigam uma grande quantidade de pequenos e interessantes museus, galerias de arte, cafés e restaurantes.

Ao abrir uma filial no Pelourinho, a Casa da Gamboa, um dos mais conhecidos restaurantes de Salvador, ajudou a consolidar a fama do bairro como pólo cultural e gastronômico. Na orla marítima há alguns grandes hotéis internacionais, mas nenhum com o caráter e a arquitetura do Catharina Paraguaçu, uma mansão colonial cor-de-rosa. Acima de seus telhados se avista a praia do Rio Vermelho, a uma pequena corrida de táxi do Pelourinho.

O QUE: lugar, restaurante, hotel. **CASA DA GAMBOA:** Rua João de Deus, 32. Tel. (71) 3321-3393. *Quanto*: jantar R$50. *Quando*: Seg.–Sáb. **HOTEL CATHARINA PARAGUAÇU:** Rua João Gomes, 128. Tel./fax (71) 3334-0089; www.hotelcatharinaparaguacu.com.br. *Quanto*: duplos a partir de R$150 (baixa temporada) e R$170 (alta temporada). **MELHOR ÉPOCA:** Nov.–Jan.

A herança especial da Bahia

AS FESTAS DE SALVADOR

Bahia, Brasil

Não se trata de rejeitar a folia carnal, fervente e pulsante que é o carnaval do Rio de Janeiro, mas hoje em dia muitos viajantes rumam para Salvador, na Bahia, em busca de uma celebração mais autêntica, participativa e não menos incansável. Ali, o ritmo contagiante do samba carioca é substituído pela axé-music de origem africana que domina os 13km de percurso entre Ondina e o Pelourinho.

Em meio a multidões eufóricas, os trios elétricos levam bandas e alguns dos maiores astros e estrelas da música brasileira (muitos dos quais provenientes da Bahia e adjacências). Como os preparativos para o carnaval começam meses antes, os turistas que chegam à cidade fora da temporada podem absorver um pouco do mito e da magia local

Devotos em sua homenagem anual a Iemanjá.

nos ensaios semanais do Olodum, o bloco mais inovador de Salvador.

Com mais de 20 festas e procissões em destaque no calendário anual, é provável que alguma delas esteja acontecendo durante a sua estada, especialmente se você chegar em dezembro, janeiro ou fevereiro. O calendário começa em 31 de dezembro e 1.º de janeiro com a Festa de Nosso Senhor dos Navegantes, quando a população comemora o "Deus dos Navegantes". Em seguida, na Lavagem da Igreja do Bonfim (oito dias a contar da segunda quinta-feira de janeiro), as mulheres lavam os degraus da Igreja do Bonfim ao som de cânticos africanos. No dia 2 de fevereiro é comemorada a Festa de Iemanjá, protetora e mãe afro-brasileira dos mares (correspondente à Virgem Maria do catolicismo). Também é possível explorar a espiritualidade e o caráter religioso das cerimônias do candomblé baiano – de base africana, mas puramente brasileiro – quase todas as noites nos terreiros da cidade: pergunte, porém seja discreto e respeitoso.

O QUE: evento. **ONDE:** os imperdíveis ensaios do Olodum são como ***jam sessions*** espontâneas. Rua Gregório de Matos, 22, Pelourinho. Tel./fax (71) 3321-5010; www.olodum.com.br. **QUANDO:** os ensaios do Olodum são realizados principalmente aos Dom.

O quitute que é um tesouro nacional

O Acarajé no Tabuleiro da Baiana

Salvador, Bahia, Brasil

Na Bahia, só não vai atrás do trio elétrico quem já morreu. E só não come um saboroso acarajé quem não estiver com o juízo perfeito. Mais do que a moqueca de peixe, o vatapá e a cocada branca juntos, essa é a iguaria baiana por excelência. Tanto que, há alguns anos, o acarajé foi declarado Patrimônio Imaterial do Brasil, o que significa dizer que seu tradicional modo de preparo é um bem nacional a ser preservado. Trata-se de um bolinho de feijão-branco moído que é frito por cinco minutos no azeite-de-dendê. Depois, cortado ao meio, leva pimenta nas paredes internas e é recheado com vatapá e camarão, somando um total de 2.400 calorias. Quem experimenta se lambuza. Faz parte. O bom é que se pode degustar um deles em praticamente cada esquina de Salvador, sem o ritual de ter que se sentar num restaurante para comer. Nas ruas existe uma acirrada disputa para saber qual baiana do acarajé prepara o melhor quitute da cidade – e são 4.000 baianas e cerca de 12.000.000 de acarajés por mês. Quem costuma liderar o ranking é Cira. Há mais de 30 anos, ela se instalou em Itapoã, a mais célebre praia da Bahia, cantada por Vinícius de Moraes e Toquinho no clássico da MPB *Tarde em Itapoã*. As outras baianas que também se saem muito bem nessa competição são Regina, que tem seu tabuleiro montado no bairro da Graça, e Dinha, figura conhecidíssima no Rio Vermelho.

O QUE: experiência. **BAIANA CIRA:** Rua Aristides Milton, s/n.°, Itapoã. *Quanto:* R$3. *Quando*: Seg.–Dom. **BAIANA REGINA:** Rua da Graça, s/n.°, Graça. *Quanto*: R$3. *Quando:* Seg.–Sex. **BAIANA DINHA:** Largo de Santana, s/n.°, Rio Vermelho. *Quanto:* R$3. *Quando*: Seg.–Dom.

Os recantos selvagens da costa do Cacau

ITACARÉ

Bahia, Brasil

É lá que ficam as melhores ondas de todo o Nordeste brasileiro. Não por acaso, Itacaré foi descoberta primeiro pelos surfistas, ainda nos anos 1970, e permaneceu um segredo bem guardado até o fim da década de 1990, quando a estrada que liga o vilarejo a Ilhéus, ao sul, foi finalmente asfaltada. Desde então, esse lugar se tornou a principal jóia da chamada costa do Cacau baiana. A região, de paisagens paradisíacas, foi imortalizada pelo escritor Jorge Amado no romance ***Gabriela, cravo e canela***, cujo título é uma referência à pele cor de canela de seus habitantes. Das 15 praias de Itacaré, várias são de fato selvagens e acessíveis apenas por trilhas que desafiam a topografia dos costões cobertos por vegetação da Mata Atlântica. Dificilmente você explorará todas elas, então escolha as mais bonitas: Prainha, Resende, Itacarezinho, Havaizinho e Tiririca. Além do surfe, há infra-estrutura para esportes de aventura, como rafting e rapel. Mas nem só de agitação vive Itacaré – ali também se encontra história, sobretudo na arquitetura dos casarões coloniais do século XIX, no centro do vilarejo, que remetem ao tempo do esplendor do ciclo cacaueiro, quando a cidade era um importante porto. Uma igreja construída pelos jesuítas no século XVIII ajuda a compor o cenário.

Itacaré também é sinônimo de luxo rústico-chique. O Txai Resort, na praia de Itacarezinho, é o supra-sumo da exclusividade nessa parte do litoral baiano. Seus enormes e confortáveis bangalôs de 40m^2 são distantes uns dos outros, o que garante total privacidade aos hóspedes. O hotel está localizado numa grande fazenda de cocos de frente para o mar, numa praia praticamente privada. Vale a pena sair dali para conhecer a região. Em todo caso, se a preguiça falar mais alto, permita-se ficar de papo para o ar.

O QUE: cidade, hotel. **ONDE:** 65km ao norte de Ilhéus; 440km ao sul de Salvador. **TXAI RESORT:** Rodovia Ilhéus–Itacaré, km 48. Tel. (73) 3634-6936; txairesort@txai.com.br; www.txairesort.com.br. ***Quanto***: duplos a partir de R$960; café da manhã, almoço e jantar incluídos. **MELHOR ÉPOCA:** Set.–Abr.

O sofisticado paraíso das tartarugas marinhas

PRAIA DO FORTE

Bahia, Brasil

São 12km de praias com pequenas enseadas de areias brancas, mar azul, imensos coqueirais, brisa fresca e muito sol o ano todo. Não bastasse o cenário paradisíaco, a praia do Forte, no litoral norte da Bahia, exibe um ar de sofisticação e tranqüilidade difícil de ser encontrado em qualquer lugar. A cidade em si é pequena e rústica. Seu charme arrebatador vem do hotel Praia do Forte Eco-Resort, que fincou raízes ali na década de 1970. A atmosfera é incrível, principalmente no amplo gramado entre as oito piscinas e o mar, onde espreguiçadeiras e guarda-sóis de palha convidam os hóspedes a um irresistível ***dolce far niente***, que, não raro, vira uma deliciosa soneca ao ar livre. A mordomia completa-se com as duas banheiras de hidromassagem à beira-mar. Tudo isso sem a agitação que costuma caracterizar os resorts brasileiros. Não que não haja atividades puxadas: os visitantes também podem mergulhar com máscara e snorkel, jogar tênis, praticar windsurfe ou fazer caminhadas para a observação de pássaros. No gigantesco terreno da propriedade ainda se localizam as ruínas parcialmente restauradas do Castelo de Garcia d'Ávila, construído em 1551.

Mas isso não é tudo. Parte do encanto da praia do Forte está no seu caráter assumidamente ecológico. É ali que fica a sede do Projeto Tamar, do Ibama, que se dedica a preservar a vida de diversas espécies de tartarugas marinhas ameaçadas de extinção. Nos seus domínios, próximo à praia, há tanques onde é possível observar animais em diferentes estágios de crescimento. Nos passeios noturnos pelas praias desertas – sempre monitorados por técnicos do Projeto Tamar – dá para ver tanto a desova das tartarugas quanto o nascimento dos filhotes. São centenas de pequenas criaturas tateando seu caminho rumo ao mar, ao desconhecido, à esperança de sobrevivência. É difícil presenciar a cena sem se emocionar diante do milagre da vida.

O QUE: lugar, hotel, experiência. **PRAIA DO FORTE:** 55km ao norte de Salvador. **PRAIA DO FORTE ECO-RESORT:** Avenida do Farol, s/n.°. Tel. (71) 3676-4000; fax (71) 3676-1112; reservas@ecoresort.com.br; www.ecoresort.com.br. *Quanto:* duplos a partir de R$680; café da manhã e jantar incluídos. **PROJETO TAMAR:** Avenida Farol Garcia d'Ávila, s/n°. Tel. (71) 3676-1403; www.tamar.org.br. *Quando:* diariamente. *Quanto:* R$7. **MELHOR ÉPOCA:** Set.–Abr. e Nov.–Mai. para ver as tartarugas.

Não é uma cidade, é um estado de espírito

TRANCOSO

Bahia, Brasil

Trancoso, no litoral sul da Bahia, não é só um belo conjunto de praias ou uma pequena cidade rústica que foi descoberta por turistas endinheirados – é um estado de espírito. Freqüentada por gente bonita e descolada de todos os cantos do Brasil e do mundo, consegue conjugar atrativos naturais com um charme inconfundível. É leve, descontraída, informal, mas com um quê de sofisticação. Estilo bicho-grilo mas chique ao mesmo tempo. Visitantes e "nativos" – como são chamados os que nasceram ali – convivem em perfeita harmonia nas praias, nos bares e nas noitadas movidas a forró, reggae e música eletrônica. É isto mesmo: Trancoso tem uma concorrida agenda de festas rave, especialmente no verão, quando o agito começa de madrugada e vai até à tarde do dia seguinte. Quem procura sossego também tem vez. Como as praias da região são extensas e convidam a longas caminhadas, é sempre possível encontrar um recanto deserto. Um passeio à bela e pacata vizinha praia do Espelho é fundamental.

Um pedaço do paraíso só para você.

Mas o centro das atenções é o Quadrado de Trancoso, uma enorme praça principal coberta de capim baixinho, onde despontam uma igreja do século XVII e dezenas de casas antigas, hoje transformadas em pousadas, butiques e restaurantes. Do alto da falésia onde se situa o Quadrado, contempla-se o oceano com um olho e, com o outro, o vaivém sem pressa das pessoas. Há boas opções de hospedagem, como a confortável Pousada Estrela d'Água, na praia dos Nativos, que funciona onde um dia foi a residência de veraneio da cantora Gal Costa. Basta dar 20 passos na areia para que se alcance o mar. Resistir, quem consegue? Paladares exigentes vão se fartar com as delícias do Capim Santo, um dos melhores e mais tradicionais restaurantes do lugar, com suas receitas de inspiração oriental. Uma boa pedida é o camarão ao curry e erva-cidreira. De resto, é esquecer da vida e entrar no estado de espírito de Trancoso – leve, descontraído, informal...

O QUE: lugar, hotel, restaurante. **TRANCOSO:** a 25km de Porto Seguro; a 741km de Salvador. **POUSADA ESTRELA D'ÁGUA:** Estrada do Arraial, km 1,5. Tel. (73) 3668-1030; reservas@estreladagua.com.br; www.estreladagua.com.br. ***Quanto***: duplos a partir de R$460 (baixa temporada) e R$690 (alta temporada). **CAPIM SANTO:** Praça São João, s/n.°. Tel. (73) 3668-1122. ***Quanto:*** jantar R$65. ***Quando:*** Seg.–Sáb. **MELHOR ÉPOCA:** Set.–Abr.

As curvas suaves e surpreendentes de uma capital

A ARQUITETURA DE OSCAR NIEMEYER EM BRASÍLIA

Distrito Federal, Brasil

Ele já foi chamado de "Pablo Picasso da arquitetura" e de "lenda viva do Modernismo". Projetou vários museus, mas não possui nenhum que abrigue sua obra. E nem precisa, pois Oscar Niemeyer, nascido em 1907, tem em Brasília o seu museu a céu aberto. É impossível pensar na capital brasileira – inaugurada pelo presidente Juscelino Kubitschek, em 1960, depois de apenas cinco anos de construção – sem associá-la a pelo menos duas coisas: política, naturalmente, e arquitetura modernista. Brasília é fruto do talento de dois criadores de primeira linha. Lúcio Costa responsabilizou-se pelo plano urbanístico da cidade e Oscar Niemeyer projetou os prédios mais importantes: o Palácio do Planalto, o Congresso Nacional, a Catedral Metropolitana, o Palácio do Itamaraty, o Ministério da Justiça, a sede do Supremo Tribunal Federal e o Palácio da Alvorada, entre outros. Embora sua identidade visual seja sólida e concreta, Brasília também pode ser poética e, sobretudo, surpreendente, seja na suavidade das curvas

A imponente Catedral Metropolitana.

do Palácio do Planalto, seja na ousadia das colunas quase impossíveis da Catedral Metropolitana. Goste-se ou não do que existe ali, o certo é que ninguém deixa de se impressionar. Os prédios públicos estão abertos à visitação e ficam todos próximos uns dos outros – à exceção do Palácio da Alvorada, residência oficial do presidente, um pouco mais afastado. Mas nem só de concreto, vidro, rampas e vãos vive Brasília. O restaurante Alice, no Lago Norte, é considerado um dos melhores em culinária francesa do país. Num ambiente aconchegante e sem afetações, recebe os clientes, que estão sempre atrás das novidades preparadas pela chef Alice de Castro. De quebra, ainda se pode esbarrar em algum político importante, o que não é incomum nessa cidade.

O QUE: cidade, restaurante. **ONDE:** a 1 hora e 40 minutos de vôo de São Paulo e do Rio de Janeiro. **RESTAURANTE ALICE:** Setor de Habitações Individuais, QI 11, conjunto 9, casa 17, Lago Norte. Tel. (61) 3368-1099; fax (61) 3368-5584; aliceres@terra.com.br; www.restaurantealice.com.br. *Quanto:* jantar R$120. *Quando:* Qua.– Sáb. **MELHOR ÉPOCA:** Out.– Mai. (menos seco).

Natureza e misticismo no centro da América do Sul

CHAPADA DOS GUIMARÃES

Mato Grosso, Brasil

Nos últimos 500.000.000 de anos, a região da chapada dos Guimarães já foi de tudo um pouco: geleira, mar, deserto, floresta. Precisou cumprir todas essas etapas na linha do tempo para se transformar num dos lugares mais bonitos do Brasil. Lá, no alto de magníficos paredões avermelhados de mais de 400m de altura, começa o planalto central do país – e de seus mirantes é possível avistar, ao sul, os alagados pantaneiros, que ficam a mais de 100km de distância. Também há grutas, cavernas, formações rochosas incríveis, rios de águas limpíssimas e cachoeiras monumentais – só o rio Sete de Setembro tem sete delas. A região, com sua vegetação de cerrado, ainda é rica em animais silvestres, como lobos-guarás, pacas, veados-campeiros, tucanos e araras. No inverno é comum que brumas cubram a paisagem, deixando um clima de mistério no ar. A chapada dos Guimarães localiza-se no chamado centro geodésico da América do Sul, o que significa dizer que está eqüidistante dos oceanos Atlântico e Pacífico. Algumas dúzias de histórias não comprovadas sobre discos voadores, fadas e duendes fizeram do lugar um centro de peregrinação mística a partir do fim dos anos 1970. Queira você entrar ou não em contato com outras possíveis dimensões, a chapada dos Guimarães é um dos destinos turísticos mais intrigantes do Brasil.

O QUE: lugar. **ONDE:** a 74km de Cuiabá; a 1.015km de Goiânia. **COMO:** a agência Ambiental Expedições organiza viagens para grupos, partindo de várias cidades brasileiras. Tel. (11) 3818-4600; www.ambiental.tur.br. *Quanto*: a partir de R$1.530 por pessoa para 4 dias de viagem, hospedagem em duplos. **MELHOR ÉPOCA:** Mai.–Ago. (quando a temperatura é mais amena).

Um país das maravilhas alagadiço

O Pantanal e o Refúgio Ecológico Caiman

Mato Grosso do Sul, Brasil

Maior extensão de terras inundáveis do planeta, o Pantanal é um oásis de água e vida selvagem em quantidade e variedade impressionantes. É o local de encontro de rios, o último paraíso ecológico intacto, o habitat de uma rica fauna selvagem perseguida até à extinção em outros lugares – e a maior parte dos sul-americanos nem sequer sabe de sua existência. Colhereiros, aracuãs, quatis, jaburus, emas – mesmo que você já tenha ouvido os nomes dessas exóticas criaturas, o mais provável é que nunca as tenha visto. Outras, como onças-pintadas, lobos, tamanduás, tapires, veados, tatus, você já deve ter visto, mas não do mesmo tamanho. Ali elas são as maiores de suas espécies no continente. A maior parte da área – que tem dimensão equivalente à do estado do Paraná – é propriedade privada de imensas fazendas. Vacas e jacarés vivem lado a lado numa curiosa aliança, e prevalece o espírito dos pantaneiros, os vaqueiros do Pantanal. O Refúgio Ecológico Caiman – uma combinação de fazenda de gado e destino de ecoturismo – é a base perfeita para a exploração dessa região prolífica. Embora os 53.000ha do refúgio sejam uma pequena fração da totalidade do Pantanal, as possibilidades de excursões a qualquer hora do dia são quase ilimitadas. Guias profissionais especializados conduzem os visitantes a pé, de barco, em caminhonetes ou a cavalo por uma intrincada rede de rios, canais e lagoas. O espetáculo da natureza continua à noite, quando milhões de vaga-lumes criam efeitos natalinos na escuridão e os sinistros estrondos provocados por caçadores ecoam por toda parte. As paisagens silvestres e o céu claro são compartilhados pelas 20.000 cabeças de gado da propriedade e outros visitantes do Refúgio.

Revoada de aves no Pantanal.

A vida dessa fazenda gira ao redor da pousada principal, um bonito e elegante casarão no estilo mediterrâneo, originalmente o solar da família proprietária. Junto com três outras construções locais, ela oferece aos que buscam mergulhar por inteiro nessa reserva selvagem inigualável o conforto de piscina e ar condicionado, além de uma excelente comida caseira.

O Que: experiência, lugar, hotel. **Pantanal:** centro-oeste do Brasil. **Refúgio Ecológico Caiman:** a 237km do aeroporto de Campo Grande (45 minutos de vôo). Tel. (11) 3706-1800; fax (11) 3706-1808; caiman@caiman.com.br; www.caiman.com.br. *Quanto:* diárias a partir de R$317 (estação das águas) e R$359 (estação seca), duplos, tudo incluído, exceto bebidas. **Melhor Época:** Abr.–Set. (estação seca).

A última palavra em ecoturismo de aventura

Os Rios de Bonito

Mato Grosso do Sul, Brasil

Quem vai a Bonito volta de lá com pelo menos uma certeza: o lugar deveria se chamar Lindo. Rios de águas límpidas repletos de peixes coloridos, grutas deslumbrantes, cavernas, cachoeiras, trilhas, animais silvestres, é tanta coisa que fica até difícil escolher por onde começar. Nos últimos 15 anos, Bonito tornou-se a meca do ecoturismo de aventura na Região Centro-Oeste. E o que é melhor: não sofreu nenhum tipo de degradação ambiental por causa disso. Como a maioria das atrações é paga e se localiza em propriedades privadas, não dá para sair mergulhando no primeiro rio de água cristalina que se vê. Fora isso, todas as atividades são supervisionadas por guias locais credenciados, o que impede possíveis ações de vandalismo contra a natureza.

Há três passeios imperdíveis na região. O primeiro deles é a flutuação com máscara, snorkel e roupa de neoprene nos rios da Prata, Baía Bonita ou Sucuri. A grande quantidade de calcário presente nesses rios faz com que suas águas sejam muito transparentes. É o que torna fácil, mágica e quase inimaginável a observação nítida de peixes como piraputangas, piaus, pacus, dourados e pintados. Às vezes dá até para esquecer que se está debaixo d'água. Outro destaque é a gruta do lago Azul, uma bela formação de rocha calcária com estalagmites e estalactites. De novembro a janeiro, entre 8h30 e 9h, o sol incide na entrada da caverna e ilumina o lago de forma deslumbrante. Não é permitido mergulhar ali, mas a visão do espetáculo justifica a visita. O turista que tiver um pouco mais de disposição e preparo físico pode aventurar-se a fazer rapel nos 72m de descida da caverna Abismo Anhumas. A entrada é por uma fenda na rocha. Lá embaixo, a 88m de profundidade, há um lago de águas geladas no qual é possível mergulhar com cilindros de oxigênio. O ideal é visitar Bonito com um pacote fechado que inclua todas essas atividades. Para quem chega lá por conta própria, basta contratar os diferentes passeios nas agências locais. A reserva de alguns deles, porém, precisa ser feita com até dois meses de antecedência. Portanto, é bom estar prevenido.

O Que: lugar. **Onde:** 300km ao sul de Campo Grande. **Como:** a Cia. Nacional de Ecoturismo oferece vários pacotes para Bonito. Tel. (11) 5571-2525; fax (11) 5571-8114; comercial@ecoturismo.com.br; www.ciaecoturismo.com.br. **Quanto:** a partir de R$1.470 por pessoa para 5 dias de viagem, hospedagem em duplos. **Melhor Época:** Mai.–Out., quando as águas dos rios estão mais cristalinas.

Agende um mergulho em águas cristalinas.

A jóia do barroco brasileiro

OURO PRETO

Minas Gerais, Brasil

Essa cidade histórica do século XVIII, perfeitamente preservada, encravada nas montanhas do interior de Minas Gerais, é um dos maiores tesouros mundiais de arquitetura barroca. Como se fosse um cenário montado com sacadas decorativas de ferro batido, casas de tons pastel e ruas íngremes pavimentadas com pés-de-moleque (completado com o estrépito de carros movidos a burro), a pequena Ouro Preto abriga 13 igrejas barrocas que remontam ao auge do ciclo do ouro brasileiro, quando essa região foi uma das principais fontes de abastecimento mundial do minério. Aleijadinho é o artista cujo nome e obra são sinônimos dessa cidade. Deformado à idade de 40 anos e tão debilitado que seus assistentes tinham que amarrar os cinzéis às suas mãos, ele viria a se tornar o principal escultor barroco do Brasil. Ouro Preto é sua vitrine. A Igreja de São Francisco de Assis, onde quase todas as esculturas são suas, incluindo as que foram talhadas diretamente no teto, é a última e mais magistral de suas obras. Disputando a atenção está a exuberante Igreja de Nossa Senhora do Pilar, a segunda mais rica do país, com mais de 500kg de ouro usados em homenagem à Virgem Maria.

A cidade do Aleijadinho e suas jóias barrocas.

O QUE: cidade. **ONDE:** a 475km do Rio de Janeiro; 50 minutos de avião do Rio de Janeiro a Belo Horizonte, mais 100km de carro ou ônibus. **MELHOR ÉPOCA:** Nov.–Abr.

Um povoado colonial onde o tempo parou

TIRADENTES

Minas Gerais, Brasil

Quando a então próspera Ouro Preto se tornou, no século XIX, a capital do estado de Minas Gerais, Tiradentes ficou à margem de qualquer desenvolvimento, permanecendo longínqua e rural – basicamente como é até hoje. Localizadas entre o pitoresco rio das Mortes e a Mata Atlântica, ao pé da majestosa serra de São José, suas nove ruas sinuosas e sete imponentes igrejas barrocas ainda seriam reconhecidas por aqueles que estiveram na cidade em seu esplendor, no século XVIII. Alguns estúdios e galerias de arte contemporânea e pequenos restaurantes se instalaram ali quando o lugar se transformou num dos destinos de fim de semana preferidos de visitantes do Rio de Janeiro e de Belo Horizonte. A pequena e encantadora pousada Solar da Ponte, uma parceria anglo-brasileira, passou a ser um querido lar longe do lar para uma diversificada lista de hóspedes internacionais. Ela combina o espírito de uma casa de campo rústica, porém elegante, de um vilarejo do século XVIII com a hospitalidade e o encanto do Velho Mundo. Flores frescas colhidas no próprio jardim alegram cada um dos espaçosos quartos, lindamente decorados com o mobiliário e o artesanato local que fazem a fama do estado de Minas Gerais.

O Que: cidade, hotel. **Tiradentes:** a 225km de Ouro Preto; a 185km de Belo Horizonte; a 340km do Rio de Janeiro. **Solar da Ponte:** Praça das Mercês, s/n.º. Tel. (32) 3355-1255; fax (32) 3355-1201; hospedagem@solardaponte.com.br; www.solardaponte.com.br. *Quanto*: duplos a partir de R$320. **Melhor Época:** Nov.–Abr.

Estilo casual-chique numa cidade festeira do litoral brasileiro

Búzios

Rio de Janeiro, Brasil

Búzios é sinônimo de lindas praias e de uma fantástica vida noturna. Quem busca um refúgio tranqüilo escolhe Parati; os que desejam conhecer a St.-Tropez da América do Sul vão para Búzios. Em sua essência, essa cidade ainda é uma vila de pescadores. Isso apesar do grande fluxo de veranistas do Rio de Janeiro e adjacências que ela recebe. Eles a colocaram no mapa muito antes de Brigitte Bardot ter imortalizado o lugar na década de 1960. Na pequena península em forma de ameba onde se localiza a cidade há mais de 20 praias de beleza ímpar – e a decisão mais difícil do dia é qual enseada visitar. As noites são movimentadas por uma grande variedade de bares de música ao vivo e clubes de jazz, cujos freqüentadores dançam até o amanhecer. Na Rua das Pedras, assim nomeada por causa de seu tipo de calçamento, lojas chiques e caras, restaurante informais porém excelentes e bares ao ar livre convidam a passeios tranqüilos. Pousadas no estilo colonial combinam luxo com aconchego para sua sofisticada clientela. A mais impressionante delas é a Pousada Casas Brancas, no alto do morro do Humaitá, com vista deslumbrante para a baía da praia dos Ossos. O pôr-do-sol visto dali em espreguiçadeiras à beira da piscina é um espetáculo inesquecível.

O Que: cidade, hotel. **Búzios:** a 169km do Rio de Janeiro. **Pousada Casas Brancas:** Alto do Humaitá, 10. Tel. (22) 2623-1458; fax (22) 2623.2147; info@casasbrancas.com.br; www.casasbrancas.com.br. *Quanto*: duplos a partir de R$405. **Melhor Época:** Set.–Fev.

Pousada Casas Brancas: luxo e aconchego.

Um desvio rumo ao século XVIII na costa Verde

PARATI

Rio de Janeiro, Brasil

Com a desaceleração da corrida do ouro no século XVIII, Parati deixou de ser um próspero porto de galeões que transportavam a preciosa carga de Minas Gerais até à metrópole portuguesa. Preservando as características coloniais de seus dias de glória, a cidade entrou em hibernação até ser redescoberta na década de 1950. A beleza esplêndida e atemporal desse lugar situado no litoral a meio caminho entre o Rio de Janeiro e São Paulo é uma das poucas coisas sobre as quais cariocas e paulistas estão de acordo. Visitantes e moradores percorrem a pé ou de bicicleta as ruas calçadas de pedras na beira-mar (fechadas ao tráfego), enquanto pequenas lojas administradas por famílias confirmam a suspeita de que essa é uma cidade onde a população ainda vive da pesca e da terra. Não há praias nem movimento dignos de nota, mas você pode admirar as lindas casas e as poucas igrejas de arquitetura esmerada que mercadores ricos construíram para si mesmos (além de duas outras erguidas exclusivamente para seus escravos e serviçais). A Pousada Pardieiro, uma das primeiras do gênero a entrar na onda do turismo, é a mais charmosa da cidade (um de seus proprietários é o ator Paulo Autran). Sua rústica simplicidade é contrabalançada por uma fina seleção de obras de arte, artesanato e detalhes significativos, como champanhe gelado no frigobar e o conforto adicional de uma piscina. A localização de Parati sob a exuberante floresta da costa Verde a torna o ponto de partida perfeito para excursões de barco a qualquer uma das 365 ilhas da baía da ilha Grande e suas idílicas praias desertas.

O QUE: cidade, hotel. **PARATI:** a 241km do Rio de Janeiro, a 300km de São Paulo. **POUSADA PARDIEIRO:** Rua do Comércio, 74. Tel. (24) 3371-1370; fax (24) 3371-1139; pp@pousadapardieiro.com.br; www.pousadapardieiro.com.br. ***Quanto***: duplos a partir de R$310. **MELHOR ÉPOCA:** Nov.–Jun.

O maior show da Terra

CARNAVAL

Rio de Janeiro, Brasil

Diga "carnaval" e o mundo todo pensa no Rio de Janeiro. A cada ano, a cidade inteira se transforma em cenário para receber uma das maiores produções mundiais de teatro de rua, festa aberta a todos, aquela que melhor encarna o exuberante espírito brasileiro. O carnaval carioca é continuamente criado e recriado, tem uma forte carga sexual e é alimentado pela paixão criativa e, em certa medida, pela crescente necessidade comercial de atrair turistas de todas as partes do país e do mundo. Há três maneiras de desfrutá-lo, nem todas são caras nem dependem de planejamento prévio. O principal evento é o desfile das 14 escolas de samba e seus carros alegóricos no domingo e na segunda-feira que antecedem a quarta-feira de cinzas. Das 19h até o amanhecer, a apresentação das escolas, que competem pelo título de campeã do ano, leva ao delírio, com sua batida e sua música, as 70.000 pessoas que lotam o Sambódromo. Há ainda bailes (geralmente a fantasia ou traje a rigor) em clubes e hotéis elegantes. O mais exclusivo deles é o do Hotel Copacabana Palace. Mas a experiência mais autêntica talvez seja se juntar às animadas bandas que percorrem os bairros da orla marítima – Copacabana, Ipanema e Leblon. Ao som da bateria e da música, elas circulam pelas ruas até não restar mais nenhum folião.

No Sambódromo, a exuberância de um espetáculo inigualável.

O QUE: evento. **COMO:** a maioria dos hotéis providencia ingressos para o desfile das escolas de samba e bailes privados; www.carnaval.com.br. **QUANDO:** geralmente em Fev. Começa nas semanas anteriores à quarta-feira de cinzas, culminando no período de Qui.–Ter. que antecede a quarta-feira de cinzas.

Marco da elegância na orla carioca

HOTEL COPACABANA PALACE

Rio de Janeiro, Brasil

Com sua fachada neoclássica, o Copacabana Palace é um dos hotéis mais tradicionais da América do Sul e talvez o mais magnífico deles. Inspirado no Negresco, de Nice, e no Carlton, de Cannes, na Riviera Francesa, ele tem um ar mediterrâneo inconfundível nessa agitada cidade balneária. Uma fabulosa reforma devolveu-lhe a condição de lugar mais elegante do Rio de Janeiro. De frente para a célebre praia que lhe empresta o nome, "o Copa" é um autêntico palácio do prazer: a piscina semi-olímpica é a melhor da cidade para um mergulho ou uma caipirinha de alta octanagem. No interior, os saguões de mármore são decorados com fotos em sépia das celebridades que assinaram o Livro de Ouro do hotel desde a sua fundação, em 1923. ***Voando para o Rio***, de 1933, o primeiro filme com a dupla Fred Astaire/Ginger Rogers, ali ambientado, também ajudou a lançar o hotel como local favorito de férias de astros e estrelas de Hollywood. Peça a suíte 751, onde Carmem Miranda morou durante quatro meses. O mito do passado permanece vivo na decoração do Golden Room, seu salão de baile envidraçado e iluminado por baixo, requintado cenário do mais exclusivo entre os bailes de carnaval a rigor do Rio.

O QUE: hotel. **ONDE:** Avenida Atlântica, 1.702. Tel. (21) 2548-7070; www.copacabanapalace.com.br. **QUANTO:** duplos a partir de R$1.100; duplos com vista para a praia a partir de R$1.450. Preços mais altos e exigência de estada mínima durante o carnaval e a semana de Natal–Ano-Novo. Ingressos para o Baile Mágico (carnaval) R$950–R$2.500, traje a rigor ou fantasia obrigatórios, inclui bufê e *open bar*. **MELHOR ÉPOCA:** Nov.–Mar.

O hotel em toda a sua suntuosidade e tradição.

A queima de fogos e as homenagens a Iemanjá

ANO-NOVO NA PRAIA DE COPACABANA

Rio de Janeiro, Brasil

Não menos impressionante do que o carnaval do Rio de Janeiro é a festa de Ano-Novo na praia de Copacabana. As duas pistas da orla são fechadas ao tráfego de veículos para facilitar o acesso de aproximadamente 2.000.000 de pessoas, entre cariocas e turistas de todas as parte do mundo, ao local do evento: 4km de praia, que se estendem do Leme ao Posto 6. A multidão concentra-se entre o mar e o asfalto numa celebração de paz à espera do deslumbrante espetáculo pirotécnico que tem início à meia-noite. Uma grande confraternização acontece sob o brilho de cerca de 100t de fogos de artifício disparadas de balsas ancoradas a 400m da praia durante 20 minutos. Em sua maioria vestidas de branco, pessoas de diferentes idades, nacionalidades, classes sociais e crenças unem-se em manifestações que mesclam magia e devoção. Enquanto umas se abraçam, outras rendem homenagens a Iemanjá, levando até o mar suas oferendas – de flores a barquinhos carregados de presentes. Em alguns pontos da orla são montados palcos para shows musicais que se estendem até quase o amanhecer. A melhor vista para quem não está no meio da multidão é a de cima. Caso não consiga convite para nenhum dos apartamentos da Avenida Atlântica, reserve um quarto de frente para a praia no Méridien com bastante antecedência. Os rituais religiosos de origem africana que deram origem a essa festa agora costumam ser realizados nos dias que antecedem o evento.

O QUE: evento, hotel. **LE MÉRIDIEN COPACABANA:** Avenida Atlântica, 1.020. Tel. (21) 3873-8850 e 0800-25-7171; www.meridien-br.com/rio. **QUANTO:** duplos a partir de R$290; pacote de 4 noites para o Ano-Novo a partir de R$4.400.

Uma paisagem urbana incomparável

CORCOVADO

Rio de Janeiro, Brasil

O alto do morro do Corcovado é uma vitrine de 360º que mostra a beleza do Rio de Janeiro em todo o seu esplendor. Trata-se de um panorama hipnótico, de tirar o fôlego, um quadro irresistível – praias brancas de curvas suaves, arranha-céus, montanhas de rocha escura, o verde exuberante da floresta tropical e a baía de Guanabara salpicada de ilhas – que justifica plenamente o epíteto utilizado pelos cariocas para se referir à sua metrópole: Cidade Maravilhosa. O alto do Corcovado é coroado pela estátua de concreto revestida de pedra-sabão do Cristo Redentor, de braços abertos, com 37m de altura e 23m de envergadura. Símbolo da cidade, ela foi criada em 1922 em comemoração ao centenário da Independência do Brasil, mas sua conclusão só ocorreu nove anos mais tarde. Quase duas vezes mais alto, o morro do Corcovado proporciona uma esplêndida vista de seu característico rival, o morro do Pão de Açúcar, de 395m, confirmando que nenhuma outra grande cidade é tão abençoada com belezas físicas e naturais quanto o Rio. O trem de passageiros que conduz ao topo leva 20 minutos para completar os 3,7km de percurso, uma íngreme subida em meio ao Parque Nacional da Tijuca, o maior parque urbano do mundo – 3.300ha de floresta com cascatas refrescantes, habitada por enormes borboletas-azuis.

Embarque num passeio mágico até o símbolo maior da cidade.

O QUE: lugar. **ONDE:** pode-se chegar de táxi ou carro por uma estrada sinuosa; mais interessante, porém, é o trem que corta a floresta; Estação de Trem do Cosme Velho (todo motorista de táxi conhece), Rua Cosme Velho, 513. Tel. (21) 2558-1329. **QUANTO:** R$30. **QUANDO:** os trens saem a cada 30 minutos, diariamente. **MELHOR ÉPOCA:** num dia claro, vá no fim da tarde para desfrutar o espetáculo do crepúsculo no topo.

A melhor vitrine da cidade

PRAIA DE IPANEMA

Rio de Janeiro, Brasil

Em 1960, dois músicos locais sem muito dinheiro – Antônio Carlos Jobim e Vinícius de Moraes – escreveram uma canção sobre uma linda garota da praia de Ipanema. Não imaginavam que com isso transformariam essa faixa de areia num santuário tão distintivo do caráter do bairro quanto é o Pão de Açúcar para o perfil inconfundível da cidade. O Rio de Janeiro tem cerca de 80km de lindas praias de areia branca. De todas elas Ipanema é a mais sofisticada e seletiva, lugar de corpos bonitos, biquínis pequenos e formadores de tendências. É uma das preferidas das pessoas chiques e em dia com a moda, que a freqüentam para se embelezar, se exibir, se encontrar, jogar vôlei, paquerar, caminhar, ver e ser vistas. Ipanema é uma vitrine, um palco, um microcosmo, um estudo do exuberante etos dos rituais e do modo de vida dos cariocas. Depois de um dia ali, os visitantes vão embora, queimados de sol, com uma idéia do que é esse jeito vagaroso e gregário que brota de um amor antigo e sensual da cidade por suas praias. É uma festa para os amigos e a família – um clima não tão turbulento e ruidoso quanto a atmosfera de festival de rua de Copacabana, mas que não deixa de ser uma festa, para a qual quem é de fora não precisa de convite.

O QUE: lugar. **ONDE:** junto à praia de Copacabana; seu trecho mais badalado é conhecido como Posto 9. **MELHOR ÉPOCA:** Nov.–Mar.

Excesso culinário levado às alturas

CHURRASCARIAS E FEIJOADA NO RIO DE JANEIRO

Rio de Janeiro, Brasil

Os cariocas comem como se vestem e festejam – com um invejável senso de abandono. E que se danem as calorias. Foi esse amor nacional pelos excessos que fez do rodízio e da feijoada as peças de resistência da tradicional cozinha brasileira. Os cariocas têm uma especial afeição por suas churrascarias.

Há anos a melhor casa de rodízio da cidade, o Porcão Rio's é um interminável festival de carnes, cujo prato principal é um suculento churrasco servido por um exército de garçons com espetos de carne assada na brasa em busca de pratos vazios para depositar fatias de uma grande variedade de cortes de boi, frango, cordeiro e porco. Vá devagar, pois o filé mignon sempre parece chegar por último. Churrascarias não são lugares para vegetarianos e ativistas de direitos dos animais, embora a longa lista de acompanhamentos do Porcão inclua magníficas rodelas de cebola, batatas fritas e dúzias de saladas. É impressionante observar os jovens esfomeados que lotam essa querida instituição de glutonaria, aparentemente despreocupados com o fato de que Ipanema e os biquínis os esperam. Parece até que fazem jejum desde a véspera, porque ainda arranjam lugar para as excelentes sobremesas, algumas delas servidas em enormes taças de cristal.

Para os que fazem questão de saborear outra paixão nacional, especialmente carioca: uma das alternativas mais confiáveis para se comer uma boa feijoada é o elegante Petronius, no Hotel Caesar Park de Ipanema, há muito considerado a melhor opção da cidade. Ali esse prato em geral é reservado para o almoço de sábado, talvez para que se possa dormir durante todo o domingo. Leve não é – nem particularmente atraente. O cronista Sérgio Porto disse que a feijoada nunca será completa sem que haja uma ambulância parada na porta. E no Petronius essa refeição é preparada como manda o figurino: em imensos panelões escuros contendo carnes-secas, toucinho, lombo de porco, costela e diferentes tipos de lingüiça, tudo acompanhado de arroz branco, farofa, couve e laranja. Em geral, os restaurantes de hotéis desse nível evitam incluir certas partes do porco (orelha, rabo, patas), exceto quando solicitado.

O QUE: restaurante. **PORCÃO RIO'S:** de frente para o Pão de Açúcar, é a filial do Porcão mais bonita da cidade. Avenida Infante Dom Henrique, s/n.º, Aterro do Flamengo. Tel. (21) 3461-9020; www.porcao.com.br. *Quanto*: rodízio R$57. *Quando*: Dom.–Qui., 11h30–0h; Sex.–Sáb., 11h30–1h. **PETRONIUS:** Hotel Caesar Park, Avenida Vieira Souto, 460, Ipanema. Tel. (21) 2525-2525; www.caesar-park.com. *Quanto*: feijoada R$69. *Quando*: Sáb., 12h–16h30.

Tranqüilidade verde no coração de uma metrópole

JARDIM BOTÂNICO

Rio de Janeiro, Brasil

Quando as tropas de Napoleão Bonaparte avançaram sobre Portugal no início do século XIX, a família real portuguesa partiu em disparada para o Rio de Janeiro carregando tudo o que podia – e veio realmente de tudo.

O rei Dom João VI não se esqueceu de trazer nem mesmo suas mudas de especiarias das Índias Orientais, plantas exóticas que deram origem à fundação do Jardim da Aclimação, em 1808. Com o tempo, o jardim foi crescendo, e essa área cercada de exuberante Mata Atlântica próxima à lagoa Rodrigo de Freitas se transformou no Horto Real, hoje o adorável Jardim Botânico do Rio de Janeiro. Esqueça as buzinas histéricas dos carros que congestionam constantemente a rua que dá acesso ao parque e vagueie por entre os lagos e aléias desse tranqüilo lugar. Curiosidades não faltam, como a estufa

Beleza natural num cenário histórico.

de plantas insetívoras, o orquidário e a coleção de bromélias. Mas é ao ar livre que o Jardim Botânico – playground de crianças privilegiadas da vizinhança e cenário ideal para passeios de casais apaixonados – mostra sua força. São mais de 5.000 árvores, muitas delas centenárias, e cerca de 8.000 espécies de plantas em 137ha. O corredor de palmeiras-imperiais, o chafariz central (de 1895), o lago das vitórias-régias e o jardim japonês são outros recantos fundamentais para uma tarde inesquecível.

O QUE: lugar. **ONDE:** Rua Jardim Botânico, 920. Tel. (21) 2294-9349. **QUANTO:** ingresso R$5. **QUANDO:** diariamente. **MELHOR ÉPOCA:** Out.–Dez. para ver as florações; até o meio da tarde, antes do ataque dos mosquitos.

O templo do futebol brasileiro

MARACANÃ

Rio de Janeiro, Brasil

Não, o Maracanã não é mais "o maior estádio do mundo", como nos acostumamos a chamá-lo desde a sua inauguração, em 1950, quando o Rio de Janeiro sediou a quarta Copa do Mundo de Futebol. Hoje, depois da construção de estádios maiores e mais modernos em Portugal, no México e na Coréia, o Maracanã precisa se contentar com as glórias do passado, embora, naturalmente, ainda seja um estimado símbolo do futebol brasileiro e mundial. Foi lá que o Brasil perdeu o título de 1950 para o Uruguai, numa partida dramática que mesmo os que não eram nascidos na época não conseguem esquecer. Foi também nessa espécie de templo do esporte carioca que Pelé marcou seu milésimo gol, em 1969, num jogo do Santos contra o Vasco. Cenário de glória para uns e fracasso para outros, o Maracanã tem capacidade para cerca de 170.000 pessoas nas partidas de futebol, mas sua lotação aumenta quando se torna palco de shows (como os de Madonna, Paul McCartney e Rolling Stones) e celebrações religiosas (como a missa campal do Papa João Paulo II, em 1980), ocasiões em que o gramado também é ocupado pelo público. O ideal é conhecer o Maracanã – ou simplesmente o "Maraca", na gíria carioca – num dia de jogo de times historicamente rivais, como o Flamengo e o Fluminense. É quando a arquibancada treme, os gritos da torcida ecoam e todos vivenciam uma espetacular catarse coletiva na hora dos gols. As visitas guiadas têm a vantagem de levar os turistas aos vestiários e corredores usados pelos clubes e também ao campo, áreas fechadas ao público em dias de jogo.

Onde o Rio vibra com eventos eletrizantes.

O QUE: lugar. **ONDE:** Rua Professor Eurico Rabelo, portão 16, Maracanã. Tel. (21) 2299-2942 e (21) 2568.9962. **QUANDO:** visitas guiadas são realizadas diariamente, exceto nos dias de jogo. **QUANTO:** visitas guiadas R$5.

Um passeio de bondinho até bem perto do céu

Pão de Açúcar

Rio de Janeiro, Brasil

Os cariocas transbordam de orgulho pela topografia mágica de sua cidade, e com razão. Afinal, não bastassem praias, baías, lagoas, enseadas e belíssimas montanhas por toda parte, ainda existe o Pão de Açúcar, uma majestosa formação rochosa de 295m de altura e cerca de 600.000.000 de anos, na entrada da baía de Guanabara, entre a enseada de Botafogo e Copacabana. Poderia haver localização melhor? A idéia de explorar o potencial turístico desse lugar deslumbrante surgiu em 1912: quando em todo o mundo existiam apenas dois teleféricos, foi inaugurado ali o bondinho suspenso por cabos, que passou a levar visitantes ao topo do Pão de Açúcar. Precário e inseguro aos olhos de hoje, o antigo bondinho e suas engrenagens estão expostos no morro da Urca, a primeira e aprazível parada a caminho do Pão de Açúcar. Lá de cima, a vista é estonteante – você vê o mar, as praias, as ilhas e a cidade em toda a sua vibração.

Suba a montanha e saboreie a vista.

O Que: lugar. **Onde:** Avenida Pasteur, 520, Urca. Tel. (21) 2546-8400. **Quanto:** R$30. **Quando:** Seg.–Dom.; o bondinho sai a cada 30 minutos. **Melhor Época:** durante todo o ano, especialmente nos dias de sol.

A Cidade Maravilhosa vista do céu

Um Vôo de Asa-Delta sobre o Rio

Rio de Janeiro, Brasil

Essa é certamente a mais excitante, fascinante e, é claro, apavorante maneira de se apreciar a paisagem da cidade. Não é necessário ser um atleta profissional para fazer um vôo duplo de asa-delta sobre a orla da praia de São Conrado, na Zona Sul. Quando você subir até à pista de decolagem na Pedra Bonita, a 530m de altura, a vista da floresta e do mar o deixará sem fôlego, e a primeira coisa que passará por sua cabeça será: "Ainda dá tempo de mudar de idéia?" Mas respire fundo e vá em frente. Munido de capacete e atado a ganchos e aparatos especiais, o destemido aventureiro que existe em você só precisará obedecer às recomendações nada complicadas do instrutor e... aproveitar. Passado o temor da decolagem, a sensação de liberdade, leveza e paz que o envolverá será incomparável.

Uma aventura para ficar na memória.

O QUE: experiência. **ONDE:** os saltos são realizados do alto da Pedra Bonita, com acesso por São Conrado, Zona Sul. **COMO:** a Skycenter conta com uma equipe de instrutores profissionais credenciados pela Associação Brasileira de Vôo Livre. Recomenda-se agendar o vôo duplo com alguns dias de antecedência. Tel. (21) 2437-4592; skycenter@skycenter.com.br; www.skycenter.com.br. **QUANTO:** R$180. O vôo tem duração mínima de 10 minutos, mas pode chegar a 40 minutos, dependendo das condições climáticas. **MELHOR ÉPOCA:** durante todo o ano, especialmente nos dias claros e com bons ventos.

Uma das maiores exposições de artes plásticas do planeta

BIENAL INTERNACIONAL DE SÃO PAULO

São Paulo, Brasil

Pinturas, esculturas, gravuras, desenhos, fotografias, instalações, vídeo-instalações, performances e o que mais a criatividade dos artistas contemporâneos um dia inventar. A cada dois anos, a cidade de São Paulo torna-se palco de uma das maiores e mais importantes exposições de artes plásticas do planeta. É a Bienal Internacional de São Paulo, que é realizada desde 1951 e atrai multidões ao monumental prédio de 30.000m² projetado por Oscar Niemeyer no Parque do Ibirapuera, o coração verde da cidade. Pense em algum artista de renome, brasileiro ou estrangeiro, e, provavelmente, ele já terá passado por lá. A histórica Bienal de 1953 contou com 51 telas de Pablo Picasso, inclusive ***Guernica***, na primeira vez em que essa obra saiu de Nova York (onde estava exposta antes de ser transferida para Madri). A gigantesca instalação ***Lightning with Stag in its Glare***, do alemão Joseph Beuys, apresentada na Bienal de 1989, hoje faz parte do acervo permanente do Tate Modern, o principal museu de arte moderna de Londres. Artistas dos mais diversos países, como Kuwait, Hungria, Coréia do

No palco da Bienal, arte e arquitetura soberbas.

Sul, Croácia, Congo e Letônia, já participaram da exposição, sinal de que se trata de um evento aberto a todos. E não só do ponto de vista da estética. Em 2004, na 26.ª edição da Bienal, a decisão por parte dos organizadores de não cobrar pelos ingressos fez com que um público recorde de 917.000 pessoas comparecesse aos 86 dias de mostra.

O QUE: evento. **ONDE:** Parque do Ibirapuera, portão 3, São Paulo. Tel. (11) 5574-5922; fax (11) 5549-0230; http://bienalsaopaulo.globo.com. **QUANTO:** ingresso gratuito. **QUANDO:** atualmente a Bienal é realizada nos anos pares, em geral entre Set.–Dez.

A arte de hospedar com classe

HOTEL FASANO

São Paulo, Brasil

Inaugurado em 2003, esse é um dos hotéis mais jovens de São Paulo. Seu flerte com a contemporaneidade, porém, pára por aí. Com projeto inspirado na arquitetura dos anos 1930 e 1940, o Hotel Fasano tem os pés fortemente fincados no passado. É como se tivesse sido idealizado e construído nas primeiras décadas do século XX, quando a família de imigrantes italianos que lhe dá nome aportou no Brasil. Tudo ali – incluindo os tijolos ingleses da fachada, os mapas antigos da decoração e as poltronas de couro compradas em antiquários de Paris, Londres e Buenos Aires – tem um quê de tradição. De fato, é uma tradição forjada, mas que está longe de parecer falsificada. A família Fasano, que há décadas administra bons restaurantes na cidade, entrou no ramo da hotelaria sem considerar a opção do erro. Apostou num hotel pequeno (são apenas 64 quartos), bonito, charmoso, clássico, com serviço impecável – os hóspedes são chamados pelo nome por todos os funcionários –, que logo se tornou um marco de São Paulo. Os quartos são amplos, confortáveis, porém sem os exageros estéticos tão comuns nos hotéis-butique encontrados mundo afora. Nas suas dependências, o aconchegante bar Baretto e o restaurante Fasano – cujo bar conta com uma imensa e deslumbrante parede de garrafas – tornaram-se ponto de encontro da alta sociedade paulistana, ávida por boa música (jazz e MPB, entre outros gêneros) e culinária de altíssimo nível.

O QUE: hotel. **ONDE:** Rua Vittorio Fasano, 88. Tel. (11) 3896-4000; fax (11) 3896-4155; reservation@hotelfasano.com.br; www.fasano.com.br. **QUANTO:** duplos a partir de R$679 (fins de semana) e R$944 (dias úteis).

Um encontro com o melhor da pintura mundial

MUSEU DE ARTE DE SÃO PAULO

São Paulo, Brasil

Esse pode até não ser o museu com a programação cultural mais vibrante da cidade – a Pinacoteca do Estado é bem mais ativa quando o assunto é promover mostras temporárias. Mas o Museu de Arte de São Paulo, ou simplesmente MASP, é a instituição cujo acervo permanente mais enche de orgulho os corações paulistanos. O arrojado prédio modernista projetado pela arquiteta italiana Lina Bo Bardi – apenas quatro pilares laterais sustentam a construção, formando um vão livre de 74m de comprimento – abriga uma significativa coleção de arte brasileira, com obras de nomes consagrados, como Cândido Portinari, Anita Malfatti, Di Cavalcanti e Victor Brecheret. Porém, foi o admirável acervo de peças estrangeiras que fez do MASP, a partir de 1947, o ano de sua inauguração, o museu-símbolo de uma São Paulo que se queria – e ainda se quer – cosmopolita e culta como qualquer outra grande cidade da Europa ou dos Estados Unidos. As telas de Matisse, Renoir, Manet, Toulouse-Lautrec, Degas, Monet, Gauguin e Cézanne expostas ali poderiam estar nas paredes de qualquer outro museu de prestígio do mundo. O ***Retrato de Suzanne Bloch***, da fase azul de Picasso, é esplêndido, assim como a fabulosa tela ***Madame G. van Muyden***, de 1917, assinada por um Modigliani em sua melhor forma. Completam a coleção internacional algumas pinturas de Hieronymus Bosch, Goya, Tintoretto, El Greco e Fragonard. São Paulo tem mesmo muito do que se orgulhar.

O tesouro dos paulistanos e sua arrojada arquitetura.

O QUE: lugar. **ONDE:** Avenida Paulista, 1.578. Tel. (11) 3251-5644; fax (11) 3284-0574; www.masp.art.br. **QUANTO:** ingresso R$10; estudantes R$5. Menores de 10 anos e maiores de 60 anos não pagam. **QUANDO:** Ter.–Dom., 11h–18h. A bilheteria fecha às 17h.

Um passeio pelas melhores cozinhas de uma cidade

O Melhor da Gastronomia em São Paulo

São Paulo, Brasil

D.O.M. – Muitos entusiastas da alta-gastronomia não vacilam em afirmar que esse é o melhor restaurante do Brasil. E, de fato, comer ali é uma experiência próxima do divino. O chef Alex Atala comanda com personalidade uma cozinha inventiva e cheia de surpresas, que mistura elementos clássicos da culinária francesa com os mais exóticos ingredientes. É o caso, por exemplo, do magnífico foie gras com crocante de arroz-selvagem, *sorbet* de cambuci e caldinho de bonito. Também são esplêndidas as ostras empanadas com tapioca marinada. Peça o cardápio-degustação (de quatro ou oito pratos) e prepare-se para uma das mais deliciosas e mais caras refeições da sua vida. **Onde:** Rua Barão de Capanema, 549, Cerqueira César. Tel (11) 3088-0761; www.domrestaurante.com.br.

A Figueira Rubaiyat – Não há como não se impressionar com a majestosa figueira que, com seus galhos gigantes, domina toda a área externa desse aprazível restaurante localizado num dos pontos mais valorizados de São Paulo. Comer ao ar livre – há um discreto teto de vidro por entre os galhos da árvore – é um luxo que só fica melhor quando o que sai da cozinha também é de encher os olhos e aguçar o paladar. A tradicional paelha é farta, suculenta, deliciosa. O caixote marinho é uma combinação admirável de sabores que inclui vieiras, camarões, polvo, lula e peixe. Você também pode e deve apostar nas suculentas carnes do Figueira, provenientes de uma fazenda de gado própria, que há anos são eleitas as melhores de São Paulo. **Onde:** Rua Haddock Lobo, 1.738, Jardim Paulista. Tel. (11) 3063-3888; www.rubaiyat.com.br.

Famiglia Mancini – Tão célebres quanto suas massas bem-servidas (as generosas porções dão para até três pessoas) são as filas na porta dessa tradicional cantina italiana no centro de São Paulo. Todos os dias cerca de 1.000 clientes se sentam às mesas do Famiglia Mancini. Não sem antes esperar um tempão na calçada. Qual o motivo de tamanho sacrifício? Para começar, a comida é muito boa, e o cardápio, variadíssimo, oferece todo tipo de massa e molho que se possa imaginar. O que completa o programa é a aconchegante decoração com fitas, garrafas de vinho e instrumentos musicais pendurados no teto, além das fotos antigas de atores e atrizes de teatro nas paredes. Todas as 180 cadeiras da casa têm nomes de artistas e políticos. Escolha a sua. **Onde:** Rua Avanhandava, 81, Centro. Tel. (11) 3256-4320; www.famigliamancini.com.br.

Acrópoles – Numa cidade tão povoada por imigrantes quanto São Paulo, não surpreende que um de seus destaques gastronômicos seja um restaurante grego. E esse é uma autêntica instituição paulistana. Há 45 anos instalado no bairro do Bom Retiro, o Acrópoles chega a ser exageradamente simples, com mesas apertadas cobertas por toalhas azuis. Tudo aquilo que falta na decoração, no entanto, é compensado por pratos apetitosos, como o carneiro ao forno e o ***moussaka*** (uma torta típica feita de batata, carne moída e berinjela), que os clientes escolhem de pé diante de um balcão junto à cozinha. A informalidade ganha força na figura do dono do restaurante, o grego Thrassyvoulos Petrakis, conhecido como "Seu Trasso". Ele estabelece onde o cliente vai se sentar, ajuda na escolha dos pratos e, acima de tudo, confere alma ao lugar. **ONDE:** Rua da Graça, 364, Bom Retiro. Tel. (11) 3223-4386.

CARLOTA – Restaurantes de "cozinha contemporânea" aparecem e desaparecem em São Paulo num piscar de olhos. O mérito do Carlota, que já completou 10 anos de vida, não é só a longevidade dentro de um universo tão efêmero. É também a constante capacidade de reinvenção da chef Carla Pernambuco. As entradas, em pequenas e variadas porções, como o ***plateau*** Bombay, um ***mix*** de aperitivos indianos, são uma tentação. Daí, vale partir para o irresistível camarão crocante com risoto de presunto-de-parma e chutney de pimentão. A noite será perfeita se a sobremesa escolhida for o imbatível suflê de goiabada com calda de queijo catupiry. O ambiente despojado, com paredes de tijolos aparentes pintados de branco, fica encantador à luz de velas. **ONDE:** Rua Sergipe, 753, Higienópolis. Tel. (11) 3661-8670; www.carlota.com.br.

GERO – Se tivesse o dobro dos 90 lugares de que dispõe, ainda assim o Gero seria considerado pequeno. Os paulistanos são incansáveis quando se trata de conseguir uma mesa nesse que é um dos melhores e mais badalados restaurantes da cidade. Um lugar para comer bem, ver e ser visto. Duas coisas que nem sempre andam juntas, mas que ali, dada a grife da família Fasano (do hotel de mesmo nome), encontram a conjugação perfeita. O salão estreito e comprido fica lotado para almoço e jantar. A especialidade da casa é a alta-gastronomia italiana. Experimente clássicos do cardápio, como o ***tagliolini*** negro com lula ao ***pesto*** de rúcula ou o ***tagliatelli*** com ragu de lingüiça e ***radicchio***. **ONDE:** Rua Haddock Lobo, 1.629, Jardim Paulista. Tel. (11) 3064-0005; www.fasano.com.br.

ARÁBIA – Descobrir os prazeres gastronômicos da cidade de São Paulo não seria uma aventura completa sem uma ida a um restaurante de comida árabe, tamanha é a presença dessa colônia de imigrantes por ali. A cozinha do Arábia é repleta de delicadezas e encantamentos, como o quibe com nozes e o quibe cru de salmão. Embora seja brasileira, a chef e proprietária da casa, Leila Kuczynski, passou parte da infância no Líbano, onde nasceu seu pai, e aprendeu com a mãe várias das receitas que fazem o sucesso de seu sofisticado restaurante. O ***fatayer***, de carne ou verduras, é uma espécie de esfirra assada na chapa, típica das regiões montanhosas do Líbano. Prove também o arroz marroquino, com frango desfiado e amêndoas. **ONDE:** Rua Haddock Lobo, 1.397, Jardim Paulista. Tel. (11) 3061-2203; www.arabia.com.br.

A Figueira Rubaiyat brilha no circuito gastronômico da cidade.

JUN SAKAMOTO – Não ligue para a fama de antipático do chef Jun Sakamoto, o jovem sushiman que é o dono e a estrela maior desse que é sucessivamente eleito o melhor restaurante japonês de São Paulo. Todas as noites – a casa não abre para o almoço – Jun prepara para apenas oito clientes que se sentam diante do balcão (reservas são obrigatórias) um cardápio-degustação-surpresa que costuma incluir ingredientes inesperados como enguia, vieiras, foie gras, água-viva e ouriço. Tudo é fresco, artesanal, perfeito – os bolinhos de arroz são coisa do outro mundo. Mas não espere sorrisos do chef, muito menos a possibilidade de puxar um papo com ele. Jun não está ali para isso. Conforme-se, portanto, com os sabores de um jantar mágico. Os outros clientes são atendidos nas mesas, com cardápio à la carte preparado por chefs auxiliares. **ONDE:** Rua Lisboa, 55, Pinheiros. Tel. (11) 3088-6019.

O maior espetáculo de som e fúria da natureza

CATARATAS DO IGUAÇU

Foz do Iguaçu, Paraná, Brasil

Ironicamente, essa é uma das cataratas menos conhecidas do mundo. Mesmo assim, consegue roubar a cena de todas as outras – é até mais larga do que as cataratas do Niágara. Ali, mais de 1.700m³ de água saltam por segundo sobre paredões de rocha de 60m de altura. São 275 quedas-d'água distintas – que chegam a 350 durante a estação das chuvas – numa ampla ferradura que forma a fronteira natural do Brasil com o norte da Argentina. Sua grandeza pode ser apreciada de ambos os lados, o brasileiro e o argentino. (Passeios de helicóptero só estão disponíveis no território brasileiro, com vôos especiais durante a lua cheia.) O nome indígena original Iguaçu (Água Grande) sobreviveu à denominação oficial Saltos de Santa Maria, atribuída em 1541 pelo explorador português Álvaro Nunes ("Cabeça de Vaca"). Uma fantástica rede de caminhos e passarelas encharcados conduz os viajantes em meio à densa mata tropical ao longo das cataratas para a fantástica experiência de vê-las bem de perto. Mais de 80% delas ficam no lado argentino, incluindo a deslumbrante Garganta do Diabo – a mais impressionante de todas as quedas-d'água. Se você anseia dormir ouvindo o estrépito das águas, o hotel Tropical das Cataratas Eco Resort, dentro do Parque Nacional do Iguaçu, é a melhor opção de hospedagem.

O QUE: lugar, hotel. **CATARATAS DO IGUAÇU:** fronteira Brasil–Argentina, Parque Nacional do Iguaçu. **TROPICAL DAS CATARATAS ECO RESORT:** Tel. (45) 521-7000 e 0800-70-126-70; www.tropicalhotel.com.br. *Quanto*: duplos a partir de R$473. **MELHOR ÉPOCA:** o acesso a algumas passarelas pode ser limitado durante os meses de cheia (Abr.–Jun.), mas as florestas estão repletas de borboletas; Aug.–Nov. são ótimos para escalar ao redor das cataratas.

A ferradura das cataratas do Iguaçu tem mais de 3km de extensão.

Frisson hollywoodiano no sul do Brasil

FESTIVAL DE CINEMA DE GRAMADO

Rio Grande do Sul, Brasil

No mês de agosto Gramado respira celulóide. É assim desde 1973, quando a cidade passou a promover o festival de cinema que leva seu nome. Artistas brasileiros de todos os naipes – dos mais famosos aos considerados cult, ou alternativos – tornam o Palácio dos Festivais um lugar fascinante, com a maior concentração de estrelas do Brasil. A exibição oficial dos filmes nacionais e latino-americanos é o programa mais disputado, embora também haja mostras paralelas para todos os gostos, incluindo produções infantis. Mesmo quem não é aficionado por filmes se diverte, afinal a entrada para o festival tem um quê hollywoodiano, com canhões de luz e tapete vermelho por onde passam os concorrentes ao Kikito de Ouro. Os fãs ficam por ali até tarde só para ver seus ídolos de perto. Esse frisson, que se estende por seis dias de agosto, interrompe a calma relativa que se vê em Gramado no resto do ano. A outra exceção são os meses de novembro e dezembro, quando a cidade se torna a terra de Papai Noel, com uma programação natalina intensa, voltada principalmente para as crianças. É também nessa época que a floração das hortênsias, flor símbolo da cidade, alcança seu esplendor, o que embeleza ainda mais a paisagem bucólica da serra Gaúcha. Não vá embora sem tomar um café colonial, uma criação dos imigrantes alemães, que inclui uma variedade incrível de bolos, tortas, pães, doces, geléias, frios, queijos, lingüiças e o que mais a fome desejar – são cerca de 80 itens. O Café Colonial Bela Vista, instalado numa típica construção alemã, é um dos mais tradicionais entre as dezenas de estabelecimentos do gênero em Gramado.

O QUE: evento, restaurante. **ONDE:** a 131km de Porto Alegre. **FESTIVAL DE CINEMA DE GRAMADO:** festival@festcinegamado.com.br; www.festcinegramado.com.br. **CAFÉ COLONIAL BELA VISTA:** Avenida das Hortênsias, 3.500. Tel. (54) 286-1608. **QUANDO:** o festival de cinema é realizado durante 6 dias, geralmente na 3.ª semana de Ago.

Um pedaço da Itália

VALE DOS VINHEDOS NA SERRA GAÚCHA

Bento Gonçalves, Rio Grande do Sul, Brasil

E se, em vez dos portugueses, os italianos tivessem colonizado o Brasil? Que cara teria este país? A resposta é simples: a do vale dos Vinhedos, na serra Gaúcha. Os primeiros imigrantes a chegar ali foram os alemães, em

1820, mas foram os italianos que deram rosto e alma ao lugar a partir de 1870. O Rio Grande do Sul produz cerca de 90% do (cada vez mais apreciado) vinho nacional – e é no vale dos Vinhedos, com suas 24 propriedades vinícolas, que se concentram os melhores produtores do estado. A região, nos arredores de Bento Gonçalves, parece um pedaço da Itália, com belos vales, montanhas verdejantes e plantações de uva a perder de vista. Ali você pode curtir noites animadas por festas típicas, com danças, comidas e trajes característicos, porém a grande estrela é o vinho. Não importa o tamanho da propriedade vinícola, todas elas estão abertas à visitação ao longo do ano. Nos meses de inverno há cursos de degustação, no entanto é em janeiro, época da colheita, que alguns estabelecimentos aproveitam para promover programas bem mais emocionantes do que uma simples caminhada por caves repletas de tonéis de carvalho. Fundada em 1875, a Casa Valduga, por exemplo, permite que os visitantes participem da vindima e ainda amassem as uvas com os pés. Coisa de filme. A Valduga também funciona como pousada e é uma ótima opção de hospedagem para quem deseja permanecer por alguns dias no coração desse vale. O conforto é o ponto em comum de suas 14 suítes de estilos diversos, do rústico ao moderno. Nas noites de frio, não dispense uma taça de vinho na frente da lareira – apenas por um instante você se sentirá em plena Itália.

O QUE: lugar, hotel. **ONDE:** a 120km de Porto Alegre. **POUSADA CASA VALDUGA:** Linha Leopoldina, vale dos Vinhedos, km 6. Tel. (54) 453-1154; www.casavalduga.com.br. ***Quanto***: duplos a partir de R$170, curso de degustação de vinhos incluído. **MELHOR ÉPOCA:** Jun.–Ago. (para tempo melhor) e Jan. (para a colheita das uvas).

O esplendor do tesouro jesuítico nos pampas gaúchos

SÃO MIGUEL DAS MISSÕES

Rio Grande do Sul, Brasil

Foi uma empreitada de proporções épicas. Em pleno século XVII, por ordem da Coroa espanhola, diversas missões jesuíticas partiram para a região da bacia do rio da Prata e fundaram ali nada menos do que 30 povoados religiosos. A intenção era catequizar – e transformar em força de trabalho – os milhares de índios guaranis que habitavam a área. Calcula-se que cerca de 140.000 deles tenham chegado a viver sob a tutela dos padres espanhóis. Para abrigar todas essas pessoas, foram erguidos conjuntos arquitetônicos fabulosos – alguns de maior porte, outros mais modestos, porém todos com a mesma estrutura principal: igreja, praça, hospital, escola, casa dos padres, casa dos índios, oficinas, cemitério. Com o passar dos séculos – e por causa dos muitos embates entre portugueses, espanhóis e guaranis –, pouca coisa permaneceu de pé. Do que restou, o mais bem conservado sítio ar-

As ruínas da igreja em São Miguel das Missões.

queológico é o de São Miguel, no Rio Grande do Sul. Fundado em 1687, ele exibe as ruínas da imponente igreja de pedra de São Miguel Arcanjo, com suas arcadas romanas e colunas coríntias, além de muitas outras instalações semidestruídas. Ao entardecer, os raios do sol colorem de um tom quase vermelho as fachadas dos prédios, espetáculo que se completa logo em seguida com um show diário de som e luz que conta a história das missões. Nos anos 1940 foi erguido na área um museu com projeto do arquiteto Lúcio Costa para abrigar as obras de arte feitas pelos índios na época da colonização. Em 1983, a Unesco declarou São Miguel das Missões Patrimônio Cultural da Humanidade – alguns de seus especialistas chegaram mesmo a afirmar que esse conjunto arquitetônico é tão importante quanto o Coliseu de Roma e a Acrópole de Atenas.

O QUE: lugar. **ONDE:** a 485km de Porto Alegre. **QUANTO:** ingresso para as ruínas R$5. **QUANDO:** diariamente.

AMÉRICA DO SUL E ANTÁRTIDA

Vida e morte em grande estilo

O ALVEAR PALACE E O CEMITÉRIO DA RECOLETA

Buenos Aires, Argentina

O Barrio Norte de Buenos Aires é o endereço das elites sofisticadas da Argentina. Localizado no coração da elegante área da Recoleta, ele abriga o tradicional Alvear Palace, um dos hotéis de luxo de maior classe

Relaxe com um drinque no elegante Lobby Bar.

e charme da América do Sul. Com um aspecto bem mais europeu do que argentino na decoração e no design, seus interiores exibem tecidos e móveis Luís XVI originais, comprados na França para sua inauguração em 1832. O inconfundível estilo francês desse hotel é exemplificado de maneira deliciosa pelo seu restaurante, o La Bourgogne. Admire a encantadora paisagem urbana a partir do jardim situado no último andar ou marque um encontro no Lobby Bar da casa, um dos pontos mais chiques da cidade. Dirija-se a seguir para qualquer museu, butique ou restaurante da Recoleta. Outra opção é visitar os 4ha do histórico cemitério de La Recoleta, onde estão enterradas gerações da elite argentina: patriarcas, presidentes e poetas repousam ali e – sim – também Evita. Você pode perambular pelas aléias por conta própria à sombra de magnólias seculares e em meio aos mais de 7.000 imponentes e solenes túmulos e mausoléus de poderosas famílias portenhas. Mas uma visita guiada proporciona mais informações sobre o passado dessas celebridades, tanto das amadas quanto das detestadas.

Entre os 70 túmulos declarados patrimônios nacionais, procure a lápide negra do túmulo de Evita com seu epitáfio mundialmente conhecido: "Não chore por mim, Argentina. Estarei sempre perto de você, a verdade é que eu nunca te deixei."

O QUE: hotel, lugar. **ALVEAR PALACE:** Avenida Alvear, 1.891. Tel. (54) 11-4808-2100; fax (54) 11-4804-0034; alvear@satlink.com; www.alvearpalace.com. *Quanto*: duplos a partir de U$410. Jantar no La Bourgogne U$100. **CEMITÉRIO DA RECOLETA:** Calle Junín em frente à Plaza Alvear. **MELHOR ÉPOCA:** Set.–Out, Abr.–Mai.

Um santuário para o prato nacional argentino

LA CABAÑA LAS LILAS

Buenos Aires, Argentina

La Cabaña Las Lilas, uma das churrascarias mais conhecidas do mundo, prepara na brasa cerca de 90t de carne de vaca por ano. Fundada em 1905 e ocupando um armazém reformado na área das docas de Puerto Madero, a Las Lilas, com suas paredes cobertas por painéis de madeira, é a rainha do churrasco da capital argentina. O lugar é o endereço preferido pelas autoridades quando se trata de apresentar algum VIP estrangeiro a essa especialidade nacional. Os novilhos argentinos são criados numa dieta de grãos livre de hormônios, o que resulta numa carne menos gordurosa e, portanto, com menos colesterol. Em matéria de qualidade não encontra rivais no hemisfério sul, talvez em nenhum outro lugar do mundo, fato que deixa os argentinos orgulhosos – e com razão.

Embora a Las Lilas dê destaque para o churrasco feito com carne de sua própria estância, de 7.000ha, uma de suas especialidades alternativas é a ***parrillada***, em geral preparada com alguns quitutes que nem todos apreciam, como pâncreas, rim e cérebro. É melhor escolher a carne e acompanhá-la com um dos excelentes tintos ***malbec*** da região de Mendoza.

O QUE: restaurante. **ONDE:** Alicia Moreau de Justo, 516, Puerto Madero. Tel. (54) 11-4313-1336; restaurant@restlaslilas.com.ar; www.laslilas.com.ar. *Quanto*: U$30.

O tango reina na noite

LAS TANGUERÍAS DE BUENOS AIRES

Argentina

O tango, a celebração à moda argentina do machismo, da dominação e do amor atormentado, está no próprio ar que os portenhos respiram. Esse lamento angustiado, transformado numa dança requintada de ritmo sensual e sincopado, é a mais autêntica das criações nacionais. Sua popularidade tem crescido desde os impetuosos anos 1920, época em que Carlos Gardel, cantor de charme sofisticado e de uma beleza sombria, arrebatou o coração do país antes de morrer tragicamente num desastre aéreo em 1935. Descobrir o rastro do tango em Buenos Aires é ao mesmo tempo fácil e impossível: ele está em toda parte e em lugar nenhum.

Uma recente ressurreição da tangomania confirma o fato de que essa música popular de origem negra sobreviveu à era do rock. Todas as noites, algumas das grandes casas de dança, como El Viejo Almacén e a Casa Blanca, apresentam para salas lotadas espetáculos emocionantes com os melhores dançarinos, músicos e cantores de tango. Para assistir a um tango no seu habitat natural – o clássico pequeno bar enfumaçado e mal iluminado, onde as coisas só começam a acontecer depois da meia-noite –, o mais indicado é ir ao Bar Sur. Aos domingos, no mercado de pulgas na Plaza Dorrego, dançarinos amadores apresentam shows espontâneos pelas esquinas – sem o brilho e o refinamento dos profissionais, talvez, mas com toda a sua alma.

O QUE: experiência, lugar. **EL VIEJO ALMACÉN:** Avenida Balcarce, 799, San Telmo. Tel. (54) 11-4307-6689; www.viejo-almacen.com.ar. ***Quanto***: U$40 por pessoa, incluindo bebidas. ***Quando***: shows de Dom.–Qui. 22h; Sex. e Sáb. 21h30 e 23h45. **CASA BLANCA:** Avenida Balcarce, 668, San Telmo. Tel. (54) 11-4331-4621 e (54) 11-4343-5002. ***Quanto***: U$40 por pessoa, incluindo bebidas. ***Quando***: shows Seg.–Sex. 22h, Sáb. 21h e 23h. **BAR SUR:** Calle Estados Unidos, 299, San Telmo. Tel. (54) 11-4362-6086; info@bar-sur.com.ar; www.bar-sur.com.ar. ***Quanto***: U$15 (drinques não incluídos, mas a pizza é grátis!). ***Quando***: Seg.–Sáb. 20h–4h.

A elegância no teatro e depois do espetáculo

O Teatro Colón e o Gran Café Tortoni

Buenos Aires, Argentina

Buenos Aires é a campeã da vida noturna, e muito da sua vibrante programação cultural se deve aos seus 300 teatros. O mais imponente deles, o Teatro Colón, foi projetado para ser a sala preferida dos artistas. Concluído em 1908, tornou-se o destino das férias de inverno. Gabando-se de ter uma acústica impecável, a casa atraiu estrelas como Anna Pavlova, Maria Callas, Enrico Caruso e Luciano Pavarotti. Nas palavras de Mikhail Barishnikov: "O mais belo teatro que já conheci." O edifício enorme e majestoso abriga sua própria orquestra sinfônica e companhias de balé e de ópera. Seu interior distribuído em seis níveis é uma perfeita maravilha de dourados e veludos vermelhos, além de motivo de um profundo orgulho nacional. Se sua estada coincidir com um período sem espetáculos, contente-se com uma visita fascinante às salas de ensaios, áreas de dança e oficinas dedicadas a figurinos, cenários e perucas – tudo isso está localizado em três fantásticos andares subterrâneos onde trabalham mais de 1.000 pessoas. Não se deixe desanimar pelo aviso "Agotado!" na bilheteria: uma grande antecâmara no estilo de Versalhes, conhecida como Salón Dorado, apresenta concertos de música de câmara gratuitos quase todas as noites nos dias de semana.

Depois de assistir a qualquer espetáculo no Teatro Colón, há apenas um lugar para você ir: o Gran Café Tortoni, o mais antigo e elegante café da cidade – a impressão é que se está em Paris, e não Buenos Aires. Nesse local histórico, Einstein trocou opiniões com intelectuais argentinos, e a cantora e dançarina Josephine Baker também apreciava ser vista ali, o cenário cultural mais sofisticado de Buenos Aires. As esquinas são repletas de ***confiterías***, onde os portenhos tradicionalmente iniciam e terminam seu dia. Todas elas têm seu próprio sabor, história e clientela, mas nenhuma celebra a Belle Époque como a Tortoni, com sua decoração original do século XIX: painéis de madeira, azulejos decorados, cadeiras de couro vermelho e clarabóias pintadas. Não é preciso se desculpar para fazer hora, sozinho ou bem acompanhado, diante de um ***café con leche*** ou de uma sidra suave, que é uma das especialidades da casa.

A imponência exterior do edifício está à altura da grandiosidade da sala de espetáculos.

O QUE: evento, lugar, restaurante. **TEATRO COLÓN:** Avenida Cerrito, 618. Tel. (54) 11-4378-7344; boletaria@teatrocolon.org.ar; www.teatrocolon.org.ar. *Quanto*: ingressos U$10–U$50. *Quando*: temporada de Fev.–Nov. **GRAN CAFÉ TORTONI:** Avenida de Mayo, 825, próximo à Plaza de Mayo. Tel./fax (54) 11-4342-4328; tortoni@infovia.com.ar; www.cafetortoni.com.ar. *Quando*: 8h–3h, diariamente. Tango todas as noites, exceto às Ter.; jazz às Sex. e Sáb. à noite.

Um prazer rural do século XIX

ESTANCIA LA BENQUERENCIA

San Miguel del Monte, Buenos Aires, Argentina

Quando está em jogo a oportunidade de hospedar-se numa estância, a riqueza de opções oferecida pela Argentina é capaz de deixar atordoada qualquer pessoa que esteja indo ao país pela primeira vez. Pode acreditar: quando se trata de personalidade, beleza, cenários pitorescos e hospitalidade, a Estancia La Benquerencia, fundada no século XIX, é a melhor escolha a pouca distância da capital. Essa propriedade de 2.400ha dedicada à criação de gado, que também cultiva campos de aveia e trigo, faz com que Buenos Aires pareça remota, enquanto as boas-vindas amistosas de Marta e Guillermo Staudt deixam os visitantes imediatamente à vontade. La Benquerencia, criada como um parque público, é conhecida hoje em dia por suas paisagens e jardins cuidadosamente preservados. Os hóspedes podem passear entre salgueiros, pinheiros e eucaliptos.

Melhor ainda, escolha um dos cavalos criados e adestrados ali e deixe um gaúcho guiá-lo por todos os recantos da estância, a não ser que você prefira passear numa das belas charretes antigas do Sr. Staudt. Grandes grupos e organizadores de recepções às vezes reservam essa propriedade por um dia ou durante os fins de semana, mas, como La Benquerencia é muito grande e oferece numerosas atrações, é fácil evitar as multidões.

O QUE: experiência, hotel. **ONDE:** 121km ao sul de Buenos Aires. Tel. (54) 1-2714-3087. **COMO:** entre em contato com Estancias Travel; tel. (54) 11-4312-2355, fax (54) 11-4313-5883; info@estanciastravel.com; www.estanciastravel.com. **QUANTO:** U$130 por pessoa, inclui todas as refeições e o uso de cavalos. **MELHOR ÉPOCA:** Ago.–Abr.

Um oásis de vinhas e vinhos

ESTANCIA LOS ALAMOS

Mendoza, Argentina

Assim como a cidade de Mendoza, situada a duas horas de vôo dali, a Estancia Los Alamos é um belo oásis localizado nas partes áridas da região andina de Cuyo. Ocupando o que foi no passado uma fazenda de gado de 202.000ha, essa propriedade agora exibe 4.800ha de terreno irrigado coberto por vinhas, bosques de oliveiras, hortas e pomares. Erguida no início do século XIX como uma fortificação na fronteira, a casa branca de adobe, que é sua principal construção, sofreu muitas ampliações e, desde 1866, é o lar da família Bombal. Mais tarde, tornou-se conhecida como uma espécie de salão literário e retiro rural de personalidades como Jorge Luis Borges. Hoje a boa vida ainda prevalece no que parece ser uma mistura de mansão senhorial européia e rancho americano. Você pode visitar as vinhas das redondezas a cavalo ou num jipe, descer correntezas através de um belo cânion ou simplesmente ficar deitado aproveitando a sombra da piscina. Os almoços, às 14h30, e os jantares, às 23h30, são acompanhados pela aguardente pisco no pátio ou por um chá no fim do dia. No início da noite terá compreendido por que os naturais de Mendoza chamam sua região de "*la tierra del sol y del bueno vino*".

Os quartos lembram os dias em que a estância servia de refúgio para artistas e visitantes.

O QUE: experiência, hotel. **ONDE:** 965km a sudoeste de Buenos Aires, a 2 horas de vôo de Mendoza. **COMO:** Maita Barrenechea; tel. (54) 11-4314-3390; fax (54) 11-4314-3290; mail0@overnet.com.ar. **QUANTO:** U$380 por pessoa, duplos, inclui todas as refeições, bar aberto, toda a infra-estrutura e várias atividades. **MELHOR ÉPOCA:** Fev.–Abr. e Out.–Dez. O maior evento de Mendoza é a Fiesta Nacional de Vendimia (festival da colheita), no fim de Fev.–Mar.

Patagônia: um paraíso para os que amam campos e rios

ESTANCIAS QUEMQUEMTREU E HUECHAHUE

San Martín de los Andes, Neuquen, Argentina

Ainda que a Estancia Quemquemtreu, uma propriedade particular de 100.000ha dedicada à criação de gado, não passe de um minúsculo ponto na vasta extensão da Patagônia, ela figura no mapa dos sonhos de todo pescador. A temporada de pesca atrai aficionados de todas as partes do mundo para essa região remota onde está localizada. E não é para menos: trata-se de um dos melhores lugares do hemisfério sul para se pescar truta. Um rio particular corre por dentro da fazenda, mas o que a torna ainda mais atraente é o fato de estar próxima a três dos rios que apresentam a maior quantidade de peixes na região. Na estância há apenas cinco quartos para hóspedes; portanto, você estará praticamente sozinho tentando a sorte nessas águas, desfrutando o céu aberto e os grandes espaços. Refeições às margens dos rios, churrascos à moda tradicional e uma natureza deslumbrante têm como moldura os impressionantes picos dos Andes que separam a Argentina do Chile a oeste. Em Quemquemtreu, onde são criadas 25.000 cabeças de gado, também se realizam partidas de pólo. Os hóspedes são convidados a assistir à participação de alguns dos melhores jogadores do país, que treinam nos 40 pôneis que a fazenda mantém para a prática desse esporte.

Para saborear a autêntica vida de caubói na Patagônia, hospede-se na Estancia Huechahue, ao pé dos Andes. Essa propriedade anglo-argentina dedicada à pecuária tem dimensões mais aconchegantes: "apenas" 6.000ha. Ali, estábulos com excelentes cavalos crioulos podem transformar o turista mais urbano num autêntico gaúcho. O lugar mais indicado para se apreciar as grandes extensões do norte da Patagônia é a sela de um cavalo. Dessa maneira é possível explorar áreas parcamente povoadas com um terreno incrivelmente variado, incluindo montanhas áridas, lagos pitorescos, densas florestas, penhascos onde os condores fazem ninhos, além dos vales com desfiladeiros estreitos lá embaixo. Os hóspedes podem arregaçar as mangas e ajudar a arrebanhar, laçar e marcar o gado da fazenda ou então ficar sem fazer nada esperando pelo delicioso assado do almoço. Há passeios opcionais até às pastagens de verão numa área mais alta de Huechahue, nas montanhas, do outro lado do divisor de águas dos oceanos Atlântico e Pacífico. Outra opção é ir de jipe à encantadora cidade de San Martín de los Andes. Situada à beira de um lago, ela parece um trecho dos Alpes suíços transportado para a Patagônia. No inverno, durante os meses de julho e agosto, o lugar transforma-se numa popular estação de esqui alpino e ***cross-country***.

O QUE: experiência, hotel. **SAN MARTÍN DE LOS ANDES:** 2 horas de vôo a sudoeste de Buenos Aires. **ESTANCIA QUEMQUEMTREU:** 90 minutos de carro ao sul de San Martín de los Andes. Tel./fax (54) 29-7242-7561. ***Quanto***: U$570 duplos, por dia, tudo incluído. **MELHOR ÉPOCA:** Nov.–Abr. para pesca; Jan.–Fev. para assistir à prática do pólo. **ESTANCIA HUECHAHUE:** 72km a leste de San Martín. Tel. (54) 29-7249-1303. ***Quanto***: U$240 por pessoa, por dia, tudo incluído. **QUANDO:** Nov.–Abr. **MELHOR ÉPOCA:** Dez.–Jan. marca o auge do verão.

Na Suíça da América Latina

BARILOCHE

Rio Negro, Argentina

Alguns críticos lamentam a perda da tradicional personalidade desse resort no coração do Distrito dos Lagos na Argentina, mas ninguém pode fazer uma única restrição à sua invejável localização numa das áreas mais belas do continente. Parecida com um vilarejo dos Alpes suíços, Bariloche é repleta de chalés e pequenas lojas de arquitetura elaborada. A cozinha de seus restaurantes segue uma inspiração germano-austríaca – essa é a terra do chocolate e do fondue. Se você prefere as belezas da natureza às pitorescas criações humanas, saia dos limites da cidade e siga as placas que apontam para qualquer uma das três estradas que começam e terminam em Bariloche: as paisagens compostas pelos lagos e pelas montanhas são de uma beleza sem igual em todas as estações do ano. O Circuito Chico (Pequeno Circuito) proporciona três horas de um maravilhoso passeio, ideal para uma tarde, enquanto o Circuito Grande, mais extenso, com 240km, se estende por um dia inteiro em meio a cenários incríveis. Essas duas excursões de carro descortinam lindas vistas do Parque Nacional Nahuel Huapí, na Patagônia, onde estão situados alguns dos mais espetaculares picos do mundo. É nesse lugar, o maior e mais antigo parque nacional da Argentina, que está instalado o Llao Llao Hotel. Situado numa maravilhosa propriedade privada de 16ha, ele convive em perfeita harmonia com a paisagem andina: ali há tecidos étnicos, lareiras abertas e toras de ciprestes reluzentes, tudo isso na atmosfera de um elegante pavilhão de caça – e, por toda parte, vistas deslumbrantes. Construído em 1937 no lago glacial Nahuel Huapí (onde o salmão argentino médio costuma pesar cerca de 15kg), o Llao Llao foi ressuscitado após ficar fechado por 15 anos. Privatizado e impecavelmente reformado, voltou a ser um dos hotéis-resorts de primeira categoria na América do Sul, com um novo campo de golfe de 18 buracos e quadras de tênis à beira do lago para os hóspedes que o visitam no auge do verão. As 16 pistas de esqui em Bariloche, ali perto, estão à disposição durante o inverno austral. A viagem de teleférico até o pico do Cerro Catedral a 2.000m de altura é uma experiência de tirar o fôlego, seja qual for a estação do ano.

O QUE: cidade, experiência, hotel. **BARILOCHE:** Distrito dos Lagos, a 2 horas de avião de Buenos Aires. **CIRCUITOS GRANDE E CHICO:** as reservas podem ser feitas por meio das agências de turismo locais ou por conta própria. **LLAO LLAO HOTEL & RESORT, GOLF SPA:** a 24km de Bariloche. Tel. (54) 29-4444-8530; fax (54) 29-4444-5781; llaollao@datamarkets.com.ar; www.llaollao.com. ***Quanto***: duplos a partir de U$195 (baixa temporada) e a partir de U$242 (alta temporada). **MELHOR ÉPOCA:** Jun.–Ago. para esquiar; verão Dez.–Mar.

O conforto rústico do saguão do Llao Llao.

Após uma incrível viagem de trem, um refúgio para repousar

El Tren a las Nubes e a Estancia El Bordo de las Lanzas

Salta, Argentina

Os fantásticos campos de Salta são salpicados de ruínas pré-colombianas, vilarejos de artesãos e *quebradas* (ravinas) profundas, escavadas por rios que correm entre os montes nevados dos Andes – todas elas marcadas por veios de minérios e multicoloridas. É em meio a essa área erodida e de aspecto irreal, na fronteira entre a Argentina e o Chile, que o Tren a las Nubes (Trem para as Nuvens) faz uma inesquecível e eletrizante viagem em grandes altitudes, imperdível para os fãs de excursões ferroviárias. O passeio, de 15 horas de duração – não indicado para os que têm nervos sensíveis –, parte de Salta, uma das mais bem preservadas cidades coloniais do país. Um magnífico feito de engenharia, a ferrovia só foi terminada em 1948 e inclui uma série de ziguezagues e túneis angustiantes, passando por dezenas de pontes de ferro e viadutos. O destaque vai para o viaduto a 60m de altura que cruza o cânion do deserto de Polvorilla antes de o trem chegar a San Antonio de los Cobres, uma antiga cidade indígena mineira a 3.900m acima do nível do mar. A viagem de volta proporciona uma verdadeira overdose de paisagens – uma boa oportunidade para uma sesta.

Refaça-se dos sustos na melhor estância da área, El Bordo de las Lanzas. Depois que o célebre general Martín Miguel de Güemes liderou os gaúchos da região em vários ataques bem-sucedidos contra as tropas da Coroa espanhola no início do século XIX, ele teria ido descansar nessa fazenda – já naquela época um refúgio perfeito. Na fronteira com o Chile e a Bolívia e tendo ao fundo as montanhas dos Andes, a província de Salta, no noroeste da Argentina, é um importante centro de agricultura e pecuária. Os 4.500ha da estância são dedicados ao cultivo de cana-de-açúcar, tabaco e girassóis e à criação de gado zebu e dos célebres cavalos ***paso*** peruanos, que se encontram à disposição dos hóspedes. Refeições fartas e tradicionais, baseadas em especialidades regionais, usando carne de vaca e ingredientes da propriedade, são orgulhosamente oferecidas pelos 12 integrantes da família Arias, que se dedicam a fazer com que sua fazenda, construída no século XVIII, proporcione uma experiência inesquecível quando se trata de desfrutar da atmosfera de uma autêntica estância.

O Que: experiência, hotel. **El Tren a las Nubes:** a viagem de 15 horas sai diariamente, às 7h, de Salta (reserve com antecedência). ***Como***: entre em contato com La Veloz Turismo; tel. (54) 38-7401-2000; fax (54) 38-7401-2001; trenlasnubes@lavelozturismo.com.ar. ***Quanto***: U$70 por pessoa, incluindo almoço a bordo. ***Quando***: Abr.–Nov. **Estancia El Bordo de las Lanzas:** 24km ao sul do aeroporto de Jujuy (a 2 horas de Buenos Aires – vôo até Jujuy cerca de U$115, ida e volta). Tel. (54) 38-7490-370; bordlanz@cpsarg.com. ***Quanto:*** U$100 por pessoa, ocupação dupla, inclui todas as refeições e o uso de cavalos. **Melhor Época:** Abr.–Mai., Out.–Nov. A Semana Salta em Jun. é um popular festival gaúcho.

Uma visita a viticultores de prestígio internacional

Os Caminhos do Vinho no Chile

Vale Central, Chile

Os vinhos chilenos estão invadindo o mundo, e os enófilos se apressam em conhecer de perto a fonte desse fenômeno. A dedicação dos chilenos à produção de vinhos remonta à época dos conquistadores e dos missionários, que cultivavam uvas para usá-las em cerimônias religiosas. Mas só começou a prosperar em meados do século XIX, quando foram plantadas variedades mais nobres de uva originárias da França. As principais vinhas estão localizadas nas províncias de Aconcágua, Valparaíso e Santiago, onde uma série de belos vales é rica em solos férteis. O Chile escapou imune às pragas que mais tarde atacaram os vinhedos franceses: ao lado da Austrália, é o único país onde ainda estão plantados as cepas originais. Hoje em dia, suas videiras sem enxertos duram três ou quatro vezes mais do que as equivalentes européias.

O Chile ostenta uma lista de propriedades vinícolas célebres, como a Concha y Toro, a maior delas; a Viña Cousiño Macul, a mais antiga do país; e a Viña Santa Rita, reconhecida por seus cabernets. Os turistas ocupam seus dias provando vinhos e saboreando refeições sofisticadas nos restaurantes dessas propriedades, além de visitarem os mercados que vendem produtos locais. O roteiro inclui uma parada obrigatória na belíssima casa de praia La Sebastiana, que pertenceu ao poeta chileno e prêmio Nobel de Literatura Pablo Neruda (uma das suas residências). Visitar o Chile sem render homenagens a Neruda, dizem os habitantes da região, é como ir à igreja e não orar a Deus.

O Que: experiência. **Como:** no Brasil, agência New Age Tour Operator (São Paulo). Tel. (11) 3138-4888 e 0800-170677; fax (11) 3138-4899; atendimento@newage.tur.br; www.newage.tur.br. Pacote: 4 noites/5 dias, parte aérea (vôo partindo de São Paulo) e terrestre, traslado, café da manhã; saídas diárias. Início da viagem pela zona de Pirque, Concha y Toro e Viña Cousiño Macul. *Quanto:* a partir de U$700 por pessoa. **Melhor Época:** Mar. para a época da colheita.

Ilha dos mil mistérios

Ilha de Páscoa

Chile

Uma pequena faixa de terra varrida pelos ventos e chamada de Rapa Nui continua a deixar o mundo intrigado desde a sua "descoberta" pela Companhia das Índias Ocidentais da Holanda em 1722, num Domingo de Páscoa. Cercada por 1.500.000km² do oceano Pacífico, ela é a mais remota ilha habitada – a cerca de 1.900km da localidade povoada mais próxima, a ilha de Pitcairn. Chamada de "umbigo do mundo" pelos seus primeiros colonizadores, a ilha de Páscoa é um museu de história natural a céu aberto de cerca de 80km², berço de alguns dos tesouros arqueológicos mais preciosos do planeta. Hoje em dia, ela é mais conhecida por sua associação com as célebres ***moai***, mais de 600 figuras de pedra, imensas e alongadas, de aspecto sobrenatural e sem olhos, voltadas para o horizonte distante. Muitas delas têm entre 9 e 15m de altura e pesam até 250t. Esculpidas no tufo calcário de origem vulcânica encontrado na ilha, elas foram depois transportadas por quilômetros e instaladas sobre grandes altares de pedra chamados ***ahu***.

As impressionantes figuras de pedra da ilha de Páscoa.

Criadas provavelmente entre os séculos IX e XVII d.C., essas figuras podem ser apreciadas em todo o seu esplendor original em Ahu Tongariki, o maior e mais antigo monumento religioso escavado e restaurado de toda a Polinésia. Será que essas efígies foram idealizadas e esculpidas pelo povo polinésio, o primeiro a chegar à ilha por volta de 500 d.C.? Ou será que foram feitas por povos pré-incaicos provenientes do Peru? A questão continua em aberto.

O QUE: ilha. **ONDE:** 3.781km a oeste de Santiago, Chile, 4 horas e 30 minutos de vôo em trajetos que costumam seguir até o Taiti. Alguns cruzeiros também levam até lá. **COMO:** no Brasil, agência Viagem Aventura (São Paulo). Tel. (11) 3708-6200; fax (11) 3708-6225; atendimento@viagemaventura.com.br; www.viagemaventura.com.br. Pacote: 5 dias, parte aérea (vôo partindo de São Paulo), traslado, café da manhã e passeios; saídas diárias. **QUANTO:** a partir de U$2.340 por pessoa. **MELHOR ÉPOCA:** Nov.–Mar.

O melhor lugar para esquiar no hemisfério sul

PORTILLO

Chile

Esse é o melhor resort para a prática do esqui na América do Sul. Ali, os picos mais altos do Ocidente proporcionam as melhores pistas, forradas com camadas profundas de neve; os visitantes não enfrentam filas para tomar teleféricos nem congestionamentos nas encostas; os chilenos esbanjam hospitalidade; o cenário natural é deslumbrante; e ainda há a opção de praticar skate no gelo na Laguna del Inca.

Essa estação de esqui, sede do Campeonato Mundial de Esqui Alpino de 1966 (e pista de treinamento para os profissionais do hemisfério norte), está situada a 2.800m de altitude numa área cercada por algumas das mais espetaculares montanhas dos Andes chilenos e argentinos (dali é possível vislumbrar o monte Aconcágua, na Argentina, logo na fronteira, o mais alto da América do Sul, com 6.949m). Doze teleféricos possibilitam o acesso a 890ha, nos quais alguns trechos estão localizados numa altitude de 3.000m, enquanto helicópteros proporcionam acesso a milhares de hectares adicionais para a prática do esqui em condições excepcionais. Há declives que são impossíveis de percorrer, como a Roca Jack, com um ângulo de quase 45º de inclinação. Outras áreas, porém, recebem esquiadores iniciantes e menos habilidosos. O Hotel Portillo, pintado de amarelo vivo, é o único no local e oferece opções de acomodação a preços variados.

O Que: experiência, hotel. **Onde:** 132km a noroeste de Santiago; 2 horas de ônibus e traslado de carro providenciados pelo Hotel Portillo; tel. (56) 2-630-606; fax (56) 2-630-595; info@skiportillo.com; www.skiportillo.com. **Quanto:** 1 semana com tudo incluído, a partir de U$610 por pessoa. **Quando:** meados de Jun.–início de Out. **Melhor Época:** Jul. e Ago. (o Carnaval no Ski é realizado em Ago.).

Uma visão ímpar dos fantásticos canais da Patagônia

Navegando pelo Litoral Chileno

Puerto Montt, Patagônia, Chile

Na parte inferior da sua costa, depois de dois terços do seu longo litoral na direção da Antártida, o Chile se parte em pequenos arquipélagos de milhares de pequenas ilhas cobertas por uma vegetação exuberante que cede lugar a campos de gelo de aspecto extraterreno. Essa incrível costa fragmentada exibe belas paisagens tanto na terra quanto no mar, assim como canais gelados abertos por atividades sísmicas e glaciais ocorridas há milhões de anos. A melhor forma de apreciar tudo isso plenamente é a bordo de um navio. Um cruzeiro pela costa chilena é uma experiência que pode ser vivenciada de duas maneiras.

Explorando os campos de gelo.

Uma delas é como passageiro do navio Skorpios III, com capacidade para 110 pessoas. Trata-se da embarcação mais luxuosa da pequena frota de navios pintados de vermelho e branco pertencentes à família Kochifas, os pioneiros que abriram essa área ao turismo internacional no fim dos anos 1970. Entre as paradas previstas está a ilha Grande de Chiloé, uma das únicas três habitadas nessa região em que o ser humano mal deixou marcas. Em seguida, avança para o sul, rumo ao estreito de Magalhães e à impressionante geleira de San Rafael, o último destino no extremo sul do Chile. Com 1.500km de largura e 14km de comprimento, a geleira atrai os olhares dos visitantes, que vêem suas agulhas de 60m se partirem com grande estrondo. A impressão é a de que se está diante das banquisas da Antártida; na realidade, a geleira de San Rafael é a que está mais próxima ao Equador.

Outra alternativa é conhecer a extremidade sul do Chile a bordo do Terra Australis, atravessando uma área com mais geleiras do que o Alasca e mais fiordes do que a Noruega, Dinamarca e Suécia juntas. O compacto Terra Australis, com capacidade para 114 passageiros, passa por esses canais contornando a ilha da Terra do Fogo, na trilha do Beagle, o navio de Charles Darwin. O completo silêncio desses mares cheios de labirintos nos confins do mundo inspira o mesmo espanto que deve ter provocado em Fernão de Magalhães quando em 1520 ele esbarrou nessas águas que jamais haviam sido visitadas pelo homem.

O Que: experiência. **Turismo Skorpios:** partidas de Puerto Montt, 1.014km ao sul de Santiago. Tel. (56) 2-231-1030; fax (56) 2-232-2269. *Quanto*: cruzeiro de 6 dias a partir de U$1.300 por pessoa, tudo incluído. *Quando*: partidas todos os sábados, Set.–Mai.; Dez.–Fev. na alta temporada. **Cruceros Australis:** partidas de Punta Arenas, 2.253km ao sul de Santiago; diariamente vôos de 4 horas e 30 minutos, partindo de Santiago (cerca de U$310 ida e volta). Tel. (56) 2-442-3110; fax (56) 2-203-5173. *Quanto*: a partir de U$1.152 por pessoa para cruzeiros de 7 dias. O Terra Australis realiza cruzeiros de 3, 4 e 7 dias saindo de Punta Arenas; também existem itinerários de 3 a 12 dias; os meses em que são feitas as viagens e os preços variam. *Quando*: Nov.–Abr.

Natureza e civilização se encontram no fim do mundo

Parque Nacional de Torres del Paine

Patagônia, Chile

Esse recanto remoto no coração da Patagônia chilena é um dos últimos trechos da natureza ainda intocados pelo homem. Localizada ao norte de Punta Arenas, a cidade mais meridional do planeta, essa região solitária e de uma beleza arrebatadora só foi plenamente mapeada nos anos 1930. A área de 240.000ha, ocupada por uma rede de lagos de águas profundas e azuis, rios impetuosos, geleiras ruidosas, pampas e fiordes, é mais conhecida por seus Cuernos del Paine – majestosas torres de 3.000m de granito rosa que fazem parte da cordilheira Paine. O célebre condor andino, com 3m de envergadura, de vez em quando se destaca no céu dessa paisagem surreal. Ele representa apenas uma das mais de 100 espécies de pássaros nativos, que incluem desde a ema, semelhante a um avestruz, até flamingos e gansos-de-pescoço-preto. Entre os muitos outros habitantes desse lugar estão também o guanaco, primo da lhama, e o puma-da-montanha. Não é de admirar que Charles Darwin e Júlio Verne estivessem entre os que se deixaram seduzir por essa região nos confins do mundo. Ali, a qualidade do ar, a luz, o tempo e o espaço despertam a sensação de uma ruptura com a vida na forma como a conhecemos. Reforce essa impressão hospedando-se no Hotel Salto Chico, localizado às margens do lago Pehoe no Parque Nacional de Torres del Paine. À primeira vista, ele não pa-

Os picos de granito acima do Hotel Salto Chico.

rece ter nada de extraordinário – sua estrutura simples de madeira não tenta competir com a natureza. Mas seus interiores são claros, arejados, mobiliados com madeiras locais e fibras naturais – e por toda parte enormes janelas emolduram vistas das torres de granito e sua beleza singular. Embora você esteja a 400km da cidade mais próxima, a roupa de cama é de Barcelona, a louça da Inglaterra e os convidados de todos os cantos do planeta. E, ainda que a boa vida que ali impera seja sedutora e a vista panorâmica que se tem a partir da Jacuzzi seja quase sublime, o grande atrativo do hotel é o fato de estar situado no coração do parque. Os visitantes podem escolher entre 16 excursões que atendem a diferentes níveis de capacidade física, abrangendo mais de 240km de trilhas e estradas (são promovidas no mínimo cinco excursões diariamente). Mesmo o viajante mais sedentário pode passear pela área num jipe ou numa lancha. Há também atrações alternativas, como caminhadas, trekking, ***mountain biking*** e cavalgadas. Depois, basta voltar para o Salto Chico e, vestindo um jeans e uma camisa de flanela, jantar caranguejos regados com os melhores vinhos chilenos.

O QUE: lugar, hotel. **ONDE:** vôo de 4 horas e 30 minutos de Santiago a Punta Arenas, seguido de traslado de 6 horas de carro até o hotel. Reservas em Santiago: tel. (56) 2-208-0664; fax (56) 2-228-4655. **QUANTO:** 3 noites, duplos, a partir de U$1.040 por pessoa, incluindo 4 refeições por dia, guias e traslado de e para Punta Arenas. **MELHOR ÉPOCA:** cada temporada tem seu próprio tipo de beleza; a temperatura em Jan. fica na média 4ºC–12ºC; em Jul., entre -3ºC–4ºC, com muito vento.

O Eldorado existe

MUSEU DO OURO

Bogotá, Colômbia

Ainda que menos de 15% dos 30.000 objetos que integram o acervo do Museo del Oro estejam à mostra, o sofisticado trabalho artesanal exibido pelos itens em exposição, bem como a simples magnitude da coleção, já é por si só espantoso. Essa é a única coleção do mundo no gênero. Não dá para duvidar das lendas sobre Eldorado depois de admirar cada uma das obras-primas dessa casa – elas representam todas as mais importantes culturas pré-colombianas da região existentes na época da conquista espanhola. Apresentada com bom gosto, trata-se de uma seleção cuidadosa de peças douradas – pássaros, máscaras, sapos, insetos e figuras que, quem sabe, sejam representações de seres humanos. Será a altitude de Bogotá (2.600m acima do nível do mar) ou a amplitude e a beleza do acervo do museu o que nos deixa sem fôlego?

O QUE: lugar. **ONDE:** Calle 16, Carreras 5.ª e 6.ª, Parque Santander. Tel. (57) 1-342-111; fax (57) 1-284-7450; www.banrep.gov.co/museo. **QUANDO:** Ter.–Dom. **QUANTO:** ingresso U$3.

Ciudad Vieja: um museu ao ar livre

CARTAGENA

Colômbia

Quando os espanhóis chegaram à América do Sul em 1533 procurando o reino de Eldorado, eles desembarcaram em Cartagena. Hoje essa jóia da arquitetura colonial está maravilhosamente restaurada, em particular dentro dos limites de sua autêntica e animada Ciudad Vieja, com construções dos séculos XVI e XVII. Sacadas de madeira, pátios floridos, ruelas estreitas, mansões imponentes que abrigam bons restaurantes, praças enfeitadas por palmeiras e cafés, igrejas seculares – tudo isso é protegido e cercado pelas muralhas da cidade, que somam cerca de 11km de grossos muros e uma rede inexpugnável de fortificações do lado de fora. Um extraordinário exemplo de engenharia militar, esses fortes, erguidos para proteger a mais importante cidade colombiana do ataque de piratas, são os únicos do seu tipo na América do Sul.

A passagem arejada entre os arcos do antigo convento.

O Convento de Santa Clara, construído no início do século XVII, é um tesouro arquitetônico. Depois de funcionar por um período como hospital beneficente, foi transformado (sob a cuidadosa supervisão da Unesco) no melhor hotel da cidade. A esmerada restauração revelou murais e portas secretas há muito escondidos. Cerâmicas e sinais de disparos de canhões piratas também vieram à tona, vestígios da curiosa história local. Os hóspedes podem jantar no antigo refeitório das irmãs clarissas ou perambular pelos jardins floridos em meio ao silêncio do que, no passado, foi um mosteiro. Os aposentos espartanos das freiras estão agora mobiliados de forma requintada, mas as vistas inspiradoras permanecem as mesmas: as telhas que cobrem as construções históricas da Ciudad Vieja destacando-se contra o azul do mar do Caribe.

O QUE: cidade, lugar, hotel. **CARTAGENA:** a 97km de Barranquilla, no litoral norte do país. **HOTEL SANTA CLARA:** Calle del Torno. Tel. (57) 5-664-6070; fax (57) 5-664-7010; santaclara@hotelsantaclara.com; www.hotelsantaclara.com. **QUANTO:** duplos a partir de U$300 (baixa temporada) e U$340 (alta temporada). **MELHOR ÉPOCA:** Dez.–Abr. (estação seca). Cartagena festeja sua independência da Espanha em 11 de Nov. O Festival Anual de Música Caribenha é realizado na 2.ª quinzena de Mar.

Milagres da evolução dentro e fora d'água

ILHAS GALÁPAGOS

Equador

Uma regra básica para o viajante dos dias de hoje: visite primeiro os lugares mais frágeis; permaneça nas trilhas; não perturbe as criaturas nem tire nada do lugar. Não há nenhuma outra parte do mundo à qual essas recomendações se apliquem tão bem quanto o conjunto de 58 fascinantes ilhas e ilhotas que formam o arquipélago das Galápagos, um lugar essencialmente desconhecido até à chegada de Charles Darwin em 1831. Ali, navegando próximo à linha do Equador a 960km do que é hoje a costa equatoriana, Darwin começou a desenvolver a teoria da evolução em meio a uma extraordinária variedade de vida animal que se destacava numa paisagem de aspecto extraterreno, quase lunar. As ilhas, cada uma delas com características próprias em termos de topografia, flora e fauna, ainda são o berço do maior índice de espécies endêmicas do mundo: tartarugas terrestres de 180kg, iguanas-marinhos, atobás-de-pés-azuis e 13 espécies de tentilhão. As Galápagos e seus habitantes continuam a encantar os fãs da natureza e os aventureiros que visitam as 12 grandes ilhas (e dezenas de outras menores), cruzando as águas cristalinas que separam o que já foi classificado como um laboratório vivo do processo evolutivo. Os animais não demonstram nenhum medo instintivo em relação ao homem – a curiosidade deles pode até superar a sua.

Essas ilhas também oferecem uma experiência submarina tão fantástica quanto a vivenciada na superfície. O arquipélago possui uma admirável variedade de vida marinha: mergulhadores verão pingüins (essa é a área mais setentrional do hemisfério habitada por uma colônia desses animais, graças à fria corrente de Humboldt), iguanas marinhos, golfinhos e até mesmo baleias em sua migração. Algumas das excursões a bordo do Reina Silvia, equipado à perfeição, dirigem-se para as remotas e completamente

Um cardume de tubarões-martelo é sempre uma visão eletrizante.

desabitadas ilhas de Wolf e Darwin. Lá, espere ver-se cercado por enormes cardumes de criaturas que povoam essas águas – centenas de tubarões-martelo e arraias que deram fama às Galápagos.

Os menos afeitos ao mar já podem trocar a cabine num barco por uma estada no primeiro resort de luxo do arquipélago, o Royal Palm Hotel, que ocupa 160ha na ilha de Santa Cruz. O barco particular pertencente ao hotel leva os hóspedes para apreciar a natureza e a vida animal, mas os conduz de volta a terra firme a tempo de eles relaxarem no spa por algumas horas antes do jantar à luz de velas.

O Que: lugar, experiência, hotel. **Como:** no Brasil, agência Cia. Nacional de Ecoturismo (São Paulo). Tel. (11) 5571-2525; fax (11) 5571-8114; comercial@ecoturismo.com.br; www.ciaecoturismo.com.br. Pacote: 6 dias, parte aérea (vôo partindo de São Paulo) e terrestre, traslado e passeios; saídas diárias. São 2 dias em Quito (com café da manhã) e 4 dias em Galápagos (pensão completa). ***Quanto***: U$2.174 por pessoa. **The Royal Palm Hotel:** tel. (593) 5-527-409; www.millenium-hotels.com. ***Quanto***: a partir de U$310 (baixa temporada) e a partir de U$370 (alta temporada). **Melhor Época:** Nov.–Jun.

Civilização no coração da Amazônia

Sacha Lodge

Rio Napo, Equador

A Sacha Lodge está instalada no seu próprio terreno de 1.200ha entre centenas de espécies de pássaros, peixes e mamíferos. Trata-se de uma base de hospedagem sem igual para quem deseja explorar a maior floresta tropical do mundo e também a que possui a maior biodiversidade, em meio às quentes planícies da Amazônia equatoriana. Naturalistas da região, que falam tanto quíchua quanto inglês, guiam os visitantes em expedições diárias numa série de diferentes caminhadas pela floresta – sempre conduzindo-os de volta ao belo cenário à beira do lago onde se encontra a pousada, a tempo de saborearem uma excelente, ainda que básica, refeição equatoriana. A bordo de dongos (canoas feitas com troncos de árvore escavados), os hóspedes saem em passeios por rios e lagos, passando por comunidades de índios quíchua e também por jazidas de sal, que atraem centenas de papagaios e periquitos num redemoinho de cores e ruídos. Localizada na mata virgem, a propriedade abrange vários habitats, e uma torre de observação de 40m oferece um belo panorama da floresta, que é vista na altura da copa das árvores. A partir da torre é possível descobrir uma incrível variedade de bromélias e orquídeas, assim como os pássaros exóticos que elas atraem. O cenário se estende até o pico nevado do monte Sumaco, um vulcão extinto situado a 160km dali. Tudo isso e, de quebra, eletricidade e chuveiros de água quente.

O Que: experiência, hotel. **Onde:** no rio Napo. **Como:** em Quito, entre em contato com a Explorer Tours. Tel. (593) 2-508-871; fax (593) 2-222-531; www.galapagoslastminute.com. **Quanto:** 3 noites/4 dias pacote terrestre U$577 por pessoa, duplos, inclui todas as refeições, guias e excursões. Viagem aérea Quito–Coca, ida e volta, U$120. **Melhor Época:** Jan.–Mar.

A mais célebre cidade-mercado do continente

OTAVALO

Equador

O mais antigo, mais conhecido e mais importante mercado indígena da América do Sul é montado todos os sábados no alto dos Andes. É no mercado de Otavalo que, há 4.000 anos, vem pulsando a vida econômica e social da região montanhosa do norte do Equador. A cidade é hoje o destino turístico mais popular do país depois das ilhas Galápagos. O ritmo normalmente sonolento da cidade é quebrado ao amanhecer pelo barulho de galinhas, vacas e ovelhas, assim como pelo comércio de cânhamo, selas, legumes, grãos e têxteis. Para os moradores da região, que chegam de locais próximos e distantes vestindo roupas coloridas, a troca nesse mercado é um meio de vida. Há objetos menos interessantes, feitos para os turistas – potes, tecidos, jóias, animais esculpidos em madeira –, mas em geral os visitantes costumam ir até lá para desfrutar da atmosfera local bem autêntica, enquanto a população indígena comparece para fazer trocas envolvendo animais, provisões e notícias. Os que acordam mais cedo talvez queiram estar lá antes das 8h, quando o comércio de animais começa a perder força, e antes também de os turistas provenientes de Quito desembarcarem dos ônibus por volta das 10h. Passe a noite de sexta-feira na Hacienda Cusin, nas proximidades, uma propriedade colonial do século XVI ressuscitada como uma hospedaria de primeira classe, ou fique a 15 minutos (e a anos-luz de distância) no La Mirage, um oásis envolto por flores e trepadeiras situado numa montanha dos Andes. A apenas duas horas de carro de Quito e um dos refúgios mais despretensiosamente elegantes do continente, essa pousada contemporânea foi construída para parecer uma *hacienda* secular. La Mirage combina o melhor da cultura e arte locais com o amor dos proprietários pela estética e pelo conforto europeus. O resultado é um recanto a grande altitude, administrado de forma impecável. Cavalos pertencentes à própria hospedaria levam os hóspedes em passeios por antigas cidades indígenas, cenários rurais intocados e a um lago vulcânico. Jantar na La Mirage é uma experiência memorável tanto pela vista para os picos nevados do Cotacachi e Imbabura quanto pelo excelente cardápio, enriquecido por vinhos da região e servido por belas jovens índias de Otavalo vestidas com roupas tradicionais. Depois do jantar, os hóspedes caminham pelos jardins exuberantes de volta às suas suítes, onde as lareiras já terão sido cuidadosamente acesas para atenuar o frio das noites andinas.

Uma comerciante dos Andes expõe suas mercadorias.

O QUE: lugar, cidade, hotel. **OTAVALO:** 120km ao norte de Quito. **HACIENDA CUSIN:** San Pablo del Lago, Imbabura. Tel. (593) 6-918-013; fax (593) 6-918-003; hacienda@cusin.com.ec; www.haciendacusin.com. ***Quanto***: duplos U$75 (apenas o quarto); suítes (com todas as refeições) U$250. **HOSTERIA LA MIRAGE:** Avenida 10 de Agosto, Cotacachi. Tel.

(593) 6-915-237; fax (593) 6-915-065. *Quanto*: duplos a partir de U$220. **Quando:** Sáb. é o principal dia do mercado. **Melhor Época:** de 24 de Jun.–6 de Jul. celebram-se os santos padroeiros de Cotacachi; índios de todas as áreas próximas chegam para os festejos.

No centro do universo inca

Cuzco

Peru

Cuzco é a capital arqueológica das Américas, um lugar ímpar, impregnado de uma cultura ancestral e cercado pela beleza e pelo misticismo dos Andes. Em quíchua, a língua nativa, a palavra *qosqo* – origem do nome Cuzco – significa "umbigo do mundo", o berço e o centro do Império Inca. E tudo nessa cidade colonial a 3.350m acima do nível do mar conduz à Plaza de Armas, o umbigo do umbigo. Chamada pelos incas de Huacaypata, a ***plaza*** era o coração da capital, fundada no século XII por Manco Cápac. A Cidade Velha, que se estende por 10 quarteirões, é um retrato fiel da era colonial que se seguiu à chegada de Pizarro em 1532. Ela reflete também a invasão dos espanhóis e a destruição final da civilização inca, que, em determinada época, foi o maior império do Ocidente.

A Plaza de Armas destaca-se pela presença de uma rebuscada catedral barroca – um dos exemplos mais esplêndidos da arquitetura religiosa colonial nas Américas – e também de igrejas, casarões e colunatas, todos erguidos sobre ruínas de palácios e templos incas depois que estes últimos foram destituídos de seus ornamentos de ouro, prata e pedras preciosas. Ainda podem ser vistos vestígios de suas gigantescas e impecáveis fundações de alvenaria (encaixadas sem o uso de argamassa), algumas das quais com altura equivalente a dois andares.

Tente estar em Cuzco no dia 24 de junho para o Inti Raymi (Festival Inca do Sol), a principal festa inca e um dos mais espetaculares festivais andinos da América do Sul. A data coincide com as comemorações do Dia de São João, que também é o Dia de Cuzco e o Dia Peruano do Índio. A pompa original dessa antiga celebração é reencenada nas principais praças e ruas da cidade, com desfiles, procissões, danças, música folclórica, além de cerimônias especiais em Coricancha, o antigo Templo Inca do Sol, que nos dias de hoje é ocupado em sua maior parte pela Igreja de Santo Domingo.

Em Cuzco, hospede-se no Hotel Monasterio, uma construção na qual se sobrepõem diferentes épocas da história peruana. Ele está instalado no que foi o seminário de San Antonio de Abad, um edifício do século XVII erguido sobre as ruínas de um palácio inca. As origens coloniais desse que foi um dos mais importantes seminários católicos da América Latina entre 1700 e o final dos anos 1960 continuam visíveis em seus pátios, arcos, fontes e obras de arte. Atualmente é um lugar que oferece aos hóspedes uma rara combinação de luxo e história. Os quartos confortáveis, que no passado eram as celas dos monges, foram ampliados e sua antiga mobília, camas de madeira trabalhada e banheiros de mármore criam um ambiente que está muito longe de ser monástico.

O Que: lugar, cidade, evento, hotel. **Cuzco:** a 1 hora de vôo de Lima; vôos diários partindo da maior parte das grandes cidades peruanas. Considerada parada obrigatória para os que estão a caminho de Machu Picchu e de outros sítios arqueológicos no vale do Urubamba. **COMO:** no Brasil, agência Cia. Nacional de Ecoturismo (São Paulo). Tel. (11) 5571-2525; fax (11) 5571-8114; comercial@ecoturismo.com.br; www.ciaecoturismo.com.br. Pacote: 8 dias, parte aérea (vôo partindo de São Paulo) e terrestre, traslado, passagem de trem, passeios, café da manhã; saídas aos Sáb. *Quanto*: a partir de U$2.330 por pessoa. **HOTEL MONASTERIO:** Calle Palacio, 136-140. Tel. (51) 84-241777; fax (51) 84-237111; info@peruorientexpress.com.pe; www.orient-express.com. *Quanto*: duplos a partir de U$194. **MELHOR ÉPOCA:** Abr.–Out. (temporada com menos chuva).

Figuras no deserto que mexem com a imaginação

AS LINHAS DE NAZCA

Nazca, Peru

O deserto existente na árida costa peruana serve de cenário para as antigas e misteriosas linhas de Nazca, uma série de formas geométricas e de traços retos riscados na terra que retratam homens e animais em formas estilizadas. Abrangendo uma extensão de espantosos 310km, elas só podem ser plenamente apreciadas quando vistas do alto. Algumas são formas geométricas simples, como triângulos e trapézios perfeitos, enquanto outras são linhas retas que avançam quilômetros deserto adentro. Há também as que representam animais gigantes, como um lagarto de 150m de comprimento, um macaco de 82m com a cauda cuidadosamente enrolada e ainda um condor com 118m de envergadura. Os desenhos apresentam as mesmas formas e figuras encontradas nas cerâmicas e nos tecidos de Nazca. Acredita-se que as linhas tenham sido "gravadas" no chão quando a camada superficial de terra e as pedras foram retiradas. Isso teria acontecido há 2.000 ou 3.000 anos (alguns arqueólogos falam até em 5.000 anos). Quem traçou essas linhas e por quê? E como, se elas só podem ser perfeitamente percebidas quando vistas do céu? Segundo algumas teorias cheias de imaginação, essas inscrições podem ser pistas de pouso de naves extraterrestres (especulação feita por Erich von Daniken no livro ***Eram os deuses astronautas?***), calendários astronômicos usados para finalidades agrícolas ou obras de arte feitas diretamente sobre a Terra com o objetivo de transmitir mensagens secretas aos deuses que as viam lá de cima. Assim, até os dias de hoje, essa extraordinária criação cultural pré-incaica permanece envolta em mistério.

O QUE: lugar. **ONDE:** Ica, a cidade mais próxima, fica 274km ao sul de Lima. **COMO:** um vôo de observação de 45 minutos da AeroCondor pode ser reservado em qualquer um dos hotéis locais, em Ica e em Nazca, 137km ao sul. *Quanto*: U$130. Excursões de 1 dia partindo de Lima, incluindo almoço em Las Dunas, U$310 pela AeroCondor. **ONDE FICAR:** Las Dunas é o melhor hotel da região. Um resort de estilo árabe enfeitado com palmeiras, a casa tem sua própria pista de pouso para as excursões aéreas sobre Nazca. Em Ica, tel./fax (51) 3-425-6224; dunas@invertur.com.pe; www.lasdunashotel.com. *Quanto*: duplos de U$85 (dias de semana) a U$103 (fins de semana). **MELHOR ÉPOCA:** Jan.–Mar.

As ilhas e as festas do maior lago da América do Sul

LAGO TITICACA

Puno, Peru

Como algumas pessoas ainda devem se lembrar do que aprenderam nas aulas de geografia, o lago Titicaca – a 3.800m acima do nível do mar – é o mais alto lago navegável do mundo. Mas só quem o visitou pode falar sobre sua luminosidade peculiar e sobre as constantes mudanças de cor observadas em suas águas. A beleza singular do Titicaca torna convincente o antigo mito segundo o qual Manco Cápac e sua irmã-consorte Mama Ocllo, fundadores do Império Inca, emergiram dessas mágicas águas andinas. Os índios uros criaram as ilhas flutuantes, que receberam o mesmo nome desse povo. Eles recorreram a esse artifício para evitar as lutas com o povo inca, que habitava a terra firme. Seus descendentes ainda vivem nas 40 ilhas desse tipo que resistem até hoje, feitas de juncos de totora, mesmo material com que confeccionam suas casas e seus barcos. As duas ilhas naturais de Taquile e Amantani são montanhosas e povoadas por índios hospitaleiros, cujas roupas tradicionais e tecidos feitos à mão, de um colorido vibrante, exercem uma atração irresistível sobre os visitantes. Ali não existem carros, bicicletas nem estradas, mas as colinas suaves exibem em suas encostas as tradições agrícolas das quais os índios se orgulham. Agende sua visita a Puno para fevereiro ou novembro, quando festas locais viram essa cidade pelo avesso.

A fundação mítica da cidade de Puno, situada à beira do lago, é o tema da fascinante festa Semana de Puno, realizada em novembro, com exibição de roupas enfeitadas e criativas, danças, músicas, máscaras e instrumentos que têm suas raízes na cultura inca. Em 2 de fevereiro, a Candlemas, ou festa da Virgem da Candelária, pode figurar formalmente no calendário católico, porém vale a pena presenciar a célebre ***diablada*** (dança do diabo) e a ***kallahuaya*** (dança do curandeiro) antes de concluir se esse evento é uma celebração cristã ou pagã. Cerca de 300 danças folclóricas são apresentadas nas ruas de Cuzco a cada ano. Se as coisas estiverem quietas quando você chegar, informe-se no escritório de turismo a respeito do local da festa mais próxima. Você não vai se arrepender da viagem.

O QUE: lugar, evento. **ONDE:** no sul do Peru e compartilhado pela Bolívia. Puno é o principal ponto de partida do lado peruano para visitas às ilhas. O aeroporto mais próximo é o de Juliaca, cerca de 764km a sudeste de Lima. **COMO:** qualquer agência local ou hotel pode fazer a reserva de uma excursão às ilhas. A maior parte desses passeios inclui algumas das ilhas flutuantes em seu trajeto até Taquile, a 1 hora de barco da costa. **ONDE FICAR:** localizado na sua própria ilha ligada a Puno por uma passarela, o Hotel Libertador Isla Esteves é o melhor da cidade; embora os quartos não ofereçam nada de extraordinário, muitos deles têm vistas para o lago (mas não podem ser garantidos até o momento do registro). Tel. (51) 54-367-780; fax (51) 54-367-879. *Quanto:* duplos U$130. **MELHOR ÉPOCA:** a Festa da Virgem da Candelária é realizada em 2 de fevereiro e ao longo da semana. A Semana de Puno é celebrada de 1.º–9 de Nov.; o Dia de Puno cai em 5 de Nov.

Embarque onde o Amazonas começa

AMAZÔNIA PERUANA

Bacia do Alto Amazonas, Peru

Nunca um navio tão elegante singrou as águas remotas da confluência dos rios Ucayali e Marañón – o lendário início do poderoso rio Amazonas, a 3.200km do Atlântico. Construído originalmente para ser um iate particular e reformado em 1997 no estilo das clássicas embarcações que circulavam pelos rios no século XIX, o La Esmeralda tem 34m de comprimento, oito camarotes e um amplo deque de observação. Guias atentos, especializados na natureza local, mostram aos visitantes as exuberantes fauna e flora primevas da região. Ali foi registrado um número maior de espécies de primatas do que em qualquer outro lugar do Novo Mundo. O rio Ucayali também apresenta uma grande quantidade de botos-cinza e cor-de-rosa. Pequenas excursões personalizadas, a bordo de barcos apropriados, entram por passagens estreitas, passam por florestas alagadas e lagos de águas escuras, deixando pelo caminho passageiros que seguirão trilhas na floresta acompanhados por guias, parando em pequenos vilarejos e avançando por áreas absolutamente inabitadas da Floresta Amazônica. A bordo são servidas refeições deliciosas numa sala de jantar com janelas panorâmicas. Entre as diversões da noite está a observação de constelações tanto do hemisfério sul quanto do hemisfério norte.

O charme de um passeio de barco pelo rio.

Cruzando as copas das árvores no Centro para Educação e Pesquisas Ambientais da Amazônia.

Em terra, deixe a bagagem em qualquer uma das cinco pousadas da rede Explorama nos 100.000ha da Reserva da Biosfera do Amazonas. Parta em seguida para um empreendimento sem fins lucrativos, o acampamento Centro para Educação e Pesquisas Ambientais da Amazônia, montado com um sistema de escadas, cabos, roldanas e redes, instalado na altura das copas das grandes árvores. Os visitantes sobem a uma altura equivalente a 13 andares, ou 38m, para apreciar de perto a diversidade da floresta tropical, vista a partir de um engenhoso complexo com vários níveis de plataformas aéreas e caminhos suspensos. Dali é possível observar um dos cerca de dois terços das espécies da floresta tropical que habitam as copas das árvores (das quais nunca descem) – muitas delas ainda não foram identificadas.

O QUE: experiência, hotel. **IQUITOS:** maior cidade da selva peruana, não é acessível por terra. As 5 pousadas da Explorama estão a 3 horas de Iquitos por barco. **Como:** no Brasil, agência Orion Turismo (Curitiba). Tel./fax (41) 2225-3001; www.orion.tur.br. Pacote: 10 dias, vôo internacional não incluído, partidas de Lima (2 saídas mensais); traslado, hotel, café da manhã e passeios. *Quanto*: U$1.600. **La Esmeralda:** Jungle Exports; tel. (51) 94-231-870; fax (51) 94-231-157. **Explorama Lodges:** Explorama Tours; tel. (51) 94-253-301; fax (51) 94-252-533; amazon@explorama.com; www.explorama.com/canopy.html. **Melhor Época:** são pequenas as mudanças no clima da floresta amazônica ao longo do ano.

Atravessando um vale sagrado rumo à cidade perdida dos incas

MACHU PICCHU

Vale do Urubamba, Peru

Num continente provido de magníficos sítios arqueológicos pré-colombianos, essa é a suprema atração. A localização estratégica e isolada de Machu Picchu a uma grande altura e o significado misterioso que ela adquiriu no antigo universo inca fazem dessa "cidade perdida" um dos lugares mais belos e enigmáticos do mundo. Abandonado pelos incas e tomado de volta pela floresta, o complexo de templos, depósitos, casas e terraços irrigados que ocupa cerca de 40ha permaneceu escondido dos olhos dos forasteiros até o explorador americano Hiram Bingham ser guiado até lá, em 1911, por um menino de 10 anos que morava nas redondezas. Por alguma razão, essa área foi totalmente ignorada nos registros dos conquistadores espanhóis, em geral bastante meticulosos. As especulações em torno de Machu Picchu (Velha Montanha) não param, ainda que hoje os estudiosos acreditem que esse tenha sido um refúgio da nobreza inca construído provavelmente no século XV.

Num dia claro, os que estão em excelente forma devem considerar a possibilidade de uma caminhada até Huayana Picchu (Montanha Jovem), onde um paredão quase vertical até o cume é, literalmente, de tirar o fôlego. Os que têm preparo físico suficiente conseguem chegar à Porta do Sol de Machu Picchu, construída há 500 anos, depois de três a cinco dias de caminhada pela trilha Inca. O povo inca abriu muitos caminhos pelas montanhas, mas essa era sua "estrada real" através dos 160km do vale do Urubamba, também chamado de vale Sagrado, o berço de sua civilização. A trilha proporciona uma jornada pelos cenários deslumbrantes do vale, o destino de férias preferido da elite de Cuzco. Os 56km da trilha Inca atravessam dois desfiladeiros – o mais alto deles a 4.000m de altitude – e exigem que o visitante resista ao ar rarefeito para apreciar a intensa beleza do lugar e a grande quantidade de postos de guarda, fortalezas e ruínas misteriosas dos incas, assim como os coloridos vilarejos andinos. A viagem compensa o esforço. O mercado montado aos domingos em Pisac atrai vendedores e turistas de todas as regiões. Mais memorável ainda talvez seja uma visita à rede de fortificações incas que se estende pelas colinas. Ollantaytambo, com sua formidável e bem preservada fortaleza, é o outro ponto mais visitado do vale – uma autêntica cidade inca que manteve os nomes originais das ruas, assim como o traçado urbano, o sistema de irrigação e as casas.

Machu Picchu há muito é conhecida pela falta de bons hotéis, o que deixa o mercado aberto para um vale-tudo em matéria de alojamentos para mochileiros. É por isso que a reforma da Machu Picchu Sanctuary Lodge arrancou um suspiro de alívio dos profissionais da área de turismo. Embora essa pousada só possa ser chamada de luxuosa em comparação com os concorrentes locais, sua simplicidade rústica é bem-vinda, dada a sua invejável localização, a apenas alguns passos da entrada das ruínas. Os hóspedes desfrutam do privilégio único de perambular por ali à luz da lua depois que as multidões deixam o lugar.

O Que: lugar, experiência. **Machu Picchu:** numa viagem de 3 horas, trens Orient Express (categoria turística e luxo) partem de Cuzco diariamente; a última etapa da subida é feita de ônibus. *Quanto*: passagens de ida e volta no trem turístico U$70. Viagens de ida e volta no trem de luxo U$300, incluindo jantar. Para reservas, info@peruorientexpress.com; www.orient-express.com. **Machu Picchu Sanctuary Lodge:** escritório de Cuzco; tel. (51) 8-421-1039; fax (51) 8-421-1053; info@peruorientexpress.com; www.orient-express.com. *Quanto*: duplos a partir de U$335. **Trilha Inca:** no Brasil, agência Terra Mundi (São Paulo). Tel. (11) 3898-0168; info@terramundi.com.br; www.terramundi.com.br. Pacote: 8 dias, parte aérea (vôo partindo de São Paulo). *Quanto*: U$1.499 (baixa temporada) e U$1.549 (alta temporada). **Pisac:** 27km a nordeste de Cuzco. *Como*: em Cuzco, a Milla Turismo oferece viagem de 1 dia pelo vale Sagrado. Tel. (51) 8-423-1710; fax (51) 8-423-1318; info@millaturismo.com; www.millaturismo.com. *Quanto*: U$25 por pessoa. *Onde ficar*: o melhor lugar no vale é a Posada del Inca, em Yucay, a 1 hora de carro de Cuzco. Tel. (51) 84-201-107; fax (51) 84-201-345; reservas@sonestaperu.com; www.sonesta.com. *Quanto*: duplos a partir de U$78. **Melhor Época:** os meses mais secos de Jun.–Set., mas conte com multidões.

Machu Picchu pairando sobre o mundo lá embaixo.

O glamouroso refúgio do verão uruguaio

Punta del Este

Uruguai

"Punta" é a meca por excelência da elite sul-americana, uma antiga cidade colonial cujos restaurantes e casas noturnas de altíssimo nível competem com os melhores do gênero no continente. Apreciada por suas longas extensões de areias brancas e elegantes butiques, a cidade é um local de veraneio em que o importante é ver e ser visto e onde o culto ao sol é a principal atividade. Fugindo da onda crescente de condomínios caros e preços estratosféricos, alguns viajantes têm optado pelas áreas vizinhas de Punta Ballena e Barra de Maldonado. Passeios de um dia à Isla

Gorriti e à Isla de Lobos são uma oportunidade para evitar as multidões. La Posta del Cangrejo, um dos mais encantadores hotéis do Uruguai, na ligeiramente menos congestionada Barra de Maldonado, proporciona um estilo de luxo mais mediterrâneo e informal. Apesar de sua localização à beira do oceano, há algo de uma requintada fazenda em seu ambiente, composto por paredes brancas de estuque, piso de terracota e quartos com camas embelezadas por dosséis. Os hóspedes sentem-se à vontade para andar descalços e relaxar, atitude estimulada pela equipe, que tem o maior orgulho do seu hotel.

O QUE: cidade, hotel. **PUNTA:** 2 horas de carro a leste de Montevidéu. **LA POSTA DEL CANGREJO:** 9km a leste de Punta del Leste. Tel. (598) 42-770-021; fax (598) 42-770-173; www.lapostadelcangrejo.com. *Quanto*: duplo com vista para o oceano U$150 (baixa temporada) e U$230 (alta temporada). **QUANDO:** Nov.–Abr.; o movimento é maior de meados de Dez.–fim de Jan.

A mais alta queda-d'água nas profundezas do mundo perdido

SALTO ANGEL

Puerto Ordaz, Gran Sabana, Venezuela

Em 1935, o americano Jimmy Angel, piloto de pequenas aeronaves, estava em busca de uma suposta montanha de ouro quando "descobriu" essa impressionante queda-d'água – a mais alta do mundo. Com 980m de altura, ela é 15 vezes mais alta do que as cataratas do Niágara e uma vez e meia mais alta do que o Empire State Building. As águas de Salto Angel nascem no cume do Auyan Tepuy, uma das mais misteriosas ***tepuys*** (palavra que no idioma indígena pemom significa "montanha") que cortam as selvas e a savana. La Gran Sabana é marcada por mais de 100 dessas mesas maciças de arenito. Localizadas no Parque Nacional Canaima, elas estão entre as mais antigas e mais impressionantes formações rochosas do mundo – algumas chegam a atingir 2.700m. Sir Arthur Conan Doyle inspirou-se nesse lugar para escrever sobre os dinossauros e as outras criaturas jurássicas que povoam seu romance ***O mundo perdido***. No lado do parque onde está a laguna de Canaima, o Campamento Canaima instalou-se como uma rústica porém confortável pousada de selva, com bangalôs com tetos de sapê. Ela promove viagens e excursões até à base da queda-d'água, de jipe, a pé e de dongo (canoa feita de tronco de árvore escavado) a motor.

O QUE: lugar, experiência, hotel. **SALTO ANGEL:** de Caracas, num avião pequeno, 1 hora e 30 minutos até Puerto Ordaz. *Como*: no Brasil, agência Cia. Nacional de Ecoturismo (São Paulo). Tel. (11) 5571-2525; fax (11) 5571-8114; comercial@ecoturismo.com.br; www.ciaecoturismo.com.br. Pacote: 7 dias, parte aérea (vôo partindo de Boa Vista, Roraima) e terrestre; traslado, hotel, café da manhã, 2 almoços; saídas mensais. *Quanto*: U$1.875. **CAMPAMENTO CANAIMA:** tel. (58) 2-907-8000. *Quanto*: 1 noite U$307 por pessoa, inclui viagem aérea a partir de Caracas (ida e volta), hotel, refeições e sobrevôo das cataratas. **MELHOR ÉPOCA:** Out.–Mai. para caminhadas; meados de Mai.–meados de Dez. para navegar os rios até à base da queda-d'água. Jan.–Mai. é época de estiagem – a queda-d'água transforma-se num pequeno filete; em Jun.–Dez. a queda-d'água torna-se caudalosa, mas freqüentemente é encoberta pelas nuvens.

O continente branco

ANTÁRTIDA

Antártida – Terra Australis Incognita ("terra desconhecida ao sul") – é um continente surreal, um lugar de beleza etérea e de uma inegável grandiosidade. Suas paisagens de gelo, mar e céu a perder de vista se dividem numa infinidade de tons de azul. Uma das regiões mais mágicas do planeta e um dos últimos e mais remotos redutos da natureza, a Antártida oferece uma oportunidade única para aventura, emoção e descoberta, que o viajante médio não costuma encontrar facilmente. A quase completa ausência da presença humana estimula uma vida animal não agressiva, que recebe os visitantes sem maiores problemas no seu habitat. A visita a uma colônia de pingüins, cujos integrantes de smoking contam-se aos milhares, é uma experiência para ficar na memória pelo resto da vida. Há diferentes itinerários à disposição: é possível velejar pela península Antártica ou circunavegar o continente inteiro, assim como circular entre os altíssimos icebergs a bordo das lanchas infláveis Zodiac. Os roteiros também podem incluir paradas na ilha de Geórgia do Sul e nas Falklands. Embora dezenas de companhias organizem cruzeiros por essas águas gélidas, o melhor dos navios para quem deseja fazer esse tipo de passeio é o Explorer, o "pequeno navio vermelho", o primeiro a realizar uma expedição antártica. Esse quebra-gelo de fundo chato leva uma tripulação de veteranos que inclui geólogos, zoólogos, exploradores polares, historiadores, ecologistas e oceanógrafos que ajudam a tornar o incrível mais compreensível.

O QUE: experiência. **ONDE:** translado de Santiago, Chile, até Ushuaia, Argentina, para o embarque. **COMO:** no Brasil, Cia. Nacional de Ecoturismo (São Paulo). Tel. (11) 5571-2525; fax (11) 5571-8114; comercial@ecoturismo.com.br; www.ciaecoturismo.com.br. Pacote: 12 dias: minicruzeiros pelos fiordes chilenos e a Antártida; parte aérea (vôo partindo de São Paulo), traslado, hotel (2 dias com café da manhã). Embarque no MS Nordnorge ou no MS Nordkapp, cabines duplas, 9 noites a bordo com pensão completa; saídas mensais. ***Quanto***: a partir de U$5.429 por pessoa. **MELHOR ÉPOCA:** Nov.–Fev. (verão austral), quando as temperaturas ficam na média de amenos 2ºC negativos.

MÉXICO E AMÉRICA CENTRAL

Janelas para o paraíso

LAS VENTANAS AL PARAÍSO

San José del Cabo, Los Cabos, Baixa Califórnia, México

Localizado na extremidade da península Baja, de 1.600km de extensão, próximo ao local onde o oceano Pacífico se encontra com o mar de Cortez, o resort Las Ventanas al Paraíso evoca uma atmosfera de solidão típica dos lugares mais remotos, aninhado entre o mar e as areias do deserto, com montanhas de corte irregular pairando ao fundo. No passado geograficamente isolada, a região de Los Cabos – um corredor de 40km que liga as cidades de Cabo San Lucas e San José del Cabo em pleno deserto – apresentou um rápido desenvolvimento na última década. Cabo San Lucas, em particular, tem se destacado como destino de escapadas durante a primavera, geralmente regadas a ***cerveza*** (confira nessa cidade o Cabo Wabo, onde toda noite é uma "noite da tequila"), e também como refúgio dos que fazem o estilo alternativo alto-astral.

Las Ventanas, inaugurado em 1997 numa área de 4,8ha ao longo daquele corredor, acrescentou ao cenário um toque de suprema sofisticação, das alegres e luxuosas suítes (as maiores do México) até à piscina à beira-mar, passando pelo campo de golfe de 18 buracos, projetado por Robert Trent Jones Jr. O resort, com áreas fechadas e ao ar livre, oferece de tudo: de uma massagem de casal à luz de tochas e tratamento de beleza com cactos até – é sério – uma terapia antiestresse para o seu poodle. Sorridente e solícita, a equipe adianta-se à menor insinuação de um desejo por parte dos hóspedes. Quem se aventura para fora dos limites do hotel desfruta a paisagem, de uma beleza selvagem, com locais ideais para a prática do mergulho e ótimos pontos para pesca de peixes de grande porte. O pôr-do-sol é uma experiência inebriante, mesmo para quem mantém distância da degustação de tequilas no fim da tarde.

O QUE: hotel. **ONDE:** 2 horas de vôo de Los Angeles. **LAS VENTANAS AL PARAÍSO:** tel. (52) 624-144-2800; lasventanas@rosewoodhotels.com; www.lasventanas.com. **QUANTO:** duplos a partir de U$375 (baixa temporada) e a partir de U$575 (alta temporada). **MELHOR ÉPOCA:** Dez.–Mar. para ver as baleias-cinzentas (e de outras cores) que chegam do Ártico aos milhares; Mai.–Set. para encontrar mais vagas e diárias mais baixas (assim como temperaturas mais altas); os meses do outono para os torneios de pesca de peixes de grande porte.

A mais impressionante das antigas cidades maias

PALENQUE

Chiapas, México

Em meio a uma densa floresta virgem aos pés das montanhas Usumacinta está uma das mais extraordinárias ruínas legadas pela civilização maia. Ocupando um platô situado numa posição estratégica, Palenque viveu seu auge entre meados e o fim do período clássico, do século VI ao IX d.C., florescendo como um centro de arte, religião e astronomia. Foi um dos primeiros sítios arqueológicos maias a ser descoberto e permanece até hoje como um dos mais bem preservados. A arquitetura elegante, os relevos trabalhados em estuque retratando diferentes cenas, a caligrafia e os frisos decorativos atingiram um alto nível artístico, e grande parte desse patrimônio ainda pode ser vista no local. Outras obras de arte estão à mostra num pequeno museu inaugurado próximo à entrada das ruínas e no Museu Nacional de Antropologia, na Cidade do México. Apenas uma pequena parte das ruínas foi escavada. O destaque é o Templo de las Inscripciones, uma pirâmide em degraus que abriga o extraordinário túmulo do governante de Palenque, o rei Pacal, morto em 683 d.C. (sua máscara mortuária, confeccionada com

200 fragmentos de jade, está no museu da Cidade do México). O complemento perfeito para uma visita a Palenque é uma noite no Chan-Kah Ruinas. Seus bangalôs, projetos simples feitos de pedra e madeira, estão distribuídos por 20ha de selva quase intocada, dando a impressão de um vilarejo maia perdido no tempo. Você é despertado ao nascer do sol, quando os pássaros tropicais entoam seu canto.

O QUE: lugar, hotel. **PALENQUE:** 150km a nordeste de San Cristóbal de las Casas, no interior do Parque Nacional de Palenque. **CHAN-KAH RUINAS:** Carretera Palenque. Tel. (52) 9-345-1100; fax (52) 9-345-0820; chan-kah@palenque.com.mx; www.chan-kah.com. ***Quanto***: duplos U$65.

Uma incrível viagem de trem por um cenário escarpado e selvagem

COPPER CANYON

Chihuahua, México

Essa inacessível e pouco conhecida região da Sierra Madre abriga um dos maiores cânions do mundo, habitado por um dos povos mais isolados do país, os índios tarahumara. As Barrancas del Cobre, conhecidas como Copper Canyon, são na realidade uma rede de desfiladeiros profundos, com seis grandes cânions interligados e 200 outros menores que, juntos, superam em quatro vezes o tamanho (e em alguns pontos a profundidade) do Grand Canyon do Arizona. Um lugar remoto e ainda em grande parte inexplorado, ele é apreciado com mais intensidade da janela do luxuoso trem da South Orient Line, que segue pela ferrovia Chihuahua al Pacifico. Provavelmente é a mais panorâmica viagem de trem na América do Norte, num percurso de 640km e 13 horas pelo oeste selvagem, que vai de Chihuahua a Los Mochis, na costa do Pacífico, serpenteando em meio a planaltos com florestas de pinheiros e desfiladeiros. Para apreciar a grandiosidade dessa paisagem acidentada, aproveite as paradas. A 680m de altitude, a estação de Creel oferece uma porta de entrada para o interior dessa região intocada, seja por meio de caminhadas organizadas, seja hospedando-se na Copper Canyon Sierra Lodge, onde guias da região podem ser contratados. A interminável rede de trilhas através dos planaltos e planícies desse enorme cânion, assim como a oportunidade de interagir com os tímidos e divertidos tarahumara, tornam esse passeio uma experiência inesquecível. Não há eletricidade na Sierra Lodge, mas um chef prepara pratos locais de surpreendente qualidade, enquanto os belos panoramas compõem o cenário com que você sempre sonhou.

Hotel à beira do rio em Batopilas.

O vilarejo de Batopilas, dedicado no passado à exploração da prata, já foi uma das cidades mais ricas do México. Hoje esse lugar permanece esquecido às margens de um rio no fundo do cânion, entre exuberantes folhagens e flores subtropicais. A equipe da Sierra Lodge pode providenciar para que você consiga um alojamento em Batopilas. Para isso, terá que enfrentar sua mais eletrizante viagem de carro: o caminho à beira de um desfiladeiro desce, ao longo de 1.800m de altura, até à boca de um cânion, num percurso que leva de seis a oito horas angustiantes. Os que acreditam que "já viram de tudo" devem optar pelos "assentos suicidas" a bordo da caminhonete que se aventura por essa verdadeira montanha-russa.

O QUE: lugar, experiência, hotel. **CHIHUAHUA:** 370km ao sul da fronteira com o Texas. *Como*: no Brasil, agência Cia. Nacional de Ecoturismo (São Paulo). Tel. (11) 5571-2525; fax (11) 5571-8114; comercial@ecoturismo.com.br; www.ciaecoturismo.com.br. Pacote: 10 dias, parte terrestre (transporte aéreo com pagamento à parte, vôo partindo de São Paulo), traslado, hotel, café da manhã, 2 refeições; saídas mensais. *Quanto*: a partir de U$1.739. **SOUTH ORIENT LINE:** nos Estados Unidos; tel. (1) 800-659-7602 e (1) 281-866-9200; fax (1) 281-866-9222; info@thetraincollection.com; www.southorientexpress.com. **COPPER CANYON SIERRA LODGE:** nos Estados Unidos, entre em contato com a Copper Canyon Sierra Lodges; tel. (1) 800-776-3942; coppercanyon@earthlink.net; www.coppercanyonlodges.com. *Quanto*: duplos a partir de U$50, inclui refeições, guias e excursões à parte; excursões de 8 dias a partir de Chihuahua U$1.045 por pessoa, tudo incluído. **MELHOR ÉPOCA:** Fev.–Abr. e Out.–Dez.

Ecos de música e dança numa jóia colonial

FESTIVAL INTERNACIONAL CERVANTINO

Guanajuato, México

Com sua arquitetura histórica e sua elegância antiquada, a fotogênica Guanajuato é o cenário perfeito para o Festival Internacional Cervantino, evento anual que mantém viva a imagem do cavaleiro errante Dom Quixote, da obra de Cervantes, investindo contra moinhos de vento e lutando para preservar o lado romântico da alma espanhola. Pelas estreitas ruelas calçadas de pedras ressoa a qualquer hora a música das ***estudiantinas*** – grupos de estudantes da universidade local vestidos como trovadores do século XVI, munidos de violões e bandolins, fazendo lembrar a Andaluzia de séculos atrás. Considerado um dos mais importantes eventos do seu gênero na América Latina, o festival prolonga-se por semanas, atraindo para os palcos da cidade e da região artistas de todo o mundo. Qualquer atração que esteja sendo apresentada no Teatro Juárez, centro da vida cultural de Guanajuato, merece ser vista, no mínimo para se apreciar a elaborada decoração da sala, com peças de metal, dourados trabalhados e muito veludo. Esse suntuoso teatro do fim do século XIX – na opinião de Enrico Caruso, um dos melhores das Américas – está situado no Jardín de la Unión, a principal praça dessa antiga capital mineira e ponto central das apresentações ao ar livre durante o festival. A respeitada Posada Santa Fé, a mais antiga e encantadora hospedaria da cidade, tem vários quartos com vista para a ***plaza*** e para os concertos nas ruas. No térreo, o café do hotel, com cadeiras na calçada, proporciona uma ótima vista para os espetáculos e a melhor comida regional em Guanajuato.

O QUE: evento, hotel. **GUANAJUATO:** 362km a noroeste da Cidade do México. **FESTIVAL INTERNACIONAL CERVANTINO:** tel. (52) 473-731-1250; fax (52) 473-731-1161; ficgto@yahoo.com.mx; www.festivalcervantino.gob.mx. Para reservar e pagar com antecedência os ingressos com cartão de crédito, entre em contato com a Ticketmaster na Cidade do México; tel. (52) 5-325-9000; www.ticketmaster.com.mx. ***Quando***: 1.as 3 semanas em Out. **POSADA SANTA FÉ:** Jardín de la Unión, 12. Tel. (52) 473-732-0084; fax (52) 473-732-4653. ***Quanto***: casal a partir de U$55.

Uma festejada colônia de artistas e um patrimônio nacional

SAN MIGUEL DE ALLENDE

Guanajuato, México

Artistas e escritores mexicanos e internacionais procuram a cidade de San Miguel, no topo de uma montanha a mais de 1.800m acima do nível do mar, atraídos tanto pelo seu charme, típico do México dos velhos tempos, quanto pela pureza e sedução de sua luminosidade. Entre as muitas atrações locais estão mansões de famílias nobres cuidadosamente restauradas, igrejas do século XVIII, a sempre animada praça principal El Jardín de la Unión e suas árvores, cafés ao ar livre e excelentes restaurantes. Além disso, um secular e ainda ativo mercado dedicado ao artesanato popular ajuda a fazer de San Miguel um vigoroso centro cultural. Fundada em 1542 por ricos criadores de gado espanhóis, a cidade mantém até hoje uma aura de prosperidade, propiciada no passado pelas lucrativas minas de prata. Esse lugar, despretensioso mas sofisticado, atrai uma mistura composta de ricos habitantes da Cidade do México que o escolhem para passar o fim de semana, intelectuais, turistas e estrangeiros, além dos muitos norte-americanos que vêm optando por morar ali. Sua notoriedade decorre em grande parte do sucesso há muito conquistado pela Casa de Sierra Nevada, o hotel mais sofisticado de San Miguel (e um dos melhores do país). Construído em 1580 e transformado na suntuosa residência do arcebispo de Guanajuato no final do século XVIII, ele compreende quatro imponentes casarões do período colonial. Os atenciosos funcionários dão um novo sentido à expressão es-

Igrejas do século XVIII integram a paisagem da cidade.

panhola "*Mi casa es su casa*". Cada suíte apresenta personalidade e decoração próprias: algumas têm lareiras ou pátios e jardins privados, enquanto outras proporcionam uma fantástica vista desde o alto das montanhas que deram fama a San Miguel.

O Que: cidade, hotel. **San Miguel de Allende:** a 290km da Cidade do México. **Casa de Sierra Nevada:** Calle Hospicio, 35. Tel. (52) 415-152-7040; fax (52) 415-152-1436; sierranevada@quintareal.com. *Quanto*: duplos a partir de U$210. **Melhor Época:** A Fiesta de San Miguel, o santo padroeiro da cidade, é comemorada em 29 de Set., o dia mais animado do ano; as festividades incluem muita dança, comida, fogos de artifício e a ***pamplonada*** (fugir dos touros pelas ruas da cidade).

Uma das vistas mais românticas do planeta

Baía de Acapulco

Guerrero, México

Grande parte da forte reputação de Acapulco como uma espécie de Hollywood mexicana foi abalada pela intensa atividade turística que a atingiu, mas a fantástica beleza da baía é eterna. Com atrações naturais que a tornam comparável ao Rio de Janeiro, Acapulco também conta com um imbatível pôr-do-sol sobre os 7km da sua baía em formato de ferradura e sobre o oceano Pacífico. Fuja das multidões de turistas e aprecie incríveis vistas para o mar hospedando-se no Hotel Las Brisas, um estabelecimento memorável que, no alto de uma colina, partilhou durante três décadas da fama e do glamour de Acapulco. Ali todo dia é como uma lua-de-mel: *casitas* envoltas em fúcsias e buganvílias têm suas próprias piscinas individuais onde flutuam flores de hibiscos e de onde se podem apreciar panoramas deslumbrantes da baía. O Bella Vista, restaurante ao ar livre do hotel, está à altura do nome que tem. A maior parte dos hóspedes não costuma sair dos 303ha de vegetação tropical nas encostas das montanhas, mas os que optam pelo passeio entram num dos jipes da casa, tradicionalmente listrados de rosa e branco, e dirigem-se ao vilarejo de pescadores de Pie de la Cuesta, 10km ao norte, um lugar onde as redes e o barulho das ondas evocam a Acapulco de antigamente.

À beira da piscina no Las Brisas.

O Que: lugar, hotel. **Acapulco:** 386km ao sul da Cidade do México. **Hotel Las Brisas:** Carretera Escénica, 13km ao sul de Acapulco. Tel. (52) 744-469-6900; fax (52) 744-469-5332; brisas@brisas.com.mx; www.brisas.com.mx. ***Quanto: casitas*** a partir de U$175 (baixa temporada) e U$210 (alta temporada). **Melhor Época:** clima de praia o ano inteiro; chove um pouco em Jun.–Set.

Um refúgio mais do que idílico

ZIHUATANEJO

Guerrero, México

Enquanto muitas pessoas têm dificuldade para pronunciar o nome Zihuatanejo – e mais ainda para encontrá-lo no mapa –, as mais bem informadas há muito escolheram esse colorido e secular vilarejo de pescadores (apelidado de Zihua) como uma das jóias do México. Dois de seus hotéis de maior charme e prestígio costumam ser incluídos entre os melhores do gênero no país. A imbatível localização do pequeno e romântico hotel Villa del Sol, numa das mais encantadoras praias mexicanas, faz com que ele venha acumulando elogios e prêmios ao longo dos anos. Suas mais recentes novidades são três espaçosas suítes que dão para a praia, além de contarem com varandas, piscinas particulares e uma vista perfeita para o pôr-do-sol da baía de Zihuatanejo. Nesse hotel a atmosfera informal alia-se a uma precisão quase suíça do atendimento, garantida pela dedicação do seu proprietário alemão. Ao contemplar a serenidade tropical desse ambiente luxuoso, só quebrada pelo canto dos pássaros e pelo barulho das ondas, quem diria que Villa del Sol está quase sempre lotada? Azulejos brilhantes e pintados encontram-se por toda parte nessa casa aconchegante porém sofisticada. Peças de artesanato local foram trazidas de diversos pontos do país. Mosquiteiros amplos e transparentes servem de dosséis para as camas ***king size***. Em cada canto se percebe a discreta atenção aos detalhes, ao design e à decoração, algo mais comum numa residência particular.

Reserve um número igual de diárias no La Casa que Canta, o outro hotel imperdível de Zihuatanejo, uma construção cor de terra erguida em vários níveis sobre uma colina rochosa que paira sobre a linda Playa La Ropa. La Casa foi feita de adobe para assemelhar-se a um ***pueblo*** (vilarejo) tradicional, com um ambiente que é ao mesmo tempo descontraído e romântico e que deve muito de seu gosto sofisticado aos proprietários franceses (que providenciam para que as camas dos hóspedes estejam cobertas de pétalas frescas toda manhã). Na piscina, apropriadamente chamada de "piscina infinito", as bordas desaparecem num espaço onde os azuis do céu, do horizonte e do oceano Pacífico se confundem num único e magnífico quadro. Ao pôr-do-sol, o resultado é mágico. Cada uma das suítes com vista para o mar – muitas com salas ao ar livre, piscinas particulares e varandas cobertas com sapê – tem o nome de uma canção popular mexicana (daí o nome incomum do hotel), e todas elas apresentam uma atmosfera própria. Uma extravagância estética e visual, repleta de peças de artesanato de Michoacán pintadas com cores vivas e rodeada por vistas deslumbrantes, La Casa que Canta logo se tornou a opção predileta de nomes ligados às indústrias da arte e do cinema. Seu restaurante oferece frutos do mar apanhados no

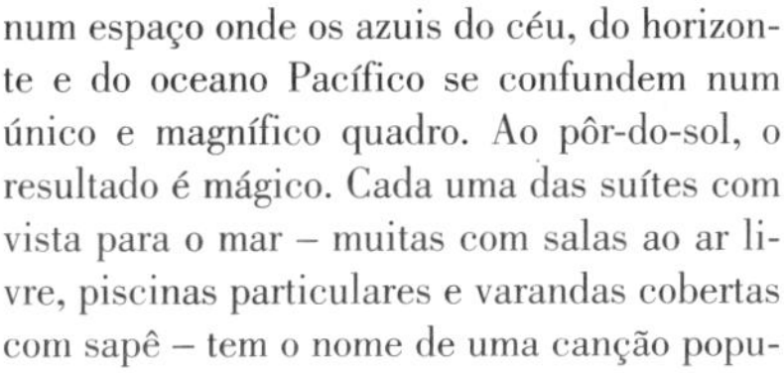

Dias tranqüilos na Villa del Sol.

local. Divinamente preparados, eles são servidos ao ar livre ou numa ***palapa*** (cabana semi-aberta com cobertura de sapê), tendo um céu estrelado como sobremesa.

O QUE: cidade, hotel. **ZIHUATANEJO:** 7km descendo a costa desde Ixtapa; 241km a noroeste de Acapulco, a 3 ou 4 horas de carro numa estrada com lindas vistas do litoral. Há vários vôos diários (de 50 minutos) partindo da Cidade do México. **VILLA DEL SOL:** Playa La Ropa. Tel. (52) 755-555-5500; fax (52) 755-554-2758; hotel@villasol.com.mx; www.hotelvilladelsol.net. *Quanto*: duplos a partir de U$170 (baixa temporada) a U$315 (alta temporada); suítes de U$400 (baixa temporada) a U$550 (alta temporada); suítes na praia de U$600 (baixa temporada) a U$1.050 (alta temporada). **LA CASA QUE CANTA:** 1,5km do centro da cidade pelo Camino Escénico. Tel. (52) 755-555-7000; fax (52) 755-554-7900; lacasaquecanta@prodigy.net.mx; www.lacasaquecanta.com. *Quanto:* suítes de U$285 (baixa temporada) a U$330 (alta temporada); com piscinas particulares de U$509 (baixa temporada) a U$640 (alta temporada). **MELHOR ÉPOCA:** Dez.–Abr.

Onde os deuses nasceram

Teotihuacán e o Museu Nacional de Antropologia

Cidade do México, México

Ninguém sabe quem construiu ou habitou Teotihuacán, uma cidade monumental que abriga pirâmides, palácios e templos. Estima-se que tenha sido fundada por volta de 100 a.C. e que mais de 100.000 pessoas tenham vivido ali (algumas pessoas sugerem um número duas vezes maior) em 500 d.C. É possível que, pelos primeiros seis séculos da nossa era, Teotihuacán tenha sido o mais influente centro político, religioso e cultural da América Central. Os astecas, que chegaram depois, acreditavam que o cosmo tinha sua origem ali. Tão próxima da Cidade do México e ao mesmo tempo tão distante dela, Teotihuacán estende-se por mais de 20km². Na sua época era a maior cidade do mundo, superando o tamanho da Roma contemporânea. Ela foi abandonada por volta do ano 700 d.C. de uma forma um tanto misteriosa. Alguns estudiosos acreditam que seu fim deve ter sido repentino e violento, possivelmente ocasionado por um incêndio.

Uma caminhada ao longo da Avenida dos Mortos, ladeada por pirâmides, partindo da pirâmide do Sol e chegando à pirâmide da Lua, deixa clara a simetria e a majestade de sua arquitetura, disposta segundo os movimentos dos astros – um ponto de encontro entre os deuses, o céu, a terra e a humanidade.

Um museu moderno e sofisticado instalado no local ajuda a dissipar muitos dos mistérios que envolvem as ruínas, ainda que um grande número dos artefatos desenterrados ali esteja à mostra no Museu Nacional de Antropologia, na Cidade do México. Uma viagem até esse museu é uma receita infalível para trazer de volta à vida todo o brilho e esplendor da Mesoamérica da época anterior à conquista. Um dos melhores museus antropológicos e arqueológicos do mundo, suas coleções estão alojadas num projeto arquitetônico premiado, que evoca a grandiosidade imemorial de um templo asteca. O calendário asteca também conhecido como Pedra do Sol (o destaque da casa), ricos adornos de cabeça confeccionados com penas, refinadas peças de ouro e de alabastro e os instrumentos mais simples usados no dia-a-dia por esse povo podem ser tão sugestivos quanto uma ruína encontrada no fim de uma trilha em meio à selva.

O QUE: lugar. **TEOTIHUACÁN:** 53km a nordeste da Cidade do México. **MUSEU NACIONAL DE ANTROPOLOGIA:** Paseo de la Reforma, 1, Gante, no Parque Chapultepec, Cidade do México. Tel. (52) 5-553-6386; fax (52) 5-553-6381. ***Quanto***: ingresso U$3; grátis aos Dom. ***Quando***: Ter.–Dom.

Berço da tradicional arte popular

MICHOACÁN

México

Michoacán, o estado mais belo e talvez mais artístico e culturalmente rico de todo o México, é a terra dos nativos tarascos, um povo conhecido por suas peças de artesanato e arte folclórica de cores vivas, por sua música e dança e por seu melodioso idioma ***purépecha***. Às margens do lago Pátzcuaro – um dos mais altos do mundo, a 2.200m de altitude –, eles fundaram a pitoresca cidade de Pátzcuaro em 1324. Atualmente o epicentro do artesanato local, feito à mão, esse lugar é o melhor ponto de partida para se começar a conhecer a região. Às sextas-feiras, dia do mercado, as índias, muitas das quais vestidas com as tradicionais roupas coloridas, enchem as ruas. Elas partem de vilarejos vizinhos, cada um deles conhecido por fabricar uma especialidade de diferente de artesanato. A própria Pátzcuaro é célebre por suas mantas de lã de alta qualidade e por seus tecidos, assim como por seus ***tamales***, quitutes locais. A cidade de Santa Clara del Cobre, ali perto, deve sua fama às peças de cobre feitas à mão. Há também os objetos de palha e as cerâmicas de Tzintzuntzán, os móveis e os bordados de Erongaricuaro e os objetos belamente laqueados de Uruapán (onde um animado mercado é montado aos domingos). Não é por acaso que Michoacán é um dos principais centros de artesanato do México. No início do século XVII um bispo espanhol chegou a Morelia, capital do estado, com a intenção de organizar as comunidades indígenas numa espécie de cooperativa e ensinou em cada cidade uma atividade diferente. Muito dessa visão original permanece intacto ainda hoje. É possível ter uma idéia geral da produção regional sem sequer sair de Morelia: a Casa de Artesanías, na Plaza de San Francisco, é uma vitrine criada pelo governo para mostrar o melhor da arte folclórica e do artesanato do estado.

Vista de Morelia a partir das colinas de Santa Maria.

A mais européia das cidades do México, a imponente e colonial Morelia também serve de cenário perfeito para a Villa Montaña. Instalada no alto das colinas de Santa Maria em meio a uma vegetação exuberante e vistas panorâmicas da cidade e de suas construções em pedra rosada lá embaixo, a Villa é um hotel repleto de peças de arte popular que ostenta uma certa aura francesa (devida, sem dúvida, a seus aristocráticos proprietários europeus). *Villas* (casas) separadas umas das outras e um labirinto formado por diferentes pátios, além de alamedas calçadas com pedras, reproduzem a atmosfera de um pequenino vilarejo em cujo centro fica o casarão original da propriedade. Ali, as belas paisagens disputam a atenção dos hóspedes com a elogiada cozinha do hotel e cada passeio pela cidade é dominado pela visão das duas torres gêmeas da catedral de Morelia – a segunda maior das Américas e uma das mais belas do México.

O QUE: cidade, hotel. **PÁTZCUARO:** 48km a sudoeste de Morelia. Todas as cidades mencionadas estão a 30 minutos de carro de Pátzcuaro. Morelia fica 306km a oeste da Cidade do México (40 minutos de avião). **VILLA MONTAÑA:** tel. (52) 443-314-0231; fax (52) 443-315-1423; hotel@villamontana.com.mx; www.villamontana.com.mx. ***Quanto***: duplos a partir de U$187. **MELHOR ÉPOCA:** o popular Dia dos Mortos é festejado em 1.º de Nov. em todo o México, mas as vigílias à luz de velas na ilha de Janitzio no lago Pátzcuaro são especialmente conhecidas.

Na terra da eterna primavera, um tesouro de pousada

LAS MAÑANITAS

Cuernavaca, Morelos, México

Las Mañanitas é considerada um exemplo para as pousadas de luxo do México, a própria definição de prazer. É raro encontrar quem não tenha ouvido falar dela, e por boas razões: a 1.520m acima do nível do mar, com um clima perfeito que os astecas chamavam de "eterna primavera" e uma simpática equipe de 150 funcionários que fazem de tudo para cuidar bem dos 40 privilegiados hóspedes, não há como não gostar dessa casa. A atmosfera é chique e informal, como a própria cidade de Cuernavaca. Pavões, grous e flamingos vagueiam pelos verdes gramados e jardins floridos como num zoológico a céu aberto, enquanto papagaios e lindas araras azuis se empoleiram no alto das árvores. O antigo nome da cidade, Cuauhnahuac, ou Lugar das Árvores Sussurrantes, se aplica aos jardins perfeitos desse lugar, um verdadeiro éden florido. Quase todas as 20 suítes se localizam de frente para esses esplêndidos e frescos jardins tropicais, onde se concentra a maior parte do movimento em Las Mañanitas – chás, coquetéis, a espera pela hora do jantar, momentos de preguiça, sonecas. Quando o hotel está cheio, os candidatos a hóspedes que decidem ficar para almoçar ou jantar podem ter uma decepção: o merecidamente aclamado restaurante tem um papel decisivo na fama da pousada como o refúgio perfeito, razão pela qual muitos visitantes de fim de semana vão até lá somente pelo prazer de saborear suas deliciosas refeições. Em ambos os casos, reserve com antecedência e cruze os dedos.

O QUE: hotel, restaurante. **ONDE:** 80km ao sul da Cidade do México (a rodovia é famosa pelo tráfego intenso). Calle Ricardo Linares, 107. Tel. (52) 777-314-1466; fax (52) 777-318-3672; lasmananitas@lasmananitas.com.mx; www.lasmananitas.com.mx. **QUANTO:** duplos a partir de U$118, suítes de frente para os jardins a partir de U$273. **MELHOR ÉPOCA:** clima perfeito durante todo o ano.

Um dia de muita cultura – e não apenas de compras

O Mercado de Sábado de Oaxaca e o Camino Real

Oaxaca, México

A infinidade de interessantes galerias e lojas de artesanato existentes nessa adorável cidade colonial torna qualquer dia uma ocasião ideal para fazer compras. Oaxaca já foi chamada de a mais mexicana das cidades da república, mas aos sábados – à medida que centenas de índios chegam ali vestindo roupas tradicionais e levando suas peças de artesanato pintadas em cores vivas – ela proporciona a principal e mais intrigante experiência que um viajante pode ter em sua relação com os povos mexicanos nativos. (Nesse lugar reside a maior população indígena do país: dois em cada três cidadãos são índios, representando 16 grupos étnicos que falam nove línguas e 52 dialetos.) A Central de Abastos (Central de Abastecimento) é o mercado dedicado ao artesanato, no qual se encontram cerâmicas pintadas à mão, miríades de gatos de madeira pontilhados e outros animais engraçados, além de ***huipiles*** (blusas) bordadas e ***rebozos*** (xales), cujos padrões e desenhos variam de acordo com a cidade de origem. Mas é preciso pechinchar na hora da compra.

Oaxaca ostenta uma notável combinação da prosperidade espanhola (exemplificada pela magnífica igreja barroca de Santo Domingo e sua Capela Rosario, ornamentada com dourados) com uma tradição nativa de raízes profundas. O resultado dessas influências está gloriosamente exposto no Convento de Santa Catarina de Siena. Considerada um dos tesouros coloniais do México, essa construção já funcionou como escola, sede da prefeitura e até como cadeia, mas foi transformada no Camino Real, um dos mais belos hotéis do México. Esse antigo convento está dentro de uma área declarada oficialmente Distrito dos Monumentos Nacionais, que abrange 26 igrejas do período colonial. No interior das grossas e frias paredes do hotel, os hóspedes podem apreciar vários afrescos antigos, pátios com aroma de jasmim e a Los Lavaderos, uma fonte coberta por uma cúpula e cercada por 12 bacias de pedra. O antigo refeitório tornou-se o elogiado restaurante do hotel, El Refectorio. Prove o molho ***mole***, uma especialidade local servida ali de diversas formas.

O Que: cidade, evento, hotel, restaurante. **Oaxaca:** 547km ao sul da Cidade do México, vôos diários (55 minutos) a partir da Cidade do México (U$130 1 perna). O mercado Abastos situa-se na extremidade sul da cidade, basta seguir a multidão. **Camino Real:** Calle Cinco de Mayo, 300. Tel. (52) 951-516-0611; fax (52) 951-516-0732; oax@caminoreal.com; www.camino-real-oaxaca.com. ***Quanto***: duplos a partir de U$195. Jantar no El Refectorio U$13. **Melhor Época:** Oaxaca é conhecida por celebrar os feriados tradicionais, especialmente o Dia dos Mortos, em 1.º de Nov.; a Semana Santa, antes da Páscoa; e Natal e Ano-Novo. Entre os eventos exclusivos de Oaxaca estão o Festival de Dança Guelaguetza no fim de Jul. e o Festival da Comida dos Deuses no início de Out.

A genialidade da engenharia maia e a grandiosidade tolteca

Chiquén-Itza

Yucatán, México

A magnífica metrópole de Chiquén-Itza – o mais famoso, mais espetacular e, conseqüentemente, o mais visitado dos sítios arqueológicos maias – foi o principal centro cerimonial de Yucatán. Se você tiver sorte o bastante para estar ali durante o equinócio da primavera ou do outono (21 de março e 21 de setembro), ficará admirado com a genial localização do templo de El Castillo de Kulkulcán: no final da tarde, o jogo de luz e sombra desenha uma serpente em movimento (representando justamente o antigo líder Kulkulcán, transformado em divindade), que, ao longo de 34 minutos, desce pelos 365 degraus até à cabeça do gigante na base da principal fachada da pirâmide antes de desaparecer na terra. O sítio em Chiquén-Itza, de 18km² (foram abertos 5km² na floresta) foi habitado durante 800 anos, a partir de 432 d.C., no período clássico da civilização maia, até à chegada do povo tolteca. Apenas 30 de suas construções foram exploradas, restando centenas delas ainda intocadas.

Um dos destaques do legado maia em Yucatán.

Fuja dos ônibus de turismo hospedando-se no romântico Hotel Mayaland, instalado numa propriedade particular de 40ha nas proximidades das ruínas. Muitos dos quartos têm vista para o observatório cilíndrico El Caracol. Ali, belos jardins e piscinas ajudam a suportar as horas mais quentes do dia. A única maneira de visitar as ruínas à noite é comprando ingressos para o espetáculo de som e luz (que é bem mais interessante do que você pode imaginar).

O Que: lugar, hotel. **Onde:** a 1 hora e 30 minutos de carro de Mérida, a 2 horas e 30 minutos de Cancún. **Hotel Mayaland:** por meio da Mayaland Tours em Mérida. Tel. (52) 998-887-2450; fax (52) 998-884-4510; info@mayaland.com; ww.mayaland.com. *Quanto*: duplos a partir de U$88. **Melhor Época:** equinócio de primavera ou outono.

Um retiro isolado na Riviera maia

MAROMA

Yucatán, México

O resort Maroma é uma pequena jóia situada num litoral delicado. Embora ele se localize apenas 48km ao sul na estrada que leva a Cancún, na verdade está a 1.000 anos-luz da badalação dessa sua imensa vizinha.

Seu proprietário, um arquiteto mexicano, concebeu o projeto como um casamento entre o desenvolvimento e a preservação ecológica. Situado no seu próprio trecho de praia caribenha de mais de 1km e quase selvagem, perto das importantes ruínas maias de Tulum, Maroma é um enclave meio mourisco, meio maia numa área de 160ha cobertos de mangues, selva e coqueiros. Enquanto Cancún continua a se expandir sem nenhum controle, Maroma não tem planos para crescer. É o mais ambicioso hotel (e certamente o mais luxuoso) no gênero "pequeno e chique" existente na região. Das frescas varandas com redes coloridas, grandes o bastante para dois, pode-se apreciar a vista deslumbrante do mar azul-turquesa, um panorama capaz de sensibilizar os mais experientes viajantes. Boa comida, bons vinhos e ***margaritas***, serviços de spa e a descoberta do lugar ideal numa enorme praia deserta são ingredientes mais do que suficientes para garantir um dia perfeito. Os que estão em busca de uma vida noturna agitada devem se dirigir para o centro de Cancún, porém a maior parte dos hóspedes do Maroma prefere manter distância de qualquer coisa que se assemelhe a uma multidão.

O QUE: hotel. **ONDE:** 48km ao sul de Cancún. Tel. (52) 987-28200; fax (52) 987-28220; reservations@maromahotel.com; www.maromahotel.com. **QUANTO:** duplos a partir de U$360. **MELHOR ÉPOCA:** Jul.–Ago., Out. e Dez.–Mai.

Vista deslumbrante de uma cidade colonial cor-de-rosa

TELEFÉRICO SOBRE ZACATECAS

Zacatecas, México

A única coisa mais deliciosa do que perambular pelas ruelas coloniais da "Cidade Rosa" do México é navegar sobre ela a bordo do teleférico, o único em todo o mundo que atravessa uma cidade de ponta a ponta.

O efeito é estonteante, uma vez que Zacatecas está situada a 2.500m acima do nível do mar. Será a altitude ou a visão do pitoresco conjunto de construções barrocas cercado por colinas lá embaixo o que nos deixa zonzos? No século XVIII, as minas de prata transformaram Zacatecas numa das mais ricas cidades do Novo Mundo. Sua antiga riqueza se reflete tanto no uso da pedra rosada (chamada de ***cantera rosa***), que é encontrada por toda parte, quanto na catedral de decoração extravagante, uma das mais notáveis construções barrocas do México, cujos contornos monopolizam os olhares dos turistas. A atenção dos visitantes também é atraída por outros marcos arquitetônicos, e alguns deles abrigam coleções de obras de arte de alto nível. Dois excelentes museus têm os nomes dos irmãos Coronel, artistas locais altamente admirados. Outra maravilha da arquitetura é o hotel Quinta Real, instalado na mais antiga praça de touros das Américas e considerado por algumas pessoas o mais incomum do país. Muitos dos quartos possuem varandas com vista para a Plaza de Toros, do século XVII, onde ainda ecoam gritos de "Olé!". Visite esse lugar nem que seja para tomar um drinque no bar, que ocupa alguns dos antigos cercados para touros.

Um incrível panorama da "Cidade Rosa".

O QUE: experiência, cidade, hotel. **ZACATECAS:** 603km ao norte da Cidade do México e de Guadalajara. Há um pequeno aeroporto na cidade. **TELEFÉRICO:** vai do Cerro del Grillo até o topo escarpado do Cerro de la Bufa, onde uma capela do século XVIII dedicada à Virgem, a santa padroeira de Zacatecas, guarda um retrato que teria poderes milagrosos. ***Quanto***: U$4 viagem de ida e volta. **HOTEL QUINTA REAL:** Avenida Rayon, 434. Tel. (52) 492-922-9104 e (52) 492-922-9157; fax (52) 492-922-8440; reservaciones@quintareal.com; www.quintareal.com. ***Quanto***: duplos a partir de U$180.

Fascínio pela vida no além

O DIA DOS MORTOS

México

Enquanto em muitos países a morte é encarada com medo, raiva e angústia, no México as pessoas mantêm um vínculo vital com os familiares falecidos, reconhecendo o Dia dos Mortos como um momento para celebrar a vida e homenagear os que já se foram. Elas acreditam que as almas dos mortos voltam todos os anos durante uma semana para compartilhar dos prazeres que conheceram e apreciaram em vida. A origem dessa comemoração remonta a uma época anterior aos astecas, e a tradição nativa sobreviveu à chegada dos missionários espanhóis ao se mesclar com os ritos impostos pela Igreja no Dia de Todos os Santos. Alguns dos rituais dessa celebração mantêm-se inalterados há séculos. Muito esforço é investido na preparação das oferendas com frutas, flores, confeitos e itens artesanais dedicados aos mortos, que, dizem, costumam chegar no dia primeiro de novembro. Pratos especiais (e uma ocasional garrafa de tequila) são dispostos como o café da manhã e o jantar dos entes queridos que partiram. Os cemitérios ficam repletos de pessoas que limpam, pintam e decoram os túmulos de seus antepassados. Nos altares das famílias são colocados retratos, arranjos de flores montados com cravos-de-defunto ou uma única e simples vela.

O QUE: evento. **ONDE:** o Dia dos Mortos é comemorado em cada ***pueblo*** (vilarejo) e cemitério do México. **COMO:** no Brasil, agência Cia. Nacional de Ecoturismo (São Paulo). Tel. (11) 5571-2525; fax (11) 5571-8114; comercial@ecoturismo.com.br; www.ciaecoturismo.com.br. Pacote: Mini-México Arqueológico, 17 dias, 3 dias em Oaxaca, parte aérea (vôo partindo de São Paulo) e terrestre, traslado, café da manhã, passeios; saídas diárias. **QUANTO:** U$2.200 por pessoa. **QUANDO:** todos os anos por volta de 28 de Out.

Mergulhando na segunda mais longa barreira de corais do mundo

BARREIRA DE CORAIS

Ambergris Caye, Belize

Pode parecer estranho que ao longo do litoral de um país do tamanho do estado de Sergipe exista uma enorme barreira de corais, de quase 300km de extensão. Ela é a mais longa do hemisfério ocidental e a segunda maior em área, só perdendo para a Grande Barreira de Corais na Austrália. Há mais de 200 ilhotas próximas a ela – as duas maiores são Caye Caulker e Ambergris Caye. Nesta última, a mais popular, situa-se a encantadora cidade de San Pedro, a principal base para os mais de 40 pontos de mergulho com cilindro e snorkel existentes na área. Ao largo da extremidade sul de Ambergris, a Reserva Marinha de Hol Chan é um dos melhores lugares para se mergulhar, de dia ou de noite, dada a variedade de sua vida marinha, que inclui 40 tipos de garoupa, uma floresta de corais, além de esponjas tão densas e variadas quanto a mata que cobre a superfície das ilhas. Mas, se mergulhar em Ambergris é fantástico, fazer isso num dos três únicos atóis de coral existentes no Caribe é uma experiência inesquecível. O Lighthouse Reef (Coral do Farol) em forma de anel é o mais acessível, graças à construção de uma pista de pouso na ilhota, e o mais próximo de dois dos melhores pontos de mergulho da barreira: o lendário Blue Hole (Buraco Azul) – descrito por Jacques Cousteau em 1970 como "um dos quatro locais imperdíveis para mergulho neste planeta azul" – e o Parque Nacional Half Moon Caye. O Lighthouse Reef tem pontos espetaculares para mergulho em parede, com excelente visibilidade até 60m de profundidade.

O QUE: lugar, experiência, hotel. **AMBERGRIS CAYE E LIGHTHOUSE REEF:** a apenas 20 minutos de vôo de Belize City. **COMO:** no Brasil, agência Climb Tour Operator (São Paulo). Tel. (11) 5542-8166; climb@climb.tour.br; www.climb.tur.br. Pacote: 9 dias, parte aérea (vôo partindo de São Paulo) e terrestre, traslado, hotel, café da manhã, saídas para mergulhos; saídas diárias. **QUANTO:** U$1.934 (parte terrestre) e U$1.518 (parte aérea), por pessoa. **MELHOR ÉPOCA:** Mar.–Mai.

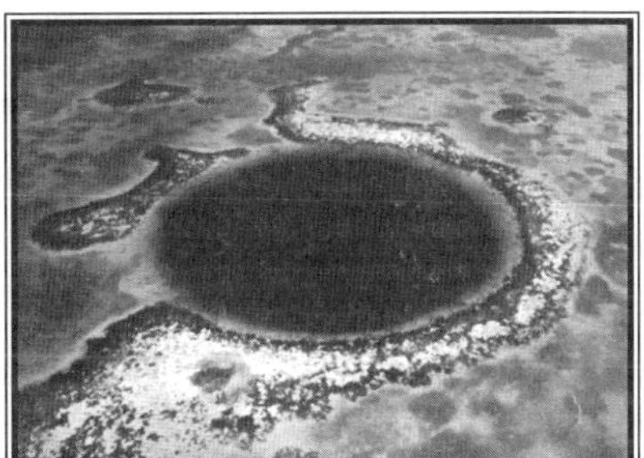

No passado uma entrada para uma rede de cavernas, o Blue Hole tem 300m de diâmetro e mais de 120m de profundidade.

Durma onde os antigos maias dormiam

CHAN CHICH LODGE

Orange Walk, Belize

Passar uma noite nessa pousada ímpar, cercada pela floresta, é como ser um hóspede dos espíritos do antigo mundo maia. Localizada numa plaza maia que data do período clássico (300–900 d.C.), no coração de densos 100.000ha de selva da Reserva Natural de Rio Bravo, a Chan Chich Lodge confere um novo sentido à expressão "fora do circuito convencional". Repleta de ruínas, a área é animada pelo canto dos pássaros e pelo guinchar dos macacos, enquanto trilhas bem conservadas serpenteiam ao longo de colinas cobertas de relva que escondem templos, pirâmides, túmulos e residências de até 1.500 anos de idade. Excursões pelas vizinhanças feitos em jipe ou a cavalo proporcionam uma visão ainda mais ampla do fascinante legado maia. Os bangalôs com tetos de palha da pousada, construídos com madeiras locais, lembram residências desse antigo povo, mas contam com interiores elegantes e luxuosos, ainda que não tenham TV nem telefone. As redes estendidas nas varandas são um convite a fins de tarde preguiçosos, quando ficar ouvindo os pássaros tropicais pode ser a única tarefa que os deuses maias têm em mente para seus hóspedes.

Descanse numa rede ou passeie pelas ruínas.

O QUE: hotel. **ONDE:** 241km a noroeste de Belize City; a 4 horas de carro ou 30 minutos de vôo charter sobre a floresta virgem (U$170 por pessoa num avião de 3 lugares, 1 perna). Tel./fax (501) 234-419; info@chanchich.com; www.chanchich.com. **QUANTO:** duplos U$125 (baixa temporada) e U$165 (alta temporada). Pensão completa U$45 por pessoa, por dia. **QUANDO:** Out.–Ago. **MELHOR ÉPOCA:** Jan.–Mai. (época da estiagem). Chuvas ao entardecer de meados de Jun.– meados de Ago. garantem a movimentação de muitos animais e pássaros.

O lugar certo para se sentir na selva de verdade

PARQUE NACIONAL CORCOVADO

Puerto Jimenez, Península de Osa, Costa Rica

Com um dos melhores sistemas de reservas e parques nacionais de todo o mundo, os 35 santuários naturais da Costa Rica protegem mais de 25% do território do país. Selecionar o destino da sua primeira visita não é uma escolha fácil. Abrangendo um terço da remota península de Osa, que se projeta no oceano Pacífico, naquele que é, segundo a revista *National Geographic*, "o lugar de maior riqueza biológica da Terra", o Parque Nacional Corcovado é de difícil acesso. Às vezes se tem a sensação de que se é o único intruso a se aventurar pelas trilhas (não existem estradas) de seus 40.000ha. Corcovado é um dos maiores e mais intocados parques do país, onde estão preservados uma floresta tropical, praias desertas, rios ladeados por florestas e um enorme pantanal, praticamente inacessível. No interior de sua grande variedade de habitats vivem mais de 140 espécies de mamíferos, de antas a jaguatiricas e pumas. Na área há uma das maiores populações de araras-vermelhas, que, com outras 375 espécies de pássaros, vivem entre mais de 850 tipos de árvores, competindo com os macacos para ver quem consegue se destacar em meio à barulheira selvagem.

Na fronteira sul do parque está instalada a opção de hospedagem preferida pelos ecoturistas em viagem pela Costa Rica: a Corcovado Lodge Tent Camp. Ali não há eletricidade e os banheiros são compartilhados. A água potável vem direto de um córrego cristalino que passa em meio aos 20 bangalôs. Numa incrível "viagem suspensa", uma polia ergue os visitantes maravilhados a uma altura equivalente à de oito andares para que eles possam ver de perto as copas das árvores da densa floresta tropical. Nem esse "passeio" com a polia nem os bangalôs são indicados para todos. Onde termina a última estrada da civilização resta ainda uma caminhada de 45 minutos por uma praia paradisíaca até chegar à pousada, enquanto a bagagem é levada por uma carroça puxada por cavalos.

Se um programa rústico como esse não faz seu estilo, considere a possibilidade de hospedar-se em Lapa Rios, pousada instalada num penhasco a 100m de altura acima do Pacífico, em meio a uma propriedade de 400ha, formando uma reserva natural própria nas imediações do Parque Corcovado. Seus proprietários são norte-americanos que criaram uma atmosfera intimista, onde os hóspedes podem aprender tudo sobre a floresta tropical. Mas nenhuma escola poderia ser mais divertida, fascinante ou exuberante. Erguida numa área que proporciona uma vista panorâmica do golfo Dolce, num recanto da península de Osa, Lapa Rios oferece panoramas deslumbrantes, seja a partir das plataformas de observação ao ar livre, seja do seu bar-restaurante ou dos próprios quartos, construídos com madeira da floresta. Ali, os dias giram em torno da natureza, começando com um passeio para se observar os pássaros à luz do nascer do sol (Lapa Rios significa "Rios de Araras") e terminando com trilhas em que são mostradas ervas medicinais ou com caminhadas noturnas.

O QUE: experiência, lugar, hotel. **PARQUE NACIONAL CORCOVADO:** 368km a sudoeste de San José na península de Osa. Nove horas de carro ou 80 minutos em vôo doméstico ou num avião pequeno a partir de San José. **CORCOVADO LODGE TENT CAMP:** administrada pela Costa Rica Expeditions em San José. Tel. (506) 257-0766; fax (506) 257-1665; costarica@expeditions.co.cr; www.costaricaexpeditions.com. ***Quanto***: U$68 por pessoa, inclui todas as refeições. Preços de pacotes sob consulta. ***Melhor época***: Jan.–Abr. (época da estiagem). **LAPA RIOS:** tel. (506) 735-5130; fax (506) 735-5179; info@laparios.

Vida ao ar livre em Lapa Rios.

com; www.laparios.com. *Quanto*: U$200 por pessoa, inclui todas as refeições. Visitas guiadas à parte. **MELHOR ÉPOCA:** a alta temporada se estende de Jan.–Abr., ainda que muitos apreciem a estação "verde", ou época das chuvas, de Mai.–Set.

Onde a exuberante floresta tropical mergulha no mar

PARQUE NACIONAL MANUEL ANTONIO

Quepos, Puntarenas, Costa Rica

Entre as dezenas de parques nacionais existentes na Costa Rica, o de Manuel Antonio sempre foi considerado uma jóia preciosa – a idílica combinação de uma floresta tropical exuberante, praias de areias imaculadamente brancas e magníficas barreiras de corais. Os guardiões desse santuário natural estão agora tentando controlar sua popularidade limitando o número de ecoturistas e encaminhando parte deles para outros parques menos visitados. Manuel Antonio é um dos menores parques do país e um dos poucos habitats ainda existentes dos sauás, ou macacos-titi, ameaçados de extinção. Poucos do seu gênero têm a vantagem de oferecer um litoral aos visitantes, mas ali há muitas opções para nadar, mergulhar, surfar e pescar. Depois de voltar suado e ofegante de um passeio pela floresta tropical não existe nada melhor do que se refrescar no oceano... a não ser que você tenha tido sorte bastante para conseguir uma reserva no Hotel La Mariposa, instalado num local privilegiado, sobre um penhasco à beira-mar. No estilo das ***villas*** (casas) do Mediterrâneo, seus alojamentos descem pela encosta distribuídos em seis níveis. O conjunto, completamente envolto em buganvílias e hibiscos, está harmoniosamente integrado à colina. Panoramas deslumbrantes em 360º podem até desviar sua atenção das excelentes refeições servidas ao ar livre. A sedução exercida pela paisagem é tão grande que os hóspedes costumam ficar por ali muito tempo depois de o sol ter se posto e de as ***margaritas*** terem sido levadas. Alguns deles nem chegam a ir até o Parque Manuel Antonio, tão satisfeitos que estão nesse ninho lá em cima.

Os cinco sentidos têm com o que se deliciar no La Mariposa.

O QUE: lugar, hotel. **PARQUE NACIONAL MANUEL ANTONIO:** 3 horas e 30 minutos de carro ao sul de San José (transporte até o hotel só ida, U$150) ou a 20 minutos de vôo de Quepos. *Quando*: Ter.–Dom. **HOTEL LA MARIPOSA:** tel. (506) 777-0355, fax (506) 777-0050; mariposa@racsa.co.cr; www.hotelmariposa.com. *Quanto*: duplos a partir de U$95 (baixa temporada) e U$155 (alta temporada). U$35 por pessoa, todas as refeições incluídas. **MELHOR ÉPOCA:** Dez.–Mar. e Jun.–Ago. são os meses de pouca chuva.

Monumentos coloniais e o charme da decadência

ANTÍGUA

Guatemala

Magnificamente situada num vale cercado por vulcões e montanhas, Antígua é uma das primeiras cidades das Américas e uma das mais encantadoras também. Os vestígios de seu passado colonial são uma herança charmosa e comovente da época em que ela foi a capital espanhola de toda a América Central, até o devastador terremoto de 1773. Hoje em dia, normas bastante rígidas protegem o que restou de tudo o que foi erguido entre os séculos XVI e XVIII: igrejas, mosteiros e residências com as marcas da Renascença e do Barroco espanhóis. Algumas dessas edificações foram reconstruídas, enquanto outras simplesmente ruíram, talvez para sempre. Com seu ritmo tranqüilo de pequena cidade do interior, Antígua tornou-se o destino predileto de expatriados com inclinações artísticas e dos habitantes ricos da Cidade da Guatemala, que passam seus fins de semana ali. Funcionam na cidade mais de 30 programas de ensino do idioma espanhol como segunda língua. Entre cafés e butiques da moda e poéticas ruínas está a mais fascinante das construções coloniais, a Casa de Santo Domingo, o mais belo hotel local. Ele está instalado no que restou do que foi o mais rico e poderoso mosteiro de Antígua, erguido em 1642, 100 anos depois da fundação da cidade.

O QUE: cidade, hotel. **ANTÍGUA:** a 25km da Cidade da Guatemala. **CASA DE SANTO DOMINGO:** 3.ª Calle Oriente, 28. Tel. (502) 832-0140; fax (502) 832-0102; domingo@terra.com.gt; www.casasantodomingo.com.gt. ***Quanto***: duplos a partir de U$87 (baixa temporada) e U$125 (alta temporada). **MELHOR ÉPOCA:** a Semana Santa é a mais festejada da América Central; 25 de Jul. é o dia de festa da padroeira local, Nuestra Señora de la Merced (Nossa Senhora das Graças).

A incomparável cidade fantasma dos maias

TIKAL

El Petén, Guatemala

Num império que englobava México, Belize, Honduras, El Salvador e Guatemala, Tikal era a mais resplandecente das cidades maias. Suas imponentes pirâmides e acrópoles foram as estruturas mais altas no hemisfério ocidental em sua época. No seu auge, por volta do século VII d.C. (acredita-se que tenha sido misteriosamente abandonada por volta de 900 d.C.), essa cidade cerimonial de 15,5km^2 era habitada por uma população estimada entre 50.000 e 100.000 pessoas (alguns acreditam que poderia ser o dobro disso). A mais notória e impressionante ruína maia é a Grande Plaza, cercada por templos altos e bem restaurados que no passado eram cobertos de estuque e pintados com cores vivas. Com respectivamente 56m e 64m, os templos V e IV são os mais altos e considerados ideais para se apreciar o pôr-do-sol. Tikal está situada no meio do vasto Parque Nacional de Tikal. Todo coberto por florestas, ele oferece a oportunidade de conciliar história e natureza. Ali as visitas aos templos são feitas em meio aos chalreios dos tucanos e dos guinchos dos macacos. Um passe especial dá autorização para uma visita à Grande Plaza em noites de lua cheia, porém Tikal é um lugar mágico a qualquer hora do dia. Você pode acordar e adormecer ao som das araras hospedando-se no interior do parque, nos modestos bangalôs da Jungle Lodge, pousada construída originalmente para os que trabalhavam nas escavações arqueológicas.

O QUE: lugar, hotel. **TIKAL:** 1 hora de carro a nordeste de Flores, cujo aeroporto está a 1 hora de vôo da Cidade da Guatemala. (Viagem de carro entre Flores e a Jungle Lodge providenciada pelo hotel a U$17, ida e volta.) **JUNGLE LODGE:** reservas na Cidade da Guatemala; tel. (502) 477-0570; fax (502) 476-0294. *Quanto*: duplos U$60. **MELHOR ÉPOCA:** Nov.–Abr.

Uma cidade comercial secular não morre jamais

MERCADO DE CHICHICASTENANGO

Quiché, Guatemala

O maior mercado da Guatemala é montado todas as quintas-feiras e domingos em Chichicastenango, uma das mais coloridas e acessíveis cidades situadas nas montanhas. Peças de artesanato de todo o país são comercializadas ali, e o célebre mercado de "Chichi" é hoje uma atração turística bastante popular. Mas a cidade já era um importante centro comercial muito antes da época da conquista espanhola. Seu caráter indígena ainda se reflete nos comerciantes e nas barracas que vendem alimentos de dar água na boca. As que se destinam aos turistas costumam ocupar as extremidades do mercado, onde ficam mais visíveis, portanto dirija-se ao centro, em torno da fonte, onde a população indígena vende, compra e permuta mercadorias. E vá até lá também na noite anterior, quando famílias indígenas provenientes de mais de 60 vilarejos das vizinhanças chegam com seus produtos e trocam informações e artigos antes de se acomodar para passar a noite sob as estrelas. Aos domingos, as irmandades religiosas tradicionais chamadas *cofradías* realizam procissões e cerimônias na Igreja de Santo Tomás, construída no século XVI, onde ritos católicos e maias são praticados lado a lado. O Hotel Mayan Inn, um dos mais encantadores do país, é outro ponto de destaque do lugar: sua equipe de funcionários se veste com roupas maias, e cada quarto tem seu acervo próprio, com peças de artesanato e tecidos da região.

O QUE: evento, cidade, hotel. **CHICHICASTENANGO:** a 1 hora e 30 minutos de carro de Panajachel, a 3 horas e 30 minutos (146km) da Cidade da Guatemala. *Quando*: o mercado é montado Qui. e Dom. ao amanhecer. **HOTEL MAYAN INN:** tel. (502) 756-1176; fax (502) 756-1212; info@clarktours.com.gt. *Quanto*: duplos U$100. **MELHOR ÉPOCA:** a festa do padroeiro local, Santo Tomás, é promovida de 13 a 21 de Dez., seguida de processões especiais no Natal.

Caribe à moda antiga

ROATÁN

Ilhas de la Bahía, Honduras

Os encantadores recifes de corais das ainda preservadas ilhas de la Bahía são uma continuação da barreira de recifes de Belize – mundialmente conhecida e a maior depois da Grande Barreira de Corais da Austrália. Mas a exuberante vida marinha encontrada nessa região hondurenha pode parecer ainda mais maravilhosa, uma vez que ali tanto o turismo quanto a especulação imobiliária se desenvolveram numa escala menor. Das três principais ilhas desse pequenino arquipélago – que se estende por um arco a nordeste de 110km, com quatro pequenas ilhas e outras 60 ilhotas –, Roatán é a maior e a mais popular. Ostentando a única estrada asfaltada de toda a região, ela é também a mais "desenvolvida". Os recifes que cercam essas ilhas montanhosas abrigam uma enorme variedade de corais, esponjas e invertebrados. Trata-se de um verdadeiro paraíso caribenho para mergulhadores – incluindo alguns esnobes do ramo, que preferem evitar os recantos disputados por multidões. Para os que querem fugir da vida real, as ilhas cumprem todas as promessas de um cartaz turístico, atraindo também visitantes que não se interessam por mergulho. Muitos deles vão até lá para visitar o Instituto de Ciências Marinhas de Roatán (ICMR), uma entidade voltada para o estudo dos golfinhos e que abre ao público suas demonstrações de treinamento. Localizado nas imediações do Anthony's Key Resort, o melhor hotel local, o instituto oferece aos hóspedes desse empreendimento a oportunidade de nadar e mergulhar de snorkel ou com cilindro ao lado de golfinhos, seja no mar aberto, seja na lagoa interna.

Os golfinhos do Instituto de Ciências Marinhas de Roatán.

O QUE: experiência, lugar, hotel. **ROATÁN:** a 56km da costa norte de Honduras, ligada por vôos diários às principais cidades do país. **ANTHONY'S KEY RESORT:** na extremidade noroeste de Roatán, a 12 minutos do aeroporto. Tel. (504) 445-1003; fax (504) 445-1140; akr@anthonyskey.com; www.anthonyskey.com. ***Quanto***: a partir de U$599 por pessoa, tudo incluído. Programa de Descoberta de Golfinhos à parte. **MELHOR ÉPOCA:** Jan.–Mar. (época da estiagem).

Um dos maiores feitos da engenharia

CANAL DO PANAMÁ

Da Cidade do Panamá até Colón, Panamá

Aberto através do trecho mais estreito entre os oceanos Atlântico e Pacífico, o canal do Panamá foi uma das grandes realizações da engenharia do século XX. A construção dessa bem concebida rede de barragens e comportas que liga os dois oceanos exigiu o trabalho de mais de 75.000 operários ao longo de mais de 10 anos. Séculos de falências, má administração e malária adiaram várias vezes o projeto desde que, em 1524, a idéia foi apresentada pela primeira vez pelo rei Carlos V da Espanha. O primeiro navio cruzou o canal em 1914. Hoje em dia, os navios fazem fila dos dois lados à espera da sua vez para entrar no canal, que funciona sem interrupções. A maior parte dos cruzeiros organiza palestras a bordo que descrevem os três sistemas de comportas duplas e seu funcionamento durante as oito horas e 82km de travessia. Em todo o mundo, os estaleiros constroem os navios levando em consideração as dimensões das comportas do canal, tanto que nenhum deles ficou preso ali até agora. As tarifas cobradas variam de acordo com o tamanho das embarcações – um navio comercial paga em média U$30.000. Pessoas não têm autorização para cruzar o canal a nado, como fez em 1928 Richard Halliburton, que acabou multado em 36 centavos de dólar.

Um dos muitos cargueiros que diariamente cruzam o canal do Panamá.

O QUE: lugar, experiência. **ONDE:** estende-se por 82km da Cidade do Panamá, no Pacífico, até Colón, no Atlântico. **COMO:** muitos cruzeiros atravessam o canal. A Lindblad Expeditions utiliza o pequeno MV Sea Voyager (64 passageiros) para cruzá-lo e, em seguida, subir o Pacífico ao longo do litoral da Costa Rica. Nos Estados Unidos, tel. (1) 800-425-2724 e (1) 212-765-7740; fax (1) 212-265-3770; explore@expeditions.com; www.expeditions.com. **QUANTO:** a partir de U$3.270 por pessoa, por semana. **MELHOR ÉPOCA:** Dez.–Abr. (época da estiagem).

CARIBE

e

BAHAMAS

GOLFO DO MÉXICO
Nassau
BAHAMAS
Bermudas
OCEANO ATLÂNTICO
Havana
CUBA
ILHAS TURKS E CAICOS
GRANDES ANTILHAS
REPÚBLICA DOMINICANA
Ilhas Cayman
HAITI
Saba
Anguilla
Ilhas Virgens Britânicas
St. Martín
St. Barthélemy
San Juan
Porto Príncipe
Santo Domingo
ANTIGUA E BARBUDA
JAMAICA
Kingston
PORTO RICO
SÃO CRISTÓVÃO E NÉVIS
Ilhas Virgens Americanas
Guadalupe
PEQUENAS ANTILHAS
DOMINICA
MAR DO CARIBE
Martinica
N
O
L
S
SANTA LÚCIA
SÃO VICENTE E GRANADINAS
BARBADOS
0
161 km
GRANADA
Port of Spain
TRINIDAD E TOBAGO

Um oásis de luxo e uma linda casa de fazenda do século XVIII

O Cap Juluca e o Mallioughana Hotel

Anguilla, Pequenas Antilhas (Território de Ultramar do Reino Unido)

Talvez seja a singular claridade da luz que produza a sensação de que as torres mouriscas, os arcos e as cúpulas do Cap Juluca são uma miragem. Parecendo uma casbá saariana aninhada em meio a 72ha de terrenos floridos perto do ponto mais meridional de Anguilla e cercado por uma mágica praia de 1.600m de areia branca – uma das mais bonitas da ilha –, esse hotel ultra-romântico exibe uma bela paleta de vívidas cores primárias: jardins verdejantes, *villas* (casas) brancas embelezadas por vistosas buganvílias, e, em toda parte, o azul intenso do céu e do mar. Uma visão espetacular para os olhos do hóspede recém-chegado de qualquer lugar. A decoração dos amplos quartos é ao mesmo tempo despojada e exótica. Muitos deles têm banheiros imensos, com banheira para duas pessoas, além de pátios privativos para quem tomar sol. Faça questão de jantar no conceituado Pimm's, o restaurante do hotel, única ocasião em que os hóspedes usam algo mais caprichado do que roupa de banho e bronzeador. Ao pôr-do-sol, o Cap Juluca é a mais glamourosa visão a oeste de Fez.

Localizado no alto de um penhasco um pouco ao norte do Cap Juluca, o Malliouhana Hotel oferece decoração refinada, proporção hóspedes/funcionários de dois para um, atenção total por parte dos proprietários britânicos, pai e filho, e, talvez, o mais importante: uma das mais extensas cartas de vinhos de todo o hemisfério ocidental. São 25.000 garrafas e 1.500 seleções, incluindo mais de 60 variedades de champanhe. O pavilhão de jantar domina a curva suave da baía de Meads, de frente para uma inigualável vista do pôr-do-sol. O planejamento e a supervisão da cozinha e do cardápio estão a cargo do aclamado chef Michel Rostang, baseado em Paris. Sua clássica cozinha francesa com um toque insular é maravilhosa, particularmente quando você se lembra de que está numa ilha preservada, onde sinais de tráfego são um conceito novo.

Mais ao norte, na região conhecida como Valley, Koal Keel é uma alternativa romântica aos restaurantes litorâneos de Anguilla, um lugar a céu aberto instalado no que foi o jardim de uma arejada casa de fazenda de 1780, hoje magnificamente restaurada. É uma das mais antigas e belas residências no estilo Índias Ocidentais da ilha, com sólidas paredes de pedra, cuja palpável aura de séculos passados proporciona o cenário perfeito para uma refeição à luz de velas. Essa encantadora casa nas montanhas criou sua própria interpretação da deliciosa cozinha eurocaribenha. Experimente o cordeiro assado ao gengibre, o esplêndido crepe de lagosta ou a delicada so-

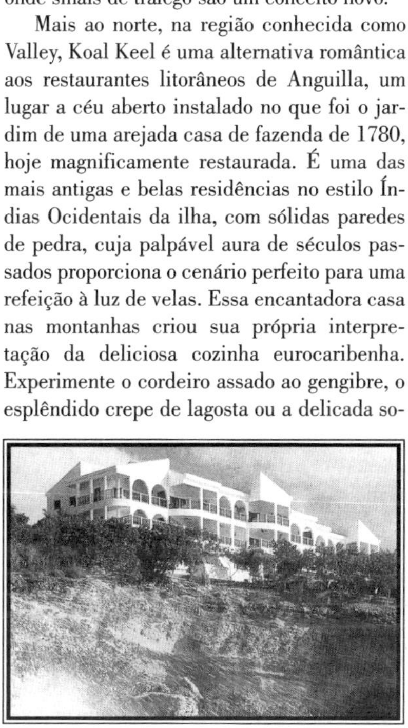

O Malliouhana Hotel.

pa de *callaloo* (folhas), preparada com acelga, leite de coco e caranguejo. Mesmo que você entre só para um chá, acabará fisgado.

O QUE: hotel, restaurante. **CAP JULUCA:** no litoral sudoeste, a 15 minutos do aeroporto. Tel. (264) 497-6666; fax (264) 497-6617; www.capjuluca.com *Quanto*: duplos a partir de U$325 (baixa temporada) a U$905 (alta temporada); suítes a partir de U$620 (baixa temporada) a U$2.115 (alta temporada); *villas* (casas) com piscinas privativas também disponíveis. *Quando*: fechado Set.–Out. **MALLIOUHANA HOTEL:** litoral noroeste da baía de Meads, a 11km do aeroporto. Tel. (264) 497-6111; fax (264) 497-6011; malliouhana@anguillanet.com; www.malliouhana.com. *Quanto*: duplos a partir de U$295 (baixa temporada) e a partir de U$615 (alta temporada). *Quando*: fechado Set.–Out. **KOAL KEEL:** Valley. Tel. (264) 497-2930; www.koalkeel.com. *Quando*: somente jantar; fechado Dom.–Seg. *Quanto*: jantar U$40. **MELHOR ÉPOCA:** Nov.–Abr.

Um Grande Prêmio de barcos e um resort de primeira classe

A Semana de Vela de Antígua e o Curtain Bluff

English Harbour e Arredores, Antígua, Pequenas Antilhas

Em 1784 o jovem almirante Nelson chegou a Antígua, base da frota britânica durante as Guerras Napoleônicas. Hoje, ele ainda reconheceria o porto: seu estaleiro militar, o Nelson's Dockyard, restaurado e declarado parque nacional, é um dos poucos no estilo georgiano (britânico) que restam no mundo e que ainda servem a embarcações à vela. Uma vez por ano, centenas de iatistas dirigem-se a esse lugar normalmente tranqüilo para uma espécie de versão caribenha da Henley Royal Regatta (uma das principais competições náuticas realizadas na Inglaterra). Cerca de 200 barcos de 25 países se concentram ali para uma semana de provas e muita badalação, enchendo o English Harbour e o Nelson's Dockyard de velejadores de sangue-azul, marinheiros de água doce e uma boa dose de pompa e circunstância. Não deixe de ver os 17 imponentes pilares que sustentavam o imenso galpão onde se reparavam os barcos, além dos muitos edifícios navais coloniais agora usados como galerias, bares, lojas e pousadas.

O quartel-general extra-oficial do rebuliço durante a Semana de Vela e destaque arquitetônico do Dockyard é o Admiral's Inn, um edifício georgiano de 1788. Conhecida como Ads, essa construção com jeito de navio antigo é o mais interessante hotel histórico da ilha, instalado no que já foi um escritório de engenharia e depósito de piche e alcatrão. Grupos de iatistas bronzeados vão até lá relaxar no sombreado bar-restaurante do terraço, de onde podem ficar de olho em seus barcos bilionários. A comida é de primeira qualidade, assim como o Joiner's Loft no andar de cima, o maior e mais bonito dos cerca de 12 quartos do hotel, com vista para a movimentada baía.

A praia em Curtain Bluff.

Se você preferir um refúgio sossegado, o resort Curtain Bluff, cerca de 5km a oeste, está num dos lugares mais bonitos de Antígua, ladeado por duas praias. O som da arrebentação a barlavento embala o sono dos hóspedes à noite, enquanto a plácida praia a sotavento é a base das várias atividades aquáticas oferecidas pelo hotel. As amplas suítes são distribuídas de forma escalonada no terreno cuidadosamente ajardinado, cheio de orquídeas e palmeiras, até o alto do penhasco, onde está o Terrace Room, de dimensões e vistas dignas da realeza. Todo o lugar é tomado pela atmosfera elegante de um country club tradicional – hóspedes habituais e abonados não contam centavos nem calorias. Comida excepcionalmente boa, uma adega estelar e música para dançar à luz das estrelas asseguram um clima sempre festivo. Se a ilha é vista como um dos principais redutos do tênis no Caribe, isso se deve em boa parte ao inimitável Howard Hulford, o ativo fundador e proprietário do Curtain Bluff, que todo mês de maio patrocina a conceituada Semana de Tênis de Antígua.

O QUE: evento, hotel. **SEMANA DE VELA DE ANTÍGUA:** o Nelson's Dockyard fica em English Harbour, litoral sul de Antígua. *Quando*: fim de Abr. **ADMIRAL'S INN:** English Harbour. Tel. (268) 460-1027; fax (268) 460-1534; www.admiralsantigua.com. *Quanto*: duplos a partir de U$100 (baixa temporada) e a partir de U$145 (alta temporada); Joiner's Loft a partir de U$160 (baixa temporada). *Quando*: fechado de meados de Ago.– meados de Out. **CURTAIN BLUFF:** no litoral sul, 5km a oeste de English Harbour. Tel. (268) 462-8400; fax (268) 462-8409; curtainbluff@candw.ag; www.curtainbluff.com. *Quanto*: duplos de frente para o mar a partir de U$555 (baixa temporada) e a partir de U$725 (alta temporada), com tudo incluído; Terrace Room U$795 (baixa temporada) e U$995 (alta temporada). *Quando*: meados de Out.–meados de Mai. **MELHOR ÉPOCA:** Nov.–Abr.

Mergulho de nível internacional e pesca de ubarana-rato

ILHA DE ANDROS

Bahamas

Boa parte de Andros, a maior ilha das Bahamas, é desabitada. Cortada por uma série de canais rasos e baixios chamados abras, ela é, em sua maior parte, água. À exceção de turistas ocasionais, quase todos os visitantes são mergulhadores e pescadores. Com 228km de extensão, a barreira de recifes de Andros é a terceira mais longa do mundo depois das da Austrália e de Belize, com uma parede que, começando a cerca de 20m da praia, se estende por 1.800m, formando um estreito cânion submarino conhecido como Língua do Oceano (TOTO). Um singular sistema de mais de 50 buracos azuis – como são chamadas essas cavernas aquáticas que Jacques Cousteau tornou famosas – oferece numerosas oportunidades para quem aprecia explorar túneis cheios de destroços de navios e vida marinha.

Tudo isso fica somente 1,6km ao largo do mais antigo resort de mergulho das Bahamas, o confortável Small Hope Bay Lodge, administrado por uma família. Se você não sabe mergulhar com snorkel nem cilindro, os instrutores lhe ensinarão a fazer isso, respeitando seu ritmo e sem custo extra. O hóspede que não se interessar por esse programa se sentirá igualmente feliz balançando-se nas convidativas redes armadas entre os coqueiros. Ninguém se dá ares de importância nessa tranqüila colônia

Mergulhando no recife de Andros.

praieira – ali nem sapatos são usados com muita freqüência, exceto, talvez, no jantar, uma ocasião cordial e festiva que pode incluir fritada e ensopado de moluscos frescos, lagosta e pão de milho caseiro bem quentinho. Caso você prefira pescar seus próprios peixes, saiba que as águas cristalinas de Andros são a capital mundial da pesca do ubarana-rato, cuja quantidade e tamanho (alguns deles chegam a ter 5,5kg) proporcionam as mais excitantes pescarias com equipamentos leves que se pode imaginar. Não é difícil encontrar um especialista para ajudá-lo a aperfeiçoar sua técnica de pesca com vara e guiá-lo pelos vastos baixios das abras, onde, na maioria das vezes, você será o único pescador à vista.

O QUE: ilha, experiência, hotel, lugar. **ONDE:** 48km (15 minutos de vôo) a sudoeste de Nassau. **SMALL HOPE BAY LODGE:** tel. (242) 368-2013; fax (242) 368-2015; SHBinfo@SmallHope.com; www.smallhope.com. *Quanto*: duplos a partir de U$350 (baixa temporada) e a partir de U$370 (alta temporada), incluídas todas as bebidas, refeições, lições introdutórias de mergulho e instalações esportivas. Oferecem-se pacotes de mergulho. **MELHOR ÉPOCA:** Nov.–Abr. para melhores condições do tempo. Nov. e Mai. são os melhores meses para pesca; também Jun., Mar. e Abr., nessa ordem.

Frente a frente com criaturas fascinantes

O MERGULHO DOS GOLFINHOS

Little Bahama Banks, Bahamas

Existe um lugar mágico a nordeste da ilha Grand Bahama onde golfinhos pintados costumam aparecer em grupo – e sem nenhum atrativo de comida ou recompensa – para brincar, nadar e interagir com as pessoas, aparentemente mais encantados do que assustados com seus humanos companheiros de diversão. Como não é possível saber com exatidão quando e onde eles aparecerão, você precisa recorrer a um operador bem conceituado que tenha familiaridade com esses animais, seu habitat e seus hábitos. O mais experiente deles é o capitão Scott, da Dream Team, que já fotografou, identificou e batizou mais de uma centena de golfinhos. Embora eles não sejam seus mascotes nem artistas de algum show, Scott parece ter uma intuição toda especial para encontrá-los e os trata como velhos amigos. O índice de sucesso de seu barco Dream Too, de 65 pés, é de 85%, às vezes com vários encon-

Divirta-se com os golfinhos num passeio no Dream Too.

tros por dia que duram de breves momentos de emoção a duas horas de pura adrenalina. As águas de Little Bahama Banks – rasas, calmas e com excelente visibilidade – são perfeitas para quem não sabe mergulhar com snorkel e para os que desejam simplesmente tomar banho de mar. Ali a diversão continua mesmo depois que os golfinhos se cansam e vão embora.

O QUE: experiência. **ONDE:** partidas de West Palm Beach, Flórida. **COMO:** nos Estados Unidos, entre em contato com a Dream Team; tel. (1)888-277-8181; fax (1)561-840-7946; info@dolphindreamteam.com; www.dolphindreamteam.com. O Dream Too tem acomodações para 8–12 passageiros. **QUANTO:** excursões de fim de semana, com tudo incluído, U$1.195 por pessoa (baixa temporada) e U$1.285 (alta temporada), base de 8 passageiros. **QUANDO:** Mar.–Dez. **MELHOR ÉPOCA:** Nov.–Dez., Mar.–Abr.

Arrepios de emoção no mar das Bahamas

RODEIO DE TUBARÕES EM WALKER'S CAY

Ilhas Abaco, Bahamas

Antigamente um refúgio de contrabandistas de bebidas, Walker's Cay é hoje um pequeno centro de pesca esportiva de classe internacional que compete de igual para igual com a ilha de Bimini. Entre as muitas opções de atividades aquáticas e de mergulho disponíveis, o Rodeio de Tubarões é sem dúvida a mais atrativa. Pelo menos 100 (provavelmente duas vezes mais do que isso) tubarões, entre cabeças-chatas e tubarões-dos-recifes caribenhos, se juntam para se alimentar de *chumsicle*, um congelado de carcaças de peixe que o marinheiro do seu barco baixa nas águas cristalinas de 10m de profundidade. Em seguida, os mergulhadores, que ficam à espera nas imediações, podem nadar com segurança entre essas esplêndidas criaturas – por nunca terem sido alimentados à mão, os tubarões não associam seus acepipes diários aos mergulhadores, portanto não têm nenhum interesse na sua presença.

Nadando com os tubarões em Walker's Cay.

Nadar em segurança cara a cara com esses grandalhões é uma experiência incrível, mas apenas uma das muitas disponíveis nas águas e nos recifes das ilhas Abaco. O Walker's Cay Hotel and Marina, que todo mês de abril sedia o Annual Billfish Tournament, é um dos melhores resorts de pesca em águas profundas do mundo, uma festa de marlins, cavalas-aipins e atuns. Sua marina, com 75 lugares e serviço completo, é a melhor das Bahamas, e o resort tem mais recordes da International Game Fish Association do que qualquer outro. Cedo ou tarde, você encontrará todo mundo no salão do Lobster Trap, ouvindo e contando histórias de pescadores.

O Que: experiência, hotel. **Walker's Cay:** a mais setentrional das ilhas Abaco (e das Bahamas), a 20 minutos de vôo de Freeport, Grand Bahama, e a 55 minutos de vôo direto de Fort Lauderdale, Flórida. **Walker's Cay Hotel:** nos Estados Unidos, tel. (1) 800-WALKERS e (1) 954-59-1400, fax (1) 954-359-1414. *Quanto*: pacote Discover Us, de 2 noites, U$439 por pessoa, incluída passagem aérea partindo de Fort Lauderdale, café da manhã e jantar; U$114 por noite adicional. Oferecem-se pacotes de mergulho. **Melhor Época:** Nov.–Abr.

A mansão onde todos são tratados como reis

Sandy Lane

St. James, Barbados, Pequenas Antilhas

Sandy Lane é um dos lugares de mais alta classe no universo dos resorts. Orgulhosos da casa, seus diligentes funcionários prestam a todos os hóspedes um serviço de padrão igual ao que foi dispensado à rainha Elizabeth II quando ela visitou a ilha. Embora independente desde 1966, Barbados ainda conserva uma atmosfera britânica: a vida nessa antiga fazenda de cana-de-açúcar exala por todos os poros seus velhos laços culturais. Muitos britânicos (inclusive da família real) preenchem o registro de hóspedes. Tudo ali se faz em grande estilo, do Rolls-Royce imaculadamente branco que apanha o hóspede no aeroporto ao champanhe de cortesia no café da manhã. Seus imensos banheiros de mármore são do tamanho de muitos dos quartos e um exército de jardineiros cuida com esmero dos 130ha de terreno do resort. O campo de golfe próprio (de 18 buracos, par-72) é apenas uma das muitas atividades recreativas de cortesia, entre as quais também estão o tênis, a pesca em alto-mar e o mergulho com cilindro. Leve roupas adequadas para o jantar – o código de vestuário é imposto mais pelos hóspedes do que pela gerência – e prepare-se para dançar sob a luz das estrelas no Starlight Terrace. Poderia ser mais chique?

A praia em Sandy Lane.

O Que: hotel. **Onde:** litoral oeste de Barbados, a 29km do aeroporto. Tel. (246) 444-2000; fax (246) 444-2222; reservations@sandylane.com; www.sandylane.com. **Quanto:** duplos com vista para o jardim a partir de U$600 (baixa temporada) a U$900 (alta temporada); duplos com vista para o mar a partir de U$700 (baixa temporada) a U$1.200 (alta temporada). **Melhor Época:** Nov.–Abr.

Florestas submarinas de recifes de coral e mergulho 24 horas

Parque Marinho de Bonaire

Bonaire, Pequenas Antilhas (Antilhas Holandesas)

Quase totalmente cercada por recifes de coral cheios de vida, a ilha de Bonaire é um extraordinário lugar para mergulho: são mais de 80 pontos ao longo de 39km de litoral. Nenhuma outra ilha possui tantos pontos de

Captain Don's Habitat.

primeira linha tão próximos da costa (dá para ir andando!), uma indústria de mergulho tão ciosa da preservação do patrimônio natural e um governo tão esclarecido e progressista. A criação do Parque Marinho ao redor de Bonaire em 1979, iniciativa sem precedente na época, possibilitou a proteção de alguns dos mais belos e ricos recifes de coral duro e mole do mundo. No último levantamento registraram-se ali mais de 80 tipos de coral colorido e mais de 335 espécies de peixe. Desde que as armas de pesca foram substituídas por câmeras submarinas na década de 1970, os peixes dessa ilha tornaram-se os mais numerosos e amistosos do Caribe. Como Bonaire é extremamente seca, com pouquíssimo escoamento de águas, sua visibilidade submarina está entre as melhores da região – o mergulho é excelente durante todo o ano.

O resort Captain Don's Habitat é o ponto de encontro dos mergulhadores de cilindro. Seu proprietário, o californiano Don, homem do mar lendário na ilha, desempenhou um importante papel nos esforços da indústria do mergulho pela preservação do ambiente natural. Os bangalôs que ele construiu de frente para o mar na década de 1970 evoluíram muito desde então, transformando-se numa das mais conceituadas opções de hospedagem em Bonaire. Além disso, o centro de mergulho do resort – filiado à PADI (Associação Internacional dos Instrutores de Mergulho) e um verdadeiro cinco-estrelas com serviço completo – é considerado o melhor do Caribe.

O QUE: lugar, experiência, hotel. **PARQUE MARINHO DE BONAIRE:** ao redor da ilha de Bonaire, que tem a forma de um bumerangue, e da pequena e desabitada ilha de Klein Bonaire, ao largo da costa ocidental da ilha principal; www.bmp.org. **CAPTAIN DON'S HABITAT:** Kaya Gobernador N. de Brot, 103, 2,5km ao norte de Kralendijk e do aeroporto; traslado de cortesia feito pelo hotel. Tel. (599) 717-8290; fax (599) 717-8240; bonaire@habitatdiveresorts.com; www.habitatdiveresorts.com. *Quanto*: pacote de mergulho de 7 noites a partir de U$764, em duplos. *Quando*: aberto durante todo o ano. **MELHOR ÉPOCA:** Jan.–Out. para mergulho.

Um destaque pouco difundido do circuito mundial da música

Festival de Jazz de Cuba

Havana, Cuba, Grandes Antilhas

Por vezes profundamente africana em sua origem e em seu ritmo, a música cubana é um componente fundamental e complexo da alma dos habitantes dessa ilha. Assim, não surpreende que os músicos de diversos países que se reúnem todo mês de fevereiro no Festival de Jazz de Cuba se maravilhem com a quantidade de artistas locais de talento excepcional com os quais dividem dezenas de palcos em diversos pontos de Havana. Criado no início da década de 1980, esse evento põe em destaque veneradas estrelas do cenário musical cubano, mas a platéia também delira com a estimulante influência dos ritmos norte-americanos. O resultado é uma semana de *jam-sessions* envolvendo culturas variadas, concertos espontâneos e festas noite adentro que unem diferentes classes e nacionalidades com a linguagem comum da música. Infinitamente rico, apesar de desorganizado e disperso, e impregnado de uma atmosfera carnavalesca, o festival é realizado em um grande número de auditórios, bares e clubes de Havana, com apresentações dia e noite.

O Que: evento. **Onde:** espetáculos em toda a cidade de Havana. *Como*: no Brasil, agência Rumbo (São Paulo). Tel. (11) 3124-4800; clientes@rumbo.com.br; www.rumbo.com.br. Pacote de 8 dias (vôo partindo de São Paulo): traslados, hotel, café da manhã e passagens aéreas incluídos. *Quando*: saídas em Dez., Jan., Fev. e Mar. *Quanto*: U$1.038 mais taxas. **Quando:** meados de Fev., com 1 semana de duração.

O bairro histórico da capital e seu mais glamouroso e nostálgico hotel

La Habana Vieja e o Hotel Nacional

Havana, Cuba, Grandes Antilhas

Ocupando uma área de 5km² dominada pela elegante Plaza de la Catedral, a Habana Vieja, ou o bairro antigo de Havana, um dos mais invejados das Américas, é um conjunto cultural parcialmente restaurado de monumentos, fortalezas, ruas com calçamento de pedra e mansões luxuosas e imponentes que no passado pertenceram à afluente burguesia cubana. Enquanto cerca de 150 edifícios dos séculos XVI e XVII estão magnificamente preservados, outros foram deixados sob a ação do tempo. Essa é uma das muitas impressões contraditórias transmitidas por Havana, que já foi uma grandiosa capital e ainda hoje é a maior cidade do Caribe. Paradoxalmente, a mesma revolução responsável pela retração de décadas da ilha ajudou a manter intacta a melhor arquitetura da cidade ao proibir os investimentos privados e a especulação imobiliária – não existe nenhuma estrutura moderna destoante entre as arcadas e os pátios sombreados do antigo núcleo hispânico. Prevendo um grande futuro para o turismo, o governo pôs em ordem esse nicho da cidade, um espelho da Havana colonial que se tornou o centro mais rico do Caribe graças aos tesouros do Novo Mundo que por ali passavam a caminho da corte espanhola. Mesmo suas esquinas mais deterioradas têm algo de atraente – uma mistura de melancolia banhada pelo sol com um esplendor desbotado e decadente.

A área de lazer junto à piscina do histórico Hotel Nacional.

Em nenhum lugar se pode sentir de maneira mais glamourosa e nostálgica a impressão de uma Havana parada no tempo do que no Hotel Nacional, localizado no distrito de Vedado, a oeste do bairro antigo e com vista para o Malecón, a avenida de 6,4km à beira-mar. Ostentando uma eclética arquitetura decô, esse marco da cidade foi restaurado há não muito tempo para resgatar a glória de sua juventude nos anos 1930 e toda a beleza suntuosa de seus arcos mouriscos e ladrilhos pintados à mão. Na Havana da década de 1950, o gângster Meyer Lansky administrava ali um dos mais sofisticados cassinos de Cuba enquanto seus colegas de Las Vegas se divertiam jogando pôquer na piscina orlada de palmeiras. Hoje seu lugar é ocupado por hóspedes VIP, jornalistas estrangeiros, empresários americanos que fingem não estar furando o bloqueio comercial imposto pelos Estados Unidos e europeus fumando charuto e bebericando rum a caminho de algum dos resorts litorâneos da ilha.

O Que: lugar, hotel. **Hotel Nacional:** Calle 21 com Calle O. Tel. (53) 7-833-3564; fax (53) 7-833-5054. *Quanto*: duplos a partir de U$150. **Melhor Época:** Nov.–Abr.

Onde o espírito de Papa sobrevive

Os Bares de Hemingway

Havana, Cuba, Grandes Antilhas

Ernest Hemingway passou a maior parte das décadas de 1940 e 1950 em Havana. Hoje seu espírito está vivo e saudável em La Bodeguita del Medio (O Barzinho do Meio) e no ligeiramente mais formal La Floridita, dois bares lendários do bairro histórico de Habana Vieja que forneceram muito da inspiração e da cor local encontradas em *O velho e o mar* e *As ilhas da corrente*. Esses dois estabelecimentos foram inaugurados muito antes de Papa aparecer por ali – e nenhum deles mudou de forma significativa desde a sua partida. Não se pode deixar de visitá-los para provar dois clássicos coquetéis cubanos à base de rum, consumidos em grandes quantidades por Hemingway: o refrescante *mojito*, de La Bodeguita (originalmente uma bebida de fazendeiros), tão comum quanto a cerveja, a que os ricos acrescentavam gelo picado e club soda), e o daiquiri bem gelado de La Floridita, que Papa teria ajudado a aperfeiçoar (diz-se que o escritor era capaz de beber 15 Papa's Specials e ainda sair caminhando). Havana não é conhecida pelo refinamento de sua cozinha, mas La Bodeguita serve alguns dos melhores pratos locais – especialidades crioulas, como *lechón asado* (leitão assado) – no salão do segundo andar. A casa de Hemingway, La Vigía, mantida intocada e aberta à visitação, fica a 15km de Havana, no vilarejo de San Francisco. O escritor viveu ali até retornar a Idaho, nos Estados Unidos, em 1960, onde cometeu suicídio um ano depois.

O QUE: restaurante. **LA FLORIDITA:** Calle Monserrate, 557, na altura de Obispo. Tel. (53) 7-631-060. *Quando*: almoço e jantar diariamente. **LA BODEGUITA DEL MEDIO:** Calle Empedrado, 256. Tel. (53) 7-624-498. *Quando*: almoço e jantar diariamente.

Um passeio pela floresta tropical de uma ilha intocada

PARQUE NACIONAL DE MORNE TROIS PITONS

Dominica, Pequenas Antilhas

Com poucas praias para alardear, Dominica é o perfeito destino insular para naturalistas e ecoturistas interessados em explorar o Parque Nacional de Morne Trois Pitons – um indomável refúgio de samambaias imensas, árvores ancestrais, orquídeas selvagens e antúrios esplêndidos. Boa parte da fama de Dominica como a "ilha da natureza" do Caribe – o único lugar que Colombo reconheceria se pudesse retornar – é devida a esse cinematográfico parque formado por matas exuberantes e intocadas, 65km² de natureza que se parecem mais com o Havaí do que com o Caribe.

Lindas cachoeiras, como a que alimenta a gruta do Emerald Pool (poço das Esmeraldas) num leito de samambaias, ocultam-se entre alguns dos mais altos e magníficos picos do Caribe, com destaque para a montanha de três cumes que dá o nome ao parque. Se você preferir um pouco menos de Shangri-lá e um pouco mais de cheiro de enxofre, faça a caminhada – uma das mais pesadas do Caribe – até o Boiling Lake (lago Fervente), a maior fumarola alagada do planeta, localizada na parte sul do parque. Os ventos de vapor e caldeirões de lama fervente desse campo vulcânico justificam plenamente o nome do lugar: Valley of Desolation (vale da Desolação).

A vitoriana Springfield Plantation Guest House fica próxima ao Emerald Pool. Modesta, mas com bastante personalidade, essa pousada oferece cozinha crioula caseira e magníficas vistas da floresta tropical. Para uma experiência mais Tarzan & Jane, hospede-se na Papilotte Wilderness Retreat. Localizada no coração da floresta tropical, nos limites do parque, ela é um destino turístico muito popular entre os amantes da natureza. Galinhas-d'angola, gansos e pavões circulam livremente pela área, cuja pérola (e grande orgulho de seu proprietário) é o belo jardim botânico de 5ha de bambus, bromélias e begônias.

Os hóspedes podem banhar-se no borbulhante poço termal ou nas águas frescas do rio, juntar-se a um dos passeios guiados pelas trilhas que atravessam o exuberante terreno da pousada ou fazer a caminhada de 15 minutos até à singular cachoeira dupla, fria e quente, de Trafalgar, com quase 70m de altura.

No restaurante da Retreat, que tem cobertura de sapê e um terraço repleto de plantas, as refeições são excelentes, apesar de bastante simples. Se você estiver com sorte, o peixe-voador ou o suculento camarão *bouk* pescados num dos 365 rios da ilha estarão no cardápio. Caso opte pela *crapaud* – "galinha-da-montanha" no jargão local –, lembre-se de que se trata, na verdade, de um tipo de rã. Os quartos são simples e básicos, mas tenha em mente que a principal atração do lugar é o fácil acesso à paisagem da floresta tropical.

O QUE: lugar, hotel, restaurante. **PARQUE NACIONAL DE MORNE TROIS PITONS:** o acesso mais fácil é pelo vilarejo montanhês de Laudat, 11km a leste de Roseau. **SPRINGFIELD PLANTATION GUEST HOUSE:** Imperial Highway (a 14km do Emerald Pool e a 3km da entrada do Parque Nacional). Tel. (767) 449-1401; fax (767) 449-2160. *Quanto*: duplos U$90. Jantar U$18. **PAPILLOTE WILDERNESS RETREAT:** 20 minutos de carro a nordeste de Roseau. Tel. (767) 448-2287; fax (767) 448-2285; papillote@cwdom.dm; www.papillote.dm. *Quanto*: duplos a partir de U$95; U$35 adicionais por pessoa, incluídas todas as refeições. *Quando*: hotel e restaurante fechados Set.–Out. **MELHOR ÉPOCA:** Jan.–Jul. (estação seca).

Cozinheiras da ilha celebram uma forma de arte

A FÊTE DES CUISINIÈRES E OS MELHORES RESTAURANTES DE GUADALUPE

Grande-Terre, Guadalupe, Pequenas Antilhas (Departamento de Ultramar da França)

Guadalupe, um dos epicentros culinários do Caribe, celebra anualmente seu casamento de cozinha africana, francesa e antilhana durante a Fête des Cuisinières (Festa das Cozinheiras). O pitoresco festival em homenagem a São Lourenço, o padroeiro das cozinheiras, é aberto com um desfile de gala de centenas de chefs mulheres pelas ruas do centro financeiro da ilha, Pointe-à-Pitre. Ricamente vestidas com os tradicionais trajes de madras e aventais de linho branco engomados, elas seguem equilibrando cestos cheios de produtos nativos sobre a cabeça. O desfile termina com o único momento solene do dia: a missa na Cathédrale de St. Pierre et St. Paul, construída no século XIX. Finalmente começa o banquete, de cinco horas de duração, com música, dança e cantoria.

Mesmo que você perca esse evento de fim de verão, sempre há uma experiência gastronômica à sua espera nos 200 restaurantes de Guadalupe, que servem alguns dos melhores pratos do Caribe. O jantar no La Canne à Sucre tem todo o brilho do circuito gastronômico contemporâneo de Guadalupe, com vistas maravilhosas da baía e uma cozinha que acompanha a nova culinária crioula em seu constante desenvolvimento. Sua localização junto ao cais garante a qualidade dos frutos do mar. Mais para o interior, num lugar pouco visitado de Grande-Terre (a "asa" leste desses dois grupos de ilhas em forma de borboleta), um talentoso casal francês criou o Château des Feuilles, refúgio gastronômico onde as especialidades servidas no almoço combinam o treinamento europeu do chef francês com uma plêiade de sabores da ilha que qualquer paladar estrangeiro considerará excitante. O cardápio, sempre variado, pode oferecer patê de ouriço-do-mar, peixe fresco com um delicado molho de baunilha e tubarão ao molho de açafrão. O magnífico resultado atrai visitantes locais e internacionais para a melhor refeição de Guadalupe. O flã de abacaxi por si só vale a viagem, mas, por um preço extra, o cliente é convidado a um passeio pela florida propriedade de 3,5ha, a um mergulho na piscina ou a uma degustação (cautelosa) de 20 tipos de ponches preparados com rum.

O QUE: evento, restaurante, **FÊTE DES CUISINIÈRES:** em vários lugares de Pointe-à-Pitre. *Quanto*: o ingresso para o banquete de 5 horas custa cerca de U$30 e pode ser adquirido no seu hotel ou no escritório de turismo local. *Quando*: anualmente, no 2.º Sáb. de Ago. **LA CANNE À SUCRE:** Quai Lesseps e Quai Lardenoy, Pointe-à-Pitre. Tel. (590) 590-89-21-01. *Quanto*: jantar U$40. *Quando*: almoço e jantar Seg.–Sex.; Sáb. somente jantar. **CHÂTEAU DES FEUILLES:** em Anse-Bertrand, a 34km de Pointe-à-Pitre, 14km a noroeste de Le Moule, perto da cidade de Campêche. Tel (590) 590-22-30-30. *Quanto*: almoço U$50. *Quando*: fechado Jun.; fechado Seg. durante todo o ano. **MELHOR ÉPOCA:** Dez.–Mai.

Desfile das chefs pelas ruas de Pointe-à-Pitre.

O melhor mergulho e um jantar divino para comemorar

O Bloody Bay Wall e o Pirate's Point Resort

Little Cayman, Ilhas Cayman (Território de Ultramar do Reino Unido)

Cayman, formada por três ilhas, é o topo de uma ancestral cadeia de montanhas submersa. Na superfície, as translúcidas águas azul-turquesa são serenas, mas embaixo há um verdadeiro Grand Canyon submarino com paredes espetaculares e pontos abruptos a poucos metros da costa. Esse é um dos melhores locais de mergulho do mundo, com uma estupenda variedade de vida submarina brotando dos recifes e paredes de coral. Bob Soto é o nome mais lendário do mergulho com cilindro nas Cayman. Quando ele deu início à sua atividade, em 1957, teve que convencer os hotéis de que não iria afogar seus clientes. Hoje é um dos 50 operadores de mergulho autorizados.

Próximo a Grand Cayman fica Stingray City, considerada um dos melhores pontos do mundo para mergulho com snorkel e cilindro em águas rasas, onde velozes criaturas marinhas são alimentadas à mão por mergulhadores como se fossem pombos de parque. Mas o ponto número um da região para essa atividade é o jardim de coral de 365m de extensão vertical conhecido desde a época dos piratas como o Bloody Bay Wall, um paredão localizado no litoral norte das Cayman. Little Cayman é o maior santuário de pássaros do Caribe e ao mesmo tempo apresenta uma das menores concentrações humanas da região – ali vivem cerca de 100 habitantes. É o último bastião de vida selvagem das Cayman, conhecido por seus 20.000 atobás-de-pé-vermelho e pela texana Gladys Howard, que supre todas as necessidades de alimentação e mergulho dos visitantes em sua pequena pousada perto da praia, o Pirate's Point Resort. Além dos milagres que opera com os peixes apanhados em frente à sua casa e com os vegetais que recebe diariamente, Gladys oferece um barco de mergulho construído sob medida e uma equipe de instrutores qualificados.

O QUE: experiência, hotel, restaurante. **BOB SOTO'S DIVING, LTD.:** Grand Cayman. Tel. (345) 949-2022; fax (345) 949-8731; www.bobsotosreefdivers.com. **PIRATE'S POINT RESORT:** Little Cayman, 137km a nordeste de Grand Cayman. Tel. (345) 948-1010; fax (345) 948-1011. *Quanto*: a partir de U$170 por pessoa, duplos (baixa temporada), e a partir de U$195 (alta temporada), incluídas todas as refeições (mergulho à parte). **MELHOR ÉPOCA:** a temperatura da água varia de 25ºC em Fev. a 30ºC em Ago. A visibilidade é sempre excelente.

O hotel de ar britânico e o bar onde toda noite é uma festa

A COTTON HOUSE E O BASIL'S BEACH BAR

Mustique, São Vicente e Granadinas, Pequenas Antilhas

A ilha particular de Mustique, nas Granadinas, parece absolutamente perfeita – aldeias rústicas, estradas de terra, exuberantes montanhas verdes. Não admira que os ricos e aristocratas tenham escolhido esse lugar para construir suas casas de veraneio. A não ser que você tenha sido convidado por um deles, terá que se contentar com uma hospedagem igualmente cobiçada no único hotel da ilha, a elegante e confortável Cotton House. Reformada há não muito tempo e outra vez no topo do ranking mundial, a Cotton House, uma casa de fazenda do século XVIII que no passado funcionava como depósito de algodão, açúcar e rum, é a mais antiga construção de Mustique. Os hóspedes, urbanos e sofisticados, muitos deles célebres, parecem todos à vontade com o primor da decoração ao mesmo tempo contida e agradável. Boa parte da transformação realizada ali pelo cenógrafo inglês Oliver Messel ainda é evidente: o ambiente

O Great Room da Cotton House.

permanece visivelmente britânico, como se as pessoas estivessem numa longa reunião de amigos, informal porém civilizada. Há um contínuo entra-e-sai de proprietários de residências da ilha, às vezes para tomar o chá das cinco no Great Room, digno de Hemingway; às vezes para levar hóspedes amigos a um piquenique na miticamente bela e quase sempre vazia praia de Macaroni, nas imediações, ou para assistir ao espetáculo diário do pôr-do-sol (e a alguns furacões, como o David) no Basil's Beach Bar. Beber até o fim da noite no Basil's é uma espécie de ritual da ilha, mas essa casa, situada num píer de frente para as águas azul-turquesa da baía Britannia, é também um excelente restaurante de frutos do mar. Não é preciso ser artista de Hollywood nem membro da família real britânica para saborear uma fresca lagosta grelhada, comprada diretamente no barco pesqueiro, ou um sorvete caseiro. A ida até lá também vale para curtir o charme de Basil S. Charles, uma versão caribenha de Rick, de *Casablanca*. Vá na quarta à noite para um churrasco com música, às vezes estridente, ou na noite do Ano-Novo – você constatará que os churrascos são prévias até muito calmas e comportadas dessa comemoração de fim de ano.

O QUE: hotel, restaurante. **MUSTIQUE:** 24km ao sul da ilha de São Vicente. **COTTON HOUSE:** a 1km do aeroporto. Tel. (784) 456-4777; fax (784) 456-5887; www.cottonhouse resort.com. *Quanto*: duplos a partir de U$490 (baixa temporada), a partir de U$790 (alta temporada), incluídas todas as refeições. **BASIL'S BEACH BAR:** Royal Street, Britannia Bay. Tel. (784) 456-3350; fax (784) 456-5825; basils@caribsurf.com; www.basilsbar.com. *Quanto*: prato de lagosta (jantar) U$40. **MELHOR ÉPOCA:** Nov.–Abr.; Festival de Blues, com 2 semanas de duração, fim de Jan.–começo de Fev.

Uma ilha-resort com vistas esplêndidas, silêncio e total privacidade

PETIT ST. VINCENT

São Vicente e Granadinas, Pequenas Antilhas

Quem quer realmente ficar longe de tudo deve baixar âncora nessa luxuosa ilha-resort privada de 46ha. Cercada por praias brancas, coberta de palmeiras e banhada pelas águas incrivelmente cristalinas do fabuloso arquipélago granadino, ela é o perfeito sonho de náufrago, que ele opta por dividir com apenas 40 outros hóspedes também em busca de privacidade. É claro que todos pagam um preço considerável para ficar nesse cenário silencioso e natural, mas sem prejuízo do serviço e da qualidade da comida. E eles pagam igualmente pelo que não têm: televisão, telefone, ar-condicionado, fax, cassino, vendedor de praia e até a chave do quarto. A localização dos espaçosos e arejados chalés de pedra proporciona o máximo de vistas e privacidade. O serviço de quarto do Petit St. Vincent Resort funciona como por encanto: levante a bandeira vermelha, e o pessoal o deixará em paz; le-

Praias ao redor da ilha particular de Petit St. Vincent.

vante a bandeira amarela, coloque seu pedido na caixa de correspondência (um daiquiri de manga, bronzeador e jantar em seu terraço privativo), e ele será atendido em tempo recorde. Altos executivos exaustos ansiando por descanso adoram esse lugar. Assim como casais apaixonados, que em geral mal dão as caras. Hóspedes solteiros tendem a fazer o mesmo, por isso devem considerar Petit St. Vincent somente no caso de apreciarem a própria companhia ou um romance épico. Quem fica perigosamente relaxado ou sofrendo de febre de chalé pode combinar um dia de mergulho com snorkel em Tobago Cay, uma ilha bem próxima e um dos mais lindos lugares desabitados que ainda existem no Caribe.

O QUE: ilha, hotel. **ONDE:** vôos charter de Barbados à ilha Union a cargo do hotel (U$160 por pessoa cada perna). De Union, o hotel providencia transporte por barco (30 minutos). Tel. (784) 458-8801; fax (784) 458-8428; www.psvresort.com. **QUANTO:** chalés U$470 (baixa temporada) e U$770 (alta temporada), incluídas todas as refeições e atividades. **QUANDO:** fechado Set.–Out. **MELHOR ÉPOCA:** Nov.–Abr.

Glamour natural sem agitação comercial

VELEJANDO NAS GRANADINAS

São Vicente e Granadinas, Pequenas Antilhas

Veneradas por iatistas e candidatos a velejadores, as 32 ilhas e centenas de abrolhos que formam o arquipélago das Granadinas constituem um dos mais belos destinos de vela do mundo. Flutuando nas águas cristalinas como pérolas de um colar de 64km de extensão entre São Vincente e Granada, essas ilhas são abençoadas com as mais espetaculares praias brancas e recifes de coral fora do Pacífico. Muitas delas são desabitadas e somente acessíveis por barco. Em outras há pequenas populações formadas em sua maioria por descendentes de escravos africanos (como a ilha particular Mayreau, com 180 residentes). Ilhas maiores, como Bequia, estão despertando calmamente para o turismo e oferecem um conjunto limitado de pousadas e um ambiente simples de cidade pequena.

Escunas, balsas e navios usados para o transporte de correspondência e passageiros partem diariamente da ilha de São Vicente (conhecida na região como "o continente") rumo ao sul, servindo a meia dúzia de Granadinas habitadas. Mas o ideal para quem quer procurar todo dia uma ilha diferente, perfeita para piquenique e cercada por praias, é alugar um iate tripulado (ou, para os que entendem do riscado, um barco sem tripulação) com a empresa The Moorings, em Granada, e navegar para o norte.

O QUE: experiência. **ONDE:** os locais de partida da The Moorings para as Granadinas são a sua marina de 50 vagas em Secret Harbour, no litoral sudeste de Granada, e na baía Marigot, em Santa Lúcia. Nos Estados Unidos, tel. (1) 800-535-7289 ou (1) 727-535-1446; fax (1) 727-530-9747; www.moorings.com. **QUANTO:** barcos não tripulados de vários tamanhos, com capacidade para 5–8 pessoas, a partir de U$1.295 (baixa temporada) e a partir de U$2.380 (alta temporada), por semana. Tarifas diárias disponíveis. Iates tripulados a partir de U$1.099 (baixa temporada) e a partir de U$1.549 (alta temporada), por semana, por pessoa, com cabines privativas duplas. **MELHOR ÉPOCA:** Nov.–Abr., embora os velejadores tenham suas preferências determinadas pelas condições do tempo.

Refúgio dos Rockefeller

Caneel Bay

St. John, Ilhas Virgens Americanas, Pequenas Antilhas (Território dos Estados Unidos)

Considere os seguintes números: 69ha de terrenos exuberantes e com tratamento paisagístico, cercados por um parque nacional de 3.642ha na ilha menos urbanizada do Caribe; 170 quartos luxuosos e isolados; sete praias privativas intocadas, abraçadas por 2.266ha de parque nacional submarino; 400 simpáticos funcionários para garantir que suas férias sejam soberbas. O conservacionista norte-americano Laurance Rockefeller ficou tão impressionado com a beleza natural da ilha de St. John quando a visitou em 1952 que comprou grande parte dela, construiu um requintado refúgio para magnatas como ele e doou o resto ao governo dos Estados Unidos para a criação do 29.º parque nacional do país. O luxo ali é discreto porém de altíssimo nível a cada passo do caminho: cafés da manhã de cinco pratos servidos na sua sacada ao som do vento do oceano e do canto de pássaros, tênis em quadras de primeira categoria, mergulho com snorkel com 30m de visibilidade em algumas das mais espetaculares paisagens submarinas do Caribe e caminhadas em trilhas sombreadas por 80 espécies de palmeiras e plantas floríferas, como flamboyants, solandras e trombeteiras. A mais difícil decisão durante a sua estada, provavelmente muito curta, será com certeza: a que praia irei hoje?

O Que: hotel. **Onde:** St. Thomas é o aeroporto mais próximo. O hotel pode providenciar o traslado por automóvel ou barco (U$65 por pessoa). Tel. (340) 776-6111; fax (340) 693-8280; www.rosewoodhotels.com. **Quanto:** duplos a partir de U$275 (baixa temporada) e a partir de U$475 (alta temporada). **Melhor Época:** Nov.–Abr.

Um resort ecologicamente correto numa ilha protegida

O Harmony Studios e a Trilha Reef Bay

Cruz Bay, St. John, Ilhas Virgens Americanas, Pequenas Antilhas (Território dos Estados Unidos)

Viajantes que defendem a preservação do meio ambiente e apreciam paraísos providos de algum desafio moral e intelectual vão se encantar com esse incomparável fenômeno do ecoturismo. O Harmony Studios (e seu prolongamento Maho Bay Camp, uma colônia simples de barracas permanentes), localizado no coração do exuberante Parque Nacional de St. John, foi o primeiro resort quase inteiramente construído com materiais reciclados e projetado para funcionar apenas com energia solar e eólica. Mas ele não deixa nenhum sinal revelador das origens humildes da matéria-prima com que foi feito – pneus velhos, garrafas, plásticos, jornais e lâmpadas queimadas. Erguido sobre estacas em dois pontos de uma encosta escavados manualmente, o resort é interligado por um intrincado labirinto de passarelas e escadas suspensas de madeira que não agridem o meio ambiente. Em vez de dominar o belo e puro trecho do parque que conduz à sua própria praia na enseada, o Harmony Studios integra-se a ele, fazendo com que os hóspedes se sintam como intrusos privilegiados no paraíso. Embora esse resort não corresponda exatamente à idéia que as pessoas fazem das férias de seus sonhos, sua taxa de ocupação está entre as mais altas do Caribe, o que significa que os administradores devem estar trabalhando bem.

Graças sobretudo à visão previdente do magnata e conservacionista Laurance Rockefeller nos anos 1950, hoje mais de dois terços da ilha de St. John constituem uma floresta virgem protegida de mais de 3.642ha, atravessada por 36 trilhas bem sinalizadas. Uma das mais populares é a Reef Bay. Começando 245m acima do nível do mar em um ponto da Centerline Road não muito distante do Harmony Resort e terminando três horas depois no litoral sul, ela se estende montanha abaixo, com vistas espetaculares, gravuras rupestres ancestrais e ruínas de casas de fazenda dinamarquesas do século XVIII.

O QUE: hotel, lugar. **HARMONY STUDIOS E MAHO BAY CAMP:** em Maho Bay, 12km a nordeste de Cruz Bay. Tel. (340) 776-6240; fax (340) 776-6504; mahobay@maho.org; www.maho.org. *Quanto*: duplos em Harmony Studios a partir de U$110 (baixa temporada) e U$185 (alta temporada). Duplos em Maho Bay Camp a partir de U$75 (baixa temporada) e U$108 (alta temporada). **TRILHA REEF BAY:** começa 8km a leste de Cruz Bay. *Quando*: aberta diariamente. Toda Seg., Qui. e Sex., um naturalista do Serviço de Parques guia uma caminhada organizada pela qual se paga uma taxa nominal. Informações e reservas: Cinnamon Bay Campground, tel. (340) 776-6330. **MELHOR ÉPOCA:** Nov.–Abr.

Areias virgens

PRAIA DE MAGENS BAY

St. Thomas, Ilhas Virgens Americanas, Pequenas Antilhas (Território dos Estados Unidos)

O fato de a revista *National Geographic* ter apontado Magens Bay como uma das mais belas praias do mundo já deu muito o que falar. Agora é sua vez de confirmar esse dado experimentando pessoalmente os 1.600m de areias brancas em forma de ferradura quando estiverem vazios (a maioria dos visitantes da ilha estará nas compras duty-free em Charlotte Amalie ou na praia privativa do seu hotel). As tranqüilas águas azuis da baía e sua orla de palmeiras farão do dólar do ingresso o mais bem gasto de toda a sua vida.

O QUE: lugar. **ONDE:** litoral norte de St. Thomas, 5km ao norte da capital, Charlotte Amalie; www.magensbayvi.com. **QUANTO:** ingresso U$1. **QUANDO:** aberta durante todo o ano. **MELHOR ÉPOCA:** Nov.–Abr.

Estilo soberbo, isolamento esplêndido e rochedos realmente grandes

LITTLE DIX BAY E THE BATHS

Virgin Gorda, Ilhas Virgens Britânicas, Pequenas Antilhas (Território de Ultramar do Reino Unido)

Há décadas a tradição oral celebra Little Dix Bay, um resort de 200ha esplendidamente localizado em 800m de praias perfeitas em forma de crescente na ilha de Virgin Gorda (Virgem Gorda). Assim como seu co-irmão Caneel Bay, Little Dix Bay foi criado na década de 1960 pelo magnata e conservacionista Laurance Rockefeller para receber seu seleto grupo de familiares e amigos de linhagem nobre e abastada. Embora a propriedade desse resort tenha passado a outras mãos, ele continua sendo um clássico, célebre por seu luxo descontraído, sua atenção com os hóspedes e seu ambiente discreto e despretensioso. As casas, feitas com pedra nativa e madeira de lei, distribuem-se pelo terreno de vegetação exuberante, mas impecavelmente ajardinado, um verdadeiro éden mantido por não menos do que 20 jardineiros de tempo integral. Até o café da manhã é romântico no "salão" de jantar – quatro pavilhões abertos interconectados, com cobertura de sapê, situados na maravilhosa praia do hotel. Os jantares são animados e agradáveis, obra de uma cozinha sofisticada de que os Rockefeller com certeza se orgulhariam.

Cerca de 1.600m ao sul fica The Baths, o mais notório cenário natural da ilha. Ali imensos rochedos de granito esculpidos pelo tempo – alguns do tamanho de pequenas casas – formam encantadoras piscinas, angras rasas e cavernas interconectadas que são o paraíso dos amantes do mergulho com snorkel, de banhistas em geral e daqueles que apenas apreciam a beleza natural.

Amontoadas de forma desordenada ao longo da praia, essas rochas pré-históricas são absolutamente impressionantes quando vistas do mar.

Como o lugar está na agenda de todo visitante, é melhor ir de manhã cedo ou no fim da tarde para evitar a multidão de turistas e barcos de passeio. Outra opção é percorrer a costa adjacente, onde as formações de rochedos continuam.

O QUE: hotel, lugar. **LITTLE DIX BAY:** tel. (284) 495-5555; fax (284) 495-5661; ldbhotel@rosewoodhotels.com; www.littledixbay.com. *Quanto*: duplos a partir de U$450. **THE BATHS:** acesso pela Lee Road, na costa sudoeste. **MELHOR ÉPOCA:** Jan.–Mar.

O deslumbrante cenário da ilha de praias perfeitas.

A capital mundial do cruzeiro

Navegando pelas Ilhas Virgens Britânicas

Pequenas Antilhas (Território de Ultramar do Reino Unido)

Formadas pelos picos escarpados de uma cadeia submersa de vulcões que se estende pelo vasto oceano incomparavelmente azul, as ilhas Virgens Britânicas são consideradas um excelente lugar para cruzeiros desde o século XVII, quando os piratas encontravam esconderijos perfeitos em suas muitas enseadas. Hoje, sete em cada dez visitantes vão até lá nas férias para navegar e os outros três não sabem o que estão perdendo. Mais de 60 ilhas, ilhotas e abrolhos oferecem aos navegantes a oportunidade de baixar âncora em convidativas enseadas vazias, caminhar em praias desertas, visitar a baía de Cane Garden, em Tortola, ao pôr-do-sol, e mergulhar entre os destroços do RMS Rhone, de 310 pés, um vapor do correio real que naufragou perto da ilha Salt durante um furacão em 1867.

The Moorings, empresa fabricante de barcos conhecida internacionalmente, estabeleceu seu quartel-general caribenho em Tortola. O cais de aluguel, com 72 vagas, e o cais de visitantes, com 70, são por si mesmos um destino turístico. Percorrendo-os, você encontrará alguns dos mais interessantes apreciadores e proprietários de barcos do mundo. A maioria desses iates vale mais do que a sua casa – muitos deles estão na faixa dos milhões de dólares. O hotel da Moorings, o Mariner Inn, é um ponto de encontro de iatistas que hospeda clientes da empresa antes e depois dos passeios de férias nos barcos alugados com ou sem tripulação.

Perto dali, mas a 1.300m acima do nível do mar, o restaurante Skyworld proporciona uma vista panorâmica desse cenário repleto de barcos, além de um dos mais inovadores cardápios da região. Peça a fritada de moluscos, que até os habitantes locais admitem ser a melhor da ilha, e o steak da casa, preparado com pêssegos e vinho do Porto – você começará a procurar um terreno para comprar logo na manhã seguinte. Atire ao vento sua preocupação com as calorias e experimente a sobremesa Chocolate Suicida, feita com chocolate branco e preto.

Cerca de 3,2km a oeste situa-se o Bomba's Shack, o bar mais antigo, animado e memorável da ilha e também um dos mais populares do Caribe. A pitoresca decoração improvisada – pedaços de madeira e destroços de naufrágio pregados, piso de areia e paredes com placas de automóvel, cartões-postais, pneus velhos e colares havaianos de papel – ajuda a camuflar o potente sistema de som que faz tudo saltar mesmo antes de o Bamba's Punch (ponche preparado com rum caseiro) revelar seus efeitos. Nas "festas da lua cheia", grupos de iatistas e pessoas de toda a Tortola e das ilhas vizinhas enchem a praia e dançam com música ao vivo até de madrugada. Às quartas e aos sábados os aficionados se reúnem para um farto churrasco de especialidades crioulas.

O Que: experiência, hotel, restaurante. **The Moorings:** Road Town, Wickham's Cay, Tortola. Tel. (284) 494-2332; fax (284) 494-9747; www.moorings.com. Aluguel de barcos não tripulados por 1 semana a partir de U$1.295 (baixa temporada) a U$2.660 (alta temporada). Os barcos não tripulados, de vários tipos, têm capacidade para 5–8 pessoas. Há também tarifas diárias. Iates tripulados com cabines privativas duplas a partir de U$950 por semana, por pessoa (baixa temporada), a U$1.479 (alta temporada). **MARINER INN:** tel. (284) 494-2333. *Quanto*: a partir de U$95 (baixa temporada) e a partir de U$170 (alta temporada). **SKYWORLD:** Road Town, Ridge Road, Tortola. Tel. (284) 494-3567; fax (284) 495-9546. *Quanto*: jantar U$35. *Quando*: aberto todos os dias para almoço; jantar somente com reserva. Fechado em Set. **BOMBA'S SHACK:** em Capoon's Bay, costa noroeste de Tortola. Tel. (284) 495-4148. *Quanto*: churrasco U$10. **MELHOR ÉPOCA:** Nov.–Abr.

A festa das festas

O FESTIVAL DE REGGAE DA JAMAICA

Jamaica, Grandes Antilhas

A Jamaica é o berço do reggae, seu pulso, sua alma e sua inspiração. Nascido na seita religiosa rastafári com uma espiritualidade profundamente enraizada nas canções centenárias dos escravos, esse gênero musical é uma mescla de percussão de influência africana, instrumentação pop contemporânea e letras que dão voz a todo tipo de tema religioso, político e social.

No festival anual Sumfest, os astros do reggae apresentam-se em *jam-sessions* que duram do pôr-do-sol ao amanhecer, com destaque para a obra do mais influente porta-voz do gênero, Bob Marley, um verdadeiro herói nacional. O Sumfest geralmente é realizado em Montego Bay no início de agosto. São cinco dias de verão com reservas esgotadas nos hotéis e noites quentes regadas a música – além do reggae, há hip-hop, rap, soca e calipso.

O QUE: evento. **ONDE:** Summerfest Productions, Montego Bay; tel. (876) 952-8592; fax (876) 952-3715; www.reggaesumfest.com. **QUANTO:** apresentações individuais a partir de U$12; concertos a partir de U$30; ingressos para todo o festival a partir de U$100. Informe-se sobre pacotes de hospedagem que incluam entradas para as atrações do festival.

Alto estilo, maré mansa e pôr-do-sol nos rochedos

A ROCK HOUSE E O RICK'S

Negril, Jamaica, Grandes Antilhas

Quando Negril, a 80km de Montego Bay, no extremo oeste da Jamaica, ainda era a capital caribenha do "faça o que quiser" e o mais bem guardado segredo da geração paz-e-amor da década de 1970, o hotel Rock

House já havia se estabelecido numa localização de primeira qualidade sobre as pedras de um promontório na saída da cidade. Não perca tempo à procura da meca boêmia do passado ao longo dos 11km da praia de Negril, hoje inteiramente urbanizada mas ainda bela: agora são os yuppies que lotam os

O terraço de jantar do Rock House.

sibaríticos resorts onde o ritmo é jovem, festivo e extrovertido. Distante desse desenfreado espírito comercial, o hotel oferece o charme natural e o isolamento da Negril de outros tempos. Seus novos proprietários recriaram o estilo casa de sapê, combinando a alma tropical dos mares do Sul com a descontraída e relaxante atmosfera caribenha que colocou Negril no mapa. Seu clima "sem pressa e sem problema" está em perfeita sintonia com o projeto arquitetônico simples mas cheio de estilo, rico em madeiras nobres locais que se harmonizam com a deslumbrante beleza do cenário de rochedos e florestas à beira-mar. Aproveite para tomar banho e mergulhar com snorkel nas águas cristalinas e protegidas de uma enseada toda sua, a Pristine, e curtir os lendários poentes do Negril na piscina zen do hotel, que parece suspensa no ar nesse que provavelmente é o ponto mais ocidental da Jamaica.

Os célebres poentes dessa região são há muito tempo a grande atração do bar mais conhecido da ilha, o Rick's, localizado sobre os rochedos ao sul da praia de Negril e criado sob inspiração do filme *Casablanca*. Aplaudir o pôr-do-sol ainda é um costume por ali – resta saber se por causa dos tons technicolor do céu ou dos fantásticos daiquiris de frutas frescas. Outra grande diversão nesse bar é ver as pessoas saltando dos penhascos de mais de 30m de altura para dar mergulhos em homenagem ao pôr-do-sol, um ritual diário que é meio pagão e meio festa de confraternização. O Rick's é também um restaurante que serve excelentes lagostas e peixes frescos, mas, depois que você já estiver sob o efeito do rum e inebriado com os tons de laranja e rosa do céu, o jantar pode ser um anticlímax.

O QUE: hotel, restaurante. **ROCK HOUSE:** West End Road, 4km a oeste de Negril. Tel. (876) 957-4373; fax (876) 957-0557; info@rockhousehotel.com; www.rockhousehotel.com. *Quanto*: a partir de U$70 (baixa temporada) e a partir de U$100 (alta temporada). **RICK'S CAFÉ:** West End Road. Tel. (876) 957-0380; fax (876) 957-0131. *Quando*: aberto diariamente para almoço e jantar. **MELHOR ÉPOCA:** Nov.–Dez., Abr.–Mai.

Onde praia e golfe se juntam no topo do ranking

FOUR SEASONS RESORT

Praia Pinney's, São Cristóvão e Névis, Pequenas Antilhas

Será mesmo surpresa que o melhor campo de golfe do Caribe fique numa ex-ilha britânica? O Four Seasons Resort, na pequena e tranqüila Névis, é o paraíso do golfista, combinando um campo de categoria internacional (nunca lotado), projetado por Robert Trent Jones Jr., com luxuosas acomodações de resort, serviço soberbo e localização perfeita numa linda praia. Esculpido em terreno montanhoso, o campo de 18 buracos e 6.184m atinge seu ponto mais elevado no espetacular 15.º buraco (par-5): a 168m acima do oceano, ele tem como pano de fundo um vulcão adormecido coberto de nuvens. A sede do campo, projetada no estilo casa de fazenda para refletir o tradicional caráter britânico da ilha (o almirante Nelson e Fanny Nisbet casaram-se na fazenda Montpelier em 1787), é cercada por 142ha de esplêndidos terrenos adjacentes à belíssima praia Pinney's, um paraíso de 4,8km de areia protegido por recifes e que tem poucos rivais. Se você estiver disposto a arriscar, o Sunshine's Bar and Grill, uma cabana plantada dentro da praia, serve um excelente Painkiller, coquetel à base de rum com sucos de abacaxi e laranja e leite de coco.

O 15.º buraco é um par-5 espetacular.

O QUE: hotel. **ONDE:** praia Pinney's, Charlestown. Providenciam-se traslados por barco partindo do aeroporto de São Cristóvão. Tel. reservas (869) 469-1111; fax (869) 469-1112; www.fourseasons.com. **QUANTO:** duplos a partir de U$340. **MELHOR ÉPOCA:** Jan.–Mar.

Personalidade e vida entre tesouros arquitetônicos

SAN JUAN ANTIGA

Porto Rico, Grandes Antilhas (Comunidade dos Estados Unidos)

O perfeito microcosmo de arquitetura colonial espanhola formado pelas sete quadras do Viejo San Juan, o marcante bairro histórico da capital de Porto Rico, propicia uma extraordinária viagem de volta ao passado. Não fossem os caóticos engarrafamentos de tráfego que são seu elo com a realidade, esse cenário de 475 anos de idade seria extraordinariamente belo para ser autêntico: as ruas estreitas pavimentadas com *adoquina* (pedra azul usada como lastro nos galeões espanhóis) e suas fortalezas do século XVI, em especial a inexpugnável El Morro, com seis níveis que se elevam 50m acima do nível do mar, são maravilhas arquitetônicas e de engenharia ainda capazes de impressionar. Esses marcos do mundo antigo protegidos como patrimônio nacional são também uma vitrine de bistrôs da

El Convento: história, beleza e luxo.

moda, lojas de grife, galerias de arte, igrejas e casas coloniais com sacadas de ferro batido cheias de flores.

Depois de quase dois séculos abrigando um convento carmelita e, posteriormente, um salão de baile, um hotel da cadeia Howard Johnson e até um cortiço, o elegante El Convento, único hotel existente no centro do bairro histórico, foi reformado para servir de hospedagem oficial a chefes de Estado. Uma decisão bastante compreensível e acertada, pois é ali que vive o espírito da San Juan Antiga. Os visitantes que optam pelos pomposos hotéis da periferia da cidade estão por fora.

O QUE: lugar, hotel. **EL CONVENTO:** Cristo Street, 100. Tel. (787) 723-9020; fax (787) 721-2877; elconvento@aol.com; www.elconvento.com. **QUANTO:** duplos a partir de U$190 (baixa temporada) e a partir de U$285 (alta temporada). **MELHOR ÉPOCA:** Nov.–Abr.

Vida de ilha pequena e uma frágil baía bioluminescente

VIEQUES

Porto Rico, Grandes Antilhas (Comunidade dos Estados Unidos)

Vieques, a pequena ilha-irmã de Porto Rico, não é para todo mundo, mas seu estilo de vida sossegado, verdadeiro retorno à época das ilhas Virgens Espanholas, pode ser o próprio paraíso. Os sessenta e dois anos de presença da Marinha norte-americana (que se retirou em 2003) impediram que a ilha e suas mais de 40 praias fossem urbanizadas (até agora). Por isso esse lugar se tornou um refúgio perfeito para os que partem do continente e de San Juan. Eles chegam a Vieques e à ilha vizinha de Culebra, cujas praias são ainda mais notórias, em busca de beleza natural e dos prazeres revigorantes do ócio. Cavalos selvagens descendentes dos *paso fino* deixados pelos espanhóis séculos atrás circulam livremente. Alguns deles foram domesticados e proporcionam ao visitante o prazer inesquecível de passeios montados pelas dunas e colinas da ilha.

Uma das mais de 40 praias de Vieques.

Uma diversão mais psicodélica é a visita a Mosquito Bay, uma das poucas enseadas do mundo que ainda possuem águas bioluminescentes. A concentração de dinoflagelados (organismos unicelulares chamados *pyrodiniums* – “remoinhos de fogo”) cria uma luz verde líquida quando a água é agitada, fenômeno que pode ser apreciado com mais nitidez nas excursões noturnas, quando os propulsores dos barcos fazem com que os bilhões de microorganismos que vivem perto da superfície se iluminem. Se você puser a mão na água, deixará atrás de si uma trilha borbulhante de estrelas cadentes. Uma experiência ainda mais fascinante é mergulhar ali.

As limitadas opções de hospedagem em Vieques eram esquisitas e pouco confortáveis até à inauguração da Hacienda Tamarindo, cujo nome se refere ao velho tamarindo que domina o pátio da casa, construída no alto de uma colina. Seus quartos arejados são abertos para os refrescantes ventos alísios e as vistas panorâmicas do mar do Caribe. Uma eclética mistura de obras de arte, antiguidades e peças de coleção acumulada por seus proprietários norte-americanos – e naturais de Vieques por opção – é o testemunho de sua vida pregressa de desenhistas de interiores.

O QUE: ilha, experiência, hotel. **VIEQUES:** 8km a leste de Porto Rico. **HACIENDA TAMARINDO:** perto de Esperanza, a 7,5km da estação das barcas e do aeroporto. Tel. (787) 741-8525; fax (787) 741-3215; hactam@aol.com; www.enchanted-isle.com/tamarind. *Quanto*: duplos a partir de U$155. **MOSQUITO BAY:** a Island Adventures organiza 1 ou 2,partidas por noite do hotel Casa del Frances, em Esperanza; tel. (787) 741-0720; fax (775) 878-8982; biobay@biobay.com; www.biobay.com. *Quanto*: U$23 por pessoa. **MELHOR ÉPOCA:** Nov.–Abr. para pegar tempo melhor e noites escuras e sem luar para visitar Mosquito Bay.

Um sonho dos desportistas que se tornou realidade

CASA DE CAMPO

La Romana, República Dominicana, Grandes Antilhas

Situado numa antiga fazenda de cana-de-açúcar 11 vezes maior do que Mônaco, o resort Casa de Campo é um dos melhores destinos mundiais de golfe e esportes em geral, merecidamente célebre por seus dois excelentes campos de 18 buracos projetados por Pete Dye – um no interior e o outro, a obra-prima Teeth of the Dog (Dentes do Cão), na orla marítima. Os hóspedes mais ativos passam as férias desfrutando as generosas instalações esportivas do resort: 13 quadras de saibro, numerosas piscinas, espaços para diversas atividades aquáticas numa das melhores praias da ilha, estande de tiro e centro eqüestre com 150 cavalos e outros tantos pôneis para pólo. Bicicletas, motonetas e carros de golfe transportam os visitantes pelos 2.830ha desse bem planejado

Galopando na praia.

microcosmo que inclui Altos de Chavón, minuciosa recriação de uma cidade de montanha do século XVI, que é ao mesmo tempo um próspero centro cultural e sede da colônia de artistas e artesãos da Casa de Campo. A fase inicial do projeto de interiores contou com a participação do estilista dominicano Oscar de la Renta. O vasto complexo, que mais parece um vilarejo, engloba residências particulares afastadas pertencentes a altos executivos internacionais e magnatas amantes dos esportes.

O QUE: hotel. **ONDE:** 45 minutos de carro a leste de Santo Domingo, no litoral sudeste, com seu próprio aeroporto internacional. Tel. (809) 523-3333; fax (809) 523-8548; www.casadecampo.com. **QUANTO:** duplos a partir de U$190 (baixa temporada) e a partir de U$287 (alta temporada); *villas* (casas) de 2, 3 e 4 quartos disponíveis. **MELHOR ÉPOCA:** Nov.–Abr.

Uma pousada com uma vista mais do que extraordinária

ANSE CHASTANET

Soufrière, Santa Lúcia, Pequenas Antilhas

Localizada numa propriedade de 243ha no extremo sudoeste dessa ilha exuberante, a pousada Anse Chastanet é mais do que romântica, com quiosques octogonais ocultos na folhagem verdejante e nas partes coloridas da encosta, numa bela harmonia com o entorno. Algumas das elegantes suítes são construídas ao redor de árvores, outras têm uma parede a menos para deixar entrar o exuberante exterior. Cento e vinte e cinco degraus abaixo, a poucos metros de uma praia isolada e orlada de palmeiras, situam-se o centro e a escola de mergulho com cilindro (ambos excelentes) e alguns dos melhores pontos do Caribe para mergulho com snorkel e cilindro. Além de outros incomparáveis atributos da pousada (sua cozinha é conhecida em toda a ilha), há a estupenda vista de Gros Piton e Petit Piton, os picos vulcânicos gêmeos de 798m e 750m de altitude, que se erguem da arrebentação para o sul. A vista da varanda maravilhosamente indevassada tem uma força e uma mística indescritíveis – é perfeita para você ler um livro ou tirar um cochilo depois que se sacia dela. Há também caminhadas pela floresta tropical, um vulcão que pode ser visitado de carro e Diamond Falls, uma cachoeira que salta em seis estágios em meio a fontes sulfurosas que colorem a água como um arco-íris. Mas não deixe de estar de volta para o pôr-do-sol.

Os picos gêmeos erguem-se da arrebentação.

O QUE: hotel, lugar. **ONDE:** ao norte de Soufrière. Tel. (758) 459-7000; fax (758) 459-7700. **QUANTO:** duplos a partir de U$245 (baixa temporada) e a partir de U$440 (alta temporada); incluídos café da manhã e jantar. **MELHOR ÉPOCA:** Nov.–Abr. e 1.ª semana de Mai. para o Festival de Jazz de Santa Lúcia.

Um cenário incomparável, com vida de casa de campo e jeito de ilha

EDEN ROCK

Baía de St. Jean, St. Barthélemy, Pequenas Antilhas (Departamento de Ultramar da França)

Projetando-se espetacularmente num promontório de quartzito que separa duas magníficas praias de areias brancas e cercado de água por três lados, esse marcante hotel com um quê de castelo, tantas vezes fotografado, foi construído para ser a residência de Rémy de Haenen, um antigo prefeito de St. Barthélemy (também chamada de St. Barts). Primeiro piloto a chegar à ilha (em 1947) e pai da indústria do turismo local, Haenen encontrou esse lugar reconhecidamente paradisíaco e batizou sua casa com o nome adequado – Eden. A maioria dos nove elegantes quartos do Eden Rock parece suspensa sobre a baía de St. Jean – a melhor praia para nado de St. Barts e onde o fundo musical é feito pela arrebentação. As imensas camas de baldaquino com cortinados são tão altas que é necessário um apoio para subir a bordo. O inspirador bar e restaurante com terraço é um lendário ponto de encontro onde se podem curtir as horas do fim da tarde antes de uma refeição inovadora e cheia de estilo no requintado Eden Beach Restaurant.

Eden Rock: quase uma ilha.

O QUE: hotel, restaurante. **ONDE:** 3km a leste de Gustavia, a 10km do aeroporto. Tel. (590) 590-29-79-99; fax (590) 590-27-88-37; info@edenrockhotel.com; www.edenrockhotel.com. **QUANTO:** duplos a partir de U$280 (baixa temporada) e a partir de U$520 (alta temporada). Jantar U$60. **MELHOR ÉPOCA:** Nov., Jan. e Mar.

Vida parisiense com estilo caribenho

O PORTO DE GUSTAVIA E O MAYA'S

St. Barthélemy, Pequenas Antilhas (Departamento de Ultramar da França)

O porto de Gustavia parece saído de um conto de fadas, tão pequeno que os navios de cruzeiro precisam ancorar ao largo. O que não impede, porém, o afluxo incessante de iates dos tradicionais freqüentadores de St.

Barthélemy, ou St. Barts. Chique, rica e muito parisiense (com metade do tamanho de Manhattan), essa ilha continua sendo um dos destinos caribenhos mais procurados pelas celebridades. Do terraço do Hotel Carl Gustaf, o porto e as montanhas verdes circundantes parecem um encantador cenário de casa de boneca montado para uma opereta. Gustavia é a única cidade e porto de St. Barts, e o Carl Gustaf situa-se acima dela como um ninho de águia: seu charmoso bar e restaurante a céu aberto, localizado no nível mais elevado, é o principal posto de observação de toda a região. Passe ali para admirar um esplêndido pôr-do-sol, fuja dos passageiros de cruzeiros que se debruçam sobre os balcões de perfume do duty-free shop e saboreie o sempre renovado coquetel do dia no piano-bar. Se você estiver com o bolso cheio, hospede-se num dos 14 chalés com cobertura de sapê e piscinas privativas instalados na encosta colorida pelas buganvílias – desse ponto poderá curtir o espetacular panorama dia e noite. O Carl Gustaf serve o melhor da alta-cozinha no refinado salão de jantar situado no topo da colina – ali os afortunados amantes da boa mesa têm a oportunidade de observar o piscar das luzes da noite sobre a liliputiana enseada.

Durante pelo menos um pôr-do-sol da sua estada, desça do seu refúgio para visitar o Maya's, restaurante de visita obrigatória na ilha, um lugar descontraído que serve excelentes especialidades crioulas preparadas com

Vista do porto de Gustavia.

arte e simplicidade por seu proprietário, natural da Martinica – um chef pouco propenso a floreios exóticos. O terraço à beira-mar é o lugar perfeito para os últimos drinques do dia, bem como para apreciar o *beau monde* e o elenco de celebridades da ilha.

O QUE: lugar, hotel, restaurante. **HOTEL CARL GUSTAF:** tel. (590) 590-29-79-00; fax (590) 590-27-82-37; carlgustaf@compuserve.com; www.carlgustaf.com. *Quanto*: chalés-suítes a partir de U$470 (baixa temporada) e a partir de U$790 (alta temporada). Jantar U$70. **MAYA'S:** Anse de Public, a noroeste de Gustavia. Tel. (590) 590-27-87-27; fax (590) 590-27-74-47. *Quanto*: jantar U$50. *Quando*: somente jantar; fechado Dom. Aberto Nov.–meados de Jun. e meados de Jul.–Ago. **MELHOR ÉPOCA:** Nov., Jan. e Mar.

Magia caribenha com toque marroquino

LA SAMANNA

Baie Longue, St. Martin, Pequenas Antilhas (Departamento de Ultramar da França)

La Samanna oferece serviços, comida e ambiente tão especiais que a maioria dos hóspedes jamais se aventura a sair dos 22ha de terrenos impecavelmente bem cuidados do elegante e sibarítico enclave à beira-mar onde esse hotel está situado. Embora localizado no lado francês de uma ilha dividida entre a França e a Holanda, o lugar evoca o Mediterrâneo e o Marrocos, com *villas* (casas) e pátios de paredes brancas, azulejos pintados à mão que dão um toque colorido e tecidos arrojados em tons extraídos das cores do céu e do mar. Baie Longue, a deslumbrante praia do hotel, a mais bonita da ilha, estende-se pelo que parecem ser quilômetros de irrestrita privacidade e beleza. À noite, o esplêndido bar sob uma tenda no terraço cercado de buganvílias e alamandas é o lugar de elegantes jantares à luz de velas, ocasiões em que os vinhos da excelente adega do La Samanna podem ser saboreados. A diária é alta, mas o ambiente não é pretensioso. Os clientes "famosos" que assinam o livro de hóspedes desaparecem rapidamente para desfrutar a memorável estada, que pode ser aproveitada com todo tipo de esporte imaginável ou nada mais do que um bom livro.

O Que: hotel. A 5km do aeroporto, a noroeste de Mullet Bay. Tel. (590) 590-87-51-22; fax (590) 590-87-87-86; www.lasamanna.com. **Quanto:** duplos de luxo a partir de U$395 (baixa temporada) e a partir de U$795 (alta temporada). **Quando:** fechado Set.–Out. **Melhor Época:** Dez.–Abr.

Estranhas e maravilhosas atrações submarinas

Mergulhando com as Arraias-Jamantas de Tobago

Speyside, Trinidad e Tobago, Pequenas Antilhas

Dia após dia, a belíssima Tobago vem ganhando popularidade como lugar de mergulho de classe mundial. Um número cada vez maior de mergulhadores vai a essa ilha para nadar e interagir com as arraias-jamantas dessas águas cuja visibilidade pode alcançar até 45m num dia em que o tempo está bom. "Espere o inesperado", dizem por lá, mas pode ter certeza de que suas expectativas serão superadas: cerca de 12 arraias-jamantas, que têm de 1,8m a 3m de envergadura, vivem na área de Bateaux Bay, algumas durante o ano inteiro por causa das grandes concentrações de plâncton de que elas e outros seres marinhos se alimentam. Alguns mergulhadores terão que se contentar com a mera visão dessas elegantes e majestosas criaturas, mas a maioria deles certamente conseguirá interagir com elas. As amistosas arraias costumam lhes dar carona, retornando a eles várias vezes – comportamento que

Nade ao lado das arraias-jamantas.

no passado rendeu a esses animais o apelido de "táxis de Tobago". Hoje, a prática mais ecologicamente correta é limitar-se a nadar em sua mágica presença. Tobago, ilha-irmã de Trinidad, é um desses destinos de mergulho capazes de satisfazer também a curiosidade de quem permanece em terra. Suas florestas de tipo amazônico estão entre as mais antigas matas protegidas do planeta.

O QUE: experiência. **ONDE:** a aldeia pesqueira de Speyside, na costa nordeste, é a base mais conveniente para os melhores pontos de mergulho. Um dos mais novos resorts especializados em mergulho da região é o Manta Lodge, situado junto à praia e com sua própria infraestrutura da PADI (Associação Internacional de Instrutores de Mergulho). **COMO:** Tobago Dive Experience; tel. (868) 639-7034; fax (868) 639-7845; info@mantalodge.com; www.mantalodge.com. **QUANTO:** duplos a partir de U$95 (baixa temporada) e a partir de U$115 (alta temporada). Oferecem-se pacotes de mergulho. **MELHOR ÉPOCA:** Nov.–meados de Dez., Jan.–Abr.

Uma ruidosa celebração em que o calipso é o rei

O CARNAVAL DE TRINIDAD

Port of Spain, Trinidad e Tobago, Pequenas Antilhas

Se o carnaval é a expressão essencial da cultura crioula, o de Trinidad é reconhecido no Caribe como o pai de todos os carnavais e Port of Spain como o seu centro principal. As bandas e os participantes dos desfiles à fantasia iniciam os preparativos para essa festa com um ano de antecedência, mas o processo começa a esquentar de verdade um pouco antes do Natal. A temporada de excessos é aberta oficialmente às 4h da segunda-feira de carnaval com a explosão de cores e sons do desfile Jour Ouvert (Dia de Abertura) e atinge o auge na terça-feira gorda, véspera da quarta-feira de cinzas, que introduz o solene período da Quaresma, antes da Páscoa. Mas, enquanto a quarta-feira não vem, milhares de foliões invadem as ruas vestidos com extravagantes e elaboradas fantasias. Grupos de até 3.000 pessoas seguem os carros de som que comandam o calipso originário da ilha. Introduzida no Caribe no final do século XVIII pelos fazendeiros católicos franceses, a celebração do carnaval perdeu sua ênfase européia depois da emancipação dos escravos em 1838, quando a população pobre urbana, predominantemente africana, tomou as ruas. As profundas rivalidades transformaram-se nas acaloradas competições das bandas de hoje, em que grupos de até 100 músicos se apresentam dia e noite numa ruidosa celebração do Rei Carnaval. Cada banda tem seu quartel-general, ou *panyard*, onde se realizam os ensaios e as prévias do desfile. Vale a pena descobri-los.

Para uma experiência ainda mais profunda de Trinidad, conheça o Veni Mange (Venha e Coma), o restaurante onde Allyson Hennesy e sua irmã, Rosemary Hezekiah, cuidam tanto da cozinha (a melhor da ilha) quanto da galeria de arte local, estabelecidas numa típica residência crioula. De ascendência inglesa, venezuelana, africana e chinesa, as entusiasmadas irmãs o guiarão num banquete local que pode começar com uma tradicional sopa de abóbora com as folhas *callalo* (que, segundo a lenda, se for bem preparada, pode levar o homem a propor casamento) e terminar com sorvete de graviola e musse de coco caseiros. Vá ao restaurante na Noite Caribenha de quarta-feira, a única ocasião em que as irmãs servem jantar.

O QUE: evento, restaurante. **CARNAVAL:** para informações, entre em contato com o Escritório de Turismo, tel. (868) 623-1932, fax (868) 623-3848; ou com a Comissão Nacional de Carnaval, tel. (868) 627-1350, fax (868) 623-1391. *Quanto*: ingresso para as arquibancadas U$10. *Quando*: a semana que antecede o início da Quaresma. **VENI MANGE:** Lucknow Street, 13, St. James (5km a oeste do centro da cidade). Tel. (868) 624-4597; veni@wow.net; www.venimange.com. *Quanto*: almoço U$25. *Quando*: aberto para almoço Seg.–Sex.; jantar somente na Qua. **MELHOR ÉPOCA:** Dez.–Abr.

ÁFRICA

Norte da África
Leste e Sul da África

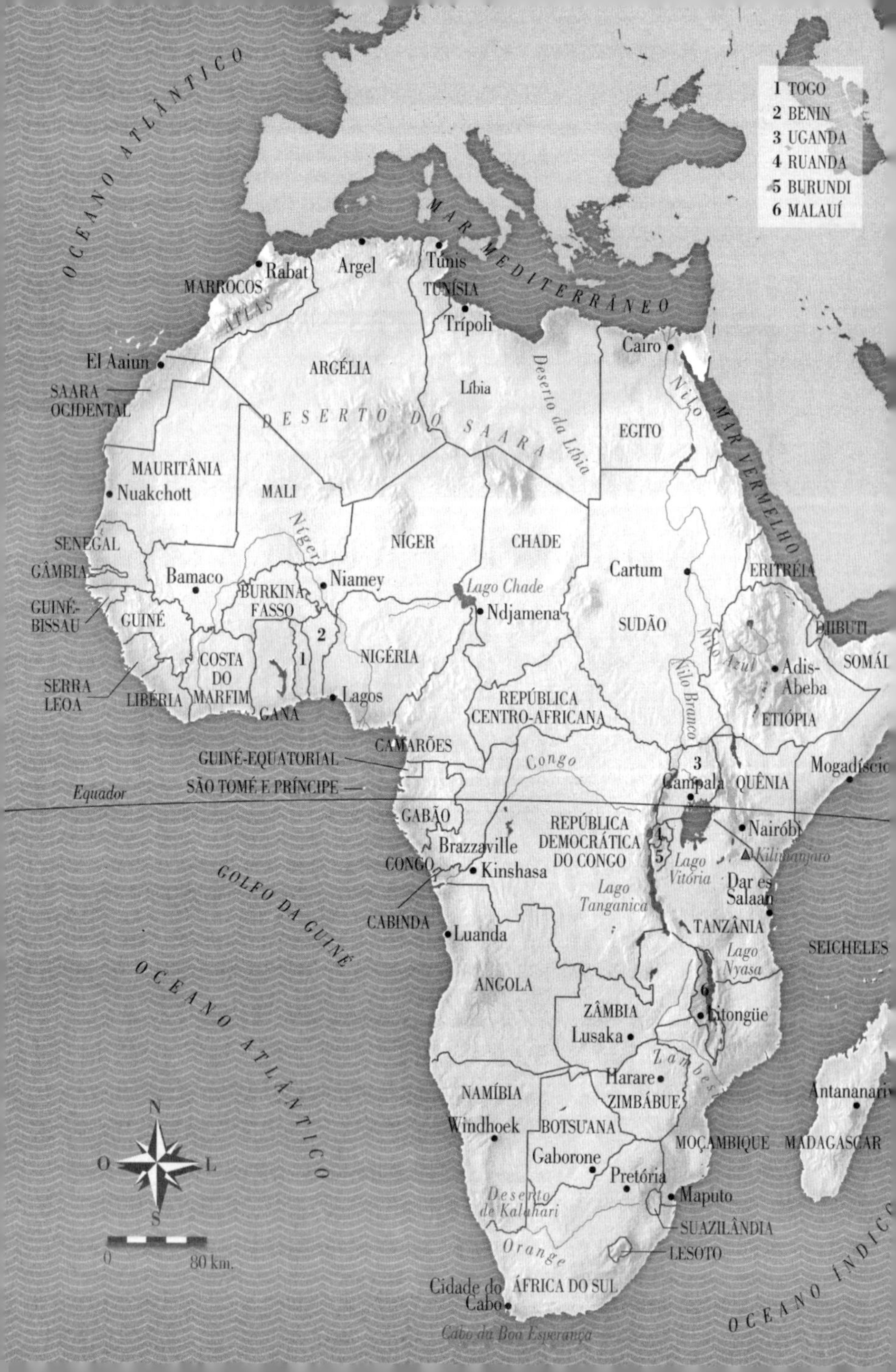

1 TOGO
2 BENIN
3 UGANDA
4 RUANDA
5 BURUNDI
6 MALAUÍ
OCEANO ATLÂNTICO
MAR MEDITERRÂNEO
MAR VERMELHO
Rabat
Argel
Túnis
TUNÍSIA
MARROCOS
ATLAS
Trípoli
Cairo
El Aaiun
ARGÉLIA
Líbia
Deserto da Líbia
SAARA OCIDENTAL
DESERTO DO SAARA
Nilo
EGITO
MAURITÂNIA
Nuakchott
MALI
Níger
NÍGER
CHADE
SENEGAL
GÂMBIA
Bamaco
BURKINA FASSO
Niamey
Lago Chade
Cartum
ERITRÉIA
GUINÉ-BISSAU
GUINÉ
Ndjamena
SUDÃO
DJIBUTI
COSTA DO MARFIM
NIGÉRIA
Nilo Azul
Adis-Abeba
SOMÁI
SERRA LEOA
LIBÉRIA
GANA
Lagos
Nilo Branco
REPÚBLICA CENTRO-AFRICANA
ETIÓPIA
CAMARÕES
GUINÉ-EQUATORIAL
Congo
Mogadíscio
SÃO TOMÉ E PRÍNCIPE
Campala
QUÊNIA
Equador
GABÃO
REPÚBLICA DEMOCRÁTICA DO CONGO
Nairóbi
Brazzaville
Kilimanjaro
CONGO
Kinshasa
Lago Vitória
GOLFO DA GUINÉ
Lago Tanganica
Dar es Salaam
CABINDA
Luanda
TANZÂNIA
SEICHELES
OCEANO ATLÂNTICO
Lago Nyasa
ANGOLA
ZÂMBIA
Litongüe
Lusaka
Zambesi
Harare
NAMÍBIA
ZIMBÁBUE
Antananarivo
Windhoek
BOTSUANA
N
O
L
S
MOÇAMBIQUE
MADAGASCAR
Gaborone
Pretória
Deserto de Kalahari
Maputo
SUAZILÂNDIA
0
80 km.
Orange
LESOTO
Cidade do Cabo
ÁFRICA DO SUL
OCEANO ÍNDICO
Cabo da Boa Esperança

NORTE DA ÁFRICA

Eternas maravilhas do mundo antigo

As Grandes Pirâmides de Gizé

Cairo, Egito

Desde a sua construção, que desafia inteiramente a lógica, as pirâmides de Gizé evocam antiguidade, mistério e muita especulação. "Do alto dessas pirâmides 40 séculos vos contemplam!", bradou Napoleão aos seus soldados. As pirâmides são a única das sete maravilhas do mundo antigo que sobreviveu praticamente intacta.

A Grande Pirâmide de Quéops (Khufu), a mais antiga de Gizé e a maior do planeta, foi construída por volta de 2500 a.C com cerca de 2.300.000 blocos de calcário pesando em média 2,75t, movidos pela força de 20.000 homens. Nas proximidades há duas pirâmides menores, pertencentes ao filho e neto de Quéops, e a Esfinge (Abu 'l-Hol, ou Pai do Terror) – uma estranha figura com corpo de leão e rosto humano. Embora um tanto melodramático, o retumbante espetáculo de som e luz que acontece todas as noites após o pôr-do-sol é um curso intensivo surpreendentemente interessante sobre a história dos faraós. Com a população do Cairo já ultrapassando a casa dos 15.000.000 de habitantes, o antigo isolamento das pirâmides no deserto vem sendo perturbado pelos subúrbios, que continuam a crescer ao seu redor.

Vendedores e condutores insistentes oferecem seus combalidos cavalos e "navios do deserto" (camelos) para visitas às pirâmides como elas realmente devem ser. O auge de sua magia ocorre ao amanhecer e ao pôr-do-sol e quando banhadas de luar e silêncio.

Dando um novo significado ao lema imobiliário "Localização, localização e localização", o elegante Mena House fica a poucos passos das Grandes Pirâmides. Instalado à beira do Saara em 16ha de parques e jardins exuberantes, esse verdadeiro oásis alternativo ao ambiente de parque de diversões que hoje cerca as pirâmides já foi a casa de campo e alojamento de caça do quediva Ismail. O cenário das onipresentes pirâmides é completo: você pode vê-las do quarto do hotel, do terraço do café da manhã, do campo de golfe de 18 buracos e da piscina, que é circundada por um jardim.

Até 1870 o Mena House foi a casa de campo do paxá Ismail.

A ala original do Mena House, que conserva muito do seu ambiente colonial, abrigou a conferência de 1943 que reuniu os líderes Franklin Roosevelt, Winston Churchill e Chiang Kai-shek. Foi também onde se iniciaram os planos para o Dia D e o local da assinatura do tratado de paz entre Israel e o Egito, em 1978. Redecoradas, as antigas suítes que dão vista para as pirâmides são muito mais interessantes do que os quartos do novo anexo. O restaurante Moghul tem a melhor cozinha indiana do Egito, um lembrete culinário da participação do hotel na prestigiosa cadeia hoteleira indiana Oberoi.

O QUE: lugar, hotel. **AS PIRÂMIDES:** 18km a sudoeste do centro do Cairo. *Quanto:* ingresso. **MENA HOUSE:** Estrada das Pirâmides, Gizé; 45 minutos de táxi partindo do centro do Cairo. Tel. (20) 2-383-3222; fax (20) 2-383-7777 obmhosm@oberoi.com.eg; www.oberoihotels.com. *Quanto:* duplos a partir de U$180 (suplemento de U$15 por quarto pela garantia de vista das pirâmides). Jantar no restaurante Moghul U$40. **MELHOR ÉPOCA:** Nov.–Mar.

Para o visitante ousado: vá fundo

O CAIRO ISLÂMICO

Egito

Uma lenta caminhada em meio a esse irresistível microcosmo medieval, que deve ter a maior densidade populacional do Oriente Médio, equivale a uma fantástica jornada pelo Cairo de seis ou sete séculos atrás. Esse antigo bairro desorienta os sentidos, desconcerta e confunde. Nesse verdadeiro pandemônio, uma estranha combinação de pobreza intensa e um dos mais baixos índices de criminalidade do mundo, encontra-se a lendária hospitalidade do povo egípcio. Enquanto isso, galinhas, cavalos e ovelhas caminham pelas ruas estreitas e esburacadas, além de congestionadas por homens que coletam o lixo em carros puxados a burro, vendedores ambulantes e pessoas que levam suas vidas como sempre levaram. A poeira e o entulho misturam-se à empalidecida grandiosidade arquitetônica de uma cidade que já foi um centro intelectual e cultural do mundo árabe.

Dado o número amedrontador de lugares a visitar, comece pela espetacular Cidadela de Salah al-Din, do século XII. O seu fundador, conhecido pelos cristãos como Saladino, foi um nobre inimigo dos cruzados. Encarapitado numa íngreme colina, esse bastião intensamente fortificado proporciona uma incomparável vista da cidade do Cairo, com sua miríade de minaretes e seus limites urbanos que se estendem cada vez mais. A mesquita de Ibn Tulun, do século IX, o mais sagrado e reverenciado lugar de culto da cidade, é notável por sua grande dimensão e extrema simplicidade. O acervo do Museu de Arte Islâmica, o mais abrangente do gênero no Egito, inclui obras que datam do século VII ao XIX. O labirinto de bazares de Khan el-Khalili, só pelo seu tamanho, deixa qualquer um de queixo caído. No ricamente ornamentado complexo de Qualawun el-Nasir estão a *madrassa* (escola islâmica) e mausoléus. Construído por três importantes sultões mamelucos, é considerado uma obra-prima do pródigo estilo arquitetônico desses governantes. A lista de destaques do Cairo islâmico continua, mas o choque cultural já deve ter afetado até o mais ousado dos visitantes, que a essa altura provavelmente teve sua cota de barulho, de fumaça de escapamento de ônibus e de animais impacientes pedindo passagem.

O QUE: lugar. **ONDE:** inicie na base da Cidadela na Midan Salah al-Din (Praça Saladino).

Um caravançará do século XIV no velho Cairo: o maior mercado ao ar livre da África

Khan el-Khalili

Cairo, Egito

Barulhento, maravilhoso, caótico e impregnado do cheiro de especiarias, incenso e couro, Khan el-Khalili é um dos maiores bazares do mundo – uma cidade enclausurada dentro da cidade, confusa e em expansão, que começou como um caravançará (estalagem pública que hospeda gratuitamente caravanas que viajam por regiões desérticas) em 1832. É um lugar em que as pessoas correm atrás do seu dinheiro, do seu tempo e do que você tiver enquanto lhe oferecem um copo de chá de menta. Esteja ou não fazendo compras, contorne as pequenas tendas e oficinas dos caminhos mais movimentados (hoje predominantemente turísticos) e penetre no desnorteante labirinto de ruelas onde os cairotas ainda compram seus enxovais, suas *galabias* (túnicas) de algodão, barretes e *shishas* (narguilés). Esse é o lugar para você praticar a técnica de pechinchar, mas não espere vencer comerciantes com milhares de anos de experiência. Em Khan el-Khalili é possível encontrar quase tudo. Há minibazares especializados em artigos como tapetes, ouro, tecidos, perfumes e cosméticos (e onde se produzem potinhos do delineador Kohl, no estilo Cleópatra). Aberto 24 horas desde 1752, o El Fishawy, imortalizado por Lawrence Durrell, ainda é o mais famoso café e casa de chá do Khan. Nesse cenário de Europa do século XIX, com espelhos dourados, bronze batido e mesas com tampo de mármore, você pode dar umas baforadas de narguilé, ouvir a sorte, ficar observando as pessoas e pedir um café, considerado o melhor da cidade, servido em pequenas canecas de bronze.

O QUE: lugar, restaurante. **ONDE:** no coração do Cairo, perto da Midan Hussein (Praça Hussein), Sharia el-Muizz e Sharia el-Muski. El Fishawy localiza-se a poucos passos da Midan Hussein – é só perguntar. **QUANDO:** todos os dias, mas muitas lojas fecham no Dom.

O depósito de uma grande civilização

Museu do Cairo (Museu de Antiguidades Egípcias)

Cairo, Egito

A maior parte dos grupos de turistas sobe direto para a galeria dedicada aos assombrosos tesouros do rei-menino Tutankamon. Outros vão em ziguezague até à sala das múmias, que passou 15 anos fechada. Porém, qualquer que seja a estratégia de visitação, o Museu do Cairo abriga uma coleção de tesouros tão imensa – cronologicamente organizada segundo o Antigo Império (2700-2200 a.C), o

Médio Império (2100-1800 a.C) e o Novo Império (1600-1200 a.C) – que o visitante, se gastasse somente um minuto para examinar cada uma das suas 136.000 peças, precisaria de nove meses para ver todas elas. Outros 40.000 itens permanecem encaixotados nos porões, o que prova a escassez de espaço que aflige o maior museu do Egito desde a sua fundação, em 1858. A visita é irresistível, para dizer o mínimo; a multidão, esmagadora. Depois de ver os 1.700 objetos que foram retirados do pequeno túmulo do relativamente insignificante faraó Tut em 1922 e as duas salas com 27 faraós mumificados e suas rainhas, o restante dos objetos à mostra pode parecer desinteressante. Uma segunda visita, mais relaxada, fará justiça a essas outras obras-primas.

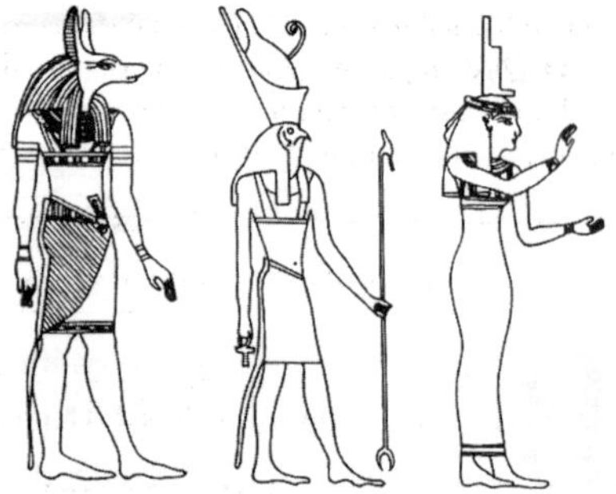

Os deuses egípcios Anúbis, Hórus e Ísis.

O QUE: lugar. **ONDE:** na face leste da Midan Tahrir (Praça da Libertação). Tel. (20) 2-579-6974; fax (20) 2-579-4596. **QUANTO:** ingresso U$7.

"Corredor das maravilhas"

MERGULHO NO MAR VERMELHO

Sinai, Egito

Dividindo com a Grande Barreira de Corais australiana a posição de melhor local de mergulho do mundo, o mar Vermelho recebeu de ninguém menos do que Jacques Cousteau a seguinte descrição: "Corredor das maravilhas – minhas horas mais felizes como mergulhador." O mar Vermelho é conhecido por sua diversificada vida marinha e pela extraordinária claridade da água, cuja transparência costuma ultrapassar 45m de profundidade. (Por causa da falta de chuva no deserto ao redor, não há escoamentos que deixem a água turva.) Em grande parte, a singularidade de um mergulho no mar Vermelho decorre da espetacular justaposição da árida beleza do deserto do Sinai em cima e de um verdadeiro Jardim do Éden embaixo. Cerca de 10% das espécies do mar Vermelho não são encontradas em nenhum outro lugar do planeta.

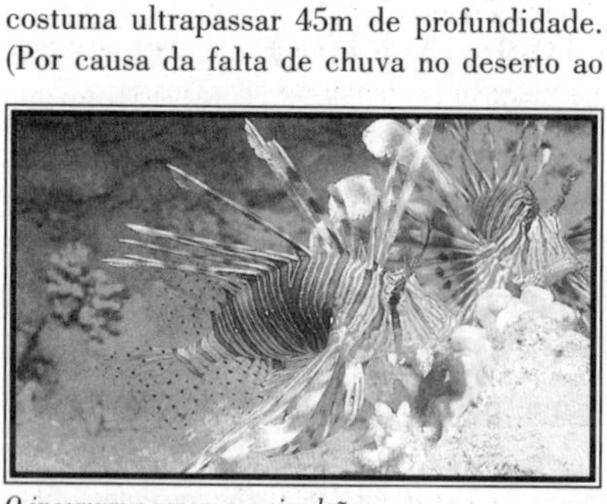

O incomum e venenoso peixe-leão.

No extremo sul da península do Sinai, resorts de mergulho, como Sharm el-Sheik, oferecem uma série de excursões à espetacular estação de mergulho de Ras Mohammed, o primeiro parque marinho nacional do Egito. Barcos *live-aboard* podem, no entanto, contornar a superpopulação submarina e partir rumo a recifes mais intocados, mergulhos em parede (*drop-offs*), montanhas submarinas e navios naufragados.

O QUE: lugar, experiência. **ONDE:** o M. Y. Juliet parte de Sharm el-Sheik semanalmente, o ano inteiro. **COMO:** Juliet Divers; tel. (20) 12-218-2668; info@julietdivers.com; www.julietdivers.com. **QUANTO:** U$110 por pessoa por dia, equipamento de mergulho não incluído.

Um cruzeiro espetacular e monumentos inigualáveis

ABU SIMBEL

Lago Nasser, Alto Egito, Egito

Há mais de 3.000 anos, o nada modesto faraó Ramsés II ordenou, em homenagem ao 34º aniversário do seu reinado, que o colossal templo de Abu Simbel fosse talhado na face de um penhasco. No exterior, quatro estátuas de 20m de altura cada uma o retratam sentado como jovem faraó; no interior, um ambiente não menos impressionante. O imenso monumento, construído por um número desconhecido de pessoas, levou 36 anos para ser concluído. Na época da edificação da represa de Assuã, na década de 1960, uma engenhosa operação de salvamento da Unesco impediu que esse e outros 22 templos submergissem para sempre. A obra, de U$40.000.000, implicou a transferência do templo e das estátuas e sua reconstrução num terreno mais elevado. Os engenheiros chegaram até mesmo a alinhar o novo templo para reproduzir um fenômeno que ocorre nos dias 22 de fevereiro e 22 de outubro, tidos como as datas de aniversário e de coroação de Ramsés: quando atingem a profundidade de 55m no santuário do templo, os primeiros raios do sol iluminam os murais do faraó divinizado e dos demais deuses.

O produto da represa de Assuã é o lago Nasser, ou "mar Núbio" – o maior lago artificial de água doce do mundo. Esquecido e não visitado, ele permaneceu durante décadas como um ponto cego no mapa do Egito. Mas o primeiro navio de cruzeiro (e, sem dúvida, ainda o mais bonito) singrou as águas do lago de 480km de comprimento levando turistas em 1990: o M. S. Eugénie, de 44 cabines, um falso barco a vapor montado para proporcionar o opulento conforto tão ao gosto de ricos apreciadores da cultura egípcia naquele fim de século. Enquanto hoje a maioria dos participantes de cruzeiros estrangeiros navega para o norte no Nilo, de Assuã aos locais legendários de Luxor, os viajantes que se dirigem ao sul pelo lago Nasser no M. S. Eugénie talvez sejam envolvidos pela sensação de ter as praias do lago, salpicadas de templos, só para eles. O deserto além parece uma paisagem lunar e suas pirâmides e penhascos naturais entalhados pelo vento são uma silenciosa fonte de fascinação. O vapor foi batizado em homenagem à imperatriz francesa que abriu o canal de Suez em 1869. O destaque do Eugénie é a Suíte Imperial, seis vezes maior do que a espaçosa cabine comum. Sem sombra de dúvida, teria agradado a Sua Majestade.

O QUE: lugar, experiência. **ABU SIMBEL:** na margem ocidental do lago Nasser, 283km ao sul de Assuã e 40km ao norte da fronteira com o Sudão. Vôos diários partindo de um pequeno aeroporto em Assuã permitem excursões de 1 dia de duração. **M. S. EUGÉNIE:** partidas de Assuã ou Abu Simbel. *Como:* o M. S. Eugénie é propriedade da Belle Époque Travel, Cairo. Tel. (20) 2-516-9656; fax (20) 2-516-9646; eugenie@soficom.com.eg; www.eugenie.com.eg. *Quanto:* cruzeiros de 3, 4 e 7 noites a partir de U$80 (baixa temporada),

U$147 (alta temporada) por pessoa por noite, tudo incluído, partindo de Assuã ou Abu Simbel. Suíte Imperial U$473 por noite (baixa temporada) e U$780 (alta temporada). *Quando:* partidas o ano inteiro. **Melhor Época:** Nov.–Mar. e durante as festas semestrais de 22 Fev. e 22 Out., em que há grandes feiras com música, dança e entretenimento.

Onde o Egito acaba: cenário estilo Eduardo VII e sinais da África exótica

Assuã e o Old Cataract Hotel

Alto Egito, Egito

Ao se aproximar da fronteira com o Sudão, no sul do Egito, o Nilo fica cada vez mais espetacular: o deserto acaba e ilhas salpicadas de palmeiras e imensos penedos de granito dão beleza natural à cidade mais meridional do Egito (e que foi propriedade do Império Romano). Desde tempos imemoriais, a posição de Assuã no cruzamento de importantes rotas de caravanas lhe proporcionou um próspero comércio de ouro, escravos, perfumes e manufaturados: é o mais pitoresco e vívido mercado do Egito sem contar o do Cairo.

Há anos Assuã vem sendo uma estância de inverno muito procurada por estrangeiros, uma cidade ao mesmo tempo sossegada e excitante onde ócio e passeios turísticos se combinam sem dificuldade. Você poderá navegar pela Antiguidade a bordo de uma tradicional *felucca* (barco típico egípcio de vela latina) no final da tarde ou partir numa viagem de cinco dias rio abaixo até Luxor. Faça sua reserva no Old Cataract Hotel, situado numa bela curva do Nilo. Agatha Christie sentiu-se tão atraída por esse cenário atemporal que nele escreveu e ambientou a maior parte de *Morte no Nilo*. Na adaptação para o cinema, o hotel ganhou um papel especial. Tudo nele sugere uma combinação de elegância britânica e oriental, um ambiente mágico que seduziu Aga Khan III a passar ali sua lua-de-mel, a retornar regularmente e até a pedir para ser sepultado em Assuã. Seu despojado mausoléu, um dos pontos mais visitados da cidade, é visto de alguns dos quartos do hotel. Todos os quartos da ala original, hoje redecorados, são interessantes, ao passo que as suítes individuais ganharam dramaticidade e história. Na suíte favorita de Agatha Christie há uma pequena sacada de onde ela podia apreciar o pôr-do-sol e se recolher quando quisesse a um pequeno escritório para escrever seus romances nilíacos. Falando em romances no Nilo, a Suíte das Mil e Uma Noites (hoje batizada Suíte Winston Churchill) fará você querer ficar por pelo menos esse mesmo número de noites, talvez ainda mais.

O Old Cataract Hotel e a vista para o Nilo.

O Que: cidade, hotel. **Assuã:** 214km ao sul de Luxor. **Old Cataract Hotel:** Rua Abtal El Tahrir. Tel. (20) 97-316-000; fax (20) 97-316-011; www.sofitel.com. *Quanto:* duplos com vista para o Nilo a partir de U$287 (baixa temporada) e U$327 (alta temporada); Suíte Agatha Christie a partir de U$758 (alta temporada); Suíte Winston Churchill a partir de U$610 (baixa temporada) e U$650 (alta temporada). **Melhor Época:** Nov.–Mar.

Águas vitais para civilizações antigas e modernas

Um Cruzeiro no Nilo

Assuã, Alto Egito, Egito

Embora domado pela construção da represa de Assuã, o Nilo não mudou muito desde os dias em que Ramsés era menino. O historiador grego Heródoto descreveu o Egito, no século V a.C, como a "dádiva do Nilo" – navegar ao longo de suas margens eternamente verdes é entender por que os antigos egípcios o adoravam. Esse rio continua sendo a força vital da civilização egípcia, o coração e a alma do seu povo. Crianças de pijama correm até à margem e acenam para quem passa, homens com água pela cintura lavam o gado, *feluccas* (típicos barcos egípcios de vela latina) deslizam na água – as mesmas cenas fluviais que inspiraram Platão, Júlio César, Napoleão e Alexandre, o Grande e que estão retratadas nos murais das tumbas antigas. O prato principal de qualquer viagem a esse país é um cruzeiro no Nilo de ou para Assuã ou Luxor, no Alto Egito, com sua incomparável concentração de ruínas antigas, vales, monumentos funerários e uma metrópole inteira de túmulos reais. Os quatro Sun Boats da Abercrombie & Kent estão entre os mais espaçosos e luxuosos da frota de mais de 200 navios que singram as águas calmas do Nilo: é como se você estivesse no iate de um amigo rico. As embarcações nunca levam mais do que 80 passageiros, todos com o mesmo tipo de interesses, tratados com muita atenção e envolvidos num ambiente de suave decadência à moda antiga. O serviço é impecável. Os conveses superiores abertos são perfeitos para você observar o pôr-do-sol em seus tons laranja e vermelho-vivo e refletir sobre as maravilhas visitadas durante o dia enquanto o Egito vai passando à sua frente.

O Templo de Sobek e Hórus.

O Que: experiência. **Onde:** em geral, os visitantes viajam de avião do Cairo a Assuã ou Luxor para embarcar em 1 dos 4 Sun Boats. **Quanto:** os cruzeiros de 5 e 8 dias geralmente fazem parte de um pacote de viagem mais amplo, com tudo incluído, de 11 dias (a partir de U$2.990 por pessoa) a 14 dias (U$7.290 por pessoa, Suíte Real), passagem aérea não incluída. **Quando:** partidas o ano inteiro, exceto em Jun., quando os navios estão na doca seca. **Melhor Época:** Nov.–Mar.

A capital do Novo Império do Egito antigo e lazer vitoriano em grande estilo

Luxor e o Old Winter Palace

Luxor, Alto Egito, Egito

Construído ao longo de 1.500 anos, o Templo de Karnak é uma das maiores realizações arquitetônicas da humanidade. No meio do assombroso Salão Hipostilo de 5.600m², cujas 134 colunas têm diâmetro de 10m e atingem 24m de altura, torna-se evidente que a Basílica de S. Pedro, em Roma, e a Catedral de São Paulo, em Londres, poderiam tranqüilamente caber nos 40ha desse templo e ainda sobraria espaço para oito outros edifícios de igual tamanho. Maior santuário religioso da Antiguidade, Karnak é ligado por uma esplanada de mais de 3km de extensão às margens do Nilo (nos velhos tempos ladeada de esfinges) ao Templo de Luxor, seu santuário-irmão localizado mais ao sul. A atual cidade de Luxor está situada no lugar onde se localizava Tebas, a próspera capital do Novo Império do Egito, com uma população superior a 1.000.000 de pessoas. Enquanto a margem oriental do Nilo, onde o sol nasce, abriga as máximas realizações da antiga arquitetura egípcia, o fascínio de Luxor permanece, do outro lado do rio, na margem ocidental. Nesse lugar os habitantes de Tebas construíram a Cidade dos Mortos, a maior e mais famosa necrópole do Egito antigo. Entre as muitas tumbas reais escavadas no vale dos Reis, somente a de Tutankamon foi encontrada intacta. Ao visitante resta especular, com tristeza, a respeito de tudo o que deve ter desaparecido com as pilhagens dos túmulos dos faraós mais poderosos, como Ramsés II. A tumba de sete câmaras de Nefertari, mulher de Ramsés, reaberta em 1995 no adjacente vale das Rainhas, é tida por historiadores da arte como a mais requintada entre todas as que estão abertas à visitação pública – uma vívida e delicadamente trabalhada prova de amor do faraó à sua esposa favorita entre as 40 que possuía.

Old Winter Palace, no coração de Luxor.

Passear em Luxor pode ser puxado: despertar ao alvorecer lhe permitirá contemplar as ruínas sozinho por algum tempo antes da chegada das multidões e do calor. Após um dia longo e poeirento, dirija-se ao Old Winter Palace. Em benefício da nostalgia, esqueça as instalações novas e peça um quarto na ala original do hotel, fundado em 1886. Seus tetos altos, armários imensos, tapetes orientais e lustres de cristal decorado remontam aos primeiros dias do imperialismo britânico. O jardim do Old Winter Palace, o maior e mais bonito de Luxor, é cuidado por uma dúzia de jardineiros em tempo integral, e eles asseguram que esse é o lugar mais fresco da cidade para se tomar um chá.

O QUE: cidade, hotel. **LUXOR:** 668km ao sul do Cairo, às margens do Nilo; 214km de Assuã. **OLD WINTER PALACE:** Rua Cornich El Nile. Tel. (20) 95-380-422; fax (20) 95-371-192; www.sofitel.com. *Quanto:* duplos com vista para o Nilo a partir de U$210 (baixa temporada) e de U$480 (alta temporada); suítes a partir de U$300 (o ano inteiro). **MELHOR ÉPOCA:** Nov.–Mar.

O paraíso do windsurfe

ESSAOUIRA

Marrocos

O pequeno e pitoresco porto de Essaouira fica a um passo da melhor praia do Marrocos, uma suave curva branca de quilômetros de extensão rumo ao sul. Depois de visitar Marrakesh, Fez e Tânger, esse é o lugar onde guardar as malas para descansar e relaxar um pouco. No interior das fortificações amuralhadas de Essaouira, projetadas no século XVIII por um arquiteto francês a pedido do sultão Sidi Mohammed, situam-se a almedina central – uma babel de ruelas estreitas cheias de oficinas e lojas de artesanato pela qual a cidade é conhecida – e agradáveis cafés num clima tranqüilo de cidade pequena. Segredo passado de boca em boca desde a década de 1980, Essaouira é um excelente ponto para a prática do surfe e do windsurfe por causa dos fortes ventos do Atlântico, de modo que sua imagem de local pacato e amigo dos turistas pode vir a ser coisa do passado muito em breve. Assim, não perca tempo: vá e registre-se no simples, sossegado e elegante Villa Maroc. O hotel, hoje reformado, tem 22 quartos com sacadas pintadas de azul e venezianas em volta de um pátio cheio de jasmins e buganvílias. Em alguns deles há lareiras; em outros, camas antigas com dossel. A melhor parte é o café da manhã no terraço, ao ar livre, e o jantar com temperos aromáticos dos mercados locais, servido no salão sob a luz suave de candelabros de ferro batido.

O QUE: cidade, hotel. **ONDE:** 161km a oeste de Marrakesh. **VILLA MAROC:** Rue Abdellah Ben Yassin, 10. Tel. (212) 444-76144; fax (212) 444-75806; hotel@villa-maroc.com; www.villa-maroc.com. **QUANTO:** duplos U$95, incluindo jantar para 2 pessoas. **MELHOR ÉPOCA:** Mar.–Mai e Set.–meados de Dez. Festival Mundial de Música.

Cafés ao ar livre emolduram as pitorescas ruas de Essaouira.

O coração simbólico e espiritual do Marrocos

Fes el Bali e o Festival Mundial de Música Sacra

Fez, Marrocos

Centro intelectual, cultural e religioso do Marrocos nos últimos 1.200 anos, a cidade de Fez oferece uma série de maravilhas. Se você quer mergulhar totalmente no clima do antigo Marrocos, Fes el Bali, a cidade velha de Fez, será a maior oportunidade da sua vida. Núcleo medieval quase perfeitamente preservado, com vielas sinuosas da largura de um burro e bazares cobertos circundados por uma linha ininterrupta de magníficos baluartes e portões, a cidade velha de Fez é a maior e mais confusa almedina da região do Magreb, no norte da África. Originalmente era tão grande que foi subdividida em 20 almedinas menores e abarrotada de todo tipo de oficina, mercado e restaurante. Essa cidade é uma profusão de imagens, sons e cheiros que você jamais esquecerá. A melhor maneira de conhecer Fes el Bali, com suas tinturarias, curtumes, açougues, fontes azulejadas, mesquitas e mercados de especiarias, é na companhia dos guias locais. Até eles às vezes se perdem no labirinto das ruas estreitas – mas é melhor do que se perder sozinho.

Fora a eletricidade, na cidade sagrada de Fez tudo parece pertencer a outro século. Para manter vivo o sonho de Ali Babá, hospede-se no Palais Jamaï, um palácio principesco construído em 1879 e que hoje abriga o único hotel situado dentro dos muros da almedina. O Festival Mundial de Música Sacra de Fez acrescenta uma nova dimensão à sua viagem. Ainda em seu estágio inicial – e por isso mesmo envolvido por um agradável frescor de autenticidade e ausência de espírito comercial –, esse inigualável evento confirma que, se a música é a linguagem universal do mundo, a música sacra é a linguagem universal da alma. Há música ritual berbere, canções místicas dos Dervixes Rodopiantes de Konya, corais gospel do Harlem, canto gregoriano feminino francês e antigos acalantos hispano-judaicos. A programação do festival, que tem uma semana de duração, prevê pelo menos dois concertos diários em diferentes locais a céu aberto, dentro e ao redor da antiga capital imperial do Marrocos, entre os quais um palácio mourisco do século XV e as antigas ruínas romanas de Volubilis, a 70km da cidade. Fez é o cenário perfeito para concertos noturnos, que são interrompidos apenas pelo chamado muçulmano à oração e pelo canto das andorinhas.

O QUE: cidade, lugar, hotel, evento. **ONDE:** concertos por toda a cidade de Fez. **COMO:** no Brasil, agência Viagem Express (São Paulo). Tel. (11) 3021-4940; fax (11) 3022-7498; atendimento@viagemexpress.com.br; www.viagemexpress.com.br. Pacote: 10 dias, parte aérea (vôo partindo de São Paulo), traslado, hotel, quartos duplos, café da manhã e almoço, guia e ingressos para todas as atrações. **QUANTO:** a partir de US$1.559. **QUANDO:** 1 semana, fim de Mai. **PALAIS JAMAÏ:** Bab Guissa. Tel. (212) 556-34331; fax (212) 556-35096; resa@palais.jamai.co.ma. *Quanto:* duplos a partir de U$230.

Culturas e paisagens intocadas pelo tempo

Trekking no Alto Atlas

Marrocos

Os marroquinos acreditam que os montes Atlas são o lugar mais perto do céu a que podemos chegar sem deixar a Terra. Vista de longe ou de perto, essa majestosa cadeia de montanhas, muitas vezes coberta de neve, que pode ser avistada de diferentes lugares dentro e ao redor de Marrakesh, é de uma beleza arrebatadora. Foi nesse lugar que John Huston filmou as seqüências "tibetanas" de *O homem que queria ser rei*. Caminhadas em terrenos razoavelmente planos podem ser alternadas com percursos desafiadores a altitudes médias de 4.000m, guiados por indivíduos ou grupos berberes associados à agência norte-americana Sarah Tours. Propriedade de um marroquino da região dos montes Atlas veterano de 20 anos de expedições no Marrocos, a Sarah Tours conhece bem a sua terra – "dos altos penhascos e encostas do Toukbal às florestas de cedro de Michlefen e os grandes desfiladeiros e paisagens calcárias do vale Mgoun". Em meio aos picos do Alto Atlas, você vai se deslumbrar com vastos panoramas intocados pela época moderna. A perspectiva de contato com as populações berberes e mouras das montanhas – pastores, nômades, habitantes de aldeias remotas – torna a expedição ainda mais excitante.

Conheça os habitantes dos montes Atlas.

O QUE: experiência. **COMO:** no Brasil, agência Brasil BackPackers (São Paulo). Tel. (11) 3026-9292; fax (11) 3021-7960; info @brasilbackpackers.com; www.africadosul.org /brasilbackpackers/indexafrica.htm. Pacote Marrocos Discovery: 14 noites, vôo partindo de São Paulo, parte aérea e terrestre, acomodações, café da manhã, guia e ingresso para todas as atrações. **QUANDO:** 2 saídas mensais de Mar.–Out. **QUANTO:** U$2.390. Para informações sobre os passeios da Sarah Tours: tel. (1) 703-619-0777 e (1) 800-267-0036; fax (1) 703-619-9399; sarahtur@erols.com; www. sarahtours.com. **MELHOR ÉPOCA:** Mai. e Set.

Um oásis de luxo cheio de história

Hotel La Mamounia

Marrakesh, Marrocos

Quando Truman Capote aconselhou: "Antes de ir ao Marrocos não deixe de dizer adeus aos amigos e tirar do banco a poupança", ele deve ter se hospedado no La Mamounia, um dos hotéis mais especiais do Marrocos (e do norte da África), a jóia da coroa de seu exótico parque hoteleiro. Erguido na década de 1920 na venerada área do palácio de um sultão, dentro das muralhas da cidade velha, o hotel é uma curiosa mistura de art déco e marroquina tradicional. Os jardins originais, construídos no século XVI, estão preservados – 13 aromáticos hectares de laranjeiras, limoeiros e bananeiras, além de palmeiras, mimosas, rosas, jasmins e antigos muros cobertos de buganvílias.

Se você sacou uma boa parte da sua poupança, pode ficar na suíte favorita de Winston Churchill, de frente para a cidade e suas mesquitas. Dedicada ao grande estadista, ela é decorada com algumas das pinturas a óleo que Churchill fez dos jardins. No entanto, caso queira se sentir como o paxá do antigo palácio, peça a Suíte Marroquina e terá o máximo da exótica atmosfera local. Seja qual for o quarto de sua escolha, jante no Le Marocain, o tradicional restaurante do hotel e um dos melhores da cidade, talvez do país. O terraço recebe o som das fontes e pássaros, enquanto o aroma dos jardins se mescla com os temperos em seu prato.

O QUE: hotel, restaurante. **ONDE:** Avenida Bab Djedid (a 10 minutos do aeroporto de Marrakesh). Tel. (212) 443-88600; fax (21) 444-44940; resa@mamounia.ma; www.mamounia.com. **QUANTO:** duplos a partir de U$200 (baixa temporada) e U$300 (alta temporada); Suíte Winston Churchill e Suíte Marroquina a partir de U$285 (baixa temporada) e U$425 (alta temporada). Jantar no Le Marocain U$40. **MELHOR ÉPOCA:** Mar.–Mai., Out. e fim de Dez.–início de Jan.

Porteiros com barretes e babuchas na entrada principal.

Um circo improvisado onde a cortina sobe ao pôr-do-sol

PLACE DJEMAA EL-FNA

Marrakesh, Marrocos

Segundo Paul Bowles, marroquino de coração, Marrakesh seria apenas mais uma cidade do Marrocos sem a enorme Djemaa el-Fna. É nessa praça que tudo acontece – um circo medieval improvisado funcionando 24 horas por dia. Pode ser que os encantadores de serpentes, macacos amestrados e vendedores de souvenirs devam sua presença aos estrangeiros, mas os dentistas, barbeiros, contadores de histórias, acrobatas de pirâmides humanas, dançarinos dando saltos mortais e escribas ficam cercados de grupos de moradores locais. Numerosos quiosques de comida impregnam a praça com o cheiro de kebabs fumegantes, cuscuz africano e miolos de carneiros cozidos em seus próprios crânios. Um suco de laranja fresco talvez caia bem. A hora mágica é o crepúsculo, quando as lâmpadas ao redor da praça se acendem e o exército de engolidores de fogo, curandeiros, engraxates e adivinhos chega ao auge. A Place Djemaa fervilha de gente noite adentro. Ela é cercada de cafés abertos de onde o visitante pode apreciar o cenário pitoresco à distância, sorvendo um copo de chá de menta com açúcar. Talvez esse seja o lugar que Winston Churchill tinha em mente quando aconselhou: "Se você tem só um dia para passar no Marrocos, passe-o em Marrakesh."

O QUE: lugar. **ONDE:** Place Djemaa el-Fna.

Cortejando o paladar

YACOUT

Marrakesh, Marrocos

O grande chef Paul Bocuse declarou: "Só existem três cozinhas no mundo: a francesa, a chinesa e a marroquina." E não necessariamente nesta ordem, fica-se propenso a acreditar, após um jantar no Yacout. Para entrar nessa casa de 200 anos localizada no coração da almedina, o cliente cruza uma imponente porta sem identificação em seu lado externo e passa por tapetes juncados de pétalas de rosa, chegando então a salas absolutamente românticas, onde há centenas de velas que cintilam brandamente, azulejos, mosaicos e lareiras. Pairam no ar o aroma de jasmim e a música delicada de uma cítara. O Yacout, que em árabe significa "safira", criou um ambiente capaz de encantar todos os sentidos. O cliente sucumbe extasiado à chegada de um banquete (sem cardápio) cujo aroma traz lembranças das caravanas ancestrais e das nações estrangeiras que moldaram a história e a culinária marroquina. A apurada variedade de pratos exibe a amplidão da cozinha tradicional do país, mas até um simples cuscuz africano consegue deslumbrar. Terminado o jantar, é hora de saborear as sobremesas e o chá de menta, mais doces do que mel, servidos no pátio magnificamente azulejado e lindamente iluminado, junto a uma fonte borbulhante e a um pequeno lago.

O QUE: restaurante. **ONDE:** na almedina, o bairro antigo de Marrakesh; Sidi Ahmed Soussi, 79. Tel. (212) 443-82929; fax (212) 443-82538. **QUANTO:** U$60. **QUANDO:** aberto todos os dias, somente para jantar.

A beleza e a mística do deserto

O GRANDE SAARA

Marrocos

Nenhuma estrada, ninguém, silêncio total e, à noite, um oceano de estrelas, estranhamente claro e brilhante. Passar alguns dias na silenciosa vastidão do Saara é uma odisséia mágica. Guias berberes locais mantêm vivas as tradições, o fascínio e a história de seu extraordinário habitat. Depois que você tiver penetrado profundamente no Saara por jipe e estiver em meio à interminável ondulação das inconstantes areias douradas do deserto, a área do acampamento lhe parecerá uma miragem contra as imensas dunas de Erg Chebbi, as mais altas do Marrocos.

Siga antigas rotas de caravanas através do grande Saara.

As caminhadas são feitas nas primeiras horas (mais frescas) da manhã. Jipes levam os viajantes até cidades, fortalezas, ruínas e oásis do deserto, onde os estrangeiros raramente se aventuram. Nômades tuaregues que pastoreiam camelos e cabras surgem nas barracas com suas histórias e instrumentos musicais. Deliciosas refeições preparadas ali são saboreadas numa das tendas reservadas para esse fim ou sob as estrelas que guiam as caravanas desde tempos imemoriais. Você verá estrelas cadentes suficientes para a vida inteira – seja rápido na escolha de seus desejos.

O QUE: lugar, experiência. **COMO:** no Brasil, agência Brasil BackPackers (São Paulo). Tel. (11) 3026-9292; fax (11) 3021-7960; info@brasilbackpackers.com; www.africadosul.org/brasilbackpackers/carasaara.htm. Pacote Caravana no Saara: 13 noites, vôo partindo de São Paulo, parte aérea e terrestre, acomodações, café da manhã, guia e ingressos para todas as atrações. **QUANDO:** 2 saídas por mês de Mar.–Out. **QUANTO:** U$2.390. **MELHOR ÉPOCA:** Jan.–Abr. e Set.–Dez.

Os mais antigos mosaicos da África

MUSEU DO BARDO

Túnis, Tunísia

O Museu Nacional do Bardo, em Túnis, é um magnífico complexo de edifícios do século XIII ao XIX que inclui o Palácio Beylical e abriga a maior e mais importante coleção de mosaicos antigos do continente, talvez do planeta. Seu acervo de peças exuberantemente coloridas e variadas é tão grande que pode exaurir o visitante. Como a Tunísia foi o coração da África romana, é irônico que o mais antigo mosaico verdadeiro do mundo (datado do século V ou IV a.C.) tenha sido descoberto em Cartago, indicando que os cartagineses, e não os romanos, inventaram essa forma de arte. Em pouco tempo, os mosaicos estavam sendo usados para criar "tapetes" de paisagens e retratos ricamente coloridos, em que o efeito de volume era obtido por meio da gradação de cores, em composições cada vez mais complexas. A vida rural, nômade, agrícola, marinha e urbana é representada em elaboradas cenas de fartura e prazer sensual. Como diz a inscrição de uma peça encontrada num sítio arqueológico da Argélia: "Caçar, banhar-se, aventurar-se, rir – isso sim é viver."

O QUE: lugar. **ONDE:** Rue Monju Slim; a 5km do centro de Túnis. **QUANTO:** ingresso. **QUANDO:** aberto Ter.–Sex.

LESTE E SUL DA ÁFRICA

Vistas do fim do mundo e acomodações incomparáveis

TABLE MOUNTAIN

Cidade do Cabo, Cabo Ocidental, África do Sul

Mais de 1.000m acima da linda Cidade do Cabo, o panorama desde Table Mountain é de tirar o fôlego, abarcando de uma só vez as montanhas, a cidade e o oceano, assim como uma vastidão de terras praticamente intocadas. Um teleférico leva apenas cinco minutos para chegar ao platô que dá nome à montanha, visível aos navegantes a 65km de distância mar adentro. Entre setembro e março, a maioria das espécies vegetais da península do Cabo pode ser vista em plena floração na montanha, incluindo mais de 100 espécies de íris. Os moradores locais têm bons motivos para levar cestas de piquenique e garrafas de vinho das celebradas vinhas das redondezas. O pôr-do-sol nesse lugar é o máximo do romantismo. Felizmente, o teleférico da Table Mountain funciona com bastante freqüência, de maneira que não é necessário enfrentar a única alternativa disponível: uma caminhada de duas ou três horas até o topo. As rotas menos estafantes começam no magnífico Jardim Botânico Nacional Kirstenbosch, na encosta leste. A exibição de plantas nativas da África do Sul é tão rica que o visitante pode acabar se esquecendo de tentar chegar lá em cima.

Tendo a Table Mountain como pano de fundo e localizado no Victoria & Albert Waterfront, o aristocrático Cape Grace Hotel é uma das acomodações mais bem cotadas do continente por seu serviço praticamente perfeito, lindos quartos e vistas maravilhosas, tanto da baía quanto da montanha.

O QUE: lugar, hotel. **TELEFÉRICO DE TABLE MOUNTAIN:** Lower Cableway; tel. (27) 21-424-8181; www.tablemountain.net.co.sa. *Quanto:* U$7,50. **CAPE GRACE HOTEL:** West Quay, Victoria & Albert Waterfront. Tel. (27) 21-410-7100; fax (27) 21-419-7622; reservations@capegrace.com; www.capegrace.com. *Quanto:* a partir de U$290 (baixa temporada) e U$360 (alta temporada). **MELHOR ÉPOCA:** Set.–Abr. para pegar tempo bom.

Um safári de terra e mar

RESERVA NATURAL PHINDA

Kwazulu-Natal, África do Sul

Essa reserva particular relativamente nova na Zululândia, norte do país, é um espetáculo não apenas pelos sete ecossistemas que se encontram em seus 15.000ha como também pelo enfoque inovador de seus safáris.

Os dias são movimentados, com uma combinação de passeios de barco e canoa para ver de perto a vida dos pássaros, crocodilos e hipopótamos dos antiqüíssimos canais, além de caminhadas na trilha do esquivo rinoceronte negro. Depois vêm a pesca de peixes grandes, mergulhos nos recifes mais meridionais do mundo ao largo da costa desértica de Maputaland, excursões de observação aos elefantes, leopardos e rinocerontes, bem como visitas às dunas com a maior cobertura vegetal em todo o mundo.

Embora não reste dúvida de que essa rara biodiversidade é o ponto alto da experiência do safári, as pousadas também chamam a atenção. A Mountain localiza-se no alto de um morro, com extensas vistas dos montes Lebombo e da baixada litorânea de Maputaland. Mas há ainda a opção pela contemporânea Forest, uma obra-prima da arquitetura cujas unidades são assentadas sobre estacas e têm paredes de vidro, construídas ao redor de árvores retorcidas em meio a uma singular floresta arenosa. O projeto zen é deliberadamente sóbrio e vagamente oriental, propiciando a integração com o ambiente externo. Você pode relaxar na cama enquanto observa os pássaros cantando e as borboletas passeando do lado de fora da janela.

O QUE: experiência, hotel. **ONDE:** 300km ao norte de Durban, no oceano Índico, serviço de transporte a pedido, partindo do aeroporto de Johanesburgo. Tel. (27) 35-562-0271; fax (27) 35-562-0399; usa@ccafrica.com; www.ccafrica.com. As reservas devem ser feitas por meio de CCAfrica Central Reservations Office. Tel. (27) 11-809-4300; fax (27) 11-809-4400; reservations@ccafrica.com. **QUANTO:** Mountain Lodge U$475 por pessoa por dia, tudo incluído. **MELHOR ÉPOCA:** Out.–Fev.

Passando pela janela de Deus

MONTES DRAKENSBERG

Mpumalanga, África do Sul

Poucos lugares no mundo se comparam em beleza física a Mpumalanga. Acredita-se que esse local tenha inspirado o escritor sul-africano J. R. R. Tolkien a criar o fantasmagórico cenário de sua saga *O senhor dos anéis.*

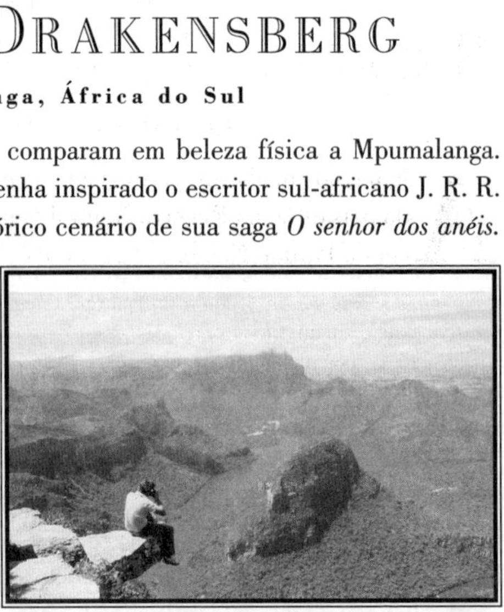

É fácil ver por que o mirante sobre o Blyde River Canyon se chama Janela de Deus.

Com seus desfiladeiros, vales, rios, cachoeiras e florestas, as montanhas da região, as mais altas da África do Sul, caracterizam a paisagem do que no passado era conhecido como Transvaal Ocidental. Toda a região oferece oportunidades para caminhadas, passeios a cavalo, observação de pássaros, golfe e pescaria. Impossível não se maravilhar com o Blyde River Canyon, um imenso desfiladeiro de 25km de extensão nas escarpas do Transvaal, com profundas covas cilíndricas formadas pela erosão fluvial e com a Janela de Deus, o insuperável mirante de onde se descortina todo o cânion. E, se o percurso de carro ou a pé já proporciona espetaculares panoramas do Transvaal Ocidental, imagine observar tudo isso do ponto de vista das águias. Em vôos suaves, helicópteros avançam sobre as espetaculares formações rochosas do Blide River Canyon e sobre os vales de vegetação e cores exuberantes. Pode-se pairar sobre as corredeiras e cachoeiras e pousar numa clareira de um pico distante e inacessível. Com uma vista assim, o almoço ganhará outro significado, caso a adrenalina não tenha feito o apetite desaparecer. O Veuve Clicquot é aberto com as águias voando acima – e abaixo – de você. Divida seu tempo nas montanhas entre as duas excelentes pousadas da região, a Cybele Forest e a Blue Mountain, ambas situadas em ambientes magníficos, com cenários de tirar o fôlego, comida requintada, estábulo, aparelhagem de pesca e serviço cinco estrelas. Aproveite para visitar uma cidade histórica da corrida do ouro e uma aldeia tribal Ndebele restaurada. E não deixe de tirar um dia para uma agradável excursão ao mundialmente famoso Parque Nacional Kruger.

O QUE: lugar, experiência, hotel. **ONDE:** 3 1/2 horas de carro a leste de Johanesburgo; a 16km do aeroporto de Nelspruit. **CYBELE FOREST LODGE:** tel. (27) 13-750-0511; fax (27) 13-764-1810. *Quanto:* duplos a partir de U$210, incluindo jantar para 2. **BLUE MOUNTAIN LODGE:** tel. (27) 11-784-4144; fax (27) 11-784-4127; www.blu-mountain.com. *Quanto:* suítes a partir de U$290, incluindo jantar para 2. **COMO:** Safári de helicóptero – na África do Sul, reserve excursões com seu hotel ou com o Dragonfly Group. Tel. (27) 11-884-9911; fax (27) 11-884-9915. *Quanto:* a partir de U$440 por pessoa, passeio de 3 horas. **MELHOR ÉPOCA:** Set.–Out.

As belas e as feras

RESERVA NATURAL SABI SAND

Mpumalanga, África do Sul

Alguns dos melhores safáris com acomodações do gênero "luxo na selva" do país estão na Reserva Natural Sabi Sand. Fazendo divisa (sem cercas) com o Parque Nacional Kruger, essa reserva particular acolhe o vaivém de animais selvagens, mas não o tráfego humano que eles atraem. Como um de seus poucos hóspedes, você poderá curtir a mesma intensidade da vida selvagem do Parque Kruger, porém em instalações luxuosas e provavelmente sem jamais dividir o mesmo território com mais de um ou dois jipes durante os divertidos e excitantes safáris. Embora não sejam domesticados, os animais estão acostumados à presença dos veículos, por isso deixam que as pessoas cheguem bem perto deles. Os guardas-florestais e *trackers* são instruídos, charmosos, divertidos e experientes, além de terem uma imensa paixão pela selva. Os mais elogiados entre os muitos parques particulares que constituem essa reserva de 66.000ha são o Londolozi, o MalaMala e o Singita. O top de linha dos três campos do Londolozi é o Tree Camp, situado às margens do rio Sabi, um esplêndido contraste entre mata virgem e luxo impecável compartilhado por no máximo oito privilegiados hóspedes. O mais bonito e romântico campo do MalaMala é o Kirkman's, construído ao redor de uma residência rural da década de 1920. O Singita, considerado o supra-sumo por muitas pessoas,

Almoço no Tree Camp, Parque Londolozi.

oferece as magníficas pousadas Ebony e Boulders, com spa e piscina privativa nas suítes.

O Que: lugar, experiência, hotel. **Onde:** a 1 hora de vôo/5 horas de carro de Johanesburgo ao longo da divisa sudoeste do Parque Nacional Kruger. **Londolozi:** tel. (27) 11-809-4447; fax (27) 11-803-1810; www. ccafrica.com. *Quanto:* U$580 por pessoa por dia, tudo incluído. **Mala-Mala:** tel. (27) 11-442-2267 e 0861SAFARI; fax (27) 11-442-2318; www.malamala.com. *Quanto:* U$500 por pessoa por dia, tudo incluído. **Singita:** tel. (27) 11-234-0990; fax (27) 11-234-0535; reservations@singita.com.za; www.singita.co.za. *Quanto:* U$750 por pessoa por dia, tudo incluído. **Melhor Época:** Mar.–Out.

A odisséia do enófilo

Os Vinhedos do Cabo

Paarl, Cabo Ocidental, África do Sul

Um safári de vinhos associa dois dos maiores tesouros da África do Sul: a espetacular região vinícola do Cabo e sua excelente cozinha regional, que mescla habilidades culinárias de holandeses, franceses, britânicos, portugueses, alemães e malaios. A pouca distância da Cidade do Cabo, as grandes propriedades e as pequenas cidades de Stellenbosch, Paarl e Franschhoek, famosas por sua sofisticação, têm raízes profundas no capítulo huguenote holandês e francês da história do país, que remonta a meados do século XVII. As elegantes fazendas no estilo Cape Dutch (que é o resultado da influência holandesa nas casas africanas) erguem-se sobre o pano de fundo de íngremes montanhas graníticas, densas florestas e contínuos vinhedos. São, em muitos casos, propriedades familiares há séculos, e suas adegas podem ser abertas à visitação e degustação mediante acertos especiais. Uma visita a Groot Constantia, o mais antigo vinhedo do país – originalmente propriedade de Simon Van Der Stel, o primeiro governador da colônia holandesa –, lhe dá chance de experimentar alguns dos melhores vinhos do mundo e conhecer uma tradição histórica e arquitetônica. Em Paarl, hospede-se no Grande Roche, uma das jóias incontestes da África do Sul. Essa construção histórica, cujo núcleo é uma casa senhorial holandesa de 1717, e sua equipe de funcionários criam um clima delicioso num lugar maravilhosamente cênico. O Bosman's, o seu sofisticado restaurante, atrai epicuristas da Cidade do Cabo que não hesitam em ir até lá de helicóptero para saborear um dos melhores jantares do país.

O QUE: lugar, hotel, restaurante. **ONDE:** a partir de 40km a leste da Cidade do Cabo. **COMO:** nos Estados Unidos, entre em contato com a Maxim Tours; tel. 800-655-0222 ou 973-984-9068; fax 973-984-5383; maximtours@earthlink.net; www.maximtours.com; organizam-se roteiros especialmente planejados. *Quanto:* U$4.150 por pessoa, tudo incluído parte aérea e terrestre, 10 dias de safáris de vinho. *Quando:* saídas o ano inteiro. **GRANDE ROCHE:** tel. (27) 21-863-2727; fax (27) 21-863-2220; reserve@granderoche.com; www.granderoche.com. *Quanto:* duplos a partir de U$315 (baixa temporada) e U$385 (alta temporada). Jantar com 3 pratos, preço fixo U$25. **MELHOR ÉPOCA:** Set.–Mai.

A época de ouro das viagens de trem

A ROVOS RAIL E O BLUE TRAIN

África do Sul

Reviva os dias gloriosos dos trens a vapor cercado pelo luxo eduardiano da Rovos Rail, que resfolega no coração da selva por entre alguns dos mais espetaculares cenários do continente. O cardápio de itinerários pode ser virado e mexido de acordo com o tempo e o orçamento dos românticos entusiastas das ferrovias. Curta 25 horas de viagem entre a Cidade do Cabo e Knysna, ida e volta, em meio aos fabulosos montes Hottentot Holland e ao longo do distrito do lago e do magnífico litoral. Ou planeje com antecedência a viagem vale-tudo anual de 14 dias da Cidade do Cabo a Dar es Salaam, passando pelo Zimbábue e pela Zâmbia, com excursões e paradas em lugares como Victoria Falls. Alguns trens a vapor da Rovos Rail datam do final do século XIX. Todos os vagões, anteriores à guerra, são espaçosos e ricamente decorados. O elegante vagão-restaurante de 1924 é talvez o mais bonito de todos eles. As suítes, excepcionalmente grandes, são equipadas com camas *queen size* e acessórios de primeira classe. Recomenda-se traje a rigor para o jantar; afinal, na entrada, pitus do Cabo se combinam com a melhor seleção de vinhos sul-africanos. Nesse trem, adequadamente chamado de "Orgulho da África", o tratamento é no estilo tapete vermelho durante todo o percurso.

O Blue Train entrou em operação em 1946. Mas os passageiros com certeza apreciarão os novos vagões introduzidos no final da década de 1990, tão elegantes, charmosos e confortáveis quanto os originais. O sofisticado décor contemporâneo tem a marca da estética africana – a mais visível diferença nessa nova geração de viagens de luxo, cujos itinerários Cidade do Cabo–Pretória (uma noite a bordo) e Pretória–Victoria Falls, Zimbábue (duas noites) são os mais populares em uma ampla variedade de opções.

O QUE: experiência. **COMO:** ambos os trens oferecem diversos itinerários. **ROVOS RAIL:** África do Sul. Tel. (27) 21-553-8000; fax (27) 21-553-4950; info@rcjm.co.za; www.trainsafaris.com. *Quanto:* Suíte Deluxe para 2 pessoas a partir de U$1.095. **BLUE TRAIN:** na África do Sul; tel. (27) 12-334-8459; fax (27) 12-334-8464; bluetrain@transnet.co.za; www.bluetrain.co.za. *Quanto:* Suíte Deluxe para 2 pessoas a partir de U$1.590.

Saciando a sede e a fome com estilo

Região Vinícola Constantia

Cabo Ocidental, África do Sul

A 20 minutos, mas a anos-luz de distância do centro da Cidade do Cabo, Constantia possui um idílico sabor de região vinícola que ressalta a necessidade de você se aventurar mais a leste rumo às terras vinícolas mais extensas nas proximidades de Paarl. Caso programe um dia de excursão, se arrependerá se não fizer reserva no Cellars-Hohenort, um histórico hotel-fazenda aninhado nas verdes encostas orientais da Table Mountain e instalado na casa senhorial e adega das vinhas do antigo governador do Cabo. Há ali um retiro rural cheio de estilo, com três frontões na fachada e cercado de pomares, vinhas e canteiros de rosas, petúnias e tinhorões revelando um primoroso paisagismo. Apesar de despojado e descontraído, o ambiente é de primeira classe. Um jantar no The Cellars, o conceituado restaurante do hotel, pode vir a ser um dos mais memoráveis de sua estada na África do Sul. Inspirando-se na culinária francesa e inglesa, o jovem chef lança mão da generosa variedade de frutos do mar, carnes e vegetais do Cabo.

Os extensos gramados do Cellars-Hohenort.

Para os epicuristas, outra excelente destinação em Constantia é Buitenverwachting. Esse nome complicado que batiza tanto a vinha quanto o seu restaurante significa "além das expectativas" em holandês antigo. Mas quem pensou em depositar tanta expectativa em antílopes, avestruzes e gazelas? Há excelente cozinha francesa e italiana em outros lugares do país; no entanto, se você quiser uma maravilhosa prova de que está na África do Sul – onde os oceanos Atlântico e Índico se encontram, onde o cordeiro *karoo* recende à relva e às ervas de que se alimenta e onde o pitu é merecidamente famoso –, deve ir ao Buitenverwachting. Cadeiras junto às janelas permitem ver os extensos vinhedos, os altíssimos carvalhos e os penhascos dos montes Constantiaberg. Chegando de manhã para uma prova de vinho, compre uma das cestas de piquenique do restaurante e curta um maravilhoso almoço nos lindos gramados da propriedade.

O Que: lugar, hotel, restaurante. **Constantia:** informações gerais em www.constantiawinerout.co.za. **Cellars-Hohenort:** Hohenort Avenue, 15 – 10km ao sul da Cidade do Cabo. Tel. (27) 21-794-2149; www.cellarshohenort.com. *Quanto:* duplos a partir de U$400. Jantar U$30. **Buitenverwachting:** Est. Klein Constantia. Tel. (27) 21-794-3522; fax (27) 21-794-1351; bvwrest@mweb.co.za. *Quanto:* jantar U$40. *Quando:* aberto Ter.–Sáb. **Melhor Época:** Set.–Mai.

O extremo sul da costa africana

ROTA JARDIM

Cabo Ocidental, África do Sul

Nesse trecho litorâneo de 210km a leste da Cidade do Cabo, a paisagem é feita de lagos, montanhas, florestas e praias douradas. As águas ficam cheias de pingüins, golfinhos e baleias migratórias. Sua beleza permanente é ressaltada entre os meses de julho e outubro, quando o desabrochar das flores silvestres exibe uma inigualável diversidade propiciada pelas condições de solo e clima. A flora do cabo Meridional é a mais variada do mundo, como fica claro nas caminhadas pelas centenas de quilômetros de trilhas e estradas de lazer de seus parques e florestas. Seguindo a Otter Trail, no Parque Nacional de Tsitsikamma, você pode fazer uma caminhada de cinco dias por alguns dos mais espetaculares cenários do país. Caso não tenha tempo ou resistência para isso, opte pelas trilhas de 1km que saem do Visitors Center (Centro dos Visitantes).

Uma visita à charmosa cidade de Knysna é imprescindível, e não deixe de provar as ostras locais. A taberna de tira-gostos Knysna Oyster Company, ao ar livre, fica de frente para uma cenográfica laguna. Siga as trilhas de caminhada ao longo da costa para ver as Heads (Cabeças), sentinelas de pedra que guardam a entrada da laguna. Numa linda praia fica o Plettenberg, o mais aristocrático hotel do litoral, lugar encantador para uma parada. Uma ala acrescida à construção original – uma casa senhorial de 1860 – tem quartos arejados que dão vista para a piscina e o oceano. Vá lá pelo menos para um maravilhoso almoço no terraço e observe as baleias durante a refeição.

O QUE: experiência, restaurante, hotel. **ONDE:** a leste da Cidade do Cabo, entre Mossel Bay e Storms River. **KNYSNA OYSTER COMPANY:** Thesen's Island. Tel. (27) 44-382-6941; fax (27) 44-382-6943. *Quanto:* almoço U$10. **PLETTENBERG HOTEL:** Look Out Rocks. Tel. (27) 44-573-2030; fax (27) 44-573-2074; plettenberg@relaischateaux.com. *Quanto:* duplos a partir de U$230. Almoço U$20. **MELHOR ÉPOCA:** Jul.–Out. para ver as flores silvestres.

Os quatro cantos da África Meridional

PARQUE NACIONAL DE CHOBE

Botsuana

No Parque Nacional de Chobe, situado numa região da África que ainda lembra o continente rico em animais selvagens dos velhos tempos, quatro países se unem: Botsuana, Zâmbia, Namíbia e Zimbábue. Embora abrigue as mais variadas formas de vida selvagem de Botsuana, o parque é mais conhecido por sua imensa população de elefantes – na estação seca, reúne a maior concentração desses ani-

Avistando os elefantes do Chobe.

mais em toda a África. O rio Chobe, no extremo norte do parque, é a sua fonte de vida e eterno manancial. Passeios de bote ao pôr-do-sol levam até bem perto de hipopótamos bocejantes, manadas de elefantes e imensos bandos de aves aquáticas que ficam às margens do rio. As planícies aluviais são áreas de pasto para grandes manadas de búfalos e outras grandes caças. Faça sua reserva na Pousada Chobe Chilwero, cujo nome significa "vista fascinante". Situados numa área mais afastada, no alto de uma colina, seus 15 bangalôs cobertos de sapê proporcionam um magnífico panorama do parque e do rio.

O QUE: lugar, experiência, hotel. **ONDE:** 15 minutos de vôo partindo do Aeroporto de Kasane ou 1 1/2 hora de viagem de carro partindo de Victoria Falls. **CHOBE CHILWERO LODGE:** tel. (27) 21-424-1037; fax (27) 21-424-1036. *Quanto:* U$320 por pessoa por noite (baixa temporada), U$460 (alta temporada), incluindo atividades diurnas no Parque Nacional Chobe. **MELHOR ÉPOCA:** Mar.–Nov.

Safáris com elefantes

CAMPO DE ABU

Delta do Okavango, Botsuana

O amado Abu era grande, sensível e inteligente. Com 4m de altura e 5,5t, era o mais popular meio de locomoção nesse exclusivo campo de safári com elefante, situado no majestoso delta do Okavango, o maior delta interior do mundo. Infelizmente Abu morreu em 2004, porém os outros elefantes ainda fazem o transporte através dos cristalinos cursos d'água, propiciando o acesso a áreas que seriam inatingíveis de outra maneira. Como o cheiro desse animal mascara o seu, você pode se aproximar da vida selvagem sem ser ameaçado por esses meigos herbívoros. Esse é um dos melhores territórios para a observação de animais selvagens, mas o safári também significa ser momentaneamente adotado por essa confusa família formada por cinco respeitáveis elefantes e sete outros mais jovens – todos, por sua vez, adotados pelo anfitrião do local, o conservacionista americano Randall Moore. Como se fosse o herói de um filme de Walt Disney, ele resgatou de zoológicos estrangeiros esse punhado de animais órfãos e sem nenhum parentesco entre si e os reintegrou à terra onde nasceram. O seu relacionamento com essa "família elefante" é algo de admirar, assim como o do *mahout* (treinador, ou condutor) que monta o pescoço enorme do animal com as pernas enfiadas embaixo das imensas orelhas de abano e controla o pupilo com comandos verbais. No campo, cinco barracas de luxo esperam por você com deliciosas refeições servidas sob uma imensa figueira, com finas toalhas de mesa. No dia seguinte, você pode deixar ali as suas fantasias de marajá e caminhar perto da manada, uma incrível experiência.

O QUE: hotel, experiência. **ONDE:** a 30 minutos de vôo charter de Maun. Tel. (267) 661-260. **COMO:** nos Estados Unidos, entre em contato com Esplanade Tours; tel. 617-262-9829; ebs@info.com; www.elephantback safaris.com. **QUANTO:** o pacote de 3 dias e 4 noites fica em torno de U$4.500 por pessoa, tudo incluído; máximo de 10 hóspedes; inclui traslado em charter privado partindo de Maun. **QUANDO:** aberto Fev.–Nov.

Abu e família.

Um incomparável oásis de vida selvagem

DELTA DO OKAVANGO

Botsuana

O delta interior onde o rio Okavango se encontra com o deserto de Kalahari é considerado o maior oásis do mundo. Afluente do grande Zambezi, o Okavango forma um singular ecossistema "aquático-desértico" do tamanho da Suíça, com planícies aluviais, lagoas, canais e ilhas onde, como diz um folheto local, "se você vê 10% do que vê você, é um dia excepcional". Um ímã para a vida selvagem desde tempos imemoriais, o delta atrai também os adeptos de safáris que, tal como o explorador europeu David Livingstone, em 1849, querem viajar continente adentro em busca da África indômita. Além da avifauna, que não fica a dever à de nenhum outro lugar, há legiões de elefantes, zebras, búfalos, girafas e hipopótamos. Deslizar pelo labirinto de canais margeados por papiros e cobertos de lírios dentro de uma tradicional piroga (canoa indígena feita de tronco de árvore) *mokoro* e explorar a pé as ilhas e ilhotas é mergulhar por completo num ambiente exuberante, quase extraterreno, com cores e sons em profusão. No limite oriental do delta se localiza a Reserva de Vida Selvagem do Moremi, cujas notáveis paisagens estão entre as mais cenográficas da sul da África. Juntos eles formam um ambiente mágico, que ninguém compreendeu tão bem quanto Soren Lindstrom, o excepcional guia de safáris da região. Seu confortável acampamento móvel está sempre um passo à frente (mudando para locais estratégicos que têm nomes como Xaxanaxa, este localizado diante de uma lagoa de hipopótamos) enquanto você circula a pé, de canoa e de jipe por uma das mais importantes reservas de vida selvagem dessa região do país.

O QUE: lugar, experiência, hotel. **ONDE:** a 3 horas de carro de Maun. **COMO:** no Brasil, agência Teresa Perez Tours (São Paulo). Tel. (11) 3365-4000; fax (11) 3365-4002; perez@teresaperez.com.br; www.teresaperez.com. Pacote: 11 dias, vôo partindo de São Paulo, parte aérea, acomodações em hotéis categoria luxo, traslado, guia (idioma inglês), café da manhã e almoço. **QUANTO:** a partir de U$4.582. **QUANDO:** Jan.–Out. **MELHOR ÉPOCA:** Abr.–meados de Out.

Castelos e igrejas remanescentes de um império arruinado

GONDER

Amhara, Etiópia

Estrategicamente localizada na base dos montes Simen, uma das mais altas cordilheiras da África, Gonder tornou-se capital do império etíope no século XVII sob o imperador Fasil e assim permaneceu durante 250 anos.

Gonder, capital africana dos castelos.

O Recinto Real cercado por altos muros de pedra, bem no coração da cidade, concentra num só lugar os mais importantes edifícios imperiais, entre os quais cinco castelos, o mais antigo atribuído a Fasil e o mais recente datado de meados do século XVIII. Além de centro administrativo e comercial do império, Gonder foi também o seu centro religioso. Das dezenas de igrejas que um dia se difundiram pela cidade, sete foram construídas durante o reinado de Fasil. A mais importante ainda de pé é a Debre Birhan Selassie, famosa por seu afresco do século XVII com 80 rostos de querubins pintados no teto.

O QUE: cidade, lugar. **ONDE:** 758km ao norte de Adis-Abeba. **COMO:** a Experience Ethiopia Travel (EET), de Adis-Abeba, inclui Gonder em viagens especialmente planejadas e roteiros organizados, com um mínimo de 12 dias, a preços que variam de acordo com o tamanho do grupo. Tel. (251) 1-519-291; fax (219) 1-519-982; EET@telecom.net.et; www.telecom.net.et/~eet; nos Estados Unidos, entre em contato com a Safari Experts. Tel. (1) 435-649-4655 e (1) 435-649-3554; safari@safariexperts.com; www.safariexperts.com. **QUANTO:** para 4 pessoas, U$1.645 por pessoa, tudo incluído (preços mais baixos para grupos maiores). **QUANDO:** meados de Set.–meados de Jun. **MELHOR ÉPOCA:** o Natal e a Epifania etíopes são em Jan.; a Epifania (19 de Jan.) é o ponto alto das atrações de Gonder.

O mistério das igrejas subterrâneas esculpidas na rocha

LALIBELA

Ahmara, Etiópia

As misteriosas igrejas subterrâneas de Lalibela, esculpidas em rochas monolíticas, são usadas por padres ortodoxos desde os séculos XII e XIII, quando essa remota cidade montanhosa foi a capital da importante dinastia Zagwe. O propósito dessas igrejas ainda escapa aos historiadores modernos. Cada construção, precisa e laboriosamente entalhada na rocha maciça (diz-se que por milhares de trabalhadores) – algumas pomposamente decoradas –, é única em tamanho, forma e modo de execução. Uma lenda assegura que pelo menos uma das igrejas foi feita por anjos num único dia, enquanto outra história garante que todas elas apareceram ao rei Zagwe num sonho.

As 11 igrejas, algumas com mais de 9m de altura, são escavadas abaixo do nível do solo e cercadas de pátios e fossos que se interconectam formando um emaranhado de túneis e passagens. As igrejas de Lalibela são tão veneradas na Etiópia quanto as Grandes Pirâmides no Egito. A própria cidade, com sua espetacular localização em meio a íngremes escarpas a mais de 2.400m de altitude, é um devaneio.

O QUE: lugar, cidade. **ONDE:** 730km ao norte de Adis-Abeba. **COMO:** no Brasil, agência Mundus Travel (São Paulo). Tel. (11) 3262-4399; fax (11) 3262-4015; mundus@mundus.com.br; www.mundus.com.br. Pacote: 20 dias na Etiópia (3 dias em Lalibela), vôo partindo de São Paulo, parte aérea e terrestre, traslado, hotel três estrelas com café da manhã, almoço e jantar. **QUANTO:** U$4.990. **QUANDO:** Jan.–Fev. e Out.–Dez. A Experience Ethiopia Travel (EET), de Adis-Abeba, oferece viagens especialmente planejadas e roteiros organizados a Lalibela, com um mínimo de 12 dias, a preços que variam de acordo com o tamanho do grupo. Tel. (251) 1-519-291; fax (219) 1-519-982; EET@telecom.net.et; www.telecom.net.et/~eet. **MELHOR ÉPOCA:** o Natal e a Epifania etíopes acontecem em Jan.

Artefatos religiosos de Lalibela.

Uma terra exótica e mágica como seu próprio nome e seu rio

RAFTING NO RIO MANGOKY

Madagascar

Como em Madagascar as estradas são limitadas e primitivas e praticamente não há instalação turística, a melhor maneira de curtir o lugar é remar nas águas calmas do rio Mangoky até o remoto e raramente visitado sudoeste da ilha – uma bela e pouco controlada área de terras selvagens. Esse minicontinente é uma região isolada que se tornou um laboratório da evolução. Estranhas criaturas e plantas aparecem a toda hora ao longo dos 160km do rio, de Beroroha até Bevoay: mais de 30 espécies de lêmures, 8.000 espécies de plantas que não existem em nenhum outro lugar do planeta, 3.000 espécies de borboletas, sete espécies de baobás e metade dos camaleões do mundo. Guias entusiasmados e instruídos são indispensáveis. Você pode caminhar pelas florestas tropicais e reservas naturais, fazer compras nos pitorescos mercados, conhecer o amável povo malgaxe em seus povoados e assentamentos ribeirinhos e ver de perto os lêmures-de-cauda-anelada, indris e *sifakas* (para mencionar apenas alguns dos animais que fazem desse bizarro santuário de vida selvagem o sonho de todo ecologista.)

No fim de cada um dos oito surpreendentes dias de rafting ao longo do rio, ergue-se um acampamento num banco de areia, sob a luz das estrelas. A proximidade do trópico de Capricórnio faz com que o espetacular pôr-do-sol prolongue o efeito dos daiquiris.

O QUE: experiência. **ONDE:** partida e retorno de Antananarivo, a capital de Madagascar, que se localiza a 402km da costa sudeste da África. **COMO:** Remote River Expeditions – em Nairóbi (Quênia). Tel. (254) 2-891-296; fax (254) 2-891-307; www.remoterivers.com. Viagem de 3 semanas, com 8 dias dedicados ao rafting e a acampamentos no rio Mangoky. **QUANTO:** U$3.050 por pessoa, em quarto para 2 pessoas, tudo incluído exceto vôos internacionais. **QUANDO:** somente em Mai.

O menos conhecido país de safáris da África

SAFÁRIS A CAVALO NO PARQUE NACIONAL DE NYIKA

Malauí

Para aqueles que já se fartaram das ricas reservas nacionais de vida selvagem do leste da África e não agüentam mais ver pela frente nenhuma manada de elefantes, o Malauí é uma boa opção de destino turístico na África. A beleza do Parque Nacional de Nyika está não apenas nas vistas panorâmicas do espetacular planalto e das vastas campinas onduladas como também no céu espetacular, no ar fresco da montanha e na companhia de David Foot, o melhor guia do Malauí. Com a maior parte dos 3.000km^2 do parque inacessíveis a veículos, o cavalo é o meio de locomoção ideal para explorar as montanhas e os vales mais afastados e entrar em contato com a vida selvagem bem de perto. Nesse lugar, os "cinco grandes" são o elande, o ruão, a cervicapra, o gamo selvagem e a zebra. O planalto de Nyika explode em cores de outubro a abril, quando um tapete de flores silvestres cobre as campinas. São mais de 200 espécies de orquídeas terrestres, além de íris, gladíolos e delfínios, entre muitas outras flores que contribuem para a riqueza dessa paisagem. No máximo seis pessoas podem participar das cavalgadas de um a 10 dias por trilhas que conduzem aos recantos mais distantes do parque enquanto o pessoal de apoio segue adiante com os animais de carga para montar o acampamento para a noite.

O QUE: lugar, experiência. **ONDE:** o aeroporto comercial mais próximo é Mzuzu, onde são feitos traslados partindo de Lilongwe; dali são 4 horas de carro até o campo em Chelinda (alternativamente, viagem aérea Mzuzu-Chelinda a U$240, ida e volta). **COMO:** no Malauí, Nyika Safari Company, tel./fax (265) 13-30180; reservations@nyika.com; www.nyika.com. **QUANTO:** a partir de U$180 nos campos de safári; a partir de U$290 na Chelinda Lodge; safáris a cavalo a U$300. Tudo por pessoa, por dia, incluindo refeições. **MELHOR ÉPOCA:** Out.–Abr. para ver as flores silvestres.

O que há num nome?

TIMBUKTU

Mali

Fundada por tuaregues (os "homens azuis do Saara") no início do século XII, a cidade de Timbuktu tem um nome fabuloso que invoca a intangibilidade e o mistério de um canto distante do mundo que parece inacessível, e quem chega lá tem a nítida sensação de que não conseguirá penetrá-lo. A cidade tornou-se famosa no século XVI, quando sua localização no cruzamento de ancestrais rotas de caravanas transaarianas com as preciosas minas de sal e ouro das proximidades a transformou numa próspera metrópole, conhecida na Europa por sua riqueza material e intelectual e por seu fervor muçulmano. Hoje recebe poucos visitantes, apesar das mesquitas de Djingareyber, Sankoré e Sidi Yahia (todas na lista do Patrimônio Mundial da Unesco), erguidas entre as construções de barro da cidade e as areias inconstantes do deserto. Seu destino reflete o do Mali como um todo, que passou de um dos mais poderosos países da África a um dos mais pobres do mundo.

Os preciosos carregamentos de Timbuktu seguiam por Djénné, cidade comercial e irmã situada 350km a sudoeste. Rica e poderosa, Djénné ficou ainda mais famosa como centro de cultura islâmica e recebia crianças de toda a África Ocidental para serem educadas. Ela sobreviveu como uma das mais belas cidades de tijolos de barro do planeta. Sua soberba Grande Mesquita (recuperada todo ano após as fortes chuvas) é a maior e mais sofisticada estrutura de barro do mundo. Mais ao sul se situa o geograficamente isolado território Dogon, pátria de uma fascinante civilização que até hoje resiste tanto ao cristianismo quanto ao islamismo, preservando as tradições e os costumes de seus ancestrais animistas, que chegaram a esse lugar há 700 anos, provavelmente originários da Líbia.

O QUE: lugar, cidade. **COMO:** Turtle Tours. Tel. (1) 888-299-1439 e (1) 480-488-3688; fax (1) 480-488-3406; turtletours@earthlink.net; www.turtletours.com. **QUANTO:** roteiro de 16 dias Nov.–Fev. a partir de U$3.550; roteiros-padrão de 8 dias para 2 pessoas estão disponíveis o ano inteiro a U$2.650 por pessoa. **MELHOR ÉPOCA:** Nov.–Mar.

O protótipo do céu

MAURÍCIO

Mark Twain escreveu: "O céu foi copiado de Maurício." Graças a uma esclarecedora política de ecoturismo e preservação ambiental, essa ilhota em forma de pêra, isolada no meio do oceano Índico, continua incólume e fascinante. Com seus 45km de extensão, Maurício, país independente desde 1968 e um microcosmo do colonialismo europeu e de diversidade cultural, é um exótico mosaico de influências hindus, africanas, européias e chinesas. Há muito tempo um dos destinos favoritos dos amantes do sol, possui praias branquíssimas, montanhas espetaculares, lagos vulcânicos, uma amável população que fala o idioma crioulo e refinados hotéis de veraneio – a maioria deles sensível às belezas naturais do lugar e ciente da necessidade de preservá-las. O primeiro é o isolado Oberoi, no litoral noroeste, a área menos desenvolvida de Maurício. Imponente mas sem ostentação, com 8ha em um exuberante ambiente tropical e um spa de primeira classe, esse hotel está envolvido em um clima de sossego e intimidade que justificaria uma placa do tipo "Não Perturbe" em sua discreta entrada.

A pérola da culinária local é o restaurante Spoon des Îles, trunfo do principal chamariz de ricos e famosos da ilha, o Le Saint Géran Hotel, Spa & Golf Club, que ocupa 25ha de terra na extremidade da península de Belle Maré, na costa leste. O primeiro dos restaurantes "estrelados" do chef Alain Ducasse inaugurados fora da Europa, ele combina os elementos crioulo, francês e asiático de Maurício com uma impecável mostra dos celebrados frutos do mar da região.

À parte todos os deleites de que o visitante pode desfrutar nos hotéis de luxo, as melhores praias são as públicas, especialmente nos fins de semana, quando as famílias locais fazem reuniões e festas fartas em comida às quais todos são bem-vindos.

O QUE: ilha, hotel, restaurante. **ONDE:** 2.000km da costa da África. **THE OBEROI:** Baie aux Tortues, Pointe aux Piments. Tel. (230) 204-3600; fax (230) 204-3625; reservations@oberoi.intnet.mu; www.oberoihotels.com/mauritius. *Quanto:* a partir de U$600 (baixa temporada) e U$660 (alta temporada). **LE SAINT GÉRAN HOTEL, SPA & GOLF CLUB:** Belle Maré. Tel. (230) 401-1688; fax (230) 401-1668; www.saintgeran.com. *Quanto:* a partir de U$300 por pessoa, incluindo jantar. Jantar no Spoon des Îles U$75. **MELHOR ÉPOCA:** a temperatura é praticamente a mesma o ano inteiro. Para mergulhar, o mar é mais claro em Mar.–Mai. e Set.–Nov.

Beleza assombrosa num espaço sem limites

COSTA DO ESQUELETO

Namíbia

Quando o mundo estiver parecendo intolerável, este é o safári a se ter em mente – não para ver animais selvagens (o que é um bônus), mas para experimentar a estranha solidão de uma das mais incomuns e cenográficas regiões do planeta. A costa do Esqueleto é um paraíso desértico de amplos espaços abertos, pouco explorado, não desenvolvido, despovoado e distante da civilização. Seu nome se refere a um litoral traiçoeiro e estéril em cujas praias encobertas pela neblina se espalham navios naufragados e carcaças de baleias. A Reserva de Focas do cabo Cross é o local de reprodução de milhares desses animais, que descansam sobre as pedras e areias das praias até à chegada dos filhotes de olhos azuis no fim de novembro e início de dezembro. Monomotores são o meio ideal para visitar boa parte dessa terra desolada, que às vezes lembra a áspera paisagem lunar e outras vezes um vasto oceano de dunas móveis, consideradas as mais altas do planeta. Trata-se da área de Sossusvlei, no deserto da Namíbia, um dos mais antigos e secos do globo, cujas dunas avermelhadas, impelidas pelos ventos do mar e moldadas como ondas, chegam a alcançar 300m de altura. Especialmente grandiosa ao amanhecer e ao pôr-do-sol, quando os montes de areia mudam de cor como num caleidoscópio, a vastidão desse lugar é apreciada melhor do alto de uma duna enquanto se escuta o barulho das rajadas de areia que varrem o solo. Com sorte, se pode até ver um raro elefante do deserto.

Uma paisagem em constante mudança.

O QUE: lugar, experiência. **ONDE:** safáris partindo de Windhoek e retornando a esse mesma cidade. **COMO:** na Namíbia, pela Skeleton Coast Safaris. Tel. (264) 61-224-248; fax (264) 61-225-713; info@skeletoncoastsafaris.com; www.skeletoncoastsafaris.com. **QUANTO:** U$3.757 por pessoa, 4 dias/3 noites, tudo incluído. **MELHOR ÉPOCA:** Abr.–Nov.

Um recanto intocado do Quênia

OL DONYO WUAS

Montes Chyulu, Quênia

Situada em meio aos 100.000ha da imensa planície de Masai e contrastando com a espetacular cadeia de montanhas vulcânicas Chyulu, essa propriedade particular oferece acesso exclusivo a uma das poucas áreas selvagens remanescentes do Quênia. Richard Bonham, o proprietário, nascido no país, escolheu esse lugar para construir sua casa por causa da vista das sinuosas savanas com árvores e do pico eternamente nevado do Kilimanjaro, que se revela do outro lado da fronteira com a Tanzânia. A pousada, situada no alto de uma elevação, tem quatro chalés redondos com cobertura de sapê, alguns apoiados em estacas, que oferecem privacidade e varandas para a bela paisagem do Kilimanjaro. Camas com vista para esse cenário proporcionam inesquecíveis sestas. Isso é a África tal como era no início do século XX. Os vastos panoramas virtualmente desabitados só são alterados pela visão de jovens pastores masai conduzindo tranqüilamente seus rebanhos em meio aos animais selvagens. O próprio Bonham aparece ocasionalmente para levar sua alegria, sua rica experiência e seu estilo inigualável aos safáris diários com os hóspedes – a cavalo, a pé ou num Land Rover sem capota.

O QUE: hotel, experiência. **ONDE:** a 50 minutos de Nairóbi em vôo charter por U$370, 2 pessoas. COMO: Richard Bonham Safaris, em Nairóbi; tel. (254) 2-888-521; fax (254) 2-882-728; Bonham.Luke@swiftkenya.com; www.richardbonhamsafaris.com/chyulu.htm. **QUANTO:** U$315 por pessoa por dia, tudo incluído exceto traslado aéreo. **QUANDO:** fechado Abr., Mai. e Nov. **MELHOR ÉPOCA:** Dez.–Mar.

À sombra do monte Quênia

Reservas de Vida Selvagem Particulares

Isiolo, Terras Altas Centrais, Quênia

Ao pé do monte Quênia, na região conhecida como Terras Altas Centrais, um pequeno número de hóspedes afortunados pode se deleitar com as paisagens fascinantes da cordilheira e a liberdade de apreciar animais selvagens em vastas propriedades particulares – imensas manadas de elefantes, girafas, zebras e antílopes. Borana Lodge e Lewa Wilderness, duas fazendas de gado vizinhas que ocupam mais de 40.000ha de terras no norte do país, oferecem safáris guiados por excelentes *trackers* e guias nativos; você dificilmente verá outro veículo, um luxo quase inédito hoje em dia nos parques nacionais comparativamente apinhados da África Oriental. As duas fazendas organizam expedições em pacientes cavalos que propiciam contatos muito próximos com a vida selvagem local e animados safáris noturnos sob um manto de estrelas para que você possa ver o que talvez tenha deixado escapar durante o dia. Com seu espírito conservacionista, a família Craig, proprietária dos 25.000ha da Lewa Wilderness, em Lewa Downs, transformou uma parte da fazenda no Santuário de Rinocerontes Ngare Sergoi para defender essa espécie ameaçada de extinção. Trinta e seis rinocerontes negros e brancos estão agora protegidos dos caçadores ilegais por guardas equipados com walkie-talkies. Os hóspedes da Borana Lodge são visitantes bem-vindos ali.

O Que: experiência, hotel. **Onde:** 4 horas de carro ao norte de Nairóbi; vôos de Nairóbi a Nanyuki podem ser providenciados, seguidos de 1 hora de carro até às 2 fazendas. **Lewa Wilderness em Lewa Downs:** contato com Bush Homes. Em Nairóbi: tel. (254) 2-600-457; fax (254) 2-605-008; bushhome@africaonline.co.ke; www.bush-homes.co.ke. *Quanto:* U$200 por pessoa, por dia, tudo incluído. Adicional de U$25 por pessoa, por dia, para o Santuário de Rinocerontes. **Borana Lodge:** tel. (254) 2-567-251; fax (254) 2-564-945. *Quanto:* $325 por pessoa, por dia, incluindo refeições. **Melhor Época:** meados de Jul.–Nov. e meados de Dez.–Mar.

A mais fantástica migração de animais selvagens

Masai Mara

Quênia

Masai Mara é o cenário natural daquele que deve de ser o mais espetacular desfile de vida selvagem do planeta. Todo mês de maio, no fim da estação chuvosa, milhares de animais selvagens se juntam para viajar

Os masai saúdam visitantes que chegam a cavalo.

em busca de pastagens mais verdes e sustento vital, do Serengeti (termo masai para "planícies sem fim"), no norte da Tanzânia, às vastas campinas quenianas de Masai Mara, aonde chegam em julho e agosto. São imensas manadas de zebras, antílopes e gazelas, às vezes mais de 1.000.000 de animais em movimento. O safári a cavalo é uma excepcional opção caso você queira observar essa fauna que não tem paralelo com a de nenhum outro lugar da África. (O coração da Reserva de Vida Selvagem de Masai Mara é fechado para quem vai a cavalo, mas é possível chegar lá de jipe para ver leões, guepardos, hienas, girafas e elefantes.) No percurso entre as intocadas montanhas de Loita e as grandes planícies sinuosas de Masai Mara, você passará pelas *manyattas* (aldeias) do povo nômade masai, protetor dos animais selvagens, que para eles são o "gado de Deus". Algumas subidas atingem 2.600m de altitude, proporcionando vistas espetaculares e amplos panoramas. Enquanto você admira o cenário, o pessoal segue em frente para montar o acampamento em algum lugar bonito e preparar o jantar e um banho quente para a sua chegada. Durante toda a noite, eles ficam de vigia para manter os inquietos animais selvagens à distância.

Você também pode apreciar a vastidão do Masai Mara fazendo o safári num balão. Nada se compara a um passeio desse tipo sobre as planícies onduladas da África. A subida se dá ao alvorecer, quando o céu é todo rosa e laranja. Os aldeões masai ficam embaixo vendo-o vagar pelo céu sereno e flutuando bem próximo às enormes manadas de animais selvagens que fogem assustados da sombra do balão. Interrompida pelas rajadas intermitentes do maçarico do balão, a mágica e impressionante quietude envolve você completamente. Apenas a perspectiva de um *champagne breakfast* (um café da manhã sofisticado) na selva é capaz de abrandar a decepção de retornar ao solo.

O QUE: lugar, evento, experiência. **MASAI MARA:** no sudeste do Quênia, junto à fronteira com a Tanzânia, a cerca de 241km de Nairóbi. *Como:* no Brasil, agência Teresa Perez Tours (São Paulo). Tel. (11) 3365-4000; (11) 3365-4002; perez@teresaperez.com.br; www.teresaperez.com. *Pacote:* 9 dias, passagem aérea para Johanesburgo não incluída, hotel 5 estrelas, café da manhã, almoço e jantar. *Quanto:* a partir de U$4.539. A agência Equitour organiza safáris a cavalo de 13 dias. Tel. (1) 800-545-0019; ellen@equitours.com; www.redingtours.com. *Quanto:* a partir de U$4.560 por pessoa, incluídas todas as refeições e acomodações. *Quando:* viagens anuais e a pedido. **SAFÁRIS EM BALÃO:** geralmente acertados pelas agências de safári. Ou reserve diretamente com Abercrombie & Kent. Tel. (1) 800-323-7308 e (1) 630-594-2294; fax (1) 630-954-3324; info@abercrombiekent.com; www.abercrombiekent.com. *Quanto:* vôos de 1 hora sobre a Reserva de Masai Mara a U$350 por pessoa. **MELHOR ÉPOCA:** Jul.–Set. para ver a migração na Reserva de Vida Selvagem de Masai Mara; Mai.–Jun. na fronteira, no Parque Nacional do Serengeti, Tanzânia.

Um autêntico campo que mantém viva a emoção do safári

Campo Little Governor's

Masai Mara, Quênia

Os campos de safári Governor's são conhecidos como os mais antigos no gênero, os primeiros a surgir no legendário Masai Mara, em 1972, num local romântico que se acredita ter sido um dos campos favoritos de Theodore Roosevelt. Pouco depois, algo mais íntimo e remoto foi criado: o Campo Little Governor's, até hoje um dos preferidos dos aficionados por safári, construído no antigo estilo, com barracas de lona ao redor de um pequeno lago repleto de pássaros e vida selvagem, acessível somente por barco. Num cenário tão selvagem – representativo da paisagem que inspirou Hemingway e outros aventureiros do mundo inteiro –, o alto nível de profissionalismo, a qualidade e o luxo são surpreendentes. Nesse local há coisas que não encontramos no Ritz, como girafas perambulando pelo campo e o toque de despertar dos hipopótamos. Com o "teatro da vida selvagem" do Masai Mara ao redor, animais selvagens surgem em profusão em paisagens panorâmicas onde as savanas parecem ondular para sempre. Você acha que o Ritz se compara?

O Que: hotel, experiência. **Onde:** seção ocidental da Reserva de Vida Selvagem de Masai Mara, no oeste do Quênia, fronteira com a Tanzânia (45 minutos de vôo em pequenos aviões contratados em Nairóbi a U$320 ida e volta). Em Nairóbi, tel. (254) 2-331-871; fax (254) 2-726-427; info@governorscamp.com; www.governorscamp.com. **Quanto:** U$500 para 2 pessoas por noite, incluindo saídas em safáris, café da manhã, almoço e jantar e traslados (partida e chegada) no aeródromo de Masai. **Melhor Época:** Jul.–Set., durante a grande migração. Muitos filhotes nascem entre Dez.–Mar., o segundo melhor período.

Um paraíso para pescadores de água salgada

Clube de Pesca Pemba Channel

Shimoni, Quênia

Quem quer fazer como Hemingway deixa o interior selvagem para os outros e se manda alegremente para essa meca litorânea, famosa pelos recordes de seus divertidos safáris de pesca. Além de encantador, esse pequeno e exclusivo clube localizado perto da fronteira com a Tanzânia proporciona dias maravilhosos a bordo de cinco moderníssimos barcos no fabuloso corredor que separa a costa sudeste do

Quênia da ilha de Pemba. O canal é mundialmente conhecido como habitat dos maiores peixes que esse país e todo o resto da África têm a oferecer. Acredita-se que foram essas águas que inspiraram Ernest Hemmingway a escrever *O velho e o mar.* Em suas translúcidas profundezas vivem marlins, agulhões-bandeira, peixes-espada, cavalas-aipim e atuns, além dos terríveis tubarões-anequim e seus primos, os tubarões-tigre. Não é raro que no decorrer de um dia emocionante e exaustivo alguém pesque um atum de 45kg ou um marlim de 135kg – o clube estabeleceu recordes nacionais para cada peixe, de 87kg e 362kg, respectivamente. (O Pemba Channel ostenta 70% de todos os recordes de pesca de marlim do Quênia.) Por toda a sede há fotos de monstros de 317kg sendo içados para dentro dos barcos, mas a maioria é marcada e libertada – o pescador só fica com a lembrança. Caso o seu interesse maior seja a perspectiva de mergulhar com cilindro, o clube tem à disposição o iate M. Y. Kisiwani, de 67 pés, para você ver os espetaculares recifes tropicais e as águas intocadas que circundam Pemba, a "ilha das especiarias", no arquipélago de Zanzibar.

Somada, a experiência da tripulação é de 150 anos.

O QUE: experiência, hotel. **ONDE:** a 80km de Mombasa. Tel. (254) 127-52016; fax (254) 127-52416; pembachannel@africaonline.co.ke; www.pembachannel.com. **QUANTO:** hotel, U$100 por pessoa, incluídas todas as refeições; barco a partir de U$400, dia de 9 horas, tudo incluído; iate M. Y. Kisiwani, mínimo de 7 dias, a U$1.200 por pessoa, tudo incluído. **QUANDO:** aberto Ago.–Mar. **MELHOR ÉPOCA:** Dez.–meados de Mar. (período ideal para a pesca).

Galápagos do oceano Índico

ALDABRA

Ilha Aldabra, Seicheles

No centro de Aldabra, o maior atol de coral sobrelevado do planeta, localiza-se uma das mais extensas lagunas do mundo, como um mar dentro de um vasto oceano tropical. Com 129km², esse atol possui um ecossistema tão isolado que sua fauna e flora são em muitos casos consideradas únicas. Trata-se do último habitat natural das tartarugas gigantes de Aldabra, o venerado ícone não oficial das Seicheles – 150.000 dessas enormes criaturas pré-diluvianas vagueiam pelo terreno áspero. Com olhos enormes, pescoços enrugados e expressões bizarras que lembram ETs, algumas delas chegam a pesar 240kg. Em Aldabra reina a natureza em estado puro, observou em 1970 o biólogo Julian Huxley, para quem o local é um singular "museu vivo de história natural" que devia pertencer ao mundo inteiro. Aberta ao público somente desde 1991, a ilha tornou-se o nirvana de mergulhadores, naturalistas e ornitólogos. Jacques Costeau a descreveu como o mais espetacular local para *drift dive* (mergulho de correnteza) que existe. Mais próxima de Mombasa, no Quênia, do que de Mahé, a principal ilha do

"Árvores" de coral.

arquipélago, Aldabra é a mais distante das Seicheles. Mas essa mesma distância, que permitiu à sua flora e fauna sobreviverem à invasão humana, também torna difícil alcançar essa ilha, onde não há hotéis. A única multidão vista ali é de tartarugas.

O QUE: ilha, experiência. **ONDE:** a 1.126km de Mahé; acessível somente por viagens de barco organizadas. **COMO:** para o programa de mergulho mais avançado, reserve o iate Indian Ocean Explorer, especialmente projetado para esse fim. Nos Estados Unidos, entre em contato com a New Adventures; tel. (1) 352-401-5678 e (1) 888-437-8456; fax (1) 401-0548; phil@newdventures.com; www.10explorer.com. **QUANTO:** a partir de U$325 por pessoa, por noite, tudo incluído, 7–14 noites. Vôos charter de Mahé ao local de partida na ilha Assumption, a U$1.200 por pessoa, ida e volta. **QUANDO:** Mar.–Abr. e Out.–Set.

O nirvana dos fotógrafos

ILHA DE LA DIGUE

Inner Islands, Seicheles

Os enormes penedos de granito artisticamente erodidos que distinguem a mais popular das ilhas Seicheles são os atuais picos de Gondwanaland, submersos há milhões de anos a meio caminho entre a África e a Índia.

A simplicidade e uma lenta serenidade marcam a vida dos 2.000 hospitaleiros moradores. Nessa ilha sem automóveis, as crianças em idade escolar, todas de uma curiosa mistura étnica, correm saltitantes para saudar os lentos carros de boi que ligam os diferentes pontos de interesse por estradas não pavimentadas, em meio à densa vegetação. A Anse Source d'Argent é a mais esplêndida praia de La Digue, dividida em recônditas enseadas, uma atrás da outra, todas incrivelmente belas – a erosão deu aos seus penedos cor-de-rosa e ferrugem formas esculturais que lembram as obras do artista britânico Henry Moore. As águas mornas e luminescentes, tão claras que se poderia sem esforço ler um livro (à prova d'água) submerso, apresentam um espectro de tons pastel azuis e verdes. Provavelmente a mais bonita das 115 praias das Seicheles, ela é também uma das mais fotografadas e conhecidas do mundo – a bênção é que, ironicamente, está quase sempre vazia. O raro papa-moscas-do-paraíso, um pássaro ameaçado de extinção cuja população está em torno de 75 exemplares, só é encontrado nessa ilha e pode ser visto esvoaçando ao redor da reserva de aves, inconfundível com sua iridescente plumagem azul-negra. Renda-se ao charme sonolento e antiquado da ilha e fique indefinidamente na principal pousada local, a La Digue.

O QUE: ilha, lugar, hotel. **ONDE:** a 30min de barco (saídas 2 vezes por dia) de Praslin e a 3 horas de Mahé. **COMO:** todos os preparativos podem ser feitos pela Travel Services Seychelles em Mahé. Tel. (248) 322-414; fax (248) 322-401; tss@tss.sc; www.tss.sc. **QUANTO:** suíte de frente para o mar e café da manhã e almoço para 2 na La Digue Lodge U$355. **MELHOR ÉPOCA:** Out.–Jan.

O topo nevado da África

SUBINDO O KILIMANJARO

Parque Nacional do Kilimanjaro, Tanzânia

"Grande como o mundo inteiro, majestoso, sublime e incrivelmente branco à luz do sol", escreveu Ernest Hemingway em *As neves do Kilimanjaro.* Poucas montanhas possuem a majestade e a mística do Kilimanjaro, a mais alta montanha da África, com 5.895m de altitude. A jornada de nove dias até seu pico estranhamente plano perfaz um total de 40km, ida e volta, subindo pelo platô Shira, o mais distante e raramente utilizado. Evitando a trilha Marangu – a "rota dos turistas", de cinco dias, mais curta e superlotada –, é possível acrescentar alguns dias de jornada para uma adequada aclimatação, que é o maior obstáculo da caminhada. Um terço dos excursionistas que sobem pela Marangu não conseguem passar do Gillman's Point, 180m abaixo do pico, porque lhes falta tempo suficiente para se ajustar ao baixo nível de oxigênio – aproximadamente a metade do que se respira normalmente no nível do mar. Não são requeridos ganchos, cordas nem técnicas especiais. Embora não se trate de nenhum passeio no bosque, a rampa, no todo, é bastante suave. No momento em que o grupo começa a se dispersar, um batalhão de carregadores dispara na frente para armar barracas e montar acampamentos em lugares espetaculares. No topo, a vertigem pode ser uma reação à emoção e ao prazer das vistas fantásticas – num dia claro vêem-se as planícies da Tanzânia e do Quênia, que se estendem por centenas de quilômetros, quase 6.000m abaixo.

O QUE: experiência, lugar. **ONDE:** a 6 horas de carro do aeroporto de Nairóbi, Quênia. Na Tanzânia, 2 horas de carro, partindo do Aeroporto monte Kilimanjaro, em Arusha. **COMO:** no Brasil, agência Mundus Travel (São Paulo). Tel. (11) 3262-4399; fax (11) 3262-4015; mundus@mundus.com.br; www.mundus.com.br/expedicao/kiliman/. Pacote: 15 dias, vôo partindo de São Paulo, parte aérea e terrestre, traslado, guia, hotel, trekking e alojamento nas montanhas, café da manhã. **QUANTO:** U$4.350. **QUANDO:** saídas mensais, exceto durante as curtas estações chuvosas, em Abr.–Mai. e Nov.

O jardim do éden africano

A CRATERA NGORONGORO

Área de Conservação de Ngorongoro, Tanzânia

A cratera vulcânica Ngorongoro, a maior caldeira intacta do mundo, é aclamada como uma das maravilhas naturais do planeta tanto por sua singular beleza topográfica quanto pela espantosa concentração de animais que ali vivem. Esse anfiteatro natural é o Serengeti em miniatura, com gnus, zebras e gazelas migrando de um lado para o outro da cratera, de 20km de diâmetro, à medida que as estações vão mudando. Além de abrigar uma grande quantidade de elefantes, búfalos, hipopótamos e leões, Ngorongoro é talvez o melhor lugar da Terra para se ver o raro rinoceronte negro. Em seu centro se localiza o lago Magadi, um permanente espelho de água doce que a transforma num fantástico oásis de vida selvagem. As margens do lago ficam cheias de flamingos a maior parte do tempo. Comparações com a arca de Noé e o Jardim do Éden são inevitáveis. A presença maciça de quadrúpedes também faz do lugar o paraíso dos predadores: os apreciadores de safáris não podem querer nada melhor. Embora a espécie humana esteja se tornando mais numerosa do que os animais na região, há firmas conceituadas que fornecem excelentes acampamentos móveis e pessoal especializado com conhecimento enciclopédico e habilidade suficiente para evitar as manadas de observadores.

A alternativa é ficar na Ngorongoro Crater, uma das pousadas permanentes mais luxuosas da África, de propriedade da respeitada agência sul-africana de safáris Conservation Corporation. Hospede-se num dos 30 chalés cobertos de sapê encarapitados na borda da cratera, peça ao mordomo para preparar o seu banho a tempo de curtir um excelente jantar de cozinha pan-africana com vinhos do Cabo e assista

A cratera tem cerca de 600m de profundidade.

de dentro da banheira a um mágico pôr-do-sol.

O QUE: lugar, experiência, hotel. **ONDE:** norte da Tanzânia. **COMO:** no Brasil, agência Teresa Perez Tours (São Paulo). Tel. (11) 3365-4000; fax (11) 3365-4002; perez@teresaperez.com.br; www.teresaperez.com. Pacote: 9 dias, passagem aérea para Johanesburgo não incluída; hotel 5 estrelas, café da manhã, almoço e jantar. **QUANTO:** a partir de US4.539. **NGORONGORO CRATER LODGE:** central de reservas, Johanesburgo, África do Sul. Tel. (27) 11-809-4300; webenquiries @ccafrica.com; www.ccafrica.com. *Quanto:* duplos a partir de U$400 (baixa temporada) e U$525 (alta temporada), tudo incluído. **QUANDO:** o ano inteiro, exceto na estação chuvosa Abr.–Mai.

Posto avançado da antiga Arábia no oceano Índico

CIDADE DE PEDRA

Zanzibar, Tanzânia

A simples pronúncia do nome Zanzibar evoca a imagem romântica de um lugar de especiarias; assim, como ocorre com Timbuktu e Katmandu, isso é quase razão suficiente para se viajar até à ilha. Esquecida pelo capitalismo ocidental durante décadas, Zanzibar está agora às portas do desenvolvimento. Os grandes jatos, os luxuosos navios de cruzeiro e os pacotes de viagem podem melhorar substancialmente sua economia e ao mesmo tempo destruir o seu delicado tecido histórico. Portanto, este é o momento de visitar a Cidade de Pedra, com seu labirinto de ruas estreitas e passagens tortuosas e casas decrépitas com sacadas projetadas. Os mercadores árabes construíram ali as

Uma torre da Cidade de Pedra.

suas residências depois de acumular riquezas no comércio de ouro, marfim, cravo-da-índia e – o mais lucrativo de todos – escravos destinados à Arábia e à Pérsia. Zanzibar foi o maior mercado de escravos da costa oriental da África. Hoje uma igreja anglicana do século XIX ocupa o lugar do antigo mercado, com o altar principal construído onde ficava o pelourinho. As portas esmeradamente talhadas, algumas marchetadas de bronze, são o luxo que restou das residências dos pródigos mercadores.

Várias dessas casas dilapidadas foram recuperadas pelo empresário Emerson Skeens, americano de nascimento, em parceria com Thomas Green e outros sócios. Captando o romantismo da ilha, eles reuniram antiguidades, entalhes de madeira, camas de baldaquino envoltas em mosquiteiros e a arte zanzibarita para criar a decoração dos dois edifícios históricos onde funcionam seus hotéis, o Emerson & Green Hotel e o Shangani House. Nos salões de chá e restaurantes com afrescos no teto, a comida tem qualidade compatível com o décor. No Emerson & Green Hotel, uma antiga casa persa com 10 quartos, uma íngreme escada de madeira conduz aos quatro quartos da cobertura, abertos à brisa e com magníficas vistas para os minaretes da velha cidade e o oceano Índico. Mais adiante, estão a costa africana e o cume nevado do Kilimanjaro, visíveis, de acordo com alguns hóspedes, em dias excepcionalmente claros. A mais nova pérola na rede de hotéis de Emerson é o Salome's Garden, um devaneio de sultão árabe situado no litoral, cercado de jardins exuberantes e vistas oceânicas. Tal como seus co-irmãos, é impregnado de folclore e romance, uma boa compensação para o que lhe falta em encanamentos do século XX.

O QUE: ilha, cidade, hotel. **ONDE:** 35km ao largo da costa oriental da Tanzânia; 2 horas de travessia de barco ou vôos diários de 30 minutos partindo de Dar es Salaam. **EMERSON & GREEN HOTEL:** em Zanzibar, tel. (255) 24-233-0171; fax (255) 24-233-1038; emegre@zanzibar.org; www.zanzibar.org/emegre. *Quanto:* duplos a partir de U$155. **SALOME'S GARDEN E SHANGANI HOUSE:** info@houseofwonders.com; www.houseofwonders.com. No Salome, duplos a partir de U$125; no Shangani, duplos a partir de $80. **MELHOR ÉPOCA:** Dez.–Mar. e Jun.–Out.

Pelo buraco da agulha

PARQUE NACIONAL DE MURCHISON FALLS

Uganda

Winston Churchill descreveu Uganda como "a pérola da África". Nesse país que ainda se recupera de perturbações políticas, não é raro o visitante ter a sensação de que tudo ali foi feito para ele. Murchison

Falls, incontestavelmente uma das maravilhas do mundo natural, foi certa vez descrita como o que há de mais excitante ao longo dos 6.700km de extensão do Nilo. Ao contrário dos imponentes 1.770m de Victoria Falls, no rio Zambezi, nesse lugar o poderoso Nilo tem a sua largura reduzida a 300m e em seguida explode através de uma fenda na rocha de menos de 6m de largura antes de saltar 40m com uma força inacreditável. A visão é hipnótica, quer a pessoa se aproxime a pé, quer chegue de barco. Uma lancha avança silenciosamente até à base da catarata, passando suavemente por uma enorme colônia de animais de grande porte – às vezes 100 hipopótamos ao redor de uma curva, e por todo o lugar alguns dos maiores crocodilos do mundo observam imóveis. Nesse parque se fazem poucas concessões ao século XXI (e mesmo ao século XX), e não é muito difícil se imaginar como um explorador do século XIX em busca da nascente do Nilo.

O Que: lugar. **Onde:** noroeste de Uganda; traslados a partir de Kampala. **Como:** em Uganda, entrar em contato com Mantana Safaris Uganda. Tel. (256) 41-321-552; fax (256) 41-320-152; mantana@africaonline.co.ug; www.kimblamantana.com. **Melhor Época:** Dez.–Mar.

Observação de primatas na floresta impenetrável

Rastreando o Gorila da Montanha

Parque Nacional de Bwindi, Uganda

A chance de um contato imediato com um raro gorila da montanha em seu último habitat é o Parque Nacional de Bwindi. O número de exemplares dessa poderosa porém dócil criatura foi significativamente reduzido pela caça ilegal. Hoje, metade da sua minguante população de cerca de 600 animais vive em paz em Uganda, um país que volta a cortejar o turismo. Grupos pequenos e controlados de visitantes acompanhados por guias autorizados têm permissão para rastrear os gorilas em meio ao que já foi chamado de floresta "impenetrável".

A trilha pela selva tropical é desafiadora e excitante. Não há garantia de que você verá os gorilas, mas os guias locais são especialistas capazes de interpretar cada galho quebrado e de antecipar a rotina diária desses animais. Parcialmente habituados à presença humana, diferentes grupos familiares de gorilas chegam a se aproximar para examinar os visitantes – primeiro os poderosos gorilas de dorso prateado (líderes dos grupos), depois os mais jovens e, por fim, as mães, que surgem carregando ou amamentando os filhotes. Os guias, muitos dos quais ligados ao Dian Fossey Gorilla Fund, são especialistas em primatas – um dado de valor inestimável nessas excursões.

O Que: lugar, experiência. **Onde:** sudoeste de Uganda, nos limites do Rift Valley Ocidental. **Como:** no Brasil, agência Rabe Turismo (São Paulo). Tel. (11) 5536-9300; fax (11) 3262-4015; sandra@ rabeturismo.com.br; www.rabe-turismo.com.br/safaris3.htm. Safári de 12 dias, saídas mensais. **Quanto:** U$3.596, não inclui passagens aéreas. **Quando:** parque aberto o ano todo, mas consulte a disponibilidade. **Melhor Época:** Mai.–Ago. e Dez.–Fev.

Tão perto e tão longe

POUSADA TONGABEZI SAFARI

Livingstone, Victoria Falls, Zâmbia

As ruidosas Victoria Falls estão a apenas 16km da Pousada Tongabezi Safari, rio abaixo. Embora não se possa ouvir o seu estrondo, não há como não sentir a sua presença. Mas na Pousada Tongabezi, um lugar sossegado construído às margens do ainda tranqüilo Zambezi, os hóspedes desfrutam de visões cinematográficas do pôr-do-sol das varandas de seus chalés. A hospedaria não é um mero acampamento na mata. Possui quadra de tênis e piscina na beira do rio, camas de baldaquino e banheiras de imersão (banheiros com vista!). No alto de um rochedo, a Casa da Árvore e a Casa da Lua-de-Mel, esta última aberta, são decoradas com mobília natural de muito bom gosto, num estilo que pode ser descrito como "alta floresta". Trata-se de uma base romântica perfeita para a sua experiência no Zambezi, quer você opte por revigorantes caminhadas matinais na floresta para reconhecimento de pássaros, quer prefira suaves passeios de canoa, com a opção de passar a noite nas muitas ilhas particulares do rio. Outras pedidas são planar sobre Victoria Falls no avião Cherokee da hospedaria ou fazer um tremendo rafting nas corredeiras em sua base.

Victoria Falls.

O QUE: experiência, hotel. **ONDE:** a 16km de Victoria Falls (Zâmbia), rio acima. Providencia-se transporte. Tel. (260) 3-323-235; fax (260) 3-323-224; reservations@tongabezi.com; www.tongabezi.com. **QUANTO:** U$329 (barracas), U$389 (chalés) por pessoa por noite, tudo incluído, exceto rafting e avião sobre Victoria Falls. **MELHOR ÉPOCA:** Mar.–Set.

O máximo em animais selvagens

PARQUE NACIONAL DE HWANGE

Zimbábue

Hwange é o maior, o mais conhecido e o mais acessível dos parques do Zimbábue. Com 400 espécies de pássaros e mais de 100 espécies de outros animais, está na linha de frente dos centros mundiais de vida selvagem.

É também um dos poucos grandes santuários de elefantes que restam na África; ao anoitecer, manadas de até 100 exemplares podem ser vistas a caminho das fontes de água. Da rede de 480km de estradas de safári, a mais popular é a 10-Mile, um eixo que percorre as áreas de maior concentração de vida selvagem do parque e passa pelas principais fontes de água, como a Nyamandhlovu Pan, com sua plataforma de observação elevada.

O Hide, um dos melhores campos de safári permanentes do país, tem uma localização perfeita no limite oriental do Hwange. Seu nome se origina de seus muitos locais de observação ocultos – alguns subterrâneos, outros acima do nível do solo – dos quais se pode contemplar toda a riqueza da vida selvagem sem sair do campo. O Campo Pan, um leito de rio fossilizado que há muito tempo é uma popular e movimentada fonte de água, fica a poucos passos da área de jantar dos hóspedes. Mas os excelentes guias do Hide atraem os visitantes para longe dali com promessas de vistas ainda melhores em caminhadas e passeios organizados dentro da mata.

O QUE: lugar, experiência, hotel. **ONDE:** a 2 horas de carro do aeroporto de Hwange, Zimbábue. **THE HIDE:** tel. (263) 4-660-554; fax (263) 4-621-216 e (263) 4-669-163; presgrou@mweb.co.zw; www.thehidesafaris.com. *Quanto:* a partir de U$220 (baixa temporada) e U$295 (alta temporada) por pessoa, por dia, tudo incluído. **QUANDO:** o ano inteiro. **MELHOR ÉPOCA:** a estação seca, Jun.–Out., ideal para ver a vida selvagem; na estação úmida, Nov.-Abr., os animais procriam e a mata se enche de flores silvestres.

De canoa pelo rio Zambezi

PARQUE NACIONAL DE MANA POOLS

Zimbábue

Um safári de canoa rumo ao Índico pelo poderoso rio Zambezi, em meio a ancestrais planícies aluviais, é uma jornada pela África primeva e alguns de seus mais belos e remotos cenários fluviais. Deixando para trás as eletrizantes corredeiras brancas de Victoria Falls, os canoeiros deslizam serenamente pelos canais e pequenos lagos do Zambezi passando por uma infinidade de ilhas. Hipopótamos e búfalos chafurdam sob os galhos curvados das árvores apinhadas de pássaros. O Ruwesi Canoe Safari é uma jornada de quatro dias pelo trecho mais interessante do médio Zambezi, com acampamentos espetaculares. Os guias fazem questão de que o grupo esteja a caminho das canoas pouco antes do amanhecer para aproveitar a hora mais fascinante do rio.

Pôr-do-sol no Zambezi.

Também há a opção da Pousada Chikwenya Safari, que fica maravilhosamente localizada na confluência dos rios Sapi e Zambezi, de frente para uma das maiores ilhas do Zambezi. Os guias da Chikwenya saem com os hóspedes a reboque em caminhadas pela mata – uma atividade permitida em muito poucas reservas nacionais. No retorno ao campo, ainda dá tempo de fazer o magnífico passeio ao pôr-do-sol pelo rio, final de mais um dia perfeito na selva.

O QUE: lugar, experiência, hotel. **ONDE:** norte do Zimbábue; traslados a partir de Victoria Falls. **RUWESI CANOE SAFARI:** tel./fax (263) 4-496-113. *Quanto:* U$900 por pessoa, tudo incluído, 3 noites/4 dias de viagem de canoa. *Quando:* Mai.–Out. **CHIKWENYA SAFARI LODGE:** reserve com a African Adventure Company. *Quanto:* duplos a partir de U$465 (baixa temporada) e U$540 (alta temporada), tudo incluído. **MELHOR ÉPOCA:** Jun.–Out.

Um espetáculo estrondoso

VICTORIA FALLS

Zimbábue e Zâmbia

As cataratas são absolutamente monumentais e tão majestosas quanto você imagina, um estrondo que equivale ao barulho da migração de 1.000.000 de gnus e uma bruma visível a 65km de distância. O Dr. David Livingstone, o primeiro europeu a pôr os olhos nelas, deu-lhes, em 1855, o nome de sua rainha (que não teve a felicidade de vê-las). Em pouco tempo, foram reconhecidas como uma das maravilhas naturais do planeta. Destino sonhado por todos os viajantes aventureiros, as cataratas têm 1,7km de extensão, abarcando toda a largura do rio Zambezi. Na queda de 120m garganta abaixo, elas criam uma delicada e infindável nuvem de água com arco-íris. E, quando a lua está brilhante e suficientemente cheia, arco-íris lunares surgem aqui e ali. Na alvorada e no crepúsculo, o céu, a água e a bruma assumem tons cor-de-rosa e laranja, principalmente durante a estação das chuvas, de março a maio, época em que as quedas estão no máximo da sua capacidade e a nuvem de água é lançada a uma altura de 300m. É fácil imaginar o assombro do Dr. Livingstone, que escreveu: "Diante de imagens tão belas, os anjos em seu vôo devem ter parado para admirar." Assim foi batizado o atual Flight of the Angels (Vôo dos Anjos) sobre as cataratas, um eletrizante passeio de 15 minutos considerado uma das mais cenográficas viagens de avião que existem.

Ao pé das cataratas, as corredeiras proporcionam alguns dos melhores raftings do planeta. É onde o Zambezi mergulha nas estreitas gargantas basálticas que fazem a fronteira entre a Zâmbia e o Zimbábue – um potente corredor de velozes corredeiras espumantes entremeadas de abençoados trechos de serenidade. As corredeiras do Zambezi – de nomes estranhos, como Ghostrider e Moemba Falls – têm classificação quatro e cinco numa escala de um a cinco (o visitante dá a volta, caminhando, pelas que são de fato difíceis). No entanto, elas estão entre as mais seguras, em grande parte por causa das águas profundas e da inexistência de pedras em meio à correnteza. O primeiro dia de canoagem, que começa em Victoria Falls, é o que faz o visitante liberar mais adrenalina: o passeio inclui 10 das maiores quedas-d'água do mundo, que lembram as do rio Colorado, no Grand Canyon. Algumas operadoras locais oferecem viagens rápidas de um a três dias, mas é uma pena ir tão longe só para dar uma passada por ali. Não há nada que se compare.

O QUE: lugar, experiência. **VICTORIA FALLS:** o Flight of the Angels, oferecido por várias operadoras locais, pode ser reservado pelo seu hotel, agência de safári ou qualquer operadora turística de Victoria Falls. *Quanto:* cerca de U$50 por pessoa. **COMO:** no Brasil, agência Mundus Travel (São Paulo). Tel. (11) 3262.4399; fax (11) 3262-4015; mundus@mundus.com.br; www.mundus.com.br. *Pacote:* 10 dias, vôo partindo de São Paulo, parte aérea e terrestre, hotel, traslado, guia, café da manhã. *Quanto:* U$3.400. **RAFTING:** nos Estados Unidos, entre em contato com Mountain Travel-Sobek. Tel. (1) 888-687-6235 e (1) 510-527-8100; fax: (1) 510-527-7710; info@mtsobek.com; www.mtsobek.com. *Quanto:* a partir de U$2.790 por pessoa, viagem de 9 dias, somente parte terrestre, tudo incluído. *Quando:* Saídas mensais. **MELHOR ÉPOCA:** Mar.–Mai. para ver as cataratas.

Na trilha do Dr. Livingstone

O VICTORIA FALLS HOTEL E A ILHA LIVINGSTONE

Victoria Falls, Zimbábue e Zâmbia

Quando foi inaugurado, em 1904, o Victoria Falls Hotel era um posto avançado da civilização britânica no meio do nada. Com o passar dos anos, surgiram muitos outros hotéis e hospedarias nas imediações das cataratas e também uma pequena cidade onde se vende todo tipo de souvenirs para turistas. Mas esse lindo e elegante hotel, hoje reformado, será sempre o grande fidalgo, um marco do período colonial que se seguiu à "descoberta" das cataratas pelo Dr. Livingstone, cuja presença, assim como a do explorador Henry Stanley, que o encontrou perdido na selva, ainda é percebida ali. Nenhuma das áreas do hotel proporciona vistas das cataratas, mas isso apenas aumenta sua aura de magia e mistério. Quem atravessa seus verdes terraços de exuberantes buganvílias e plumérias é atraído para fora desse abrigo de proporções humanas rumo aos estrondos e à força bruta das cataratas próximas. Os hóspedes desfrutam o luxo absoluto de poder visitá-las quantas vezes desejarem e em diferentes momentos do dia. Uma ida até lá durante o amanhecer é obrigatória, assim como o passeio à ilha Livingstone, onde esse explorador montou acampamento – fica a apenas 800m, mas a um país inteiro de distância, pois é preciso cruzar a fronteira com a Zâmbia.

Um barco faz o transporte a esse lugar classificado como Patrimônio da Humanidade, um grande pedaço de terra que divide as cataratas em duas. Não é permitida a construção de nenhuma estrutura permanente na ilha, onde nem sequer há eletricidade. Ainda assim, o visitante estará muito melhor acomodado do que o Dr. Livingstone, graças ao almoço de três pratos com direito à vista e a efeitos sonoros dos quais ele não se esquecerá tão cedo.

O QUE: hotel, ilha. **VICTORIA FALLS HOTEL:** tel. (263) 13-44761; fax (263) 13-44762; www.lhw.com/victoria. *Quanto*: duplos a partir de U$420. **ILHA LIVINGSTONE:** Zâmbia, 1km rio acima a partir de Victoria Falls. Na Zâmbia, entre em contato com a Tongabezi Lodge; tel. (260) 3-324-450; fax (260) 3-324-483; livingstoneisland@tongabezi.com. *Quanto*: almoço U$50. *Quando*: Jun.–Nov. **MELHOR ÉPOCA:** fim de Mar.–meados de Nov.

ORIENTE MÉDIO

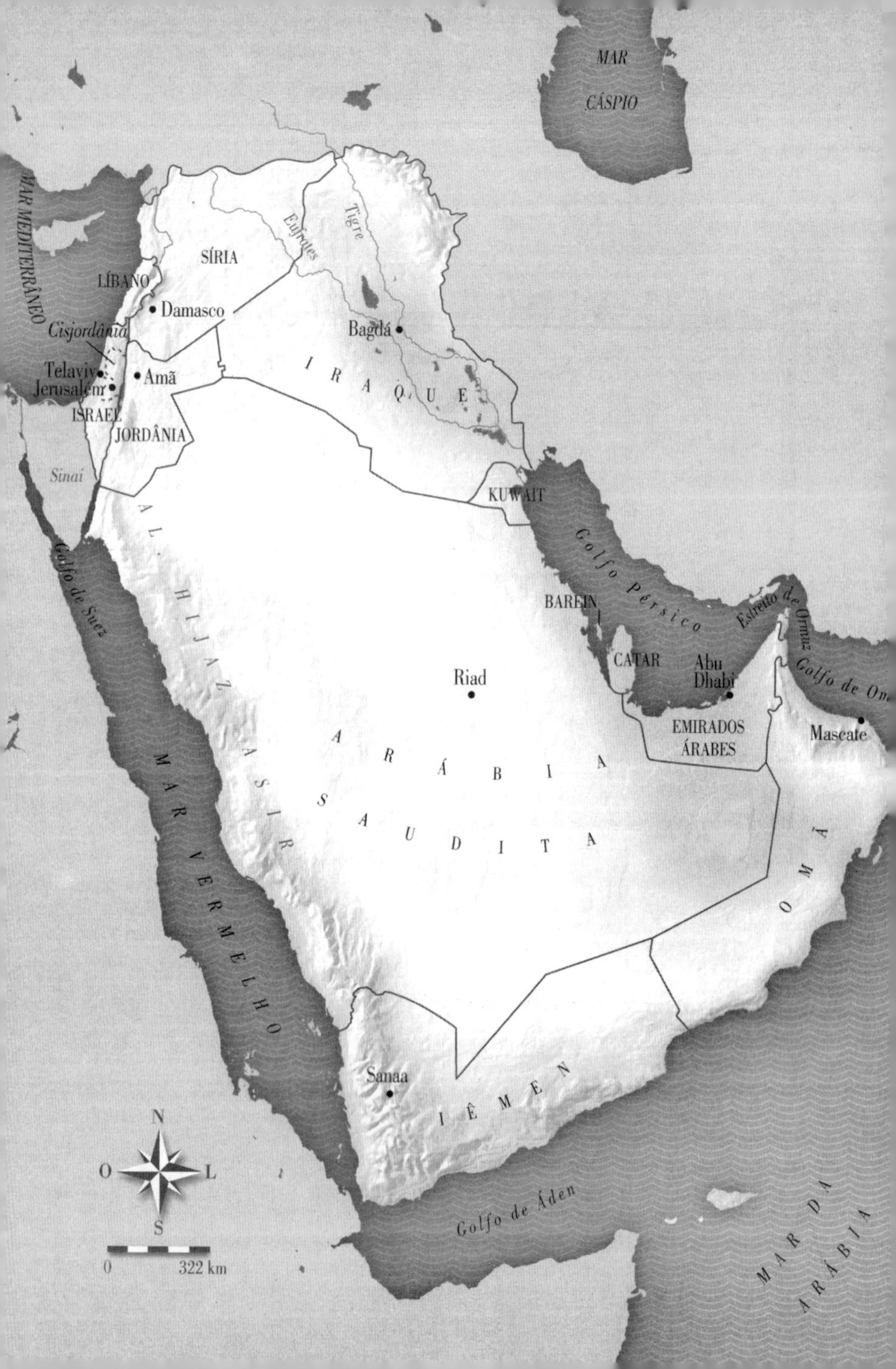
MAR CÁSPIO
MAR MEDITERRÂNEO
SÍRIA
LÍBANO
Damasco
Cisjordânia
Telaviv
Jerusalém
Amã
ISRAEL
JORDÂNIA
Sinai
Eufrates
Tigre
Bagdá
IRAQUE
KUWAIT
Golfo Pérsico
BAREIN
Estreito de Ormuz
CATAR
Abu Dhabi
Golfo de Om
Mascate
EMIRADOS ÁRABES
Riad
ARÁBIA SAUDITA
AL HIJAZ
ASIR
Golfo de Suez
MAR VERMELHO
OMÃ
Sanaa
IÊMEN
Golfo de Áden
MAR DA ARÁBIA
N
O
L
S
0
322 km

Lembranças eternas de dias de glória

MADA'IN SALEH

Arábia Saudita

Embora seja inevitável compará-la à cidade de pedras rosadas de Petra, na Jordânia, Mada'in Saleh, escavada em grandes afloramentos rochosos do deserto da Arábia, é ainda mais fascinante sob muitos aspectos. Menos conhecida e de acesso mais difícil, portanto menos visitada do que Petra, ela é célebre por seus túmulos, datados de 100 a.C. Suas pedras não têm um formato tão espetacular quanto as de Petra, mas elas são mais resistentes às intempéries e por isso seus túmulos estão em melhor estado de conservação. No entanto, a erosão provocou algumas formações bizarras, e camadas minerais multicoloridas são reveladas pela luz mutante do dia. Situada ao norte da região iemenita do Wadi Hadramaut, Mada'in Saleh era uma escala obrigatória na Rota do Incenso, por onde caravanas de mercadores transportavam o precioso olíbano e outras essências e especiarias até os portos mediterrâneos da Síria. Os dias de glória desse lugar, porém, tiveram curta duração (o último túmulo foi construído em 76 d.C.): os sempre engenhosos romanos passaram a levar seu incenso para o Egito em embarcações pelo mar Vermelho.

Qasr Al Farid é o maior túmulo de Mada'in Saleh.

O QUE: lugar. **ONDE:** 330km ao norte de Medina. **COMO:** excursões de ida e volta partindo de Medina podem ser organizadas pelo Medina Sheraton. Tel. (966) 4-846-0777; fax (966) 4-846-0385. **QUANTO:** U$3.465 por pessoa, pacote terrestre de 3 dias com tudo incluído. **QUANDO:** partidas semanais, durante todo o ano. **MELHOR ÉPOCA:** Set.–Abr.

Um portal para Meca que preserva sua história

CIDADE VELHA DE JIDÁ

Jidá, Arábia Saudita

A infindável torrente de muçulmanos a caminho de Meca, a cidade mais sagrada do Islã, há muito transformou Jidá, o portal do mar Vermelho, numa próspera metrópole. É a Roma saudita em termos de tráfego de

Os 106 cômodos da Casa Nassif abrigam hoje um centro cultural.

peregrinos e comércio. Ao contrário da maior parte do mundo árabe, Jidá conseguiu erguer-se em torno – e não em cima – de sua história. Na Cidade Velha de Jidá, onde os mercadores da Rota da Seda ainda se sentiriam em casa, as muralhas originais foram demolidas, embora os portões ainda estejam de pé. O restante permanece como área urbana preservada: muitas casas são feitas de coral extraído dos recifes do mar Vermelho – as mais notáveis, exibindo arquitetura tradicional de madeira talhada, pertenceram a clãs de mercadores que enriqueceram com o negócio proporcionado pela peregrinação. Hoje algumas dessas residências funcionam como museus, enquanto outras estão caindo aos pedaços porque seus bem-sucedidos proprietários se mudaram com as famílias para edifícios grandes e modernos. O *souq* (mercado de rua) da Cidade Velha é considerado o melhor dos que restaram na Arábia Saudita – quase todos os outros foram transformados em centros comerciais onde se vendem roupas e outros produtos ocidentais. Um lugar vibrante, o mercado de Jidá conserva boa parte de sua característica original.

O QUE: lugar. **ONDE:** no mar Vermelho, 71km a oeste de Meca.

O sheik da Arábia e sua torre de maravilhas

BURJ AL ARAB

Dubai, Emirados Árabes Unidos

Erguendo-se do golfo Pérsico sobre sua própria ilha artificial com um desenho que lembra a vela enfunada de um tradicional *dhow* (navio) árabe, o Burj Al Arab (Torre Árabe), de 56 pavimentos, é o hotel mais alto do mundo – além de uma bela homenagem à tradição marítima de Dubai. Os petrodólares financiaram os cinco anos de construção dessa maravilha de técnica e engenharia, que imediatamente após sua inauguração, em 1999, se tornou o ícone de Dubai, o mais progressista, agressivo e dinâmico dos sete Emirados Árabes Unidos – uma espécie de Hong Kong da Arábia com o senso estético de Miami e o brilho de Las Vegas. Concebido para deslumbrar e paparicar sheiks multimilionários e executivos internacionais exaustos, o Hotel Burj al Arab é um oásis de frescor inacreditavelmente luxuoso, meio James Bond, meio Hollywood dos bons tempos. A impressão de que se está no que pode haver de melhor começa no saguão do átrio – o mais alto do mundo, com 180m – e permanece até o embarque no sofisticado submarino que conduz ao restaurante de frutos do mar com paredes de vidro submerso no golfo. Mármores raros e multicoloridos, assim como 2.000m² de folhas de ouro de 22 quilates, embelezam esse símbolo da nova Arábia. Suas imensas suítes duplex (o único tipo de aposento para hóspedes oferecido pela casa) estão entre as maiores e mais requintadas do planeta e são equipadas com a mais moderna feitiçaria tecnológica – há até um mordomo privado para mostrar como tudo funciona. O ponto alto da suntuosidade são as duas Suítes Reais da cobertura, com 780m² – dois andares com cinema, salas de reunião, de jantar e de vestir, camas rotatórias e elevador privativo. Elas podem ser suas por apenas U$7.000 por noite.

O Que: hotel. **Onde:** Estrada da praia Jumeirah, 15 km ao sul de Dubai. Tel. (971) 4-301-7777; fax (971) 4-301-7000; info@jumeirahinternational.com; www.jumeirahinternational.com. *Quanto*: suíte dupla a partir de U$1.000. **Melhor Época:** Dez.–Mar., quando o calor é mais tolerável; manhãs de Sex. para as corridas de camelos.

Uma corrida ao ouro das Arábias

Mercado do Ouro

Dubai, Emirados Árabes Unidos

Você precisa ver esse lugar para acreditar. Até os mais empedernidos não-consumistas têm que visitar o Mercado do Ouro de Dubai como parte de sua experiência cultural, senão para um banho de loja. Provavelmente o maior de seu gênero em toda a Arábia – o que diz muito, considerando-se a tendência local para a compra de bugigangas –, esse estabelecimento se manteve mesmo depois que a maioria dos *souqs* (mercados de rua) se transformou em shopping centers. Até os mais experientes freqüentadores dos *souqs* do Oriente Médio se impressionam com seu tamanho e movimento. Ali, a maior parte das peças nem sempre é confeccionada para a mulher – algumas das mais elaboradas são feitas para homens, crianças e para a própria casa. Você encontrará ornamentos com todo tipo de forma e desenho, com pesos (e preços) que nunca parecem ser um problema.

Olhando as vitrines junto com os sheiks.

Dubai é o único dos sete emirados que enriqueceu com o comércio e não com o petróleo (embora a descoberta de fontes desse óleo natural na década de 1960 tenha acelerado a modernização do país, já em ritmo avançado). Levando em conta que a base do comércio local foi o contrabando de ouro, não surpreende que um capitalismo do tipo vale-tudo tenha florescido ali. E a boa notícia é que os preços são razoáveis.

O Que: lugar. **Onde:** Rua Sikkat Al-Khail, perto do Suq Deira. **Como:** nos Estados Unidos, a Worldview Travel organiza viagens a Dubai especialmente planejadas de acordo com seu interesse e orçamento. Tel. (1) 714-540-7400; fax (1) 714-979-6040; shahla@worldviewtravel.com.

A pérola do Iêmen: uma capital fora do tempo, fechada durante séculos aos estrangeiros

A VELHA SANAA

Sanaa, Iêmen

Embora outros lugares também reivindiquem o título de "a mais velha cidade habitada do mundo", Sanaa convence seus visitantes de que essa posição é realmente dela. O grande destaque da fascinante capital do Iêmen, supostamente fundada por um dos filhos de Noé, é sua parte mais antiga e sem influência européia – a Velha Sanaa. As casas de tijolos de barro extraordinariamente ornamentadas (acredita-se que algumas tenham mais de 400 anos) seguem um estilo vertical milenar, apresentando até cinco pavimentos. As janelas de vidro colorido e as fachadas escuras decoradas com gesso branco e brilhante dão ao lugar o aspecto de um bolo de noiva meio extravagante. As portas e venezianas são pintadas de azul, enquanto as janelas mais antigas são feitas de lâminas de alabastro finas como papel. Suas ruas estreitas parecem saídas das *Mil e uma noites*. Nos mais de 40 mercados cobertos do Suq al-Milh (Mercado Central), ainda se vendem olíbano e mirra, além de gafanhotos assados, tâmaras no espeto, tecidos bordados com lantejoulas e temperos que fazem da cozinha local uma das mais delicadamente deliciosas do Oriente Médio.

Todas as 106 mesquitas da cidade de Sanaa foram construídas antes do século XI.

O QUE: lugar. **ONDE FICAR:** o Taj Sheba, na Rua Ali Abdolmoghini, é o mais bem localizado dos hotéis de Sanaa, a 10 minutos de caminhada da parte antiga da cidade; seu restaurante Golden Oasis tem uma das melhores cozinhas iemenitas da capital. Tel. (967) 1-272-372; fax (967) 1-274-129; info@tajshebahotel.com; www.tajshebahotel.com. *Quanto*: duplos a partir de U$135 (baixa temporada) e U$175 (alta temporada). Jantar no Golden Peacock U$35. **MELHOR ÉPOCA:** Set.–Abr.

A Manhattan do deserto

SHIBAM

Wadi Hadramaut, Iêmen

A ancestral Rota do Incenso iemenita passava pelo Wadi Hadramaut, um oásis distante mas espetacular, de campos férteis e pomares emoldurados por áridos e desérticos platôs rochosos – o maior *wadi* (oásis) da península Arábica. Durante séculos a região prosperou com o comércio do olíbano – a mais valiosa mercadoria da época – e da mirra, que fez florescer as cidades situadas ao longo das rotas das caravanas. Em seu apogeu, Shibam foi a mais celebrada cidade árabe islâmica do Iêmen. Como castelos de areia gigantes, cerca de 500 edifícios de barro de até oito pavimentos se espremem em menos de $1km^2$. Embora a maioria deles date do século XVI, muitos são centenas de anos mais velhos. Graças a normas estritamente respeitadas que obrigam o uso de materiais tradicionais, o visitante estrangeiro mal consegue distinguir esses prédios dos que foram construídos há apenas 50 ou 100 anos.

A muralha que cerca Shibam foi feita com o mesmo tipo de tijolo de barro cozido empregado na construção dos edifícios. Acredita-se que a cidade, capital do Wadi Hadramaut desde o século III d.C., tenha hoje mais ou menos o mesmo aspecto que apresentava em 1500, com vielas sombreadas freqüentadas por mulheres de véus negros e chapéus de palha altos, como os das bruxas. As opções de hospedagem em Shibam limitam-se ao pequeno, simples e agradável Shibam Guest House. A maioria dos visitantes faz questão de ir a Say'un, a maior cidade do vale. Suas mesquitas e minaretes, alguns dos mais belos do Iêmen, justificam plenamente a visita.

O QUE: cidade. **ONDE:** 1 hora de vôo e mais de 30 minutos de carro a partir de Sanaa ou 6 horas de carro. **COMO:** em Sanaa, a Universal Touring Company é especializada em excursões planejadas ao Wadi Hadramaut. Tel. (967) 1-272-861/2/3; fax (967) 1-272-134 e (967) 1-275-384; tourism@y.net.ye. **MELHOR ÉPOCA:** Mar. e Out.

Eterna tradição numa cidade bíblica

NATAL EM BELÉM

Territórios Palestinos

A esperança de paz é eterna em Belém, uma cidade árabe cristã localizada num vale onde a instabilidade é permanente. Embora hoje esteja dominada pelo comércio, por muito tempo ela foi para os cristãos a suprema experiência de vida na noite de Natal, quando corais internacionais enchiam a Praça Manger, e a emoção de estar na cidade em que Jesus nasceu emocionava os fiéis. Peregrinos são atraídos para esse lugar há mais de 16 séculos, desde que, em 326 d.C., a rainha Helena, mãe do imperador romano Constantino, o Grande encontrou a gruta onde Cristo nasceu, agora marcada por uma estrela de prata de 14 pontas. A Igreja da Natividade, concluída em 333 d.C., a mais antiga da Terra Santa e um dos lugares mais sagrados do cristianismo, é compartilhada por três Igrejas: a Ortodoxa Grega, a Católica e a Católica Armênia. A Igreja de Santa Catarina, ao lado, é mantida sob os auspícios da Ordem Franciscana da Igreja Católica Romana. Em épocas menos turbulentas, as cerimônias religiosas eram realizadas tradicionalmente nos dias 24 e 25 de dezembro para os católicos, 7 de janeiro para os gregos ortodoxos e 19 de janeiro para os armênios (no caso destes últimos, com ligeiras variações anuais de acordo com o calendário). Após a missa especial da noite de 24 de dezembro, os fiéis lotavam a Praça Manger para ouvir uma execução ao vivo de *Jingle Bells* (Toca o sino) e canções de Natal – em árabe.

O QUE: lugar, evento. **ONDE:** 10km a oeste de Jerusalém. **COMO:** entre em contato com o Departamento de Peregrinos Franciscanos (fala-se inglês), Porta de Jafa, Jerusalém, com a maior antecedência possível, para obter informações sobre a programação das atividades de Natal. Tel. (972) 2-627-2697; fax (972) 2-628-6417.

Obs.: As tensões na região podem causar a suspensão temporária dessas celebrações.

Banhos de lama e de imersão para curar todos os males

O Mar Morto

En-gedi, Israel

Assim como os passeios de gôndola em Veneza e as excursões à Grande Pirâmide de Gizé, o mergulho nessas águas em que tudo flutua e o banho de lama que vem depois são perfeitos clichês de viagem. E por isso mesmo devem ser aproveitados. O mar Morto, localizado 315m abaixo do nível do mar, é o ponto mais baixo da superfície terrestre e suas águas são as que contêm a maior concentração de sal em todo o mundo – sete vezes mais do que as do Mediterrâneo. Portanto, junte-se aos turistas e flutue sobre elas como uma rolha humana enquanto lê seu jornal. A lama do mar Morto faz parte do tratamento de rejuvenescimento e beleza da Terra Santa desde os tempos da rainha de Sabá (sabe-se que Cleópatra também foi até lá com esse propósito). A riqueza mineral e as fontes termais da região criaram um fabuloso tesouro de instalações de spa dentro e ao redor do kibutz litorâneo de En-gedi, um oásis verde e florido situado na encosta de um penhasco vermelho no deserto. Durante anos, a pousada do kibutz foi a única opção de hospedagem na região, que hoje conta com empreendimentos mais recentes, como o luxuoso Hyatt Regency. Os supermodernos serviços de spa do Hyatt incluem tratamentos faciais, banhos de lama e massagens com cristais de sal do mar Morto misturados a essências e óleos ancestrais.

O Que: lugar, hotel. **En-gedi:** 1 hora de carro a leste de Jerusalém. **Hyatt Regency:** a 30km de En-gedi. Tel. (972) 8-659-1234; fax (972) 8-659-1235; www.hyatt.com. *Quanto*: duplos a partir de U$185. Tratamentos do spa têm preços à parte.

Vitrine da história, antropologia, arte e cultura nacionais

Museu de Israel

Jerusalém, Israel

Mesmo que você não tenha tempo para uma visita demorada, um giro pelos 8ha do Museu de Israel lhe dará uma idéia do filão principal da história e do patrimônio cultural do país. Extraordinário exemplo da arquitetura israelense moderna, o complexo, inaugurado em 1965, abriga a mais completa coleção mundial de artefatos judaicos, com destaque para as culturas asquenaze e sefardim. Interiores de sinagogas centenárias da Alemanha, Itália e, mais recentemente, da Índia foram desmontados e reconstruídos ali. O Santuário do Livro é o repositório subterrâneo dos fascinantes Pergaminhos do Mar Morto, do século I a.C. Sua cúpula branca em forma de cebola foi concebida para assemelhar-se às tampas dos vasos de cerâmica que continham os pergaminhos descobertos em 1947 por um pastor de cabras. O setor de arqueologia guarda uma imensa coleção de objetos importantes encontrados em todo o país. O Jardim de Esculturas Billy Rose, de 8ha, ostenta a mais interessante das várias exposições a céu aberto. Projeto paisagístico do artista nipo-americano Isamu Noguchi, esse espaço abriga esculturas clássicas e modernas de renomados artistas israelenses e internacionais e também de autores menos conhecidos.

O QUE: lugar. **ONDE:** Rua Ruppin, ao sul do Knesset (parlamento israelense). Tel. (972) 2-670-8811; fax (972) 2-563-1833; www.imj.org.il. **QUANTO:** U$8. **QUANDO:** Seg.–Sáb.

O preferido dos reis e presidentes

KING DAVID HOTEL

Jerusalém, Israel

Símbolo de uma época passada, o venerável King David Hotel já foi comparado ao Savoy de Londres e ao Raffles de Cingapura por sua qualidade, estilo e tradição de grandeza. A ampla e magnífica vista da Cidade Velha de Jerusalém que se tem a partir de seus jardins e terraço e seu imperdível bufê do café da manhã são apenas dois dos muitos atributos que asseguram a esse marco de Israel a posição de hotel mais bem cotado do país. Seja para terminar o dia extasiado com a suave luz alaranjada do pôr-do-sol nessa cidade que é uma das mais extraordinárias do mundo, seja para começá-lo com os cerca de 100 deliciosos itens do merecidamente célebre café da manhã sabra, não há lugar como o King David. O ambiente e a história desse hotel – construído na década de 1930, época do Mandato Britânico –, assim como sua notável lista de hóspedes famosos, conseguiram sobreviver a uma recente revitalização conduzida pelo arquiteto Adam Tihany, de tendências teatrais. Nem que seja só pelo tempo de se recuperar do café da manhã, vale a pena instalar-se num canto qualquer do imponente saguão no estilo egípcio para apreciar a paisagem humana.

O QUE: hotel. **ONDE:** Rua King David, 23. Tel. (972) 2-620-8888; fax (972) 2-620-8880. **QUANTO:** duplos a partir de U$248 (baixa temporada) e a partir de U$400 (alta temporada). Bufê de café da manhã para não-hóspedes U$25. **MELHOR ÉPOCA:** Abr.–Set.

No King David Hotel são realizados muitos jantares oficiais e recepções de Estado.

Amanhecer e heroísmo numa lendária fortaleza nas montanhas

MASADA

Israel

Situada num platô de encostas íngremes em meio ao deserto, a intimidante fortaleza rochosa de Masada está num cenário tão ermo e impressionante quanto o de uma paisagem lunar. Construídos por Herodes, o Grande 440m

As escavações de Masada ajudaram os arqueólogos a reconstituir a batalha entre romanos e judeus.

acima do nível do mar Morto e praticamente abandonados após a sua morte, o complexo do palácio e a fortificação tornaram-se o bastião dos combatentes judeus na batalha contra o exército romano em 73 d.C. Ali, durante três anos, 967 judeus – homens, mulheres e crianças – enfrentaram os sitiantes romanos. Quando ficou claro que seriam derrotados pelos mais de 15.000 soldados acampados na base da montanha, eles cometeram suicídio em massa.

Subir a montanha a pé ao menos uma vez na vida para celebrar um dos mais trágicos e heróicos episódios da história judaica é uma verdadeira tradição nacional. Além disso, Masada é um belo local para se apreciar o amanhecer. Se você pretende seguir por uma das duas trilhas, uma providência indispensável para vencer o calor do deserto é chegar o mais cedo possível – será uma excelente ocasião para ver o sol levitando sobre o Jordão e o mar Morto. A descida pode ser feita pelo teleférico. O espetáculo noturno de som e luzes ao pé da montanha é tão maravilhoso quanto se imagina.

O QUE: lugar, experiência. **ONDE:** a 1 hora e 30 minutos de carro de Jerusalém e a 2 horas e 30 minutos de Telaviv. Tel. (972) 7-6508-4207/8. O teleférico custa cerca de U$10; ingresso U$4. **MELHOR ÉPOCA:** Abr.–Set.

O centro espiritual do planeta: lugares sagrados e monumentos ancestrais

A CIDADE VELHA

Jerusalém, Israel

Para muitos visitantes, a Cidade Velha é Jerusalém, repositório de mais de 4.000 anos de experiência humana. Para as três grandes religiões do mundo ocidental – judaísmo, cristianismo e islamismo –, ela é uma das cidades mais sagradas que existem. O acesso à Cidade Velha se dá pelas oito portas fortificadas que pontilham os imponentes muros construídos sobre as ruínas romanas por Solimão I, o Magnífico no século XVI. As duas mais importantes, a de Jafa e a de Damasco, conduzem ao labirinto de vielas dos quatro distritos étnicos, com seus mercados, imagens, sons e odores: o bairro muçulmano (o maior e mais característico), o bairro cristão, o bairro armênio e o bairro judeu. Ali, no coração da Velha Jerusalém, embora não existam fronteiras físicas, é fácil perceber as divisões entre os bairros.

Muitos dos principais pontos históricos estão praticamente uns sobre os outros. A magnífica Mesquita de El-Aksa, com sua cúpula prateada, é o maior e mais importante local de culto do islamismo depois de Meca e Medina, na Arábia Saudita. O monte do Templo, venerado pelos muçulmanos (o bíblico monte Moriá), é marcado pelo Domo da Rocha, uma mesquita com cúpula de ouro 24 quilates erguida por volta de 690 d.C. no lugar onde se diz que o profeta Maomé subiu ao céu num cavalo alado. O monte é também sagrado para os judeus como o local onde Abraão foi chamado por Deus a sacrificar seu próprio filho (Isaac para os judeus e cristãos, Ismael para os muçulmanos). Acredita-se que ali também tenham sido construídos os altares do Primeiro e do Segundo Templos Judeus destruídos por invasores. Nas imediações está o muro Ocidental (mais conhecido como muro das Lamentações), último remanescente das muralhas que envolviam e sustentavam o monte do Templo e o mais sagrado lugar de oração dos judeus – que ficaram impedidos de ir até lá de 1949 a 1967, quando a área esteve sob controle jordaniano. Procure estar presente na sexta-feira ao pôr-do-sol, ocasião em que os judeus ortodoxos celebram o sabá com orações, cantos e danças, criando uma verdadeira sinagoga a céu aberto. Todo ano, milhares de peregrinos cristãos seguem a Via Dolorosa, percorrendo as Estações do caminho pelo qual se acredita que Cristo tenha carregado a própria cruz. A Igreja do Santo Sepulcro, no alto do monte Calvário (o bíblico Gólgota), é o lugar mais sagrado da cristandade, onde se deu a crucificação, o sepultamento e a ressurreição de Jesus.

Depois de um dia inteiro perambulando pelo labiríntico mercado do bairro cristão, impregnado do cheiro de temperos e dos *shashlik* (espetinhos de carne), não há descanso melhor do que se sentar numa das mesas do Abu Shukri para uma prova do seu homus. Em Israel sempre se começa a refeição com homus (grão-de-bico amassado com tahine, azeite e suco de limão), uma pasta simples e deliciosa da qual as pessoas nunca se cansam. Depois de limpar o prato com pão árabe quentinho (leve seu próprio guardanapo), você entenderá por quê. A nova cozinha israelense pode estar pronta para decolar, mas a comida de rua árabe é, há milhares de anos, a favorita do Oriente Médio. Os melhores pratos são os *mezes*, ou petiscos, que invariavelmente incluem o célebre homus.

O Domo da Rocha cintila por dentro e por fora com seu ouro, sua caligrafia e seus magníficos mosaicos.

O QUE: lugar, restaurante. **CIDADE VELHA:** a 90 minutos de Telaviv, em uma pitoresca viagem de trem. **ABU SHUKRI:** Rua Al-Wad, 63, Cidade Velha, perto da 5.ª Estação da Cruz, na Via Dolorosa. Tel. (972) 2-627-1538. *Quanto*: homus U$3, refeição completa U$5. **MELHOR ÉPOCA:** Abr.–Set.

Excursões a cavalo pelos campos floridos da Galiléia

VERED HAGALIL

Galiléia, Israel

A Galiléia é a parte mais fértil de Israel, uma região historicamente rica em colinas onduladas cobertas por um oceano de flores silvestres e árvores em flor nos meses de fevereiro e março. Excursões a cavalo por suas trilhas ancentrais são a melhor maneira de explorar o terreno agreste e irregular, onde a iniciativa humana criou uma colcha de retalhos de laranjais, pomares e vinhas. Numa pitoresca serrania com ampla vista para as águas doces e azuis do mar da Galiléia e para as colinas de Golã mais além, localiza-se Vered Hagalil, a fazenda de Yehuda e Yonah Avni. Seus 20 cavalos árabes e quartos de milha podem ser alugados por hora ou por dia para passeios guiados. Há também pacotes semanais para excursões ao redor do lago em forma de harpa e pelas montanhas até lugares bíblicos, como Nazaré e o monte das Beatitudes, onde se pode pernoitar num kibutz, num vilarejo árabe ou em casas de amigos dos Avni. Embora Vered Hagalil seja a mais bem organizada operadora de excursões a cavalo de Israel, nem todo mundo vai a essa região por causa desses animais. (Outras opções são os passeios de jipe e, para os verdadeiramente sedentários, o ócio ao redor da piscina.) A maioria dos hóspedes procura estar de volta a tempo de saborear as refeições caseiras, uma eclética mistura das cozinhas do Oriente Médio e dos Estados Unidos. Três gerações da simpática família Avni, ajudadas por funcionários jovens e simpáticos, dão a essa produtiva fazenda um espírito hospitaleiro e descontraído impregnado de um sincero amor pela Galiléia. É um lado de Israel a que os turistas de pacotes de viagem raramente têm acesso.

Cavalgando em paisagens agrestes entre ruínas ancestrais.

O QUE: lugar, hotel, experiência. **ONDE:** a 5km do litoral noroeste do mar da Galiléia, a 161km de Telaviv e a 87km de Haifa. Tel. (972) 4-693-5785; fax (972) 4-693-4964; vered@veredhagalil.co.il; www.veredhagalil.co.il. **QUANTO:** duplos a partir de U$102 (dias de semana); mínimo de 2 noites nos fins de semana. U$23 por 1 hora de cavalgada pelas trilhas; dia inteiro (almoço incluído) U$135. **MELHOR ÉPOCA:** Fev.–Jun. e Out.–Dez.

Esplêndidos vestígios de uma época de ouro

Jarash

Jordânia

Considerada por muitas pessoas a mais bem preservada cidade provinciana romana do Oriente Médio – se não do mundo –, Jarash (antiga Gerasa) é uma obra-prima arqueológica emoldurada pelas férteis colinas de Galaad.

Fundada pelos soldados de Alexandre, o Grande no século IV a.C., ela se juntou às ricas e cosmopolitas cidades da Decápole Romana e atingiu o apogeu por volta de 150 d.C. Sua prosperidade, baseada no comércio de caravanas, agricultura e mineração, permitia aos cidadãos gastar prodigamente na construção de esplêndidos edifícios num característico estilo "barroco oriental". O notável conjunto de 15 templos da cidade data dos séculos imediatamente seguintes à sua idade de ouro nos séculos II e III d.C. Entre as ruínas romanas mais significativas estão um arco de triunfo, um incomum fórum oval, um estádio, uma fonte monumental, banhos frios e quentes e numerosos templos. Uma larga rua com colunata conduz ao seu mais esplêndido monumento: o Templo de Diana, padroeira de Jarash, que ainda domina o centro da cidade. Se você programar sua viagem para julho ou agosto, terá a oportunidade de assistir ao Festival de Jarash, de três semanas de duração, quando espetáculos de música, dança e teatro são apresentados em palcos a céu aberto que vêm resistindo aos séculos, como o Fórum e o Teatro do Sul.

O QUE: lugar. **ONDE:** 48km ao norte de Amã. **COMO:** no Brasil, agência Ortega Tour (São Paulo). Tel. (11) 3214-5556; fax (11) 3214-5530; sortega@uol.com.br; www.ortegatour.com.br. Pacote Pelos Caminhos de Moisés (Egito, Jordânia e Israel): 18 dias, vôo partindo de São Paulo (passagens aéreas incluídas), traslados, guia, café da manhã e jantar. *Quando*: saídas mensais. *Quanto*: U$3.090. **MELHOR ÉPOCA:** Mar.–Jun., Jul e Ago. para o Festival de Jarash, e Set.–Nov.

Uma cidade quase tão velha quanto o próprio tempo

Petra

Jordânia

Na cidade rosa-avermelhada de Petra, uma das maravilhas do mundo antigo, algumas partes estão milagrosamente preservadas enquanto outras foram erodidas e esculpidas pelas intempéries e inundações. Até ser "redescoberta" pelo explorador suíço Johann Ludwig Burckhardt em 1812, Petra ficou esquecida durante séculos. Para chegar lá, é preciso seguir a pé pelo desfiladeiro Siq, um caminho sinuoso cuja largura às vezes não ultrapassa 1,80m, entre paredões de rocha com altura equivalente à de um edifício de quatro andares. No fim dessa estrada quase sobre-

Acredita-se que o Túmulo do Palácio tenha sido inspirado num palácio romano.

natural de 1,6km de extensão, uma fenda revela a visão mágica do Khaznah, ou Tesouro, um imenso templo de estilo clássico grego talhado na face de um penhasco de 40m de altura. Datado de 56 a.C., o Khaznah é uma das mais bem preservadas maravilhas dessa cidade cujo nome, é claro, significa pedra – um ancestral bastião e próspero centro comercial cujos habitantes escavavam casas, templos e túmulos, com fachadas esmeradamente elaboradas, e até colunatas, nas paredes naturais do cânion. Seus 5,2km² são tão notáveis pelo número e variedade dos monumentos talhados na pedra quando pela miríade de tonalidades de rocha e pelos jogos de luz criados pelo sol do deserto em sua passagem pelo céu.

É quase impossível apreciar essa extraordinária cidade nos momentos ideais – o amanhecer e o pôr-do-sol –, a menos que você se hospede no Hotel Taybet Zaman, que mais parece uma miragem, na antiga estrada para Ácaba. Criado como uma aldeia de beduínos, esse complexo, depois de parcialmente destruído por um terremoto e abandonado, foi transformado numa acolhedora estalagem do deserto sob o patrocínio da então rainha Noor da Jordânia, mantendo intactos seu caráter e seu charme. Seus originais bangalôs de pedra são decorados com gravuras e tapetes de fabricação local, a arquitetura e os jardins evocam a simplicidade de um oásis, enquanto na confeitaria e no restaurante simpáticos funcionários servem especialidades locais com a tradicional hospitalidade árabe.

O QUE: lugar, hotel. **PETRA:** a 3 horas de carro de Amã. **HOTEL TAYBET ZAMAN:** a 8km de Petra, no Wadi Moussa. Tel. (962) 3-215-0111; fax (962) 3-215-0101. *Quanto*: duplos U$150. **COMO:** no Brasil, agência Ortega Tour (São Paulo). Tel. (11) 3214-5556; fax (11) 3214-5530; sortega@uol.com.br; www.ortegatour.com.br. Pacote Pelos Caminhos de Moisés (Egito, Jordânia e Israel): 18 dias, vôo partindo de São Paulo (passagens aéreas incluídas), traslados, guia, café da manhã e jantar. *Quando*: saídas mensais. *Quanto*: U$3.090. **MELHOR ÉPOCA:** Mar.–Mai, Set.–Nov. e sempre que o sol do fim da tarde torna a cidade intensamente cor-de-rosa.

Um país muito antigo, um novo destino

AL BUSTAN PALACE HOTEL

Mascate, Omã

Sempre presente na lista dos melhores hotéis do Oriente Médio, o Al Bustan Palace é igualmente prestigiado por magnatas do petróleo acostumados a ser tratados como sheiks e por viajantes ocidentais que gostariam de sê-lo.

No sultanato de Omã, país herdeiro de uma rica tradição de hospitalidade só recentemente aberto à influência estrangeira, o casamento do espírito romântico da Arábia com a eficiência ocidental é perfeito: uma harmonia fascinante, difícil de alcançar num lugar tão encantado por suas tradições quanto por sua nascente riqueza baseada no petróleo. *Bustan* significa "jardim", e há mais de 80ha deles nesse hotel – um oásis criado pela realeza para seu próprio deleite. Construído em 1985 para sediar uma reunião de cúpula dos países do golfo Pérsico, o Al Bustan era o sonho do chefe da nação, o sultão Qaboos bin Said. Tendo as montanhas como pano de fundo num cenário espetacular, o hotel conta também com uma enseada própria no golfo de Omã. Em seu interior destacam-se o magnífico saguão de linhas islâmicas e a elegante arquitetura omani na sua forma mais suntuosa. Fique pelo menos para o chá do fim do dia. Os mais abonados podem pedir a Suíte Árabe para experimentar a vida de emir.

A enseada particular do hotel.

O QUE: hotel. **ONDE:** a 10km do centro comercial de Mascate. Tel. (968) 799-666; fax (968) 799-600; albustan@interconti.com; www.interconti.com. **QUANTO:** duplos com vista para o mar U$366; Suíte Árabe U$513. **MELHOR ÉPOCA:** Out–Abr.

Sentinelas do passado

ROTA DOS ANTIGOS FORTES

Mascate, Omã

Muitos dos fortes de Omã são remanescentes do período 1507-1650, quando os portugueses controlavam Mascate (desde o nascimento do Islã, um porto rico e próspero) e seus 1.600km de litoral, no vértice da península Arábica. Os fortes erguidos pelos omanis antes e depois dessa época (em que seu domínio se estendeu de Zanzibar ao Paquistão) têm características árabes com influência persa. Muitos eram combinações de residência real e sede de governo, às vezes contendo uma mesquita e uma escola ou prisão. Os fortes são uma parte tão significativa do patrimônio histórico e cultural de Omã que a influência de sua imagem pode ser percebida em toda parte – no design dos edifícios contemporâneos e até nas cabines de telefone público de Mascate, a capital do sultanato. Observando-se o caminho desde o aeroporto se vêem os fortes gêmeos de Jalali e Merani, construídos pelos portugueses para proteger as ancestrais rotas de comércio de caravanas e rechaçar as potências estrangeiras que farejavam lucros no golfo de Omã. Os portugueses nunca conseguiram penetrar no interior do país em razão da hostilidade dos omanis e da barreira de montanhas.

O QUE: lugar. **COMO:** em Mascate, a Heide Beal Tours organiza excursões especialmente planejadas a fortalezas e outros lugares. Tel. (968) 795-206; fax (968) 799-928; office@heide-beal-tours.com; www.heide-beal-tours.com. **QUANTO:** excursões de 1 dia de duração, cerca de U$300. **MELHOR ÉPOCA:** Out.–Abr.

O mais antigo shopping center do mundo

Os Mercados Cobertos de Aleppo

Síria

Desde os tempos de Roma, Aleppo é um grande centro comercial situado entre a Ásia e o Mediterrâneo, onde um grande número de europeus negocia nos bazares locais. Uma inesgotável energia comercial e um vago espírito europeu subsistem nos fabulosos labirintos dos mercados cobertos da cidade. Esse talvez seja um dos melhores lugares do Oriente Médio para se ter uma idéia de como era exuberante a vida dos bazares em épocas passadas. Nos *souqs* (mercados de rua) desse ancestral entroncamento ainda se vendem canela, açafrão, cominho, coentro, carcaças de caprinos e ovinos, castanha assada e o delicioso pistache, que há séculos faz a fama de Aleppo. Sob uma abóbada de pedra construída pelos otomanos estão cerca de 36km lineares de passagens cobertas, onde se ouve o forte burburinho dos diálogos e das transações comerciais entre árabes, curdos, armênios, turcos e iranianos. Quando o Expresso Oriente fazia sua parada final em Aleppo, só havia um lugar para se ficar: o Baron Hotel, inaugurado em 1909. Seu terraço ainda é um excelente local para recarregar as baterias após uma movimentada manhã no mais antigo shopping center do mundo. Era exatamente o que fazia sua ilustre clientela – a conta não paga de Lawrence da Arábia ainda é exibida no saguão.

O Que: lugar, hotel. **Baron Hotel:** Rua Baron, perto da Rua Yarmouk. Tel. (963) 212-210-880; fax (963) 212-218-164; hotelbaron@mail.sy. *Quanto*: duplos a partir de U$40. **Melhor Época:** Mar.–Mai., Ago.–Nov.

Um solitário bastião cruzado que nem o tempo consegue vencer

Krak des Chevaliers

Síria

Em 1909, quando tinha apenas 20 anos de idade – antes, portanto, de se tornar Lawrence da Arábia –, T. E. Lawrence visitou dezenas de castelos cruzados da Terra Santa e assim descreveu o Krak des Chevaliers: "O castelo mais bonito do mundo. Com certeza, o mais pitoresco que já vi – simplesmente maravilhoso." Dominando uma vasta planície tal qual um imenso navio de guerra solitariamente posicionado sobre um impenetrável contraforte montanhoso, o Krak continua sendo um dos mais bem preservados castelos medievais do mundo e também o mais extraordinário. A maior parte dele foi construída e ampliada pelos Cavaleiros de São João a partir de 1144 d.C. O lugar escolhido foi o trecho onde há a única interrupção significativa da cadeia de montanhas que se estende da Turquia ao Líbano, sobre uma antiga rota de caravanas entre Damasco e o interior da Síria. Protegido por 13 torres de atalaia e um fosso, esse poderoso bastião amuralhado jamais foi penetrado. Diz-se que, ao se depararem com a fortaleza, dois dos mais extraordinários guerreiros da época (um deles o cortês porém temido Saladino) se retiraram sem atacá-la. No começo do século XIX, o explorador suíço Johann Ludwig Burckhardt, que mais tarde descobriria Petra e Abu Simbel, afirmou que o Krak des Chevaliers era uma das mais belas construções medievais que já vira. Seu estado de conservação é notável, graças a modestos projetos de restauração realizados pelos franceses em 1936.

O QUE: lugar. **ONDE:** viagem longa, de 1 dia, partindo de Damasco em direção a Aleppo. **QUANTO:** ingresso. **MELHOR ÉPOCA:** primavera e outono.

Uma jóia da arquitetura islâmica

MESQUITA UMAYYAD

Damasco, Síria

Perder-se nas ruelas da Cidade Velha é razão suficiente para passar alguns dias em Damasco. Dominando esse pitoresco bairro de quiosques e ruas cobertas está a imponente Mesquita Ummayad, um dos mais extraordinários monumentos arquitetônicos do Islã – um exótico e fascinante microcosmo da Síria, lugar sagrado de culto para homens em trajes típicos, executivos em trânsito entre reuniões e mulheres cujos véus podem esconder a última moda européia. Forte candidata ao título de "a mais antiga cidade continuamente habitada do mundo", Damasco tem uma história que remonta ao terceiro milênio a.C. – descoberta realizada graças a escavações no pátio da mesquita. Numa perspectiva mais contemporânea, seu pátio coberto de mármore é o lugar mais agradável para quem quer se refugiar do calor e da agitação da cidade. No passado, ali existiu a Basílica de São João Batista (acredita-se que a cabeça do santo esteja enterrada no santuário) até a chegada dos muçulmanos em 636. É o local ideal para um momento de silêncio e reflexão depois de horas vagando pelo Souq al-Hamadiyyeh, o principal mercado de rua da cidade, lugar perfeito para uma viagem no tempo.

O QUE: lugar. **ONDE:** turistas de ambos os sexos são convidados a entrar na mesquita pelo portão do muro norte em Bab al'Amarah.

A rainha do deserto

PALMYRA

Síria

Mesmo que você já tenha visitado lugares históricos suficientes para a vida inteira, Palmyra (Cidade das Palmeiras) irá surpreendê-lo. "Ela é linda, fantástica, inacreditável", entusiasmou-se Agatha Christie, que

Rua com colunata em Palmyra.

escreveu o livro de crônicas *Desenterrando o passado* quando morava na Síria. Palmyra é mencionada nos registros históricos desde o século XIX a.C., época em que era conhecida como Tadmor. Fonte de água essencial da Rota da Seda e elo vital entre o Mediterrâneo e a China, ela se tornou fabulosamente rica cobrando pesadas taxas de caravanas que transportavam cargas valiosas em seu trajeto de ida e volta para o golfo Pérsico e além. As incomparáveis ruínas que se estendem pelos 40,5ha do sítio arqueológico datam de seu apogeu no século II d.C., quando, com uma população de 200.000 habitantes, era uma próspera cidade que imitava a grandiosidade de Roma. Desde o início das escavações, em 1924, o Templo de Baal (c. 32 d.C.) e o anfiteatro foram parcialmente reconstruídos. A Grande Colunata, rua principal e espinha dorsal de Palmyra, de quase 1.600m de comprimento, é orlada com cerca de 300 colunas. Ali um museu abriga uma excelente coleção de artefatos, mosaicos e estatuária encontrados no local. A beleza natural de Palmyra destaca-se pela quase inexistência de edifícios modernos.

O Que: lugar. **Onde:** a 217km de Damasco. **Como:** a Wilderness Travel organiza excursões à Síria e Jordânia em Abr. e Out. Nos Estados Unidos, tel. (1) 800-368-2794 e (1) 510-558-2488; fax (1) 510-558-2489; info@wildernesstravel.com; www.wildernesstravel.com. **Quanto:** pacote terrestre de 17 dias, com tudo incluído, a partir de U$3.695 por pessoa. **Melhor Época:** Mar.–Nov. e fim de Dez.–começo de Jan.

ÁSIA

Leste da Ásia

Ásia Meridional e Central

Sudeste Asiático

MAR DE OKHOTSK
O
L
N
S
0
966 km
MAR NEGRO
CÁUCASO
Ancara
TURQUIA
MAR CÁSPIO
Ural
MAR DE ARAL
Astana
CAZAQUISTÃO
Planície da Manchúria
Ulan Bator
MONGÓLIA
Deserto de Gobi
MAR DO JAPÃO
JAPÃO
Tóquio
Pyongyang
Seul
Pequim
Tashkent
Teerã
IRÃ
Cabul
AFEGANISTÃO
Islamabad
PAQUISTÃO
C H I N A
Huang He
PLANALTO TIBETANO
HIMALAIA
Mekong
Chang Jiang
CORÉIA DO SUL
MAR AMARELO
OCEANO PACÍFICO
Nova Délhi
NEPAL
Katmandu
Mte. Everest
Ganges
Taipé
TAIWAN
Hong Kong
MAR DA ARÁBIA
ÍNDIA
Hanói
MIANMAR
LAOS
Vientiane
MAR DA CHINA MERIDIONAL
Manila
MAR DAS FILIPINAS
FILIPINAS
Golfo de Bengala
BANGLADESH
Yangum
TAILÂNDIA
Bangcoc
VIETNÃ
Phnom Penh
OCEANO ÍNDICO
Colombo
SRI LANKA
BRUNEI
MALÁSIA
Kuala Lumpur
CINGAPURA
Equador
Irian Jaya
Sulawesi
Bornéu
Sumatra
INDONÉSIA
1 GEÓRGIA
2 ARMÊNIA
3 ARZEBAIDJÃO
4 TURCOMENISTÃO
5 UZBEQUISTÃO
6 QUIRGUISTÃO
7 TADJIQUISTÃO
8 BUTÃO
9 CAMBOJA
10 CORÉIA DO NORTE

LESTE DA ÁSIA

Do modesto ao teatral

Os Restaurantes Clássicos de Pequim

Província de Pequim, China

Sair de Pequim sem provar o pato à Pequim equivale a visitar Florença e não comer a bistecca alla fiorentina. Não deixe de ir ao restaurante Quanjude, um dos mais antigos e populares do lugar (fundado em 1864) para experimentar as maravilhas da culinária chinesa. O ritual secular começa nas fazendas especiais das cercanias da cidade, onde os patos de Pequim, de penas brancas, são engordados à base de grãos e feijão de soja. Assim que chegam à cozinha, são postos para secar e depois laqueados com melaço, enchidos com ar, pendurados em ganchos e assados lentamente em fogo aberto – processo que os clientes podem acompanhar através de uma parede de vidro. O pato é servido de modo cerimonioso, por partes – começando pela carne gorda desossada e pela pele tostada com acompanhamento de cebolinhas, molho de ameixa e crepes. O visitante se sente muito orgulhoso de si mesmo por ter se arriscado a deixar a segurança e a familiaridade do restaurante de seu hotel... até dar uma olhada no pedido da família chinesa sentada à mesa vizinha: moelas, línguas, asas e corações, ou seja, tudo – das membranas natatórias ao grasnido do pato.

Aprecie séculos de culinária e a arquitetura no Fangshan.

Caso a visita à Cidade Proibida tenha despertado em você um fascínio pelas coisas imperiais, jante no Fangshan. Desde 1925, esse restaurante de prestígio preserva a extravagante culinária da dinastia Qing (1644-1911), usando as receitas favoritas da corte imperial do século XIX. Num ambiente prodigamente teatral, os funcionários (vestidos com impecáveis trajes de época) mostram ao cliente como provavelmente era um jantar com a imperatriz viúva, que tinha 128 cozinheiros. A cozinha ainda elabora soberbos banquetes; e os pratos tradicionais, como barbatanas de tubarão e sopa de ninho de pássaro, satisfazem perfeitamente um paladar real. O ambiente do Fangshan não poderia ser mais apropriado: um antigo quiosque construído numa ilha do lago Bei Hai, logo depois da ponte da Perfeita Sabedoria.

Se você quiser uma experiência similar, porém menos teatral e mais íntima, experimente o restaurante da família Li, onde seis de seus membros trabalham 24 horas reproduzindo as receitas da dinastia Qing para um pequeno grupo de 8 a 12 comensais extremamente afortunados. Centenas dessas antigas receitas foram destruídas durante a Revolução Cultural na década de 1960, mas algumas delas foram transmitidas aos Li por um bisavô que servira à corte imperial. Anos depois, foram relembradas, tanto quanto possível, por pessoas dessa família. O resultado é digno dos dois meses de espera na lista de reservas. Diplomatas, expatriados, um eventual Rockefeller e amantes da boa mesa do mundo inteiro, todos freqüentam esse pequeno restaurante, onde jantam solitariamente numa mesa iluminada por uma única lâmpada fluorescente.

O QUE: restaurante. **QUANJUDE:** Qianmen Dajie, 32, no final de um beco enlouquecedoramente escondido. Tel. (86) 10-6511-2418. *Quanto*: jantar (pato) a U$20. **FANGSHAN:** Parque Bei Hai, noroeste da Cidade Proibida. Tel. (86) 10-5401-1879. *Quanto*: jantar (pato) a U$20. *Melhor época:* no fim do verão, para pegar a floração de lótus do lago Bei Hai. **FAMÍLIA LI:** Yangfang Hutong, 11, De Nei Dajie; Distrito de Xicheng, oeste de Pequim. Tel. (86) 10-6618-0107. *Quanto*: cerca de U$20.

Onde os mortais não ousavam entrar

A CIDADE PROIBIDA

Pequim, província de Pequim, China

A majestosa Cidade Proibida, assim batizada por ter permanecido 500 anos fechada aos cidadãos, foi a corte de 24 imperadores do início da dinastia Ming, no século XIV, à queda da dinastia Qing, em 1911. É o maior, mais completo e mais bem preservado conjunto de edifícios antigos da China, representando a obra de batalhões de trabalhadores. Dos incêndios e pilhagens ocorridos ao longo dos anos, restaram edificações, em grande parte posteriores ao século XVIII, que imitam a configuração original. Boa parte das riquezas e do suntuoso mobiliário se perdeu há muito tempo. Apesar disso, o vasto complexo de edifícios, quiosques, pátios e muros é uma obra-prima de equilíbrio arquitetônico – monumental, mas de forma nenhuma opressivo. Uma fita de orientação narrada por Roger Moore ajuda a lhe dar vida com histórias de eunucos, concubinas, ministros, sacerdotes, intrigas cortesãs e desmandos tenebrosos. Com seus mais de 75ha, o imenso complexo merece o título de "cidade". Houve imperadores e servos que jamais se aventuraram além de seus muros de mais de 10m de altura cercados de fossos e formidáveis portões. O fato de eles acreditarem que estavam no centro do universo é uma fantasia que o visitante de hoje pode facilmente compreender.

Os telhados da cidade proibida.

O QUE: lugar. **ONDE:** também chamada de Palácio Imperial (Gugong) e Museu do Palácio, a Cidade Proibida fica junto à Praça da Paz Celestial (Tiananmen), no centro da cidade. **QUANTO:** ingresso. **MELHOR ÉPOCA:** Mai.–meados de Jun. e fim de Ago.–início de Nov.

Uma obra-prima da China antiga

A GRANDE MURALHA

Província de Pequim, China

Símbolo da força do país há bastante tempo, a Grande Muralha da China, ou Wan Li Chang Cheng, vem instigando a imaginação de pessoas de todo o mundo através da história. Dita a única estrutura construída pelo homem visível da Lua, ela foi edificada pouco a pouco ao longo de 2.000 anos como meio de defesa contra tribos de saqueadores nômades originárias do norte. Alguns trechos podem ter sido erguidos ainda no século VIII a.C., mas foi apenas com a unificação do império, em 221 a.C., que suas várias seções começaram a ser interligadas para formar o atual contínuo de 6.000km de extensão. Mais de 1.000.000 de pessoas – camponeses, soldados e prisioneiros – tomaram parte na obra, que tem largura suficiente para a passagem de 10 soldados ou cinco cavalos lado a lado no percurso entre as 10.000 ameias e torres de vigia. Feita originalmente para afastar os estrangeiros, hoje a Muralha é um chamariz de primeira ordem para atraí-los. Apenas um terço da construção original sobrevive. Num dia de movimento médio, os pontos de visitação restaurados mal conseguem acomodar as hordas de turistas e o carnaval kitsch de vendedores de souvenirs, além das barracas de camisetas. Apesar do clima de jardim zoológico, uma olhada na Muralha, que serpenteia pelas montanhas e vales serenos como um dragão imperial abrigado nas serras, é a única maneira de entender plenamente a colossal obra humana que ela representa.

O QUE: o local de visitação tradicional é o trecho restaurado de 1,6km de extensão em Badaling, 80km a nordeste de centro de Pequim. Uma alternativa ligeiramente menos turística é Mutianyu, 91km a nordeste de Pequim. Simatai, 111km a nordeste de Pequim, é o ponto menos congestionado, por enquanto. **MELHOR ÉPOCA:** fim da tarde, depois que os ônibus de turistas já tiverem partido.

Uma soberba maravilha da engenharia.

A China mágica de poetas e pintores

RIO LI

Guilin, Guangxi, China

Considerada o lugar das mais belas montanhas e rios existentes sob o céu, há 13 séculos a província de Guangxi é homenageada em obras de escritores e pintores empenhados em descrever as suas surpreendentes formações calcárias. Um cruzeiro pelo rio Li é uma jornada no interior de uma pintura clássica chinesa, com névoa, rios e montanhas. A partir de Guilin, o verde-jade Li segue em meio a cenários espetaculares, quase surrealistas, de formações protuberantes e escavadas pela erosão, com nomes bizarros, como morro do Morcego, Cinco Tigres Pegando uma Cabra e pico do Pincel. A intemporal paisagem ribeirinha parece ignorar o fluxo de barcos de turismo que passam em fila indiana por pitorescas aldeias onde meninos dão banho no búfalo da família, mulheres lavam roupas e fazendeiros plantam campos de arroz. Em delgadas balsas de bambu, os pescadores ainda empregam cormorões treinados para mergulhar e trazer os peixes pelo bico. Argolas colocadas ao redor de seus pescoços não permitem que eles engulam as presas.

A pequena cidade de Yangshuo é o ponto terminal dos cruzeiros, e ainda que talvez não seja a "China real" – cibercafés, pousadas com café da manhã e bares que servem brunches se multiplicaram para atender os turistas estrangeiros –, os preços são baixos, os habitantes cordiais e todo mundo fala inglês. Passeios de bicicleta pelas verdes planícies circundantes e montanhas de calcário cobertas de florestas proporcionam ao visitante alguns dos mais notáveis cenários do país. Pode-se até subir em alguns picos: do alto da Pedra da Lua se descortina um fantástico exército de cumes pontiagudos que se perde na distância. Se você quiser ver a China tradicional e lugares ainda mais interessantes, a aldeia ribeirinha de Xingping fica a uma hora de bicicleta em meio a campos de arroz verde-esmeralda e lindas paisagens.

O QUE: experiência. **ONDE:** os cruzeiros partem de Guilin e terminam em Yangshuo, 81km rio abaixo; o retorno a Guilin leva 1 hora e 30 minutos, de ônibus. Guilin fica a apenas 1 hora de vôo de Hong Kong e a 2 horas e 30 minutos de Pequim. **QUANDO:** partidas de barco o ano inteiro, mas em Mai.–Set. a visibilidade é muito reduzida por causa das chuvas. **MELHOR ÉPOCA:** Out.–Abr., embora em Dez.–Fev. o nível das águas possa estar muito baixo ao longo de todo o percurso.

Hong Kong por ferryboat e funicular

O PORTO DE VICTORIA E O PICO VICTORIA

Hong Kong, China

A qualquer hora do dia, o porto de Victoria parece um ringue de barquinhos de bate-bate, com o Star Ferry costurando o seu caminho em meio a uma confusão de rebocadores, chatas e barcas de passageiros, além de ocasionais juncos, sampanas e cintilantes navios de cruzeiro. Esse movimentado porto de águas profundas, o mais importante da China, é o coração e a alma da dinâmica cidade, além de seu lugar de batismo: em chinês antigo, Hong Kong significa "baía perfumada". Desde 1898, as barcas brancas e verdes de dois andares transportam turistas e trabalhadores de Kowloon à ilha de Hong Kong e vice-versa. É um dos mais inesquecíveis passeios de barco do mundo, não apenas pelo incessante movimento marítimo como também pelo espetáculo que é a granítica floresta de arranha-céus de Hong Kong. Monólitos inexpressivos durante o dia, os edifícios dos bancos e das empresas comerciais transformam-se em verdadeiras torres de energia iluminadas durante a noite. Vá de primeira

O ritmo do porto é igual ao da cidade.

classe – o andar de cima garante uma visão melhor. Por outro lado, o andar de baixo permite observar melhor as pessoas. Vistas ainda mais belas são proporcionadas pela ferrovia funicular – a mais íngreme do mundo – que desde 1888 conduz os visitantes à relativa paz do pico Victoria, com seus 550m de altitude. Lá de cima, você vai se maravilhar com a vista do porto mais movimentado do mundo, de algumas das 235 ilhas que pontilham o mar do sul da China e, quando o tempo está claro, da distante costa da China Continental. Jardins paisagísticos e caminhos pavimentados, como o Passeio do Governador, oferecem o verde e a solidão ao visitante.

Cada momento do dia tem a sua própria magia, mas o crepúsculo talvez seja o mais especial de todos eles, dada a orgia de luz néon que começa a envolver a cidade, a Manhattan da Ásia. Há opções para o jantar (assim como vendedores de souvenirs que você gostaria de ter deixado lá embaixo), mas o que realmente importa é a vista.

O que: experiência, lugar. **Star Ferry:** viagens de Tsim Sha Tsui, em Kowloon, ao Distrito Central na ilha de Hong Kong (e vice-versa). *Quanto*: andar de cima 28 *cents*, andar de baixo 22 *cents*. *Quando*: travessias diárias. **Funicular:** a estação fica entre a Garden Road e a Cotton Tree Driveway, no Distrito Central. *Quando*: diariamente. *Quanto*: U$2, somente ida. **Melhor Época:** Set.–Dez.

Arte paisagística que ainda enfeitiça

O Jardim do Administrador Humilde

Suzhou, Jiangsu, China

Um antigo provérbio chinês permanece verdadeiro até hoje: “O paraíso no céu e Suzhou na terra.” Conhecida como a Veneza do Oriente, com seus mais de 100 jardins e outras tantas fábricas de seda, Suzhou foi uma das mais antigas e ricas cidades do império durante a dinastia Ming e chegou a ser mencionada por Marco Polo em seus escritos sobre os fabulosos centros do Oriente. Os jardins de Suzhou são a própria encarnação do paisagismo chinês, com rochas, plantas, caminhos, faróis de pedra e pequenos lagos cuidadosamente dispostos de tal maneira que cada passo proporciona um cenário novo e impecável. O Jardim do Vagar (Liuyuan) e o Jardim do Administrador Humilde (Zhuozhengyuan) possuem estatuto especial e proteção governamental como dois dos quatro mais importantes jardins do país. O Jardim do Administrador Humilde é o maior deles, com 4ha de lagos e lagoas pantanosas, encantadoras pontes em arco e caminhos de pedra. Tem-se a impressão de que todo o meio do jardim flutua na água.

A cidade, com dezenas de fábricas de seda

ainda em operação, é fascinante por si mesma. Os detratores de Veneza verão ali a mesma decrepitude e decadência; todos os outros, porém, serão imediatamente enfeitiçados por essa fotogênica cidade entremeada de canais.

O QUE: lugar. **ONDE:** 84km de carro ou trem a leste de Xangai. **MELHOR ÉPOCA:** primavera e outono para ver os jardins em todo o seu esplendor; o começo do outono coincide com o Festival do Caranguejo de Suzhou.

Uma formidável exibição de antiguidades chinesas

MUSEU DE XANGAI

Xangai, província de Xangai, China

Na década de 1930, Xangai era conhecida como a Paris do Oriente. Hoje, depois de mais de 50 anos sombrios de revolução, volta a ser uma resplandecente cidade em rápido crescimento, pronta para os negócios.

O premiado Museu de Xangai, reaberto em 1995, é um espetáculo. Criado por uma combinação de expertise ocidental, mecenato chinês ultramarino e fundos governamentais e projetado pelo respeitado arquiteto local Xing Tonghe, ele é a melhor vitrine de arte e antiguidades chinesas do planeta. Mais de 120.000 preciosidades culturais – pinturas, esculturas, escrita artística, mobílias, entalhes de jade e marfim, cerâmica e artesanato – traçam 5.000 anos de história da China, da era neolítica aos tempos modernos, passando pelas dinastias Ming (1368-1644) e Qing (1644-1911).

O espaço high-tech do novo museu, magnificamente configurado e agradável ao visitante, é três vezes maior do que o original (inaugurado em 1952), e as atuais exposições são muito superiores às antigas, que eram desinteressantes, mal iluminadas e com inscrições somente em chinês. O saguão e a escadaria externa apinhados de crianças perfeitamente uniformizadas, em estado de verdadeiro frenesi cultural, são imagens comuns no museu dessa cidade de 14.000.000 de habitantes que está em rápida expansão. Para fechar com chave de ouro, sua loja e seu antiquário estão entre os melhores da cidade.

O QUE: lugar. **ONDE:** Avenida Ren Min, 201, Praça do Povo. Tel. (86) 21-6372-3500; fax (86) 21-6372-8522; www.shme.com/travel/museum/museum.htm. **QUANTO:** ingresso U$8.

Um exército de guardiães da eternidade

OS GUERREIROS DE TERRACOTA DE XI'AN

Xi'an, Xaanxi, China

Um dos mais qualificados candidatos à oitava maravilha do mundo (e por muitos considerado a mais sensacional descoberta arqueológica do século XX), esse exército de soldados de terracota de 2.220 anos de idade – uma guarda de honra, em tamanho real, formada junto ao túmulo do imperador Qin Shi Huangdi, morto em 210 a.C. – é um dos maiores tesouros culturais da China. As estátuas foram descobertas em 1974 por um camponês que cavava um poço. Até o momento há três galerias escavadas, a 5m de profundidade. A primeira delas contém uma imponente formação de 6.000 soldados e cavalos em 38 colunas, que foi deixada no local. O hangar de proteção construído sobre eles hoje abriga o Museu de Estátuas de Terracota de Qin. A segunda galeria tem mais de 1.000 soldados e 500 cavalos, enquanto o destaque da terceira galeria é uma carruagem de guerra ricamente detalhada. Cada um desses guerreiros apresenta feições e expressões faciais diferentes e suas alturas variam de 1,77m a 1,87m. Todos foram originalmente pintados e, em sua maioria, portam armas reais da época.

Xi'an, atual capital da província de Xaanxi, é a terra de origem de 11 dinastias, incluindo a poderosa dinastia Qin (221-207 a.C), a primeira a governar toda a China Oriental. Essa era a cidade mais oriental da lendária Rota da Seda, primeira ligação entre o Oriente e o Ocidente, percorrida desde o século II a.C. por caravanas de mercadores que abasteciam reinos distantes, cidades exóticas e postos de comércio. A troca de mercadorias, filosofias, religiões e tecnologias transformou todas as culturas ao longo da rota até à porta de entrada da Europa e além.

O QUE: lugar. **ONDE:** incluído na maioria dos roteiros de visita a cidades da China. O Museu de Estátuas de Terracota de Qin está localizado 32km ao norte de Xi'an. **ONDE FICAR:** o Shangri-La Golden Flower fica na Chang Le Oeste, 8. Tel. (86) 29-323-2981; fax (86) 29-323-5477; www.shangri-la.com. *Quanto*: duplos a partir de U$170. **MELHOR ÉPOCA:** Abr.–Mai. e Set.–meados de Nov.

O rio Yang Tsé: uma galeria de arte natural

AS TRÊS GARGANTAS

Chongqing, Sichuan, China

Junto com o urso panda e a Grande Muralha, as Três Gargantas – Qutang, Wu e Xiling – estão entre os ícones mais conhecidos da China, aparecendo em todos os campos, da poesia clássica aos modernos cartões-postais. Em termos de beleza natural, pouca coisa as supera no país, razão pela qual figuraram nas manchetes em 1995, quando tiveram início as obras de construção da maior represa e usina hidrelétrica do mundo, um esforço de bilhões de dólares que está obrigando o reassentamento de mais de 1.000.000 de pessoas. Quando concluída, em 2010, a represa fará submergir boa parte dos penhascos verticais e corredeiras do rio, dezenas de áreas culturais e templos antigos, além de centenas de aldeias e cidades. Apesar dos protestos de organizações de defesa do meio ambiente e dos direitos civis, o governo

O Yang Tsé, também conhecido como Chang Jiang (rio Longo).

chinês não se comoveu. Portanto, a hora de dar uma olhada no local é agora.

Com larguras que variam de 300 a 100m nos pontos mais estreitos, as Três Gargantas formam um trecho especial de 200km do poderoso rio Yang Tsé, de 6.500km de extensão, o terceiro mais longo do mundo depois do Nilo e do Amazonas. A certa altura, os barcos param e transferem os passageiros para embarcações menores e mais fáceis de manobrar, especialmente projetadas para o percurso das Três Pequenas Gargantas do rio Daning, ainda mais estreitas e espetaculares, ponto alto da maioria dos roteiros.

O QUE: experiência. **ONDE:** Chongqing é o ponto de partida da maioria dos barcos e navios de cruzeiro. Há vôos de conexão com Chengdu, a capital da província de Sichuan. O trecho mais popular fica entre Chongqing e Wuhan. **COMO:** no Brasil, agência Active Tour (Florianópolis). Tel. (48) 223-3456. www.activetour.com.br. Tour Regular Cruzeiro do Rio Yang Tsé: parte aérea, vôo partindo de Florianópolis, 12 noites, hotéis 4 e 5 estrelas e barco 4 estrelas, traslado, café da manhã. **QUANTO:** U$1.805. **QUANDO:** Mar.–Ago. **MELHOR ÉPOCA:** Abr., Mai., Set. e Out.

O mais sagrado santuário do Tibet e o palácio-fortaleza do Dalai-Lama

LHASA

Tibet, China

Lhasa, que no idioma tibetano significa Cidade Sagrada, ou Lugar dos Deuses, é o vórtice da espiritualidade tibetana, uma região que, apesar da presença chinesa, conserva seu misticismo e inebria. Potala, fortaleza vazia de 13 pavimentos que foi no passado o palácio de inverno e residência do Dalai-Lama, o deus-rei, é o mais notável entre os marcos da cidade. Seus muros brancos e vermelhos e tetos dourados se erguem acima da Cidade Sagrada, dando a impressão de que essa edificação está saindo do topo da colina onde foi implantada no século XVII. Hoje é um museu, uma concha que perdeu o próprio conteúdo – a vida do palácio se foi quando sua figura central e chefe de governo teve que fugir para a Índia em 1959 por causa da ocupação chinesa. Ainda assim, como disse o romancista contemporâneo chinês Han Suyin: "Ninguém pode ficar impassível diante da força e da beleza dessa estrutura que tem milhares de janelas que parecem milhares de olhos." Os Dalai-Lamas, tidos como reencarnações de Avalokitshvara, a compaixão do budismo corporificada, governaram o Tibet como senhores espirituais e temporais desde 1644. O atual Dalai-Lama, a décima quarta reencarnação, tinha apenas 16 anos quando saiu de seu país. Seus aposentos e, surpreendentemente, o próprio palácio, com suas supostas 1.000 salas, foram mantidos intocados pelos chineses. Na verdade, eles o estão restaurando – diz-se que com o objetivo de atrair turistas.

O Potala certamente será a primeira coisa que você verá em Lhasa, mas o coração espiritual da cidade é o templo Jokhang, localizado em meio ao movimentado centro comercial conhecido como Barkhor. Fundado há mais de 1.300 anos, o Jokhang, com seu telhado dourado, misto de arquitetura tibetana, indiana, nepalesa e chinesa, é o mais sagrado santuário do Tibet. Os budistas tibetanos expressam sua devoção a um local sagrado andando ao seu redor no sentido dos ponteiros do relógio. Nesse lugar, a caminhada em torno do templo, ou caminho sagrado da transformação, circunda também o centro comercial e dura do alvorecer ao pôr-do-sol. Na entrada de Jokhang, os devotos se prostram repetidas vezes para obter mérito religioso enquanto no interior a luz suave de 1.000.000 velas ilumina a mais importante entre as suas mais de 200 estátuas de Buda. Talvez você se sinta recuando no tempo quando ouvir as Escrituras Sagradas sendo recitadas – uma sensação que pode durar até muito tempo depois de seu retorno ao agitado Barkhor.

O QUE: cidade, lugar. **ONDE:** chega-se a Lhasa de avião, partindo de várias cidades, incluindo Hong Kong, Pequim e Chengdu. A viagem desde Katmandu, Nepal, pela rodovia da Amizade, leva em torno de 2 dias, mas proporciona panoramas espetaculares. **ONDE FICAR:** a melhor opção da cidade é um ex-Holiday Inn em Manzu Lu, 1. Tel. (86) 891-683-2221; fax (86) 891-683-5796; sales@publick.ls.xz.cn. *Quanto*: duplos a partir de U$100. **MELHOR ÉPOCA:** Mai.–Out., porém Ago. é a época das chuvas.

As encruzilhadas da Rota da Seda

O MERCADO DE DOMINGO

Kashgar, Xinjiang, China

Ao pé dos montes Pamir, onde é difícil para o visitante se lembrar de que ainda está na China, muito menos no século XXI, a remota cidade de Kashgar hospeda um fabuloso mercado dominical que é o sonho de todo fotógrafo. Muitas pessoas o consideram o maior da Ásia (e talvez do mundo). Estima-se a presença de 100.000 a 150.000 pessoas – um número notável, uma vez que o mercado é montado toda semana, provavelmente há mais de 1.000 anos. Os uigures muçulmanos são a maioria da população da província chinesa de Xinjiang. Os homens, todos barbados, e as mulheres, sempre ocultas atrás de véus de gaze marrom, vão até lá comprar, vender e regatear ovinos, bovinos, eqüinos, arcas, chapéus, especiarias, frutas, adagas e tapetes, num cenário não muito diferente do que Marco Polo deve ter visto quando passou por ali no século XIII a caminho da China. Os freqüentadores do mercado não parecem nem um pouco convencidos de que a Rota da Seda, no passado responsável pela prosperidade de Kashgar, desapareceu por volta do século XV, quando as rotas marítimas conquistaram a maior parte do lucrativo comércio com o Oriente. Como Kashgar está situada a pouca distância das fronteiras com o Quirguistão e o Tadjiquistão, sua cultura tem muito mais em comum com essas repúblicas da Ásia Central do que com Pequim, 3.600km a leste.

De rebanhos a tapetes, encontra-se de tudo no mercado de Kashgar.

O QUE: evento. **ONDE:** no extremo oeste da China. Muitas excursões que percorrem a Rota da Seda incluem o trecho Xi'an–Kashgar. O vôo de Kashgar a Urumqi, capital da província, dura cerca de 2 horas; Urumqi está ligada à maioria das grandes cidades chinesas por vôos regulares.

A mais encantadora paisagem da China

LAGO OESTE

Hangzhou, Zhejiang, China

Descrita por Marco Polo como "a mais bonita e agradável cidade do mundo", Hangzhou ainda proporciona um vislumbre da China antiga, muito embora o que não foi mudado pelo tempo ou destruído pela revolução fique hoje obscurecido pelas hordas de turistas chineses e estrangeiros. Mas, fora da temporada ou num sossegado amanhecer, o lago Oeste da cidade ainda é uma das mais adoráveis paisagens do país. Suas margens cobertas de névoa são salpicadas de belos jardins, pagodes, casas de chá, trilhas sombreadas e quiosques clássicos com nomes como Lua de Outono e Lago Tranqüilo. O auge de sua beleza (e da afluência de visitantes) costuma ocorrer nos meses de julho e agosto, quando ele se cobre de um manto de flores de lótus. O onipresente salgueiro cria o perfeito cenário chinês ao lado das florações de pessegueiros na primavera, acácias no outono e ameixeiras no inverno. Alugue um bote para ir aos Três Pequenos Lagos Refletindo a Lua, aos pagodes de pedra na ilha do Pequeno Oceano e, do lado oposto, à ilha do Morro da Solidão, cujo excelente restaurante Louwailou é, há 150 anos, um dos muitos motivos que o turista tem para desembarcar.

O QUE: lugar. **ONDE:** vôos diários de 2 horas ligam Hangzhou a Hong Kong e Pequim; vôos disponíveis também em outras grandes cidades chinesas. Hangzhou fica a 3 horas de trem a sudoeste de Xangai. **ONDE FICAR:** o Shangri-La Hotel tem uma invejável localização na margem noroeste do lago Oeste, Rua Beishan, 78. Tel. (86) 571-8797-7951; fax (86) 571-8707-3545; slh@shangri-la.com; www.shangri-la.com. **QUANTO:** duplos com vista para o lago a partir de U$235. **MELHOR ÉPOCA:** primavera e outono.

Destaques de uma cidade imperial

A VELHA KYOTO

Japão

Passear por Kyoto é caminhar por 11 séculos de história do Japão. No passado foi sede da corte imperial e também centro da religião, da estética, da música, da dança e do teatro japoneses. Atingiu o ápice como pólo de artesanato durante o período Muromachi (1334-1568). Como foi poupada dos bombardeios aliados durante a Segunda Guerra Mundial, acredita-se que detenha 20% de todos os tesouros nacionais do Japão, incluindo mais de 1.700 templos budistas e 300 santuários xintoístas, todos dispersos, muitas vezes ocultos em meio à sua moderna paisagem urbana. Sua beleza pode não ser tão aparente, mas o visitante atento ainda consegue vislumbrar o

Japão do passado em seus templos e jardins, cada um deles um complexo de vários edifícios, como uma pequena aldeia. Com dois pavimentos e telhado de pagode, o Ginkakuji (Templo do Quiosque Prateado) é cercado de jardins projetados por um mestre do paisagismo para passeios meditativos. O adjacente Caminho da Filosofia, com mais de 1,5km e orlado de cerejeiras, acompanha um canal que é bonito o ano inteiro. O Ginkakuji foi inspirado no Templo do Quiosque Dourado, do século XIV, destruído por um incêndio criminoso em 1950. Uma réplica construída pouco depois ocupa hoje o lugar do original, junto a um lago coberto de liquens. Uma adorável caminhada de meia hora conduz ao templo Ryoanji, cujo pequeno jardim de cascalho branco, com suas 15 pedras, simboliza a essência da sabedoria zen. Da plataforma de madeira do templo de Kiyomizu, localizado numa íngreme encosta, vêem-se panoramas sensacionais da cidade.

Houve épocas em que bairros inteiros de Kyoto cresceram ao redor de ofícios específicos – os melhores artesãos do país trabalhavam na cidade, servindo a corte imperial e os senhores feudais. Hoje, as oficinas de seus descendentes estão nas tranqüilas vielas dos bairros históricos. Os produtos da cidade – gravações em madeira, artigos de seda, papel e têxteis – são ainda conhecidos por seu refinamento, elegância e arte. Até hoje, o prefixo *kyo-* aplicado a um produto é sinônimo de requinte.

Não há melhor época para visitar Kyoto do que durante a realização de seus festivais anuais, os *matsuris*. Os três mais importantes, Jidai, Aoi e Gion, justificam um malabarismo no roteiro da viagem e requerem reservas de hospedagem com bastante antecedência. Orgulhosos de sua cidade, os habitantes de Kyoto dirigem-se aos milhares ao Jidai, em 22 de outubro, um dos eventos mais recentes, iniciado há apenas um século. Uma cenográfica procissão de trajes dinásticos dos séculos VIII ao XIX serpenteia pela cidade, partindo do Palácio Imperial.

A floração das cerejeiras já terá passado quando o Aoi tomar Kyoto em 15 de maio, mas a primavera ainda estará plena, com o desfile de um grande número de pessoas vestidas com trajes da corte imperial até o Santuário Shimogamo, para rezar pela prosperidade da cidade. Acredita-se que o Festival Aoi, que remonta ao século VI, seja o mais antigo do mundo.

Em 16 e 17 de julho, abra alas para os 31 imensos carros alegóricos que formam o popular Gion, uma procissão que desde o século IX, quando a velha capital foi assolada por uma peste, pede proteção para Kyoto.

O QUE: lugar, evento. **ONDE:** a 3 horas de Tóquio por trem de alta velocidade. A maior concentração de lojinhas de artesanato é o distrito de Gion. Para quem tem pouco tempo, o Centro de Artesanato de Kyoto permite uma compra rápida ou uma vista geral: Heian Jingu Kita, Sakyo-ku. Tel. (81) 75-761-5080. **MELHOR ÉPOCA:** Abr. para ver a floração das cerejeiras. Festivais: Jidai, 22 Out.; Aoi, 15 Mai.; Gion, 16–17 Jul.

Templos altíssimos, o Grande Buda e cervos à solta

NARA KOEN

Nara, Japão

O destaque do Parque Nara Koen é a colossal estátua de bronze do Buda sentado, abrigada no Todai-ji (o Grande Templo do Oriente), considerado a maior construção de madeira de todo o mundo. Lugar mais visitado de Nara, há séculos o parque atrai peregrinos budistas e estrangeiros. O Daibutsu Buda, de 16m de altura, o maior do Japão, foi encomendado em 743, não muito tempo depois da fundação de Nara como capital do Japão recém-unificado. (A corte transferiu-se em 794 para Kyoto, onde permaneceu por mais de 1.000 anos.) O budismo, importado da China no século VI, floresceu, enquanto Nara conquistou sua posição de centro político e cultural. Comparada à vizinha Kyoto, onde os bairros antigos estão sendo invadidos pelo crescimento não planejado, essa cidade permanece proporcionalmente mais aconchegante, e seus antigos edifícios e templos conservam-se mais intactos e autênticos. Os 526ha de lagos, gramados, árvores e templos do Parque Nara Koen abrigam cervos, considerados emissários sagrados dos deuses do templo. Mais de 1.000 vagueiam pela área sem se intimidar com a presença dos humanos, dos quais conquistam a afeição – até comerem as bolsas de palha dos visitantes, os sanduíches dos estudantes e seu mapa da cidade.

O Que: lugar, cidade. **Onde:** 42km ao sul de Kyoto. **Quanto:** ingresso para entrada no templo. **Melhor Época:** Abr. para ver a floração das cerejeiras, Mai. para apreciar as azaléias e final de Out.–Nov. para ver as folhas de outono.

Espetáculo de inverno

Festival de Neve de Sapporo

Sapporo, Japão

O talento japonês para moldar a natureza não tem paralelo. Assim, não é de admirar que o país que transformou a iquebana (arranjo floral) e o design de jardins em manifestações de arte tenha também tornado esse festival de inverno um show conhecido mundialmente. Durante a sua realização, imensas esculturas de neve e gelo retratam formas universais como a *Pietà*, de Michelangelo, e a ainda mais popular Minnie Mouse. Palácios grandes o bastante para que famílias possam caminhar dentro deles, bem como uma grande variedade de formas criativas, são esculpidos com neve compacta e gelo aplainado. Para isso, 38.000t de neve são retiradas das montanhas próximas e levadas de caminhão até o local do evento. As esculturas, que chegam a medir 40m x 24m, começam a ser feitas semanas antes da abertura do festival, em fevereiro. Criado na década de 1950, depois dos anos sombrios que se seguiram à Segunda Guerra Mundial, esse espetáculo só se consolidou efetivamente em 1972, quando Sapporo, então a mais nova grande cidade do país, foi escolhida para sediar os Jogos Olímpicos de Inverno. Hoje, os passeios e as atrações na neve fazem dela um verdadeiro teatro de inverno ao ar livre, além de uma exce-

A inspiração para o festival foram seis estátuas de neve criadas por estudantes secundaristas locais em 1950.

lente base para visitas às magníficas regiões selvagens e às estações de esqui de Hokkaido. Não arrume as malas antes de provar o macarrão *ramen* e a cerveja de Sapporo, uma dupla que contribui para a fama dessa cidade.

O QUE: evento. **ONDE:** 1.176km a nordeste de Tóquio, 285km a nordeste de Hakodate. Vôos diários e trens noturnos partindo de Tóquio. **QUANDO:** duração de 1 semana a partir do início de Fev.

A montanha sagrada do Japão e um rejuvenescedor banho de imersão

SUBINDO O MONTE FUJI PARA REVIGORAR A ALMA

Shizuoka, Japão

Saudado como uma deusa, reverenciado como uma montanha sagrada e símbolo nacional, o monte Fuji, com seus 3.776m de altitude, é o pico mais alto do Japão. O seu cone vulcânico perfeitamente simétrico, e sobretudo belo quando refletido na serena superfície espelhada do lago Ashi-no, é de fato capaz de enfeitiçar quando não se encontra envolto em nuvens. Conhecido em todo o mundo, o vulcão adormecido sempre exerceu uma poderosa influência sobre os japoneses, que crêem que assistir ao *goraiko* (nascer do sol) em seu topo é uma das experiências naturais mais emocionantes que existem. Eles também acham que todo mundo deveria subir o Fuji-san pelo menos uma vez, porém que somente um tolo faria isso duas vezes. Mas, a julgar pela quantidade de candidatos que lá aparecem todo verão – entre os quais um exército de vovôs e vovós de 70 anos de idade e até mais –, deve haver um número considerável de reincidentes. Seis trilhas, cada uma com 10 estações, levam ao topo. A maioria das pessoas, no entanto, começa a subida, que leva de cinco a seis horas, a partir da quinta estação (2.500m), em Gogome, na face norte, e em Shin-Gogome, na face sul. A descida é tranqüila.

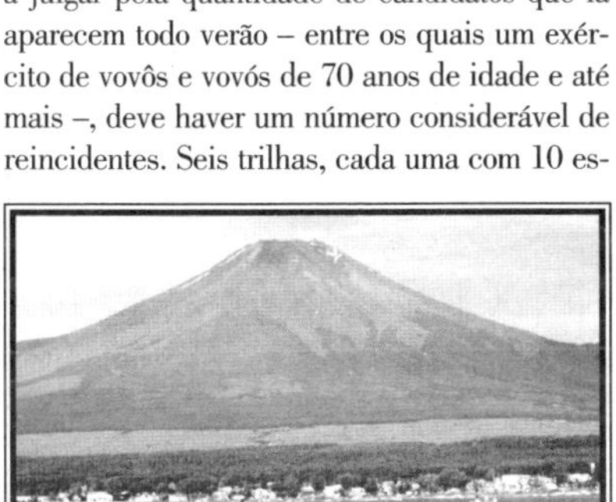

Monte Fuji, a "deusa" do Japão.

O nome Fuji significa "fogo" no idioma aino. Na região balneária de Hakone, dentro do Parque Nacional Fuji, pode-se observar, do funicular que passa sobre as nuvens sulfurosas do vale da Grande Ebulição (ou Ojikogu, Grande Inferno), uma intensa atividade vulcânica. Os banhos públicos nas *onsen* (fontes termais ricas em minerais, existentes em todo o Japão) prometem curar tudo, de estresse a reumatismo, passando por dores musculares causadas pela subida da montanha. Apesar da modernização e ocidentalização das cidades japonesas, as *onsen* são uma tradição que se recusa a morrer. Nos fins de semana, os habitantes de Tóquio afluem em massa à belíssima Hakone para tomar longos banhos de imersão em suas fontes termais. Gora Kadan, antiga residência de verão da família imperial Kan'in-no-miya, é uma simpática *ryokan* (pousada tradicional do Japão), com fontes termais fechadas e ao ar livre. O afamado Museu ao Ar Livre Hakone abriga esculturas de Henry Moore.

O Que: experiência, hotel. **Monte Fuji:** 71km ao sul de Tóquio. *Melhor época*: Jul. e Ago. Depois da 9h, as nuvens obscurecem boa parte da vista do topo. **Gora Kadan:** 92km a sudoeste de Tóquio. Hakone-machi, 1300, Gora. Tel. (81) 460-23331; fax (81) 460-23334; gora@relaischateau.com. *Quanto*: duplos com fontes termais privativas e ao ar livre U$960, incluindo jantar para 2 pessoas. **Melhor Época:** Mai., período de floração das azaléias.

Um ninho de águia vanguardista e high-tech

O Park Hyatt Tokyo

Japão

A não ser que tenha assistido ao filme *Encontros e desencontros,* cuja história se passa em Tóquio, e boa parte dela no Park Hyatt, você certamente nunca viu nada parecido com esse hotel ultramoderno. Ocupando os andares mais altos de um futurístico arranha-céu de 52 andares, um dos mais espetaculares da cidade, ele proporciona uma excelente visão do movimentado centro da vida noturna da cidade. Ali, onde estão os maiores quartos de hóspedes de Tóquio, são oferecidos todos os tipos de comodidades, entre as quais banheiros imensos, alguns com vistas espetaculares para o monte Fuji. Localizados em espaços altíssimos, seus vários restaurantes proporcionam vistas incomparáveis. O belíssimo Kozue e o elegante e supermoderno New York Grill/New York Bar, na cobertura – este último com janelas de dois andares, uma incrível adega com 1.600 garrafas de vinho, cozinha aberta e a fabulosa e original arte japonesa – deram a Tóquio um nível de sofisticação sem precedente. Juntos eles formam, sem sombra de dúvida, o circuito do poder na cidade. A academia de ginástica e a piscina situam-se numa pirâmide envidraçada de três andares, o que torna o pôr-do-sol e a noite iluminada por néon períodos perfeitos para quem quer se exercitar. Com uma mescla belíssima porém discreta, de Oriente e Ocidente em todos os detalhes do projeto, o Park Hyatt capta, melhor do que qualquer outro hotel da cidade, a essência pioneira de Tóquio – e isso diz tudo.

O Que: hotel, restaurante. **Onde:** Nishi-Shinjuku, 3-7-1-2. Tel. (81) 3-5322-1234; fax (81) 3-5322-1288; mail@parkhyatttokyo.com; www.tokyo.park.hyatt.com. **Quanto:** duplos a partir de U$445. Jantar no New York Grill U$90. **Melhor Época:** fim de Mar.–Mai. e Out.–Nov.

Uma instituição da madrugada – leve as suas galochas!

Mercado de Peixes Tsukiji

Tóquio, Japão

O *jet lag* pode ser uma coisa maravilhosa. Se você estiver acordado às 5h da manhã e a fim de um programa na madrugada, o labiríntico Mercado de Peixes Tsukiji fervilha de movimento, como se poderia esperar de um lugar que fornece 90% de todo o peixe consumido em Tóquio. Percorrendo as suas impressionantes galerias laterais, é difícil acreditar que certas coisas sejam consideradas comestíveis, muito menos requintadas iguarias. Num país onde os alimentos do mar imperam, o *maguro* (atum) é o rei: frescos e congelados, atuns do tamanho de torpedos são puxados dos barcos pesqueiros ancorados no píer do mercado, às vezes provenientes de locais distantes, como a África. Em qualquer um dos rapidíssimos leilões que abrem o dia, chegam a ser vendidas 190t de atum. Um único peixe dessa espécie pode pesar 450kg. Se a caminhada pelos 20ha do mercado abrir o seu apetite e você admitir a possibilidade de um café da manhã com sushi ou sashimi, nenhum estabelecimento ali tem peixe mais fresco nem variedade maior do que um sushi bar "básico" – e todos eles também marcam pontos por sua atmosfera característica, como é o caso do Sushi Dai.

O caótico e labiríntico mercado de peixes.

O QUE: lugar, experiência, restaurante. **MERCADO DE PEIXES TSUKIJI:** entre a Avenida Shin Ohashi-Dori e o rio Sumidagawa. *Quando*: aberto Seg.–Sáb.; o melhor período é das 5h às 7h. **SUSHI DAI:** edifício 6. Tel. (81) 3-3547-6797. *Quanto*: sushi U$2–U$10 a unidade. *Quando*: aberto de Qui.–Ter.

Uma paixão nacional

A Floração das Cerejeiras

Yoshino, Japão

Todo ano, depois que o triste céu de inverno desaparece, milhões de japoneses afluem aos parques e jardins dos templos para o *hanami*, isto é, para apreciar a floração das cerejeiras. Num dia de primavera, quando uma brisa suave sopra as pequenas pétalas brancas e rosa em direção a terra, fica fácil entender por que a paixão dos japoneses por essas efêmeras florações é algo quase espiritual. Em Tóquio, as pessoas que trabalham em escritórios contentam-se com o *hanami* noturno, que são comemorações regadas a saquê no grande Parque Ueno ou ao longo do fosso que cerca o Palácio Imperial. Mas os puristas e especialistas no assunto, determinados a aproveitar ao máximo essa temporada que tem de uma a duas semanas, vão para o monte Yoshino, no Parque Nacional Yoshino-Kumano, nas cercanias de Nara e Kyoto, antigas capitais do Japão. Milhares de cerejeiras brancas seculares cobrem a montanha. Divididas em bosques, chamados Hitome-Sembon (Mil Árvores num Olhar), elas florescem em momentos diferentes de acordo com a altitude, em geral a partir do início de abril. Os

Um tapete de pétalas e gente.

caminhos, os templos, a multidão formada basicamente por japoneses, as lojas e casas de chá da agradável cidade de Yoshino prometem uma experiência inesquecível.

O QUE: evento, experiência, lugar. **ONDE:** o parque fica 34km ao sul de Nara, 68km ao sul de Kyoto. **QUANDO:** geralmente em Abr., com as florações de menor altitude no início do mês. **MELHOR ÉPOCA:** o Hanakueshiki, festival anual da floração das cerejeiras em Yoshino, é realizado em 11–12 Abr., embora em alguns anos a floração esteja apenas no começo nessa data.

Vasto e assombrosamente belo

O DESERTO DE GOBI

Mongólia

Gobi significa simplesmente "deserto". De todas as terras áridas do mundo, essa remota região situada entre a Sibéria, ao norte, e o planalto do Tibet, ao sul, é a mais cercada de mistério. Com 1.600km de extensão de leste a oeste, o Gobi é politicamente dividido em duas partes: metade na Mongólia propriamente dita, metade na região setentrional da China conhecida como Mongólia Interior. Ambas podem ser visitadas, mas o lado da Mongólia tem um pouco mais de romantismo e milhões de habitantes a menos.

Ao contrário da mesmice estéril que a palavra "deserto" possa sugerir, o Gobi é fascinante, e não apenas por motivos paleontológicos: um lugar de cores sutis que mudam de acordo com a luz do dia, céus deslumbrantes e vastos espaços, uma paisagem totalmente silenciosa entremeada de ocasionais *ger*, ou iurtas – as tendas desmontáveis, redondas e brancas dos quirguizes da Mongólia. Esse povo alegre e naturalmente generoso, que retira o seu sustento dos animais que pastoreia, trata com desvelo os visitantes estrangeiros que aparecem à sua porta sem anunciar. Em silencioso e incólume isolamento, o seu estilo de vida simples se mantém tal como era há milhares de anos.

O QUE: experiência, lugar. **ONDE:** contratam-se jipes e intérpretes em Ulan Bator,

O jogo de luz e sombra parece alterar a paisagem.

capital da Mongólia. Serviço aéreo até Dalandzagad, no Gobi. **COMO:** em Ulan Bator, contate a Nomadic Expeditions. Tel. (976) 11-313-396; fax (976) 11-320-311; info@nomadicexpeditions.com; www.nomadicexpedition.com A empresa organiza excursões em grupo e viagens individuais guiadas e especialmente planejadas. **MELHOR ÉPOCA:** Mai.–Set.

Na trilha de Gêngis Khan em meio a uma terra indomada

EXCURSÃO A CAVALO NA MONGÓLIA

Mongólia

Desde que Gêngis Khan ensinou o seu povo a viver da espada e não do arado, os mongóis são pastores nômades, uma cultura baseada na criação de cavalos que durante séculos deixou vastos territórios de áspera beleza praticamente intocados. Para sentir o espírito dessa nação ferozmente independente, mas hospitaleira por tradição e autônoma desde a década de 1920, faça um passeio a cavalo por lugares que não exibem praticamente nenhum sinal de modernidade. Caminhadas organizadas o levarão a um dos mais bem guardados segredos da Mongólia, o lago Hovsgol, com 160 x 19km – um dos mais profundos lagos de água doce do mundo. A oeste do Hovsgol fica o vale Darhat, uma imensa bacia cercada de montanhas escarpadas. Não deixe de visitar, a alguns quilômetros da fronteira com a Rússia, o acampamento de verão dos *tsaatan*, ou pastores de renas, uma minoria étnica que cria, ordenha e monta esses animais dos quais também se alimenta.

Um momento tranqüilo nas planícies da Mongólia.

O papel do cavalo na vida da Mongólia é pintado em cores vivas durante o Festival de Naadam, realizado todo mês de julho. Pastores e pastoras de todas as idades e de toda a Mongólia – muitos montados a cavalo – vão à capital Ulan Bator para dois movimentados dias de atividades sociais e acirradas disputas em modalidades esportivas ancestrais, como corrida de cavalo, arco-e-flecha e luta corporal. Os eventos eqüestres são o destaque do festival, realizados nas estepes da periferia da cidade. As sensações provocadas pelo tropel de 600 cavalos a galope pela pista de 16km são inesquecíveis, só igualadas pela celebração que se segue, com muita comida, bebida e hospitalidade mongol.

O QUE: experiência, evento. **ONDE:** Festival de Naadam, Ulan Bator. **COMO:** a Nomadic Expeditions oferece um itinerário de 12 dias que inclui o Festival de Naadam. Em Ulan Bator; tel. (976) 11-313-396; fax (976) 11-320-311; info@nomadicexpeditions.com; www.nomadicexpeditions.com. **QUANTO:** a partir de U$2.525 por pessoa, não incluída a passagem aérea. **QUANDO:** primeiras 2 semanas de Jul., coincidindo com o festival. **MELHOR ÉPOCA:** Jul.–Set.

ÁSIA MERIDIONAL E CENTRAL

Um espetáculo de gente e tradições

FESTIVAL DE PARO

Paro, Butão

Agora que o Butão rompeu seu histórico isolamento do mundo exterior, as pitorescas festas tradicionais do país, chamadas *tshechus,* são a janela perfeita para se observar a sua herança cultural. Tradicionalmente, elas são realizadas nos pátios dos grandes *dzongs* – monastérios fortificados que permanecem como centros de religião, educação e administração local em cada distrito do reino. Inalteradas há séculos, as festas não acontecem em benefício dos visitantes, mas eles podem se considerar privilegiados pela oportunidade de assistir a esses eventos.

A celebração da primavera na cidade de Paro é o mais conhecido festival anual de dança do país. Esse evento é realizado durante cinco dias, geralmente no fim de Março ou início de Abril, de acordo com o calendário lunar budista. Multidões de alegres butaneses em seus mantos tradicionais afluem de todas as partes do vale, enquanto dançarinos (monges ou leigos treinados) magnificamente mascarados e fantasiados assumem papéis de divindades, demônios e animais, pacíficos e coléricos, encenando as lendas do budismo himalaico no Reino do Dragão. As danças, conhecidas como *cham*, destinam-se a abençoar todas as pessoas presentes, bem como protegê-las de infortúnios, sejam elas do próprio vale ou de qualquer outro lugar do mundo.

O QUE: evento. **ONDE:** Paro, 55km a oeste de Timfu, capital do Butão. **COMO:** no Brasil, agência Time Brazil Turismo (Rio de Janeiro). Tel. (21) 2558-3199; fax (21) 3826-0214; www. timebrazil.com.br. Pacote: 5 dias, parte aérea (vôo partindo de São Paulo), traslado, todas as refeições. **QUANTO:** U$950. **QUANDO**: saídas mensais.

O trem de brinquedo dos marajás

O PALÁCIO SOBRE RODAS

Nova Délhi, território de Délhi, Índia

Inspirado nos luxuosos vagões privativos dos antigos marajás de Gujarat e do Rajastão, o Palácio sobre Rodas é a resposta do subcontinente indiano ao Expresso Oriente, com seus orgulhosos chefes de serviço e funcionários trajados com túnicas impecáveis e magníficos turbantes. Cada um dos 14 vagões tem o nome de um principado e é decorado com suas cores e tecidos mais representativos. O rico revestimento de madeira e a mobília marchetada dão o toque de classe. O trem atravessa as margens desérticas do Rajastão, geralmente à noite, para proporcionar dias inteiros de passeios por cidades mágicas, como Jaipur, Udaipur, Jaisalmer e Jodhpur. Os passageiros são tratados como reis a bordo e em terra – à chegada do trem, são saudados e recepcionados por músicos acompanhados de elefantes ricamente enfeitados. Refeições servidas nos antigos palácios dos marajás e passeios em camelo e safáris para fotografar tigres preenchem a excitante semana sobre rodas, culminando numa visita final – onde mais? – ao Taj Mahal, antes do retorno a Nova Délhi.

O QUE: experiência. **ONDE:** viagem de ida e volta partindo de Nova Délhi. **COMO:** Sita World Travel. Tel. (91) 11-611-1122; fax (91) 11-611-3333. **QUANTO:** viagens de 1 semana, U$2.765 por pessoa, duplos (baixa temporada); e U$2.065 (alta temporada), incluindo todos os custos com o trem e em terra. **QUANDO:** partidas Qua., de Set.–Abr. **MELHOR ÉPOCA:** Out.–Mar.

Um exótico labirinto de lagunas e canais

OS REMANSOS DE KERALA

Cochin, Kerala, Índia

Isolado, sossegado e estonteantemente belo, o estado litorâneo meridional de Kerala é um dos tesouros não divulgados da Índia, uma suave e florida alternativa ao inclemente Himalaia e ao deserto do Rajastão no norte. Os sinuosos *kayals* (canais em que há remansos escondidos pela selva, além de lagunas interiores), muitas vezes não mais largos do que uma canoa, ligam as aldeias protegidas pela mata. Eles são a única forma de acesso à isolada Coconut Lagoon Village (Aldeia da Laguna dos Cocos), um enclave de 30 graciosos *tarawads* (tradicionais bangalôs de madeira entalhada construídos sem pregos, alguns com mais de 400 anos de idade), cuidadosamente desmontados e levados até lá ao longo das frescas margens dos remansos. Esse é o lugar perfeito para descansar e relaxar à sombra de um pé de noz-moscada. Ali há poucos espaços culturais que atraiam a atenção do visitante, mas uma clínica de medicina aiurvédica oferece massagens e tratamentos revigorantes com óleos preparados com as essências exóticas que atraíram Vasco da Gama até à costa de Kerala em 1498.

Uma parada em Cochin é obrigatória. Porto comercial de mais de 1.000 anos de idade, essa fascinante capital, que ocupa um grupo de ilhas cercadas por uma rede de rios, lagos e estuários, é habitada por uma população amável, cuja cultura é absolutamente singular. Não deixe de jantar no Fort Cochin Restaurant, do Casino Hotel, considerado um dos melhores restaurantes do sul da Índia.

O QUE: lugar, hotel, restaurante. **COCONUT LAGOON VILLAGE:** vôos regulares de Mumbai (antiga Bombaim) a Cochin; o serviço

O meio de transporte local.

de automóvel ao lago Vembanad e a viagem de barco até à aldeia são providenciados pelo hotel. Para reservas, contate a Middle East Asia Tourist. Tel. (91) 16-553-8325; fax (91) 48-466-8001. *Quanto*: duplos a partir de U$160, *villas* (casas) com piscinas privativas a partir de U$310. **Casino Hotel:** Willington Island, Cochin. Tel. (91) 48-466-8221; fax (91) 48-466-8001; casinocochin@hotelskerala.com. *Quanto*: duplos a partir de U$50 (baixa temporada) e a partir de U$82 (alta temporada). Jantar U$25. **Melhor Época:** Nov.–Fev. A Grande Marcha dos Elefantes, maior e mais pitoresca festa cultural da região, é realizada em Trissur e Kovalam, no início de janeiro, e dura 4 dias.

Imagens eróticas no meio do nada

Os Templos de Khajuraho

Madhya Pradesh, Índia

Nessa sonolenta cidadezinha distante de tudo, um surto de criatividade de um século de duração na época da dinastia dos reis Chandela (por volta do ano 1000 d.C.) resultou na construção de mais de 85 templos, dos quais 22 ainda existem, todos decorados com frisos nos quais cenas do dia-a-dia se mesclam com desfiles militares. Os templos de Khajuraho são mais conhecidos, porém, pela profusão de frisos e esculturas em que virgens celestiais são retratadas com poses e expressões eróticas enquanto outros personagens aparecem em todas as possíveis posições do *Kama Sutra*. Essas esculturas representam uma exultante celebração da vida, de um modo extraordinariamente explícito que as torna tão notáveis hoje quanto devem ter sido no momento em que foram reveladas.

O Que: lugar. **Onde:** no caminho entre o nada e o lugar nenhum, Khajuraho costuma ser encaixada no roteiro entre as visitas ao Taj Mahal, em Agra, e a cidade sagrada de Varanasi. As 3 cidades são ligadas por vôos diários que partem de Nova Délhi. **Onde Ficar:** o Hotel Chandela fica a cerca de 1km dos templos. Tel. (91) 7686-72355; fax (91) 7686-72366. *Quanto*: duplos a partir de U$65. **Melhor Época:** Out.– Mar. Em Mar. há um festival cultural com 10 dias de duração em que alguns dos melhores dançarinos clássicos do país se apresentam na área do templo.

A força misteriosa de um prodígio arquitetônico

Os Templos no Norte de Maharashtra

Ajanta e Ellora, Maharashtra, Índia

O coração comercial de Maharashtra pode ser Mumbai (antiga Bombaim), mas sua alma fica no interior, ao redor de Aurangabad e seus impressionantes templos escavados na rocha, que contêm riquezas comparáveis às do Taj Mahal. São dezenas de *chaityas* (templos) e *viharas* (monastérios) esculpidos na rocha maciça – alguns deles prodigamente decorados com afrescos e estátuas, enquanto outros ostentam uma arquitetura complexa e rica em detalhes. Os 30 templos budistas de Ajanta, construídos entre os anos 200 a.C. e 650 d.C., permaneceram praticamente esquecidos até o século XIX, o que talvez explique o seu excelente estado de conservação.

Enquanto as cavernas de Ajanta são conhecidas por suas pinturas, os 34 templos escavados em rochas nas proximidades de Ellora são considerados obras-primas da escultura. Sua criação foi uma façanha equivalente à escavação de uma catedral inteira – interior e exterior, do chão ao teto – na rocha maciça. Acredita-se que os budistas que realizaram as obras em Ajanta foram para Ellora depois de concluir o trabalho: das 34 cavernas de Ellora, as 12 primeiras, que começaram a ser esculpidas por volta de 600 d.C., são budistas. Seguem-se 17 templos hinduístas e cinco jainistas. O destaque é o Templo Kailash, estupendo por suas dimensões e complexidade: com quase 900m², ele cobre uma área duas vezes maior do que a do Partenon, em Atenas, e é 50% mais alto do que essa construção grega. Estima-se que sua criação exigiu a remoção de cerca de 200.000t de pedras.

Explorar os templos esculpidos na rocha existentes em Ellora desperta o arqueólogo que há em todos nós.

O QUE: lugar. **ONDE:** Aurangabad, 370km a nordeste de Mumbai, é a base mais prática; dali são 100km a nordeste para Ajanta e 25km até Ellora. *Quanto*: excursão de 1 dia às cavernas U$62. **ONDE FICAR:** em Aurangabad, o Taj Residency organiza diariamente excursões de 1 dia inteiro às cavernas. Tel. (91) 24-038-1106; fax (91) 24-038-1053; residency.tajhotels@aol.com; www.tajhotels.com. *Quanto*: duplos U$75. **QUANDO:** cavernas de Ajanta abertas de Qua.–Seg. **MELHOR ÉPOCA:** Out.–Mar. O Festival de Ellora, na 3.ª semana de março, apresenta música e dança clássicas hindus com as cavernas ao fundo.

Um marco fascinante

O TAJ MAHAL HOTEL

Mumbai (antiga Bombaim), Maharashtra, Índia

Marco de Mumbai desde 1903, o Taj Mahal Hotel é o mais conhecido e provavelmente o melhor da Índia, uma ostentação vitoriana de frente para o mar da Arábia. Rival, em sua época, do Raffles Hotel de Cingapura, hospedou luminares como Mark Twain. ("Um lugar impressionante, um lugar encantador, um lugar fascinante", ele escreveu.) A elite de Mumbai costuma usar o Taj como clube privado, com seus porteiros magnificamente uniformizados que conduzem visitantes locais e turistas estrangeiros ao interior da elegante Ala Antiga, deliciosamente fresca e cintilante com seu mármore branco. O número elevado de funcionários por hóspede e o serviço aristocrático fazem desse hotel a opção ideal para quem quer fugir do turbilhão da cidade, hoje com 12.000.000 de habitantes. Os quartos com sacadas nos andares superiores da Ala Antiga são a escolha perfeita – eles proporcionam vistas serenas do mar, da Porta da Índia (arco monumental construído pelos britânicos em 1911 para saudar o rei George V), da baía e das montanhas mais além. O restaurante Tanjore provavelmente serve a melhor comida tradicional indiana da cidade, acompanhada de música com cítara e dança clássica. O Taj Mahal foi o primeiro hotel do Taj Group, hoje com mais de 60 unidades em toda a Índia e em diversos países. A Ala Moderna, adjacente, construída em 1972, com 30 andares, necessita de ambientação histórica, mas as vistas são as mesmas.

O Que: hotel, restaurante. **Onde:** Apollo Bunder, Colaba. Tel. (91) 22-202-3366; fax (91) 22-287-2711; tajhotels@aol.com; www.tajhotels.com. **Quanto:** duplos com vista para o mar na Ala Antiga a partir de U$365; na Ala Moderna, a partir de U$325. Jantar U$80. **Melhor Época:** Nov.–Mar.

Uma reunião tribal sem par

Feira de Camelos de Pushkar

Pushkar, Rajastão, Índia

No Rajastão, a criação de animais floresceu na época dos marajás, que mantinham um grande número de camelos para usá-los nas guerras. A saída de cena desses governantes belicosos e a chegada do automóvel jogaram os camelos para escanteio, mas o legado daquele período ainda pode ser visto todo ano na Feira de Camelos de Pushkar, um dos maiores mercados de animais do deserto de Thar e um magnífico espetáculo de cores, música, vestuário e tradições.

No Rajastão está a maior concentração de povos tribais da Índia, cujos integrantes convergem em massa para a pequena cidade de Pushkar todo mês de novembro, antes da lua cheia (período que coincide com o do festival religioso Kartik Poornima), para exibir, montar e negociar seus estimados camelos, especialmente enfeitados para a ocasião.

Conhecidos por seu apreço pelas cores berrantes, os rajastanis chegam a ofuscar os animais com suas bijuterias, sáris e turbantes vivamente coloridos, um dos motivos que tornam a festa tão apreciada por turistas, diretores de cinema e fotógrafos estrangeiros. Mais parecida com um desfile carnavalesco, a feira, com acrobatas, bazares e danças sob a luz das estrelas, é um dos mais importantes eventos anuais desse estado desértico.

Pushkar é um importante centro de peregrinação hinduísta. Reza a lenda que o lago da cidade – cujas margens são orladas com mais de 1.000 templos – brotou no lugar onde o deus Brahma deixou cair um lótus sagrado. Nos dias de lua cheia, os peregrinos reúnem-se ao amanhecer para banhar-se ali.

O Que: evento, experiência. **Onde:** a cerca de 350km de Nova Délhi. **Como:** no Brasil, agência Mundus Travel (São Paulo). Tel. (11) 3262-4399; fax (11) 3262-4015; mundus@mundus.com.br; www.mundus.com.br. Pacote: 16 dias; parte aérea, vôo partindo de São Paulo, traslados, guias, hotéis 4 e 5 estrelas, café da manhã. *Quanto*: U$3.200. *Quando*: saídas mensais. A Equitours organiza safáris anuais a cavalo no deserto em Nov. para coincidir com a Feira de Camelos de Pushkar; as excursões partem de Nova Délhi. Nos Estados Unidos, tel. (1) 800-545-0019 e (1) 307-455-3363; fax (1) 307-455-2354; equitour@wyoming.com; www.ridingtours.com. *Quanto*: U$4.100 por pessoa, em quarto duplo; safári a cavalo de 18 noites, inclui a parte aérea doméstica e a maioria das refeições. A Geographic Expeditions promove safáris de jipe pelo Rajastão, com estada de 3 dias em Pushkar. Nos Estados Unidos, tel. (1) 415-922-0448; fax (1) 415-346-5535; info@geoex.com; www.geoex.com. *Quanto*: a partir de U$4.445 por pessoa, 18 dias, somente parte terrestre, tudo incluído. **QUANDO:** festa anual de 2 semanas, sempre em Nov.

Palácios gêmeos numa cidade de sonho

O PALÁCIO DA CIDADE E O LAKE PALACE HOTEL

Udaipur, Rajastão, Índia

Udaipur tem uma profusão de palácios, templos e monumentos fúnebres que vão do modesto ao extravagante. Mas em nenhum lugar o poder, o orgulho e a riqueza dos *maharanas* locais (fora de Udaipur chamados de *maharajas*, ou marajás) são mais evidentes do que no imenso Palácio da Cidade. Maior complexo palaciano do Rajastão e antiga residência do príncipe de Udaipur, esse é um conglomerado de edifícios e apartamentos privados esmeradamente decorados, que exibe acréscimos construídos por determinação de *maharanas* subseqüentes. Como está situado às margens do lago artificial Pichola, que é cercado de montanhas, suas sacadas, torres e cúpulas proporcionam vistas magníficas. Há um pequeno museu, mas é o próprio palácio cor de mel, que merece ser visto. Embora o atual *maharana* ainda more num setor privativo no complexo, você vai se sentir como um rei na área que antigamente era a residência dos hóspedes, hoje o luxuoso Shiv Niwas Hotel. Suas espaçosas acomodações com vista para o lago já hospedaram o xá do Irã, o rei do Nepal e Roger Moore, que ocupou esses aposentos por vários meses durante as filmagens de *007 contra Octopussy*, em 1982. Os objetos antigos e a mobília das suítes imperiais pertencem à coleção particular do *maharana*. As enormes camas têm tamanho compatível com o do acolhedor tratamento dispensado nesse mágico hotel.

Uma das suítes imperiais do Shiv Niwas.

Residência de verão do *maharana* de Udaipur, o Lake Palace, todo de mármore branco, é hoje inteiramente utilizado como hotel – diz-se que essa sugestão foi dada por Jacqueline Kennedy. Outros hotéis podem ser mais esplendorosos e mais pomposamente equipados, mas nenhum deles sensibiliza tanto o espírito quanto esse. Construído no século XVIII numa pequena ilha do lago Pichola e decorado com mosaicos multicoloridos, espelhos trabalhados e ladrilhos marchetados, ele é um dos refúgios mais românticos do mundo, com seus jardins, lagos de lírios, pátios e fontes. Os quartos que mais transmitem esse clima são os que dão para o Palácio da Cidade, do lado oposto do lago. A localização produz o seu feitiço, quer no café da manhã na varanda aberta, quer no último drinque da noite com a lua iluminando a água. Em seu passeio noturno, a lancha do hotel desliza suavemente em frente a outro palácio, o Jag Mandir. Edificado em 1624 para o jovem xá Jahan, futuro imperador e criador do Taj Mahal, ele está hoje vazio, constituindo uma mera alusão ao esplendor do passado e aos fantasmas da realeza.

O Lake Palace parece flutuar na água.

O QUE: lugar, hotel. **UDAIPUR:** o aeroporto, a 26km da cidade, disponibiliza vôos diários para e desde todas as principais cidades da Índia (de Nova Délhi a Udaipur são aproximadamente 90 minutos). **SHIV NIWAS HOTEL:** tel. (91) 294-528-016; fax (91) 294-528-006. *Quanto*: duplos U$100; Suíte Maharana de frente para o lago U$600. **LAKE PALACE HOTEL:** tel. (91) 294-528-800; fax (91) 294-528-7000; tajhotels@aol.com; www.tajhotels.com. *Quanto*: duplos de frente para o lago a partir de U$335, suítes históricas a partir de U$400. **MELHOR ÉPOCA:** Out.–Mar.

Esplendor isolado não mais inacessível

TREKKING EM SIKKIM

Gangtok, Sikkim, Índia

O Sikkim, situado na fronteira com o Nepal, o Tibet e o Butão, é um dos menos turísticos dos 22 estados da Índia, mas ainda assim é considerado um dos últimos *shangri-las* do Himalaia, com seus ancestrais *gompas* (monastérios) budistas encarapitados em quase todos os afloramentos da impressionante paisagem montanhosa. Seu último *namgyal chogyal* (rei) foi manchete em 1963 ao se casar com uma americana. Hope, a filha do casal, decidiu retornar ao país que ama para operar a TrekSikkim a partir da capital da província, Gangtok. Ela se dedica ao trekking desde os cinco anos de idade e guia a maior parte das viagens pelos contrafortes do Himalaia Oriental, onde só têm nome as montanhas com mais de 6.000m de altitude. Na fronteira do Nepal com o Sikkim está o sagrado monte Kanchenjunga (seu nome tibetano significa "Os Cinco Tesouros da Grande Montanha Nevada" por causa de seus cinco picos), com 8.578m de altitude – a terceira montanha mais alta do mundo, adorada como divindade

Os habitantes locais dizem que as montanhas são o "altar dos deuses".

protetora. A terra ali é o sonho de qualquer botânico: durante uma caminhada típica, passa-se da selva subtropical aos campos alpinos em poucas horas. São 454 espécies de orquídeas e 46 variedades de rododendros, além de magnólias abundantes e exuberantes florestas.

O QUE: experiência. **ONDE:** extremo nordeste da Índia. Vôos diários de Nova Délhi e Calcutá ao aeroporto de Bagdogra, a 113km de Gangtok. **COMO:** em Gangtok, TrekSikkim, Hotel Tashi Delek. Tel. (91) 35-922-2991; fax (91) 35-922-2362; treksikkim@att.net; www.hoteltashidelek.com. **QUANTO:** U$3.400 por pessoa, excursão de 14 dias com tudo incluído, partindo de Nova Délhi (vôos domésticos no pacote), com estada em Darjeeling e trekking de 5 dias em Sikkim. **QUANDO:** partidas programadas e viagens especialmente planejadas, fim de Mar.–começo Jun., Set.–começo Dez.

O maior monumento mundial ao amor

TAJ MAHAL

Agra, Uttar Pradesh, Índia

Nada é capaz de preparar adequadamente o visitante para o primeiro olhar sobre o Taj Mahal. Pode ser um clichê visual – "as cataratas do Niágara da arquitetura" –, mas é também a encarnação da elegância e do romance, do equilíbiro e da simetria, um ícone arquitetônico há três séculos e meio venerado como o mais belo edifício do mundo. O xá Jahan, grande soberano mulçumano da dinastia Mogul, mandou construir o Taj Mahal inteiramente com mármore branco, como monumento funerário em honra à sua adorada rainha, Mumtaz Mahal, que morreu ao dar à luz o décimo quarto filho do casal em 19 anos. Um desses herdeiros acabou depondo Jahan, que foi aprisionado no Forte Agra, situado nas proximidades. De seus aposentos ele podia admirar o Taj Mahal e chorar a perda de sua mulher e de seu império. O Taj Mahal agora abre nas noites de lua cheia, e essas talvez sejam as melhores ocasiões para visitá-lo, assim como às sextas-feiras, quando o ingresso é gratuito e as famílias locais vão até lá, alegrando o pátio com as cores de seus sáris floridos e seus turbantes.

Graças à inauguração do hotel Amarvilãs (termo sânscrito para "céu eterno"), o visitante tem finalmente um motivo para passar a noite na cidade, que não é particularmente interessante. Seus clássicos jardins com fontes borbulhantes e lagos de mármore, bem como o elegante salão de chá, o excelente restaurante de cozinha indiana e mogul, além do spa aiurvédico com vista para o Taj Mahal, serviriam muito bem de residência para qualquer imperador dessa dinastia no século XXI. Todos os seus mais de 100 quartos

Um dos mais magníficos símbolos românticos do mundo.

têm vista total para o mais venerado monumento da Índia, a apenas 600m de distância.

O QUE: lugar, hotel. **ONDE:** 198km a sudeste de Nova Délhi, 3–4 horas de carro ou ônibus, 2 horas no luxuoso trem Taj Express. **AMARVILÃS:** Estrada Taj East Gate. Tel. (91) 562-223-1515; fax (91) 562-223-1516; reservations@amarvilas.com; www.oberoihotels.com. *Quanto*: duplos a partir de U$350. **MELHOR ÉPOCA:** meados Out.–Mar.

Uma cidade eterna às margens do sagrado Ganges

AS GHATS DE VARANASI

Varanasi, Uttar Pradesh, Índia

Todo hindu anseia visitar Varanasi pelo menos uma vez na vida. No passado chamada Kashi ("resplandecente de luz divina") e mais tarde Benares pelos construtores do Império Britânico, Varanasi é o centro do hinduísmo desde tempos imemoriais. O primeiro assentamento dessa cidade de 3.000 anos ocorreu na margem esquerda do Ganges, em cada gota do qual os seguidores dessa religião crêem estar a salvação. Barcos de aluguel conduzem o visitante pelo venerado rio ao amanhecer, quando a luz e o cenário atingem o auge de sua magia. Cerca de uma centena de grandes *ghats* (escadas) descem até o Ganges. A impressão ali é de que a maior parte da população dessa cidade de 1.000.000 de habitantes se dirige toda manhã a esse lugar para as abluções diárias. São idosos em sua maioria – os hindus devotos vão até lá na esperança de alcançar uma morte que os conduza instantaneamente ao nirvana e liberte sua alma do ciclo natural de nascimento e renascimento. Eles se banham no rio, bebem a água, lavam suas roupas e fazem posições de ioga nas margens, que são salpicadas de centenas de templos e casas de peregrinação. Os sinos e gongos contribuem para aumentar o clima surrealista dos búzios que anunciam os reflexos dos primeiros raios de sol sobre o Ganges, ou Ganga Ma (Mãe Ganges).

O QUE: lugar. **ONDE:** vôos diários a Varanasi partem de Nova Délhi (774km), Mumbai, antiga Bombaim (1.529km), e de várias outras cidades importantes. **ONDE FICAR:** o melhor hotel é o Taj Ganges, Nadesar Palace Grounds; tel. (91) 542-345100; fax (91) 542-348067; tajhotel@aol.com; www.tajhotels.com. *Quanto:* duplos U$60. **MELHOR ÉPOCA:** Out.–Mar. Festivais ao longo do ano; o Diwali, Festival das Luzes, é realizado em Out. ou Nov.

Ecos da Paris asiática

PALÁCIO DE MÁRMORE

Calcutá, Bengala Ocidental, Índia

Saia do atordoante turbilhão das ruas de Calcutá e entre no frescor do Palácio de Mármore para um giro pelo século XIX. Com sua fartura de mármores italianos, esse edifício foi uma extravagância pessoal do perdulário rajá Rajendra Mullick Bahadur, um exemplo da ostentação da época e do seu desejo de rivalizar em alto nível com a cultura ocidental. Trabalhos de manutenção não são o forte dessa cidade que parece estar se esfarelando. Suas construções decrépitas, embora imponentes, estão cobertas de limo e bolor – e o Palácio de Mármore, mansão labiríntica que um dia foi grandiosa, não é uma exceção. Hoje um cenário fantasmagórico (muitas vezes usado por cineastas indianos), ele nos permite, no entanto, imaginar os jantares de gala e a pompa dos dias em que Calcutá foi a capital da Índia durante o Raj (domínio britânico) e segunda cidade do Império Britânico, depois de Londres. Os descendentes dos proprietários originais moram nos aposentos superiores e permitem que os andares de baixo – cheios de espelhos marchetados, pinturas e memórias – permaneçam abertos à visitação pública. O visitante pode ficar imaginando que boa parte da herança já deve ter sido vendida, mas ainda restam um Reynolds, um Rubens, lustres de cristal do tamanho de elefantes, imensos salões barrocos de baile e de bilhar, corredores no estilo Ufizzi, com estatuária de mármore e piso de mosaico marchetado, e, finalmente, uma Sala do Trono vazia por onde circula um pavão errante.

O Que: lugar. **Onde:** Rua Muktaram Basbu, 46, transversal à Avenida Chittaranjan. **Quanto:** entrada franca para quem tem permissão do departamento de turismo. **Quando:** aberto Ter., Qua. e Sex.–Dom. **Melhor Época:** Nov.–Fev.

Imagem e herança cultural de uma ex-capital

Praça Real

Esfahan, Irã

Exibindo a maior concentração de monumentos islâmicos do país, Esfahan é provavelmente a mais bela das cidades iranianas. Ao transferir para lá a capital em 1598, o xá Abbas, o Grande, reconstruiu um centro de comércio já florescente para ser a vitrine da opulenta dinastia Safávida. Até hoje, muitas das mesquitas, palácios, bazares, pontes, grandes avenidas e parques da cidade refletem os dias de glória de seu império de 30 anos – um dos maiores experimentos mundiais em planejamento urbano. O centro simbólico da dinastia Safávida e de seu Império Persa era a imensa Maidan-e-Imam (Praça do Imame, antes Praça Real, tradicionalmente conhecida como Maidan-e-Naghsh-e-Jahan, ou Praça da Imagem do Mundo), um dos maiores e mais estupendos espaços públicos do planeta. Mesquitas de azulejos coloridos e outros edifícios do século XVII, classificados pelo xá como suas obras-primas, formam um magnífico perímetro. A construção da complexa e majestosa Masjed-e Jomeh (Mesquita da Sexta-Feira), situada nas proximidades, começou no século XI e foi concluída no século XVIII (o que incluiu um período de influência mongol na arquitetura persa). Com suas 476 cúpulas, é considerada uma das mesquitas mais notáveis de todo o mundo.

Os visitantes de hoje podem ter uma prova, ainda que um pouco menos generosa, da acolhida dada aos hóspedes da corte Safávida reservando um quarto no Abbasi Hotel, construído à semelhança de um caravançará do século XVI.

O Que: lugar, hotel. **Esfahan:** 515km ao sul de Teerã. **Abbasi Hotel:** Avenida Anadegah. Tel. (98) 311-222-6011; fax (98) 311-222-6008; abbasihotel@isfahan.org.ir; www.

abbasihotel.com. *Quanto*: duplos a partir de U$144. **Como:** nos Estados Unidos, a Distant Horizons é especializada em viagens de pequenos grupos ao Irã (incluindo Esfahan e Persépolis), das quais participa um especialista convidado. Tel. (1) 800-333-1240 e (1) 562-983-8828; fax (1) 562-983-8833; info@distant-horizons.com; www.distant-horizons.com. **Quanto:** viagem de 18 dias U$4.990 por pessoa, em quarto duplo; inclui passagem aérea desde Nova York, parte terrestre e todas as refeições. **Quando:** partidas na primavera e no outono. **Melhor Época:** primavera e outono.

O centro cerimonial de um antigo império

Persépolis

Irã

Em 512 a.C., Dario, o Grande decidiu construir nesse lugar um imenso e majestoso palácio – o maior que o mundo já conhecera – que fosse digno da vastidão do Império Persa. Placas de argila encontradas nas escavações relatam que as elevadas exigências de realização artística e arquitetônica de Dario fizeram com que durante 60 anos fossem importados cedro do Líbano e madeiras de alta qualidade, pedras e ouro de províncias distantes para embelezar a cidade, que ficou conhecida como uma das maravilhas da Antiguidade. Tomada em 330 a.C. por Alexandre, o Grande, Persépolis foi em seguida arrasada por um incêndio, que até hoje não se sabe se foi acidental ou provocado intencionalmente (Alexandre não costumava destruir as cidades que conquistava). Embora as ruínas dessa cidade, situadas em um platô que se eleva a 9m de altura sobre a imensa planície, não reflitam nem a sombra de sua grandeza passada, os cerca de 15 edifícios reconstruídos permitem que os visitantes imaginem a dimensão do sonho de Dario. Muitos especialistas acreditam que ele nunca morou em Persépolis, que seria usada exclusivamente nos rituais de Ano-Novo, na primavera, quando delegações de todas as partes do Império iam até lá para levar valiosos presentes ao poderoso soberano.

A melancólica grandiosidade de Persépolis.

O Que: lugar. **Onde:** a 58km de Shiraz, 640km ao sul de Teerã. **Como:** no Brasil, agência Mundus Travel (São Paulo). tel. (11) 3262-4399; fax (11) 3262-4015; mundus@mundus.com.br; www.mundus.com.br. Pacote: 21 dias, parte aérea e terrestre, vôo partindo de São Paulo, hotel, café da manhã e almoço. **Quanto:** U$3.800. **Quando:** saídas mensais. **Melhor Época:** primavera e outono.

Um estupendo cenário acima das nuvens

JALJALE HIMAL

Nepal

Os aventureiros que afluíram em massa a esse país a partir da década de 1960 alteraram irreversivelmente as mais populares caminhadas nas montanhas do Nepal, mas nas rotas alternativas menos percorridas ainda é possível conhecer culturas inesquecíveis e panoramas de tirar o fôlego (a não ser por anúncios da Coca-Cola e velhos pôsteres de Rambo). O Trekking de Altitude de Jaljale Himal, no Nepal Oriental, continua sendo uma espécie de jóia oculta que permite o contato com algumas das mais intocadas regiões do Himalaia. Você verá regularmente quatro dos cinco picos mais altos e majestosos do mundo (Everest, Kanchenjunga, Lhotse e Makalu) e conhecerá algumas das populações mais cordiais do Nepal. Exceto por alguns excursionistas nos últimos três dias do passeio, serão poucos os rostos não nepaleses – a maioria dos pitorescos povoados por onde passa essa caminhada raramente vê estrangeiros, de modo que os viajantes ainda podem experimentar o autêntico Nepal medieval e a vida cotidiana de seus três grupos religiosos (hindus, tribais e budistas tibetanos). Mas atenção: essa viagem o deixará mal acostumado. Comparado a Jaljale Himal, tudo o mais lhe parecerá urbano e comercial.

Vista da encosta da montanha.

O QUE: experiência. **ONDE:** as caminhadas partem de Tumlingtar, 45 minutos de vôo a leste da capital Katmandu (incluída nos preços abaixo). **COMO:** é indispensável uma agência especializada em trekking. Nos Estados Unidos, entre em contato com a Above the Clouds; tel. (1) 800-233-4499 e (1) 802-482-4848; fax (1) 802-482-5011; info@aboveclouds.com; www.aboveclouds.com. **QUANTO:** 31 dias a partir de U$2.850 por pessoa, em quarto duplo, tudo incluído, parte terrestre, 23 dias de caminhada de moderada a pesada e vôo doméstico. Caminhadas de 6 dias, mais baratas, cobrem uma parte da trilha de Jaljale Himal. **QUANDO:** partida em começo/meados de Out. (caminhadas curtas em Set.–Mai.). **MELHOR ÉPOCA:** meados de Out.–Dez. e meados de Fev.–Mar. (caminhadas curtas).

O coração da Katmandu antiga

PRAÇA DURBAR

Katmandu, Nepal

Desde 1951, ano em que o Nepal abriu as portas para o turismo estrangeiro, legiões de hippies vagueiam pela histórica Praça Durbar (durbar significa "palácio"), em Katmandu. Com uma impressionante concentração de mais de 50 templos, santuários e antigos palácios em poucas quadras, a praça ainda tem seus momentos de magia quando não está apinhada de turistas, camelôs e jinriquixás. O visitante pode passar horas absorvendo suas imagens, sons e odores, capazes de provocar até mesmo uma sobrecarga sensorial, nas escadarias do templo Maju Deval, com seus três telhados. No lado sul da praça está situada a Kumari Ghar, residência de três andares de Kumaro Devi (Deusa Vivente). Ao redor da praça, um consumismo avassalador oculta boa parte do caráter medieval de Katmandu, hoje em rápida e descuidada marcha rumo ao futuro. Mas ainda é uma grande emoção percorrer o labirinto de vielas não muito distantes dali, cheias de minúsculas lojas que exalam aromas de incenso e essências diversas. Ali se pode observar um estilo de vida que permanece relativamente à margem da chegada dos visitantes ocidentais.

O hotel Yak & Yeti ainda é um dos melhores, mais originais e interessantes da região. Peça um quarto na ala antiga, que foi residência de um *rana* (primeiro-ministro) do século XIX.

O QUE: lugar, hotel. **ONDE:** Hotel Yak & Yeti, na Durbar Marg, logo à direita do Palácio Real, a 7km do aeroporto. Tel. (977) 1-248999; fax (977) 1-227782; reservation@yakandyeti.com; www.yakandyeti.com. **QUANTO:** duplos a partir de U$185. **MELHOR ÉPOCA:** primavera, outono e final de Out. ou no começo de Nov., durante a Festa do Tihar, feriado hindu em honra à deusa Lakshmi.

Imagens medievais no vale de Katmandu

BHAKTAPUR

Vale de Katmandu, Nepal

Boa parte da área ao redor da grandiosa Praça Durbar de Bhaktapur tem o poder mágico de lembrar Katmandu, a vizinha capital do Nepal, nos dias que antecedem a chegada de excursionistas a caminho do circuito Annapurna e da trilha do Everest. Mas, ao contrário da Katmandu em rápido desenvolvimento, Bhaktapur – também chamada Bhadgaon (Cidade dos Devotos) – ainda é um lugar com imagens medievais que escapou por pouco de se curvar ao turismo ocidental. Sua marcante arquitetura e as recentes medidas de preservação urbana (as mais amplas do país, graças a um projeto iniciado na década de 1970 com financiamento alemão) se devem ao seu prestígio de ex-capital, desde o ano 1200 d.C., de um dos quatro reinos independentes do vale de Katmandu unificados no final do século XVIII. A Praça Durbar é limitada pelo Palácio Real, com seus sete átrios, por uma seqüência de templos hinduístas no estilo pagode e pela Porta Dourada. Toda de bronze, ela é um dos maiores orgulhos do Nepal em termos de realizações artísticas. Uma curta caminhada em qualquer direção a partir da praça conduz o visitante às tortuosas vielas onde oleiros e artesãos locais, há séculos uma das razões da fama da cidade, levam adiante as suas imutáveis tradições.

O Que: cidade. **Onde:** 14km a leste de Katmandu. **Melhor Época:** Out.–Mar.

Chomolungma, a "Deusa-Mãe do Universo"

Monte Everest

Nepal

O pico do Everest, a mais alta montanha do mundo, é um objetivo épico que poucos montanhistas já alcançaram. Mas não é preciso chegar ao topo, nem mesmo ao popularíssimo acampamento-base, para experimentar o poder de Chomolungma, a "Deusa-Mãe do Universo", como é conhecido o Everest entre os xerpas (povo tibetano que habita a região meridional do Himalaia). Muitos se deparam com o Everest na excursão ao belíssimo vale de Khumbu, com suas magníficas paisagens, fascinantes aldeias xerpas e mosteiros budistas espetacularmente localizados e uma vida selvagem singular. Uma festa visual para amantes das montanhas e ponto alto das caminhadas pela região do Everest são os estupendos closes desse pico de 8.848,13m de altitude (embora uma nova medição feita por pesquisadores chineses em 2005 revele que ele pode ter 8.844,43m), assim como os de concorrentes de peso, como o Lhotse, o Makalu e o Cho Oyu. Equilibrando toda essa grandeza há a cordialidade e a alegre simpatia da população xerpa, cujo espírito hospitaleiro proporciona uma experiência cultural tão memorável quanto o próprio Everest.

O espetáculo do Everest.

O Que: experiência. **Onde:** a leste da capital Katmandu, na fronteira com o Tibet. **Como:** no Brasil, agência Brasil BackPackers (São Paulo). Tel. (11) 3026-9292; fax (11) 3021-7960; info@brasilbackpackers.com; www.africadosul.org/brasilbackpackers/everestbasecamp.htm. Pacote Everest Base Camp: 17 dias (4 noites em hotel e 12 noites em acampamento), partes aérea e terrestre, vôo partindo de São Paulo, todas as refeições, traslados, guias, carregadores locais, ingressos para as atrações listadas no roteiro e permissão para o trekking. **Quanto:** U$2.990. **Quando:** 2 saídas mensais, Jan.–Mai. e Set.–Dez. **Melhor Época:** primavera e outono.

Procurando o tigre-de-bengala no mais rico santuário natural da Ásia

PARQUE NACIONAL ROYAL CHITWAN

Nepal

No passado, os 930km² do Royal Chitwan foram território de caça privado do rei do Nepal e seus convidados. Hoje, constituem uma das mais extraordinárias áreas protegidas de florestas e campinas de toda a Ásia. Safáris de barco e jipe e excursões a pé conduzidas por guias especializados exploram o reino fluvial e sua profusa vida selvagem, que, segundo estimativas, é composta por mais de 500 espécies de pássaros. Mas as melhores caminhadas são um assunto mais tradicional: um pelotão de dóceis elefantes e seus hábeis *mahouts* (treinadores, ou condutores) está pronto para levar o visitante à procura do grande rinoceronte de um só chifre e do quase extinto tigre-de-bengala – dos 100 animais adultos dessa espécie que restam no Nepal em condições de se reproduzir, cerca de 50 vivem em Chitwan e na vizinha Reserva de Vida Selvagem de Parsa.

O Tiger Tops dispõe de um amplo espaço para os elefantes.

O Tiger Tops Jungle Lodge, um agrupamento de cabanas com cobertura de sapê e feitas com estacas da altura do topo das árvores, situa-se nos limites do parque. O amanhecer parece saído de um capítulo de *O livro da selva*, de Rudyard Kipling. À noite, os jantares à luz de velas (o Tiger Tops não tem eletricidade, a não ser para os ventiladores e lâmpadas de leitura movidos à energia solar) são simples – reminiscências dos safáris dos aristocratas nepaleses e dos grandes caçadores brancos da época do domínio britânico, que não se limitavam a tirar fotografias. Partidas de pólo com os participantes montados em elefantes – no passado um esporte de reis e marajás e hoje uma relíquia da época colonial – são revividas durante o torneio internacional do Tiger Tops em dezembro.

O QUE: experiência, lugar, hotel. **ONDE:** 121km a sudoeste de Katmandu. Vôos diários de 30 minutos partindo de Katmandu podem ser reservados por meio do Tiger Tops; o transporte por automóvel e barco (40 minutos) é providenciado pelo hotel e está incluído nos preços a seguir. No Nepal, Tiger Mountain; tel. (977) 1-361-600. **QUANTO:** pacote de 3 noites/4 dias, a partir de U$883, inclui observação da vida selvagem, refeições e transporte terrestre desde e para o campo de pouso. **QUANDO:** aberto Set.–Jun. **MELHOR ÉPOCA:** Mar. e Abr.

O último reino budista proibido

Reino de Mustang

Mustang, Nepal

Quase que totalmente cercado pelo Tibet e governado por uma família real tibetana, o Mustang – um reino dentro de um reino – sobrevive como um dos últimos remanescentes do Tibet antigo. Embora nominalmente integrado ao Reino do Nepal desde o começo da década de 1950, Mustang ainda é em grande parte autônomo e conserva uma porção significativa de seu tecido cultural medieval. Diz-se que Mustang, com seus ancestrais povoados-fortaleza amuralhados e mosteiros esculpidos na rocha, que exibem esmaecidos tons naturais de cinza e matizes de vermelho-ferrugem, se parece mais com o Tibet anterior à ocupação chinesa do que o próprio Tibet. Sua paisagem é irregular e sombria, um espetacular terreno desértico no alto, em meio a picos altíssimos, entre os quais o eternamente nevado Annapurnas ao sul. A delicada posição de Mustang na fronteira com o Tibet fez com que permanecesse fechado até 1992, quando o governo nepalês começou a admitir, a conta-gotas, visitantes de outros países. Ironicamente, esse reino foi muito visitado por viajantes no passado por causa das rotas de comércio que remontam a mais de 1.000 anos. Suas paisagens totalmente desprovidas de árvores devem ter parecido distantes e extraordinárias aos mercadores europeus que retornavam da China com cargas preciosas. Eles provavelmente tiveram a mesma dificuldade dos excursionistas dos dias de hoje para descrever o aspecto extraterreno de todo esse cenário.

O Que: experiência. **Onde:** a noroeste de Katmandu e ao norte de Pokhara. As caminhadas partem de Jomsom. **Como:** o acesso a Mustang é restrito: deve-se obter uma licença com uma empresa de trekking autorizada; todas as excursões são acompanhadas por um representante do governo. No Brasil, agência Mundus Travel (São Paulo). Tel. (11) 3262-4399; fax (11) 3262-4015; mundus@mundus.com.br; www.mundus.com.br. Pacote: 21 dias, parte aérea e terrestre (toda a estrutura necessária para o trekking), traslado, hotel e acomodações em tendas durante o passeio, café da manhã, almoço e jantar. **Quanto:** U$5.000. **Quando:** Mai.–Out. **Melhor Época:** a excursão na primavera coincide com o Tigi, um festival do budismo tibetano.

Homenagem ao dente do Buda

Esala Perahera

Kandy, Sri Lanka

A cidadela cultural de Kandy, no exuberante interior do Sri Lanka, merece ser visitada em qualquer época do ano, mas quem chega para a Esala Perahera presencia um dos maiores espetáculos da Ásia. Há séculos essa esmerada procissão homenageia o dente sagrado do Buda, levado para o Sri Lanka no ano 301 d.C. e depositado no santuário Dalada Maligawa (Templo do Dente), um dos lugares de peregrinação mais venerados do budismo. Durante a cerimônia, a relíquia fica dentro de uma caixa dourada, em cima de um elefante ornamentado da tromba até à cauda com enfeites coloridos. Um tapete imaculadamente branco é desenrolado à sua frente para que suas patas não toquem o chão, tudo precedido de um fantástico desfile de dezenas de outros elefantes e de um frenético elenco de milhares de dançarinos e tocadores de tambor locais. O querido elefante Maligawa Turker morreu em 1988 depois de 50 anos de bons serviços, e seu corpo empalhado é exibido de forma carinhosa no Dalada Maligawa. Um jovem elefante tailandês especialmente treinado para o papel ocupou o seu lugar. É difícil imaginar Sri Lanka sem os seus amados elefantes, elemento essencial de qualquer *perahera* (procissão). De Kandy se faz uma viagem bastante tranqüila até o Orfanato de Elefantes Pinnewala, onde cerca de 50 lindos elefantinhos, alguns com apenas algumas semanas de idade, já se acostumaram a tomar leite dado em garrafas por visitantes. Cada um deles consome mais de 40l de leite por dia.

O QUE: evento, cidade. **ONDE:** região montanhosa a cerca de 155km de Colombo, a capital executiva. O Orfanato de Elefantes de Pinnewala fica a 1 hora e 30 minutos de automóvel a oeste de Kandy, na estrada para Colombo. **QUANDO:** o auge da festa anual de Esala Perahera, que dura 10 dias, ocorre durante a lua cheia de Esala, em Jul. ou Ago. **MELHOR ÉPOCA:** a altitude e a localização lacustre de Kandy lhe proporcionam um clima agradável o ano inteiro.

Uma antiga capital imperial e um magnífico resort litorâneo

As Ruínas Romanas de Éfeso

Turquia

Éfeso, uma das mais bem preservadas cidades antigas do Mediterrâneo, é uma admirável amostra arqueológica da região do Egeu. Embora a 5km do mar, foi uma das mais ricas cidades portuárias da era greco-romana,

A Biblioteca de Celso.

convenientemente localizada entre o Oriente Médio e os portos mediterrâneos do Ocidente. Fundada no início do ano 1000 a.C. pelos jônios, suas extensas e notáveis ruínas são testemunhas de sua condição de capital da província romana da Ásia – no tempo de César Augusto, era a segunda maior cidade do Mediterrâneo Oriental, depois de Alexandria. Hoje, uma rua de mármore de 1,6km sulcada por rodas de bigas passa em frente a edifícios parcialmente reconstruídos, como o Grande Teatro (com capacidade para 25.000 espectadores) e a linda Biblioteca de Celso, de dois pavimentos, construída em 135 d.C. e uma das maiores da Antiguidade. O templo de Ártemis (conhecida pelos romanos como Diana, irmã gêmea de Apolo) foi considerado uma das maravilhas do mundo antigo. Hoje só restam as suas fundações, mas durante o apogeu de Éfeso, em 356 a.C., era quatro vezes maior do que o Partenon de Atenas, com uma floresta de 127 colunas de mármore suportando um telhado de 18m de altura. Éfeso continuou a prosperar até o século III de nossa era, quando foi arrasada por invasores godos provenientes do norte da Europa. Centenas de estátuas e colunas sumiram nos séculos seguintes; algumas reapareceram em Constantinopla, onde foram usadas para a construção e o embelezamento de catedrais bizantinas. Ainda assim, o Museu de Éfeso possui uma das melhores coleções de artefatos gregos e romanos da Turquia.

Kusadasi (ilha dos Pássaros), um importante balneário do mar Egeu, é a melhor base para se visitar Éfeso e outros cenários maravilhosos, entre os quais a ilha grega vizinha de Samos. Essa proximidade explica em parte a transformação desse lugar, que já foi uma sonolenta vila de pescadores, num parque de diversões litorâneo, mas a verdade é que sua fama se sustenta por si mesma. No final da ampla baía, uma magnífica fortaleza bizantina ainda faz a guarda. O local é um destino muito procurado por navios de cruzeiro e lanchas de passeio – os excelentes restaurantes de frutos do mar ao redor da enseada e um animado bazar continuam a proporcionar descobertas. Localizado num pequeno promontório sobre a baía, o Kismet Hotel, de 84 quartos, é o máximo do charme. Sua elegante proprietária, Hümeyra Ozbas, é descendente do último sultão otomano, Muhammed VI. Com o marido, Halil, e os filhos, ela dirige o Kismet em grande estilo. Seus jardins de palmeiras, pinheiros e damas-da-noite dão ao hotel um ar de *villa* (casa) mediterrânea, lugar perfeito para se brindar o anoitecer com um *raki*, bebida local preparada com anis.

O QUE: lugar, cidade, hotel. **ÉFESO:** 19km ao norte de Kusadasi e cerca de 172km ao norte de Bodrum. *Quanto*: ingresso. **KISMET HOTEL:** Akyar Mevkii, Türkmen Mah, Kusadasi. Tel. (90) 618-1290; fax (90) 618-1295; kismet@efes.net.tr; www.kismet.com.tr. *Quanto*: duplos U$120. *Quando*: Abr.–Nov. **COMO:** no Brasil, agência ViaBr Turismo (São Paulo). Tel. (11) 3871-3082; fax (11) 3801-2821; www.viabrturismo.com.br. Pacote: 7 dias, parte aérea (vôos partindo do Rio de Janeiro e de São Paulo), traslado, hotel, guia, pensão simples. *Quanto*: a partir de U$1.775. *Quando*: Mar.–Dez. **MELHOR ÉPOCA:** primavera e outono para passeios, Jun. e Jul. para ir à praia. Apresentações de música e dança durante o Festival da Cultura e Arte de Éfeso, de 1 semana de duração, no começo de Mai.

Bazar, banhos & outras coisas mais

O BAZAR COBERTO E O CAGALOGLU HAMAM

Istambul, Turquia

Quer ir ao mercado comprar um tapete voador? Tapetes aos montes, e todos os objetos que você possa imaginar, são encontrados no fantástico Kapali Çarsi (Bazar Coberto) de Istambul, uma minicidade de 25ha e 65 ruas com 4.000 lojas, pequenos cafés e restaurantes – tudo isso cercado por um muro com 11 portões de acesso. Erguido por ordem de Mehmet, o Conquistador na década de 1450, o bazar, um dos maiores e mais antigos mercados cobertos do mundo, foi em boa parte reconstruído ao longo dos anos por causa de incêndios, mas seu estilo original de corredores e fontes azulejadas está preservado. Você tem à disposição um mar de opções para adquirir curiosidades locais e souvenirs: tapetes, bijuterias, ânforas, cachimbos de sepiolita, cerâmica e artigos de couro, bronze e cobre. Respire fundo e mergulhe no labirinto de vielas onde os comerciantes oferecem copinhos de chá aos turistas que se perdem em busca de uma improvável pechincha. Um ou outro residente de Istambul vai até lá para adquirir um corte de tecido ou um bracelete de ouro para ocasiões especiais. Como em toda parte, as ruas secundárias são as mais autênticas e as que mais evocam os velhos tempos.

Terminadas as compras, um tradicional banho turco é a opção ideal para relaxar. Ainda existem mais de 100 opções à sua escolha, mas o melhor lugar para ficar de molho depois de passar um longo e poeirento dia pechinchando é o Cagaloglu Hamam, na Yerebatan Caddesi. Ele foi um presente dado à cidade em 1741 pelo sultão Mahmud I. Diz-se que o rei Eduardo VIII, o kaiser Guilherme II, Franz Liszt e Florence Nightingale visitaram a sua magnífica sauna com cúpula de mármore – Tony Curtis o fez, sem sombra de dúvida. Os banhos públicos

Explore os 25ha da cidade dos mercados.

foram inventados pelos romanos, que passaram a tradição aos bizantinos e estes últimos aos turcos. Considerados equipamentos de utilidade pública dada a escassez de água, os banhos proporcionavam o casamento perfeito do asseio corporal exigido pelo Alcorão com o desfrute do prazer num ambiente agradável. Embora a maioria dos lares turcos (especialmente nas cidades) tenha água encanada, eles continuam sendo uma instituição nacional.

A punição para o homem apanhado nos banhos destinados às mulheres era muitas vezes a morte. Quem quiser se aventurar a fazer isso hoje em dia pode até escapar com vida, porém o mais comum agora são banhos masculinos e femininos dispostos separadamente em interiores que não mudaram muito desde os dias do Império Otomano.

O QUE: lugar, experiência. **BAZAR COBERTO:** Yeniçeriler Caddesi e Fuatpasa Caddesi. *Quando*: aberto Seg.–Sáb. **CAGALOGLU HAMAM:** Yerebatan Caddesi, em Babiali Caddesi, perto da Praça Cagaloglu (perto da Igreja de Santa Sofia). *Quanto:* ingresso.

O maior legado de Bizâncio

IGREJA DE SANTA SOFIA

Istambul, Turquia

A imensa cúpula e os quatro elegantes minaretes da Igreja de Santa Sofia (Hagia Sophia, ou Igreja da Santa Sabedoria) erguem-se acima da barulheira e do caos do centro de Istambul, formando, há mais de um milênio, a mais marcante silhueta do céu da Ásia. Saia do sol implacável e encontre a essência dessa igreja na comovedora beleza de seu vagamente iluminado interior, um dos maiores espaços fechados do mundo. Constantinopla (hoje Istambul), a capital bizantina, aproximava-se rapidamente de seu apogeu como centro religioso, comercial e artístico do Império Romano quando, no século VI de nossa era, Justiniano deu início a essa obra às margens do Bósforo, reconstruindo uma igreja edificada originalmente na época de Constantino. Com o tempo, ela veio a se tornar o maior templo cristão de todo o Império Bizantino, símbolo do poder e da riqueza de seus imperadores. Infelizmente, a maior parte de seu ouro e mármores, assim como seus cerca de 2ha de esmerados mosaicos, foi pilhada durante as Cruzadas em 1204 e levada como butim. Em 1453, com a tomada de Constantinopla pelos otomanos, a Igreja de Santa Sofia foi transformada em mesquita. Em 1934 perdeu todas as suas funções religiosas, mas ela será sempre um oásis espiritual, a mais extraordinária estrutura remanescente do final da Antiguidade. Desde 1931, vem funcionando como museu.

Os quartos e restaurantes do Four Seasons Hotel, localizado nas imediações, dão vista para a Igreja de Santa Sofia e para a elegante Mesquita Azul, com seus seis minaretes, construída por ordem do sultão Ahmet I a partir de 1609. Ironicamente, o edifício do Four Seasons começou a ser usado em 1917 como cárcere de escritores e políticos turcos dissidentes, que ocupavam cômodos muito menos suntuosos do que os que o hotel oferece hoje em dia. Essas pessoas nunca reconheceriam os aposentos espaçosos, os equipamentos requintados e, principalmente, os sedutores banhos sibaritas. No pátio, agora um oásis cheio de plantas e canto de pássaros, são servidas refeições que não guardam nenhuma semelhança com a comida da prisão. Um café turco ou um coquetel ao pôr-do-sol no terraço da cobertura, de onde as torres da cidade podem ser apreciadas, é um momento fascinante... quando as luzes se acendem e os tesouros de Istambul se destacam na noite escura, o visitante de fato se sente um prisioneiro, mas do prazer e do romance, sob a vigilância de uma equipe de funcionários que mataria de inveja qualquer sultão.

O QUE: lugar, hotel. **IGREJA DE SANTA SOFIA:** em Sultanahmet. *Quando*: Ter.–Dom. *Quanto:* ingresso U$10. **FOUR SEASONS HOTEL:** Tevkifhane Sokak, 1, Sultanahmet-Eminonu. Tel. (90) 212-638-8200; fax (90) 212-638-8530; www.fourseasons.com/istanbul. *Quanto*: duplos a partir de U$320. **MELHOR ÉPOCA:** Abr.–Out.

Um tesouro curiosamente desprezado

MUSEU KARIYE

Istambul, Turquia

Uma visita a essa pouco conhecida mesquita transformada em museu deixa o visitante pasmo. O museu ocupa o que foi originalmente a Igreja do Santo Salvador, em Chora ("o campo"), um lugar distante na periferia oeste de Istambul. Originalmente erguida no século V, ela passou por diversas reconstruções. Boa parte da atual estrutura e da majestosa decoração interior foi completada em 1321 durante o renascimento artístico e intelectual que transformou o Império Bizantino. O Museu Kariye guarda deslumbrantes mosaicos e afrescos do século XIV que retratam cenas bíblicas, de Adão à vida de Cristo, bem como algumas das maiores e mais importantes pinturas bizantinas existentes no mundo. Apesar disso, o visitante pode se ver absolutamente sozinho dentro do museu, o que aumenta o sentimento de assombro. Ponha os pensamentos em ordem tomando um chá no terraço ajardinado. As numerosas residências históricas otomanas das redondezas, à sombra das muralhas da cidade construídas no século V, formam um bolsão que evoca a Velha Istambul. As altas muralhas chegam a ter mais de 6m de largura em alguns pontos.

Aprecie os inigualáveis mosaicos e afrescos do Museu Kariye.

O Que: lugar. **Onde:** ao lado do Portão de Edirne, Cidade Velha. Tel. (90) 212-631-9241. **Quanto:** ingresso. **Quando:** Qua.–Seg. **Melhor Época:** primavera e outono.

A maior e mais bela mesquita imperial

Mesquita de Solimão I, o Magnífico

Istambul, Turquia

Conhecida por seus graciosos minaretes, vitrais e excelente acústica, a Mesquita do Sultão Solimão I, o Magnífico (a Süleymaniye Camii) é a maior – e considerada a mais bela – de todas as mesquitas de Istambul.

A Mesquita de Solimão I, o Magnífico é mais antiga e ainda mais majestosa do que a Mesquita Azul.

Com sua inconfundível silhueta destacando-se no alto de um morro, ela se tornou o marco mais característico da cidade, o que era precisamente o objetivo de seu construtor. Solimão I, o mais rico e poderoso dos sultões otomanos, mandou erguer esse monumento para si próprio no período de 1550 a 1557 e foi ali sepultado (junto com sua esposa favorita, conhecida no Ocidente como Roxelana, "a russa") apenas nove anos após a conclusão da obra. Perto de suas tumbas octogonais esmeradamente decoradas com azulejos (pergunte pelo *türbeler*) fica o modesto túmulo de Mimar Sinan, o maior arquiteto da Turquia, responsável por essa extraordinária construção. Embora a Süleymaniye seja o mais suntuoso (e o mais conhecido) dos muitos tributos que projetou para seu mecenas, Sinan considerava sua obra-prima a Mesquita de Selimiye, em Edirne, noroeste de Istambul, perto da fronteira com a Bulgária e a Grécia.

O QUE: lugar. **ONDE:** Hesapçesme Caddesi, Beyazit. **QUANTO:** ingresso. **MELHOR ÉPOCA:** primavera e outono.

Um ponto de encontro de espiões e celebridades

O PERA PALAS

Istambul, Turquia

Pare para tomar um chá nesse hotel centenário, que transpira história e nostalgia. O Pera Palas foi construído em 1892 para receber os visitantes, em sua maioria europeus, que chegavam a Constantinopla no Expresso Oriente (e depois eram levados ao hotel em liteiras). Seu livro de hóspedes exibe uma fantástica relação de notáveis na qual o fantasma de Mata Hari faz companhia ao de Agatha Christie, que escreveu boa parte de *Assassinato no Expresso Oriente* no quarto 411, na década de 1930. O herói nacional da Turquia, Mustafá Kemal Ataturk (que viria a ser o primeiro presidente da Turquia depois que o país se tornou uma república em 1923), preferia o quarto 101, que permanece exatamente como ele o usava e é hoje um pequeno museu. Na verdade, há um movimento em curso para transformar todo o hotel em museu, por isso a sua indispensável reforma vem sendo adiada até que se decida essa questão. Hóspedes dos velhos tempos ainda reconheceriam o elevador original, que se assemelha a uma gaiola dourada, e as paredes de mármore coral do saguão de 6m de altura. O clima um pouco esmaecido do seu maravilhoso interior no estilo art déco faz dele um favorito dos britânicos e de cineastas interessados em captar uma aura que só a realidade pode exibir. Mas no Pera Palas se paga um bom preço pela nostalgia, razão pela qual muitas pessoas se hospedam em outro lugar e se contentam em conhecê-lo apenas tomando um café no grande salão ou um drinque no bar.

O QUE: hotel, restaurante. **ONDE:** Mesrutiyet Caddesi, 89-100, Tepebasi. Tel. (90) 212-251-4560; fax (90) 212-251-4089; pera palas@perapalas.com; www.perapalas.com. **QUANTO:** duplos a partir de U$220. **MELHOR ÉPOCA:** primavera e outono.

Tesouros do sultanato e histórias do harém

PALÁCIO TOPKAPI

Istambul, Turquia

Durante quase quatro séculos, o Palácio Topkapi, um complexo de 71ha erguido num promontório do estreito de Bósforo, foi a residência de 25 sultões que governaram o vasto Império Otomano. Os salões e as mostras dessa construção são ainda tão deslumbrantes e suas lendas tão exóticas que é fácil imaginar o tempo em que ela abrigava uma comunidade de 40.000 pessoas – uma verdadeira cidade. A maior parte dos tesouros do sultanato já desapareceu há muito tempo, mas pelas peças que permanecem em exibição no Tesouro pode-se imaginar que outras "bugigangas e quinquilharias" eram usadas pelos pares de Solimão I, o Magnífico. Destacam-se a adaga Topkapi, incrustada com grandes esmeraldas, o trono de Selim I, com mais de 25.000 pedras preciosas, e o diamante Topkapi, o quinto maior do mundo, que fez a sua primeira aparição pública no turbante de coroação de Mehmet IV, em 1648.

O palácio também causa fascínio pelo harém (palavra árabe que significa "proibido"). O número de odaliscas aumentou consideravelmente no período de declínio do Império Otomano, chegando a mais de 800 em meados do século XIX, quando o sultão Abdulmecid I trocou o Topkapi pelo Palácio Dolmabahçe, mais acima no Bósforo, igualmente luxuoso, ainda que não no estilo turco, mas francês – versalhês, especificamente.

O visitante que queira ter um tratamento de paxá deve optar pela Suíte do Sultão do Çirağan Palace Hotel, que por um breve período no século XIX foi a residência do sultão Abdulaziz. Majestaticamente situado às margens do estreito de Bósforo, cerca de 2,5km ao norte do Topkapi, o hotel-palácio recuperou, depois de cuidadosamente restaurado, o seu estado original de opulência explícita, com jardins exuberantes, terraço com restaurantes ao ar livre e café de frente para o mar. Quem não costuma se hospedar nas maiores suítes da Europa certamente vai se contentar com os quartos comuns do novo anexo, que nada ficam a dever em termos de luxo. No Tuğra, o renomado restaurante do hotel implantado num terraço sobre o Bósforo, todos os clientes são tratados como reis e servidos de pratos otomanos ao som de música turca.

O Çirağan Palace original foi construído no século XVII.

O QUE: lugar, hotel. **TOPKAPI:** Sultanahmet. Entrada no final da Babuhümayun Caddesi, atrás da Igreja de Santa Sofia. Tel. (90) 212-512-0480. *Quanto:* ingresso U$6. *Quando:* Qua.–Seg. **ÇIRAĞAN PALACE HOTEL:** Çirağan Caddesi, 84, Besiktas. Tel. (90) 212-258-3377; ciraganpalace@kempinski.com; www.ciraganpalace.com. *Quanto:* duplos a partir de U$320, Suíte do Sultão U$3.500. **MELHOR ÉPOCA:** primavera e outono.

Evento anual que eleva o espírito

OS DERVIXES RODOPIANTES DE KONYA

Konya, Turquia

Konya é o mais importante centro do sufismo (seita mística islâmica) na Turquia e há quase 700 anos terra dos Dervixes Rodopiantes da ordem Mevlevi. Seu Mevlana Tekke (Mosteiro do Mevlana) foi fundado por

Jalaluddin Rumi, poeta, filósofo e *mevlana* (mestre) do século XIII, que acreditava ser possível atingir o êxtase do amor universal pela prática do giro, à maneira de todas as coisas do universo. Todo ano, em meados de dezembro, seus seguidores celebram o *shebi Arus* (Dia da União) na data de morte de Rumi, apresentando a *sema*, ou dança do rodopio, um dos espetáculos mais hipnóticos do mundo. Com a palma da mão direita virada para cima, num gesto que simboliza o recebimento das graças de Deus, e a da mão esquerda virada para baixo, numa representação da distribuição das bênçãos divinas pela Terra, os dervixes rodopiam pelo salão guiados por um mestre dançarino ao som de uma orquestra de instrumentos tradicionais. O espetáculo termina com os dançarinos girando ao redor de um dervixe veterano, denominado Sheik, que representa o Sol. Liberados de seus vínculos terrenos pelo rodopio, eles realizam sua união com Deus.

Com a queda do Império Otomano e a ascensão de Mustafá Kemal Ataturk em 1924, a ordem Mevlevi foi banida como obstáculo à modernização da Turquia. Após um intervalo de 25 anos, um grupo de dervixes convenceu o governador de Konya a autorizar a apresentação do "Rodopio" como atividade cultural – que continua até hoje. O mosteiro do *mevlana*, hoje um museu, é visitado por mais de 1.000.000 de turcos todos os anos.

O QUE: evento. **ONDE:** 258km ao sul de Ancara. **QUANDO:** a Festa do Mevlana é realizada anualmente em meados de Dez., culminando no dia 17 – data da morte de Jalaluddin Rumi, em 1273.

Quem pensa que já viu tudo que pense outra vez

CAPADÓCIA

Ürgüp, Turquia

Um passeio pelas estepes da Anatólia Central é a segunda melhor coisa que se pode fazer depois de uma viagem intergaláctica, e por apenas uma fração do custo e da inconveniência. Séculos de vento e água esculpiram no terreno vulcânico uma paisagem surrealista: são minaretes, cones, "chaminés mágicas" e pináculos de rocha em tons de rosa e castanho-avermelhado, com altura equivalente à de um edifício de cinco andares, em uma área de 130km². Os antigos habitantes da Capadócia escavaram cones e penhascos de tufo para criar cavernas no estilo pré-histórico que até hoje são habitadas.

Importante rota comercial entre o Oriente e o Ocidente, a Capadócia foi pátria de 12 diferentes civilizações. Os primeiros cristãos chegaram ali no século IV, esculpindo na rocha igrejas com cúpulas, tetos abobadados, colunas, bancos e muito mais. Esse museu ao ar livre é uma antiga colônia monástica que teria tido mais de 400 igrejas, ermidas e pequenos mosteiros.

Hoje, 15 desses locais estão abertos à visitação pública. Além de afrescos do século VIII, de natureza bastante simples, há também magníficos afrescos bizantinos dos séculos X e XIII.

Os trogloditas da nossa época devem se dirigir ao encantador e absolutamente singular Yunak Evleri, um hotel instalado numa romântica rede de cavernas do século V que foi restaurada com extremo bom gosto.

O Que: lugar, hotel. **Onde:** Ürgüp, 450km a sudeste de Ancara. **Yunak Evleri:** tel. (90) 384-341-69-20; fax (90) 384-341-69-24; yunak@yunak.com; www.yunak.com. *Quanto*: duplos a partir de U$100. **Melhor Época:** Abr.– Jun. e Set.– Out.

A paisagem sobrenatural da Capadócia.

Um autêntico museu vivo

Bukhara Antiga

Uzbequistão

O século XX ainda não chegou à Cidade Velha de Bukhara, muito menos o XXI. Mas o fato de as origens da cidade se perderem no tempo não impediu que as autoridades locais escolhessem arbitrariamente o ano de 1997 para celebrar o seu 2.500º aniversário. Uma das lendárias cidades da Rota da Seda junto com Samarqand e Khiva, Bukhara conseguiu passar ao largo tanto da onda de crescimento e modernização de Samarqand quanto das exageradas medidas de preservação que acabaram expulsando toda a vida de Khiva. A Cidade Velha de Bukhara tem um centro bastante movimentado. Cerca de 150 de seus edifícios são patrimônios arquitetônicos protegidos e, até o momento, poupados de excessivos trabalhos de restauração. A Mesquita e o Minarete de Kalan, do século XII, e o milenar mausoléu de Ismael Samani são destaques, mas boa parte da Cidade Velha data do século XVI, quando Bukhara era capital do reino do mesmo nome. Das 300 mesquitas, 100 *madrassas* (escolas islâmicas) e dezenas de caravançarás e bazares que um dia povoaram essa cidade em meio ao deserto, muitas ainda existem, em estados diversos de dilapidação e conservação.

Depois de ver os monumentos mais famosos, não deixe de percorrer as vielas de Bukhara, onde as cabras circulam livremente, as crianças brincam e os velhos se reúnem nas casas de chá para o tradicional *shishbesh*, um jogo parecido com o gamão. Você terá uma preciosa amostra da vida e da cultura da Ásia Central de modo bem pessoal.

O Que: cidade, lugar. **Onde:** a 5 horas de carro de Samarqand; Tashkent é o aeroporto mais próximo. **Como:** no Brasil, agência Mundus Travel (São Paulo). Tel. (11) 3262-4399; fax (11) 3262-4015; mundus@mundus.com.br; www.mundus.com.br. Pacote: 19 dias, parte aérea, traslado, guia, hotel, café da manhã. **Quanto:** U$4.995. **Quando:** Abr.–Set. **Melhor Época:** primavera e outono.

A encruzilhada dos vivos e dos mortos na cidade de Tamerlão

A Praça do Registão e Shah-i-Zinda

Samarqand, Uzbequistão

O Uzbequistão possui o mais interessante legado histórico e arquitetônico de todas as repúblicas da Ásia Central libertadas da dominação soviética em 1991. Seu ponto alto é Samarqand, o coração do vasto império dominado por Timur, mais conhecido como Tamerlão (1336-1405), um dos maiores e mais cruéis conquistadores da história. Essa cidade lendária, que incendiou a imaginação dos europeus em contos de incomparável beleza, foi construída e embelezada por arquitetos, artistas e artesãos seqüestrados por Tamerlão e seus descendentes nos distantes territórios conquistados. Durante 2.000 anos, Samarqand foi uma das mais importantes cidades da Rota da Seda, com bazares apinhados de mercadores e negociantes.

Desde sua construção, entre os séculos XIV e XVI, a Praça do Registão é considerada por muitas pessoas o mais nobre espaço público do mundo, uma estupenda amostra de uma civilização que atribuía o máximo valor à beleza tangível. Do tamanho de um campo de futebol, ela é um pátio que tem três de seus lados cercados por altos arcos e minaretes e pelas cúpulas azul-turquesa de três *madrassas* (escolas islâmicas).

Outro belíssimo lugar dessa cidade plena de atrativos é Shah-i-Zinda, um complexo de mausoléus datados, em sua maioria, dos séculos XIV e XV. Trata-se de um excepcional conjunto de obras de arte de terracota, maiólica e esmerada azulejaria, criadas por mestres artesãos persas e azerbaidjanos, sem rival em toda a Ásia Central. Entre os primeiros mausoléus estão os das esposas de Tamerlão, de sua jovem e bela sobrinha e de suas irmãs. Mas o túmulo mais famoso de Shah-i-Zinda é o de Qusam ibn-Abbas, suposto sobrinho do profeta Maomé. Acredita-se que três peregrinações a esse túmulo valem por uma a Meca, dada a aura de santidade que o cerca. Qusam ibn-Abbas é o "rei vivo" que dá nome ao complexo, conhecido, ironicamente, como Cidade dos Mortos.

O Que: cidade, lugar. **Onde:** sudeste do Uzbequistão. **Como:** a MIR Corp., agência de viagem com sede nos Estados Unidos e escritório em Tashkent, Uzbequistão, é especializada em excursões de pequenos grupos e viagens independentes à Ásia Central. Tel. (1) 800-424-7289 e (1) 206-624-7289; fax (1) 206-624-7360; info@mircorp.com; www.mircorp.com. **Quanto:** excursões de 15 dias, em grupo, por U$2.195 por pessoa. **Melhor Época:** Abr.–Set.

Circule pela Praça do Registão, um dos mais grandiosos espaços públicos de todo o mundo.

SUDESTE ASIÁTICO

Uma cidade-templo renascida

ANGKOR WAT

Siem Reap, Camboja

Angkor estende-se por cerca de 64km no noroeste do Camboja. Capital do Império Khmer de 800 d.C. a aproximadamente 1200, foi abandonada em 1431 com o fim do Império. Após uma seqüência de guerras e lutas internas que marcaram a história antiga e contemporânea do Camboja, os templos e monumentos do sítio arqueológico de Angkor, que figuram entre as principais obras arquitetônicas do mundo, foram reabertos à visitação pública. O destaque da cidade é o templo Angkor Wat, construído no começo do século XII pelo rei Suryavarman II com a mobilização de 25.000 trabalhadores durante 37 anos. Essa construção permaneceu ignorada desde o declínio do Império até 1860, quando o botânico francês Henri Mahout se viu diante dela no interior da floresta.

Angkor Wat é cercado por um fosso de 170m de largura.

Dedicado ao deus hindu Vishnu, Angkor Wat tem uma torre central cercada por quatro torres menores e é todo adornado com requintada estatuária, além de entalhes e baixos-relevos que retratam cenas da mitologia hindu.

Embora considerada uma atração menor, a cidade fortificada de Angkor Thom, situada nas imediações, tem em seu núcleo o Bayon, último grande templo construído em Angkor. O Bayon é cercado por 54 pequenas torres que hoje, assim como a totalidade do complexo religioso, estão praticamente ocultas pela densa e implacável selva cambojana. A quente e úmida vegetação rasteira e o misterioso jogo de luz e sombra unem o trabalho da natureza ao do homem, lembrando a atmosfera de *Indiana Jonas e o templo da perdição.*

De volta ao esplendor colonial da década de 1930 depois de restaurado pela Raffles International, o Grand Hotel Angkor, com um spa impecável e 6ha de jardins exuberantes, é a base ideal para se visitar a região.

O QUE: lugar, hotel. **ANGKOR WAT:** 6km a nordeste de Siem Reap, ligada por vôos diários a Phnom Penh, 241km ao sul. **COMO:** no Brasil, agência Mundus Travel (São Paulo). Tel. (11) 3262-4399; fax (11) 3262-4015; mundus@mundus.com.br; www.mundus.com.br. Pacote Indochina (Vietnã, Laos e Camboja): 22 dias pela Indochina, parte aérea (vôo partindo de São Paulo), traslado, hotel, café da manhã. *Quanto*: U$4.650. *Quando*: saídas mensais. **GRAND HOTEL ANGKOR:** Tel. (855) 63-963-888; fax (855) 63-963-168; www.raffles.com. *Quanto*: a partir de U$250 (baixa temporada) e U$312 (alta temporada). **MELHOR ÉPOCA:** Nov.–Mai. (estação seca).

A vida em marcha lenta

The Eastern & Oriental Express

Cingapura

Vagaroso como a vida nas aldeias kampong da região, o luxuoso Eastern & Oriental Express parte de Cingapura e sobe a península malaia em meio a históricos seringais ao longo de todo o caminho até Bangcoc, a frenética Cidade dos Anjos tailandesa, voltando logo em seguida. Plantações de chá e pagodes encarapitados nas montanhas vão passando pela janela, quilômetro após quilômetro, junto com o odor penetrante da úmida floresta. Do vagão vêem-se preciosos e panorâmicos instantâneos da vida rural: arrozais salpicados de lavradores, arados puxados por búfalos, crianças em aldeias de casas de sapê acenando à passagem do trem. O interior dessa máquina do tempo sobre rodas é um mundo de opulência: compartimentos pequenos, porém elegantes, que evocam tempos antigos, e vagões-restaurante decorados com laca chinesa, motivos malaios e sedas tailandesas à altura do seu requintado cardápio eurasiano. Depois de quase 2.000km e 40 horas de viagem, a vontade é permanecer ali para repetir essa experiência romântica, e excessivamente curta, na direção oposta – nem que seja para conservar a ilusão de que se está no filme *O expresso de Xangai* e que Marlene Dietrich acaba de entrar no vagão.

Entre num vagão-restaurante e sinta-se em outra época.

O Que: experiência. **Onde:** de Cingapura a Bangcoc ou o inverso. Em Cingapura, tel. (65) 6336-8213; fax (65) 6392-3600; www.orient-expresstrains.com. *Quanto:* viagens de 2 dias/3 noites de Cingapura a Bangcoc ou o inverso a partir de U$1.440 por pessoa, incluindo todas as refeições e algumas excursões em terra. **Quando:** partidas semanais. **Melhor Época:** Mar.–Out.

Um marco colonial e sua tradição literária

Raffles Hotel

Cingapura

Nas palavras de Somerset Maugham, esse notável elefante branco com paisagens de plumérias e palmeiras farfalhantes, galerias e salões ornamentados com obras asiáticas antigas e tapetes orientais "simboliza todas as fábulas do Oriente exótico". Depois de uma ampla reforma que conseguiu deixar intactas sua alma e sua história seculares, o Raffles Hotel, um dos mais magníficos marcos coloniais da Ásia, volta a atrair tanto os viajantes endinheirados quanto os meramente curiosos. Ele é ao mesmo tempo um hotel de luxo e uma atração turística. Em suas espaçosas suítes, o piso de teca, o pé-direito de 4,25m e os ventiladores de teto evocam os dias de glória, quando Cingapura era conhecida como "a encruzilhada da Ásia".

Nessa cidade – que é um paraíso para os apreciadores da boa mesa –, assim como na maioria dos centros urbanos asiáticos, alguns dos melhores restaurantes estão nos hotéis. Entre os vários instalados no Raffles, o destaque é o Empress Room, que oferece o que há de melhor na culinária chinesa nessa cidade, incluindo o típico *dim sum.* Quanto aos bares, Maugham gostava de tomar o seu coquetel Million Dollar no Writers Bar do hotel (freqüentado por escritores como Joseph Conrad e Rudyard Kipling). O visitante típico dos dias de hoje, porém, prefere o Long Bar, onde em 1915 foi inventado o Singapore Sling. Mais de 2.000 desses coquetéis são servidos num dia movimentado.

O QUE: hotel, restaurante. **ONDE:** Estrada Beach, 1. **COMO:** tel. (65) 6337-1886; fax (65) 6339-7650; raffles@raffles.com; www.raffles.com. **QUANTO:** duplos a partir de U$340. **MELHOR ÉPOCA:** Mar.–Out.

Milênios de arte agrícola

OS TERRAÇOS DE ARROZ DE BANAUE

Banaue, Luzon, Filipinas

Os terraços de arroz de Banaue, talhados nas montanhas da cordilheira Central há mais de 2.000 anos, ainda são mantidos como forma de irrigar as íngremes encostas da região, mais de 1.500m acima do nível do mar.

Terraços ancestrais preservam o solo precioso.

O acesso é difícil dada a precariedade das estradas, mas o esforço é recompensado pelas magníficas vistas de uma das menos conhecidas maravilhas do mundo antigo, numa extensão de mais de 10.000km². Leve um suéter, muitos rolos de filme e bons sapatos de caminhada porque Banaue é uma perfeita base de excursões pelas aldeias da tribo *ifugao.* A luminosidade, o ar da montanha e o espetáculo da ancestral arte de preparar o solo podem fazê-lo deixar seu coração nas terras altas. O modesto Banaue Hotel tem o melhor serviço da região, quartos com sacadas e uma imponente vista para os terraços de arroz. Os funcionários organizam passeios de carro e caminhadas pelas redondezas.

O Que: lugar, hotel. **Banaue:** 354km ao norte de Manila. **Banaue Hotel:** tel. (63) 74-386-4087; fax (63) 74-386-4048; www.philtourism.com. *Quanto:* duplos a partir de U$200. **Melhor Época:** Out.–Mai. (estação seca).

Um lago dentro de um vulcão dentro de um lago dentro de uma ilha

O Vulcão Taal

Tagaytay, Luzon, Filipinas

Prepare uma mochila para fazer um piquenique e saia do engarrafamento de Manila rumo ao sul para ver uma das mais belas paisagens da Ásia – o vulcão Taal. Um dos menores e mais baixos vulcões do mundo, o Taal é cheio d'água, formando um lago dentro de um lago maior. (Como gostam de dizer os guias de turismo: "um lago dentro de um vulcão dentro de um lago dentro da ilha Luzon".) Os verdes e azuis que podem ser avistados da serra de Tagaytay, coberta de florestas, fazem dela uma das alternativas preferidas de quem quer fugir do calor e do caos de Manila. Excursões de barco pelo lago da cratera e à ilha do vulcão, assim como passeios a cavalo, são fáceis de providenciar. Há também um hotel encantador e um cassino.

O Que: lugar. **Onde:** 64km ao sul de Manila. **Onde Ficar:** o Taal Vista Lodge faz reserva de quartos com vista. Tel. (63) 812-1984; fax (63) 812-1164. **Quanto:** duplos a partir de U$55. **Melhor Época:** Fev.–Abr.

A primeira erupção registrada do Taal foi em 1572.

Além das praias da ilha dos Deuses

O Coração de Bali

Indonésia

Quem adquire um pacote turístico para ir a Bali parece se contentar em permanecer na região de Kuta ou em se encasular nos hotéis elegantes de Sanur, mas é no interior – vibrante de danças, orações e mistérios – que está a verdadeira magia da ilha. Ali ainda é possível imaginar que a bomba de outubro de 2002 – que chocou a Ásia como o 11 de setembro de 2001 chocou os Estados Unidos – nunca aconteceu. Acasos felizes podem fazer com que você descubra os comoventes ritmos de uma *gamelan* (orquestra de percussão local), uma procissão de graciosas mulheres que levam na cabeça cestas inacreditavelmente altas e cheias de frutas para ofertar ao templo local e um cerimonial preparatório de uma cremação. O belo e gentil povo de Bali, mescla de malaios, polinésios, indianos e chineses, acredita ser o guardião de sua montanhosa Palau Dewata (ilha dos Deuses), com seus muitos templos (o mais pitoresco é Ulu Danu, junto ao lago Bratan) constantemente animados por festas. À noite, moradores do lugar podem sugerir que você vá ao ritual de nivelamento dos dentes e, no dia seguinte, a uma apresentação de *kecak*, a dança dos macacos. Não deixe de conhecer o monte Agung, no coração da ilha, que está sempre coberto de nuvens e é considerado o umbigo do mundo pelos balineses. Alugue um jipe (melhor ainda, uma bicicleta) para explorar o restante da ilha, um recorte abstrato de vilas e arrozais escalonados ainda cultivados com a ajuda de búfalos e onde se vêem ocasionais celeiros sobre estacas. Muitas vilas são especializadas em antigos ofícios – para entender os trabalhos de prata balineses, visite Celuk; para guarda-chuvas, Sukawati e Mengwi; para madeira entalhada, mas para pedra entalhada, Batubulan; para os tradicionais tecidos *ikat*, Tenganan.

Conheça Bali pedalando em ritmo de férias.

O QUE: ilha, experiência. **COMO:** no Brasil, agência Mundus Travel (São Paulo). Tel. (11) 3262-4399; fax (11) 3262-4015; mundus@mundus.com.br; www.mundus.com.br. Pacote Bali – A Máscara de Deus: 11 dias, parte área (vôo partindo de São Paulo), traslado, guia, hotel, café da manhã. *Quanto*: U$3.370. *Quando*: saídas mensais. Excursões a pé ou de bicicleta: nos Estados Unidos entre em contato com Backroads. Tel. (1) 800-GO-ACTIVE e (1) 510-527-1555; fax (1) 510-527-1444; goactive@backroads.com; www.backroads.com. *Quanto*: excursão de bicicleta 5 dias/6 noites, parte terrestre U$2.298 por pessoa, incluindo todas as pousadas e a maior parte das refeições. Aluguel de bicicletas à parte. *Quando*: partidas Mar.–Abr. **MELHOR ÉPOCA:** Abr.– Out. (estação seca). Durante o feriado hinduísta Gulungan, que acontece a cada 210 dias numa celebração da vitória do bem sobre o mal, as casas e os templos são decorados com flores e ornamentos.

Romantismo e tratamentos especiais num templo praieiro

O Four Seasons Resort da Baía de Jimbaran

Bali, Indonésia

Não há nada mais romântico do que esse premiado resort disfarçado de *banjar*, ou aldeia tradicional balinesa. Tocados pela brisa e cobertos de buganvílias, os quiosques dos hóspedes se espalham como as pétalas das plumérias pelos terraços da encosta que desce até à praia particular de 6,5km de extensão – uma suave curva de areia branca e água azul-turquesa. A privacidade é total nos quiosques de três cô-

O templo do Four Seasons Resort.

modos, apesar dos chuveiros ao ar livre e das divisórias deslizantes que rompem a fronteira entre o interior e o exterior. Cada um deles tem a sua piscina indevassável, cercada de jardins. Se você solicitar uma sessão de *lulur* – uma exótica combinação de ritual de beleza javanês e antigos preparativos cerimoniais balineses –, deusas enroladas em sarongues lhe darão uma sessão de massagem e esfoliação dos pés à cabeça com sândalo e outras essências. Elas também vão aplicar iogurte frio em seu corpo e dar-lhe um banho de pétalas de rosa. Começando assim, será difícil resistir a qualquer outro dos inebriantes tratamentos do spa – assim como os vários esportes aquáticos disponíveis no resort e as ceias noturnas à luz de velas, eles serão a sua desculpa para não sair nunca mais desse oásis de 15ha, a sua aldeia balinesa particular. O Four Seasons Resort de Sayan, irmão mais novo do de Jimbaran, fica 35km ao norte, nas exuberantes montanhas perto de Ubud, instalado num belíssimo terreno de 7ha às margens do sagrado rio Ayung.

O QUE: experiência, hotel. **FOUR SEASONS JIMBARAN:** sul de Bali, a 15 minutos do aeroporto de Denpasar; transporte providenciado pelo hotel U$30, somente ida. Tel. (62) 361-701-010; fsrb.jimbaran@fourseasons.com.; www.fourseasons.com/locations/bali. **FOUR SEASONS SAYAN:** próximo de Ubud. Tel. (62) 361-977-577; fax (62) 361-977-588; fsrb. sayan@fourseasons.com; **QUANTO:** quiosques a partir de U$550; *villas* (casas) U$575; pacotes "Ocean and River" oferecem estadas combinadas em ambos os resorts. Sessão de *lulur* (2 horas) U$85. **MELHOR ÉPOCA:** Abr.– Out. (estação seca).

Centro artístico e templo da hospitalidade dessa mágica ilha

UBUD E O AMANDARI

Bali, Indonésia

Os balineses sempre acreditaram que os deuses vivem nas montanhas, o que é uma razão a mais para você deixar as superlotadas regiões praieiras de Kuta e Sanur e rumar para as montanhas ao norte. Há muitos anos Ubud é conhecida como detentora da herança artística de Bali – distinção bastante significativa numa ilha onde a arte está em toda parte e onde todos criam a beleza como meio de "obter mérito" e honrar os deuses. É inútil pensar em como era Ubud antes da atual torrente de turistas e artistas estrangeiros. Essa cidade "fora do roteiro" ainda possui muito do encanto que, na década de 1920, atraiu pintores e escultores europeus cujo espírito ainda vive nas escolas e programas que eles fundaram para jovens artistas. Suba num *bemo* (pequeno utilitário de carroceria aberta) caindo aos pedaços, lotado de moradores locais e galinhas, salte em algum lugar bem longe da congestionada via principal de Ubud e você se verá em meio a fantásticos arrozais. Sob o cone de um vulcão extinto, fazendeiros ainda cultivam

Uma suíte com cobertura de sapê.

à mão os terraços de arroz, usando um complexo sistema de irrigação que remonta ao século IX. Talvez você veja os mesmos fazendeiros à noite, na dança do templo, e os garçons que o atenderam de manhã, no hotel, tocando na *gamelan* (orquestra de percussão local).

Serenamente localizado entre os arrozais, o resort Amandari (palavra cuja tradução aproximada é "anjo de paz"), mais um retiro do que um hotel, é uma exuberante adaptação idealizada das tradicionais aldeias amuralhadas balinesas construída com materiais nativos por artesãos locais. Trata-se de um dos lugares mais adoráveis de toda a Ásia. A recepção, uma construção aberta com cobertura de sapê, lembra um *wantilan*, o salão de reuniões de todos os vilarejos da região. A piscina acompanha a linha dos arrozais verde-esmeralda do entorno, com vista para o rio Ayung e o vale mais além. Sempre gentis e sorridentes, os funcionários do Amandari (quatro para cada hóspede), provenientes da aldeia vizinha de Kedewatan, fazem com que o visitante não precise sair dos limites desse hotel-templo que cheira à pluméria para se deixar envolver pela magia da alma balinesa. Mesmo assim, eles compartilham seus conhecimentos sobre as festas, celebrações e apresentações de dança e música da ilha com os que desejam se aventurar pela região.

O QUE: cidade, hotel. **ONDE:** cerca de 1 hora de viagem ao norte do aeroporto de Denpasar. O Amandari fica a 3km de Ubud; transporte por automóvel, partindo do aeroporto de Denpasar, incluído na diária do hotel. **AMANDARI:** Tel. (62) 361-975-333; fax (62) 361-975-335; www.amanresorts.com. **QUANTO:** acomodações a partir de U$20 por noite em casas de famílias locais; no Amandari, suíte dupla a partir de U$600 por noite. **MELHOR ÉPOCA:** Abr.–Out. (estação seca).

O maior monumento budista do mundo e um resort para almas tranqüilas

BOROBUDUR E O AMANJIWO

Java, Indonésia

Para quem gosta de segredos espirituais, uma hora de caminhada em sentido horário até o topo do imponente monumento piramidal budista Borobudur representa a eterna jornada do ser humano. Idealmente, essa caminhada só chega ao fim quando se alcança o total desapego do aqui e agora – um conceito que não é difícil de apreender quando se está lá no alto, embevecido com a vista total dos vulcões que cercam Borobudur. (A Indonésia tem mais de uma centena de vulcões ativos, 60 deles somente na ilha de Java.) Construído por volta de 800 d.C., Borobudur foi abandonado apenas 200 anos depois, provavelmente por ter sido em parte sepultado na erupção do vulcão Merapi, em 1006. Essa obra, em tão bom estado de conservação, foi "descoberta" pelos britânicos no começo do século XIX. O projeto de restauração sob a direção da Unesco, concluído em 1983 depois de 10 anos e ao custo de U$25.000.000, exigiu que Borobudur fosse cuidadosamente desmontado e remontado. Quase 5km de relevos talhados à mão representando o universo budista das esferas mundana, espiritual e celeste circundam seus 10 terraços. Os níveis mais altos dessa construção de estrutura escalonada, arrematados com 72 estupas em formato de sino e mais de 400 Budas, lhe conferem a curiosa silhueta de um grande porco-espinho. Maior monumento budista do mundo, é irônico que esteja localizado num país predominantemente islâmico.

A cinco minutos de carro de Borobudur, o resort Amanjiwo reproduz a configuração circular do monumento, visível da maior parte de seu terreno de paisagem exuberante. O espírito javanês do Amanjiwo é inconfundível: respeita tanto quanto possível o cenário sagrado, mas é inovador e contemporâneo. Trinta e cinco suítes em construções abobadadas independentes – todas com terraços e banheiras de imersão, muitas com piscina privativa – são dispostas em espaços semicirculares ao redor do edifício principal, que tem a forma de estupa. Materiais nativos, como a madeira de coqueiro e a teca, além de tecidos locais, ganharam uma nova e perspicaz versão com uma contida gama de cores que prende a atenção de quem observa o ambiente. Uma das principais atrações do Amanjiwo é a oportunidade de visitar Borobudur ao amanhecer. Ver a névoa que se ergue dos arrozais e coqueirais revelando os contornos distantes dos vulcões é pura magia.

O QUE: lugar, hotel. **ONDE:** ilha de Java, 42km a noroeste de Yogyakarta, 596km a sudeste de Jacarta. Amanjiwo está a cerca de 1 hora de carro de Yogyakarta e do aeroporto de Yogyakarta e a 2 horas de Solo. **AMANJIWO:** tel. (62) 293-88333; fax (62) 293-88355; www.amanresorts.com. **QUANTO:** duplos a partir de U$575. **MELHOR ÉPOCA:** Abr.–Out (estação seca).

O relicário da herança javanesa

YOGYAKARTA

Java, Indonésia

É impossível escapar da vibração de Java e de tudo o que é javanês na ancestral aldeia-cidade de Yogyakarta, o florescente centro de arte dessa ilha. O visitante bate perna pelas lojas, se instrui e se diverte a não poder mais. Ricas em história, "Yogya" e a cidade vizinha de Solo, há muito paraísos de refinamento cultural, ainda são governadas por sultões. Seus extensos *kratons* (palácios) merecem uma visita, o que é particularmente verdadeiro quando neles se realizam concertos da *gamelan* (orquestra de percussão local), descritos como "o som do luar". Na platéia, assistindo a requintadas apresentações de dança clássica, originárias desses mesmos palácios, estão membros da família real e servidores da corte, todos devidamente vestidos de batique.

O mecenato real ajuda também a manter viva a arte própria dos javaneses, cujas oficinas estão por todos os lugares. Esmerados trabalhos de prata, bonecos de couro do Wayang Kulit (Teatro de Sombras) e batiques coloridos com os mais diferentes níveis de qualidade e preço fazem das compras nos muitos *pasars* (bazares) da cidade uma verdadeira prova de resistência. O que não tenta os olhos atrai irresistivelmente o paladar – a comida de rua de Yogya é famosa e está por toda parte. A visita ao monumento budista de Borobudur é obrigatória, assim como a Prambanan, um complexo de 224 templos e santuários hinduístas do século IX, oito dos quais restaurados. Durante a lua cheia, na estação seca (de abril a outubro), Prambanan é palco do espetáculo de dança Ramayana, capaz de extasiar as mais frias platéias internacionais.

O QUE: cidade, evento. **ONDE:** 595km a sudeste de Jacarta. **MELHOR ÉPOCA:** Abr.–Out. (estação seca).

A 20 minutos e 20 anos de Bali

LOMBOK

Indonésia

Enquanto Bali sofre com o desenvolvimento do turismo e os engarrafamentos no trânsito, visitantes em busca da inocência perdida da ilha transferem-se para Lombok, sua intocada e vagarosa vizinha, onde a maior parte da população continua a levar uma vida rural tradicional. Há um ditado que diz: "Talvez você encontre Bali em Lombok, mas jamais encontrará Lombok em Bali." É verdade: a ilha pode não ter os templos hinduístas, os festivais animados e os desfiles de Bali, mas o sorriso e a hospitalidade de seu povo são igualmente calorosos; além disso, em certas partes de Lombok os ocidentais ainda são raridade.

As Três Gilis – pequeninas ilhas praticamente desabitadas da costa noroeste – são a atual meca dos mochileiros, um lugar sossegado conhecido por sua beleza natural e espetaculares mergulhos com snorkel. No norte de Lombok, a caminhada de três dias ao topo do monte Rinjani, um vulcão extinto, é cotada como uma das melhores na região. Visitantes menos atléticos se satisfazem com uma caminhada guiada de quatro horas pelas aldeias agrícolas, ao longo de trilhas que contornam os arrozais até chegar a cachoeiras de 45m de altura.

À parte um pequeno agrupamento de hotéis caros na praia ocidental de Senggigi, as acomodações são limitadas, rústicas e, portanto, incrivelmente baratas (assim como os tecidos locais feitos à mão). Uma exceção é o Oberoi Lombok, uma estrela cintilante que se estende languidamente por 10ha de terreno na praia de Medana, oferecendo 20 *villas* (casas) com teto de sapê no estilo Lombok, com piscinas privativas (que não devem ser confundidas com as imensas banheiras de mármore). Cuidados com o corpo, isolamento e privacidade são a ordem do dia nesse lindo microcosmo cheio do estilo e da elegância indonésios, onde (entre outras coisas) você pode desfrutar o tratamento especial Mandi Lulur do Oberoi's Spa, que combina um relaxante vapor quente com aromaterapia e as propriedades terapêuticas da lama.

O QUE: ilha, hotel. **ONDE:** vôos diários e serviço de barcos ligam Bali e Lombok. O Oberoi fica no litoral noroeste da ilha, na praia de Medana. **COMO:** tel. (62) 370-638-444; fax (62) 370-632-496; reservation@theoberoi-bali.com; www.oberoihotels.com. *Quanto:* quiosques em terraços a partir de U$240; *villas* (casas) com piscinas privativas a partir de U$472. **MELHOR ÉPOCA:** Abr.–Out. (estação seca).

No remanso de uma antiga capital imperial

LOUANGPRABANG

Laos

No Laos, a maioria dos lugares consegue fazê-lo voltar no tempo, o que é especialmente verdadeiro no caso de Louangprabang (Cidade do Buda da Paz), uma localidade sonolenta coberta de templos em meio às montanhas do norte do país. Com apenas 15.000 habitantes, é a segunda cidade mais populosa do Laos e ainda não descoberta pelo turismo, apesar de seu antigo status de capital do reino e centro do budismo laosiano. Mais de 600 monges com mantos cor de açafrão vivem em 30 pagodes, dos quais o mais excepcional é o Wat Xieng Thong (Templo da Cidade Dourada), construído no século XVI pela realeza cuja corte permaneceu em Louangprabang até 1975, ano em que a monarquia foi abolida. Suas muitas estruturas de influência tailandesa contendo notáveis imagens de Buda sobreviveram a uma invasão de piratas chineses no século XVIII, tornando-o assim o mais antigo da cidade.

Mais adiante dos templos, as ruas secundárias não pavimentadas de Louangprabang também mostram uma calma búdica, com galos perambulando em meio às brincadeiras das crianças, enquanto as avenidas principais exibem edifícios de elegante arquitetura colonial francesa. Entre eles se destaca a antiga mansão do príncipe-herdeiro Khampha, hoje o Villa Santi Hotel, propriedade de sua filha. Com 11 quartos simples mas atraentes, um pátio encantador e uma convidativa varanda no segundo andar, o hotel tem como principal atrativo o seu surpreendentemente sofisticado restaurante ao ar livre, que serve jantares laosianos completos. É o lugar mais animado da cidade, porém mesmo ali as coisas fluem com bastante calma. Sendo assim, acomode-se para jantar após um passeio pelo mercado Nauvengkhan.

O QUE: cidade, hotel. **LOUANGPRABANG:** 209km a noroeste de Vientiane. **VILLA SANTI HOTEL:** Estrada Sakkarine. Tel. (856) 71-252157. *Quanto*: duplos a partir de U$120 (baixa temporada) e U$180 (alta temporada). **COMO:** no Brasil, agência Mundus Travel (São Paulo). Tel. (11) 3262-4399; fax (11) 3262-4015; mundus@mundus.com.br; www.mundus.com.br. Pacote Indochina (Vietnã, Laos e Camboja): 22 dias pela Indochina, parte aérea (vôo partindo de São Paulo), traslado, hotel, café da manhã. *Quanto*: U$4.650. *Quando*: saídas mensais. **MELHOR ÉPOCA:** Nov.–Fev.

Carregado pela mãe das águas

DESCENDO O RIO MEKONG

Laos

Laos, Camboja e Vietnã compartilham uma história de guerras ancestrais e contemporâneas, além da influência colonial francesa, mas é o rio Mekong que os une e, em muitos lugares, os separa geograficamente, fazendo boa

Durma num dos 12 camarotes do Vat Phou.

parte da fronteira do Laos com Mianmar (antiga Birmânia) e a Tailândia e depois atravessando o Camboja e o Vietnã até à sua foz, no mar do sul da China. Principal via de comunicação do antigo Império Angkor, o Mekong ainda é um símbolo onipresente e artéria vital da Indochina, ao longo do qual surgiram e floresceram as suas principais cidades. Hoje, obscurecidos templos do Império Khmer, vilas esquecidas e movimentados mercados assentados às suas margens povoam o rico interior da região.

O cruzeiro de três dias pelo Mekong a bordo do Vat Phou – um belo batelão restaurado que possui apenas 12 camarotes – proporciona um fascinante curso intensivo sobre o hipnótico e pouco conhecido trecho laosiano do rio, visível do belo convés de madeira envernizada, que tem o charme convidativo de uma grande varanda. E há também excursões à costa para ver algumas das mais importantes atrações do país: o templo Vat Phou (anterior ao Império Angkor), as ruidosas cataratas de Phapheng (as maiores do Sudeste Asiático) e as 4.000 ilhas espalhadas pelo baixo Mekong, perto da fronteira do Camboja. Deslizando suavemente rio abaixo, o amável serviço dos comissários laosianos e do comunicativo proprietário-chef francês da embarcação proporcionam o nível exato de distração.

Os interessados numa viagem mais longa pelo Mekong podem fazer o cruzeiro da Zolotrips, de 22 dias, entre o Laos, o Camboja e o Vietnã, partindo de Houey Sai, no Laos (via Bangcoc), e terminando cerca de três semanas depois em Ho Chi Minh City (antiga Saigon). As noites são passadas em hospedarias pelo caminho.

O QUE: experiência. **VAT PHOU:** Pakxé, o ponto de partida, é ligada por vôos regulares à capital Vientiane. *Como*: no Brasil, agência Mundus Travel (São Paulo). Tel. (11) 3262-4399; fax (11) 3262-4015; mundus@mundus.com.br; www.mundus.com.br. Pacote Indochina (Vietnã, Laos e Camboja): 22 dias pela Indochina, parte aérea (vôo partindo de São Paulo), traslado, hotel, café da manhã. *Quanto*: U$4.650. *Quando*: saídas mensais. Em Bangcoc, Tailândia, entre em contato com a Mekongcruises; tel. (66) 2-256-6156; fax (66) 2-256-6150; info@east-westsiam.com; www.mekongcruises.com. *Quanto*: cruzeiro de 2 noites a partir de U$350 por pessoa (incluindo excursões à costa e refeições). Os pacotes podem incluir conexões em Bangcoc e Vientiane (e outros lugares). *Quando*: partidas de Pakxé toda Ter. e Sáb., Jul.–Abr. **ZOLOTRIPS:** as viagens partem de Bangcoc na Tailândia, em Ho Chi Minh City no Vietnã, mas o principal destino é o Laos. *Como*: nos Estados Unidos e Canadá, entre em contato com a Zolotrips; tel. (1) 800-657-2694 e (1) 415-255-9520; fax (1) 415-860-1522; info@zolotrips.com; www.zolotrips.com. *Quanto*: a partir de U$4.000 por pessoa, em quarto para 2 pessoas, passagem aérea não incluída. *Quando*: Jan., Mar. e Nov. **MELHOR ÉPOCA:** Nov.–Mar.

Um mergulho épico que figura entre os melhores

ILHA DE SIPADAN

Sabah, Bornéu, Malásia

"Eu já vi outros lugares como Sipadan – há 45 anos –, mas hoje não mais. Descobrimos uma pérola intocada", disse Jacques Cousteau, inserindo assim essa minúscula ilha na lista dos sonhos de todo mergulhador.

A visibilidade submarina é de mais de 30m.

Em si mesma, a pequenina ilha calcária de Sipadan, no litoral de Bornéu, tem pouco interesse, mas, se você se afastar 5m da areia branca e macia da praia e afundar a cabeça na água, desfrutará o maior deleite da sua vida. As águas incrivelmente claras e calmas permitem que até os iniciantes em mergulho com snorkel experimentem as maravilhas desse reino submarino. Os que utilizam garrafa de oxigênio farão incomparáveis mergulhos em parede (*drop-offs*) com uma queda de 850m num profundo abismo azul, além de vivenciarem outras experiências igualmente deslumbrantes, a menos de cinco minutos de barco da praia.

A população de tartarugas de Sipadan, uma das maiores do mundo, é um sinal da extraordinária vida marinha que hipnotizou Cousteau. Até 1989, as únicas acomodações eram barracas, mas a rústica hospedagem de mergulho da ilha hoje oferece algumas dezenas de bangalôs cobertos de sapê em frente à praia. Vá logo. Esse lugar não permanecerá sossegado e intocado por muito tempo.

O QUE: ilha, experiência. **ONDE:** a 19km do litoral nordeste de Bornéu. **COMO:** no Brasil, agência Mundus Travel (São Paulo). Tel. (11) 3262-4399; fax (11) 3262-4015; mundus@mundus.com.br; www.mundus.com.br. Pacote Borneo & Malaysia – Sinfonia dos Trópicos: 17 dias, parte aérea (vôo partindo de São Paulo), traslado, hotel, guia, café da manhã. **QUANTO:** U$4.650. **QUANDO:** Fev.–Dez. **MELHOR ÉPOCA:** Mai.–Jun. e Set.–Out. Maior concentração de tartarugas: meados Ago.–meados Out.

Luxo à beira da floresta

O DATAI

Ilha de Langkawi, Malásia

Langkawi é um arquipélago de 99 ilhas, chamado de Terra das Águias. Um paraíso tropical de areias branquíssimas, entardeceres mágicos e idílicos dias ensolarados. Ele está situado a noroeste da Malásia Continental, onde o mar de Andaman se encontra com o estreito de Málaca. Apenas três das 99 ilhas são habitadas, uma das quais acolhe o discreto Datai, sem sombra de dúvida um dos mais belos resorts do país. Inspirado no estilo *kampong* das construções malaias e usando recursos nativos – madeira *balau* e mármore branco –, o Datai se encaixa perfeitamente na paisagem de uma antiqüíssima floresta tropical. Suas influências estéticas são ora tailandesa e indonésia, ora japonesa e até mesmo asteca. Os encantadores quartos dos hóspedes, corredores e lobbies, assim como o belo restaurante tailandês, são abertos, deixando entrar a floresta e criando um casulo arejado e exótico que envolve os visitantes e os seduz a permanecer na requintada área do resort. A exceção fica por conta dos que preferem o campo de golfe com 18 buracos, atração nada típica em meio à floresta tropical.

O resort na floresta tropical tem a sua praia de areias brancas.

O QUE: ilha, hotel. **ONDE:** vôos regulares de Bangcoc, Kuala Lumpur e Pinang. O Datai providencia o transporte de 30 minutos do aeroporto de Langkawi até o resort (U$10). **COMO:** tel. (60) 4-959-2500; fax (60) 4-959-2600; datai@ghmhotels.com; www.ghmhotels.com. **QUANTO:** duplos a partir de U$348. **MELHOR ÉPOCA:** Nov.–Abr.

O refúgio do sultão

PANGKOR LAUT RESORT

Perak, Pangkor, Malásia

Dizem que Luciano Pavarotti chorou ao ver a beleza que Deus criou nessa ilha. Coberta por uma exuberante floresta tropical que abriga macacos comedores de caranguejos e mais de 100 espécies de pássaros exóticos, ela escapou à comercialização por ter sido domínio privado do sultão de Perak até à sua morte alguns anos atrás. Com dezenas de bangalôs sobre palafitas, o Pangkor Laut Resort, único hotel da ilha, parece uma aldeia malaia e é um dos mais luxuosos e magnificamente situados da Ásia. Condizente com seu status cinco estrelas, oferece uma série de atrações: praias brancas (com nomes absolutamente apropriados, como baía das Esmeraldas) e elegantes iates e embarcações de cruzeiro para visitas às ilhas próximas, no estreito de Málaca. Os hóspedes menos inquietos podem passar as férias debruçados sobre o mar em suas sacadas privativas, totalmente desligados do mundo. Outros talvez prefiram as *villas* (casas) ocultas em meio às copas das árvores na encosta da montanha. Os excelentes restaurantes do resort servem de tudo – cozinha chinesa, malaia e oriental/ocidental, em seus vários quiosques ao ar livre ou abertos sob um manto de bilhões de estrelas. Quem não choraria de felicidade?

O QUE: ilha, hotel. **PERAK:** perto da costa ocidental do estado de Perak. **COMO:** a 45 minutos, em barco particular, do porto de Lamut, 241km ao norte de Kuala Lumpur (limusine, somente ida, U$105). **PANGKOR LAUT RESORT:** tel. (60) 5-699-1100; fax (60) 5-699-1200; www.pangkorlautresort.com. *Quanto*: *villas* (casas) a partir de U$250. **MELHOR ÉPOCA:** temperaturas agradáveis o ano inteiro; Jun. e Jul. são os meses menos chuvosos.

Navegando por uma civilização de 2.500 anos

CRUZEIRO FLUVIAL A BORDO DO ROAD TO MANDALAY

Mandalay, Mianmar (antiga Birmânia)

Mandalay é um dos nomes mais lembrados em todo o mundo, imortalizado por Rudyard Kipling, mesmo sem nunca ter ido lá, e cantado por Sinatra. Conhecida como Cidade Dourada, Mandalay foi capital da Birmânia (hoje Mianmar) antes do domínio britânico, que se estendeu de meados do século XIX até 1948. Erguida no século XIX pelo último líder monárquico, ela ainda conserva traços de seu passado real de centro da cultura e da religião birmanesas. Seu imenso mercado exibe uma rica mistura de idiomas e culturas e um incessante fluir de aromas.

Mandalay é o ponto de partida de um cruzeiro pelo rio Ayeyarwady, a maior via natural do país e eixo fundamental da vida birmanesa. Os centros urbanos dessa civilização de 2.500 anos situam-se às margens do rio, incluindo a cidade de Bagan (antiga Pagan), em cujos 13km de extensão estão 2.220 pagodes budistas, tão juntos uns dos outros que mais parecem uma floresta de flechas e pináculos. Fundada por um rei birmanês em 849 da

O luxuoso navio de cruzeiro passa pelos templos de Bagan.

nossa era, Bagan atingiu o apogeu por volta do ano 1000 e foi abandonada em 1283 quando Kublai Khan, que detinha o domínio do norte da Índia, invadiu o sul com seus soldados. Na crença de que a construção de edifícios religiosos dignificava o rei e seu povo, um exército de artesãos foi mobilizado para embelezar esse centro espiritual com o que pode ter sido originalmente um conjunto de mais de 10.000 monumentos religiosos. Boa parte deles desapareceu em decorrência de incêndios, erosão, terremotos e do próprio tempo. Mesmo assim, o que resta dessas obras constitui um dos mais extraordinários sítios arqueológicos do mundo e, para algumas pessoas, supera até mesmo os templos Borobodur, na Indonésia, e Angkor Wat, no Camboja. Diz-se que o Pagode de Shwezigon, o mais importante dos que ainda podem ser vistos, guarda uma clavícula e um dente do Buda. Assistir ao pôr-do-sol nos deteriorados terraços do Pagode de Gawdawpalin é uma experiência quase sagrada.

Nesse país fascinante, que viveu 40 anos de isolamento auto-imposto, os hotéis, os transportes e a infra-estrutura só agora começam a se desenvolver. O luxuoso hotel flutuante Road to Mandalay (operado pela Orient-Express), um microcosmo de hospitalidade birmanesa e eficiência européia, é a melhor forma de visitar muitos de seus lugares especiais, em geral só acessíveis pelo rio.

O QUE: cidade, lugar, experiência. **ONDE:** partidas de Bagan e Mandalay, mínimo de 3 dias. **COMO:** entre em contato com a Orient-Express Trains and Cruises; tel. (1) 800-323-7308; www.orient-expresstrains.com. **QUANTO:** cruzeiro mínimo de 3 dias U$2.260 por pessoa, em quarto duplo; todas as refeições incluídas. **QUANDO:** o ano inteiro, exceto Jun.–Jul. **MELHOR ÉPOCA:** Nov.–Fev.

A alma de Yangun

O PAGODE SHWEDAGON

Yangun (antiga Rangun), Mianmar (antiga Birmânia)

Rudyard Kipling escreveu: "Disse o domo de ouro: 'Esta é a Birmânia, e é bastante diferente de qualquer outro lugar que você conheça.'" O tamanho e a riqueza do Pagode Shwedagon deixaram Kipling estupefato, mas ele teria perdido a fala se tivesse realmente chegado a entrar no templo. Toda revestida de ouro (no valor de U$90.000.000), essa brilhante estupa em forma de sino ocupa o centro dos 5,6ha do complexo Shwedagon. A tradição exige que devotos e visitantes passem caminhando em sentido horário pela profusão de colunas revestidas com mosaicos, pelos ornamentados quiosques de oração, pelas imagens de Buda, pelos demais 78 pagodes menores filigranados e por todas as pessoas que vão até lá rezar, se encontrar, meditar, conversar e levar os filhos para brincar. O tilintar dos sinos e o cheiro de incenso se unem ao perfume das flores ofertadas, às cores vivas dos tradicionais *pasos* e *longi* (sarongues usados por homens e mulheres, respectivamente), aos mantos cor de açafrão dos monges budistas e ao som dos cânticos e preces, criando uma delicada mistura. A reluzente estupa de 32 andares se ergue apontando para o céu, encimada por um globo de ouro cravejado com 4.450 diamantes e pedras preciosas, incluindo um diamante de 76 quilates na extremidade. Para os budistas, esse é o lugar mais venerado do país, pois eles acreditam que ali estejam relíquias dos quatro Budas que já existiram sobre a Terra. O pôr-do-sol é a sua hora de máximo esplendor.

No Savoy, um histórico hotel em estilo colonial, peça acomodações de frente para o pagode ou aproveite a vista de seu restaurante, apropriadamente (senão obviamente) chamado Kipling's. Depois de um dia inteiro nas largas e arborizadas ruas de Yangun, sentindo os efeitos da umidade tropical e da fumaça negra dos ônibus decrépitos, confortos como ar condicionado e *wine bar*, o único da cidade, serão um imenso prazer.

O QUE: lugar, hotel. **PAGODE SHWEDAGON:** colina de Singuttara. **SAVOY HOTEL:** Dhammazedi, 129. Tel. (95) 1-526-289; fax (95) 1-524-891; na Tailândia, por meio de Burma Hotels, fax 646-365-3436; Savoy_hotel@burma_hotels.net. *Quanto*: duplos a partir de U$117. **MELHOR ÉPOCA:** Out.–Fev.

Nos templos, tratamentos para o corpo que prometem o nirvana

MASSAGEM TAILANDESA À MODA ANTIGA

Bangcoc, Tailândia

A mais antiga forma de medicina da Tailândia, a massagem é uma prática oriental ancestral considerada a suprema experiência restauradora. Em cada esquina de Bangcoc há salas de luz néon oferecendo sessões "modernas" de relaxamento, mas a autêntica massagem capaz de deixá-lo rejuvenescido, refeito do jet lag e se sentindo nas nuvens está em locais bem diferentes. Tradicionalmente considerada uma arte espiritual e curativa ligada aos ensinamentos do budismo, a massagem foi praticada somente nos templos durante séculos. O maior e mais antigo templo e universidade da Tailândia, o Wat Po (também chamado Templo de Chetuphon), é ainda conhecido pelo apressado tipo de massagem que oferece. Ao contrário dos métodos aplicados por outras escolas, ali você permanece em suas roupas de turista enquanto é dobrado, esticado, puxado, contorcido e vê o especialista se sentar em seu corpo e caminhar sobre ele. Os pontos de tensão (só no pé são 27) recebem atenção extra. Para uma massagem muito mais elaborada (não a descarte, pois ela é o seu bilhete para o céu), considere o tranqüilo spa do respeitável Oriental Hotel – um templo de outra natureza, um ambiente simples e bonito criado para submergir os hóspedes num mar de tratamentos especiais. O método aplicado ali, de influência tailandesa (chamado "oriental", tal qual o nome do hotel) é simplesmente miraculoso, sobretudo quando precedido ou seguido de cuidados para a suavização da pele com purê de mamão ou lama do vale Mae Hong Son – faça a sua escolha.

O QUE: experiência. **WAT PO:** Estrada Sanamchai, próximo ao Grande Palácio. Não tem telefone. *Quanto*: U$8 por 1 hora de massagem (mais U$1 por 1 lençol limpo). **ORIENTAL SPA, ORIENTAL HOTEL:** Avenida Oriental, 48. Tel. (66) 2-659-9000; fax (66) 53-659-0000; reserveorbkk@mohg.com; www.mandarinoriental.com. *Quanto*: U$80 por 1 hora e 30 minutos de massagem.

Uma cidade de conto de fadas e fonte de inspiração para O rei e eu

O GRANDE PALÁCIO

Bangcoc, Tailândia

O Grande Palácio já foi um dia a residência amuralhada do monarca tailandês. Trata-se de uma obra monumental criada há cerca de 200 anos pela venerada dinastia Chakri do Reino do Sião. Como essa atração obrigatória da Tailândia é visitada por 5.000.000 de turistas todo ano, não surpreende que o atual rei Rama IX tenha se mudado para o Palácio de Chitralada, situado nas proximidades e fechado ao público. Não importa – nada poderia ser mais fantástico do que o labirinto de mais de 100 edifícios e pátios dourados, marchetados e decorados do Grande Palácio, uma mescla de Oriente e Ocidente que continua sendo a grande vitrine da arte e da arquitetura tradicionais tailandesas. Dentro dessas muralhas está o mais famoso dos mais de 400 templos de Bangcoc: o Wat Phra Kaeo, popularmente conhecido como Templo do Buda de Esmeralda. Anexo ao palácio real original, esse templo é o fecho de ouro da visita, lugar onde o coração espiritual do país se encontra com a antiga sede do poder temporal. Ali está o mais venerado símbolo religioso da Tailândia: um Buda sentado de 66cm esculpido num único bloco de jade puro, que passou tempos perdido até ser redescoberto no século XV. Serenamente posicionado no alto de um trono dourado de 10m de altura e guardado por antigos leões de bronze, esse Buda é uma preciosidade incalculável. Como protetor do país, ele reina sobre a única área do Grande Palácio onde os devotos tailandeses com seus incensos são mais numerosos do que os turistas maravilhados.

O QUE: lugar. **ONDE:** Estrada Naphralan. **QUANTO:** ingresso. **MELHOR ÉPOCA:** Out.–Mar.

O outro grande palácio de Bangcoc

O ORIENTAL HOTEL

Bangcoc, Tailândia

Freqüentemente classificado como um dos melhores hotéis do mundo e cumulado de elogios pelo perfeito atendimento dispensado por sua zelosa e prestativa equipe de funcionários, o Oriental Hotel é uma lenda. Construído em 1876, é tão visitado e quase tão digno de veneração quanto o Grande Palácio de Bangcoc. O escritor Joseph Conrad foi seu hóspede em 1888, e o príncipe e a princesa de Gales ali estiveram um século mais tarde. Na Ala dos Escritores, instalada no único espaço que restou do edifício original, os hóspedes se deleitam com o romance e a história desse marco da cidade. Suas lindas suítes, batizadas em homenagem a Somerset Maugham, Noël Co-

Suíte Somerset Maugham.

ward e James Michener, são decoradas como se esses romancistas ainda se hospedassem lá. Reviva esse período da história do hotel tomando um chá no Salão dos Escritores, um elegante oásis distante da engarrafada e poluída Bangcoc metropolitana. Embora sejam poucos os que se dispõem a viajar meio mundo só para ficar nesse hotel, o Oriental oferece muitas atrações no enclave de sua maravilhosa propriedade situada às margens do rio Chao Phraya: programação cultural toda tarde com palestras dos principais especialistas do país em cultura, dança, arte e arquitetura tailandesas; uma renomada escola de culinária que conta os sutis segredos das receitas do Sião; e um spa que proporciona um mergulho na ancestral tradição local de tratamentos e massagens. Algumas das melhores apresentações de dança clássica de Bangcoc acontecem toda noite na luxuosa Sala Rim Naam do Oriental, à beira do rio. Apesar dos altos prédios de seu pequeno grupo de concorrentes, o Oriental dificilmente será superado em seu espalhafatoso passado e no que exibe de estilo no presente.

O QUE: hotel. **ONDE:** Avenida Oriental, 48. Tel. (66) 2-659-9000; fax (66) 2-659-0000; reserveorbkk@mohg.com; www.mandarinoriental.com. **QUANTO:** duplos a partir de U$280, Suítes dos Escritores a partir de U$900. Cada aula na escola de culinária, U$120 (até 4 por semana). Cada palestra no programa de cultura tailandesa, U$120. Massagem de 90 minutos no spa do Oriental Hotel, U$80. **MELHOR ÉPOCA:** Out.–Mar.

Águas cristalinas em ilhas de sonho

KOH PHI PHI

Tailândia

Embora devastada pela tsunami de 2004, Koh Phi Phi permanece a versão livresca da perfeita ilha dos sonhos. Há alguns anos, ela foi o cenário escolhido por Hollywood para as filmagens de *A praia*, com Leonardo di Caprio – uma adaptação da obra de Alex Garland. Ali, somente uns poucos e simples resorts de bangalôs pontilham as areias brancas das praias sombreadas de palmeiras, tendo ao fundo um cenário de íngremes penhascos cobertos de florestas. Todos os dias, excursionistas chegam de barco às praias de Koh Phi Phi Don (ilha Koh Phi Phi Grande) provenientes das localidades próximas a Krabi e Phuket. Os que alugam o tradicional barco tailandês, capaz de navegar em águas muito rasas, podem visitar a ainda mais espetacular Koh Phi Phi Le (ilha Koh Phi Phi Pequena), com enseadas de águas puras e cristalinas e praias selvagens – a baía Maya, cercada de altos penhascos, é particularmente bela. Uma região excelente para mergulho com snorkel. A única coisa a fazer ali, além de esperar o peixe grelhado do almoço à beira do mar, é visitar cavernas que parecem catedrais e onde membros de uma tribo de pescadores (conhecidos como "ciganos do mar") recolhem ninhos comestíveis de determinada espécie de pássaro, uma iguaria muito apreciada pelos gourmets chineses por seu alto valor nutritivo. Mas, para quem não está acostumado a esses sabores, aquele simples peixe grelhado parecerá uma opção mais tentadora.

O QUE: ilha. **ONDE:** as excursões podem ser combinadas em qualquer hotel de Phuket e Krabi, que ficam a cerca de 1 hora e 30 minutos de barco. A baía de Phang Nga situa-se logo ao norte. **ONDE FICAR:** o melhor e mais novo resort da ilha, o Holiday Inn Resort Phi Phi Island, tem 77 bangalôs em meio a um coqueiral à beira-mar. Tel./Fax (66) 1-476-3787; reservations@hitours.com; www.stayxs.com. **QUANTO:** duplos a partir de U$112. **MELHOR ÉPOCA:** Jan.–Mai.

Cenário cinematográfico no mar de Andaman

BAÍA DE PHANG NGA

Krabi, Tailândia

Os fãs de James Bond talvez se lembrem da baía de Phang Nga pelo espetacular cenário da ilha Koh Phing Kan, onde foi filmado um trecho considerável de *007 contra o homem da pistola de ouro*. Depois disso, ela passou a ser chamada de "a ilha de James Bond" pelos ocidentais. À parte a fama cinematográfica, a baía, com sua espetacular profusão de picos montanhosos de puro calcário que emergem das águas verde-pistache do mar de Andaman, é um dos mais belos fenômenos naturais do mundo. Situados bem ao largo da costa meridional da Tailândia, perto de Krabi, esses agudos afloramentos rochosos chegam a atingir 300m de altitude. Muitos deles são cobertos por densa vegetação tropical e alguns exibem formas de animais, como Koh Ma Chu (ilha do Cachorrinho), e de outros objetos familiares, como Koh Khai (ilha do Ovo). Em dias nublados, essas ilhas, com suas pequenas lagoas e manguezais, ganham a aura mística das aquarelas chinesas. Muitas das pequeninas ilhas com corcovos e recortes são cheias de cavernas embelezadas por estalactites e estalagmites. Praias idílicas, assim como aldeias de pescadores construídas sobre palafitas, podem ser visitadas em canoas ou nos tradicionais barcos tailandeses, que são capazes de navegar em águas bastante rasas.

Ao acordar de um cochilo na praia de Phang Nga, você pode pensar que ainda está sonhando.

Acessível somente por barco por entre os altos penhascos de calcário da baía, o Rayavadee Premier Resort está instalado numa floresta tropical habitada por macacos selvagens e pássaros exóticos no cabo de Phra Nang – uma das localizações hoteleiras mais inusitadas do mundo. A construção desse resort observou as normas de preservação ambiental, mantendo praticamente intacto o sombreado coqueiral onde foram erguidos seus 100 quiosques hexagonais de dois andares. O incontestável destaque fica por conta das três praias do mar de Andaman que cercam a propriedade. Uma delas, a branquíssima Phra Nang, é considerada pelos entendidos uma das mais belas do mundo e certamente uma das melhores da Ásia.

O QUE: lugar, hotel. **ONDE:** na costa ocidental da península meridional da Tailândia, perto de Phuket. A 90 memoráveis minutos de barco do Aeroporto Internacional de Phuket. **COMO:** excursões de um dia e aluguel de canoas podem ser providenciados por qualquer hotel de Krabi e nas ilhas de Phuket e Koh Phi Phi. **RAYAVADEE:** tel. (66) 75-620-740-3; fax (66) 75-620-630; rayavadee@rayavadee.com; www.rayavadee.com. *Quanto:* quiosques a partir de U$500. **MELHOR ÉPOCA:** Out.–Abr.

Dois refúgios que oferecem o céu tailandês

PHUKET

Tailândia

Phuket, conhecida como a pérola do mar de Andaman, por causa de suas lindas praias e seus incomparáveis resorts, surpreendentemente não sofreu nenhum dano com a passagem da tsunami em 2004. Embora muito da sua inocência e personalidade tenha se perdido com a expansão do turismo nas décadas de 1980 e 1990, os visitantes agora buscam nos resorts os sinais de suas características originais. No Amanpuri, porém, não é preciso continuar procurando. Primeiro dos hotéis da rede Aman e considerado o mais especial, ele é o principal destino de férias em Phuket. Suas suítes em quiosques isolados se estendem pela encosta de um promontório, em meio a coqueirais, até à linda praia de Pansea. A decoração mistura uma simplicidade "etnoluxuosa" com estética zen: o que parece ser um aglomerado de templos é na verdade um conjunto de 40 quiosques semi-abertos de madeira teca nativa, com telhados cheios de curvaturas, frontões trabalhados e tetos abobadados. Inspirados no budismo tailandês, esses centros de tranqüilidade estão envoltos numa atmosfera que muitos visitantes ocidentais a princípio consideram perturbadora, mas, depois, irresistível. Solidão é a qualidade especial que o Amanpuri tem para oferecer. Uma verdadeira bênção.

Amanpuri significa "lugar de paz".

Localizado em outro ponto da ilha, o Banyan Tree é o maior e mais antigo resort do Sudeste Asiático, uma experiência aromática, hedonística e quase religiosa que promete salvar mente, corpo e alma com os métodos ancestrais do Oriente. Nada de caminhadas ao amanhecer nem de ginástica aeróbica antes do café da manhã: o negócio ali é entregar o corpo castigado pelo jet lag aos generosos tratamentos do spa, cujos nomes por si só produzem calma e alívio: oásis de harmonia, viagem abençoada, elixir de sonho. A massagem Lomi Lomi promete deixar gratas lembranças – os cuidados das mãos e dos pés são descritos como "reais", enquanto outros tratamentos "lustram" e "ungem" o corpo. O programa de um dia é chamado Imagem da Serenidade, que é exatamente o que os hóspedes exibem quando, ao fim das massagens, dos banhos e dos mimos, retornam às suas *villas* (casas), grandes como as suas próprias residências e de frente para o mar.

O QUE: hotel, experiência. **ONDE:** 70 minutos de avião a sudoeste de Bangcoc; conexões aéreas com outras grandes cidades da Ásia. **AMANPURI:** tel. (66) 76-324-333; fax (66) 76-324-100; amanpuri@amanresorts.com; www.amanresorts.com. *Quanto*: quiosques a partir de U$500. **BANYAN TREE PHUKET:** tel. (66) 76-324-374; fax (66) 76-324-375; phuket@banyantree.com; www.banyantree.com. *Quanto*: *villas* (casas) privativas a partir de U$500; serviços de spa a partir de U$30 por tratamento. **MELHOR ÉPOCA:** Out.–Abr.

Uma eterna lua-de-mel na Petit Paris

DA LAT

Vietnã

Uma agradável alternativa ao calor sufocante das planícies costeiras do Vietnã, Da Lat tornou-se a estação montanhosa preferida dos colonizadores franceses. Nesse planalto de 1.500m de altitude, onde um ameno clima de primavera reina durante todo o ano, eles criaram a sua Petit Paris (Pequena Paris). Da Lat é chamada de Cidade do Amor porque há muito tempo atrai os vietnamitas em lua-de-mel, que vêm em busca da magia da montanha, com suas paisagens salpicadas de lagos de águas claras, cachoeiras, florestas e jardins floridos. Com vista para o lago Xuan Huong, o Sofitel Dalat Palace, o mais atraente hotel da cidade, é uma combinação da tradicional elegância francesa com a amabilidade vietnamita. Foi construído em 1922, quando Da Lat ainda era o principal resort de montanha do Vietnã. Seu campo de golfe de 18 buracos, de classe internacional, mais do que uma raridade é o único de seu gênero no país até o momento.

O Dalat Palace conserva o charme colonial francês.

O QUE: cidade, hotel. **DA LAT:** 322km a nordeste de Ho Chi Minh City (antiga Saigon). Há vôos diários disponíveis, mas, se você tiver tempo, deve ir por terra – uma viagem de 4 horas em meio às mais belas paisagens do país. **SOFITEL DALAT PALACE:** Rua Tran Phu, 12. Tel. (84) 63-825-444; fax (84) 63-825-666; sofitel@bdvn.vnd.net; www.sofitel.com. **QUANTO:** duplos a partir de U$140. **MELHOR ÉPOCA:** Out.–Mar.

A mítica baía dos dragões

BAÍA DE HA LONG

Vietnã

Diz a lenda que um dia os dragões desceram dos céus e espargiram gotas de jade sobre as águas da baía de Ha Long, formando milhares de ilhas e ilhotas para proteger o lugar e seu povo de piratas invasores. Com suas ilhas de calcário esculpidas pela natureza e seus afloramentos que lembram cães, elefantes, sapos, macacos e outros animais e formas (e como tal são nomeados), esse misterioso corpo d'água tem o aspecto de irrealismo das pinturas clássicas chinesas e vietnamitas, especialmente quando as velas das sampanas e dos juncos projetam suas silhuetas no horizonte como se fossem borboletas gigantes. A baía de Ha Long, com mais de 160km de comprimento, exibe praias desertas e centenárias aldeias flutuantes cujas populações de pescadores ainda veneram as divindades de suas águas nesse lugar onde o tempo parece não passar. Um amontoado de barcos de turismo e hotéis baratos, cada qual com o próprio estilo, brotou ao redor da baía de Chai e de Hong Gai, mas a melhor forma de explorar as lagoas ocultas, as cavernas de estalagmites e as fantásticas formações rochosas é juntar-se a uma excursão de caiaque e sair ziguezagueando no labirinto das ilhotas formadas de maciços.

Um caiaque em meio aos afloramentos rochosos da baía.

O QUE: lugar, experiência. **ONDE:** 161km a leste de Hanói. **COMO:** no Brasil, agência Mundus Travel (São Paulo). Tel. (11) 3262-4399; fax (11) 3262-4015; mundus@mundus.com.br; www.mundus.com.br. Pacote Indochina (Vietnã, Laos e Camboja): 22 dias pela Indochina, parte aérea (vôo partindo de São Paulo), traslado, hotel, café da manhã. **QUANTO:** U$4.650. **QUANDO:** saídas mensais. **MELHOR ÉPOCA:** Mar. e Nov.

Uma rua para cada ofício

O BAIRRO ANTIGO DE HANÓI

Vietnã

Localizado entre o rio Vermelho e o verde oásis do lago Hoam Kiem, o labiríntico Bairro Antigo de Hanói é, desde o século XV, uma espécie de distrito comercial. Quase 40 de suas ruas estreitas e movimentadas são batizadas de acordo com os nomes das mercadorias vendidas ali: Rua do Arroz, Rua da Seda, Rua das Panelas, Rua do Ouro – há até a Rua das Lápides. Resta saber se haverá nomes como Rua dos Vídeos Piratas ou Rua das Camisetas. As decrépitas fachadas das lojas dão um significado diferente à expressão "ver vitrines". Muitos dos estabelecimentos comerciais são cubículos com largura apenas suficiente para acomodar um comerciante velhinho e mirrado, espremido entre produtos empilhados até o teto. Após décadas de repressão no país, cada beco desse bairro volta a experimentar uma verdadeira febre de capitalismo. Lá se encontra de tudo – de macarrão a flores, de antiguidades a artesanato.

O QUE: lugar, experiência. **ONDE:** acesso principal pela Rua da Seda (Pho Cau Go).

O Bairro Antigo de Hanói é uma profusão de imagens e odores.

Uma exótica máquina do tempo de influência européia

HOI AN

Vietnã

Em nenhum lugar o encanto e a história do Vietnã se conservaram mais do que na antiga cidade portuária de Hoi An, durante séculos um importante centro de mercadores e marinheiros japoneses, portugueses, holandeses, árabes, chineses e franceses. Por milagre, a cidade e seus mais de 800 edifícios históricos passaram incólumes pela Guerra do Vietnã. Hoje a população tem um compreensível orgulho dessa herança arquitetônica. Em estados diversos de preservação, os numerosos templos, residências, fontes, pagodes, pontes e lojas – quase todos abertos ao público gratuitamente – permitem que o visitante percorra a pé séculos de história e cultura. Contemporânea da cidade portuária de Málaca (Malásia), Hoi An tem conseguido escapar aos excessivos trabalhos de preservação incitados pelo turismo que deram àquele centro malaio um aspecto de parque temático. O lindo trecho de praia de Cua Dai, logo depois da cidade, ainda é abençoadamente livre de resorts e barraquinhas. Mas o

O bairro residencial.

desenvolvimento está chegando, de maneira que é bom começar sua visita por ali.

O QUE: cidade. **ONDE:** na costa, 29km ao sul de Da Nang. **ONDE FICAR:** o Hoi An Hotel, no estilo colonial francês, na Tran Hung Dao, 6, foi o centro de operações dos fuzileiros navais americanos durante a guerra. Civis ocidentais hoje ocupam seus quartos simples e seus extensos jardins. Tel. (84) 510-861-373; fax (84) 510-861-636; hoianhotel@dng.vnn.vn; www.hoiantourist.com. *Quanto*: duplos a partir de U$45. **MELHOR ÉPOCA:** Dez.–Abr.

O Vietnã pela retaguarda

O DELTA DO MEKONG

Vietnã

Desde a sua nascente no planalto do Tibet, o rio Mekong percorre a China, Mianmar (antiga Birmânia), o Laos e o Camboja antes de atravessar o Vietnã e se dividir nos muitos canais que formam seu delta ao sul de Ho Chi Minh City (antiga Saigon). Chamada de "tigela de arroz do Vietnã", essa região, uma das mais férteis do Sudeste Asiático, abastece o país da maior parte de seu arroz, frutas e frutos do mar e proporciona ao visitante uma compreensão maravilhosa do verdadeiro Vietnã. Além de apreciar um campo pouco alterado pelo passar dos séculos e aldeias ribeirinhas só acessíveis por barco, você conhecerá a cordialidade e a simpatia dos moradores da região, que a toda hora oferecem frutas frescas, um vinho forte de arroz, leite de coco e sorrisos. O delta é habitado por uma população etnicamente diversificada – vietnamitas, chineses, khmers e *cham*. Durante o ano inteiro, excursões guiadas aos mercados urbanos e aos que ficam em embarcações mostram a fartura da região, além de penetrarem no território para visitas às casas flutuantes, às aldeias construídas sobre palafitas e às populares praias de Ha Tien, a poucos quilômetros da fronteira com o Camboja.

Os mercados flutuantes são uma imagem comum no Vietnã.

O QUE: experiência. **ONDE:** as primeiras cidades interessantes depois de Ho Chi Minh City (antiga Saigon) ficam 80km ao sul, acessíveis por automóvel. **COMO:** em Ho Chi Minh City, Saigontourist; tel. (84) 8-829-8914; fax (84) 8-822-4987; yen.sgtvn@hcmc.netnam.vn; www.saigontourist.net. **QUANTO:** excursões de 5 dias U$514 por pessoa por dia, quarto duplo. **MELHOR ÉPOCA:** Dez.–Fev.

Um banquete étnico nos Alpes vietnamitas

SAPA

Vietnã

É longa e cheia de solavancos a viagem de Hanói a Sapa, a mais pitoresca região montanhosa do Vietnã, situada a 1.500m de altitude. Trata-se de uma belíssima área no norte do país, próxima às fronteiras com a China e o Laos, que os franceses costumavam chamar de Alpes tonquineses. Ali vivem pessoas de várias tribos – coletivamente chamadas em francês de *montagnards* (povos das montanhas) – que vão todo sábado ao mercado de Sapa vender frutas, verduras e artesanato e saber das novidades. Entre os mais de 30 grupos étnicos que habitam as remotas aldeias das encostas e dos profundos vales predominam os amistosos *hmong* negros e *dao* vermelhos. Ali, búfalos são vendidos a um bom preço. Sapa é a base perfeita para excursões de um dia e caminhadas com pernoite até o monte Fansi Pan (o ponto mais alto do Vietnã) e ainda às aldeias das montanhas, onde a beleza natural dos terraços de verduras nas encostas, assim como os riachos de águas cristalinas, é um colírio para os olhos e uma inspiração para o espírito.

Vista aérea da cidade de Sapa.

O QUE: cidade, evento. **ONDE:** noroeste do Vietnã, junto à fronteira com a China. **COMO:** no Brasil, agência Highland Adventures (São Paulo). Tel. (11) 3254-4999; fax (11) 3254-4994; www.highland.com.br. Pacote: 21 dias, parte aérea (vôo partindo de São Paulo), traslado, guia, hotel, café da manhã. **QUANTO:** U$4.650. **QUANDO:** Jan.–Out. **MELHOR ÉPOCA:** meados de Mar.–Mai. e Out.–Nov.

AUSTRÁLIA, NOVA ZELÂNDIA *E* AS ILHAS DO PACÍFICO

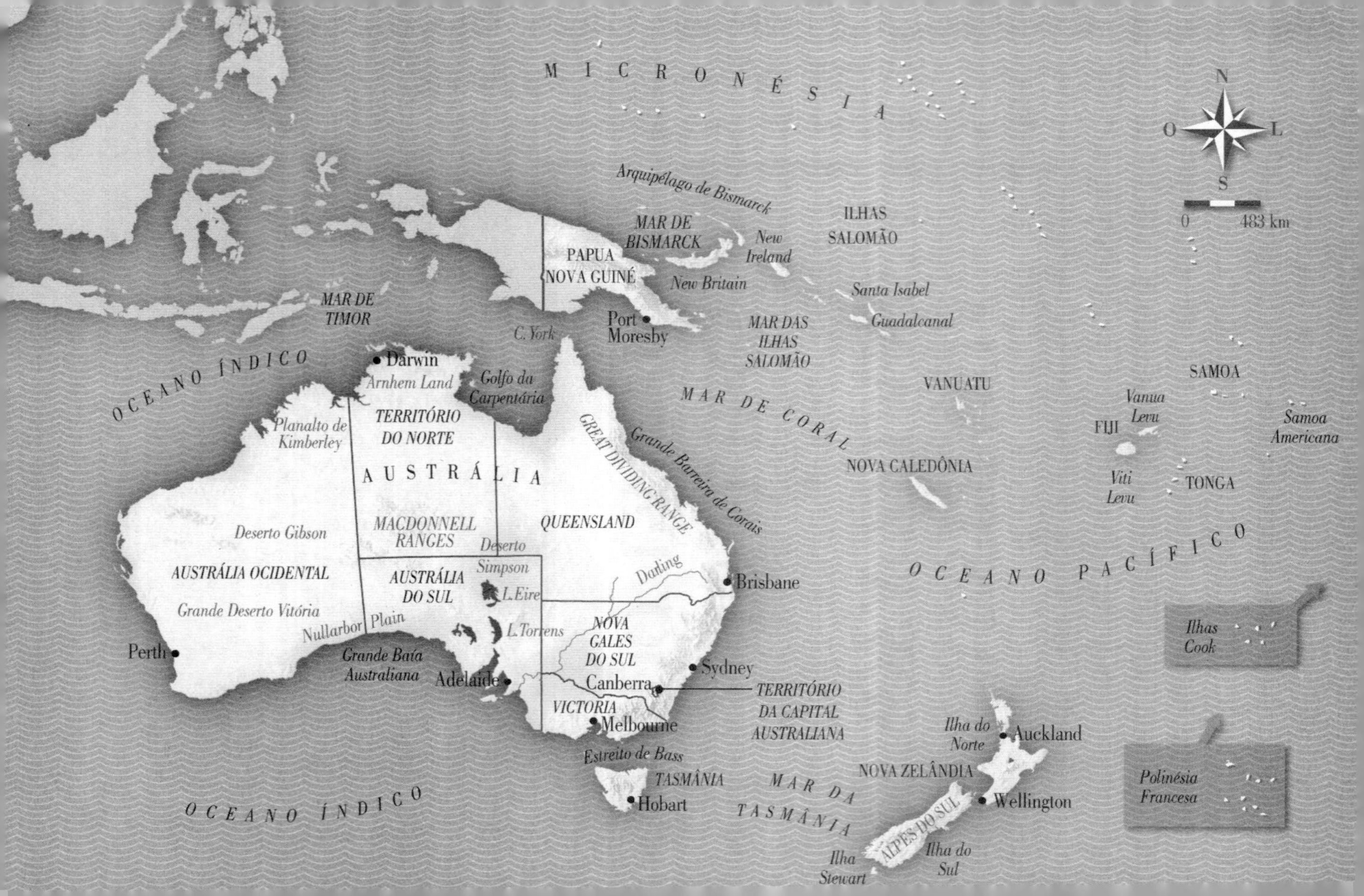

MICRONÉSIA
N
O
L
S
0
483 km
Arquipélago de Bismarck
MAR DE BISMARCK
ILHAS SALOMÃO
New Ireland
PAPUA NOVA GUINÉ
New Britain
Santa Isabel
MAR DE TIMOR
Port Moresby
MAR DAS ILHAS SALOMÃO
Guadalcanal
C. York
OCEANO ÍNDICO
Darwin
Golfo da Carpentária
Arnhem Land
SAMOA
VANUATU
MAR DE CORAL
Vanua Levu
Samoa Americana
FIJI
Planalto de Kimberley
TERRITÓRIO DO NORTE
GREAT DIVIDING RANGE
Grande Barreira de Corais
AUSTRÁLIA
NOVA CALEDÔNIA
Viti Levu
TONGA
Deserto Gibson
MACDONNELL RANGES
QUEENSLAND
Deserto Simpson
OCEANO PACÍFICO
AUSTRÁLIA OCIDENTAL
AUSTRÁLIA DO SUL
Darling
L. Eire
Brisbane
Grande Deserto Vitória
Nullarbor Plain
NOVA GALES DO SUL
L. Torrens
Ilhas Cook
Perth
Grande Baía Australiana
Sydney
Adelaide
Canberra
TERRITÓRIO DA CAPITAL AUSTRALIANA
VICTORIA
Melbourne
Ilha do Norte
Auckland
Estreito de Bass
NOVA ZELÂNDIA
Polinésia Francesa
TASMÂNIA
MAR DA TASMÂNIA
Hobart
Wellington
OCEANO ÍNDICO
ALPES DO SUL
Ilha Stewart
Ilha do Sul

AUSTRÁLIA E NOVA ZELÂNDIA

Cenário deslumbrante e hospedagem inesquecível

BLUE MOUNTAINS E O LILIANFELS

Nova Gales do Sul, Austrália

Microscópicas gotas de óleo provenientes da folhagem dos densos bosques de eucaliptos pairam no ar, refratando a luz do sol e criando a bruma azulada que dá nome ao parque. A apenas 90 minutos de Sydney, a área de Blue Mountains (montanhas Azuis) é o fantástico parque de diversões de 26 pequenas comunidades que proporcionam de tudo – de lojas de antiguidades a caminhadas pela floresta. Elas não são sequer montanhas de verdade, mas uma vasta chapada de arenito cujas espetaculares formações podem ser apreciadas com mais nitidez de mirantes como o Govett's Leap. O Echo Point é o melhor lugar para ver as Three Sisters (Três Irmãs), as conhecidas colunas de arenito do parque. A pouca distância dali, rumo ao oeste, estão dois de seus maiores destaques: o Scenic Skyway, o único teleférico da Austrália, que passa 300m acima do cânion, e Katoomba Scenic Railway, um funicular aberto com uma inclinação de 52º que parece ter o dobro disso. Se esses dois passeios não forem suficientes para deixá-lo de cabelo em pé, perto da cidade de Lithgow há a ferrovia Zig-Zag, uma maravilha da engenharia – cheia de declives, curvas e pontes – construída na década de 1860.

Você pode curtir uma ou duas dessas atrações num passeio de um dia a partir de Sydney, mas a região realmente merece uma estada mais longa. Para isso, o hotel Lilianfels, uma construção do século XIX, é quase imbatível – um dos melhores refúgios de férias da Austrália, que, além de ter uma localização fantástica e exibir panoramas espetaculares, conta com o Darley's, um premiado restaurante que serve comida tradicional preparada com ingredientes cultivados no campo ao seu

O vale Jamison exibe a beleza permanente da natureza.

redor. Parecido em todos os aspectos com uma elegante casa européia, o hotel está 1.000m acima do nível do mar, debruçado à beira do penhasco de Echo Point, com os cânions e ravinas do vale Jamison logo abaixo. Depois de todas essas aventuras ao ar livre, você poderá se sentar ao lado de uma das convidativas lareiras do hotel (até nas noites de verão o ar é frio e seco) ou tomar, à noite, um bom chá servido na varanda que dá para extensos jardins ingleses e bosques de eucaliptos cobertos de névoa. As instalações completas de spa são uma tentação extra para você se enclausurar nesse lugar.

O QUE: lugar, hotel, restaurante. **BLUE MOUNTAINS:** cerca de 122km a oeste de Sydney. **LILIANFELS:** em Katoomba. Tel. (61) 247-801-200; fax (61) 247-801-300; sales@lilianfels.com.au; www.lilianfels.com. *Quanto*: duplos a partir de U$212. **DARLEY'S:** cerca de U$45 por uma refeição de 3 pratos à la carte. **MELHOR ÉPOCA:** Mar. e Abr., quando as montanhas adquirem as cores do outono; primavera (Set. e Out.).

Videiras de primeira classe ao alcance da mão

REGIÃO VINÍCOLA DE HUNTER VALLEY

Nova Gales do Sul, Austrália

Hunter Valley evoca imagens de criação de gado e cavalos, além de mineração, mas a maior parte dos australianos associa esse nome à uva – a região tem mais de 50 propriedades vinícolas e dezenas de restaurantes.

O visitante talvez reconheça marcas internacionais como Rosemount e Lindemans, porém fabricantes de menor porte, de produção limitada, são muito respeitados no país. Por estar a apenas duas horas de carro de Sydney, Hunter Valley é a mais popular e conhecida das quatro regiões vinícolas da Austrália. No entanto, também por esse motivo, é um lugar a ser evitado nos fins de semana – nos dias úteis, há tranqüilidade nas estradas e é bem mais fácil conseguir reservas nos restaurantes.

Se você é um amante da boa mesa que aprecia hotéis-fazenda elegantes, opte pelo Pepper Tree, um magnífico complexo situado no centro do vale. Essa combinação de hotel com restaurante não poderia ser mais idílica: os encantadores aposentos ocupam um convento da virada do século onde a suíte escolhida tanto pode estar instalada num antigo jardim-de-infância quanto no que já foi uma sala de música. O Robert's, o restaurante do hotel, fica numa casa de colonos de 1876. Ali são servidas com toda a calma longas refeições acompanhadas de excelentes vinhos produzidos de videiras tão próximas que basta estender o braço para tocá-las. Mesmo que você não fique para jantar nesse restaurante que já foi premiado várias vezes, não perca a chance de escolher uma deliciosa cesta para almoçar sob as árvores, junto ao riacho.

O QUE: lugar, hotel, restaurante. **HUNTER VALLEY:** cerca de 200km ao norte de Sydney. **PEPPER TREE:** Halls Road, Pokolbin. Tel. (61) 2-4998-7764; fax (61) 2-4998-7323; tcpres@peppers.com.au; www.peppers.com.au. *Quanto*: duplos a partir de U$173. Jantar no Roberts U$40. **MELHOR ÉPOCA:** inverno (Jun.–Ago.) e primavera (Set.–Out.).

Um símbolo venerado e um hotel de luxo à beira do cais

A Opera House e a Baía de Sydney

Nova Gales do Sul, Austrália

Sydney é a maior, mais antiga, mais animada e mais vibrante cidade da Austrália. A Opera House – inicialmente rejeitada por seu projeto alarmantemente moderno (que lembra uma fileira de velas brancas içadas ao vento) – tornou-se um símbolo tão forte da cidade quanto a Torre Eiffel é de Paris. Escolhido entre mais de 200 propostas apresentadas em 1957 pelos mais renomados arquitetos do mundo, seu projeto causou uma polêmica instantânea e levou 15 anos para ser executado. Nesse período, seu desiludido criador, o dinamarquês Joern Utzon, abandonou-o antes de vê-lo concluído. Hoje, a Opera House, perfeitamente instalada na movimentada e pitoresca baía de Sydney, é o coração cultural da cidade. Numerosas produções operísticas, sinfônicas, teatrais e de dança são realizadas ali no Opera Theater e na Concert House – ambos se orgulham de suas acústicas perfeitas. Para quem quiser conhecer esse lugar sem a música, o Bennelong Restaurant, situado num dos espaços mais luxuosos da Opera House, oferece um cardápio elegante e frugal com magníficas vistas da baía.

Para apreciar essa construção do exterior, nenhum lugar é melhor do que o requintado Four Seasons Hotel. De seus andares superiores se podem ver a Opera House à direita, a Harbour Bridge (ponte de Sydney) à esquerda e o resplendor da baía preenchendo a paisagem em todas as direções. Seu saguão de mármore, por outro lado, é um bom posto de observação de outro tipo de panorama: praticamente todas as celebridades que visitam Sydney passam por ali em algum momento. A cobiçada localização do hotel, à beira-mar – perto do lugar onde nasceu a Austrália moderna –, é o centro das atrações turísticas mais populares da cidade: o Circular Quay, ponto de onde saem centenas de barcos que cruzam a baía de Sydney, e o Royal Botanic Gardens, oásis verde de 28ha que proporciona algumas das melhores caminhadas da cidade. Se você quiser ingressos para a ópera, é praticamente certo que os conseguirá com o *concierge* do Four Seasons.

The Rocks, o histórico bairro da zona portuária de Sydney, fica bem perto, aninhado junto à Harbour Bridge. Antigamente ponto de encontro de marinheiros brigões e ex-presidiários, o lugar é hoje respeitável e mais refinado, com seus restaurantes, lojas, galerias e espaços de exibição. Somente o Lord Nelson, o mais antigo pub em funcionamento na cidade, evoca os velhos tempos dessa área.

O Que: lugar, hotel, restaurante. **Sydney Opera House:** Bennelong Point. Bilheteria: tel. (61) 2-9250-7777; fax (61) 2-9251-3943; booking@sydneyoperahouse.com; www.soh.nsw.gov.au. *Quanto*: ingressos a partir de U$30. *Quando*: espetáculos o ano inteiro; a temporada de ópera costuma ser realizada nos meses de Jan., Fev. e Jun.–Out. **Bennelong Restaurant:** tel. (61) 2-250-7578. *Quanto*: jantar U$50. **The Four Seasons Hotel Sydney:** George Street, 199. Tel. (61) 2-9238-0000; fax (61) 2-9251-2851; world.reservations@fourseasons.com; www.fourseasons.com. *Quanto*: quartos com vista para a Opera House e a baía nos andares 6–23, a partir de U$275; quartos standard com vista para a cidade U$222. **The Rocks:** localizado entre a baía, Kent Street (a oeste) e Grosvenor Street (ao sul); www.rocksvillage.com.

Santuários espirituais dos aborígines

Ayers Rock e os Olgas

Território do Norte, Austrália

Independentemente de quantas vezes as pessoas já o tenham visto em filmes e cartões-postais, o grande monólito vermelho de Ayers Rock, o maior do mundo, ainda desperta uma profunda admiração em todos os que o visitam.

Reverenciado como centro de poder espiritual pelos aborígines, cujos ancestrais, estima-se, viveram ali há 20.000 anos, Ayers Rock, uma pedra que muda de cor ao amanhecer e ao pôr-do-sol, constitui uma experiência visual tão impressionante que o visitante logo entende por que um mundo de mitologia se formou ao seu redor. Também conhecido pelo nome aborígine Uluru (Seixo Gigante), está 348m acima de uma planície comum e seu perímetro é de cerca de 8km. Ricos depósitos de ferro são o motivo da sua coloração vermelho-alaranjada – na verdade, Ayers Rock enferruja quando chove. A subida ao seu topo não é proibida, embora seu significado religioso faça com que ela seja silenciosamente desaconselhada pelos aborígines, que conseguiram transformar 1.323km² de terras ao redor dessa rocha em parque nacional em 1985. A cansativa caminhada de uma hora pela única trilha existente não é para os fracos de coração nem para os ruins de joelho. Muitos preferem andar em torno de sua base.

A majestade singela de Ayers Rock.

Cerca de 48km a oeste de Ayers Rock estão os Olgas, 36 imensos domos de rocha com até 548m de altitude separados por fendas e vales num território de 39km². Eles são ainda mais significativos para os aborígines de hoje do que o Uluru. Seu nome no idioma aborígine é Kata Tjuta (Muitas Cabeças). O acesso público é limitado à trilha do "vale dos Ventos", um circuito de 6,4km que pode ser aproveitado com mais tranqüilidade na ausência das caravanas de ônibus de turismo à tarde.

O Que: lugar. **Onde:** no centro geográfico do continente, 322km a sudoeste de Alice Springs, perto da cidade de Yulara. Vôos regulares partindo de todas as grandes cidades australianas. **Onde Ficar:** Ayers Rocks Resort, em Yulara, a 19km de Ayers Rock. Em Sydney, entre em contato com a Voyages Hotels and Resorts; tel. (61) 2-9339-1040; fax (61) 2-9332-4555; www.voyages.com.au. *Quanto*: duplos a partir de U$32 hospedagem econômica; quarto 5 estrelas a partir de U$400. **Melhor Época:** Mar.–Mai., Set.–Nov.

Onde a mais antiga floresta tropical do planeta se encontra com a Grande Barreira de Corais

CAPE TRIBULATION

Queensland, Austrália

Dois dos bens australianos inscritos na lista do Patrimônio Mundial da Unesco, a Floresta Úmida Tropical e a Grande Barreira de Corais, juntam-se em Cape Tribulation (cabo das Tribulações), assim batizado em 1770 pelo navegador britânico Cook quando, aborrecido por ter batido com seu navio num leito de coral, disse: "Aqui começam todos os meus problemas." Protegida dentro desse cabo e do Parque Nacional Daintree, a floresta tropical, considerada berço evolucionário de boa parte da singular vida selvagem da Austrália, contém árvores de 3.000 anos de idade, de espécies que remontam possivelmente a 120.000.000 de anos. Os dinossauros desapareceram, mas pouca coisa mais parece ter mudado.

Para mergulhar inteiramente nessa exótica selva, você pode escolher entre duas magníficas hospedarias ecoturísticas que coexistem pacificamente a poucos quilômetros uma da outra. Pioneiras em projetos de hospedarias ambientais, a Silky Oaks e a Coconut Beach Lodge são perfeitamente integradas a suas próprias florestas particulares. Suas equipes contam com naturalistas que lhe mostrarão a singular ecologia do local e uma concentração de espécies vegetais e animais sem paralelo no planeta.

O QUE: lugar, hotel. **CAPE TRIBULATION:** 97km ao norte de Cairns. **COCONUT BEACH RESORT:** tel. (61) 7-4098-0033; fax (61) 7-4098-0047; reservations@coconutbeach.com; www.coconutbeach.com.au. *Quanto*: duplos a partir de U$240. **SILKY OAKS LODGE:** tel. (61) 2-9277-5050; fax (61) 2-9299-2477; www.silkyoakslodge.com.au/silky. *Quanto*: chalé (para até 4 pessoas) U$300 por noite. **MELHOR ÉPOCA:** Mai.–Set.

Divertindo-se na mais bela estrada do mundo

ILHA FRASER

Queensland, Austrália

Na maior ilha de areia do planeta, você pode escolher entre nadar num dos 40 lagos de água doce cercados de dunas, caminhar pela ancestral floresta tropical do vale dos Gigantes, juntar-se aos guardas-florestais para rastrear algumas das 350 espécies de pássaros nativos ou simplesmente curtir os 120km contínuos de extensas praias – a mais bela estrada do mundo. Alugue um jipe no Kingfisher Bay Resort, o premiado hotel ecoturístico da ilha, para realizar uma fantasia selvagem do tipo "o homem versus o meio". Com o oceano Pacífico de um lado e penedos de

12m de altura moldados como torres góticas do outro, é possível passar o dia percorrendo a praia sem ver nenhum outro veículo. No cabo Sandy, no extremo norte da ilha, onde imensas montanhas de areia se inclinam em direção ao cintilante mar azul, você se sentirá como Lawrence da Arábia. Se chegar em agosto, terá a oportunidade de navegar no magnífico catamarã Kingfisher I, de propriedade do hotel, em meio a 2.000 baleias migratórias que fazem anualmente o caminho de volta para a Antártida.

O QUE: ilha, hotel. **ILHA FRASER:** na extremidade sul da Grande Barreira de Corais, a 35 minutos de barco de Hervey Bay. **KINGFISHER BAY RESORT:** tel. (61) 7-4120-3333; fax (61) 7-4129-9333; reservations@kingfisherbay.com; www.kingfisherbay.com. *Quanto*: duplos a partir de U$170. **MELHOR ÉPOCA:** Ago.–Set. para observar as baleias.

O Kingfisher Bay Resort ganhou um importante prêmio de arquitetura.

A obra-prima da Austrália

A Grande Barreira de Corais e o Mar de Coral

Queensland, Austrália

Os australianos chamam-na de oitava maravilha do mundo, mas talvez seja pouco. A Grande Barreira de Corais é o único organismo vivo do planeta visível do espaço. Estendendo-se por mais de 1.900km ao largo da costa de Queensland, a distâncias que variam de 16 a 80km, a Grande Barreira não é de fato um único recife de coral, mas uma associação de 2.900 recifes menores com cerca de 300 pedras inseridas como passadeiras entre eles. Maior reserva natural oceânica do mundo, ela abriga uma assombrosa quantidade de criaturas marinhas, entre as quais 500 espécies de coral duro e mole magnificamente coloridas, 1.500 variedades de peixes e 4.000 tipos de moluscos.

Os tesouros da natureza são abundantes na Grande Barreira de Corais.

Pode-se velejar entre esses corais, apreciá-los com snorkel e sobrevoá-los, mas somente nas profundezas desse reino extraordinário é possível sentir sua verdadeira diversidade. Felizmente não são poucas as agências de turismo que prometem a melhor experiência nos recifes. O Quicksilver é um catamarã high-tech, um "furador de ondas" com propulsão turbo que faz o passeio de 90 minutos até uma plataforma fixa que tem janelas de vidro em sua parte submersa. Ali, as opções são nadar, mergulhar com snorkel ou cilindro e ainda passear num barco semi-submersível vendo as maravilhas marinhas do lado de fora da vidraça enquanto o guia faz seus comentários explicativos.

Quem quiser uma experiência mais prolongada pode escolher um rápido cruzeiro de quatro dias a bordo dos luxuosos navios Coral Princess e Coral Princess II, de 155 pés, que oferecem mergulho com snorkel, excursões guiadas de observação de corais em pequenos barcos com casco transparente, pesca de coral e exposições noturnas de biólogos marinhos especializados. Se você sempre sonhou em aprender a mergulhar com cilindro, os qualificados instrutores do barco, todos filiados à PADI (Associação Profissional de Instrutores de Mergulho), o orientarão na sua primeira experiência desse tipo.

A maioria das pessoas pensa que a Grande Barreira de Corais é a última palavra em mergulho em águas profundas, porém o cenário do menos conhecido e explorado mar de Coral talvez seja ainda mais espetacular. Os destaques dessa vastidão de águas cristalinas e atóis de coral inabitados são suas imensas paredes (*drop-offs*) perpendiculares e uma visibilidade de 60 a 90m. Imagine lulas gigantes de até 2m, garoupas de 135kg e numerosas tartarugas e tubarões, além de uma extraordinária quantidade de corais duros e peixes de todos os tipos. Algumas excursões com pernoite no próprio barco incluem uma visita aos destroços do navio australiano SS Yongala, de 363 pés, que naufragou em 1911, uma maravilha que supostamente é o lar da maior concentração e diversidade de vida marinha do mundo – uma fantástica experiência submarina.

O observatório submarino do Quicksilver.

O QUE: lugar, experiência. **QUICKSILVER:** tel. (61) 7-4087-2100; fax (61) 7-4099-5525; reservations@quicksilver-cruises.com; www.quicksilver-cruises.com. *Quanto*: U$80 por pessoa, incluídos almoço (bufê) e equipamento. *Quando*: partidas diárias de Port Douglas, Jul.–Dez. **CRUZEIROS DO CORAL PRINCESS:** tel. (61) 7-4040-9999; fax (61) 7-4035-5995; cruise@coralprincess.com.au; www.coralprincess.com.au. *Quanto*: cruzeiro de 4 dias a partir de U$799, tudo incluído, exceto aulas e equipamento de mergulho. *Quando*: 4 partidas semanais de Cairns e Townsville. *Como*: no Brasil, Kangaroo Tours (São Paulo). Tel. (11) 3066.0266; fax (11) 3066-0255; info@kangarootours.com.br; www.kangaroo tours.com.br. Pacote: 14 dias, parte aérea não incluída, apartamento para 4 pessoas, traslados, guia e refeições que variam de acordo com a programação diária. *Quando*: saídas de Sydney aos Sáb. *Quanto*: U$1.410. **MELHOR ÉPOCA:** Out.–Nov., quando o mar está em melhores condições.

Uma ilha de luxo na Grande Barreira de Corais

HAYMAN ISLAND RESORT

Queensland, Austrália

Instalado numa ilha particular de 365ha – uma das 74 ilhas Whitsunday dispersas nas águas azul-safira da Grande Barreira de Corais –, o Hayman é um dos resorts mais luxuosos do mundo, sem rival entre os muitos existentes nas ilhas da costa Dourada de Queensland tanto em termos de atrações naturais quanto de comodidades. Viajantes abonados o procuram em busca de isolamento, paisagem tropical exuberante, opção entre cinco restaurantes, serviço de primeira, um espetacular conjunto de piscinas de água natural e salgada e uma localização que não tem preço, tudo isso a apenas 27 milhas náuticas da Grande Barreira de Corais. Com a elegante descontração de um requintado clube privado, o Hayman, que recebe no máximo 400 hóspedes, oferece uma grande variedade de esportes aquáticos, aluguel de um iate Beneteau de 40 pés por um ou mais dias, uma trilha de 8km na mata e até uma boate. No seletivo topo de suas acomodações estão as 11 suítes de cobertura da Lagoon Wing, cada uma delas decorada de forma exclusiva com antiguidades de valor inestimável e obras de art déco marroquina e japonesa. A North Queensland Penthouse, inspirada na versão australiana da chácara colonial (com serviço de mordomo incluído), o ajudará a lembrar onde está.

No resort não faltam lagos e piscinas.

O QUE: ilha, hotel. **ONDE:** na maioria das cidades do continente, há vôos com destino à ilha próxima de Hamilton, de onde um panorâmico cruzeiro complementar de 50 minutos leva até Hayman. Para reservas, tel. (61) 2-9268-1888 e (61) 7-4940-1234; fax (61) 7-4940-1567; reserve@hayman.com.au; www.hayman.com.au. **QUANTO:** duplos a partir de U$305, suítes a partir de U$925, coberturas a partir de U$1.089. **MELHOR ÉPOCA:** Out.–Nov., quando o mar está em melhores condições.

Excelente vinho, excelente comida

VALE BAROSSA

Austrália do Sul, Austrália

O pitoresco vale Barossa, eldorado gastronômico da Austrália, junto com o vizinho (e menos conhecido) vale Clare, produz cerca de 60% de todo o vinho do país. Experimente o que há de melhor em termos de vinho e comida australianos hospedando-se na The Lodge Country House, uma elegante pousada instalada numa linda casa de campo construída em 1903 para um dos 13 filhos de Joseph Seppelt, pioneiro na produção de vinho no país. Emoldurada por 1,5ha de lindos jardins de rosas e de outros tipos de flores, ela se situa de frente para as belas e extensas vinhas de Seppelt, que datam de meados da década de 1850. Sua varanda sombreada é o local onde os oito privilegiados hóspedes se reúnem diariamente para assistir ao pôr-do-sol. Segue-se um memorável jantar à luz de velas, acompanhado de uma excelente seleção dos melhores vinhos de Barossa. A meia hora de carro da pousada há cerca de 50 propriedades vinícolas (entre as quais a Peter Lehman, a Stanley Brothers, a Henschke, a Penfolds e a Richmond Grove), muitas delas representadas na carta de vinhos da pousada.

Saindo dali, um lindo passeio de carro de apenas 10 minutos leva até Tanunda, a mais charmosa, movimentada e importante das cidades vinícolas de Barossa. Seus cafés e suas lojas de antiguidades e de vinhos proporcionam uma tarde inteira de prazer, no entanto o destino final deve ser o elegante e ao mesmo tempo informal 1918 Bistro and Grill, que tem um cardápio simples e memorável, recheado de especialidades australianas modernas, além de uma extensa carta de vinhos. Os moradores da região costumam pedir vinhos sem o rótulo de Barossa, disponíveis aos clientes por um preço muito mais baixo do que as versões oficialmente rotuladas. Mas não se esqueça: é preciso pedir.

O QUE: lugar, hotel, restaurante. **VALE BAROSSA:** 72km a nordeste de Adelaide. **THE LODGE COUNTRY HOUSE:** Main Road, Seppeltsfield. Tel. (61) 8-8562-8277; fax (61) 8-8562-8344; stay@thelodgecountryhouse.com; www.thelodgecountryhouse.com.au. *Quanto*: duplos U$170; com café da manhã e jantar para 2 pessoas, U$230. **1918 BISTRO AND GRILL:** Murray Street, Tanunda. Tel. (61) 8-8563-0405. *Quanto*: jantar U$30. **MELHOR ÉPOCA:** Mar.–Abr. (época da colheita) e Out.–Dez. O Festival do Vinho, de 1 semana de duração, é realizado logo após a Páscoa, somente nos anos ímpares.

Um microcosmo de toda a Austrália

ILHA DO CANGURU

Austrália do Sul, Austrália

Terceira maior ilha da Austrália, a simples e pouco movimentada ilha do Canguru (Kangaroo Island) guarda um inigualável tesouro de vida animal em meio a um cenário diverso e intocado. A população de ovinos é maior que a de humanos na proporção de 300 por um, mas o que assombra são os exércitos de cangurus selvagens, coalas, *wallabies* (parentes próximos dos cangurus e praticamente extintos no continente) e pingüins. Eles vivem entre as dunas mais brancas do planeta, penedos esculpidos pela arrebentação que lembram obras de arte abstrata – apropriadamente chamadas de Remarkable Rocks (rochas Notáveis) –, águas espumantes e uma ponte natural escavada no calcário, a Admiral's Arch. A baía Seal é o habitat de uma das mais raras espécies de leão-marinho que existe no mundo; eles podem ser vistos às centenas se espreguiçando na praia branca, aparentemente indiferentes à presença do *Homo sapiens*, que assim pode curtir uma rara experiência de aproximação pessoal com a fauna

Na ilha do Canguru, a natureza imita a arte de Salvador Dalí.

selvagem. As focas da Nova Zelândia, primas dos leões-marinhos, freqüentam as lindas enseadas do extremo sudoeste da ilha. Os visitantes que se inscrevem nas frenéticas excursões de um dia da Adventure Charters of Kangaroo Island em geral subestimam o tamanho da ilha (145km x 65km) e acabam querendo ficar num dos charmosos *bed and breakfast* locais, situados em fazendas e chácaras que acolhem visitantes com a verdadeira hospitalidade australiana. Tomara que você consiga lugar na Stranraer Homestead, uma chácara de 1.415ha em plena atividade, administrada pela família Wheaton desde 1911.

O QUE: ilha, experiência, cidade. **ONDE:** 121km ao sul de Adelaide; ligada por barcas e vôos diários. **COMO:** Adventure Charters of Kangaroo Island; tel. (61) 8-8553-9119, fax (61) 8-8555-9122; wildlife@kin.on.net; www.adventurecharters.com.au. *Quanto*: visitas de 1 a 3 dias a partir de U$325 por pessoa, tudo incluído (conexão aérea também). **MELHOR ÉPOCA:** Set.–Fev.

Passeio num ambiente selvagem

O Parque Nacional de Cradle Mountain e a Trilha Overland

Tasmânia, Austrália

Duzentos e quarenta quilômetros ao largo da costa meridional da Austrália, a montanhosa Tasmânia parece o fim do mundo mesmo para os australianos continentais. Em vista dessa localização isolada, boa parte de sua flora e fauna não existe em nenhum outro lugar do planeta. No entanto, quase toda a ilha é verde e habitada, um cenário muito parecido com o de Surrey, na Grã-Bretanha, exceto pelos 1.214.000ha selvagens, protegidos como reservas naturais, que contêm alguns dos mais espetaculares panoramas de montanha de toda a Austrália. A jóia dessa coroa natural é o Parque Nacional de Cradle Mountain, cujos picos escarpados e charnecas em terrenos elevados formam parte considerável dessa região indômita. A trilha Overland, de 85km, que liga o Parque de Cradle Mountain ao lago St. Clair, é a mais famosa do lugar – aquela que todo australiano jura percorrer pelo menos uma vez na vida. Pavimentada com tábuas de madeira para proteger o ambiente do impacto humano, ela se embrenha no coração da floresta tropical.

As cabanas rústicas que existem ao longo do caminho geralmente estão lotadas. Em vez de carregar equipamento de camping para os seis dias de caminhada, inscreva-se numa das agências de trekking que administram cabanas particulares com quartos de hóspedes e água corrente aquecida. Elas fornecerão guias tasmanianos experientes para acompanhar o grupo na proporção de um para cada cinco excursionistas (os grupos são formados por no máximo 10 pessoas). Os guias (homens ou mulheres) desempenharão também a função de cozinheiros(as) no fim de cada fantástico dia de caminhada, em que terão sido percorridos de 10 a 18km. O último dia inclui um passeio em meio a uma densa floresta de eucaliptos até às margens do lago St. Clair, o mais bonito da Tasmânia, criado pelas geleiras durante os últimos 2.000.000 de anos. Um cruzeiro de 16km pelo lago prolonga sua mágica experiência no Parque Nacional de Cradle Mountain.

Se a trilha Overland excede em cerca de 80km o tempo médio de suas férias, a alternativa é hospedar-se na Cradle Mountain Lodge. Rústica e aconchegante, ela não é uma pousada de luxo (a menos que você considere como tal o generoso café da manhã com bacon de primeira e ovos caipiras locais). Ao contrário, é o tipo de hospedaria informal onde se toma um copo de *cabernet* tasmaniano em frente à lareira crepitante contando e ouvindo histórias de caminhadas. É também uma boa base de onde se pode partir para alguns dias de passeios a cavalo, excursões de canoagem e caminhadas em meio à exuberante floresta tropical e às margens dos lagos em áreas elevadas. Uma popular tradição de toda noite é a "festa dos restos", quando as sobras da cozinha são deixadas num estrado próximo para serem apanhadas pelos animais da floresta, o que ocasionalmente inclui um demônio-da-tasmânia (e não estamos falando de Errol Flynn).

O QUE: lugar, experiência, hotel. **TRILHA OVERLAND:** as caminhadas começam e terminam em Launceston. Para caminhadas guiadas, entre em contato com a Cradle Huts Ltd.; tel. (61) 3-6331-2006; fax (61) 3-6331-5525; cradle@tassie.net.au; www.cradlehuts.com.au. *Quanto:* U$857 por pessoa, por 6 dias de caminhada com pernoites em beliche duplo, incluídas todas as refeições e serviços de guia. *Quando*: partidas diárias Nov.–Abr. **CRADLE MOUNTAIN LODGE:** 80km ao sul de Davenport. Tel. (61) 3-6492-1303; fax (61) 3-6492-1309; www.cradlemountainlodge.com. *Quanto:* duplos a partir de U$120. **MELHOR ÉPOCA:** Out.–Fev.

Um parque natural com opções ilimitadas

O Parque Nacional de Freycinet e a Freycinet Lodge

Tasmânia, Austrália

O Freycinet é o mais antigo parque litorâneo da Tasmânia, uma espetacular combinação de montanhas de granito vermelho, praias de areias brancas e águas lápis-lazúli. Discretamente instalada dentro de seus limites está a ecologicamente correta Freycinet Lodge, "a pousada escondida", tão cuidadosamente construída que mal pode ser vista mesmo a poucos metros de distância. Suas luxuosas cabanas com deques de madeira de sequóia se integram harmoniosamente ao estupendo ambiente natural. O hóspede pode optar entre uma série de atividades orientadas para a natureza, visita aos locais de procriação de pingüins e gansos negros e caminhadas guiadas através de florestas povoadas por marsupiais, papagaios coloridos e alegres cucaburras (uma espécie de martim-pescador local que parece gargalhar). Uma caminhada solitária até o alto da montanha em meio a campos de flores silvestres conduz ao *grand finale* da excursão: a vista da baía Wineglass, um dos mais belos panoramas da Austrália. Freycinet é conhecida por seus crustáceos – um chef não precisa inventar muito com o pitu local, do tamanho de uma lagosta, para criar um jantar digno de prêmio, servido ao pôr-do-sol numa mesa perto da janela que dá para a baía Great Oyster.

A baía Wineglass, Tasmânia.

O QUE: ilha, lugar, hotel. **FREYCINET LODGE:** a 2 horas de carro de Hobart e Launceton. Tel. (61) 3-6257-0101; fax (61) 3-6257-0278; info@freycinetlodge.com.au; www.freycinetlodge.com.au. **QUANTO:** duplos a partir de U$140. **MELHOR ÉPOCA:** Fev.–Mar.; Mai.–Set. para observação de baleias.

Uma inspiradora viagem com os 12 apóstolos

GREAT OCEAN ROAD

Victoria, Austrália

Essa longa rodovia costeira muitas vezes comparada à Pacific Coast Highway da Califórnia figura entre as mais pitorescas estradas litorâneas do mundo. Contornando os penhascos da escarpada costa meridional do continente australiano a oeste de Melbourne, seu percurso de 290km revela em cada curva um novo e impressionante cenário de íngremes rochedos, praias varridas pelo vento, velhas aldeias dedicadas à pesca (inclusive de baleias), criativos restaurantes, simpáticos *bed and breakfast*, florestas tropicais protegidas e parques nacionais habitados por coalas e cangurus. A eterna batalha entre as ondas incessantes do Pacífico Sul e o litoral resultou em praias excelentes para a prática do surfe, como a mundialmente célebre Bell's, e em extraordinárias formações rochosas, como o Loch Ard Gorge, a baía das Ilhas e, a mais notória de todas, o grupo de colunas de calcário conhecido como Twelve Apostles (12 Apóstolos). No século XIX, ele era chamado de Sow and Piglets (A Porca e os Porquinhos). O oceano já causou a total erosão de quatro dessas colunas; das oito remanescentes, algumas chegam a atingir 55m de altura.

Não é difícil perceber por que o trecho onde está o Twelve Apostles é também conhecido como costa dos Náufragos: suas águas tragaram centenas de navios durante a colonização, no século XIX, quando a viagem a partir da Inglaterra levava de três a quatro meses. Esse é o segmento mais espetacular da Great Ocean Road, melancólico e romântico em dias de vento e tempestade. Vale a pena fazer o caminho de ida e volta porque as vistas do acidentado litoral são diferentes nos dois sentidos. Se estiver ao seu alcance, percorrê-la de bicicleta com um pequeno grupo é a melhor opção para curti-la por completo. Não deixe de assistir ao pôr-do-sol em algum mirante do caminho e não se esqueça de visitar as melhores propriedades vinícolas de Coonawarra enquanto estiver na região.

O QUE: experiência, lugar. **ONDE:** 290km de estrada, começando em Torquay, um centro de surfe situado a 100km de Melbourne, e terminando em Warrnambool. **COMO:** Gourmet Tours of Australia; tel. (61) 3-5777-3503; fax (61) 3-5777-3896; howqua@mansfield.net.au; www.gtoa.com.au. **QUANTO:** excursão de bicicleta com 6 dias de duração U$1.800 por pessoa, tudo incluído. **QUANDO:** de meados a fim de Mar. **MELHOR ÉPOCA:** Mai., quando as baleias-francas chegam do Sul.

No rastro do capitão James Cook

BAÍA DAS ILHAS

Ilha do Norte, Nova Zelândia

Ao largo da acidentada costa da ilha do Norte, mais de 150 ilhas menores de diversos tamanhos formam uma espécie de jogo de amarelinha sobre o azul intenso da baía da Ilhas. Imensos pinheiros-de-norfolk crescendo lado a lado com bananeiras subtropicais e palmeiras-leque criam o cenário perfeito para torná-la ainda mais atrativa como lugar de lazer. A região é mundialmente conhecida pela pesca de peixes de grande porte – ali o escritor Zane Grey, um importante desportista em sua época, pegou cinco marlins num único dia, entre os quais um espécime listrado de 203kg que foi recorde mundial. Seu livro *Tales of the Angler's Eldorado, New Zealand* (Contos do eldorado do pescador, Nova Zelândia) ajudou a divulgar a baía como um paraíso desse tipo de pesca esportiva. Mas quem não aprecia pescaria também pode ter sua aventura explorando a baía das Ilhas, assim como fez o navegador britânico James Cook: velas enfunadas e cabelos ao vento. Centenas de angras escondidas e praias secretas são reveladas a bordo da escuna R. Tucker Thompson. Outra opção é fretar um barco de 70 pés, como o supermoderno Sirdar, e chegar a uma ilha que pode ser só sua. Para coroar esse passeio com um marlim, vale chamar o veterano em pesca Dudley Smith, capitão e proprietário do Triple B, de 32 pés.

Em terra, a melhor pedida é reservar um dos cinco apartamentos da esplêndida Kimberley Lodge, cujas fabulosas vistas são motivo suficiente para manter qualquer um nesse lugar, enquanto as luxuosas comodidades proporcionadas por essa pousada são a cereja em cima do sorvete. Os materiais nativos da Nova Zelândia foram amplamente utilizados ali – e com tal habilidade artesanal e atenção aos detalhes que nem parece que a Kimberley Lodge foi construída há relativamente pouco tempo. O hóspede pode deixar que os simpáticos gerentes proponham uma intensa programação ou tomar a iniciativa de fazer um passeio até à encantadora cidade histórica de Russell, primeira capital da Nova Zelândia e antigamente um agitado porto baleeiro, com suas pitorescas construções coloniais de fachada de madeira alinhadas à beira do cais. Vale a pena fazer uma parada no Sally's Café para saborear um chá com *scones* (bolinhos doces que parecem biscoitos, típicos da Inglaterra) e ler os jornais do dia ou então tomar um drinque em companhia de iatistas na varanda do antigo e venerável Duke of Marlborough Hotel (o primeiro lugar a ter licença para vender bebidas alcoólicas no país).

O QUE: ilha, experiência, hotel. **BAÍA DAS ILHAS:** 257km ao norte de Auckland. **R. TUCKER THOMPSON:** em Paihia; tel. (64) 9-402-7421; fax (64) 9-402-7831. *Quanto*: cruzeiros diários de 7 horas de duração U$55, incluído almoço. **FRETE DO SIRDAR:** em Auckland; tel. (64) 9-308-8324; fax (64) 9-379-5807. *Quanto:* tarifa horária, com tripulação, U$350. **DUDLEY SMITH:** em Russell; tel. (64) 9-403-7200; fax (64) 9-403-7537. *Quanto*: tarifa horária, com tripulação, U$125; mínimo de 6 horas para 4 pessoas. Há tarifas para aluguel por 1 dia. **KIMBERLEY LODGE:** em Russell; tel. (64) 9-403-7090; fax (64) 9-403-7239; kimberley@lodges.co.nz; www.lodges.co.nz. *Quanto*: duplos a partir de U$190 (baixa temporada) e U$250 (alta temporada). **MELHOR ÉPOCA:** de meados de Dez.–Abr. para a pesca de marlim e de outros peixes de grande porte.

Um paraíso para as trutas-arco-íris e seus apreciadores

O Lago Taupo e a Huka Lodge

Ilha do Norte, Nova Zelândia

Adesivos nos automóveis locais anunciam que o lago Taupo é a capital mundial da truta-arco-íris, e eles não estão exagerando. Mesmo para os padrões da Nova Zelândia, as trutas desse lago são imensas – pesam em média de 1,8kg, sem falar nos espécimes de 9kg que causam certo rebuliço. Maior lago do país, com 32km x 40km (e profundidade de 182m em alguns pontos), o Taupo, localizado perto do centro da ilha do Norte, é a cratera de um antigo vulcão, cercada por três vulcões ativos que ficam no vizinho Parque Nacional Tongariro. Barcos de todos os tipos, de vapores de época a modernos catamarãs, estão disponíveis para levar pesca-

A Huka Lodge, às margens do rio Waikato.

dores e banhistas em passeios por suas águas claras e frias. Na cidade de Taupo, o chef do seu hotel estará à espera para preparar seu peixe da forma como você preferir.

Cerca de 4km ao sul de Taupo, situa-se a Huka Lodge, o máximo em matéria de pousada esportiva com toque europeu – foi onde James Michener se inspirou para escrever partes de *Return to Paradise* (Retorno ao paraíso). Por estar próxima ao lago Taupo e por ter as águas do rio Waikato banhando sua tranqüila propriedade que se assemelha a um parque, a Huka é sempre mencionada com reverência nos círculos de pescadores de todo o mundo. Suas espaçosas *villas* (casas) privativas estão instaladas junto às margens orladas de salgueiros do Waikato, sequóias destacam-se sobre a cobertura transparente do banheiro e portas de correr envidraçadas trazem a paisagem exterior para dentro. Uma opção de almoço é pedir uma cesta de piquenique digna de um gourmet e passar a tarde na vigorosa Huka Falls. Como essa pousada é o mais exclusivo refúgio de férias da Nova Zelândia, a qualidade do seu vinho e da sua comida nunca é menos do que soberba.

O QUE: lugar, hotel. **LAGO TAUPO:** 306km ao sul de Auckland. **HUKA LODGE:** 4,8km ao sul de Taupo. Tel. (64) 7-378-5791; fax (64) 7-378-0427; reservations@hukalodge.co.nz; www.hukalodge.co.nz. *Quanto*: duplos a partir de U$307 (baixa temporada) e U$539 (alta temporada), incluído jantar de 5 pratos. **CHRIS JOLLY BOATS LTD.:** opera pequena frota de 4 barcos de aluguel com tripulação, guias de pesca e refeições. Tel. (64) 7-378-0623; fax (64) 7-378-9458; chrisj@chrisjolly.co.nz; www.chrisjolly.co.nz. *Quanto*: barcos a partir de U$130 por hora ou U$10 por pessoa, por hora, dependendo do tamanho do grupo. *Quando*: temporada de pesca o ano inteiro. **MELHOR ÉPOCA:** Mai.–Set. para pesca com caniço; Set.–Abr. para pescaria de corrico.

Um espetáculo de ficção científica

A BORBULHANTE ROTORUA

Ilha do Norte, Nova Zelândia

Na cidade de Rotorua, centro do ativo campo termal do platô vulcânico Taupo e onde há vapor por toda parte, piscinas de lama e fumarolas sulfurosas sibilam por entre fendas abertas na superfície do solo, criando o bizarro espetáculo geotérmico que Bernard Shaw chamou de "o cenário mais infernal" que já vira. São "caldeirões de champanhe" borbulhantes, rios de água quente e fria, terraços de sílica de aspecto extraterreno e o imprevisível gêiser Pohutu, cujo jato atinge 30m de altura – às vezes por apenas alguns minutos, às vezes por horas seguidas. Rotorua é o território de um terço dos maoris da Nova

O platô vulcânico Taupo tem uma mística especial.

Zelândia, cujas lendas explicam a atividade geotérmica como uma dádiva de fogo dos deuses. Embora o surto de construção de spas iniciado na década de 1840 tenha tornado a região exageradamente comercial e turística, até hoje os visitantes são atraídos por suas (às vezes assustadoras) maravilhas naturais. Se o onipresente cheiro de enxofre o incomodar muito, fuja para o interior da região, que é de uma beleza deslumbrante, ou para a Solitaire Lodge, pousada que tem uma das localizações mais espetaculares da Nova Zelândia, na ponta de um promontório coberto de árvores entre o esplêndido lago Tarawera, rico em trutas-arco-íris, e o vulcão extinto de mesmo nome.

O Que: lugar, hotel. **Rotorua:** 217km a sudeste de Auckland. **Solitaire Lodge:** tel. (64) 7-362-8208; fax (64) 7-362-8445; solitaire@solitairelodge.co.nz; www.solitairelodge.com. *Quanto*: duplos a partir de U$227 por pessoa, incluídas todas as refeições. **Melhor Época:** Out.–Fev.; Nov.–Abr. para pescarias.

Na trilha da uva e uma bela casa senhorial à espera no fim do dia

Região Vinícola de Marlborough

Blenheim, Ilha do Sul, Nova Zelândia

Ao contrário da maioria das grandes áreas vinícolas do mundo, celebradas somente por seus vinhos, a região de Marlborough, na ilha do Sul, combina duas razões especiais para uma visita: a grandiosidade do intocado litoral de Marlborough Sounds, com dezenas de baías e praias isoladas, e, ao sul, as vinhas que circundam a cidade de Blenheim. Cercada por montanhas, essa ondulada paisagem de antigas fazendas de criação de ovelhas se tornou há pouco mais de 20 anos um distrito vinícola, hoje um dos maiores e mais conhecidos do país, com 15 propriedades dedicadas à produção de vinho, cujos sauvignons brancos e chardonnays vêm, aos poucos, conquistando prestígio internacional. Apesar do predomínio do gigante industrial Montana, as casas vinícolas de Cloudy Bay e Hunters são nomes já bastante conhecidos que fazem por merecer uma visita.

Os oito felizardos hóspedes da Timara Lodge a chamarão de seu lar enquanto estiverem nessa pousada. A elegante e acolhedora casa senhorial da década de 1920 no estilo Tudor onde está instalada e seu jardim inglês, que tem um lago habitado por dois cisnes negros, formam um cenário tão lindo quanto se poderia desejar. A maravilhosa comida é acompanhada, é claro, pelos melhores vinhos da região e do país, todos da adega da pousada e apaixonadamente supervisionados pelos encantadores anfitriões.

O Que: experiência, hotel, restaurante. **Blenheim:** extremo nordeste da ilha do Sul. **Timara Lodge:** próxima da Dog Point Road; tel. (64) 3-572-8276; fax (64) 3-572-9191; timaralodge@xtra.co.nz; www.timara.co.nz. *Quanto*: duplos a partir de $572, incluídos jantar e traslados desde e para o aeroporto. *Quando*: fechado Jun.–Jul. **Melhor Época:** Nov.–Fev.

Fantásticas caminhadas pelas trilhas Routeburn e Greenstone

GRAND TRAVERSE

Ilha do Sul, Nova Zelândia

Num país onde a natureza é rainha, não surpreende que caminhar seja o esporte nacional – e que incrível cenário para se percorrer! Juntas, as trilhas Routeburn (que os especialistas em trekking consideram ainda melhor do que a lendária Milford) e Greenstone Valley Walk formam a Grand Traverse (Grande Travessia), a mais importante trilha da Nova Zelândia. A Routeburn, de 38km, atravessa os Alpes do Sul, passando pelo espetacular desfiladeiro Harris Saddle, a 1.188m de altitude, e desce em meio a uma densa floresta com samambaias, riachos, lagos e cachoeiras até o Parque Nacional de Mount Aspiring. A Greenstone Valley Walk, de 40km, segue uma antiga trilha maori dentro do Parque Nacional de Fiordland e cruza a principal linha divisória de águas dos Alpes do Sul dentro de um vale com um lindo rio cercado de altas montanhas. A caminhada, de seis dias, não chega a ser cansativa – a única coisa que tira a respiração é o cenário. Os passeios guiados oferecem uma série de óbvias vantagens, uma das quais é a disponibilidade de cabanas com água corrente aquecida. Quem opta por caminhar por conta própria, além de se contentar com acomodações mais rudimentares, tem que obter seu registro com as autoridades locais. Como o número de excursionistas, guiados ou não, é estritamente controlado, convém inscrever-se com antecedência.

O QUE: experiência, lugar. **ONDE:** extremo sudoeste da ilha do Sul. Partida e retorno via Queenstown. **COMO:** para excursões guiadas, entre em contato com Mount Cook Line; tel. (64) 3-441-1138; fax (64) 3-441-1134; info@routeburn.co.nz; www.ultimatehikes.co.nz. **QUANTO:** Caminhada Routeburn ou Caminhada Greenstone, ambas com 3 dias de duração, U$490 cada uma delas, tudo incluído; Grand Traverse U$670, tudo incluído. **QUANDO:** Nov.–Abr.

Cruzeiros e caminhadas no Parque Nacional de Fiordland

O MILFORD SOUND E O DOUBTFUL SOUND

Ilha do Sul, Nova Zelândia

Os australianos podem dizer que a Grande Barreira de Corais é a oitava maravilha do mundo, mas o escritor Rudyard Kipling concedeu essa honra a Milford Sound, na Nova Zelândia. Os kiwis (neozelandeses) discordam de ambos – consideram-na a primeira ou a segunda. Milford é o mais famoso dos 12 grandes fiordes que formam o majestoso Parque Nacional de Fiordland, na costa sudoeste da ilha do Sul. O braço de mar de 16km de extensão é cercado por penhascos de puro granito que chegam a 1.220m de altitude, com cachoeiras caindo do alto das montanhas. Divertidos golfinhos-nariz-de-garrafa, focas e gaivotas fazem dessas águas seu habitat, onde pingüins-de-penacho-amarelo constroem seus ninhos antes de ir para a Antártida, em outubro e novembro. O grande destaque do lugar é o pico Mitre, de 1.694m de altitude, cujo reflexo nas águas plácidas do fiorde é uma das imagens mais fotografadas do Pacífico. Os vôos de helicóptero são uma bela opção nessa região, assim como os passeios de barco, que saem com freqüência para duas horas de cruzeiro em meio à silenciosa beleza do fiorde. Em terra, a trilha Milford já foi chamada por um excursionista entusiasmado de "a melhor do mundo", descrição que, com justiça, foi amplamente aceita. Essa caminhada de 51km ao longo de quatro dias é algo que a maioria dos montanhistas de todo o mundo sonha em fazer, apesar dos mosquitos, de pelo menos 25mm diários de chuva e de trechos cansativos que exigem tanta atenção quanto o deslumbrante cenário. E não se pode esquecer da panorâmica Milford Road, de 120km, que liga Te Anau a Milford Sound.

Embrenhar-se no Parque Nacional de Fiordland exige quatro tipos de transporte, culminando com a chegada por barco a Doubtful Sound, o mais profundo e, segundo alguns, o mais belo dos fiordes da Nova Zelândia. Quando os motores são desligados, o visitante é envolvido pelo silêncio secular de um dos lugares mais remotos e mágicos do mundo. O navegador britânico James Cook nem sequer tinha certeza de que essas águas eram um *sound* (braço de mar, ou estreito) – palavra que deu origem a seu nome. Dez vezes maior e menos conhecido do que Milford Sound, Doubtful Sound conserva um quê de mistério e está livre dos roteiros aéreos e do tráfego de embarcações que podem prejudicar a visita a Milford. Somente dois barcos operam no Doubtful, em extremidades opostas e fora do alcance das respectivas linhas de visão, dando ao visitante a sensação de estar só nesse magnífico bolsão de natureza primitiva. O índice pluviométrico chega a ultrapassar os 7.500mm anuais, mas mesmo os dias de chuva têm sua beleza – as quedas-d'água espontâneas brotam de forma inesperada, cobrindo o fiorde de névoa e fascínio.

O QUE: lugar, experiência. **CAMINHADAS GUIADAS NA TRILHA MILFORD:** na Nova Zelândia, entre em contato com Mount Cook Line; tel. (64) 3-441-1138; fax (64) 3-441-1134; info@routeburn.co.nz; www.ultimatehikes.co.nz. *Quanto*: excursões de 5 dias e 4 noites a partir de U$790 por pessoa; partida de Te Anau ou Queenstown. *Quando*: Nov.– Mar. **CRUZEIROS EM DOUBTFUL SOUND:** Fiordland Travel; tel. (64) 3-442-7509; fax (64) 3-442-7365; info@fiordland.co.nz; www.fiordland.co.nz. *Quanto*: excursão de 1 dia partindo de Queenstown U$115; partindo de Te Anau, U$93.

No topo da Nova Zelândia

O PARQUE NACIONAL DE MOUNT COOK E A GELEIRA TASMAN

Ilha do Sul, Nova Zelândia

Um terço do mais deslumbrante parque nacional da Nova Zelândia é formado por neve e gelo permanentes. São 72 geleiras batizadas e 27 picos com mais de 3.000m de altitude, entre eles o monte Cook, de 3.764m, "cabeça e ombros" com seus vizinhos. Não é exatamente o que se espera encontrar no Pacífico Sul, na mesma ilha que ostenta palmeirais e bosques de hibiscos. Esse é o lugar ideal para você se divertir em inesquecíveis passeios de helicóptero sobre e entre os Alpes do Sul. Os vôos incluem um pouso sobre a neve na geleira Tasman, de 30km de extensão, o mais longo rio de gelo que existe fora do Himalaia – no profundo silêncio dessa paisagem nas alturas, é possível ouvir ocasionalmente o ronco que vem de dentro da geleira enquanto ela se desloca com toda a suavidade.

O esqui é uma opção alternativa nesse parque inteiramente montanhoso – tanto com o heliesqui (quando o transporte até o ponto desejado é feito de helicóptero), numa divertida descida de 13km pela geleira (a mais longa do hemisfério sul), quanto com as pistas de esqui alpino. Caminhadas guiadas e não guiadas pela popular trilha Copland podem levar de 30 minutos a três dias. O neozelandês sir Edmund Hillary treinou nesse parque de altitude antes de sua ascensão recordista ao monte Everest. E todo esse esplêndido cenário está disponível ao visitante da maioria das janelas do hotel The Hermitage, um dos mais bem localizados do mundo.

Um dos pequenos lagos de altitude formados pelas geleiras do parque. Sua coloração avermelhada se deve à abundância de ervas dessa cor.

O QUE: experiência, hotel. **THE HERMITAGE:** em Mount Cook Village, 257km a nordeste de Queenstown. Tel. (64) 3-435-1809; fax (64) 3-435-1879; reservations@hermitage.co.nz; www.mount-cook.com. **QUANTO:** duplos a partir de U$175. **MELHOR ÉPOCA:** Jan.–Mar.

A capital da ação

A TERRA DO BUNGEE-JUMP E DO JET BOAT

Queenstown, Ilha do Sul, Nova Zelândia

Sob o semblante calmo e reservado dos neozelandeses deve pulsar uma veia de insanidade. Que outra explicação para a Nova Zelândia ser a terra do bungee-jump e do jet boat? A origem do verdadeiro ato de loucura que é o bungee-jump remonta aos antigos rituais de maioridade das ilhas de Vanuatu, a leste da Austrália. Talvez você ainda não tenha percebido seu ardente desejo de se atirar de cabeça da ponte num vazio apocalíptico com uma corda de borracha atada ao tornozelo, mas em Queenstown essa diversão "adrenalina pura" é contagiosa. Até o momento, porém, todos sobreviveram (um recorde de segurança de 100%) para contar a experiência, incluindo um vovô de 84 anos. Por um pequeno acréscimo no preço, você manda filmar seu fugaz momento de loucura para poder revivê-lo na santa paz do seu lar. O primeiro ponto de bungee-jump do mundo foi a ponte suspensa de Kawarau, que já testemunhou mais de 300.000 saltos num mergulho de 43m. Mas o passeio de carro até à ponte do cânion Skippers – uma eletrizante queda de 70m num desfiladeiro rochoso – é uma alternativa tão memorável quanto o próprio salto.

Para aqueles que gostam mais de estar dentro d'água do que acima dela, as escarpadas paredes rochosas e as corredeiras do rio Shotover são o cenário de corridas de jet boat que deixam qualquer um sem fôlego, voando sobre águas rasas – às vezes com poucos centímetros de profundidade – entre imensos penedos e correntes impetuosas. Barcos de fundo chato fazem piruetas de 360º a centímetros das paredes do cânion. O neozelandês sir William Hamilton foi o criador da revolucionária propulsão a jato que permitiu a navegação em águas rasas, onde barcos comuns não ousam navegar. Versões do jato de Hamilton são hoje usadas no mundo inteiro, mas somente o Shotover Jet tem licença para operar nessa região, o que garante uma experiência livre de tráfego.

Uma dupla de praticantes de bungee-jump.

O QUE: experiência. **BUNGEE-JUMP:** da ponte Kawarau, a 23km de Queenstown, na State Highway 6. *Como*: em Queenstown, A. J. Hackett (sinônimo de bungee-jump desde o seu histórico salto da Torre Eiffel em 1987). Tel. (64) 3-442-7100; fax (64) 3-442-7121; info@ajhackett.com; www.ajhackett.com/kawarau.shtml. *Quanto*: U$55 por pessoa, incluído transporte até Kawarau. **JET BOATS:** no rio Shotover, a 6km de Queenstown. *Como*: Shotover Jet; tel. (64) 3-442-8570; fax (64) 3-442-7467; www.shotoverjet.co.nz. *Quanto*: U$35 por pessoa, incluído transporte de e para Queenstown. **MELHOR ÉPOCA:** Jan.–Mar.

ILHAS DO PACÍFICO

Um paraíso submarino

LAGUNA DE BEQA

Ilha de Beqa, Fiji

A lendária laguna de Beqa é cercada por uma das maiores barreiras coralinas contínuas do mundo. Espetaculares 145km de recifes de coral de cores deslumbrantes e uma vida marinha que parece exibir imagens de um caleidoscópio ajudam a fazer desse lugar um dos melhores do Pacífico para mergulho com snorkel e cilindro. Quem aprecia a pesca de peixes de grande porte terá a grande oportunidade de sair em busca de marlins azuis, marlins negros, cavalas-aipim e peixes-espada. Em terra, essa ilha sem rodovias oferece tantos prazeres quantas são as cores de sua laguna. Até mesmo os turistas do tipo "cheguei e já vi tudo" terão prazer em observar o pôr-do-sol deitados numa rede armada entre dois coqueiros ou em assistir a uma demonstração do ritual fijiano de caminhar sobre pedras incandescentes. O Marlin Bay Resort é a única opção de hospedagem na ilha. Embora sejam primeiramente atraídos pela fama da laguna, os visitantes costumam retornar por causa da comida e da hospitalidade do hotel, que também tem uma localização imbatível: seus 12 luxuosos bangalôs *bure* estão a apenas 45m das áreas ideais para mergulho com snorkel, sem falar nos mais de 100 pontos de mergulho que podem ser alcançados de barco em 5 a 20 minutos.

O QUE: experiência, ilha, hotel. **BEQA:** de barco, a 10km de Pacific Harbor, na costa meridional de Viti Levu (a 90 minutos de táxi do aeroporto internacional de Nadi). **MARLIN BAY RESORT:** tel. (679) 330-4042; fax (679) 330-4028; www.marlinbay.com. *Quanto*: bangalôs *bure* duplos U$185, incluídas todas as atividades, exceto mergulho com cilindro (U$80 por mergulho com 2 cilindros) e pesca de peixes de grande porte. **MELHOR ÉPOCA:** Set.–Nov.; Mai.–Dez. para melhores condições de mergulho.

Onde o céu está acima e embaixo d'água

O FIJI ISLANDS RESORT DE JEAN-MICHEL COUSTEAU

Savusavu, Vanua Levu, Fiji

A menos que você viva em outro planeta, reconhecerá Jean-Michel Cousteau como o filho do célebre explorador e oceanógrafo Jacques Cousteau. Talvez suponha – corretamente – que a consciência ambiental presente nesse resort lhe proporcionará uma experiência extraordinária. Situado num coqueiral de 7ha à beira do oceano e com o aspecto de uma aldeia tradicional local, o resort de Cousteau é um empreendimento moderno e ecologicamente correto que, além de seu mundo submarino, oferece luxo, lazer e a oportunidade de relaxar, graças a uma parceria com o Post Ranch Inn da Califórnia. Tanto para os que gostam de mergulhar quanto para quem não se interessa por essa prática, a experiência dos mares do Sul desfrutada ali é significativamente diferente da que se vive em outros resorts. Os naturalistas da equipe guiam caminhadas pelas florestas tropicais e às aldeias fijianas das vizinhanças. Depois disso, o hóspede recebe uma massagem e, mais tarde, delicia-se com um jantar à luz de velas servido na varanda do seu próprio bangalô. Ainda assim, esse lugar é essencialmente um paraíso para mergulhos com cilindro. O próprio Jean-Michel projetou o moderníssimo L'Aventure, barco de 37 pés do resort, cujos comandantes, acompanhados de biólogos especializados, garantem a melhor experiência de mergulho que alguém pode ter num dos mais diversificados e populosos habitats marinhos do planeta. Jean-Michel costuma estar por perto – quem sabe você tenha a sorte de mergulhar com o próprio filho de Jacques Cousteau?

O QUE: hotel, ilha, experiência. **ONDE:** Savusavu Bay, Vanua Levu, 1 hora de vôo a nordeste de Nadi. Vôos diários de Nadi até Savusavu Bay. Tel. (679) 885-0188; fax (679) 885-0340; info@fijiresort.com; www.fijiresort.com. **QUANTO:** bangalôs duplos a partir de U$425, incluídas todas as refeições. Mergulhos a bordo do L'Aventure extra. **MELHOR ÉPOCA:** Set.–Nov.; Mai.–Dez. para melhores condições de mergulho.

Uma ilha-jardim, centro mundial do coral mole

ILHA TAVEUNI

Fiji

No século XIX uma plantação de coco, Taveuni, a mais exuberante e terceira maior das ilhas Fiji, recebeu o apelido de "ilha Jardim" por possuir a maior população de plantas e animais nativos de todo o Pacífico Sul.

Bangalôs bure *nos estreitos de Somosomo.*

Os cumes de suas montanhas, que estão entre os mais elevados de Fiji, atingem 1.220m de altitude, enquanto o fértil solo vulcânico sustenta e dá vida à sua densa flora tropical. Voar para o norte partindo de Viti Levu, a mais populosa e desenvolvida ilha do arquipélago, é como voltar 50 anos no tempo. Nas numerosas pequenas aldeias tradicionais que pontilham a costa ocidental residem fijianos simpáticos e bonachões, que saúdam os visitantes ocidentais (não mais uma novidade) com uma calorosa e sincera acolhida. Mas foram as áreas de mergulho mundialmente conhecidas dos estreitos de Somosomo, entre Taveuni e Vanua Levu, que colocaram essa parte das ilhas Fiji nos guias de viagem, graças à sua profusão de recifes de coral mole e à imensa variedade de peixes que eles atraem. Os melhores lugares para mergulho são o recife Rainbow, de 32km de comprimento, e a Great White Wall – o monte Everest dos recifes de Taveuni. As operadoras locais de mergulho, no entanto, o levarão mais longe, até lugares sem nome que podem ser ainda mais espetaculares.

O Taveuni Island Resort, um pequeno hotel administrado pelo casal neozelandês Ric e Do Cammick, é a melhor opção de hospedagem na ilha. Seus sete bangalôs *bure* à beira do penhasco têm uma magnífica vista do estreito – nada comparável, porém, ao que se vê lá embaixo. Adeptos do mergulho podem alugar equipamento de um dos fornecedores próximos para a descida de suas vidas. Retornando à tarde, ainda há tempo para um passeio até o meridiano 180 (chamado de linha internacional da data), onde você pode estar com um pé no hoje e o outro no amanhã.

O QUE: ilha, experiência, hotel. **ONDE:** no grupo de ilhas setentrionais do arquipélago Fiji. Vôos diários conectam Taveuni aos aeroportos de Nadi (90 minutos) e Suva (60 minutos), em Viti Levu, e a outras ilhas. **COMO:** entre em contato com Taveuni Island Resort; tel. (679) 888-0441; fax (679) 888-0466; divetaveuni@divetaveuni.com; www.divetaveuni.com. **QUANTO:** duplos a partir de U$160, incluídas todas as refeições e traslado do aeroporto; mergulho com cilindro U$95 (2 cilindros). **MELHOR ÉPOCA:** Set.–Nov.; Mai.–Dez. para melhores condições de mergulho.

Um éden no Pacífico Sul na visão de um produtor de filmes

VATULELE ISLAND RESORT

Ilha Vatulele, Fiji

Vatulele é uma espécie de cenário de filme, criado quando um premiado produtor de TV australiano se associou a um veterano hoteleiro nascido nas ilhas Fiji. Outros resorts insulares talvez tenham locações de beleza similar (lagunas azul-celeste cercadas de recifes de coral, praias de areias brancas, coqueiros ao vento), mas, enquanto eles se esforçam para garantir a privacidade do hóspede, a política do Vatulele presume que o visitante vai a esse refúgio simples e informal para relaxar e estar com outras pessoas, não necessariamente nessa ordem. Ali se saboreiam excelentes jantares na companhia dos 18 outros casais enquanto o champanhe flui como limonada. Portanto, quem não encontra um grupo de australianos, americanos e europeus interessantes e bons de papo nos primeiros dois dias provavelmente é do tipo que fica enfurnado em seu bangalô *bure*. Nesse resort, a atenção dedicada aos detalhes é a ordem do dia: braçadas de perfumadas plumérias decoram os espaçosos e arejados aposentos, e o aviso *Do not disturb* (não incomode), para aquela cochilada antes da hora do coquetel, é feito com um colar de búzios coloridos.

As possibilidades de mergulho nas ilhas Fiji são muitas – e o Vatulele Island Resort é conhecido como um hotel cinco estrelas que proporciona mergulhos cinco estrelas. No entanto, ao contrário do que acontece na maioria dos resorts voltados para esse esporte no Pacífico, ali quem não aprecia essa prática pode escolher entre um grande número de atividades de primeira linha enquanto espera seu companheiro ou companheira de viagem vir à tona para respirar.

O QUE: ilha, hotel, experiência. **ONDE:** 30 minutos de vôo num pequeno avião, partindo do aeroporto de Nadi (U$360 por pessoa, ida e volta). Tel. (679) 6550-300; fax (679) 6550-262; res@vatulele.com; www.vatulele.com. **QUANTO:** a partir de U$1.100 por dupla, por dia, incluídas todas as refeições e bebidas alcoólicas e todas as atividades à exceção de mergulho com cilindro e pesca de peixes de grande porte (mínimo de 4 noites). **MELHOR ÉPOCA:** Set.–Nov.; Mai.–Nov. para melhores condições de mergulho.

De pés descalços em meio ao luxo de um shangri-la privado

THE WAKAYA CLUB

Wakaya, Fiji

Das mais de 300 ilhas Fiji, pouquíssimas são propriedade privada, mas o empresário canadense David Gilmour ficou tão impressionado com a beleza do lugar que adquiriu essa fatia de 890ha de paraíso na década de 1970 para construir a casa dos seus sonhos, que representa o que existe de mais especial no arquipélago. No interior montanhoso e cheio de florestas de Wakaya, há cavalos selvagens, cervos, porcos, enormes figueiras-de-bengala e penhascos de 183m de altura, enquanto o litoral é formado por 32 praias desertas cobertas de conchas. O bom gosto de Gilmour é evidente em toda parte, especialmente nos nove luxuosos e ultra-espaçosos bangalôs *bure* no estilo propriedade rural, onde prevalece a matéria-prima nativa: coberturas de sapê, paredes de bambu trançado, além de lustrosos pisos de madeira *yaka*. No pavilhão-restaurante aberto, de espantosos 18m de altura, o som abafado dos tambores *lali* anuncia as soberbas refeições preparadas pelos quatro chefs locais com frutos do mar frescos assados na grelha, carne de caça e vegetais orgânicos colhidos em horta própria. Os jantares são seguidos de números musicais apresentados pelos simpáticos e sorridentes funcionários da casa, que são a alma desse resort. Você se sentirá como um dos felizardos convidados pessoais de David Gilmour – até receber a conta.

Cada bangalô bure *tem seu trecho de praia particular.*

O QUE: ilha, hotel. **ONDE:** tel. (679) 344-8128; fax (679) 344-8406; www.wakaya.com. **QUANTO:** duplos a partir de U$1.600 por noite, mínimo de 5 noites, incluídas todas as refeições e todas as atividades exceto pesca em alto-mar. Traslado aéreo a bordo do avião particular do hotel: U$415 por dupla, ida e volta, partindo de Suva; U$830 por dupla, ida e volta, partindo de Nadi. **MELHOR ÉPOCA:** Set.–Nov.; Mai.–Dez. para melhores condições de mergulho.

Abençoadamente remota, magnificamente bela

AITUTAKI

Ilhas Cook

É irônico que o capitão James Cook, navegador britânico que conheceu muitas ilhas em sua busca pelo paraíso, tenha perdido Aitutaki, talvez a que mais se aproxime dessa definição no arquipélago mais tarde batizado com seu nome. Aitutaki foi "descoberta" pelo capitão William Bligh em 1789, poucos dias antes do motim em seu H. M. S. Bounty. Hoje, o único motim que você poderá ver é o dos visitantes que relutam em voltar a Rarotonga, que parece barulhenta quando comparada a esse sossegado refúgio. Aitutaki não reivindica o título de "a mais deslumbrante ilha do Pacífico", mas poderia recebê-lo – pelos menos na opinião de muitos dos viajantes que singraram suas águas incríveis até desembarcarem ali, mudos de espanto. Magnífica quando apreciada em terra, Aitutaki é também (assim como Bora Bora, com a qual é muitas vezes comparada) espetacular vista do alto – os 48km do recife que a protege parecem um tapete de conchas azul-turquesa estendido no mar de cor azul anil. As praias inabitadas e de areia branca das 21 *motus* (ilhotas) que formam o colar do recife são lugares perfeitos para fazer piqueniques, ficar de papo para o ar e mergulhar com snorkel em suas águas transparentes.

O QUE: ilha. **ONDE:** 249km ao norte de Rarotonga; a 1 hora de avião. **ONDE FICAR:** o melhor hotel da ilha é o Aitutaki Pearl Beach Resort; tel. (682) 31-203; fax (682) 31-202; akitua@aitutaki.net.ck. *Quanto*: duplos a partir de U$270. **MELHOR ÉPOCA:** Nov.–Fev.

Uma semana ao batuque de tambores e requebros de quadris

FESTIVAL ISLAND DANCE

Rarotonga, Ilhas Cook

Os habitantes das ilhas Cook são considerados os melhores dançarinos do Pacífico Sul, porém as mais autênticas demonstrações de suas habilidades tradicionais costumam ser realizadas em shows noturnos nos hotéis, aos quais muitos viajantes têm a oportunidade de assistir. Os entusiastas da verdadeira dança e as pessoas que desejam ver mais do que praias bonitas devem planejar a visita a esse arquipélago durante o Festival Island Dance, quando a fina flor das trupes dos vilarejos e das escolas de dança das ilhas viaja até a Rarotonga "continental" para uma semana inteira de festa. O *tamure* praticado ali, com seu vigoroso requebro de quadris, é muito parecido com o que se vê no Taiti, mas o entusiasmo dos habitantes das Cook e a animação com que seguem o ritmo dos tambores não deixam dúvidas de que a dança está em seu sangue, arraigada na essência de homens e mulheres, de jovens e idosos, funcionando como parte do tecido cultural que une essas 15 ilhas remotas. É divertido imaginar o espanto dos missionários britânicos recém-desembarcados de sua circunspecta e úmida terra natal diante de um comportamento tão decididamente extrovertido.

O QUE: evento. **ONDE:** o palco principal de Rarotonga é o National Auditorium. **COMO:** para informações, entre em contato com o Escritório de Turismo; tel. (682) 29-435; fax (682) 21-435; cookislands@earthlink.net; www.cook-islands.com. **QUANDO:** última semana de Abr.; a Grande Final Nacional é realizada no Sáb. à noite.

O mais extraordinário museu submarino do mundo

A ESQUADRA FANTASMA DA LAGUNA CHUUK

Chuuk, Micronésia

Em 17 de fevereiro de 1944, a Força-Tarefa 58 dos Estados Unidos, engajada na Operação Hailstorm, despejou mais de 500t de bombas sobre a Quarta Frota da Marinha Imperial Japonesa num ataque-surpresa superado apenas pelo de Pearl Harbor em tamanho e importância. Hoje, a laguna Chuuk (também conhecida como laguna Truk, seu nome mais antigo e ainda comumente usado) guarda os destroços de 60 navios japoneses, a maior concentração de embarcações naufragadas que existe no mundo e padrão pelo qual se medem todos os restos de naufrágios. Uma combinação de águas tropicais surpreendentemente quentes, prolífica vida marinha e correntes lagunares atuou como incubadora natural, transformando os cascos sem vida dos navios afundados na Segunda Guerra Mundial em espetaculares recifes artificiais com magníficas formações de coral. Essas notáveis ruínas da guerra, deixadas intocadas com seus canhões, equipamentos, talheres e garrafas de saquê, foram reveladas na década de 1970 pela então nascente indústria do mergulho. A principal relíquia do local é o Fujikawa Maru, um porta-aviões japonês de 437 pés, localizado a 12-27m de profundidade com um buraco de torpedo a estibordo.

O QUE: experiência, lugar, ilha. **ONDE:** quase todas as conexões aéreas para Chuuk são via Guam. **COMO:** em Chuuk, a melhor operadora de mergulho é a Blue Lagoon Dive Shop; tel. (691) 330-2796; fax (691) 330-4307. *Quanto*: passeio de barco com 2 mergulhos, U$95 por pessoa. **ONDE FICAR:** o melhor e mais antigo hotel próximo da laguna é o Blue Lagoon Dive Resort; tel. (691) 330-2727; fax (691) 330-2439; blresort@mail.fm; www.bluelagoondiveresort.com. *Quanto*: duplos a partir de U$125. **MELHOR ÉPOCA:** Dez.–Fev. (estação seca).

Mundo marinho deslumbrante numa ilha de primeira classe

PALAU

Extremo oeste da Micronésia

Uma das muitas constelações insulares da galáxia do Pacífico que é a Micronésia, a República de Palau é formada por 343 ilhas cercadas de águas fascinantes que, na opinião de muitos especialistas no assunto, proporcionam os melhores mergulhos do mundo. Ponto de encontro de três importantes correntes oceânicas, essas águas, que abrigam mais de 1.500 espécies de peixes e quatro vezes mais espécies de coral do que as existentes no Caribe, são conhecidas por suas extraordinárias paredes de mergulho (*drop-offs*). O Negemelis, amplamente considerado o melhor *drop-off* do mundo, é um recife em technicolor que começa a menos de 1m e se estende verticalmente, atingindo mais de 300m de profundidade. O lendário Blue Corner é um dos mais excitantes lugares do planeta pela mera abundância, variedade e tamanho de seus peixes – incluindo os tubarões-cinzentos-dos-recifes! A isso se somam, para deslumbre e maravilha dos mergulhadores, destroços de mais de 50 naufrágios ocorridos durante a Segunda Guerra Mundial, espécies marinhas raras e exóti-

Algumas das numerosas variedades de coral de Palau.

cas e uma visibilidade que pode chegar a 60m.

Brotando como cogumelos verdes num raio de 32km de águas azul-turquesa transparentes, as 200 ilhas Rock são outra jóia da coroa de Palau. Cobertas de palmeiras e densas florestas, algumas dessas colinas de calcário orladas de praias brancas são o habitat de uma rica variedade de pássaros, como cacatuas, papagaios, martins-pescadores e garças. Os aficionados por praia encontram o lugar perfeito para esquecer o resto do mundo, enquanto os adeptos do mergulho com snorkel vêem as águas circundantes pululando de peixes. As ilhas são inabitadas e não têm eletricidade, mas os campistas são recompensados com um céu estrelado sem igual.

Em Palau, o Palau Pacific Resort, de classe internacional, oferece uma operadora de mergulho de primeira linha, chamada Splash. Para quem mergulha com snorkel, o melhor ponto fica a poucos metros das espreguiçadeiras do hotel. O Carp Island Resort, situado numa das ilhas Rock exteriores, possui rústicas e acolhedoras cabanas de praia, cheias de jovens mergulhadores de todas as partes do mundo encantados com a proximidade dos famosos locais de mergulho de Palau.

O QUE: ilha, experiência, hotel. **PALAU:** no extremo oeste da Micronésia. Quase todos os vôos fazem conexão em Guam. **PALAU PACIFIC RESORT:** a 10 minutos de carro da capital de Palau, Koror. Tel. (680) 488-2600; fax (680) 488-1606; ppr@palaunet.com; www.panpacific.com. *Quanto*: duplos a partir de U$225; mergulho com 2 cilindros U$110 por pessoa. **CARP ISLAND RESORT:** 24km ao sul de Koror, a 1 hora de barco. Tel. (680) 488-2978; fax (680) 488-3155; carpcorp@palaunet.com. *Quanto*: duplos a partir de U$65, tudo incluído; oferecem-se pacotes de mergulho. **MELHOR ÉPOCA:** Dez.–Fev. (estação seca); mergulhos durante todo o ano.

O ser humano como arte no maior espetáculo da Terra

FESTIVAL DE CANTO E DANÇA DAS TERRAS ALTAS

Mount Hagen, Papua Nova Guiné

Durante o incomparável Festival das Terras Altas, o chão treme ao som dos tambores, do bater de pés e da cantoria de homens e mulheres de corpos pintados que participam dessa amistosa competição de canto e dança intertribal. Depois de viajarem vários dias – a pé, de barco, de ônibus ou caminhão – para se reunir nesse tradicional evento anual, centenas de pessoas passam horas a fio pintando o corpo e o rosto e fazendo esmerados penteados antes do início do espetáculo. Antropólogos, jornalistas e turistas misturam-se aos representantes de boa parte dos 700 grupos tribais de Papua, muitos dos quais com um estilo de decoração corporal que manifesta intensamente seu sentido de afinidade tribal. Numa tentativa de superar séculos de rivalidades e guerras entre as tribos – conflitos eufemisticamente chamados de "futebol das Terras Altas" –, o governo instituiu esses espetáculos anuais para que tradicionais inimigos pudessem se encontrar de modo pacífico em território neutro. Como era inevitável, essas apresentações, que começaram ser realizadas na década de 1960, foram se tornando cada vez mais comerciais. Mesmo assim, não existe nada similar em nenhum lugar do mundo: em Mount Hagen, as cabeças enfeitadas com perucas feitas de cabelo humano e plumas translúcidas, os narizes furados por presas de porcos selvagens e os rostos cobertos por máscaras pintadas em padrões de listras e pontos nas vívidas cores primárias continuam a excitar os sentidos, desafiar as descrições e esgotar os estoques de filmes.

O QUE: evento. **ONDE:** nas localidades de Mount Hagen (meados de Ago.) e Goroka (meados de Set.). **COMO:** nos Estados Unidos, entre em contato com Victoria Travel; tel. (1) 800-816-4888; fax (1) 509-561-7774; victoria@victoria-travel.com; www.victoria-travel.com. **QUANTO:** pacotes terrestres de 2 semanas a partir de U$5.100 por pessoa, vôos domésticos U$750 extra. **QUANDO:** várias partidas em Ago. e Set. incluem um ou outro dos festivais.

Cultura e natureza intocadas e um rio transbordante de arte

RIO SEPIK

Papua Nova Guiné

Há muito tempo objeto de fascínio de antropólogos, naturalistas e caçadores de aventuras, o misterioso rio Sepik é igualmente venerado pelos habitantes de Papua Nova Guiné, assim como o Congo pelos africanos e o Amazonas pelos sul-americanos. Hoje, subir o Sepik equivale a explorar uma das últimas reservas intocadas do planeta no que se refere à natureza, cultura, arte e, até mesmo, humanidade. Alguns povos nativos mal começam a sair do completo isolamento. Suas aldeias ribeirinhas são tão singulares em seus costumes e em suas tradições que um grande número de colecionadores considera a bacia do Sepik uma das melhores fontes de arte primitiva do mundo. Ao contrário das tribos das Terras Altas de Papua Nova Guiné, que se expressam por meio de pinturas corporais e faciais, o orgulhoso povo de Sepik faz contato com o mundo dos espíritos por meio da arte de entalhar madeira. Suas sagradas *tambarans*, casas dos espíritos adornadas com estacas e empenas de madeira esmeradamente trabalhadas, são museus vivos do seu passado tribal.

O MV Sepik Spirit viaja até o médio Sepik.

Viagens pelo rio podem ser feitas a bordo do MV Sepik Spirit, um navio expedicionário de nove camarotes lançado em 1989 como primeira embarcação destinada a levar visitantes até o médio Sepik. Para uma experiência em terra, a opção de hospedagem é a lindamente rústica Karawari Lodge, localizada na floresta que cobre as margens do rio Karawari (afluente do Sepik e única via de acesso a essa pousada), dentro do território Arambak – uma das regiões mais remotas e intocadas de Papua Nova Guiné. A piroga ainda é o principal meio de transporte (lembrança dos aventureiros europeus, os primeiros a explorar a região há pouco mais de um século), mas a lancha a motor da pousada, com coberta, também faz incursões às aldeias próximas, onde é possível ver em primeira mão o choque entre traços de culturas ancestrais e modernas: uma jovem de seios nus recém-comprada como noiva ao preço de cinco porcos pode estar usando um relógio de pulso digital. A mera observação dos pássaros torna inesquecível um passeio de barco no fim da tarde: cormorões, cacatuas, calaus, martins-pescadores e papagaios são avistados nos normalmente silenciosos canais. Tomar o café da manhã na varanda aberta da Karawari Lodge é uma ótima maneira de ouvir o despertar da vida na bacia do Sepik.

O QUE: experiência, hotel. **ONDE:** partidas semanais do MV Sepik Spirit de Karawari e Timbunke, ambas acessíveis somente por avião. A Karawari Lodge fica a 20 minutos de barco do campo de pouso mais próximo; os traslados são organizados pela pousada. **COMO:** em Papua Nova Guiné, Trans Niugini Tours; tel. (675) 542-1438; fax (675) 542-2470; bookings@pngtours.com; www.pngtours.com. **QUANTO:** cruzeiro de 4 dias e 3 noites no MV Sepik Spirit U$1.087 por pessoa, incluídas todas as refeições e excursões. Karawari Lodge: duplos a partir de U$300, incluídas todas as refeições e excursões. **MELHOR ÉPOCA:** Jul.–Nov.

Um mundo distante e imaculado

ILHAS MARQUESAS

Polinésia Francesa

Faz tempo que a beleza selvagem das pouco visitadas ilhas Marquesas – o lugar habitado mais remoto da face da Terra, a 1.600km de distância de qualquer outro – atrai personalidades artísticas e literárias. Um dos recantos mais pitorescos de toda a Polinésia Francesa, essas ilhas são trópicos intocados, onde penhascos cobertos de florestas mergulham verticalmente no oceano e os cumes que o romancista Robert Louis Stevenson comparou a "pináculos de uma igreja pomposa e assombrosa" estão em geral perdidos entre as nuvens. Das seis ilhas habitadas (de um total de 10), Fatu Hiva é considerada a mais bonita – em grande parte, por causa da bela baía da Virgens, cujas íngremes encostas exibem exuberantes bosques de mangueiras, laranjeiras e goiabeiras. O pintor Paul Gauguin pretendia terminar seus dias ali, mas acabou desembarcando na ilha vizinha de Hiva Oa. O escritor Herman Melville e o navegador britânico James Cook foram igualmente atraídos pelo fascínio que as ilhas Marquesas despertam, considerando-as ainda mais belas do que as do Taiti. Sua maior cidade, com 1.500 habitantes lindos, tatuados e sorridentes e uma baía que rivaliza com a baía das Virgens, levou Jack

As majestosas formações rochosas da baía das Virgens.

London a escrever: "Perdia-se o fôlego e sentia-se uma pontada que era quase uma dor, tão extraordinária é a beleza desse lugar."

O navio de carga e passageiros Aranui, de 343 pés, é o meio vital de ligação das remotas Marquesas com o mundo exterior. Essa embarcação transporta de tudo – de cimento a remédios e açúcar. Cidades inteiras – às vezes ilhas inteiras – vão todo mês saudar a chegada do navio e trocar *copra* (polpa de coco prensada e seca) por suprimentos básicos. Uma vez nas ilhas, os passageiros do Aranui, que desembarcam das baleeiras que também levam a carga, podem excursionar por vales habitados por cavalos selvagens e onde estão as montanhas vulcânicas que inspiraram Melville, London e Stevenson. Embora haja poucas estradas, existem trilhas em meio à floresta coberta de névoa que conduzem aos *tikis* (ícones polinésios de pedra ou de madeira talhada que representam poderes sobrenaturais), hoje abandonados. Imperdível é a visita a um dos cemitérios mais belos e comoventes do mundo, onde, à sombra de plumérias, estão os túmulos de Paul Gauguin e do cantor belga Jacques Brel. Os navios de cruzeiro podem seguir a rota do Aranui, mas não a experiência que ele proporciona. Você retornará desse passeio com muito mais do que um belo bronzeado.

O QUE: ilha, experiência. **ONDE:** 1.126km a nordeste do Taiti. O tráfego aéreo é recente, pouco freqüente e irregular. O Aranui parte de Papeete, Taiti. **COMO:** em Papeete, Compagnie Polynesienne de Transport Maritime; tel. (689) 426-240 e (689) 434-889; cptm@aranui.com; www.aranui.com. **QUANTO:** cruzeiro de 16 dias, em média U$3.250; incluídas todas as refeições e excursões terrestres. **QUANDO:** 16 partidas ao longo do ano. **MELHOR ÉPOCA:** Mai.–Nov.

Beleza esplendorosa e uma laguna idílica no Pacífico Sul

BORA BORA

Ilhas da Sociedade, Polinésia Francesa

Escolha um assento no lado esquerdo do avião para ter sua primeira imagem da ilha que hipnotizou o navegador britânico James Cook há cerca de 225 anos. O escritor James Michener a chamou de "a mais bela do mundo" e "inesquecível esplendor do Pacífico Sul". Medindo 6,4km de comprimento por 4km de largura, Bora Bora ergue-se como um oásis no azul intenso do oceano: sua barreira de recifes circular formada por *motus* (ilhotas) semiconectadas, cobertas de palmeiras, abraça uma grande laguna cuja paleta de azuis e verdes desafia toda tentativa de descrição. A laguna, por sua vez, circunda o verde da

Os bangalôs sobre a água do Hotel Bora Bora.

alta ilha, cuja conhecida montanha vulcânica com dois picos tem quase 800m de altitude.

Ao chegarem para construir o primeiro resort dessa paradisíaca ilha na década de 1960, os proprietários originais do Hotel Bora Bora puderam escolher o melhor lugar: a fantástica praia de Matira, talvez a mais idílica de todo o Pacífico. Ali ergueram um conjunto de bangalôs com cobertura de sapê, alguns deles na praia e outros sobre a água, com deques de dois níveis e degraus que conduzem diretamente à linda laguna. Um grupo de casas (*farés*) situadas na praia e em jardins, algumas das quais com piscinas e Jacuzzis privativas, está entre as mais amplas acomodações da ilha. Projetado para se integrar harmoniosamente ao esplendoroso cenário tropical, o hotel tem uma atmosfera que reflete todo o charme e simplicidade do Pacífico Sul. Com uma praia salpicada de palmeiras ao alcance da mão, a laguna azul à porta e os montes Otemanu e Pahia despontando às suas costas, você logo se deixará embalar pelo ritmo relaxante da ilha. Mas algumas das melhores praias do Pacífico para mergulho com snorkel o chamam para assistir ao engarrafamento de tráfego submarino de peixes-trombeta, anjos-do-mar, bodiões e de espécimes do peixe curiosamente apelidado de "Pinóquio e Napoleão". A alimentação de tubarões é uma das atividades mais espetaculares do hotel: hóspedes corajosos submergem em meio a dezenas de tubarões de 1,5m, regularmente alimentados pelas mãos de mergulhadores locais. A excursão motorizada que leva ao exuberante interior da ilha em quatro horas de solavancos vale pelas vistas dos penhascos: elas o deixarão tão sem fôlego quanto o encontro matinal com os tubarões.

O QUE: ilha, hotel, experiência. **BORA BORA:** 233km a noroeste de Papeete, Taiti. Vôos diários de 45 minutos. O traslado do aeroporto de Bora Bora para o hotel pela laguna (20 minutos na lancha do hotel) é uma bela introdução à ilha. **HOTEL BORA BORA:** tel. (689) 604-460, fax (689) 604-466; central de reservas: tel. (689) 604-411, fax (689) 604-422; hotelborabora@amanresorts.com; www.amanresorts.com. *Quanto*: bangalôs no jardim a partir de U$675, *farés* (casas) com piscinas U$850, sobre a água U$900; incluída a maior parte das atividades (refeições à parte). **MELHOR ÉPOCA:** Mai.–Nov.

A velha Polinésia e um quarto com vista

HUAHINE

Ilhas da Sociedade, Polinésia Francesa

Impregnada de tradição e uma vitrine por seu variado cenário, esplêndidas praias, templos cerimoniais *(maraes)*, cidades pitorescas e aldeias encantadoras, Huahine é uma das poucas ilhas da Polinésia Francesa que o navegador britânico James Cook reconheceria se ali retornasse. O turismo demorou a chegar a essa ilha ainda predominantemente agrícola – muitas vezes comparada a Bora Bora antes da construção dos hotéis de luxo –, por isso ali não acontece muita coisa. Mas é exatamente esse o ponto forte do lugar. Aproveite o encanto das ilhas dos mares do Sul enquanto você pode, porque parece que ele está em extinção em outras partes da Polinésia.

A melhor opção de hospedagem é o Hotel Sofitel Heiva, cujas acomodações mais luxuosas são os seis bangalôs com cobertura de sapê erguidos sobre palafitas na laguna. Os painéis de vidro do piso permitem observar a colorida fauna marinha local, hoje bastante comprometida pela alimentação regular feita com farelos de pão surrupiados do restaurante. Você pode se juntar às variadas espécies na água ou apenas ficar tomando sol numa das duas praias do hotel, as mais bonitas da ilha.

O QUE: ilha, hotel. **ONDE:** a 40 minutos de vôo de Papeete, Taiti. **HOTEL SOFITEL HEIVA:** tel. (689) 606-160; fax (689) 688-525; www.sofitel.com. *Quanto*: quartos no jardim U$220, bangalôs U$600. **MELHOR ÉPOCA:** Mai.–Nov. Em meados de Out., Huahine é o ponto de partida da Hawaiki Nui Va'a Outrigger Race, corrida de canoa polinésia de longa distância que termina em Bora Bora.

Uma tradicional refeição que também é um passatempo.

A princesa adormecida do Pacífico Sul

MAUPITI

Ilhas da Sociedade, Polinésia Francesa

Se você já está careca de ver "autênticos shows taitianos" de requebros de quadris à luz de tochas e sonha com a sonolenta Bora Bora de 50 anos atrás, Maupiti satisfará sua fantasia. Os guias hesitam em incluir essa sossegada pérola nos roteiros, por isso a maioria dos visitantes nunca ouviu falar dela – o que é muito bom. Pelo menos por enquanto, o "Último Grande Segredo da Polinésia Francesa" felizmente permanece livre de agitação, proporcionando a tranqüilidade do verdadeiro paraíso tropical. A funcionária do banco só vai até lá duas vezes por mês, de barco: se você quiser trocar cheques de viagem, torça para que ela saiba a taxa de câmbio, do contrário ficará dependendo da generosidade de estranhos – que é o grande forte dessa pequena ilha de estupenda beleza.

Muitas das residências particulares que alugam quartos, assim como as pequenas pensões com um ou dois bangalôs, não têm telefone. Portanto, sua única opção é chegar lá e bater à porta. Nas *motus* (ilhotas) ao largo da costa há plantações de melancias e cantalupos.

O programa nessa ilha pode ser ajudar seu anfitrião a pescar as lagostas do jantar ou dar uma relaxante caminhada pelo lindo interior da região em estradas cobertas de fragmentos de coral e orladas de hibiscos e árvores frutíferas. Mas você também pode subir, acompanhado de guias, ao cume vulcânico da ilha, de 372m, ou remar até uma enseada deserta para fazer um piquenique. Se preferir, fique simplesmente à toa na rede, hipnotizado pelo farfalhar das folhas das palmeiras. Qualquer que seja sua escolha, Maupiti não o decepcionará.

O QUE: ilha. **ONDE:** 40km a leste de Bora Bora: 4 vôos semanais partindo de Papeete, Taiti, via Bora Bora. **ONDE FICAR:** Pensão Auira (também chamada de pensão da Edna), tel./fax (689) 678-026. *Quanto*: bangalôs U$80. **MELHOR ÉPOCA:** Mai.–Out.

Um monumento à generosidade da natureza

MOOREA

Ilhas da Sociedade, Polinésia Francesa

Mais espetacular do que a vista do Belvedere de Moorea talvez só mesmo a própria Moorea. As enormes montanhas e os picos escarpados desse lugar que disputa com Bora Bora o título de ilha mais bonita do mundo já foram cenários de vários filmes de Hollywood passados nos mares do Sul. A estrada pavimentada que circunda a ilha pode ser percorrida de bicicleta, lambreta, automóvel ou a pé. Qualquer que seja o meio de transporte, porém, você achará difícil manter os olhos na estrada na maior parte de seus panorâmicos 58km. O clímax do passeio é o Belvedere, no interior da região, o ponto mais alto a que se chega de carro e de onde se pode apreciar uma das mais incríveis vistas do Pacífico Sul: o azul intenso das baías Cook e Opunohu, o verde exuberante do interior da ilha e o espetacular monte Rotui que os separa. Como disse o escritor James Michener: "É impossível descrever esse monumento à generosidade da natureza."

Uma magnífica vista da baía Cook.

Os bangalôs polinésios do Hotel Sofitel Ia Ora situam-se na mais bela praia de Moorea, inteiramente sombreada por coqueiros. Mais além, avista-se o azul-cobalto do mar da Lua; ao fundo, despontam as magníficas montanhas verdes do Taiti, cobertas de nuvens. Veja o céu inteiro se incendiar em tons de rosa, púrpura e vermelho durante o pôr-do-sol enquanto toma uma bebida no bar do Ia Ora, erguido sobre palafitas dentro da laguna. Para manter o alto-astral do dia, vá ao Te Honu Iti, na pitoresca baía Cook, para jantar no *snack bar* com cobertura de sapê, também chamado Chez Roger, onde a informalidade do cais em nada compromete uma das melhores refeições da Polinésia Francesa. Com sorte, no quadro-negro em que é escrito o menu do chef e proprietário Roger Iqual estará listada a mousse de *mahi mahi*, um prato favorito na ilha. Você descobrirá por quê.

O QUE: ilha, hotel. **ONDE:** 19km a noroeste do Taiti; a 10 minutos de vôo, a 1 hora de barco. **HOTEL SOFITEL IA ORA:** tel. (689) 550-355; fax (689) 561-291; www.sofitel.com. **QUANTO:** bangalôs na praia U$250. Excursões ao redor da ilha (cerca de U$25 por pessoa); aluguel de carro ou bicicleta pode ser combinado em qualquer hotel. **MELHOR ÉPOCA:** Mai.–Nov.

O aquário de Deus

ATOL DE CORAL DE RANGIROA

Ilhas Tuamotu, Polinésia Francesa

Segundo maior atol do mundo, formado por 240 pequenas ilhas cobertas de palmeiras que perfazem uma elipse protetora de 160km ao redor de uma laguna azul-turquesa, Rangiroa é chamada de "aquário de Deus". Eldorado dos adeptos do mergulho com cilindro e snorkel por sua rica população marinha, é também um lugar adorado pelos banhistas, que se encantam com suas praias de areias rosadas e águas calmas acariciadas pelo vento. Sem as encostas escarpadas de Bora Bora e de suas vulcânicas ilhas vizinhas, Rangiroa é exuberantemente plana.

Você encontrará uma inesperada dose de estilo e conforto no Kia Ora Village, um elegante hotel com 10 luxuosos bangalôs sobre a água e um excelente restaurante especializado em peixes frescos e frutos do mar apanhados no local. Nas vizinhanças está o Blue Dolphins Club, um sofisticado centro de mergulho com cilindro à disposição dos hóspedes do hotel. Para quem deseja ficar ainda mais isolado da civilização, a perfeita experiência no estilo Robinson Crusoé é o Kia Ora Sauvage, numa *motu* (ilhota) deserta de 4ha no meio do nada, a uma hora de barco de Rangiroa. Nesse auto-imposto exílio para não mais do que 10 hóspedes não há eletricidade, telefone, ar-condicionado nem problemas.

O QUE: ilha, hotel, lugar. **ONDE:** 351km, a 1 hora de vôo, a nordeste de Papeete, Taiti. Tel. (689) 960-384 e (689) 960-222; fax (689) 960-220; resa@kiaora.com; www.hotelkiaora.com. **QUANTO:** bangalôs do Kia Ora Village na praia U$420, sobre a água U$580; todas as refeições à parte U$99 por pessoa, por dia. Bangalô do Kia Ora Sauvage na praia U$340, incluídas todas as refeições (traslado de barco, ida e volta, U$50 por pessoa). **MELHOR ÉPOCA:** Mai.–Nov.

Os bangalôs sobre a água.

Um mergulho profundo no estilo de vida do Samoa

SAFUA HOTEL

Savai'i, Samoa (antiga Samoa Ocidental)

Os viajantes que buscam o fa'a Samoa – o modo de vida samoano – o encontrarão no Safua Hotel, onde é provável que acabem dando uma mãozinha nas compras diárias no mercado local, ajudando as crianças da aldeia com seus deveres de casa ou participando dos serviços religiosos dominicais com a família da anfitriã. A bem preservada ilha vulcânica de Savai'i é uma das mais típicas no estilo "velha Polinésia" de todo o Pacífico, enquanto o pequeno e charmoso Safua é administrado pela mais informada, culta e carismática personagem local, a proprietária Vaasili Moelagi Jackson. Recebendo os hóspedes com a simpatia característica da Polinésia, Moelagi, uma mulher que tem voz ativa no conselho essencialmente masculino de sua comunidade, é uma força importante no movimento da ilha para preservar a cultura e o ambiente nativos, o que a torna a guia ideal para quem quer conhecer os costumes da região. No Safua, todo dia é dia para se ficar à toa, juntar-se a uma excursão organizada a lindas cachoeiras ou mesmo fazer uma tatuagem samoana. O ponto alto da semana é o célebre banquete *umu* do hotel: coloca-se um leitão para assar desde o amanhecer num forno cavado no chão, e o maravilhoso resultado é saboreado por Moelagi e seus hóspedes após os serviços religiosos.

O QUE: ilha, hotel, experiência. **SAVAI'I:** a 90 minutos de barca da capital Ápia, embora pareça muito mais distante. **SAFUA HOTEL:** tel. (685) 51-271; fax (685) 51-272; safuahotel@lesamoa.net. *Quanto*: U$50 por bangalô duplo. **MELHOR ÉPOCA:** Abr.–Out.

A festa de aniversário do rei

FESTIVAL HEILALA

Nukualofa, Tongapatu, Tonga

Ao lado de seus 33 Nobres do Reino, o rei Taufa'ahau Tupou IV governa com amplos poderes o único Estado monárquico do Pacífico, e você está convidado para sua festa de aniversário – o Festival Heilala, realizado dia quatro de julho desde a sua suntuosa coroação em 1967. Ao contrário de outros países do Pacífico Sul, o Reino de Tonga nunca foi reclamado, muito menos invadido, por nenhuma potência ocidental. A linhagem do octogenário Taufa'ahau remonta a mais de 1.000 anos. A afeição que o povo de Tonga lhe dedica e seu orgulho pela herança cultural desse pequeno arquipélago transparecem a todo momento durante a semana de festividades, que inclui concursos de dança e beleza, desfiles militares, competições de carros alegóricos, concertos, regatas, eventos esportivos e outras comemorações. O país inteiro cai na diversão,

Um carro alegórico do festival anual Heilala.

da qual até os tonganeses que vivem no exterior não deixam de participar. Todos parecem envolvidos em alguma disputa – seja no desafio de capturar o atum-dente-de-cão, seja na corrida pelo prêmio Barman do Ano – ou pelo menos aproveitam a cordial rivalidade para, com uma Royal (a cerveja local de Tonga), erguer um brinde a mais um ano de saúde e felicidade para o rei.

O QUE: evento. **ONDE:** a maioria dos eventos é realizada em Nukualofa, a capital, embora as festividades sejam celebradas em todas as ilhas. Informações no site www.vacations.tvb.gov.to. **QUANDO:** 1 semana ao redor de 4 de julho.

ÍNDICES TEMÁTICOS

OBSERVAÇÃO: Nestes índices, os leitores vão encontrar entradas nas seguintes categorias:

- AVENTURAS, ESPORTES E VIAGENS DE AÇÃO
- CAMINHADAS E TRILHAS
- ESPLENDORES DA NATUREZA: JARDINS, MARAVILHAS NATURAIS, PARQUES E ÁREAS DE PRESERVAÇÃO AMBIENTAL
- EXPERIÊNCIAS GASTRONÔMICAS
- FESTIVAIS E EVENTOS ESPECIAIS
- HISTÓRIA VIVA: CASTELOS E PALÁCIOS, LUGARES HISTÓRICOS
- HOTÉIS INCRÍVEIS E RESORTS
- LUGARES SAGRADOS
- MUNDOS ANTIGOS: PIRÂMIDES, RUÍNAS E CIDADES PERDIDAS
- MUSEUS INCOMPARÁVEIS
- PRAIAS ESPETACULARES E ILHAS PARADISÍACAS

Para informações adicionais, veja o Índice Geral que começa na página 701.

AVENTURAS, ESPORTES E VIAGENS DE AÇÃO

Golfe

Kitesurfe

Mergulho e outras aventuras aquáticas

CAMINHADAS E TRILHAS

ESPLENDORES DA NATUREZA

JARDINS, MARAVILHAS NATURAIS, PARQUES E ÁREAS DE PRESERVAÇÃO AMBIENTAL

JARDINS

MARAVILHAS NATURAIS

FESTIVAIS E EVENTOS ESPECIAIS

HISTORIA VIVA

Castelos e Palácios, Lugares Históricos

Castelos e Palácios

Lugares Históricos

HOTÉIS INCRÍVEIS E RESORTS

LUGARES SAGRADOS

MUNDOS ANTIGOS

PIRÂMIDES, RUÍNAS E CIDADES PERDIDAS

MUSEUS INCOMPARÁVEIS

PRAIAS ESPETACULARES E ILHAS PARADISÍACAS

PRAIAS E LITORAIS

ILHAS

ÍNDICE GERAL

NOTAS: No Índice Geral, os leitores encontrarão uma lista de nomes próprios ordenados em ordem alfabética. Observe que os itens em VERSAL VERSALETE referem-se às atrações principais.

Outros tópicos podem ser encontrados nos Índices Temáticos nas páginas 683-700, dentro das seguintes categorias: AVENTURAS, ESPORTES E VIAGENS DE AÇÃO; CAMINHADAS E TRILHAS; ESPLENDORES DA NATUREZA: JARDINS, MARAVILHAS NATURAIS, PARQUES E ÁREAS DE PRESERVAÇÃO AMBIENTAL; EXPERIÊNCIAS GASTRONÔMICAS; FESTIVAIS E EVENTOS ESPECIAIS; HISTÓRIA VIVA: CASTELOS E PALÁCIOS, LUGARES HISTÓRICOS; HOTÉIS INCRÍVEIS E RESORTS; LUGARES SAGRADOS; MUNDOS ANTIGOS: PIRÂMIDES, RUÍNAS E CIDADES PERDIDAS; MUSEUS INCOMPARÁVEIS; PRAIAS ESPETACULARES E ILHAS PARADISÍACAS.

A

B

C

D

G

H

I

J

K

L

M

N

Q

R

S

U

V

W

X

Y

Z

Créditos das Fotos

Os direitos de copyright sobre as fotos reproduzidas neste livro pertencem aos respectivos fotógrafos, agências e museus. Apesar de exaustivas pesquisas, nem sempre foi possível estabelecer a propriedade do copyright.

Mapas: p. 2, p. 240, p. 396, p. 482, p. 514, p. 558, p, 576, p. 646 5W INFOGRAPHIC

Europa: p. 13 Simon Bracken/Lonely Planet Images, p. 14 Lee Foster/Lonely Planet Images; p. 24 Simon Bracken/Lonely Planet Images; p. 35 (embaixo) Ann Cecil/Lonely Planet Images; p. 40 Eoin Clarke/Lonely Planet Images; p. 50 (embaixo) Gareth McCormack/Lonely Planet Images; pp. 55, 56 Conselho de Turismo da Espanha; p. 57 Jenny Jones/Lonely Planet Images; pp. 58, 61, 63, 66, 68 Conselho de Turismo da Espanha; p. 70 Elliot Daniel/Lonely Planet Images; p. 84 Veronica Garbutt/Lonely Planet Images; p. 89 Henri Toulouse-Lautrec, Eldorado, Aristide Bruant, 1892, acervo do Museu Toulouse-Lautrec, foto © Museu Toulouse-Lautrec-Albi-Tarn-França, 90; p. 94 Neil Setchfield/Lonely Planet Images; p. 95 Manfred Gottschalk/Lonely Planet Images; p. 102 Aman Resorts; p. 104 Derek Hudson 1995; pp. 116, 117, 118 Departamento Nacional de Turismo da Alemanha; p. 119 Cortesia da Orquestra Filarmônica de Berlim; pp. 120, 124, 125 Departamento Nacional de Turismo da Alemanha; p. 139 Karl Forster; p. 147 Stephen Saks/Lonely Planet Images; p. 153 Jon Davison/Lonely Planet Images; p. 154 Russell Mountford/Lonely Planet Images; p. 162 Jon Davidson/Lonely Planet Images; pp. 170, 173 Martin Hughes/Lonely Planet Images; p. 177 John Hay/Lonely Planet Images; p. 190 Neil Setchfield/Lonely Planet Images; pp. 192, 193, 195, 196 Organização Nacional do Turismo da Grécia; p. 202 Udo Haafke/TuristRådet, Alemanha; p. 203 Marc Oliver Schulz/TuristRådet, Alemanha; p. 207 Conselho de Turismo da Noruega; pp. 216-217 Conselho de Turismo da Finlândia; p. 218 Grant Dixon/Lonely Planet Images; pp. 219, 222, 223 Autoridade do Turismo da República Tcheca; pp. 228 Agência Nacional de Turismo da Polônia; pp. 229, 230 Agência Nacional de Turismo da Romênia/Imagem cedida por South Africa Tourism; p. 390 Patricia Schultz.

Estados Unidos e Canadá: p. 239 Ryan Fox/Lonely Planet Images; p. 245 Russ Finley; p. 251 Tom Bonner/ J. Paul Getty Trust; p. 252 Richard Cummins/Lonely Planet Images; p. 254 Lee Foster/Lonely Planet Images; p. 263 John Elk III/Lonely Planet Images; p. 264 Rick Gerharter/Lonely Planet Images; p. 268 Cortesia de Vail Resorts; p. 271 Carol Polich/Lonely Planet Images; p. 271 George Ruhe; p. 272 Corey Rich/Lonely Planet Images; p. 273 Complexo de Visitantes do Centro Espacial Kennedy; p. 278 Neil Setchfield/Lonely Planet Images; p. 282 Birô de Convenções e Visitantes do Havaí/Kirk Lee Aeder; p. 284 Birô de Convenções e Visitantes do Havaí/Robert Coello; p. 289 Dave Mills; p. 290 Cortesia de Sun Valley Resort; p. 291 Susan Reich/Richard Thomas/The Art Institute of Chicago; p. 292 Agência de Eventos Especiais da Prefeitura de Chicago; p. 293 Jon Miller, Hedrich-Blessing; p. 295 Birô de Convenções e Visitantes de Elkhart County; p. 301 Thomas Downs/Lonely Planet Images; p. 304 Rockland Festival Corp.; p. 305 Birô de Convenções e Visitantes de Greater Boston; p. 306 David Bohl; p. 307 Kim Grant/Lonely Planet Images; p. 313 Parque Nacional de Glacier; pp. 318, 319 Departamento de Desenvolvimento Econômico do Estado de Nova York; p. 322 Kim Grant/Lonely Planet Images; p. 326 Angus Oborn/Lonely Planet Images; p. 331 Donald C. & Priscilla Alexander Eastman/Lonely Planet Images; p. 338 Ponzi Vineyards; p. 340 David Fields; p. 341 Lee Foster/Lonely Planet Images; p. 342 Kim Grant/Lonely Planet Images; p. 344 Elvis Presley Enterprises, Inc.; p. 350 Chris Mellor/Lonely Planet Images; p. 357 Alison Wright/Lonely Planet Images; p. 359 Colonial Williamsburg Foundation, Williamsburg, Virgínia; p. 360 Stephen L. Shaluta/Divisão de Turismo de Virgínia Ocidental; p. 361 Shannon Nace/Lonely Planet Images; p. 363 Rick Gerharter/Lonely Planet Images; p. 365 Layne Kennedy; p. 367 Carol Polich/Lonely Planet Images; p. 372 Michael Laanela/Lonely Planet Images; p. 375 Rob Melnychuk; p. 378 Nicholas Reuss/Lonely Planet Images; p. 379 Thomas Huhti/Lonely Planet Images; p. 390 Jeremy Gray/Lonely Planet Images; p. 392 Mark Lightbody/Lonely Planet Images.

Brasil e América Latina: p. 395 Krzystof Dydnski/Lonely Planet Images; p. 413 Banco de Imagens Embratur/ Christian Knepper; p. 414 Getty Images; p. 417 Getty Images; p. 418 Pousada Pedras Brancas/Divulgação; p. 420 Getty Images; p. 421 Copacabana Palace/Divulgação; p. 442 Instituto Jardim Botânico/Divulgação; p. 427 Sky Center/Divulgação; p. 428 Juan Guerra; p. 429 MASP/Divulgação; p. 431 Figueira Rubaiyat/ Divulgação; pp. 464, 472 Conselho de Turismo do México; p. 473 Greg Johnston/Lonely Planet Images;

p. 479 Darrell Jones; p. 480 Alfredo Maiquez/Lonely Planet Images; p. 432 Krzystof Dydnski/Lonely Planet Images; p. 400 Robyn Jones/Lonely Planet Images; p. 444 T. C. Swartz/TCS Expeditions; p. 451 Lee Foster/Lonely Planet Images; p. 455 (no alto) William Boehm/International Expeditions, Inc.; p. 455 (embaixo) Hugh Hunter Jr.; p. 457 Wes Walker/Lonely Planet Images.

CARIBE E BAHAMAS: p. 486 (embaixo) Wayne S. Smith; p. 487 Gary Adkison/60 Minutes; p. 494 Joe Petrocik; p. 505 Steve Simonsen/Lonely Planet Images; p. 509 Wayne Walton/Lonely Planet Images; p. 510 Douglas Spranger; p. 894 Lee Foster/Lonely Planet Images.

ÁFRICA: p. 518 (embaixo) Louis Usie; p. 522 Anders Blomqvist/ Lonely Planet Images; p. 523 John Elk III/Lonely Planet Images; p. 545 EQUITOUR; p. 530 Cortesia da South Africa Tourism; p. 551 Patricia Schultz.

ORIENTE MÉDIO: pp. 559, 560 Embaixada da Arábia Saudita; p. 561 Departamento de Turismo, Comércio e Marketing do Governo de Dubai; pp. 566 (embaixo), 567 Cortesia do Ministério do Turismo de Israel; p. 570 Anthony Ham/Lonely Planet Images; p. 574 John Elk III/Lonely Planet Images.

ÁSIA: p. 577 Diana Mayfield/Lonely Planet Images; p. 585 Jean Robert/Lonely Planet Images; p. 588 Organização Nacional do Turismo do Japão; p. 589 Bob Charlton/Lonely Planet Images; pp. 591, 592 Organização Nacional do Turismo do Japão; p. 592 P. Bussian; p. 595 Lindsay Brown/Lonely Planet Images; p. 604 Patrick Ben Luke Syder/Lonely Planet Images; p. 608 Tiger Mountain; p. 610 INCA; pp. 612, 614 (ambas), 618 Eric Harvey Brown; p. 619 Martin Moos/Lonely Planet Images; p. 624 Robert Houser; p. 631 Asia Transpacific Journeys; p. 638 Anders Blomqvist/Lonely Planet Images; p. 640 Guy Coburn; p. 641 Olaf Malver.

AUSTRÁLIA, NOVA ZELÂNDIA E ILHAS DO PACÍFICO: p. 647 Ross Barnett/Lonely Planet Images; p. 650 Richard l'Anson/Lonely Planet Images; p. 652 (embaixo) Leonard Douglas Zell/Lonely Planet Images; p. 656 Richard l'Anson/Lonely Planet Images; pp. 661, 665 Eric Harvey Brown; p. 666 A. J. Hackett; p. 675 Peter Hendrie/Lonely Planet Images; p. 679 Manfred Gottschalk/Lonely Planet Images.

SOBRE A AUTORA: p. 729 Retrato da autora, por David Gast.

AGRADECIMENTOS

Em primeiro lugar, quero agradecer ao meu editor Peter Workman. Foi unicamente graças à sua visão e ao seu empenho que um projeto da dimensão de *1.000 lugares para conhecer antes de morrer* conseguiu completar sua trajetória, de um simples conceito até à saída do primeiro volume da gráfica. Seu imenso amor pelos livros e pelas viagens estabeleceu a base sobre a qual a família Workman criou o melhor berço possível para o nascimento deste guia. Compartilhando seu entusiasmo estava a saudosa Sally Kovalchick, uma editora amada e respeitada que também tinha uma queda por aventuras (ela velejou no rio Sepik, em Papua Nova Guiné, e acampou com guias beduínos no deserto do Saara, por exemplo). Completando esse trio de grandes talentos estava Paul Hanson, que, com seu bom gosto e sua sensibilidade, elaborou um projeto gráfico capaz de tornar visualmente atraente a enorme quantidade de material despejada diante dele.

Em relação ao trabalho do dia-a-dia, devo profundos agradecimentos aos meus incansáveis editores Margot Herrera, Liz Carey e Matt Hannafin. Tanto em termos profissionais quanto emocionais, mais de uma vez eu me voltei para eles em busca de conselhos, de um foco mais preciso ao longo de um projeto que confirmou minha suspeita de como é grande o nosso mundo. Anne Cherry passou mais de um ano acompanhando o livro ao longo de suas várias fases; os talentos editoriais de Katherine Adzima também se mostraram indispensáveis. Cindy Schoen encarna a idéia que qualquer pessoa faz de uma assistente brilhante e perfeita. Ela nunca recusou nem questionou nenhum pedido meu, não importando o quanto ele fosse tolo ou trabalhoso. Dan Geist, o editor de texto, impediu que minhas narrativas se perdessem nas selvas da gramática, enquanto Barbaralynn Altorfer e Barbara Peragine fizeram milagres com o layout do livro. Com um olhar aguçado e grande determinação, minha amiga Giema Tsakuginow saiu em busca de fotos dos locais mais obscuros, assim como Aaron Clendening, da editora Workman.

Muito obrigada também a Nicki Clendening, do extraordinário departamento de divulgação da Workman. Ela estava determinada a fazer com que todas as pessoas da face da Terra que gostam de viajar ficassem sabendo deste livro. Doug Wolff, do departamento de produção, fez um excelente trabalho ao tornar este livro uma realidade.

Cabe um agradecimento especial à dedicada equipe de pesquisadores (Kelli Bagley, Brian Flegel, Yosefa Forma, Brad Plumer, Arielle Simon e Jenny Whitcher), encarregada também de checar informações, que aprendeu muito mais sobre paciência, conversão de moedas, fusos horários e problemas de tradução do que imaginava ser possível.

Apesar das dificuldades e dos desvios ao longo de um caminho que parecia interminável, os envolvidos com esse esforço hercúleo na editora Workman permaneceram inabaláveis até o momento em que enviamos esta obra monumental para a gráfica. Agradeço a todos – e a cada um deles – do fundo do coração.

Não saberia por onde começar ao agradecer a todos na área do turismo por tudo o que aprendi e, conseqüentemente, por tudo o que fizeram por este livro. Do proprietário do hotel em Bath, que me mostrou os recantos menos conhecidos dos campos em Somerset, até os escritórios oficiais de turismo, que, pacientemente, me orientaram em meio às infinitas possibilidades oferecidas por seus países. Nesses lugares, muitas pessoas compartilharam comigo seu fascínio e entusiasmo pelas belezas deste mundo. Todos os que me abriram suas casas e seus corações ajudaram a dar forma às impressões e opiniões apresentadas nestas páginas.

Mas, ao fim de sete anos feitos de longos dias, àqueles a quem realmente devo agradecimentos são a minha família, residente na cidade onde nasci, Beacon, Nova York, e os meus amigos nos Estados Unidos e no exterior. Sem a convicção de que estavam ao meu lado para me animar, solidarizar-se com meu objetivo e nunca duvidar da minha determinação (ainda que às vezes duvidassem de minha sanidade mental), jamais teria conseguido concluir este projeto. Eles tornaram possível a existência de *1.000 lugares*. Minha irmã, Roz, seu marido, Ed, e seus filhos, Star, Corey e Brittany, nunca fraquejaram no seu apoio, assim como meus velhos amigos no Adlon, o edifício em Manhattan que funciona como minha base e um motivo para sempre gostar de estar de volta ao lar depois das viagens. Espero que Despina, Michael, Nancy, Itzik, Jeannie, Nelson e John e os porteiros e vizinhos que me viam sair correndo para a loja da Federal Express ou para o Kinko's minutos antes de esses estabelecimentos fecharem as portas saibam da importância de seu apoio silencioso, dos pequenos favores e das repetidas promessas de me ajudar a festejar quando o livro finalmente viesse a ser publicado.

Há outros amigos aos quais gostaria de agradecer de forma especial: Teddy Sitter Danilo, pois sua inteligência, sua integridade, seu humor e sua força sempre me encorajaram a ser e a fazer o melhor; Elizabeth Ragagli, cuja paixão pelas viagens e o amor que demonstra pelos países que visita refletem em grande parte meus próprios pontos de vista; Nick Stringas, porque é como um rochedo de Gibraltar em qualquer tempestade; Annie Brody, moradora de Manhattan como eu e que encontrei em Florença há alguns anos, com quem escrevi *Made in Italy*. Uma paranormal certa vez previu que uma mulher de cabelos ruivos e cacheados exerceria uma grande influência na minha carreira. Era a Annie.

Finalmente, obrigada a Bob Gilbert e Tad Gast – ainda que eles não estejam mais aqui na Terra, seu espírito nunca me abandona. E a Giovanni, a quem continuo a ver em cada canto da Itália.

Sobre a autora

Patricia Schultz é co-autora de *Made in Italy*. Atualmente escritora freelance na área de viagens, com artigos publicados nas revistas *Condé Nast Traveler*, *Departures* e *Harper's Bazaar*, já escreveu para os guias de viagem *Frommer's*, *Berlitz* e *Access*.

INFORMAÇÕES SOBRE OS PRÓXIMOS LANÇAMENTOS

Para receber informações sobre os lançamentos da Editora Sextante, basta enviar um e-mail para
atendimento@esextante.com.br
ou cadastrar-se diretamente no site
www.sextante.com.br

Para saber mais sobre nossos títulos e autores, e enviar seus comentários sobre este livro, visite o nosso site:
www.sextante.com.br

Editora Sextante
Rua Voluntários da Pátria, 45 – Gr. 1.404 – Botafogo
22270-000 – Rio de Janeiro – RJ
Tel.: (21) 2286-9944 – Fax: (21) 2286-9244
E-mail: atendimento@esextante.com.br
www.sextante.com.br